# LE SYSTÈME POLITIQUE QUÉBÉCOIS

# Les auteurs

**Jean-Charles Bonenfant,** Faculté de droit, Université Laval

**Serge Carlos,** Centre de Sondage, Université de Montréal

**Edouard Cloutier,** Centre de Sondage, Université de Montréal

**Roch Denis,** Département de science politique, Université du Québec à Montréal

**Francine Dépatie,** Conseil de la femme, Gouvernement du Québec

**Micheline De Sève,** Département de sociologie, Université Laval

**Léon Dion,** Département de science politique, Université Laval

**André Gélinas,** Ministère de la justice, Gouvernement du Québec

**François-Pierre Gingras,** Département de science politique, McMaster University

**James Ian Gow,** Département de science politique, Université de Montréal

**Raymond Hudon,** Département de science politique, Université Laval

**William P. Irvine,** Département de science politique, Queen's University

**Pierre-André Julien,** Centre de Recherches urbaines et régionales, Institut national de recherches scientifiques, Université du Québec

**Gilles Lalande,** Département de science politique, Université de Montréal

**Pierre Lamonde,** Centre de recherches urbaines et régionales, Institut national de recherches scientifiques, Université du Québec

**Marc Laurendeau,** Comité électoral, Montréal-Matin

**Louis Le Borgne,** Centre de documentation en sciences humaines, Université du Québec à Montréal

**Vincent Lemieux,** Département de science politique, Université Laval

**Jacques Léveillée,** Département de science politique, Université du Québec à Montréal

**Jean-Luc Migué,** Ecole nationale d'administration publique, Université du Québec

**Marie-France Moore,** Département de science politique, University of Chicago

**Réjean Pelletier,** Département de science politique, Université Laval

**Luc Racine,** Département de sociologie, Université de Montréal

**François Renaud,** Ministère des affaires sociales, Gouvernement du Québec

**Jean-Pierre Richert,** Department of Political Science, Richard Stockton College, New Jersey

**Guy Rocher,** Département de sociologie, Université de Montréal

**Brigitte von Schoenberg,** Département de science politique, Université du Québec à Montréal

**Alfred Sicotte,** Département de sociologie, Université de Montréal

**Michael Stein,** Département de science politique, Université McGill

# LE SYSTÈME POLITIQUE QUÉBÉCOIS

**Recueil de textes préparé par Édouard Cloutier et Daniel Latouche**

Collection
L'homme
dans la société
*Sous la direction de*
Guy Rocher et
Pierre W. Bélanger

**Hurtubise HMH**

*Cet ouvrage a été publié grâce à*
*une subvention de la Fédération*
*canadienne des sciences sociales,*
*dont les fonds proviennent du Conseil*
*de recherches en sciences humaines*
*du Canada.*

*Maquette de la couverture:*
Pierre Fleury

Editions Hurtubise HMH, Limitée
7360 boul. Newman
Ville LaSalle, Québec
H8N 1X2
Canada

Téléphone: (514) 364-0323

ISBN 2-89045-203-4

*Dépôt légal / 4ᵉ trimestre 1979*
*Bibliothèque Nationale du Canada*
*Bibliothèque Nationale du Québec*

*Imprimé au Canada*

# Remerciements

Nous tenons à exprimer notre reconnaissance à l'égard des auteurs,
qui ont accepté que leurs travaux soient publiés dans ce recueil;
des maisons d'éditions,
qui ont bien voulu permettre la reproduction de certains textes;
des secrétaires, Marie Robillard et Lucette Stam du Centre d'Etudes Canadiennes-françaises de l'Université McGill, Céline Meunier et Louise Lafleur-Grignon du Département de science politique de l'Université du Québec à Montréal, M.-Claire Boulay-Charet du Centre de Sondage de l'Université de Montréal, sans lesquelles le manuscrit que nous avons préparé n'aurait sans doute jamais été déchiffré.

à  P. et M.-F.
qui ont suffisamment entendu
parler de ce livre pour
ne pas avoir à le lire.

# Table des matières

# Avant-propos

Nous avons réuni les textes qui composent ce volume dans le but de présenter un aperçu aussi général que possible de l'étude de la politique québécoise contemporaine. Les textes n'ayant cependant pas été commandés à cette fin spécifique, il faut donner à cette appellation une signification assez large. Ainsi, bien que nous considérions comme contemporains les événements qui se sont déroulés depuis la fin du régime Duplessis (Maurice Duplessis est décédé en septembre 1959), plusieurs des analyses ci-incluses, tout en étant centrées sur cette période, reposent en partie sur des données qui lui sont bien antérieures afin précisément de faire ressortir, par des approches comparatives et « développementales », les caractéristiques spécifiques aux phénomènes contemporains. De même, nous avons considéré comme étant politiques tous les phénomènes qui ont trait aux décisions affectant la société québécoise globale, définition qui dépasse de beaucoup le strict fonctionnement de l'État, mais qui permet quand même, comme nous le verrons plus loin, de circonscrire la spécificité du politique.

La sélection des articles a été faite sur la base de trois principes concomitants. En premier lieu, l'anthologie devait comporter des textes relatifs à chacun des grands secteurs de l'étude politique aussi bien institutionnelle (la constitution, le parlementarisme, l'administration publique, les partis politiques) que non-institutionnelle (les mouvements et les groupes), auxquels il faut ajouter les grands problèmes politiques particuliers à l'ensemble des institutions concernées. Il était évidemment impossible de tenter de traiter de tous les ministères, partis, mouvements, groupes ou problèmes politiques, ni même d'accorder ne serait-ce qu'un espace restreint aux plus importants d'entre eux. Le faire eut réduit le recueil à une collection de descriptions schématiques dénuées de toute analyse approfondie. En conséquence, bien des sujets n'apparaissent pas au sommaire de cet ouvrage. Mentionnons entre autres les aspects politiques du territoire québécois (souveraineté territoriale), de la composition et du développement de sa population (relations ethniques, dénatalité, migrations), des communications entre ses habitants et avec l'extérieur (transports et media), de l'enculturation et de la déculturation des Québécois (politiques linguistiques et assimilation), de certaines grandes réformes administratives (éducation, justice), de l'organisation policière et des relations internationales de l'État québécois. Aucun de ces secteurs importants n'a volontairement été mis de côté, sauf celui des études électorales puisqu'un recueil qui lui est entièrement consacré a été publié en 1976[1]. Quant aux autres, c'est soit au

---

1   Il s'agit de *Le processus électoral au Québec*, Montréal, HMH, 1976, préparé sous la direction de Daniel Latouche, Guy Lord et Jean-Guy Vaillancourt.

manque d'espace, soit à la non-disponibilité du texte, soit à l'application de deux autres principes de sélection qu'il faut en attribuer l'omission.

En second lieu, il nous a semblé souhaitable d'assurer une plus grande disponibilité de certaines études dont la diffusion a été jusqu'à présent relativement restreinte. Ainsi, treize des vingt-cinq textes que nous avons retenus proviennent, en tout ou en partie, de thèses de maîtrise ou de doctorat non publiées, de rapports ronéotypés de recherche ou de communications non publiées. Quant aux douze autres, il s'agit soit de condensés de livres portant sur des sujets relativement restreints dont on peut supposer que seuls les « spécialistes » se les sont procurés, soit de refontes originales de plusieurs articles précédemment parus, soit enfin d'articles repris, et même traduits avec des modifications mineures, d'autres parutions. On notera que le recueil ne contient que quatre reprises directes de publications antérieures.

Enfin, nous avons aussi établi au départ que les textes à réunir auraient un caractère essentiellement scientifique. Cette contrainte engendre des conséquences que certains jugeront fâcheuses en ce qui a trait à l'accessibilité au volume puisque les articles risquent ainsi d'être relativement hermétiques au niveau du langage et de la forme (notes, tableaux et diagrammes). Tout en reconnaissant que l'emploi du langage scientifique peut devenir abusif et même mystificateur à l'occasion[2], nous voyons mal comment on peut arriver à discourir avec précision de choses complexes sans y recourir. Car, non seulement les réalités sociales — de même que physiques — sont-elles complexes, mais aussi le vocabulaire qui peut sembler le plus élémentaire pour en discourir a constamment avantage à être précisé puisque la signification est loin d'en être fixée. Ainsi en est-il de concepts fort souvent utilisés en sciences sociales tels que « pouvoir », « classes sociales », « domination » et « dépendance » pour n'en nommer que quelques-uns. Dans la mesure où le discours veut avoir un sens, c'est-à-dire permettre l'échange de l'information, de tels concepts doivent être rendus aussi univoques que possible. C'est pourquoi l'on constatera que, dans nombre de textes qui suivent, plusieurs auteurs mettent grand soin à préciser l'objet et la démarche de leur analyse. Nous convenons que cette procédure alourdit l'exposé. Elle permet cependant que s'établisse une réelle communication entre l'auteur et le lecteur, de sorte qu'on puisse identifier avec précision les points d'entente et de mésentente entre eux. Ainsi, Alfred Sicotte peut, dans le présent volume, signifier son désaccord avec la méthodologie et les concepts employés par d'autres auteurs en ce qui a trait à l'aliénation politique et au conservatisme des créditistes précisément parce que ces derniers avaient, antérieurement, pris la peine d'indiquer clairement ce qu'ils entendaient par là. Quant à l'usage d'outils techniques de cueillette, d'analyse ou d'exposition des données, il nous semble encore là que, bien qu'ils soient susceptibles de créer certaines difficultés au lecteur non initié, ils demeurent indispensables au travail d'analyse et d'explication. Comme tous les autres métiers, celui d'analyste politique requiert l'apprentissage et l'emploi correct d'outils spécialisés et nous saisissons mal comment on peut reprocher à ce dernier ce que l'on ne reproche ni au pilote de ligne, ni même au cuisinier, à savoir le manque de compréhension et de préhension instantanées par tout le monde des divers instruments et méthodes qui leur servent à produire biens et services.

Par delà notre préoccupation première de présenter un volume qui porte sur les principaux aspects de la politique québécoise, nous avons aussi visé un objectif d'ordre pédagogique. Nous avons en effet voulu que le recueil puisse être utilisé comme instrument d'apprentissage intellectuel tant au niveau des CEGEP qu'au

---

2    Stanislav Andreski parle même d'une sorte de «sorcellerie» à ce propos, dans *Social Sciences as Sorcery,* New York, Saint Martin's Press, 1972.

niveau universitaire. S'il est important que le plus grand nombre possible de Québécois connaissent le fonctionnement de leur système politique, il est primordial pour tout étudiant de ce système de savoir comment on peut le connaître et l'analyser. Il ne suffit pas, en effet, d'avoir cueilli de l'information à diverses sources (presse écrite et parlée, livres, etc.) pour connaître la politique d'un pays. Il faut aussi être en mesure de pouvoir juger cette information, c'est-à-dire d'évaluer la validité des énoncés qu'elle contient.

Pour atteindre ce deuxième objectif, nous avons eu recours à une présentation qui met l'accent sur deux aspects fondamentaux de la méthode : les approches et les techniques de recherches. Nous n'avons pas la prétention de rendre le lecteur apte à comprendre et à mettre en oeuvre toutes les approches et toutes les techniques, mais bien plutôt d'illustrer l'utilisation de celles qui sont le plus couramment employées pour étudier la politique québécoise. C'est pourquoi le texte de présentation qui précède chaque article identifie de façon succinte non seulement l'objet de l'étude, mais aussi l'approche et les outils dont l'auteur fait usage. De plus, l'introduction au présent recueil s'efforcera de situer dans un cadre général de référence ces approches et ces outils.

Édouard Cloutier
Daniel Latouche
Montréal, septembre 1976

# Introduction

# Mais où est donc passée la science politique québécoise ?

Édouard Cloutier
Daniel Latouche

Depuis une dizaine d'années, l'intérêt pour la politique québécoise, tant au Québec qu'à l'étranger, s'est considérablement accru. Sans doute, pourrait-on attribuer ce phénomène aux nombreuses transformations socio-politiques qui ont caractérisé la période dite de « révolution tranquille » et qui ont contribué à rendre la politique québécoise plus attrayante en tant qu'objet d'étude qu'elle ne l'était auparavant, le changement étant d'une certaine façon plus facile à analyser que l'immobilisme. [1]

## L'état de la science politique au Québec

Pourtant, il ne suffit manifestement pas qu'un sujet de recherche intéressant se présente pour que l'étude en soit nécessairement entreprise. Pour que cet intérêt accru se traduise éventuellement par un accroissement du nombre des études scientifiques, il faut que croisse, en plus de l'intérêt pour la politique, le nombre des personnes dont la fonction est d'en analyser les manifestations : politicologues, sociologues, économistes et historiens. Or, au Québec, depuis dix ans, le nombre de ces spécialistes de l'analyse politique s'est effectivement multiplié par deux ou trois. [2] Mais cet accroissement des chercheurs s'est aussi accompagné d'un élargissement considérable des champs d'intérêts et d'une spécialisation accrue des analystes, si bien qu'il n'existe, quinze ans après le début de la révolution tranquille, qu'une seule étude générale sur

---

1  Guy Rocher a déjà souligné cette attirance des sciences sociales pour le changement. Elles contribuent ainsi à réifier le changement, à en faire aussi « une idéologie, une perception du monde, une certaine conviction ». « L'idéologie du changement comme facteur de mutation sociale », dans G. Rocher, *Le Québec en mutation*, Montréal, HMH, 1973, p. 209.

2  La seule création du réseau de l'Université du Québec a permis l'arrivée sur le « marché » d'environ une cinquantaine de ces spécialistes. Le fait que les statistiques relatives au nombre de membres de la Société canadienne de science politique, dont la fonction est de regrouper les chercheurs d'expression française et particulièrement les Québécois, soient passées de quelques dizaines en 1970 à plus de 400 en 1976, illustre bien cette multiplication des effectifs.

la politique au Québec.[3] D'autre part, cette spécialisation accrue s'est traduite par une multiplication des études sur certains phénomènes tandis que d'autres, tout aussi importants, demeurent sans preneur. C'est ainsi qu'il existe déjà au moins deux monographies très fouillées portant sur le Crédit Social[4], mais seulement une étude globale sur le Parti Québécois[5] et aucune sur la fonction de premier ministre. Enfin, il y a lieu de se demander si la science politique québécoise, malgré des effectifs accrus, n'a pas trop éparpillé ses énergies dans des secteurs où sa contribution ne pourra être que minimale, compte tenu des ressources humaines et matérielles considérables dont disposent les chercheurs américains et européens qui travaillent dans des secteurs identiques, d'où une certaine sous-production dans le domaine qui leur revient en propre, celui des phénomènes politiques québécois.[6]

Il n'existe pas encore de sociologie de la science politique québécoise. Sur ce point les politicologues canadiens-anglais ont déjà pris une avance considérable.[7] Ici-même au Québec, historiens et sociologues ont déjà amorcé une telle réflexion.[8] Comment expliquer cette lacune? Certains diront qu'il n'y a rien à expliquer et qu'il ne faut pas s'attendre à voir émerger une telle réflexion tant que la science politique québécoise n'aura pas atteint, dans le nombre et la qualité de ses contributions, une certaine masse critique. Nous croyons que cette explication ne suffit pas.

Le contraste avec d'autres disciplines est ici très révélateur. Ainsi deux disciplines soeurs, soit l'histoire et la sociologie québécoises, ont été le théâtre de querelles scientifiques qui ont divisé leur communauté en «écoles». On peut certes déplorer le caractère divisif des divergences d'interprétation qui ont porté sur l'importance réelle de la Conquête de 1759,[9] sur le caractère paysan pré-industriel ou de «folk

3   Celle d'André Bernard, *La politique au Canada et au Québec,* Montréal, Presses de l'Université du Québec, 1976. Comme son titre l'indique il s'agit d'une étude qui porte aussi sur le système politique canadien. Plus chanceux, les économistes disposent déjà de plusieurs études générales sur l'économie québécoise: Maurice Saint-Germain, *Une économie à libérer,* Montréal, Les Presse de l'Université de Montréal, 1973; André Raynauld, *Croissance et structure économiques de la Province de Québec,* Québec, Ministère de l'industrie et du commerce, 1961; Robert Comeau, éd., *Économie québécoise,* Montréal, Presse de l'Université du Québec, 1969; Pierre Fréchette, *et al, L'économie du Québec,* Montréal, Les éditions HRW, 1975.

4   Michael Stein, *The Dynamics of Right-Wing Protest,* Toronto, University of Toronto Press, 1973; Maurice Pinard, *The Rise of a Third Party,* Englewood Cliffs, N.J., Prentice-Hall, 1971. Il ne s'agit pas ici de mettre en doute la qualité de ces travaux. Au contraire, ils comptent parmi les meilleurs de la science politique québécoise. Il s'agit simplement de constater leur parenté thématique. L'étude de M. Pinard, par exemple, en est déjà à sa deuxième édition.

5   Il s'agit de l'étude de Vera Murray, *Le Parti Québécois,* Montréal, HMH, 1976. Il existe cependant quelques études de sociologie électorale et des études que l'on pourrait qualifier de «sociologie générale» du mouvement indépendantiste. C'est le cas de l'étude de Jean-Claude Robert, *Du Canada français au Québec libre,* Saint-Laurent, Québec, Flammarion, 1975.

6   Ici encore, nous voulons poser le problème à un niveau très général sans mettre en doute la valeur et l'importance de former au Québec des spécialistes sur l'Afrique, la Chine, l'Europe ou l'Amérique latine. Il s'agit plutôt de s'interroger à savoir si la science politique québécoise ne devrait pas, au lieu de tenter de reproduire en plus petit tous les axes de développement que l'on retrouve à l'extérieur du Québec, se donner un nombre limité de priorités qui lui soient propres et à l'étude desquelles ses ressources permettraient de contribuer de façon originale?

7   On pourra consulter à cet effet D. Smiley, «Must Canadian Political Science be a Miniature Replica?», *Revue d'études canadiennes,* 9 (1974), p. ( 1-42; A. Kornberg et A. Tharp, «The American Impact on Canadian Political Science and Sociology», in R. Preston, ed., *The Influence of the United States on Canadian Development,* Durham, N.C., Duke University Press, 1972, p. 55-98; Alan Cairns, «Political Science in Canada and the Americanization Issue», *Revue canadienne de science politique,* 8 (1975), p. 191-235.

8   On pourra consulter à ce sujet (pour l'histoire) P. Savard. «Un quart de siècle d'historiographie québécoise, 1947-1972», *Recherches sociographiques,* 15 (1974), p. 77-97 et (pour la sociologie) le numéro spécial de *Recherches sociographiques* consacré à ce sujet: no 2-3, 15 (1974).

9   On trouvera une analyse sociologique de cette querelle dans S. Gagnon, «Pour une conscience historique de la révolution québécoise», *Cité libre,* 16 (1966), p. 4-19.

society» du Québec d'avant 1945[10], ou sur la réalité empirique du concept de classes sociales tel qu'appliqué au Québec[11], mais on ne peut nier que de telles querelles, avec tout ce qu'elles comportent de conflits de personnalité et d'oppositions idéologiques, n'en demeurent pas moins le mécanisme qui assure la dynamique du développement des sciences sociales. Sans querelles scientifiques, il ne saurait y avoir de révolutions scientifiques[12] et encore moins d'avancement de la connaissance.

En science politique, si l'on fait exception de quelques divergences d'opinions qui toutes relèvent du domaine de la sociologie électorale, c'est l'unanimité la plus complète[13] Le débat est absent. Les champs de recherche sont encore si vastes que peu de chercheurs ont eu l'occasion de se côtoyer sur un même sujet d'analyse. De telles querelles étant souvent l'occasion privilégiée d'une réflexion critique de la part de ceux qui y sont mêlés, il n'est pas surprenant qu'il n'existe pas de sociologie de la science politique québécoise, comme il en existe une de la sociologie québécoise.

Deux raisons contribuent, croyons-nous, à expliquer ce «retard»[14] de la science politique québécoise par rapport à la sociologie québécoise ou à la science politique de tradition américaine. L'une a trait à la position politique particulière dans laquelle se trouve le Québec, l'autre aux conséquences imprévues d'une remise en question radicale de la société et de l'université dans les sociétés libérales contemporaines. Évidemment, ces deux raisons ne sont pas étrangères l'une à l'autre.

Il est traditionnel dans les cours d'introduction à la vie politique que le professeur et les étudiants s'interrogent longuement sur la nature de l'objet d'analyse

---

10 Il n'existe pas d'analyse de cette querelle dont la violence verbale ne cesse d'étonner. On pourra toutefois s'en faire une idée assez juste en consultant H. Guindon, «The Social Evolution of Quebec Reconsidered», *Canadian Journal of Economics and Political Science,* 26 (1960), p. 533-551; P. Garigue, «St-Justin: A Case Study in French Canadian Rural Organization», *Canadian Journal of Economics and Political Science,* 22, (1966), p. 301-318; G. Fortin, «L'étude du milieu rural», dans son ouvrage *La fin d'un règne,* Montréal, HMH, 1971, p. 173-186.

11 Cette querelle est surtout développée dans F. Dumont, «Notes sur l'analyse des idéologies», *Recherches sociographiques,* 10 (1969), p. 145-156; J. Dofny et M. Rioux, «Les classes sociales au Canada français», *Revue française de sociologie,* 3 (1962), p. 290-300; G. Bourque et N. Laurin-Frenette, «La structure nationale québécoise», *Socialisme québécois,* no 21-22 (avril 1971), p. 109-155.

12 On aura remarqué qu'il s'agit là d'une conception de l'histoire des sciences qui se situe dans la tradition de l'analyse de T. Kuhn *La structure des révolutions scientifiques,* Paris, Flammarion, 1972. Mais il ne faudrait pas croire qu'il s'agit là d'un point de vue propre à une école libérale de sociologie des sciences. Récemment P. Raymond dans *De la combinatoire aux probabilités,* Paris, Maspero, 1975, nous offrait une histoire marxiste de l'apparition du concept de probabilité à travers les luttes et les *querelles* qui opposèrent à ce sujet Pascal, Bernoulli, Leibniz, Huygens et Descartes. Pour Raymond, les probabilités constituent un nouveau *mode* de production scientifique en lutte contre des *rapports* de production intellectuelle sclérosés à cause d'un impérialisme de la philosophie.

13 Mentionnons, par exemple, la discussion, très académique et très polies, entre V. Lemieux et M. Pinard sur les assises socio-économiques du vote créditiste: M. Pinard, «La faiblesse des conservateurs et la montée du Crédit social en 1962», *Recherches sociographiques,* 7 (1966), p. 360-363: V. Lemieux, «Réponse», *Ibid.,* p. 363-365.

14 Ce retard de la science politique québécoise, s'il est encore besoin de le démontrer se révèle aussi par l'absence d'un manuel de base de science politique écrit au Québec. Ici encore, économistes et sociologues sont privilégiés car ils peuvent compter sur le manuel de Rodrigue Tremblay, *L'économique,* Montréal, Holt, Rinehart et Winston, 1969, et sur celui de Guy Rocher, *Introduction à la sociologie générale,* Montréal, HMH, 1969, 3 v. Nouvelle ironie, le texte de G. Rocher est maintenant fréquemment cité dans les manuels français de science politique, et notamment dans ceux de M. Duverger, comme complément dont la lecture est «vivement» conseillée. Malgré son ampleur théorique, *Le fonctionnement de l'État,* Paris, A. Colin, 1965 de Gérard Bergeron ne saurait être considéré comme un manuel de base de science politique, parce que trop centré sur l'État. Par ailleurs, l'étude de L. Dion sur les groupes, *Société et politique: la vie des groupes,* Québec, Presses de l'Université Laval, 1974, qui constitue une introduction magistrale à l'étude des dynamismes internes des sociétés libérales et qui fait adroitement appel à la majorité des concepts de la science politique contemporaine, ne saurait introduire le lecteur à la vie de l'État.

de la science politique[15]. Est-ce l'autorité? Est-ce l'État? Est-ce le pouvoir? Est-ce le gouvernement?[16] Après un moment d'hésitation et un instant de panique («et si la science politique n'avait pas d'objet propre?»), on en arrive nécessairement à la distinction entre *la* politique, et *une* politique[17]. Toute cette discussion nous permettait finalement d'établir, avec Dahl, Weber et Easton[18], que la politique caractérise tout ensemble de rapports humains où certains individus ou groupes décident pour d'autres et voient à ce que leurs décisions soient exécutées grâce à leur pouvoir, leur autorité ou leur influence.

Bien qu'ils continuent de s'en défendre, les politicologues sont donc amenés, selon cette définition, à étudier de façon privilégiée les phénomènes de pouvoir, que celui-ci soit défini comme autoritaire, légitime ou consensuel. Une telle définition de la science politique et de son objet d'analyse n'est pas sans placer le Québec dans une situation particulière puisque une part importante de l'exercice formel de ce pouvoir lui échappe. Sur ce plan, le Québec est un objet d'analyse «incomplet». Les politicologues qui aiment les situations claires (i.e. dont l'objet d'analyse s'appréhende facilement : *un* président, *une* Chambre d'Assemblée et *un* ministre des affaires extérieures) sont nécessairement amenés à se détourner du Québec.

Une telle situation n'est pourtant pas particulière au Québec. Ainsi, aux États-Unis, la présidence, la bureaucratie fédérale et le Congrès ont presque monopolisé l'attention des chercheurs aux dépens des gouverneurs et des assemblées des États. En France, la constitution et les grands partis nationaux ont presque complètement relégué dans l'ombre l'étude de la politique municipale. Comme leurs collègues européens et américains, les politicologues québécois préfèrent étudier ce qu'ils jugent être important.

Certes, cette absence d'un monopole québécois du pouvoir politique pourrait constituer en elle-même un objet d'analyse important. Mais ce dernier appartient si étroitement au domaine du débat politique et partisan que les politicologues hésitent souvent à l'étudier afin d'éviter que l'on confonde leur objet d'analyse avec leur position politique personnelle. Étudier le fonctionnement des institutions fédérales canadiennes ou les relations interethniques au Canada, c'est courir le risque de se voir automatiquement étiqueté comme partisan du fédéralisme.

---

15   On trouvera, une longue discussion sur ces diverses définitions dans Jean Meynaud, *Introduction à la science politique,* Paris, A. Colin, 1959; Maurice Duverger, *Sociologie politique,* Paris, Presse Universitaires de France, 1966.

16   État, autorité, pouvoir, gouvernement, il s'agissait là de concepts issus en droite ligne d'une tradition juridique qui était à l'époque (1958-1968) la tradition dominante dans la science politique québécoise et française. Aujourd'hui, le même débat, tout aussi rituel, se prolonge mais en des termes nouveaux : il s'agit maintenant de savoir si la science politique doit être considérée comme une science ou une pratique, une théorie ou une praxis, si elle relève de la sociologie ou si elle constitue un champ autonome de production intellectuelle, si la politique est un déterminant de première ou de dernière instance. C'est à se demander si, à force de s'accélérer, l'Histoire ne finit pas par se répondre et par nous placer dans la répétition.

17   Les anglophones ont la chance de pouvoir différencier la politique et une politique en appelant cette dernière «policy».

18   R. Dahl définit la politique comme «n'importe quel ensemble constant de rapports humains qui impliquent dans une mesure significative des relations de pouvoir, de gouvernement ou d'autorité», *L'analyse politique contemporaine,* Paris, R. Laffont, 1973. Pour D. Easton, *Analyse du système politique,* Paris, A. Colin, 1974, il s'agit de la distribution de valeurs dans une société. Quant à M. Weber, il définit la politique comme «un groupe de domination dont les ordres sont exécutés sur un territoire donné par une organisation administrative qui dispose de la menace et du recours à la violence physique» *Économies et sociétés,* Paris, Plon, 1971, v. 1, p. 57. Toutes ces définitions insistent sur le caractère «pouvoir» de la relation politique. Nous reviendrons plus loin sur cette définition.

Cette définition de la politique par le pouvoir fait donc du Québec un objet d'analyse incomplet et moins attrayant que d'autres. Par contre, son statut de marginal et de minoritaire par rapport à l'ensemble nord-américain fait du Québec un objet d'analyse très attrayant pour les sociologues qui, contrairement aux politicologues, sont souvent plus attirés par l'exception que par la règle, par l'exotique que par l'habituel[19]. Il n'est donc pas surprenant que, vu sous cet angle, le Québec constitue un objet d'étude privilégié. D'ailleurs, les sociologues américains ont été les premiers à le reconnaître en consacrant des efforts importants à l'étude du Québec[20]. Ils y ont appliqué des concepts (celui de « folk society » entre autres) et ont pu y expérimenter de nouvelles techniques de recherche (i.e. l'observation participante). À son tour, cet intérêt s'est propagé parmi les sociologues québécois qui entreprirent alors de vérifier et de contredire certaines des thèses américaines[21].

On peut se demander s'il ne faudrait pas de la même façon que le Québec politique soit « découvert » pour que les politistes[22] québécois décident d'emboîter le pas[23]. Ce processus est peut-être déjà en marche dans la mesure où la science politique américaine est de plus en plus amenée à voir le Québec :

1- Le cas d'une société qui accède de façon accélérée à l'univers de la postmodernité ;

2- Un exemple d'une société moderne où se perpétuent des conflits ethniques ;

3- Un contrepoids possible au nationalisme canadien-anglais de plus en plus antiaméricain dans ses positions ;

4- Une avant-première de cet éclatement géographique et ethnique qui frappe aussi les autres grands pays industriels ;

5- Un problème éventuel si jamais le Québec devenait indépendant[24].

Mais il est aussi une autre raison à ce piétinement d'une science politique du Québec « made in Québec », soit celle d'une remise en question, souvent mais non exclusivement inspirée d'une analyse marxiste renouvelée, de certains fondements des

---

19  C'est d'ailleurs là un reproche que les tenants d'une sociologie radicale adressent régulièrement à leurs collègues de l'*establishment* sociologique.

20  C'est le cas par exemple, de «l'école de Chicago»: E. Hughes, *French Canada in Transition,* Chicago, University of Chicago Press, 1941; H. Miner, *Saint-Denis; A French Canadian Parish,* Chicago, University of Chicago Press, 1962.

21  Ce fut notamment le cas de P. Garigue dans l'article cité plus haut.

22  On aura remarqué que nous employons indifféremment politologues, politicologues et politistes. Chacun de ces noms a ses défenseurs acharnés, mais nous préférons ne pas entrer dans un tel débat. Une telle confusion dans les noms n'est peut-être pas sans cacher une ambiguïté dans la définition même de la discipline et de son objet d'étude.

23  En toute justice, il faut dire qu'un certain nombre de politicologues québécois ont depuis longtemps «découvert» le Québec. Mentionnons entre autres Léon Dion et Vincent Lemieux pour qui il ne saurait faire de doute que l'étude de la vie politique québécoise peut contribuer directement à «l'avancement» de la science politique. Voir à ce sujet Léon Dion, *La prochaine révolution,* Montréal, Leméac, 1974; *Le bill 60 et la société québécoise,* Montréal, HMH, 1967; Vincent Lemieux, *Une élection de réalignement,* Montréal, Jour, 1970; *Le quotidien politique vrai,* Québec, Presses de l'Université Laval, 1973; *Quatres élections de réalignement,* Québec, Presses de l'Université Laval, 1969; *Le patronage et la politique,* Montréal, Boréal-Express, 1975. Il n'en demeure pas moins que l'analyse la plus complète et la plus rapidement produite de la révolution tranquille québécoise soit l'oeuvre d'un Américain, Edward M. Corbet, *Quebec confronts Canada,* Baltimore, Johns Hopkins, University Press, 1965.

24  Le colloque organisé en juin 1974 par la World Peace Foundation de Boston est un indice de cette «découverte». On en trouvera le compte rendu dans la revue *Choix,* 7 (1975) publiée par le centre québécois de relations internationales.

sociétés occidentales : la science, la technologie, l'université, le libéralisme. Paradoxalement, cette remise en question, à laquelle beaucoup d'énergies ont été consacrées, n'a pas encore produit dans la science politique québécoise les résultats escomptés.

C'est pour s'opposer à Marx qui, dans sa *Contribution à la critique de l'économie politique* et surtout dans *L'idéologie allemande,* proclamait la non-autonomie de l'idéologie et du politique[25], que de nombreux politicologues en vinrent au contraire à proclamer l'autonomie et même la domination du politique sur l'économique[26]. Par ailleurs, plusieurs de ces auteurs n'ont pas hésité à inventer de toutes pièces un marxisme caractérisé par un déterminisme économique absolu qui, même chez Marx et Engels, ne fut jamais autre chose qu'une détermination de « dernière instance ». C'est à leur tour par réaction contre cette domination que L. Althusser et N. Poulantzas, reprenant certaines des thèses de A. Gramsci[27] et avant lui de G. Lukacs[28], ont proposé le concept d'autonomie relative et de surdétermination[29]. On en arrive ainsi à une sorte de dépendance relative de la politique considérée comme un sous-système. Reste à expliciter davantage des concepts tels que « dépendance relative » et « surdétermination » qui pour l'instant demeurent des portes de sortie élégantes au débat entre l'économisme des uns et l'idéologisme des autres[30].

Au Québec, ce débat, même s'il ne fut pas repris comme tel, n'est pas demeuré sans écho. C'est surtout autour de l'idéologie nationaliste, et non pas autour du projet et de l'activité politique dans son ensemble, que les discussions ont porté. Contre l'idéalisme de F. Dumont et M. Rioux[31], qui non seulement accordent une grande autonomie à l'idéologie nationaliste mais vont jusqu'à percevoir le Québec comme une classe sociale définie à partir de l'idéologie de l'ethnicité, G. Bourque et N. Laurin-Frenette[32] ont proposé de voir dans le nationalisme une idéologie de classe qui s'inscrit

---

25 « Et même les fantasmagories dans le cerveau humain sont des sublimations résultant nécessairement du processus de leur vie matérielle que l'on peut constater empiriquement et qui reposent sur des bases matérielles. De ce fait, la morale, la religion, la métaphysique et tout le reste de l'idéologie, ainsi que les formes de conscience qui leur correspondent perdent aussitôt toute apparence d'autonomie ». K. Marx, *L'idéologie allemande,* Paris, Ed. sociales, 1965, p. 17.

26 C'est le cas notamment de ces nombreux spécialistes du développement qui voient dans l'existence de formes démocratiques un prérequis à une croissance économique. C'est le cas de W.W. Rostow, *Les étapes de la croissance économique,* Paris, Seuil, 1962; G. Almond, *Political Development,* Boston, Little Brown, 1970; D. Lerner, *The Passing of Traditional Society,* Chicago, Free Press of Glencoe, 1958 et les contributions à l'étude de J.-U. Gillespie et B. Nesvold, eds., *Macro-Quantitative Analysis,* Beverly Hills, Sage Publications, 1971.

27 Gramsci refuse le faux débat qui consiste à privilégier soit l'infrastructure (économie), soit la superstructure (idéologie, politique). Les deux, croit-il, sont dans une relation de dialectique et c'est de leur combinaison qu'émergerait le mouvement historique: A. Gramsci, *Oeuvres choisies,* Paris, Ed. sociales, 1959, p. 230-240. Notre analyse est étroitement inspirée de l'étude de H. Portelli, *Gramsci et le bloc historique,* Paris, Presses Universitaires de France, 1972. On pourra aussi consulter J.-M. Piotte, *La pensée politique de Gramsci,* Montréal, Parti-pris, 1970.

28 Pour Lukacs, c'est la politique, qui cesse alors d'être un simple reflet, qui joue un rôle essentiel dans le changement historique. Voir son *Histoire et conscience de classe,* Paris, Minuit, 1970, p. 95-130. Une telle prise de position lui vaudra évidemment d'être excommunié par bien des marxistes.

29 L. Althusser dans « Idéologie et appareils idéologiques d'état », *La pensée,* no 151 (juin 1970), p. 3-39 et dans *Pour Marx,* Paris, F. Maspero, 1968; N. Poulantzas, *Pouvoir politique et classes sociales,* Paris, F. Maspero, 1968. Récemment, Poulantzas a précisé sa pensée dans *Les classes sociales dans le capitalisme d'aujourd'hui,* Paris, Seuil, 1974.

30 On trouvera un compte rendu de ce débat dans l'étude, du reste remarquable, de J.-P. Cot et J.-P. Mounier, *Pour une sociologie politique,* Paris, Seuil, 1974, V. 1, p. 126-139.

31 F. Dumont, « Notes sur l'analyse des idéologies », *op. cit.,* p. 145-156; M. Rioux, « Conscience ethnique et conscience de classe au Québec », *Recherches sociographiques,* 6 (1965), p. 23-32.

32 G. Bourque et N. Laurin-Frenette, « La structure nationale québécoise », *op. cit.*

dans les structures économiques propres au Québec, soit le capitalisme monopolistique d'état. Le débat était lancé. Malheureusement, il ne s'est pas dirigé du côté de la vérification empirique mais plutôt vers le raffinement théorique[33].

De la sorte, on en est donc venu, parmi les marxistes québécois, à nier l'autonomie, même relative, du politique et des idéologies. Depuis lors, toute analyse d'un phénomène politique, que ce soit les assises électorales du P.Q., la stratégie du FRAP, la crise d'octobre ou les politiques sociales, se fait à partir d'une analyse dite économique[34] de la réalité québécoise, surtout celle qui date de la révolution tranquille. De la sorte, tout sujet d'étude qui ne peut être formulé en termes «économiques» (i.e. dépendance, hégémonie, domination) est souvent considéré comme non pertinent à la politique québécoise. Inutile de dire qu'il se trouve alors peu de volontaires pour étudier le comportement électoral, le poste de premier ministre ou le fonctionnement de l'Assemblée nationale, pour ne nommer que trois sujets pourtant fondamentaux pour quiconque veut comprendre la politique québécoise, mais sur lesquels nous manquons sérieusement d'information. Ce que nous qualifions plus haut de manque d'intérêt pour la politique québécoise ne tient donc pas surtout à un manque d'intérêt pour le Québec en tant que sujet d'analyse, mais au refus de considérer l'activité politique comme une sphère autonome, même si cette autonomie n'est que relative, de l'activité sociale[35].

Ce refus du politique prétend souvent se justifier à partir de ce que S. Amin appelle le «renouveau du marxisme contemporain... qui n'est ni une théorie économique, ni une théorie sociologique, ni une philosophie, mais la science sociale de la praxis socialiste révolutionnaire»[36]. Il s'accompagne en outre d'un refus de l'Université traditionnelle, d'un refus de la relation professeur-étudiant condamnée comme un vestige de l'idéologie bourgeoise et d'un refus d'une science même du politique sous prétexte que la politique est avant tout une praxis et qu'elle ne doit pas être enfermée dans les cadres rigides d'une discipline académique. Autant de justifications qui permettent de rejeter du revers de la main toute préoccupation pour la méthodologie, les techniques quantitatives d'analyse, la recherche empirique et les tentatives de formalisation dont la science politique du Québec aurait pourtant bien besoin[37].

On aura deviné que nous ne souscrivons pas à cette approche. Pour nous, la science politique, qu'elle soit fonctionnaliste, marxiste ou radicale, sera préoccupée de méthodologie et de vérification empirique, ou elle ne sera pas du tout. Si la science politique veut contribuer à changer et non pas seulement à philosopher sur la réalité québécoise, elle devra dépasser le stade du discours sur le discours pour aborder franchement celui de la confrontation avec cette réalité. Tant pis si l'on juge qu'il s'agit là d'une position réactionnaire. Certes nous sommes bien conscients que nombre d'études qui alignent tableau après tableau auraient grand intérêt à être précédées

---

33   Ce raffinement est parfois très poussé et très utile, comme l'étude de C. St-Pierre, «De l'analyse marxiste des classes sociales dans le mode de production capitaliste», *Socialisme québécois,* 24 (1974), p. 9-33.

34   Analyse dans laquelle bien peu d'économistes se reconnaissent.

35   Il n'y a pas que la science politique qui soit frappée d'économisme. La majorité des groupes qui ont analysé la situation québécoise l'ont fait en termes strictement économiques. Pour s'en convaincre, il suffit de lire les manifestes des trois centrales syndicales CSN, FTQ et CEQ. Ils sont reproduits dans G. Gagnon et L. Martin éds, *Québec 1960-1980: la crise du développement,* Montréal, HMH, 1974, p. 357-408.

36   S. Amin, «Une crise structurelle» dans S.Amin *et al., La Crise de l'impérialisme,* Paris, Minuit, 1975, p. 20.

37   Nous fondons notre opinion à ce sujet sur les rapports que nous avons entretenus, au cours des dernières années, avec de nombreux collègues dans plusieurs départements de science politique ainsi qu'avec quelques centaines d'étudiants inscrits à des cours de méthodologie, de techniques statistiques et de théorie en science politique.

d'une réflexion théorique. Cette façon d'éviter tout effort préalable de théorisation conduit, elle aussi, à une connaissance bien ténue de la réalité. Certes, nombreux sont ceux qui succombent à la tentation des coefficients de corrélation pour masquer le fait qu'ils n'ont rien de très nouveau à proposer. Il suffit d'être quelque peu familier avec la quantité effarante d'articles produits par la science politique américaine pour se rendre compte que ce danger est bien réel. Mais ces écueils sont-ils suffisants pour justifier l'abandon d'une préoccupation constante pour la méthodologie, la vérification empirique et la quantification de ce qui peut être quantifié? Il nous semble plutôt évident qu'il faille, tel que le prescrit un dicton anglais, éviter d'évacuer le bébé avec l'eau de son bain[38].

## Le choix d'une approche

Compte tenu de ce qui vient d'être dit et compte tenu aussi du fait qu'il s'agit ici d'un recueil de textes, il nous a fallu choisir une approche qui permette au lecteur d'intégrer dans un tout cohérent les diverses contributions de ce livre[39]. Nous appelons approche la vision générale que se fait le chercheur de la façon dont il faut interroger le perçu pour en faire ressortir la réalité. Est-il possible d'élaborer une approche qui puisse respecter la diversité des textes de ce recueil, tout en ne niant pas l'importance de la dimension méthodologique et l'autonomie, même relative, du politique?

Signalons qu'il n'existe pas de classifications complètes des approches, c'est-à-dire une liste de celles-ci qui soit à la fois exhaustive (i.e. qui les comprenne toutes) et exclusive (i.e. qui fait qu'aucune d'entre elles n'en recouvre aucune autres). Pour l'ensemble des sciences sociales, et cela est valable pour la science politique, on reconnaît généralement que les approches comparative, historique, fonctionnelle. structurelle, systémique et dialectique sont pratiquées, chacune indiquant comment il faut s'y prendre pour appréhender le réel social, à savoir comparer, retracer la trame historique, trouver la fonction, déceler la structure et le système, et faire ressortir les contradictions[40]. On voit tout de suite que certaines approches sont difficiles à concevoir à l'exclusion des autres. Par exemple, comment peut-on parler de la fonction d'un élément social quelconque (mot, geste, écrit, institutions) sans comprendre que cet élément est en relation avec au moins un autre élément (i.e. qu'il remplit une fonction à son égard) et que cette relation ne saurait exister qu'à l'intérieur d'un système (i.e. ensemble d'éléments interdépendants) structuré (i.e. dont l'interdépendance des éléments est agencée selon des lignes de fonds)? C'est la raison pour laquelle certains auteurs parlent de structuro-fonctionnalisme. De même, est-il difficile de saisir comment on peut employer quelque approche que ce soit sans faire usage de la comparaison, puisque c'est en comparant les choses que l'on peut les distinguer et que toute compréhension deviendrait impossible si les choses n'étaient distinguées les unes des autres. Il en est ainsi de la dimension historique, puisque c'est la comparaison qui fait ressortir les distinctions entre les choses selon qu'elles sont affectées (i.e. apparition, disparition ou transformation) par le passage du temps. De la même manière, c'est la comparaison qui permet d'établir la distinction entre les divers systèmes et sous-systèmes. Par ailleurs, la seule façon d'identifier une fonction ou de voir «fonc-

---

38  «One should not throw away the baby with the bath-water».

39  Afin d'éviter le caractère hétérogène et artificiel d'une mise entre deux couverts d'une série de textes entre lesquels aucune relation véritable n'aurait été établie.

40  C'est à dessein que nous simplifions ici considérablement les choses, car il n'est pas dans notre intention de formuler, ne serait-ce que dans ses grandes lignes, une théorie de la connaissance en sciences sociales. Nous voulons simplement indiquer les distinctions généralement admises en matière d'approche. Pour une tentative de classification et de définition, dont l'auteur elle-même convient qu'elle ne saurait être dénuée d'ambiguïté, voir Madeleine Grawitz, *Méthode des sciences sociales,* Paris, Dalloz, 1974, p. 417-419.

tionner» un système consiste à en observer l'interdépendance des éléments dans le temps. Enfin, la notion de contradiction inhérente à la dialectique ne peut trouver d'application qu'à l'intérieur de l'approche systémique, puisqu'elle qualifie une situation où les interrelations entre divers éléments engendrent des mouvements suffisamment opposés entre certains d'entre eux pour mettre en cause l'existence ou le « bon » fonctionnement de l'ensemble qu'ils composent. Nous considérons donc qu'à un niveau très général, les notions de contradiction et de dysfonction sont à peu près synonymes.

Il apparaît donc que les diverses approches sont très étroitement reliées les unes aux autres. Il ne faut donc pas exagérer les différences en les présentant comme mutuellement exclusives, ce qui revient à les sacraliser. La comparaison est nécessaire à toutes les autres approches. L'histoire l'est aussi, sauf peut-être pour la comparaison, laquelle peut être établie entre deux choses à un même moment donné. Quant à la fonction, à la dysfonction (i.e. la contradiction) et à la structure, elles peuvent être considérées comme des propriétés des systèmes. Il apparaît également que la question fondamentale qui est posée par les chercheurs est celle de la naissance et de la disparition des systèmes, c'est-à-dire des conditions fonctionnelles minimales de leur existence. En d'autres termes, il faut se demander quelle est la nature et le degré de contradiction qu'un système peut supporter pour continuer à être un ensemble d'éléments interdépendants. Il nous semble donc finalement que c'est sur la notion de système qu'il faille commencer par se pencher.

Certains seraient portés à croire qu'une telle démarche constitue une forme à peine déguisée d'impérialisme épistémologique puisqu'elle aboutit à rassembler sous la coupole systémique toutes les autres approches, y compris la dialectique. Ce serait là déformer nos propos. Nous pensons que les approches systémique et dialectique sont inséparables et qu'en définitive, c'est la qualité et la quantité des contradictions qui déterminent l'existence et le développement des systèmes. Nous reconnaissons par contre que les approches fonctionnelle, systémique et dialectique — pour ne mentionner que celles-là — ont donné lieu à des utilisations idéologiques évidentes. Les tenants du *statu quo* (quel qu'il soit) ont en effet historiquement eu tendance à mettre l'accent sur le « bon » fonctionnement du système qui avait leur préférence — et par conséquent à en passer les dysfonctionnement sous silence — alors que les partisans du changement s'arrêtaient plutôt à analyser les contradictions qui devaient tôt ou tard entraîner la déchéance et la disparition du système honni. C'est ainsi qu'est apparue une division dichotomique simplificatrice entre le structuro-fonctionnalisme et la dialectique. De fait, il nous semble que ces approches constituent deux moments d'une même démarche, comme en témoignent les efforts tant des conservateurs pour étudier le changement — de façon à le maintenir en échec en se l'appropriant ou en le réprimant — que des révolutionnaires pour raffermir leur nouveau système social une fois qu'ils sont au pouvoir[41]. Nous ne croyons donc pas que les approches systémique et dialectique soient intrinsèquement conservatrices ou révolutionnaires, mais plutôt qu'elles permettent toutes deux de comprendre de façon complémentaire l'état dans lequel se trouve un système social à un moment donné. Mais ici encore le débat reste ouvert.

---

41  C'est aussi par la dialectique que le communisme chinois oscille entre des périodes de stabilisation et de changement, en quête de l'équilibre systématique révolutionnaire que constitue la révolution permanente.

## Le système politique

Pour définir l'approche systémique dans l'étude de la politique, nous nous référons en grande partie à un ouvrage qui, mieux que tout autre à notre avis, présente de façon créative et synthétique les apports des plus importants théoriciens systémiques et cybernétiques:[42] il s'agit de *L'analyse des systèmes politiques* de Jean-William Lapierre[43]. Avant d'aborder la notion de système politique, cet auteur définit les concepts de système, de société globale et de système social. Nous reproduisons ici ces définitions:

« Un système est un ensemble d'éléments interdépendants, c'est-à-dire liés entre eux par des relations telles que si l'une d'elles est modifiée, les autres le sont aussi et par conséquent tout l'ensemble est transformé »[44].

« On entend par «société globale» un ensemble concret et singulier de personnes et de groupes dans lequel toutes les catégories d'activité sont exercées et plus ou moins intégrées... L'indépendance politique et la souveraineté ne sont pas nécessairement impliquées dans la définition de la société globale »[45].

« Un système social est un ensemble de processus à modalités variables, interdépendants et relatifs à une catégorie déterminée d'activité sociale... La distinction entre les sytèmes d'une société globale (...) s'opère suivant une propriété objective qui est l'autonomie des systèmes les uns par rapport aux autres »[46].

Jean-William Lapierre identifie ensuite les cinq principaux systèmes sociaux : le système biosocial qui a trait à la reproduction sociale de la population ; le système écologique dont la catégorie d'activité est l'occupation d'un espace ; le système économique qui est relatif à l'activité de production et d'échange des biens et des services ; le système culturel qui concerne la création et la diffusion des codes de toutes sortes (linguistique, éthique, esthétique, code du savoir, code des croyances...) ; et le système politique qui est l'ensemble des processus de décisions et les relations du *pouvoir* qui ont trait à la totalité d'une société globale[47].

Les processus de décision proprement politiques sont de deux ordres: la régulation des rapports entre les groupements particuliers et les entreprises collectives qui engagent la totalité de la société globale. Les relations de pouvoir politique sont constituées par la combinaison variable d'autorité légitime (basée sur le consensus) et de puissance publique (basée sur la coercition) qui rend certaines personnes ou certains groupes capables de décider pour — et au nom de — la société globale et de commander à celle-ci afin de faire exécuter les décisions prises. Ces éléments permettent de distinguer le système politique des autres systèmes sociaux car, si tous

---

42   Dont David Easton, *The Political System,* New York, Knopf, 1953; *A Framework for Political Analysis,* Englewood Cliffs, N.J., Prentice-Hall, 1965; *Analyse du système politique,* Paris, A. Collin, 1974; Charles Roig, «La théorie générale des systèmes et ses perspectives de développement dans les sciences sociales», *Revue française de sociologie,* XI (1970), no spécial; *Analyse de systèmes en sciences sociales* (I), 47-97; Karl W. Deutsch, *The Nerves of Government,* New York, Free Press, 1966; Gérard Bergeron, *Le fonctionnement de l'État,* Paris, A. Collin, 1965; Lucien Mehl, «Pour une théorie cybernétique de l'action administrative», dans J.-M. Aubry *et al., Traité de science administrative,* Paris, Mouton, 1966, p. 782-833.

43   Paris, Presses Universitaires de France, 1973.

44   *Ibid.,* p. 23.

45   *Ibid.,* p. 28.

46   *Ibid.,* p. 29-30.

47   *Ibid.,* p. 32-34.

les autres systèmes comportent des phénomènes de décision et de pouvoir, seul le système politique a trait à la société globale[48].

L'environnement d'un système politique est composé, d'une part, des systèmes biosocial, écologique, économique et culturel de la même société globale (environnement intrasociétal) et, d'autre part, des systèmes sociaux, y compris les systèmes politiques des autres sociétés globales (environnement extrasociétal).

L'approche systémique en science politique comporte, par définition, l'utilisation des concepts fondamentaux de l'analyse des systèmes. Ces concepts sont les suivants:

1) Les *input* [49], qui entrent dans le système et provoquent ou alimentent son fonctionnement. Pour un système politique, ces *input* proviennent de l'environnement sous forme d'énergie et d'information:

2) Les *output* qui sortent du système politique sous forme de décisions obligatoires pour toute la société globale et introduisent dans son environnement l'énergie et l'information qu'il a produit;

3) La transformation des *input* en *output* s'effectue à l'intérieur du système par des séries d'interactions entre des rôles politiques qui peuvent être considérés comme les éléments du système;

4) Les modifications de l'environnement qui résultent des *output* du système politique modifient à leur tour les *input* qu'il reçoit de son environnement et par conséquent aussi les *output* subséquents, ce qui produit la boucle de rétroaction («feed-back») par laquelle le fonctionnement du système dépend de ses propres *output* [50].

De l'application de ces concepts découlent diverses problématiques qui ont trait à la capacité du système de répondre aux demandes de régulation et de mobilisation de la société globale de façon suffisamment adéquate pour maintenir ses composantes essentielles dans des limites de variation compatibles avec son fonctionnement normal[51]. Cette capacité dépend du rapport entre la quantité et la compatibilité des demandes (et des forces qui les appuient) et l'ampleur des ressources énergétiques dont dispose le système pour filtrer et réduire ces demandes, trouver des solutions, prendre des décisions et les mettre à exécution. Quand les ressources ne lui permettent plus de répondre adéquatement aux demandes, le système doit être ou bien réformé (i.e. subir des changements partiels et progressifs) ou bien remplacé (i.e. être complètement et rapidement transformé). Comme nous l'avons souligné plus haut, l'approche systématique cherche à expliquer aussi bien les crises et les transformations politiques que le fonctionnement normal des institutions.

En raison de la globalité de ses concepts et des possibilités explicatives qu'il engendre, nous avons choisi de présenter l'actuel recueil de textes dans un cadre analytique systémique. Il convient toutefois d'avertir le lecteur que cette décision a été prise à l'insu des signataires des articles ici rassemblés. Ces articles n'ont donc pas en principe été rédigés pour faire partie d'une anthologie qui aurait été définie *a priori* comme systématique. Bien que plusieurs des auteurs font explicitement état de leur

---

48  *Ibid.*, p. 34-36.
49  Certains auteurs parlent d'instrants (*input*) et d'extrants (*output*).
50  *Ibid.*, p. 40-42.
51  *Ibid.*, p. 43.

emploi de l'approche systémique et que d'autres s'y réfèrent implicitement, quelques-uns d'entre eux s'objecteraient sans aucun doute à ce qu'on qualifie leur contribution de systémique. Là n'est pas notre intention. Nous n'employons l'approche systémique que comme cadre et référence pour la présentation des textes.

## Quelques commentaires sur l'approche systémique

On a fait et on continue de faire de nombreux reproches à l'analyse systémique. La plupart de ces critiques sont au moins en partie fondées et nous avons déjà fait allusion à certaines d'entre elles. Nous voudrions ici continuer cette énumération, car elle peut contribuer à mieux préciser certaines des lacunes de ce recueil[52].

L'analyse systémique en vient souvent à réifier ce qui n'est après tout qu'une catégorie intellectuelle. C'est par une opération intellectuelle que l'on choisit de découper la réalité en systèmes social, politique ou économique dont il faudrait par conséquent éviter de faire des phénomènes scientifiques au même titre que la molécule ou l'astéroïde. En sombrant ainsi dans l'organicisme, on espère transformer des catégories intellectuelles en catégories réelles, donc neutres du point de vue idéologique. On en vient donc à parler de système politique comme on parle d'une machine ou, ce qui est pire, d'un animal. Dans un cas comme dans l'autre, il s'agirait d'un factum dont l'existence, une fois perçue de façon valide et fiable, ne saurait être mise en cause. Contrairement à ce que laisse entendre l'analyse systémique, l'existence du système politique ne va pas de soi. Parler d'un système politique québécois, c'est déjà structurer cette réalité. C'est peut-être aussi lui conférer plus qu'une autonomie relative.

P. Birnbaum a fait remarquer que l'analyse systémique de la vie politique a peut-être contribué à fournir une explication d'ensemble, mais que celle-ci n'a été rendue possible que grâce à « l'évaluation de l'idéologie et de la politique elle-même »[53]. L'argument de Birnbaum est très convaincant. En effet, dans la version de D. Easton et de K. Deutsch, l'approche systémique s'intéresse davantage, dans la tradition de la cybernétique, aux relations système-environnement qu'à l'aménagement interne du système face aux exigences de cet environnement. Easton et Deutsch sont donc amenés à oublier que le système politique, dont ils font une sorte de boîte noire dont le contenu demeure mystérieux, c'est aussi des individus et des groupes qui « entretiennent presque toujours des relations conflictuelles qui s'expriment à travers la détention ou la non-détention du pouvoir et des ressources »[54].

En insistant sur l'importance des cervo-mécanismes qui permettent au système politique d'intégrer les demandes qui lui viennent de l'environnement, Easton et Deutsch laissent de côté ces facteurs internes au système politique qui souvent amplifient les sources de tension introduites de l'extérieur. Contrairement à une critique fortement répandue, l'analyse systémique ne nie pas l'existence de conflits mais elle laisse ces conflits à l'extérieur du jeu de la communication et de l'action politique. Puisqu'il n'existe pas chez Easton et Deutsch de relation fonctionnelle entre les sources

---

52  Il importe de bien distinguer entre *l'analyse systémique* de la vie politique et la *cybernétique* à laquelle la première emprunte de nombreux concepts et qui a elle-même pour origine la *théorie générale des systèmes*. La cybernétique, selon son fondateur Norbert Wiener (*La cybernétique,* Paris, Hermann, 1948), s'intéresse surtout aux communications de l'environnement et aux réactions du système, tandis que la théorie générale des systèmes, qu'ils soient physiques, sociaux ou biologiques, (L. von Bertalanffy, *Théorie générale des systèmes,* Paris, Dunod, 1973). Pour une vue d'ensemble de l'aspect épistémologique de la critique de l'analyse systématique, voir Denis Monière, *Critique épistémologique de l'analyse systémique de David Easton,* Ottawa, Editions de l'Université d'Ottawa, 1976.

53  P. Birnbaum, *La fin du politique,* Paris, Seuil, 1975, p. 115.

54  *Ibid.,* p. 130.

internes et externes du « désordre », il ne faut donc pas s'étonner de ce que, dans leur optique, le système politique réussit toujours, grâce à des procédés d'auto-régulation et de filtrage assez complexes, à maintenir ou à retrouver son équilibre. Mais un défenseur de l'approche systémique pourrait rétorquer que l'équilibre à un niveau semblable ou différent est un des objectifs ou même une conséquence de l'existence de tout système politique ; c'est là non pas une critique mais une observation de la réalité. Il est donc un peu simpliste de critiquer l'analyse systémique pour son insistance à privilégier cet équilibre. Par contre, là où il faut la critiquer, c'est dans la présentation tronquée qu'elle nous fait de cette recherche de l'équilibre. La preuve n'est donc pas faite, comme semble le croire P. Birnbaum, qu'en admettant la possibilité d'une rétroaction positive, l'analyse systémique aboutit nécessairement à une impasse, car ce serait là « admettre qu'il existe des exigences qui produisent des conflits non-assimilables par le système »[55].

Ainsi, S. Amin et M. Bosquet ont amplement démontré que même si les systèmes politiques et économiques des pays occidentaux sont « malades », cela ne veut pas dire qu'ils vont mourir[56]. Pour S. Amin, la crise actuelle du capitalisme monopoliste d'état n'est pas la première que celui-ci a été amené à surmonter. En 1840-1850, 1870-1890 et 1914-1948, il a réussi à retrouver « après une phase de désajustements et de réajustements, de passage d'un modèle d'accumulation à un autre », un nouvel « équilibre ». À la crise actuelle, avec son héritage de conflits sociaux et son exacerbation de la lutte des classes, deux issues sont possibles, l'une révolutionnaire, l'autre non révolutionnaire. L'une et l'autre ne sont pas inéluctables et constituent deux équilibres qui ne risquent pas de devenir permanents. L'équilibre, même celui d'une société communiste, « ne signifie pas la fin de l'histoire » ou celle de la politique puisque « la nouvelle société aura ses propres contradictions qui accompagnent nécessairement toute forme de vie »[57].

La parenté étroite qui existe entre l'approche systémique et d'autres approches qui se réclament du marxisme, renouvelé ou orthodoxe, est aussi clairement illustrée dans l'utilisation qui est faite de la notion de culture politique. Ainsi selon le credo fonctionnaliste, surtout dans la version de G. Almond et S. Verba[58] un système politique ne doit en aucun cas être réduit à un arrangement, aussi complexe soit-il, d'input, output et de rétroaction. C'est seulement en se référant au type et à la qualité de la culture politique existant dans une société donnée que l'on peut expliquer pourquoi un individu accepte de donner à l'État 40% de son revenu net tandis qu'il peut voir son voisin ne contribuer que 10% ou 15%. Seul un processus de socialisation bien rodé peut convaincre des citoyens de risquer leur vie pour défendre « leur » pays ou de se tenir à l'attention avant un match de hockey tout en chantant un hymne où il est question de gloire, d'honneur et de victoires depuis longtemps oubliées. Seule la culture politique définie comme l'orientation des individus face à des objets sociaux peut rendre compte de ces comportements.

De même, Marx n'a, en aucun cas, la prétention d'expliquer la montée et ensuite la prédominance du capitalisme en n'utilisant que des concepts de l'analyse économique. La propriété des instruments de production est peut être une condition nécessaire mais elle ne constitue certainement pas une condition suffisante à la survie du capitalisme. Gramsci, Althusser et Poulantzas l'ont très bien compris, eux qui ont accordé aux concepts d'idéologie dominante, d'hégémonie et d'appareils idéologiques

---

55  *Ibid.*, p. 146.

56  M. Bosquet, *Écologie et politique,* Paris, Galilée, 1975, p. 30-34.

57  S. Amin, «Une crise structurelle», dans S. Amin, *et al., La crise de l'impérialisme,* Paris, Minuit, 1975, p. 12 et 47. Notez que le terme «équilibre» est partie intégrante du vocabulaire d'Amin.

58  *The Civic Culture,* Boston, Little, Brown and Co., 1965.

d'État une place si importante. La force ne suffit plus pour maintenir le prolétariat dans une position dominée ; il faut encore que ce dernier en vienne à accepter, ou du moins à considérer comme normale et peu modifiable, un tel état d'infériorité.

Ces deux concepts, culture politique et idéologie dominante, contribuent en fait à lier les individus et les groupes historiques dans la structure systémique de la vie politique. Sans sa propre culture politique, la société libérale se serait depuis belle lurette, écroulée sous le poids de ses contradictions et incohérences; sans l'idéologie dominante et le contrôle hégémonique, le socialisme aurait déjà remplacé un capitalisme dont on ne cesse de nous promettre l'écroulement.

Ces rapprochements entre deux concepts ne signifient pas qu'il y a identité entre les deux et qu'en fin de compte, l'analyse marxiste et l'analyse fonctionnaliste sont du pareil au même. Au contraire, dès qu'on se met en peine de les utiliser, on en arrive à des visions fort différentes du sytème politique. Mais, dans un cas comme dans l'autre, ces concepts témoignent d'une volonté d'aller vérifier comment les choses se passent vraiment. Après tout, n'est-ce pas là ce qui nous intéresse vraiment ? Ceci dit, voyons comment l'approche systémique peut nous aider pour agencer dans un tout cohérent les diverses contributions de ce recueil.

## Le système politique québécois et la société québécoise

Plusieurs auteurs, pour la plupart des sociologues, ont déjà démontré que la société québécoise constituait une société globale où toutes les catégories d'activités sociales étaient exercées de façon intégrée[59]. Quant au système politique québécois, il fonde son existence sur celle d'un État québécois et sur les rapports que cet État entretient avec son environnement intrasocial et extrasocial. Le fait de l'appartenance du Québec à la fédération canadienne, qui a pour conséquence le partage de la souveraineté exercée sur le territoire de la population québécoise entre les niveaux provincial et fédéral de gouvernement, n'empêche pas l'État québécois de se situer au coeur d'un système politique puisqu'il n'est pas nécessaire, pour qu'un système politique soit reconnu comme tel, qu'il serve de cadre à toutes les décisions qui ont trait à une société globale.

Plusieurs formules auraient pu être appliquées dans l'ordonnance des textes qui composent ce volume. Nous avons choisi de les répartir en trois volets, le premier traitant du système politique québécois et de la société québécoise, le second des principaux acteurs qui animent ce système et le troisième des problèmes spécifiques au système politique québécois.

La première partie est divisée en sections selon une progression qui va du centre de décision vers la périphérie de l'environnement intrasociétal du système, c'est-à-dire de l'État québécois vers ces catégories et groupes sociaux qui sont en marge du système. La section consacrée à l'État québécois comprend trois chapitres qui traitent respectivement de la répartition formelle des pouvoirs dans le système politique québécois (i.e. la constitution), de la source institutionnelle privilégiée des *input* et des *output* du système (i.e. les législateurs) et de l'appareil d'exécution des décisions (i.e. l'administration publique).

---

59   G. Fortin, «Le Québec: une société globale à la recherche d'elle-même», *Recherches sociographiques*, 8 (1967), p. 7-13; F. Dumont, «L'étude systématique d'une société globale», dans *Chantiers: Essais sur la pratique des sciences de l'homme,* Montréal, HMH, 1973, p. 13-38.

En plus de la description des institutions, Jean-charles Bonenfant (chapitre 1) analyse les facteurs qui ont amené l'appareil étatique à agir directement sur lui-même par certains de ses propres *output* de façon à augmenter sa capacité de réponse aux demandes qui lui sont faites. Ainsi en a-t-il été au cours des dernières années de la croissance des ressources (en argent et en personnel) de l'administration publique, de la réoganisation des structures de cette administration et des réformes de la gestion financière de l'appareil étatique, comme l'adoption des budgets-programmes et la mécanisation des opérations budgétaires et comptables.

La contribution d'André Gélinas (chapitre 2) fait ressortir que les parlementaires, qui sont en principe les preneurs de décisions officiels du système, conçoivent eux-mêmes leur rôle comme en étant davantage un de surveillance des décisions qui sont de fait prises soit par l'exécutif, soit par les échelons supérieurs de l'administration publique. Dans la mesure où ils entendent représenter la population, ils choisissent d'exercer des pressions auprès de ces deux instances plutôt que de décider réellement eux-mêmes de la réponse du système aux demandes de son environnement.

Dans le troisième chapitre, James Ian Gow démontre comment les structures, les effectifs et les dépenses de l'administration publique ont évolué depuis le début de la Confédération pour permettre au système politique québécois de remplir de nouvelles fonctions face à la société québécoise globale (passage du maintien de la paix sociale à la planification) et au système économique (passage du maintien d'un cadre de développement économique adéquat pour l'entreprise privée à la prise en charge d'un rôle économique supplétif à celle-ci).

La seconde section de cette première partie met en relief le fonctionnement de deux canaux de communication entre l'État et la société québécoise : les partis politiques et les structures politico-administratives. Les contributions de Vincent Lemieux et de Raymond Hudon utilisent le même modèle d'analyse, soit le modèle cybernétique de Lucien Wehl qui repose sur un système de relations tripartites entre les gouvernants et les fonctionnaires (i.e. l'opération politico-administrative), entre les gouvernants et les gouvernés (i.e. l'opération socio-politique) et entre les fonctionnaires et les gouvernés (i.e. l'opération socio-administrative). À partir de l'analyse des résultats électoraux au Québec de 1948 à 1972, tant au niveau provincial qu'au niveau fédéral, Vincent Lemieux (chapitre 4) vérifie deux hypothèses principales quant à l'organisation des partis politiques et à l'évaluation du système des partis. Cette organisation et cette évaluation dépendraient, selon lui, de l'opération socio-politique. Quant à Raymond Hudon (chapitre 5), il étudie l'insertion du phénomène du patronage politique dans les relations gouvernants-fonctionnaires-gouvernés sous l'Union nationale et sous le Parti libéral du Québec.

L'implantation de structures socio-administratives constitue une forme particulière de relation entre l'État et la société, puisqu'elle comporte la mise en place de canaux permanents et officiels de communications bilatérales entre ces deux entités. En mettant l'accent sur la régulation, c'est-à-dire sur la répartition des moyens de puissance (i.e. pouvoirs, postes et ressources) entre les divers groupements impliqués, Brigitte von Schoenberg et François Renaud (chapitre 6) analysent comment le gouvernement québécois (i.e. gouvernants et fonctionnaires) s'est doté de ressources additionnelles afin de mieux répondre aux demandes croissantes qui lui étaient faites dans le domaine des affaires sociales. Ils démontrent qu'à travers chacune des étapes de la préparation (Commission d'enquête et commission parlementaire sur les deux versions de la loi 65 — Loi sur les services de santé et les services sociaux) et de la mise en place (implantation et fonctionnement initial) des nouvelles structures, on peut percevoir une lutte de pouvoir entre les différents secteurs de l'État et de la société globale.

Jacques Léveillée (chapitre 7) décrit les rapports entre le système politique québécois et son sous-système municipal à un moment où le second adresse au premier des demandes pressantes afin de se voir doter de ressources adéquates (nouvelles structures administratives et nouvelles sources de revenus) pour pouvoir lui-même faire face aux problèmes qui lui sont posés par le système écologique : croissance des populations urbaines, multiplication et complexité des services à fournir à ces populations, nécessité de l'aménagement du territoire urbain. En mettant l'accent sur les contraintes inhérentes au comportement des acteurs, Jacques Léveillée explique pourquoi le gouvernement québécois est passé d'un type de solution (i.e. la régionalisation) à un autre (i.e. la création de communautés urbaines).

La deuxième partie du recueil porte sur les nouveaux demandeurs politiques qui sont apparus au Québec depuis une quinzaine d'années. Nous avons réparti ces nouveaux demandeurs en deux groupes, selon qu'ils s'inscrivent ou ne s'inscrivent pas dans le système politique actuel. Si l'on compare ce système à un jeu, on peut dire que les indépendantistes et les créditistes acceptent de jouer le jeu selon les règles établies en ce sens que leur comportement et leur mode d'organisation canalisent leurs demandes vers le système. Quant aux groupes que nous qualifions de parasystémiques, il apparaît que, chacun à leur façon, ils ne jouent pas le jeu : les femmes en jouant sans intérêt, les tenants de la contre-culture en s'abstenant de jouer dans l'attente d'un jeu meilleur et les terroristes en jouant « dur », c'est-à-dire en mettant en cause l'existence même du système.

Si nous avons choisi de consacrer deux chapitres du présent volume au Rassemblement pour l'Indépendance nationale, c'est que ce mouvement — qui est ensuite devenu un parti politique — a constitué la première expression importante de l'option constitutionnelle indépendantiste. De plus, c'est le seul dont le membership ait fait l'objet d'études fouillées, contrairement au Parti québécois dont c'est surtout la clientèle électorale qui a retenu l'attention des chercheurs. François-Pierre Gingras (chapitre 8) tente d'expliquer pourquoi certains Québécois ont adhéré à cette organisation indépendantiste. Il étudie les modes et l'intensité de l'engagement des militants du RIN compte tenu de leur situation économique personnelle et de leur perception de son évolution à venir, de leur statut socio-professionnel, de leur statut socio-économique anticipé et de leur cadre référentiel ethnique. Il appert qu'aucune de ces variables n'est en relation significative avec l'engagement indépendantiste. Réjean Pelletier (chapitre 9) considère le militant riniste comme un intermédiaire entre la société globale et son parti. Ce militant amène des *input* au parti lequel les convertit en *output* dans son programme. En retour, le degré de satisfaction du militant à l'égard de l'évolution du programme l'amène à soutenir ou à négliger le parti. Considéré sous cette optique de la séquence demande-réponse-soutien, le parti est alors conçu comme un sous-système du système politique québécois. Il est intéressant de constater qu'une telle approche est possible même pour un parti dont la fonction principale était de changer considérablement la structure du système.

Michael Stein (chapitre 10) se sert de l'approche comparative pour étudier les mouvements socio-politiques créditiste et indépendantiste. En se référant à deux dichotomies, la première basée sur la nature contestataire des mouvements (i.e. protestation-révolution) et la seconde sur la provenance sociale des militants et des électeurs et sur le type de société voulue (i.e. droite-gauche), il établit que le créditisme et l'indépendantisme sont tous deux des mouvements de protestation, le premier étant cependant de droite alors que le second est de gauche. De plus, il constate que les deux mouvements ont connu des phases de développement sensiblement identiques, à savoir la mobilisation, la consolidation puis l'institutionnalisation, chacune de ces phases étant marquée par des changements tant dans leurs structures organisationnelles que dans leur idéologie.

Le texte d'Alfred Sicotte (chapitre 11) propose une analyse marxiste du mouvement créditiste qui met en cause les interprétations qu'en ont données jusqu'à maintenant et les auteurs fonctionnalistes et les auteurs marxistes. Aux premiers, il reproche d'avoir considéré les créditistes comme un groupe marginal et aliéné alors qu'ils lui apparaissent beaucoup trop nombreux pour être marginalisés — et par conséquent déclarés utopiques — et beaucoup trop conscients du mauvais sort que leur réserve le système économique pour être qualifiés d'aliénés. Il ne partage pas, par contre, l'opinion des seconds selon lesquels les créditistes ne seraient que des réactionnaires attardés. Alfred Sicotte démontre en effet que l'idéologie créditiste contient bon nombre d'éléments progressistes, tels un égalitarisme assez radical et une volonté de redistribution intensive des biens. De même, l'analyse des classes sociales auxquelles appartiennent les militants créditistes l'amène-t-il à rejeter l'interprétation qui veut que ce mouvement représente les intérêts de l'ancienne petite bourgeoisie provinciale et terrienne. De plus, l'auteur fait ressortir les contradictions que le mouvement créditiste, comme tout mouvement populiste, véhicule en son sein, notamment en ce qui a trait à l'opposition entre les intérêts de classes de ceux qui extorquent de la plus-value et de ceux qui s'en font extorquer, et suggère que ces contradictions pourront être éliminées le jour où ces derniers cesseront de confier aux premiers la direction et la définition officielle de leur mouvement. Enfin, cette analyse illustre bien la façon dont les demandes intrasociétales font l'objet d'un filtrage qui s'opère, même à l'intérieur du mouvement créditiste lui-même, à travers une stratification sociale bien déterminée.

Selon Francine Dépatie (chapitre 12), les femmes québécoises ne sont pas intégrées au système politique québécois en ce sens qu'elles y participent peu — sauf en ce qui a trait au fait de voter aux différentes élections — et qu'elles démontrent un faible intérêt pour la chose politique. Ce comportement varie modérément selon leur niveau d'éducation, la région qu'elles habitent et leur origine ethnique. Il serait explicable de deux façons : premièrement, les femmes perçoivent certains obstacles à leur participation politique ; deuxièmement, elles accusent un sentiment d'incompétence dans l'exercice de certaines fonctions politiques, lequel sentiment trouve sa source dans l'acceptation d'une différenciation sexuelle générale des rôles sociaux et économiques. On retrouve ici un exemple de l'influence du système biosocial (i.e. qui a trait à la reproduction sociale de la population) sur le système politique.

Mais les femmes québécoises ne sont pas les seules à vouloir « rentrer » dans le système. Dans son article Louis Le Borgne (chapitre 13) étudie les différentes péripéties à travers lesquelles la Confédération des syndicats nationaux a dû passer avant d'intégrer et de concilier dans son discours et sa pratique le nationalisme et le socialisme. C'est parce que le syndicalisme québécois est devenu, à la suite de la Révolution tranquille, l'un des acteurs importants de la scène politique québécoise, qu'il a dû lui aussi faire face et résoudre à sa façon la vieille querelle qui au Québec ne cesse d'opposer partisans de l'indépendance d'abord et du socialisme d'abord. C'est donc à cause de transformations dans le système économique et la structure de classes québécoise que le syndicalisme a ainsi été amené à s'impliquer politiquement.

C'est par contre par référence au système culturel que s'explique la volonté de la contre-culture québécoise de ne pas participer au système politique. Marie-France Moore (chapitre 14) fait ressortir que pour celle-ci, en effet, seul un changement des « mentalités » concernant la société globale permettrait d'effectuer les transformations désirables au plan politique. Il est par contre intéressant de constater que les tenants de la contre-culture ont une perception assez systémique du régime politique actuel, lequel, selon eux, repose entièrement sur «le pouvoir financier» qui contrôle à sa guise et les *input,* en les filtrants, et les *output* du système, en manipulant à volonté politiciens, fonctionnaires et électeurs. Ce contrôle est principalement fondé sur un monopole de l'information, exercé de façon à inculquer la peur dans tous les rapports entre les individus. Par ailleurs, le modèle politique auquel se réfère la contre-culture pour critiquer le régime actuel est foncièrement anti-systémique : l'autorité ne résiderait pas dans les fonctions mais dans le charisme de certains individus et le changement perpétuel y remplacerait la structuration des rapports humains. C'est la principale raison pour laquelle la grande majorité des «contre-culturels» ne peuvent concevoir qu'il leur soit possible de militer à l'intérieur des structures actuelles.

D'autres stratégies de changements révolutionnaires sont cependant théoriquement possibles. Marc Laurendeau (chapitre 15) étudie l'une d'entre elles : le terrorisme politique. Il retrace l'évolution de l'idéologie de la violence politique au Québec en ce qui concerne tant les objectifs que le choix des moyens pour les atteindre. Il appert qu'entre 1963 et 1970, les théoriciens du territorisme québécois ont été à la recherche d'un précaire équilibre idéologique entre l'indépendance (i.e. la décolonisation) et le socialisme (i.e. la révolution sociale), recherche qui s'est soldée par la formation de deux tendances idéologiques où l'accent est respectivement mis sur l'un ou l'autre de ces objectifs. Du point de vue de l'approche systémique, l'utilisation de la violence revêt une importance toute particulière puisqu'elle met nettement en cause les règles fondamentales du jeu politique. Dans tout régime politique en effet, le pouvoir politique prétend au monopole de la violence. En distinguant entre les fondements légaux et légitimes de l'exercice de cette violence, Marc Laurendeau fait ressortir la stratégie qui permet que la violence soit utilisée avec succès contre le gouvernement : il s'agit d'amener la population à dissocier légalité et légitimité tant en ce qui concerne les actions du gouvernement que celles des terroristes. À mesure que s'accroît le nombre de personnes qui considèrent légitimes les gestes des terroristes et illégitimes ceux du gouvernement, la situation politique devient plus menaçante pour ce dernier, car il doit alors justifier non seulement les décisions qu'il a prises mais aussi l'autorité en vertu de laquelle il les prend et la capacité qu'il a de les faire exécuter. Marc Laurendeau démontre qu'en 1970, les conditions objectives de la mise en marche d'un processus qui eût irrémédiablement miné la légitimité du système politique québécois n'étaient pas réunies.

## Problèmes spécifiques au système politique québécois

La fonction d'un système politique est de fournir des réponses aux demandes qui lui sont faites. L'incompatibilité de certaines demandes de même que l'étendue des forces sociales qui les soutiennent engendrent des problèmes politiques, c'est-à-dire des situations où le système en est réduit à trancher en faveur d'un ou de plusieurs demandeurs au détriment des autres. Quand la partie défavorisée par une telle décision n'en continue pas moins à maintenir ses demandes avec persistance et intensité sans que le système ne puisse y répondre de façon — au moins partiellement — favorable, le problème devient un problème spécifique à ce système. Que cette situation se maintienne pendant une longue période suppose clairement que les forces sociales qui formulent de telles demandes aient des assises institutionnelles et/ou structurelles bien établies. Les demandes incompatibles appuyées par des forces sociales importantes et bien organisées sont, au Québec, de deux ordres : celles qui ont trait aux rapports entre Canadiens français et Canadiens anglais et celles qui mettent aux prises les classes sociales.

Il arrive aussi que le système soit dans l'incapacité de répondre aux demandes à cause de la limitation des ressources qui sont à sa disposition. Ainsi, le partage de la souveraineté politique entre l'État québécois et l'État canadien engendre-t-il certaines difficultés quant à la résolution des problèmes qui se présentent à la société québécoise. De même, le stade d'industrialisation avancée dans lequel s'est engagée la société québécoise a-t-il eu pour effet une augmentation considérable du nombre et une diversification importante de la nature des demandes formulées à l'égard du système politique québécois.

Ces quatre problèmes se présentent rarement de façon autonome. Ainsi, parce qu'il existe des corrélations certaines entre les classes sociales et les origines ethniques des Québécois, entre les conflits interétatiques Québec-Ottawa et les demandes de la nation canadienne-française, entre l'avènement de l'industrialisation et la montée de la conscience nationale et de la conscience de classe, il s'avère difficile de classifier de façon univoque les textes relatifs aux problèmes spécifiques du système politique québécois. Nous avons donc choisi de les présenter en trois sections, la première portant sur les relations entre l'État québécois et son environnement non québécois, la seconde sur les implications politiques du «problème» du Canada français et la troisième sur des évaluations globales du système politique québécois contemporain.

L'État québécois étant membre de la fédération canadienne, les décisions qui affectent l'ensemble de la société globale québécoise proviennent de deux gouvernements entre lesquels se trouvent partagés les pouvoirs de prendre et d'exécuter des décisions selon les sphères d'activités sociales impliquées. Selon Gilles Lalande (chapitre 16), l'évolution contemporaine du régime fédératif canadien concernant ce partage des pouvoirs s'est faite dans deux directions à la fois : la première, dans le sens d'une plus grande dépendance mutuelle entre les États fédérés et l'État fédéral, interdépendance «verticale» qui a eu un impact positif sur le fonctionnement interne des systèmes politiques provinciaux ; la seconde, dans le sens d'une coopération plus grande entre les divers États fédérés, coordination «horizontale», qui a garanti le caractère de non-subordination des États fédérés à l'État fédéral. Ces deux tendances lui permettent de croire que le fédéralisme canadien, loin d'être une réalité étrangère à cette autre réalité qu'est le Québec, a largement contribué et continuera de contribuer non seulement à la survie mais aussi au dynamisme interne du système politique québécois.

Le nombre et l'ampleur des demandes dirigées vers le système politique québécois a amené l'État québécois à s'engager, au début des années soixante, dans un processus de planification dont la stratégie avait pour objet d'arriver à une plus grande mesure de contrôle sur le développement futur de la société globale québécoise. L'abandon de ce processus de planification vers le milieu de la décennie a été justifié par l'ampleur de certaines contraintes auxquelles ne pouvait échapper l'État québécois, dont la domination de son économie par l'économie nord-américaine (principalement celle des États-Unis), la structure mixte (État-entreprise privée) de son économie interne et les restrictions que la Constitution canadienne implique sur l'emploi, par les États provinciaux, des instruments politico-économiques que sont les politiques fiscales et monétaires. Ces arguments mettent l'accent sur la façon dont l'environnement intrasociétal (i.e. le système économique québécois) et l'environnement extrasociétal (i.e. le système politique canadien et le système économique américain) affectent la quantité et la qualité des ressources à la disposition du système politique québécois. En se plaçant sur le strict plan économique, Pierre-André Julien (chapitre 17) démontre la faiblesse de chacun des trois arguments et en arrive à la conclusion que ces contraintes ne sauraient empêcher l'État québécois d'entreprendre une planification digne de ce nom. Il suggère que l'abandon de la politique québécoise de planification s'expliquerait davantage par des facteurs internes au système politique québécois que par les contraintes auxquelles le soumet son environnement.

C'est précisément là la stratégie de recherche employée par Pierre Lamonde (chapitre 18) dans son étude du contentieux Québec-Ottawa en ce qui concerne l'aménagement du complexe aéroportuaire de Mirabel. L'analyse qu'il fait de la stratégie des deux gouvernements met en lumière les forces et les faiblesses respectives des deux systèmes politiques. Elle souligne de plus que l'utilisation effective des ressources à la disposition d'un État, tout autant que leur quantité et leur qualité, constitue l'un des facteurs qui expliquent les *output* d'un système politique. Enfin, Pierre Lamonde illustre comment des demandes provenant du système économique nord-américain (environnement extrasociétal) ont produit des *output* qui ont affecté les systèmes écologique, économique et politique québécois (environnement intrasociétal).

Le problème de la survie et du développement de la nation canadienne-française a des implications évidentes pour le système politique québécois, car il pose la question de savoir quel gouvernement doit prendre les décisions qui ont trait à cette nation. Ici encore, l'approche systémique permet de classifier les divers aspects de ce problème politique. Partant du postulat selon lequel le système économique québécois domine tous les autres systèmes de la société globale québécoise, Jean-Luc Migué (chapitre 19) s'attache à expliquer le sous-développement du système économique canadien-français. Selon lui, il faut envisager ce problème dans l'optique du sous-développement de toute la société québécoise, notamment en ce qui a trait à la pauvreté des liaisons organiques entre les institutions canadiennes-françaises et l'entreprise. Il démontre que l'absence de telles liaisons, particulièrement entre les institutions d'enseignement canadiennes-françaises et les entreprises étrangères, contribue pour beaucoup au maintien de l'infériorité économique des Canadiens français. Il explique de plus que le fait que le système politique québécois ne soit pas intervenu pour corriger cette situation est attribuable aux *input* culturels du système économique dans le système politique. Il lui apparaît en effet que le système politique québécois, par la voie des partis politiques qui le contrôlent, fonde ses décisions davantage sur un code économique libéraliste et individualiste que sur un code globaliste, ce qui l'amène à vouloir régler le problème économique des Canadiens français par l'encouragement de la pénétration individuelle des Canadiens français dans les entreprises étrangères plutôt que par la promotion d'entreprises distinctement canadiennes-françaises et l'intégration de toutes les entreprises à la vie économique québécoise. Il souligne aussi comment il faut s'y prendre pour éviter qu'une stratégie globaliste ne serve exclusivement les intérêts des classes moyennes canadiennes-françaises.

L'étude d'Édouard Cloutier (chapitre 20) porte aussi sur la transposition d'éléments de la culture économique libéraliste au système politique québécois. Il constate que les confrontations entre l'État québécois et l'État fédéral sont souvent interprétées par les analystes comme reflétant une divergence dans la façon qu'ont les sociétés globales canadienne-française et canadienne-anglaise de concevoir et d'appliquer l'idée d'égalité. Les Canadiens français sont décrits par ceux-ci comme adhérant au principe de l'égalité numérique entre les communautés, alors que les Canadiens anglais et les Américains partageraient l'idéal d'une égalité entre ces entités qui est proportionnelle au nombre des individus qui les composent. De là, le conflit entre Canadiens français et Canadiens anglais en ce qui a trait à la réforme des structures du système politique canadien, les premiers demandant l'égalité entre les deux « nations fondatrices » du Canada et les seconds leur répondant que cela est inadmissible vu l'inégalité démographique flagrante entre celles-ci. De là aussi, la supposée incapacité qu'ont les Canadiens français de comprendre le fonctionnement de la démocratie politique. Edouard Cloutier démontre, à l'aide d'une expérience fondée sur la théorie des jeux, que de telles différences culturelles existent en effet, mais que la théorie économique ne permet en aucune façon de justifier la supériorité morale de la norme proportionnelle sur la norme numérique, comme le fait le système économique actuel.

Il suggère enfin que les systèmes économique et politique en vertu desquels les Canadiens français sont présentement gouvernés pourraient, dans la mesure où ils ne reposent pas sur des normes numériquement égalitaires, ne pas répondre adéquatement à leurs aspirations profondes.

Alors que l'étude d'E. Cloutier démontrait l'existence de normes culturelles différentes en ce qui a trait à la notion d'égalité entre étudiants universitaires canadiens-français, d'une part, et canadiens-anglais et américains, d'autre part, celle de Jean-Pierre Richert (chapitre 21) fait ressortir d'autres différences culturelles concernant cette fois la perception du gouvernement et de sa fonction, les jeunes Canadiens français ayant une conception plus autoritaire et plus personnalisée du pouvoir politique que les jeunes Canadiens anglais. Ainsi, il apparaît que le système culturel des Canadiens français pourrait imprégner au système politique québécois un mode de fonctionnement qui diffère sensiblement de celui qui est formellement inscrit dans les lois du gouvernement québécois, notamment en ce qui a trait à la formulation des *input* et des *output* et au comportement des agents politiques.

William Irvine a tenté de vérifier (chapitre 22) si le nationalisme politique des Québécois de la révolution tranquille s'appuyait sur des bases culturelles depuis longtemps établies au Canada français ou s'il constituait l'expression d'un nouveau mouvement social attribuable à des conditions sociales propres à l'époque contemporaine. En d'autres termes, il s'agit de savoir si le nationalisme québécois contemporain constitue vraiment un nouvel *input* dans le système politique, *input* auquel il faudra, par conséquent, trouver un nouvel *output*. Irvine découvre deux cultures politiques nationalistes au Québec : celle des cols bleus plus âgés qui s'accommode de l'aménagement des structures politiques actuelles et celle des jeunes cols blancs qui est centrée sur la restructuration des relations politiques formelles au Canada.

Guy Rocher (chapitre 23) pose le problème des conditions d'existence d'une francophonie originale en Amérique du Nord. Selon lui, la question fondamentale concerne la préservation de l'intégrité du système culturel canadien-français. Après avoir rappelé les données écologiques (i.e. sociogéographiques) qui ne peuvent manquer d'alimenter le développement du système culturel canadien-français, il propose que l'État québécois acquière la possibilité de s'auto-déterminer sur le plan culturel, c'est-à-dire de disposer de la totalité des pouvoirs de décider en cette matière, ce qui nécessiterait la reconnaissance, dans une nouvelle constitution canadienne, du principe de l'association entre deux sociétés globales. Ce minimum d'autodétermination lui apparait suffisamment vital pour l'amener à préférer la souveraineté totale du Québec au *statu quo* constitutionnel dans le cas où l'autodétermination culturelle ne pourrait être acquise. Il propose aussi, corroborant en cela les propos de Jean-Luc Migué, que l'État québécois entreprenne de libérer le système économique québécois de l'emprise étrangère afin de doter le système culturel d'assises économiques qui lui soient propres.

La dernière section, qui tient lieu de conclusion au présent recueil, comprend trois synthèses générales de l'ensemble des problèmes qui confrontent le système politique québécois contemporain. Le texte de Luc Racine et de Roch Denis (chapitre 24) a pour objectif de montrer comment les transformations du système politique québécois connues sous l'appellation de « révolution tranquille » sont explicables par l'évolution du système économique québécois depuis la fin de la seconde guerre mondiale, laquelle évolution est reliée au développement du capitalisme américain et international. Ce développement, caractérisé par l'expansion des monopoles américains en territoire québécois, a amené les classes moyennes bourgeoises canadienne-française et anglo-canadienne à réclamer du gouvernement québécois qu'il leur assure une certaine protection devant l'éviction qui les menaçait, de même que certains débouchés de marché et d'emploi qui leur seraient réservés. En même temps, l'État entreprenait la formation d'une nouvelle main-d'oeuvre mieux qualifiée pour remplir les tâches industrielles avancées. Les effets de la récession américaine sur l'économie québécoise eurent cependant tôt fait d'avoir raison de ces réformes, en minant l'assiette fiscale du gouvernement et en réduisant considérablement le marché du travail. C'est dans ce contexte également qu'il faut, selon Luc Racine et Roch Denis, analyser la montée du mouvement nationaliste qui apparaît, en tant qu'idéologie d'une fraction de la moyenne et petite bourgeoisie, à chaque fois que la détérioration de la situation économique accentue les phénomènes d'éviction de la moyenne bourgeoisie et de prolétarisation de la petite bourgeoisie. Le mouvement nationaliste ne peut cependant pas s'assurer en même temps les appuis de la bourgeoisie et de la classe ouvrière. Il optera donc pour la première. Pendant ce temps, le mouvement socialiste du Québec se dégagera progressivement du nationalisme bourgeois et deviendra un mouvement parallèle, mais non intégré, au mouvement de la classe ouvrière vers son organisation politique indépendante.

Léon Dion et Micheline de Sève (chapitre 25) étudient comment le processus de rationalisation des mécanismes de direction de l'État bureaucratique moderne qu'est devenu le gouvernement québécois a engendré, dans les années '70, des répercussions au niveau de la politisation de l'activité des collectivités québécoises. Il s'agit donc d'examiner comment un « withinput », c'est-à-dire une réorganisation de l'appareil étatique lui-même, produit des types d'*output* qui ont affecté l'environnement intrasociétal du système politique. Deux grandes questions guident la démarche des auteurs : quelle est la signification du déplacement du foyer d'identité culturelle de la nation canadienne-française vers l'État québécois ? Comment la question nationale en est-elle venue à déboucher sur la question sociale ? Leur principale réponse réside dans la tendance qu'a eu le système politique québécois à marginaliser, surtout après 1970 et souvent contre leur volonté, un nombre très important de mouvements sociaux de toutes sortes en ne répondant plus à leurs demandes et en mettant même en cause leur représentativité. Ces demandes se sont alors graduellement transformées en opposition au système politique lui-même, polarisation sur la base de laquelle est en train de se former une vaste coalition où la souveraineté politique devient un moyen d'actualiser des transformations sociales importantes plutôt qu'une fin en soi.

## La procédure et les techniques de recherche

Nous avons aussi voulu que ce recueil de textes ait une fonction pédagogique en ce qui concerne la procédure et les techniques de recherche. La procédure a trait aux étapes pratiques de la recherche, alors que les techniques réfèrent aux divers instruments dont se sert le chercheur pour cueillir, analyser et présenter les données. La procédure englobe donc les techniques.

Le chercheur accomplit une série d'activités concrètes (telles lire, interviewer, calculer et écrire) afin d'arriver à un produit concret de recherche (tels un livre, un film, un discours), lequel produit contient les énoncés qu'il croit véridiques quant à l'objet de la recherche. Comme tout autre travailleur, il a une perception organisée des étapes qu'il doit franchir pour arriver à finaliser sa production. Cette nécessité d'organisation d'une démarche pratique de recherche se traduit par la formulation de certaines questions générales qui ne peuvent être laissées sans réponse. Ces questions sont les suivantes : quel est l'objet de la recherche ? Où trouver les données pertinentes à cette recherche ? Comment analyser ces données ? Comment présenter les résultats de cette analyse ?

Nous tenterons de faire ressortir comment les auteurs dont les textes sont ici réunis ont répondu à ces quatre questions. Ainsi seront illustrées plusieurs des procédures et des techniques les plus couramment employées pour étudier la politique québécoise[60]. On retrouvera également dans la présentation qui précède chaque texte un aperçu des procédures et des techniques utilisées par les divers auteurs.

Quel est l'objet de la recherche? Il est coutumier en sciences sociales de distinguer entre les recherches dont l'objet est l'individu et celles dont l'objet est le groupe. En théorie, ces deux types d'objet sont indissociables, car l'un et l'autre sont imbriqués dans un ensemble de relations causales dont l'ordonnance demeure incertaine. S'il est évident que ce sont les individus qui forment les groupes — on imagine mal un groupe qui ne soit pas composé d'au moins quelques individus —, il n'en est pas moins sûr que les groupes forment les individus, chacun étant conçu par deux personnes et «élevé» par le groupe restreint qu'est la famille et par une multitude de groupes dont il est appelé à faire partie. Dans la pratique, cependant, certains objets de recherche sont considérés comme traitant des individus et d'autres des groupes.

Les objets de recherche propres aux individus sont de trois ordres, selon qu'ils ont trait à ce qu'ils sont, à ce qu'ils font et à ce qu'ils pensent. Les premiers comprennent les caractéristiques telles le sexe, l'âge et le groupe ethnique, qui sont imposées à l'individu et les caractéristiques telles que l'occupation, le revenu, le lieu d'habitation et le statut marital dont l'acquisition dépend au moins partiellement de leur propre initiative. L'ensemble de ces caractéristiques définit la situation de l'individu. D'autre part, les individus posent des actes : ils travaillent, consomment, votent, se récréent, volent, assassinent, parlent, procréent et déménagent. Ces actions constituent leur comportement. Enfin, les individus pensent. Toutefois, puisque leur pensée ne peut être connue que dans la mesure où ils l'expriment par un comportement (i.e. parole, écriture, geste), la recherche portant sur leur pensée s'effectue à travers celle portant sur leur comportement[61]. Ainsi en est-il des opinions et des attitudes. L'opinion est un comportement verbal[62] qui exprime la pensée d'un individu concernant un sujet donné. L'attitude est une prédisposition individuelle à réagir devant une stimulation donnée. Elle est identifiable par le degré de structuration interne des comportements considérés comme exprimant la pensée d'un individu — le plus souvent ses opinions — à l'égard de la stimulation.

Passons maintenant du niveau individuel au niveau social, lequel suppose des ensembles d'individus. La situation sociale des individus, c'est-à-dire ce que sont les ensembles d'individus, est définie selon des catégories sociales qui ne sont *que des agrégations d'individus* possédant en commun une ou plusieurs caractéristiques imposées ou acquises. Ainsi, les femmes constituent une catégorie sociale simple selon

---

60    Tout comme le cas des approches, nous n'avons pas ici la prétention d'élaborer une typologie complète des procédures et des techniques de recherche. Notre seule intention est d'indiquer les diverses procédures et techniques utilisées par les autres, en faisant bien ressortir ce en quoi on peut les distinguer. Cette opération nous amènera cependant à présenter une classification, assez simplifiée nous l'avouons, des procédures et techniques de recherche. Rappelons que, dans ce secteur comme dans celui des approches, il n'existe pas encore de classification exhaustive et exclusive.

61    Bien que le terme «pensée» soit un peu vieillot, nous n'en n'avons pas trouvé de meilleur pour désigner l'ensemble des représentations de la conscience. La pensée telle que nous l'entendons, inclut les idées, les images et les sentiments.

62    Il peut sembler paradoxal de définir l'opinion comme un comportement alors que la très grande majorité des écrits sur la question établissent une distinction très nette entre l'opinion et le comportement. En définissant l'opinion comme un «comportement verbal», nous voulons souligner qu'au niveau de la recherche sociale, l'opinion ne peut être connue que si elle est exprimée dans un comportement, qui est la plupart du temps, verbal.

une caractéristique imposée, le sexe. De même, les femmes mariées constituent une catégorie sociale composée d'une caractéristique imposée, le sexe, et d'une caractéristique acquise, la situation maritale. Les comportements sociaux des individus, c'est-à-dire ce que font les ensembles d'individus, sont définis au moyen des groupes sociaux, lesquels sont constitués d'individus agissant en commun dans le cadre de *structures plus ou moins organisées*[63]. Enfin, la pensée sociale des individus est définie par l'opinion publique et par l'idéologie, la première étant une agrégation d'opinions individuelles, et la seconde, la structuration plus ou moins organisée des attitudes commune à un groupe[64].

À partir des six objets d'étude ainsi définis (i.e. la situation, l'action et la pensée, tant au niveau individuel que social, voir Tableau I), le chercheur en sciences sociales peut tenter d'établir trois types principaux de relations, lesquels caractérisent la démarche de la recherche:

- soit entre les éléments à l'intérieur des objets (exemple: la recherche d'une attitude composée d'opinions stables et liées entre elles);

- soit entre la situation, le comportement et la pensée, au niveau individuel ou au niveau social (exemple: la recherche d'une relation entre les catégories sociales qui composent un groupe et l'idéologie de ce groupe);

- soit entre les niveaux individuel et social des objets (exemple: la recherche d'une relation entre le comportement des individus et celui du groupe auxquels ils appartiennent).

## *Tableau 1*

**Objets généraux de la recherche**

| | niveau | |
|---|---|---|
| | **individuel** | **social** |
| Situation | caractéristiques imposées et acquises | catégories sociales |
| Action | comportements | groupes |
| Pensée | opinions attitudes | opinion publique idéologies |

---

63  Nous omettons ici les conduites sociales non organisées, telles les réactions spontanées des foules, dont on peut considérer qu'elles constituent des phénomènes sociaux marginaux de par leur courte durée.

64  Il est cependant à noter qu'un individu peut partager certaines des attitudes structurées d'un groupe sans nécessairement en faire partie. Il en est ainsi, par exemple, d'une très forte proportion de la clientèle électorale des grands partis politiques.

La démarche qui consiste à relier les divers éléments d'un objet de recherche a été utilisée par plusieurs auteurs. Ainsi J.-C. Bonenfant, I. Gow, B. von Schoenberg et F. Renaud, J. Léveillée, G. Lalande, P.-A. Julien et P. Lamonde s'emploient, chacun à leur façon, à examiner les divers éléments de la structuration du «groupe» qu'est le gouvernement. De même, M.-F. Moore, J.-P. Richert et E. Cloutier consacrent leur recherche à retracer les éléments d'une idéologie. Quant à R. Hudon, ce sont les multiples manifestations organisées du patronage qui l'intéressent.

La démarche qui met en rapport situation, comportement et pensée tient à deux principes qui sont illustrés au Tableau II: le premier postule qu'il existe une certaine concordance entre ce que les individus sont, font et pensent et le second, que cette corcondance est déterminée en bonne partie par la situation. Dans le présent volume, on retrouve divers exemples de cette démarche. F.-P. Gingras cherche à expliquer un comportement de groupe (i.e. l'engagement indépendantiste) par la situation sociale dans laquelle se trouvent les individus impliqués (i.e. certaines de leurs caractéristiques socio-économiques); dans le cas de Louis Le Borgne, il s'agit d'expliquer certaines tranformations dans le monde syndical par les bouleversements politiques et économiques. G. Rocher soutient qu'une certaine catégorie d'individus (i.e. les intellectuels canadiens-français) devraient établir une plus grande concordance entre leur situation de Nord-américains et leur attitude à l'égard des États-Unis. A. Gélinas, I. Gow, F. Dépatie, M. Laurendeau, J.-P. Richert, J.-L. Migué et E. Cloutier sont tous préoccupés à divers titres des relations entre le comportement et la pensée de certaines catégories d'individus. Pour leur part, V. Lemieux, B. von Schoenberg et F. Renaud, J. Léveillée, A. Sicotte, M. Stein, W. Irvine, P. Racine et R. Denis, ainsi que L. Dion et M. De Sève s'intéressent à l'ensemble des relations entre situation, pensée et comportement.

## Tableau II

**Rapports entre situation, comportement et pensée**

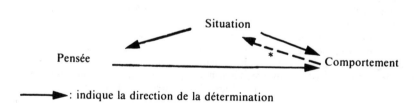

: indique la direction de la détermination

\* Cette influence du comportement sur la situation a trait aux caractéristiques situationnelles dont l'acquisition dépend au moins partiellement de l'initiative des individus (i.e. mariage, lieu d'habitation, occupation, etc.). Ainsi est reconnue la capacité qu'a l'homme de s'auto-déterminer.

C'est aussi cette influence du comportement sur la situation qui permet au comportement d'agir sur la pensée via la situation. L'engagement politique, par exemple, peut affecter la situation d'un individu et, par conséquent, la représentation consciente (i.e. la pensée) qu'il s'en fait.

Quant à la démarche qui est centrée sur les rapports individu-groupe, elle a surtout trait au fait que le groupe engendre une hiérarchisation complexe des catégories sociales, conférant ainsi un statut aux individus appartenant à ces catégories, lequel statut détermine la normalité de leur comportement et de leur pensée, c'est-à-dire leur rôle. Il est à noter qu'ici encore la détermination origine de la situation (i.e. le statut). A. Gélinas étudie les relations entre statut et rôle des parlementaires. F. Dépatie fait de même pour les femmes.

Où et comment trouver les données? L'acquisition de nouvelles connaissances ne suppose pas nécessairement la cueillette de données nouvelles. On a parfois tendance à oublier qu'une grande partie de l'effort de compréhension des choses et des événements se fait surtout en réinterprétant des données déjà connues. Les réinterprétations donnent naissance à des essais, forme de recherche qu'illustrent, en totalité ou en partie, les contributions de G. Lalande, L. Le Borgne, G. Rocher, L. Racine et R. Denis, ainsi que celle de L. Dion et de M. De Sève. La réinterprétation peut aussi se faire à partir d'un ensemble précis de données établies par d'autres auteurs à des fins différentes de celles que se propose le nouvel interprète. Il s'agit alors de ce qu'on appelle l'«interprétation secondaire». L'utilisation que W. Irvine fait des données recueillies par le Groupe de recherche sociale illustre cette procédure. De plus, tous les auteurs sont appelés à se référer, à un moment ou l'autre de leur recherche, à des données antérieurement établies, soit pour les rappeler à l'attention du lecteur comme le fait M. Laurendeau (i.e. ses statistiques sur la violence), soit pour les interpréter comme le font I. Gow, P-A. Julien, P. Lamonde, J.-L. Migué (i.e. les statistiques gouvernementales sur la fonction publique, les échanges commerciaux, les budgets d'aménagement et la distribution de certains types d'emplois) et J.-C. Bonenfant (i.e. les documents constitutionnels du Québec), soit tout simplement pour justifier la nécessité d'en cueillir de nouvelles, comme le fait E. Cloutier (i.e. l'égalitarisme des Canadiens français et des Canadiens anglais).

Il arrive cependant très souvent que les données nécessaires à la vérification de la problématique d'un chercheur n'existent pas. Il lui faut alors les établir en se référant à des documents (écrits ou autres), soit en les observant ou en suscitant situations, comportements et pensées. Dans le premier cas, le chercheur devra tirer des documents les données qui l'intéressent, comme l'ont fait, par exemple, M.-F. Moore, R. Hudon et A. Sicotte à partir d'une revue, de mémoires, de journaux et de documents internes d'un parti. Ces documents servent de témoins au chercheur, puisqu'ils attestent des données qu'il n'a pu observer et consigner lui-même. Cependant, quand le chercheur peut se trouver au bon endroit au bon moment, il observera directement et consignera lui-même les données. C'est ainsi qu'ont procédé A. Sicotte, B. von Schoenberg et F. Renaud en se rendant cueillir les données sur le terrain. Enfin, quand il ne se trouve pas de documents-témoins ou qu'ils est impossible au chercheur d'observer directement les phénomènes, il devra les susciter. Il y a essentiellement deux façons de le faire. Le chercheur peut créer des situations où il observera à loisir les comportements et la pensée des individus ainsi mis en rapport. C'est la méthode expérimentale dont se sert E. Cloutier. C'est aussi la technique des essais écrits utilisés par J.-P. Richert. Le chercheur peut aussi susciter, au moyen de questions, des réponses qui le renseigneront sur les situations, les comportements et les pensées des répondants ou d'individus connus des répondants. Cette cueillette d'information au moyen de questions-réponses peut se faire lors d'une rencontre entre le chercheur et l'informateur. Il s'agit alors de l'entrevue, telle que pratiquée par A. Gélinas, R. Hudon, F.-P. Gingras, A. Sicotte, J.-P. Richert et M. Laurendeau. Le chercheur peut consigner ses question par écrit et demander à l'informateur d'écrire ses réponses, ainsi que l'ont fait A. Gélinas et J.-P. Richert. Enfin, quand le nombre des informateurs est élevé et qu'il est impossible au chercheur de les rejoindre tous, il procédera par sondage auprès d'un échantillon représentatif de l'ensemble des informateurs. F.-P.

Gingras, R. Pelletier et F. Dépatie ont utilisé cette technique. Dans certains cas, celui de J.-P. Richert par exemple, le caractère expérimental de l'étude justifie l'utilisation d'un échantillon qui, sans être représentatif, permet cependant une première vérification de certaines hypothèses auprès d'un sous-groupe de la population totale.

Comment analyser les données? On a souvent tendance à opposer les techniques d'analyse qualitatives aux techniques quantitatives. Tel ne devrait pas être le cas, car les secondes procèdent des premières: elles visent en effet aux mêmes fins, c'est-à-dire à la description et à la mise en relation des objets d'études et, pour ce faire empruntent un procédé commun: la classification des objets selon des catégories de propriétés pertinentes à l'analyse. Ainsi, la situation des individus peut être qualitativement décrite au moyen des catégories d'âge, de sexe, de revenu et d'occupation.

Dans la mesure cependant où les données concernant les objets d'étude sont nombreuses, leur description qualitative peut facilement donner lieu à un engorgement de l'information qui rend la description désespérément répétitive. Par exemple, si l'on veut décrire qualitativement 1000 personnes selon le critère de leur âge, il faut définir les catégories d'âge pertinentes à l'analyse et établir une liste des 1000 personnes en qualifiant chacune de jeune ou d'âgée selon les catégories d'âge établies. Une telle procédure, on le voit, devient rapidement encombrante. On a donc avantage, quand les données sont nombreuses, à quantifier les données de façon à pouvoir les analyser selon une technique propre aux données quantitatives: la statistique. Ainsi, il est plus commode de décrire l'ensemble des 1000 personnes ci-haut mentionnées en indiquant le nombre d'entre elles qui sont jeunes et le nombre d'entre elles qui sont âgées.

Cependant, plusieurs types de données ne se présentent pas en grand nombre et leur analyse peut par conséquent être faite sans recours à la statistique. Il en est ainsi des objets d'étude univoques par définition, tel un individu ou un groupe donné. Par exemple, de par sa nature même, la description du mécanisme institutionnel d'un groupe est qualitative puisque univoque, tel qu'il est démontré par les descriptions des institutions gouvernementales de J.-C. Bonenfant et P. Lamonde.

La mise en relation des catégories descriptives est pratiquée au moyen d'une grille qui permet la conjugaison de plusieurs qualités pour en former de nouvelles. Les grilles les plus simples naissent de la rencontre de deux qualités dichotomiques, telles que dans le Tableau I du texte de L. Dion et M. De Sève, où la conjugaison entre le type de communauté et la position par rapport au système politique définit le degré d'institutionnalisation des collectivités. On trouvera d'autres grilles dans les articles de I. Gow, V. Lemieux, M. Stein, A. Sicotte, M.-F. Moore et M. Laurendeau. Ces grilles peuvent être utilisées pour analyser le contenu de documents (comme le font R. Hudon et M.-F. Moore) ou les rapports entre des groupes (comme le font M. Laurendeau ainsi que L. Dion et M. De Sève).

Quand la grille doit être appliquée à des données nombreuses, il convient encore de quantifier les données et de les analyser à l'aide de la statistique. Les grilles deviennent alors des tableaux de contingence tels qu'on en trouve, entre autres, dans les contributions de A. Gélinas, B. von Schoenberg et F. Renaud, J. Léveillée et R. Pelletier. De plus, la répartition de données nombreuses dans des tableaux de contingence permet alors au chercheur de mesurer le degré d'association entre deux catégories descriptives. Cette mesure, fondée sur la théorie mathématique des probabilités, se fait à l'aide de coefficients d'association comme en utilisent E. Cloutier, W. Irvine, J.-P. Richert et F.-P. Gingras. Enfin, on peut établir un modèle des multiples associations simultanées entre plusieurs catégories descriptives. Le modèle économétrique dont fait usage P.-A. Julien répond à cette fin, de même que la régression multiple employée par W. Irvine.

La présentation des données que le chercheur utilise ou produit comporte aussi certaines techniques. Toutes ont pour objet de communiquer au lecteur le maximum d'information sous une forme abrégée. Les cartes transmettent l'information à caractère géographique, comme le démontrent celles de P. Lamonde. Les graphiques font appel à la dimension spatiale pour transmettre l'information. Ils comprennent les organigrammes (J.-C. Bonenfant), les schémas directionnels (J. Léveillée, M. Stein, A. Gélinas, V. Lemieux et R. Hudon) et les polygones de fréquence (E. Cloutier, I. Gow). Enfin, les tableaux servent principalement à présenter l'information qui résulte de la rencontre de deux ou trois catégories de données. La rencontre de données qualitatives donne lieu à des grilles (L. Dion et M. De Sève, M. Laurendeau) et celle de données quantitatives à des tableaux de contingence (I. Gow, J. Léveillée, F.-P. Gingras, R. Pelletier, A. Sicotte, F. Dépatie, B. von Schoenberg et F. Renaud, P.-A. Julien, P. Lamonde, J.L. Migué, E. Cloutier, J.-P. Richert et W. Irvine. Il arrive aussi que l'on considère comme étant des tableaux la distribution de fréquence d'un seule catégorie de données (A. Gélinas, J.L. Migué et F.-P. Gingras).

Mais finalement toutes ces méthodes, toutes ces techniques visent le même objectif: saisir au vol cette réalité fuyante qu'est le Québec politique. La tâche n'est pas facile. Chaque mois amène sa moisson d'événements qui forcent l'analyste à reconsidérer sa position. Il ne saurait donc être question de présenter un tableau définitif de cette réalité politique québécoise. C'est au lecteur qu'il revient de pousser plus avant sa propre analyse. Nous espérons que les matériaux que nous avons réunis à son intention, y compris la bibliographie générale qui suit, lui seront utiles à cette fin.

# Bibliographie générale
## sur l'étude de la politique

En plus des ouvrages cités dans l'introduction on pourra consulter les études suivantes parmi les classiques de la science politique.

Hayward R. Alker, *Introduction à la sociologie mathématique*, Paris, Larousse, 1973.

Jacques Attali, *Analyse économique de la vie politique*, Paris, Presses Universitaires de France, 1972.

James M. Buchanan and Gordon Tullock, *The Calculus of Consent*, Ann Arbor, University of Michigan Press, 1962.

James C. Charlesworth, ed., *Contemporary Political Analysis*, New York, Free Press, 1967.

Bernard Crick, *The American Science of Politics*, Berkeley, University of California Press, 1959.

Robert Dahl, *Qui gouverne?*, Paris, Colin, 1972.

Karl Deutsch, *The Nerves of Government*, New York, Free Press, 1966.

Maurice Duverger, *Sociologie de la politique*, Paris, Presses Universitaires de France, 1973.

David Easton, *A. Framework for Political Analysis*, Englewood Cliffs, N.J. Prentice-Hall, 1965.

T. Robert Gurr, *Polimetrics,* Englewood Cliffs, N.J. Prentice-Hall, 1972.

Bertrand de Jouvenel, *De la politique pure,* Paris, Calmann-Lévy, 1963.

Charles A. McCoy and John Playford, eds., *Apolitical Politics: A Critique of Behavioralism,* New York, T.Y. Crowell, 1967.

Jean Meynaud, *Introduction à la science politique,* Paris, Colin, 1961.

C. Wright Mills, *L'élite du pouvoir,* Paris, Colin, 1970.

Marcus Olson, *The Logic of Collective Action,* Cambridge, Mass. Harvard University Press, 1965.

Marcel Prelot, *La science politique,* Paris, Presses Universitaires de France, 1961.

James N. Rosenau, *The Dramas of Politics: An Introduction to the Joys of Inquiry,* Boston, Little, Brown, 1973.

«La science politique», *Revue de l'enseignement supérieur,* 4 (1965), p. 7-163.

Edward R. Tufte, *Data Analysis for Politics and Policy,* Englewood Cliffs, N.J., Prentice-Hall, 1974.

Vernon Van Dyke, *Political Science: A Philosophical Analysis,* Stanford, Stanford University Press, 1960.

Oliver Walter, *Political Scientists at Work,* Belmont, Cal. Duxbury Press, 1971.

## Instruments de recherches sur la politique québécoise

Les bibliographies sur le Québec ne manquent pas, mentionnons entre autres :

Robert Boily, *Québec 1940-1969 : Bibliographie : le système québécois et son environnement,* Montréal, Les Presses de l'Université de Montréal, 1970.

René Durocher et Paul-André Linteau, *Histoire du Québec : bibliographie sélective, (1867-1970),* Trois-Rivières, Boréal Express, 1970.

Philippe Garigue, *Bibliographie du Québec (1955-1965),* Montréal, Les Presses de l'Université de Montréal, 1967.

Daniel Remi, *Guide bibliographique de science politique à l'intention des usagers de la Bibliothèque des sciences sociales,* Montréal, Bibliothèque des sciences sociales, Université de Montréal, 1970.

Mais il n'y a pas que les bibliographies ; d'autres instruments viennent s'ajouter à cette liste :

André Beaulieu, Jean Hamelin et Benoit Bernier, *Guide d'histoire du Canada,* Québec, Les Presses de l'Université Laval, 1969.

André Beaulieu et Jean Hamelin, *La Presse québécoise : des origines à nos jours,* Québec, Les Presses de l'Université Laval, 1973.

André Beaulieu, J.-C. Bonenfant et J. Hamelin, *Répertoire des publications gouvernementales du Québec de 1867 à 1964,* Québec, Imprimeur de la Reine, 1968 (*Supplément 1965-1968,* Québec, Éditeur officiel du Québec, 1970).

Guy Bouthillier et Jean Meynaud, *Le choc des langues au Québec, 1760-1970,* Montréal, Presses de l'Université du Québec, 1972.

Réal Bosa, *Les ouvrages de référence du Québec,* Montréal, Bibliothèque nationale du Québec, 1969.

Jacques Cotnam, *Contemporary Québec : An Analytical Bibliography,* Toronto, McClelland and Stewart, 1973.

Suzanne Lauzier et Normand Cormier, *Les ouvrages de référence du Québec : supplément 1967-1974,* Montréal, Bibliothèque nationale du Québec, 1975.

Denis Monière et André Vachet, *Les idéologies au Québec,* Montréal, Bibliothèque nationale du Québec, 1976.

Quant aux répertoires d'articles et de livres il faut consulter :

*Bibliographie du Québec*, Montréal, Ministère des affaires culturelles (mensuel).

*Index de l'Actualité vue à travers la presse écrite : Le Devoir, La Presse, Le Soleil*, Québec, Centre de documentation, Bibliothèque, Université Laval (mensuel).

*Périodex : index analytique des périodiques de langue française*, Montréal, Centrale des bibliothèques, (Mensuel).

*Radar : répertoire analytique d'articles de revues du Québec*, Montréal, Ministère des affaires culturelles, (bimestriel).

Finalement on trouvera bon nombre d'informations quantitatives dans :

*Annuaire du Québec*, Québec, Ministère de l'Industrie et du Commerce, (annuel).

R. Boily et al., *Données sur le Québec*, Montréal, Les Presses de l'Université de Montréal, 1974.

*Rapport du Président général des élections*, Québec, Éditeur officiel du Québec (publié environ un an après la tenue de chaque élection générale).

# PREMIÈRE PARTIE

# Le système politique québécois et la société québécoise

# L'État québécois
# dans ses structures

# Chapitre 1

# Le cadre institutionnel du système politique québécois*

Jean-Charles Bonenfant
Université Laval

*Jean-Charles Bonenfant est professeur de droit public à la Faculté de droit de l'Université Laval. Il s'intéresse surtout au droit constitutionnel* canadien *et aux procédures parlementaires. Il a déjà publié* Les institutions politiques canadiennes *(Québec, Presses de l'Université Laval, 1956) et* La naissance de la Confédération *(Montréal, Leméac, 1969), en plus d'avoir collaboré à plusieurs publications dans diverses revues.*

*Il décrit la structure gouvernementale québécoise et étudie la fonction des principaux changements structurels survenus depuis quelques années, notamment en ce qui a trait à l'administration publique et à l'administration financière. Pour ce faire, il analyse le contenu des lois et règlements constitutifs des institutions politiques et administratives québécoises. On trouvera dans son article deux organigrammes de l'organisation gouvernementale.*

Le Québec est théoriquement une des dix parties qui, sous l'appellation de «provinces», constituent l'Etat fédératif canadien, mais par suite de son histoire et du caractère français de la majorité de sa population, il possède des institutions politiques, administratives et juridiques qui témoignent d'une certaine originalité. Au sein du Fédéralisme, il a sa propre constitution comme les autres provinces, comme les états aux Etats-Unis et en Australie, et comme les cantons en Suisse. S'identifiant avec la Nouvelle-France d'autrefois qui s'était perpétuée dans le Bas-Canada, sans que celui-ci ne puisse vraiment disparaître malgré l'Union de 1840, le Québec est cependant né officiellement le 1er juillet 1867 comme entité politique par l'effet de l'Acte de l'Amérique du Nord britannique. Sa constitution formelle, c'est-à-dire un texte écrit,

---

* Ce chapitre a été adapté d'un article paru dans l'*Annuaire du Québec 1973*, Québec, Ministère de l'industrie et du commerce, 1973, p. 76-117.

est prévue dans un certain nombre d'articles de cette loi qui s'appliquent plus particulièrement au Québec, les articles 71 et 81, et les articles qui visent en même temps l'Ontario et le Québec, les articles 81 à 88. Cette constitution, comme c'est l'usage dans les pays dont les institutions politiques ont subi l'influence de la Grande-Bretagne, est complétée par des textes de loi, des interprétations judiciaires et surtout par des conventions qui forment la constitution au sens matériel, c'est-à-dire l'ensemble des dispositions prévoyant l'organisation et le fonctionnement des organes de l'État.

Il faut souligner l'importance des conventions car la vie politique du Québec, comme celle de tout le Canada, est baignée par ces accords tacites entre ceux qui se livrent au jeu politique, accords qui peuvent n'être pas écrits, qui sont dépourvus de sanctions légales, qu'on ne plaide pas devant les tribunaux, mais qui n'en sont pas moins compris et observés par les intéressés en vertu d'un sentiment commun de leur nécessité. On respecte les conventions comme des règles de jeu parce qu'on sait qu'en s'y soumettant, même lorsqu'elles sont désavantageuses, on pourra éventuellement en profiter. C'est ainsi qu'aucun texte de loi n'exige qu'un gouvernement mis en minorité à l'Assemblée nationale démissionne, mais il le fait parce qu'il sait qu'un gouvernement formé du parti opposé l'imitera lorsqu'il sera placé dans la même situation. Les conventions peuvent se transformer lentement. Elles naissent, se développent, se modifient au gré des événements et le temps seul peut les établir. On a même déjà soutenu avec une pointe d'humour qu'à proprement parler, une convention n'était jamais violée parce que l'acte qui la contredit prouve par lui-même qu'on ne considère pas la règle que la convention consacre comme définitive. Un système politique qui repose sur des conventions ne satisfait pas toujours des esprits avides de clarté et de certitude, mais il a l'avantage d'être souple et d'évoluer facilement. Ajoutons que certaines conventions peuvent se transformer en lois constitutionnelles.

Le Québec est maître de sa constitution en vertu du paragraphe 1 de l'article 92 de l'Acte de l'Amérique du Nord britannique qui dit que dans chaque province la législature a le droit exclusif d'adopter des lois concernant la constitution de cette province, sauf, ajoute-t-on, « en ce qui concerne la fonction de lieutenant-gouverneur ». Cette fonction ne pourrait être abolie ou modifiée par une loi provinciale. C'est ainsi qu'en 1919, le Comité judiciaire du Conseil privé a décidé dans « In re The Initiative and Referendum Act »[1] que la législature du Manitoba ne pouvait décréter qu'une loi naissait de l'approbation populaire à la suite d'un référendum, parce que c'était toucher à la fonction de lieutenant-gouverneur dont la sanction est la procédure finale dans l'adoption d'une loi. Le Québec a, à plusieurs reprises, amendé sa constitution par de simples lois. C'est ainsi qu'en 1886, on a porté de quatre à cinq la durée des fonctions maximum des députés et qu'en 1968, on a aboli le Conseil législatif[2].

## L'État du Québec?

Depuis quelques années, sans qu'il y ait eu de décisions officielles, on a tendance à remplacer la désignation «Province de Québec», qu'on corrige d'ailleurs par «Province du Québec», par celle d'«État du Québec». C'est ce que l'Office de la langue française a demandé aux journalistes au début de 1963. On a prétendu qu'un tel changement violait la Constitution du Canada parce que l'Acte de l'Amérique du Nord britannique de 1867 consacre la désignation de «Province de Québec». Il semble bien que même si c'est une dérogation à la lettre, ce ne soit pas une violation de l'esprit de la Constitution. Il est vrai que les textes ne parlent pas de l'État du Québec, mais l'absence

---

1 (1919) *Appeal Cases,* p. 935.

2 *S.Q.* 1886, ch 97, art. 31 et *S.Q.* 1968, ch. 9.

du mot n'entraîne pas nécessairement l'absence de la chose. Si par État on entend simplement une forme du gouvernement, un régime politique, la consécration du pouvoir, personne ne peut nier qu'il y a un État québécois, qu'on appelle provincial par opposition à l'État fédéral. Mais «État» a, dans les dictionnaires, un sens plus essentiel, celui de «groupement humain fixé sur un territoire déterminé, soumis à une même autorité (souveraine au regard du droit constitutionnel) et pouvant être considéré comme une personne morale». C'est en ce sens qu'on se demande s'il y a un État du Québec et ceux qui répondent affirmativement soulignent que le Québec est souverain dans la sphère assignée aux «provinces». Ce qui lui manque, c'est la souveraineté extérieure qui entraînerait une existence pleine et entière en regard du droit international. On peut donc parler dans un sens restreint de l'État du Québec sans mettre en danger le fédéralisme, mais par ailleurs pour éviter des polémiques inutiles, il semble bien que l'usage s'établit de dire le Québec, tout court, comme au niveau fédéral l'appellation «Dominion du Canada» disparaît pour faire place uniquement au mot Canada.

On retrouve dans le Québec la division classique des trois pouvoirs, l'exécutif, le législatif et le judiciaire mais, comme dans bien d'autres États, il n'est pas toujours facile d'en tracer les frontières précises.

## Le pouvoir exécutif

Dans le Québec, comme dans les autres provinces du Canada, le lieutenant-gouverneur incarne la Couronne au même titre que le gouverneur général dans le Canada tout entier. L'article 58 de l'Acte de l'Amérique du Nord britannique de 1867 décrète qu'il y aura, pour chaque province, un fonctionnaire appelé lieutenant-gouverneur, que le gouverneur général nommera par instrument sous le Grand Sceau du Canada. Au moment de la naissance de la Confédération, quelques-uns de ses adversaires exprimèrent la crainte que le lieutenant-gouverneur ne soit qu'un agent du gouvernement fédéral dans la politique provinciale. À l'époque, ces craintes étaient justifiées car on avait donné au lieutenant-gouverneur le droit de réserver les projets de loi de la législature provinciale à la sanction du gouvernement fédéral. Soixante-douze projets furent ainsi réservés, de 1867 à nos jours, la dernière fois en Saskatchewan, en 1961, mais à cette occasion le gouvernement de M. Diefenbaker accorda immédiatement la sanction et la convention semble bien établie aujourd'hui que la réserve ne se pratique plus. On a vu aussi naguère dans l'histoire du Québec un lieutenant- gouverneur destituer un premier ministre et se voir, à son tour, destitué par le gouvernement fédéral. Ce fut le cas de Luc Letellier de Saint-Just, lieutenant-gouverneur d'origine libérale, qui, en 1878, démit Charles Boucher de Boucherville, premier ministre conservateur, qui jouissait pourtant de la confiance de l'Assemblée législative. L'année suivante, le gouvernement conservateur de John A. Macdonald démettait, à son tour, Letellier de Saint-Just.

Aujourd'hui, dans ce domaine, les passions politiques se sont apaisées, les conventions constitutionnelles se sont précisées et sans que rien n'ait été changé dans les textes, le lieutenant-gouverneur d'une province participe à l'indépendance, à l'impartialité, à la quiétude et au caractère symbolique de la Couronne dans les pays d'institutions politiques d'origine britannique. Le lieutenant-gouverneur est nommé, généralement pour cinq ans, et il est payé par le gouvernement fédéral, mais la jurisprudence a reconnu qu'il représente directement la Reine pour les fins provinciales. La Couronne ne fait que traduire la volonté populaire, car maintenant elle agit toujours selon les recommandations des représentants du peuple faisant partie du Conseil exécutif. En effet, on se demande s'il est encore quelque domaine où la Reine, le gouverneur général et le lieutenant-gouverneur peuvent agir seuls! Peut-être pour choisir un premier ministre ou pour empêcher celui-ci de violer un important principe de droit constitutionnel, mais alors ils essaient de prévoir le sentiment de la majorité des représentants du peuple qui, éventuellement, devront ratifier leur décision. L'exécutif provincial est donc bicéphale puisqu'il a une tête apparente, le lieutenant-gouverneur, et une tête réelle, le premier ministre. C'est une différence essentielle de nos institutions avec celles des Etats-Unis où le président incarne seul l'exécutif.

L'article 63 de l'Acte de l'Amérique du Nord britannique de 1867 prévoyait que « dans l'Ontario et le Québec, le Conseil exécutif se composera des personnes que le lieutenant-gouverneur jugera, de temps à autre, à propos de nommer et tout d'abord des fonctionnaires suivants : un procureur général, un secrétaire et registraire de la Province, un trésorier de la Province, un commissaire des terres de la Couronne, un commissaire de l'Agriculture avec en plus dans le Québec, le président du Conseil législatif et un solliciteur général ». La Législature du Québec a depuis transformé considérablement la structure du Conseil exécutif. Au 14 février 1973, il se composait[3] de ceux que la loi appelle « les fonctionnaires suivants » :

— Un premier ministre qui de droit est président du Conseil ;
— Un vice-premier ministre et ministre des Affaires intergouvernementales;
— Un ministre de la Justice qui, autrefois, dans le Québec, s'appelait procureur général, nom qu'il porte dans d'autres provinces ;
— Un ministre des Affaires culturelles :
— Un ministre des Finances qui, autrefois, dans le Québec, s'appelait trésorier provincial, nom qu'il porte encore dans d'autres provinces ;
— Un ministre du Revenu ;
— Un ministre des Richesses naturelles ;
— Un ministre des Terres et Forêts ;
— Un ministre de l'Agriculture et de la Colonisation ;
— Un ministre de la Voirie ;
— Un ministre des Travaux publics ;
— Un ministre du Travail et de la Main-d'oeuvre ;
— Un ministre de l'Immigration ;
— Un ministre des Affaires sociales ;
— Un ministre des Affaires municipales et de la Qualité de l'environnement ;
— Un ministre du Tourisme, de la Chasse et de la Pêche ;
— Un ministre de l'Industrie et du Commerce ;
— Un ministre des Transports ;
— Un ministre de l'Éducation ;
— Un ministre des Institutions financières, Compagnies et Coopératives ;
— Un ministre de la Fonction publique ;
— Un ministre des Communications.

La loi de l'exécutif prévoit que le lieutenant-gouverneur en conseil peut définir les devoirs qui doivent être remplis par tout membre du Conseil exécutif, transférer un

---

3  *S.R.Q.* 1964, ch 9, complété par les amendements.

ou plusieurs services d'un ministère du contrôle d'un membre du Conseil exécutif au contrôle d'un autre membre et modifier le nom sous lequel un membre du Conseil exécutif ou un ministère est désigné. Il faut cependant que l'arrêté-en-conseil pris à cet effet soit publié dans la *Gazette officielle du Québec*.

On prévoit encore, comme en 1867, l'existence dans le Conseil exécutif d'un solliciteur général qui remplit généralement aux côtés du ministre de la Justice les «fonctions et devoirs de nature légale ou juridique que lui assigne le lieutenant-gouverneur en conseil». Le Conseil exécutif peut aussi comprendre des ministres auxquels on n'a pas confié la responsabilité d'un section de l'administration. On les appelait autrefois ministres sans portefeuille et on les désigne aujourd'hui sous l'appellation de ministres d'État. On leur attribue parfois des tâches administratives auprès d'un ministre titulaire. Un membre du Conseil exécutif peut être nommé, par arrêté-en-conseil, vice-président du Conseil et il est chargé, à ce titre, d'exercer les fonctions et pouvoirs du président lorsque que ce dernier est absent de la capitale. Les membres du Conseil doivent devenir membres de l'Assemblée nationale, mais la loi ne fixe aucun délai pour leurs élections. Un ministre peut détenir plus d'un portefeuille ministériel, mais il ne peut toucher que le traitement attaché à une seule de ses fonctions. Il est interdit aux membres du Conseil exécutif d'assumer les fonctions de directeur ou d'administrateur d'une société à caractère commercial, industriel ou financier qui transige directement ou indirectement avec le gouvernement du Québec.

Les textes de loi parlent du Conseil exécutif du Québec, mais par imitation de ce qui existe à Londres et à Ottawa, on emploie aussi pour désigner les hommes qui le forment les mots «ministère» et «cabinet». Lorsqu'on utilise le mot ministère, on souligne la qualité de chefs de sections de l'administration que possèdent la majorité des membres du Conseil exécutif; par ailleurs, comme le cabinet proprement dit est un comité du Conseil privé et que, contrairement à Londres et à Ottawa, un tel organisme n'existe pas à Québec, on peut affirmer que lorsqu'on emploie le mot, c'est par analogie pour appuyer sur le rôle de conseillers que jouent ses membres, rôle qui est plus politique qu'administratif. Rappelons qu'en Grande-Bretagne, on distingue entre le ministère et le cabinet, le premier comprenant tous les ministres à la tête des diverses parties de l'administration et le second ne désignant que les plus importants d'entre eux.

## 1. Le premier ministre

Au sommet de l'exécutif, il y a le premier ministre. Peu de textes prévoient son existence et ses formes d'activité qui se sont développées de la fin du dix-huitième siècle jusqu'à nos jours. Chef du parti majoritaire à moins qu'il soit à la tête d'une coalition, il est appelé par le lieutenant-gouverneur à former le cabinet; il choisit ses ministres qui dépendent à ce point de lui qu'ils cessent d'occuper leurs fonctions s'il meurt ou s'il démissionne, mais il ne peut continuer à exercer son autorité que pour autant qu'il jouit de la confiance de ses collègues et en définitive de la majorité des députés de l'Assemblée nationale. C'est le chef du gouvernement. On lui reconnaît comme prérogatives le pouvoir de recommander au lieutenant-gouverneur la convocation, la prorogation et la dissolution de la législature, le pouvoir de choisir les membres du Conseil exécutif et de les faire destituer et de nommer les sous-ministres et quelques hauts fonctionnaires de même rang. Ce n'est tout de même pas un dictateur et on a souvent dit qu'il était «primus inter pares», le premier parmi des égaux, c'est-à-dire, parmi des collègues qui acceptent librement sa direction.

Avec ses collègues il est soumis au jeu de deux principes qui ne sont pas prévus dans des textes de loi, mais qui reposent sur des conventions constitutionnelles édifiées au cours des siècles: la responsabilité ministérielle et la solidarité ministérielle.

La première est une règle en vertu de laquelle le pouvoir exécutif est soumis au contrôle de la Chambre basse avec comme conséquence pour le premier ministre d'être obligé de démissionner si le gouvernement ne possède plus la confiance des représentants du peuple, ce qui se produit lorsqu'il est mis en minorité par vote parlementaire sur une question importante ou lorsqu'il est défait aux élections. Toutefois, dans le premier cas, au lieu de démissionner, le premier ministre peut demander la tenue d'élections générales. Autrefois, jusqu'au milieu du dix-neuvième siècle, en Grande-Bretagne, un premier ministre défait aux élections attendait la réunion des Chambres pour démissionner mais maintenant à Québec, comme à Londres ou à Ottawa, un gouvernement défait aux urnes ne pourrait, pour rester au pouvoir, qu'invoquer le caractère indécis des résultats. La responsabilité ministérielle exige que le premier ministre et ses collègues soient membres de l'Assemblée nationale ou s'ils ne le sont pas, qu'ils fassent diligence pour y entrer. La responsabilité ministérielle veut aussi que les ministres soient responsables de leurs actes et de ceux de leurs subordonnés devant l'Assemblée nationale.

## 2. *Le Conseil exécutif*

Les membres du Conseil exécutif sont en outre soumis au principe de la solidarité ministérielle qu'il ne faut pas confondre avec la solidarité parlementaire. Celle-ci veut qu'un député vote habituellement avec son parti, mais il peut parfois s'en séparer sans inconvénient grave. La solidarité ministérielle est beaucoup plus rigoureuse. Comme les mots l'indiquent, elle existe entre les ministres; elle n'exige pas qu'ils soient toujours du même avis et qu'ils ne discutent pas entre eux, mais elle signifie que lorsqu'une décision importante est prise par le Conseil exécutif, tous les ministres doivent l'appuyer publiquement. Lorsque l'un d'entre eux est en désaccord, il ne lui reste qu'à démissionner.

Le Conseil exécutif siège à huis-clos et les délibérations sont tenues secrètes. Son quorum, qu'il fixe lui-même, n'est actuellement que de quatre membres. Il s'exprime par la voix du premier ministre ou de son représentant, par des arrêtés-en-conseil et par des minutes. Le lieutenant-gouverneur, qui ne siège pas au Conseil, décrète ce que ce dernier lui a recommandé à la suite d'une proposition formulée par un membre du Conseil: d'où l'appellation d'arrêté du lieutenant-gouverneur en conseil. Les minutes sont des résumés qu'on fait des délibérations mais parfois, pour formuler une opinion plutôt qu'une décision formelle, on en stylise et publie un extrait. Le Conseil exécutif n'a de pouvoirs que pour autant qu'il en a reçu du législateur ou en vertu de prérogatives, subsistance plutôt rare des pouvoirs royaux d'autrefois que le parlement n'a pas fait disparaître.

Le Conseil exécutif, moralement sûr de l'appui de l'Assemblée nationale, est en fait sinon en théorie, l'institution politique la plus importante de l'Etat. Il suggère les lois et il les applique. Il désigne les titulaires des fonctions publiques les plus importantes. Aux moments de crise, il prend les grandes décisions qui s'imposent; il oriente les événements; bref, il gouverne.

Si paradoxal que cela puisse paraître, le Conseil exécutif du Québec, à l'exemple d'organismes analogues dans le monde, remplit de plus en plus une double fonction législative. Presque tous les projets de lois publiques sont proposés par le gouvernement après avoir été étudiés et approuvés par le Conseil exécutif; la plupart des députés qui appuient le parti au pouvoir n'osent y apporter des modifications et par ailleurs, l'opposition minoritaire en est presque toujours incapable. C'est dire que si la loi naît formellement dans les institutions législatives proprement dites, elle tire ses véritables origines dans le pouvoir exécutif. Ce dernier légifère aussi par voie de délégation. En effet, la plupart des lois prévoient que le lieutenant-gouverneur en conseil peut adopter des règlements pour des fins précises et souvent même, d'une façon générale, pour mettre en application les dispositions de la loi. Ces règlements sont habituellement en vigueur lors de leur publication dans la *Gazette officielle du Québec*. Ils se sont multipliés ces dernières années; ils ont pris une grande importance et c'est pourquoi on songe à les codifier comme les lois.

### 3. *Les prolongements du Conseil exécutif*

L'exécutif se prolonge jusqu'à un certain point par l'administration dont il est question plus loin et les commissions d'enquête. La plupart des fonctionnaires, sauf ceux qui sont attachés plus particulièrement au corps législatif, sont à des degrés divers des représentants de l'exécutif. Les commissions d'enquête qu'on dit «royales», parce que la Reine est le symbole de l'exécutif, sont des organismes auxquels le gouvernement confie l'étude d'un problème. Le système fonctionne dans plusieurs pays, mais il est particulièrement lié aux institutions britanniques. Il a connu, ces dernières années, au Canada et plus particulièrement dans le Québec, une grande popularité. La loi[4] prévoit que lorsque le lieutenant-gouverneur en conseil juge à propos de faire tenir une enquête sur «quelqu'objet qui a trait au bon gouvernement de la province, sur la gestion de quelque partie des affaires publiques, sur l'administration de la justice ou sur quelque matière importante se rattachant à la santé publique ou au bien-être de la population, il peut, par une commission émise à cette fin nommer un ou plusieurs commissaires pour conduire cette enquête». On peut aussi créer une commission par une loi spéciale.

Ce fut l'origine d'une des plus importantes commission du Québec, la Commission royale d'enquête sur les problèmes constitutionnels, qui, mieux connue sous l'appellation de Commission Tremblay, du nom de son président, le juge Thomas Tremblay, a présenté son rapport en 1956. Parmi les autres commissions des dernières années qui sont restées célèbres, signalons la Commission royale d'enquête sur l'enseignement qui, dans ses recommandations publiées de 1963 à 1966, a suggéré une transformation fondamentale du système d'éducation au Québec, la Commission royale d'enquête sur la fiscalité qui, en 1965, a proposé un nouveau système fiscal pour le Québec et la Commission d'enquête sur l'administration de la justice en matière criminelle et pénale au Québec qui, au milieu de 1970, avait déjà publié une douzaine de tomes. Toutes les recommandations des commissions ne sont pas mises en vigueur; le gouvernement est libre de les accepter ou de les refuser, mais il est sûr que ces enquêtes créent un climat de recherche et de réflexion et constituent un phénomène important et parfois original de nos institutions politiques.

## Le pouvoir législatif

L'article 71 de l'Acte de l'Amérique du Nord britannique de 1867 disait qu'il y aura, pour le Québec «une législature composée du lieutenant-gouverneur et de deux chambres appelées Conseil législatif du Québec et Assemblée législative du Québec». Théoriquement, le représentant de la Reine fait donc partie du pouvoir législatif et un projet, après avoir été voté, a besoin de son approbation, qu'on appelle sanction, pour devenir une loi. La sanction est maintenant automatique et depuis quelques années, à Québec, elle se fait sans apparat dans le bureau du lieutenant-gouverneur.

---

4  *S.R.Q.* 1964, ch. 11.

Québec a été la dernière province du Canada à posséder une chambre haute. Son Conseil législatif, créé en 1867, par l'Acte de l'Amérique du Nord britannique, possédait 24 membres qui, pendant longtemps, furent nommés à vie à la discrétion du gouvernement. Ses pouvoirs, comme ceux du Sénat canadien, étaient absolus et il pouvait même faire échec à une mesure de nature financière. Cette Chambre haute non élective a consenti, en 1968, à voter la loi qui l'abolissait le 31 décembre de cette même année.

## 1. *Les assises électorales de l'Assemblée nationale*

Le pouvoir législatif véritable n'appartient donc maintenant qu'à une seule Chambre appelée autrefois «Assemblée législative» et désignée, depuis 1968, sous l'appellation d'«Assemblée nationale». En vertu d'une loi adoptée en 1971, les députés ont droit au titre de membres de l'Assemblée nationale, avec le signe M.A.N., qui a remplacé le titre de membre du Parlement du Québec, M.P.Q.[5]. Au début de la Confédération, le Québec était divisé en soixante-cinq circonscriptions électorales ayant chacune le droit d'élire un député à l'Assemblée législative. Le nombre de circonscriptions a augmenté avec les années et il est, depuis 1973, de 112. La législature du Québec peut, par une simple loi, modifier les bases de la représentation à l'Assemblée nationale, où on constate présentement une inégalité considérable entre les petites et les grandes circonscriptions. Jusqu'en 1970, il existait en vertu de l'article 80 de l'Acte de l'Amérique du Nord britannique, dix-sept circonscriptions dites «privilégiées» parce qu'on ne pouvait toucher à leurs frontières sans le consentement de la majorité absolue de leurs représentants. La disposition avait été adoptée en 1867 pour protéger des circonscriptions habitées alors par une population en grande majorité anglo-saxonne et protestante. Les exigences de l'article 80 rendaient difficiles non seulement les changements de frontières des circonscriptions «privilégiées» mais aussi les changements concernant les circonscriptions qui leur étaient limitrophes. Par ailleurs, ces circonscriptions n'étaient plus habitées par une majorité anglo-saxonne et protestante. Aussi, souhaitait-on en plusieurs milieux la disparition d'une protection qui ne correspondait plus à la réalité démographique et qui rendait difficile un remaniement équitable de la carte électorale. En décembre 1970, la Législature a adopté une loi qui abrogeait la disposition[6].

En juillet 1971, la Législature a adopté le projet de loi no 80 créant une Commission de la réforme des districts électoraux[7]. Cette Commission relève de l'Assemblée nationale qui en nomme les trois membres et à laquelle ceux-ci font rapport. Le président général des élections est obligatoirement un des trois membres de la Commission et il la préside. La commission est permanente et, dans l'année qui suit des élections générales, elle doit déterminer si les districts électoraux doivent être délimités de nouveau. Elle devait cependant présenter un premier rapport au plus tard le 1er mars 1972, ce qu'elle a fait. En 1975, à la suite de l'élection générale d'octobre 1973, la Commission a présenté un deuxième rapport. Elle doit s'assurer que chaque district électoral comprend 32,000 électeurs en admettant toutefois, un écart de 25 pourcent en plus ou en moins lorsque cela paraît nécessaire. Elle peut cependant s'écarter exceptionnellement de ces critères pour des considérations spéciales d'ordre géographique ou démographique, ce qui ne s'est produit que pour la circonscription des Iles-de-la-Madeleine.

---

5  *L.Q.* 1971, ch. 9, art. 1.

6  *L.Q.* 1970, ch. 7.

7  *L.Q.* 1971, ch. 7.

La dissolution des Chambres qui entraîne la tenue des élections est ordonnée à la discrétion du gouvernement, mais celles-ci doivent avoir lieu au moins tous les cinq ans. Des élections partielles ont aussi lieu lorsqu'un siège est vacant, mais rien n'oblige le gouvernement à les tenir dans un certain délai. La tenue des élections est placée sous la haute surveillance du président général des élections qui est nommé par l'Assemblée nationale. Dans chaque circonscription, la loi est appliquée par un président d'élection. Les circonscriptions sont divisées en sections de trois cents électeurs et dont la superficie ne dépasse pas huit milles de longueur par huit milles de largeur. Il y a un bureau de votation par section avec un scrutateur, accompagné d'un greffier de scrutin, le premier recommandé par le candidat du parti ministériel et le second par le candidat de l'opposition officielle. Le suffrage est vraiment universel, les femmes ayant obtenu le droit de vote en 1941 et l'âge des votants ayant été abaissé, en 1963, à 18 ans. Pour se présenter comme candidat, il faut cependant être un électeur de 21 ans. Pour être électeur, il faut être de citoyenneté canadienne et être domicilié dans le Québec au moins un an avant la date fixée pour les élections. Des listes électorales, dites «permanentes», sont confectionnées à chaque année.

La loi électorale de 1963[8] a limité les dépenses électorales, mais elle a en même temps innové en décrétant que l'Etat en assumait une partie. Selon cette loi, seul un agent officiel, désigné par un parti ou un candidat peut faire des dépenses électorales pendant les élections. On entend par dépenses électorales tous les frais encourus pendant une élection pour favoriser directement ou indirectement l'élection d'un candidat ou celle des candidats d'un parti. L'agent officiel d'un candidat doit, dans les soixante jours qui suivent la proclamation de l'élection d'un candidat, remettre au président général des élections un état des dépenses électorales. L'agent officiel d'un parti doit faire de même dans un délai prévu. Sont reconnus par le président général des élections le parti du premier ministre ou du chef de l'opposition officielle et un parti qui, aux dernières élections générales, avait dix candidats officiels ou qui, aux élections générales en cours, démontre qu'il aura ce nombre.

Les députés sont élus au scrutin majoritaire à un tour, c'est-à-dire que, comme le stipule la loi électorale «le candidat qui après l'addition des votes a reçu le plus grand nombre de suffrages, doit être déclaré élu»,. Le système a relativement bien fonctionné tant que deux grands partis seulement rivalisaient pour se succéder au pouvoir, mais on se demande s'il convient maintenant que plusieurs partis se font la lutte.

## 2. Le fonctionnement interne de l'Assemblée nationale

L'Assemblée nationale fonctionne d'après des règlements et des coutumes qui ont été considérablement modernisés ces dernières années. Le 27 mars 1972, l'Assemblée nationale a adopté à l'unanimité un nouveau règlement qui régit maintenant ses travaux. Le quorum est de trente députés mais la présence de vingt d'entre eux suffit lorsqu'une commission siège en même temps qu'elle. Convoquée théoriquement par une proclamation du lieutenent-gouverneur, la première session d'une législature débute par l'élection d'un président qu'on appelait autrefois l'Orateur parce qu'il parlait au nom des élus du peuple. Le président reste en fonction, à moins qu'il démissionne, jusqu'aux prochaines élections. Il est le maître des délibérations et il est appelé à voter au cas d'égalité des voix. A Québec, le représentant de la reine ne

---

8 *S.R.Q.* 1964, ch. 7; cette loi a été modifiée en 1974 (projet de loi no 81) et prévoit maintenant l'octroi de subventions annuelles aux partis les plus importants. Une somme de $400,000 est prévue à cet effet.

fait plus maintenant qu'un bref discours, survivance de l'ancien discours du trône dans lequel le souverain disait pourquoi il avait convoqué les députés, donnait un aperçu de l'état du pays et l'indication plus ou moins précise des mesures dont seraient saisis les législateurs. La brève intervention plutôt symbolique du lieutenant-gouverneur est suivie d'une sorte de discours inaugural du premier ministre auquel répondent le chef de l'opposition et les chefs des autres partis. Les premiers jours de la session donnent encore lieu à un débat général qui, théoriquement, est le débat sur l'adresse en réponse au discours du trône. Dès le dix-septième siècle, en Grande-Bretagne, la Chambre des Communes et la Chambre des Lords prirent l'habitude de répondre par une adresse au discours que le souverain avait prononcé à l'ouverture de la session. Ce n'est plus maintenant qu'un acte de courtoisie sans signification profonde qui permet aux députés de disserter sur tous les sujets et au gouvernement d'obtenir un vote d'approbation. A Québec, comme partout ailleurs, on a établi des limites à ce débat général qui se répète d'ailleurs d'une façon analogue à l'occasion du budget.

L'Assemblée nationale siège comme telle et elle se transforme aussi en commission plénière. Il y a en second lieu des commissions élues composées de quelques membres seulement de l'Assemblée. On les dit permanentes ou spéciales selon qu'elles sont constituées d'avance pour s'occuper de tous les sujets d'une certaine catégorie mis à l'étude au cours de la session ou qu'elles sont constituées spécialement en vue d'examiner un sujet particulier. Un changement important dans la marche du travail parlementaire à Québec, ces dernières années, a été engendré par une utilisation plus considérable et plus méthodique des commissions élues permanentes ou spéciales. Les commissions permanentes existent maintenant en fonction des sections de l'administration. On y joint quelques autres commissions comme celle de la présidence et celle des comptes publics. De plus en plus, les crédits sont discutés dans la commission dont ils relèvent. Les commissions siègent aussi pendant les vacances de l'Assemblée nationale, ce qui donne à celle-ci une activité plus continue.

Par suite du jeu de la majorité parlementaire, l'Assemblée nationale est dominée par le premier ministre et ses collègues du Conseil exécutif, mais la coutume et quelques dispositions législatives reconnaissent un statut spécial à celui qui est à la tête du parti qui compte le plus de députés en Chambre après le parti gouvernemental et qu'on appelle chef de l'opposition. En juillet 1970, le bill 1, Loi modifiant la Loi de la Legislature, a accordé une indemnité additionnelle et une allocation supplémentaire à chaque député qui dirige, à l'Assemblée nationale, un parti de l'opposition dont l'effectif reconnu comprend au moins douze députés ou qui y dirige un parti de l'opposition dont l'effectif comprend moins de douze députés mais qui a obtenu vingt pour cent des votes dans l'ensemble du Québec aux élections générales. Le premier ministre a pris l'habitude de déléguer une partie de ses tâches parlementaires à un autre ministre. De même, le chef de l'opposition peut aussi confier à un autre député de son parti la direction du travail parlementaire.

Parmi les autres députés qui sont appelés à jouer un rôle particulier, il faut mentionner les adjoints parlementaires et les whips. En vertu de la Loi de la Législature, le lieutenant-gouverneur en conseil peut, parmi les députés, nommer des adjoints parlementaires dont le nombre n'excède pas 12. L'adjoint parlementaire est chargé d'assister le ministre auquel il est adjoint en la matière que celui-ci détermine et, en l'absence du ministre, de représenter à l'Assemblée nationale le ministère dont il a la direction. Le «whip», appellation qui vient de l'opération qui à la chasse consistait à rassembler les cheins, existe en vertu de la tradition parlementaire et, pour chaque parti, il est à la fois un animateur et un surveillant qui voit à la présence et à l'efficacité de ses collègues en Chambre.

On peut affirmer que l'Assemblée nationale connaît quatre formes principales d'activités : c'est un centre de renseignements pour les représentants du peuple ; c'est la source des crédits ; c'est le forum du peuple et c'est surtout un corps législatif.

À la fin du dix-huitième siècle, les questions posées par les députés aux ministres du gouvernement sont devenues une partie importante de la procédure de la Chambre des Communes britannique. Le système a été imité par tous les parlements et il est pratiqué au Québec depuis longtemps. Au début de chaque séance, selon une procédure établie, un député peut poser une question se rapportant à quelque matière d'intérêt public. On peut aussi demander la production de documents. Le système des questions ainsi que celui de la production de documents est un puissant instrument de surveillance des représentants du peuple sur le pouvoir exécutif. Une tâche importante des députés est le vote des crédits annuels car, en vertu de la vieille règle décrétant qu'il n'y a pas d'impôt sans représentation, toutes les dépenses doivent avoir été prévues dans le budget qui couvre la période du 1er avril au 31 mars. Des budgets supplémentaires sont aussi adoptés soit pour des dépenses de l'exercice financier en cours, soit pour compléter le budget de l'année suivante. L'Assemblée nationale, à l'occasion du débat sur l'adresse en réponse au discours du trône, du débat sur le budget ainsi qu'à la faveur de motions spéciales, est aussi témoin d'expression d'opinions sur les problèmes qui passionnent l'opinion publique. Enfin, elle est avant tout un corps législatif.

Il existe deux sortes de lois : les lois publiques et les lois privées. Les premières concernent l'intérêt public et elles sont généralement proposées par les membres du Conseil exécutif quoiqu'un simple député puisse le faire. Les secondes concernent des intérêts particuliers ou locaux et elles sont fondées sur la pétition des intéressés. Un projet de loi, que par suite de la tradition anglaise on appelle bill, est soumis à une procédure élaborée dont les principales étapes sont les suivantes. La première lecture se résume à l'annonce de l'objet du projet et elle ne provoque aucun débat. À la seconde lecture, le projet, qui est imprimé en français et en anglais, est étudié dans son principe. S'il est voté par la majorité, il est alors étudié en détail soit en commission plénière générale ou dans une commission spéciale. C'est à cette phase qu'il subit, si cela est nécessaire, des amendements. Il franchit finalement l'étape de la troisième lecture et il devient loi par la sanction du lieutenant-gouverneur. La loi peut être mise en vigueur immédiatement, mais elle peut aussi ne le devenir que sur proclamation, c'est-à-dire, lorsque le gouvernement le jugera à propos.

## Le système judiciaire

Le système judiciaire québécois se situe à l'intérieur du fédéralisme canadien qui a prévu un partage assez complexe des compétences en matière de droit. En vertu du paragraphe 14 de l'article 92 de l'Acte de l'Amérique du Nord britannique, les provinces ont juridiction dans l'administration de la justice y compris la Constitution, le coût et l'organisation des tribunaux provinciaux de juridiction tant civile que criminelle, mais par ailleurs, en vertu de l'article 96, le gouvernement fédéral nomme et paie les juges de plusieurs de ces tribunaux.

### 1. Les cours d'institution provinciale

Les tribunaux qui relèvent de l'autorité législative du Québec ont une juridiction en matières civiles, criminelles ou mixtes. Ce sont : la Cour d'appel, la Cour supérieure, la Cour provinciale, la Cour des sessions de la paix, la Cour du bien-être social et les cours municipales. Les juridictions de la Cour d'appel, de la Cour supérieure, de la Cour provinciale et de la Cour des sessions de la paix sont générales et s'étendent à toute la province; celles des cours du bien-être social et des cours municipales sont restreintes à des districts judiciaires, à des districts électoraux ou à des localités.

*Cour d'appel* — La Cour d'appel est composée de 12 juges nommés par le gouvernement fédéral, dont le juge en chef se trouve le juge en chef du Québec et qui peut comprendre depuis 1972, 15 juges surnuméraires.

Cette Cour siégeant en appel et les juges qui la composent, ont une juridiction civile d'appel dans toute l'étendue du Québec, avec compétence sur toutes les causes en matière et choses suceptibles d'appel, venant de tous les tribunaux dont, suivant la loi, il y a appel, à moins que cet appel ne soit affecté à la compétence des autres tribunaux. Cette juridiction est définie aux articles 25 à 30 du Code de procédure civile. La Cour d'appel a aussi juridiction pour entendre les appels d'un jugement ou d'un verdict d'acquittement ou de culpabilité prononcé sur une accusation imputant un acte criminel, ou d'une sentence. Présidée par un juge de la Cour supérieure et composée d'un jury, où, depuis 1971, les femmes peuvent siéger, la Cour d'appel exerce une juridiction en première instance en matière criminelle, lorsque l'inculpé est condamné à subir son procès à la suite d'un acte d'accusation.

*Cour supérieure* — La Cour supérieure est composée de 92 juges nommés par le gouvernement fédéral auxquels peuvent s'ajouter 92 juges surnuméraires. C'est le tribunal de droit commun qui connaît en première instance toute demandes qu'une disposition formelle de la loi n'a pas attribuée exclusivement à un autre tribunal. Elle connaît aussi en première instance par voie d'évocation, des demandes portées devant la Cour provinciale et se rapportant à un honoraire d'office, à un droit de la couronne à un titre à des terres ou héritages, ou quelque autre droit immobilier mis en question par la contestation, à une rente ou autre matière pouvant affecter les droits contre les parties, pourvu que la valeur de ces droits, s'ils sont patrimoniaux, excède le taux de compétence de la Cour provinciale. Enfin, à l'exception de la Cour d'appel, les tribunaux relevant de la compétence de la Législature du Québec ainsi que les corps politiques et les corporations de la province sont soumis au droit de surveillance et de réforme de la Cour supérieure, en la manière et dans la forme prescrites par la loi.

*Cour provinciale* — La Cour provinciale est composée de 219 juges nommés par le lieutenant-gouverneur en conseil, dont un juge en chef et un juge en chef adjoint. Elle connaît, à l'exclusion de la Cour supérieure, de toute demande, : 1° dans laquelle la somme demandé ou la valeur de la chose réclamée est inférieure à $3,000, sauf les demandes de pension alimentaire et celle réservée à la Cour fédérale du Canada: 2° en exécution, annulation, résolution ou en résiliation de contrat, lorsque l'intérêt du demandeur dans l'objet du litige est d'une valeur inférieure à $3,000, 3° en résiliation de bail, lorsque le montant réclamé pour le loyer ou dommage n'atteint pas $3,000.

La Cour provinciale connaît aussi de toute demande tant personnelles qu'hypothécaire formée : 1° en recouvrement des taxes dues à une corporation municipale ou scolaire; 2° en recouvrement de cotisations pour la construction ou la réparation d'immeubles servant à des fins paroissiales; 3° en annulation ou en cessation de rôle d'évaluation. Elle possède aussi une juridiction exclusive pour connaître en dernier ressort de toute demande ou action relativement à l'usurpation ou l'exercice illégal d'une charge dans une corporation municipale ou scolaire.

Depuis l'entrée en vigueur le 1er septembre 1972 de la loi favorisant l'accès à la justice, dite «Loi sur le recouvrement des petites créances»[9] la Cour provinciale a, en matière civile, la responsabilité de juger en droit des litiges inférieurs à la somme de trois cents dollars sans avocat et sans le formalisme judiciaire habituel.

*Cour des sessions de la paix* — La Cour des sessions de la paix est composée de 54 juges, nommés par le lieutenant-gouverneur en conseil, qui exercent en matières criminelles et pénales tous les pouvoirs qui lui sont attribués par les lois fédérales et provinciales.

*Cour du bien-être social* — Composée de 41 juges nommés par le Conseil exécutif, cette Cour est autorisé à connaître des cas de jeunes délinquants, au sens de la loi sur les jeunes délinquants[10]. En outre, sa juridiction s'étend à l'admission des enfants dans les écoles de protection de la jeunesse, à l'adoption des enfants et aux contraventions aux règlements municipaux commises par des enfants âgés de moins de 18 ans.

*Cour municipale* — Le conseil d'une cité ou d'une ville peut, par règlement, établir une Cour municipale qui doit être présidée par un juge municipal nommé par le lieutenant-gouverneur en conseil. Le juge municipal doit être un avocat ayant au moins cinq années d'exercice, sauf dans les cités et villes de moins de 10,000 âmes où il peut être nommé après trois ans d'exercice. L'acceptation de cette charge ne rend pas le juge inhabile à exercer sa profession devant une cour de justice autre que cette Cour municipale. Le conseil d'une municipalité peut adopter un règlement pour soumettre son territoire à la juridiction de la Cour municipale d'une autre municipalité située en totalité ou en partie dans un rayon de 10 milles de la première.

## 2. *Les cours d'institution fédérale*

*Cour suprême du Canada* — La Cour suprême du Canada a été instituée en 1875 et sa nature et son fonctionnement sont aujourd'hui prévus par les S.R.C. 1970, ch. S-19. Elle se compose d'un juge en chef et de huit juges puinés tous nommés par le gouvernement fédéral ; ceux-ci ne peuvent être démis de leurs fonctions que sur une adresse conjointe des deux Chambres fédérales et cessent d'occuper leur charge à l'âge de 75 ans. La Cour suprême a une juridiction générale d'appel partout au Canada, tant en matière civile que criminelle ; elle peut aussi donner avis sur la constitutionnalité d'une loi ou d'une initiative fédérale à la demande du Conseil privé, de la Chambre des Communes et du Sénat et se prononcer en dernière instance sur toute cause qui implique une interprétation des dispositions de la Constitution fédérale. On peut en appeler du jugement de la Cour d'appel d'une province dans toute cause où l'objet du litige est d'une valeur d'au moins $10,000 et de tout autre jugement final d'une Cour d'appel provinciale, avec la permission de celle-ci ; en outre, la Cour suprême peut agréer en appel tout jugement rendu au Canada, qu'il soit final ou non. Les appels en matière criminelle sont régis par la loi constituante de chacune de ses cours. Le jugement de la Cour suprême du Canada est sans appel.

*Cour fédérale du Canada* — Le 1er juin 1971, en vertu du projet de loi C-172 adopté en 1970 par le Parlement canadien[11], la Cour fédérale du Canada a remplacé la Cour de l'Échiquier qui existait depuis 1875. La Cour fédérale est formée de deux divisions appelées, la première: Division d'appel de la Cour fédérale et, la seconde: Division de première instance de la Cour fédérale. La Cour est composée d'un juge en

---

9  *L.Q.* 1971, ch. 86.

10  *S.R.C.* 1952, ch. 160.

11  *Loi sur la Cour fédérale,* 1970-71-72, ch 1.

chef adjoint qui est président de la division de première instance et d'au plus dix autres juges. Elle entend les poursuites contre le gouvernement fédéral, elle sert de tribunal d'appel dans ces poursuites et elle est en même temps un organisme de surveillance et à l'occasion de redressement des organismes administratifs fédéraux. A la Cour fédérale est liée la Cour d'amirauté qui a juridiction dans le domaine maritime.

## L'administration publique

Un des traits marquants de l'évolution de la société québécoise durant la dernière décennie a été l'intensification constante de l'intervention de l'État dans la vie de la collectivité. Le gouvernement québécois, à l'instar des autres gouvernements occidentaux, a considérablement élargi le champ de ses activités et a assumé une multitude de responsabilités nouvelles dans tous les secteurs vitaux du développement économique, de la promotion sociale et de l'épanouissement culturel de la communauté. Autrefois considéré comme étant simplement responsable du maintien de l'ordre public, l'État est désormais perçu comme l'artisan premier du progrès et du développement de notre société.

L'extension quantitative et qualitative rapide des fonctions de l'État ainsi que la croissance correspondante des activités gouvernementales se vérifient par des faits concrets. Les dépenses nettes de la province qui étaient d'environ $745,475,000 pour l'année financière 1960-61, ont atteint environ $4,673,300,000 pour l'année 1972-73 [12]. Alors que les dépenses publiques du gouvernement du Québec constituaient 7,5 pour cent du P.N.B. en 1960, elles constituaient presque 18,8 pour cent en 1971. De 1960 à 1972, les dépenses nettes du gouvernement du Québec per capita sont passées de $160 à $760. Durant cette même période, le nombre de personnes employées dans la fonction publique a doublé pour s'élever maintenant à environ 60,000 sans compter les employés de l'Hydro-Québec et ceux des autres entreprises publiques. Le gouvernement paie en outre près de 225,000 personnes employés dans le monde de l'éducation, de la santé et des services sociaux.

Suite à la croissance des dépenses de l'État, à la multiplication de ses interventions dans tous les domaines, qu'ils soient de nature politique, économique, sociale ou culturelle, les administrateurs de la chose publique en sont venus à s'interroger sur l'efficacité réelle de l'administration publique. Dire que dans beaucoup de cas les citoyens se sentent frustrés pour ne pas dire écrasés par l'appareil de l'État est devenu lieu commun, à tel point que l'on a cru bon au Québec, à l'instar d'autres pays, d'instituer le poste de « protecteur du citoyen » [13] dont le rôle consiste essentiellement à recevoir les plaintes du public à l'égard de l'administration gouvernementale et à tenter d'y remédier. D'autre part, de nombreux citoyens sont persuadés que tout ce qui est entrepris par le gouvernement coûte définitivement plus cher que le même travail effectué par l'entreprise privée. Tous ces facteurs ont amené tôt ou tard les gouvernements à s'interroger non seulement sur la perception qu'ont les citoyens vis-à-vis de l'État mais aussi sur la rentabilité économico-sociale de la « machine » gouvernementale. Des changements sont survenus au sein des structures ministérielles et l'on crée des organismes extra-ministériels dont les rôles et les régimes administratifs sont extrêmement variés. Or, l'on s'est rendu compte que ces changements ont généralement été effectués de façon empirique, de manière à répondre à des besoins immédiats, urgents, le tout souvent sans idée directrice bien définie. Malgré la création d'organismes

---

12 Durant cette période, le budget du ministère de l'Éducation est passé de $179,497,686 à $1,376,021,600 alors que le budget des ministères de la Santé et de la Famille et du Bien-être social, qui ont été fusionnés pour devenir le ministère des Affaires sociales en 1970, est passé de $204,418,800 à $1,775,083,300.

13 *L.Q.* 1968, ch. 11.

nombreux destinés à décentraliser l'administration gouvernementale et ainsi la rendre plus efficace et plus attentive aux préoccupations des citoyens, un contrôle très serré de l'administration centrale les a quelquefois privés de la capacité de décider et de l'occasion d'exercer leurs responsabilités. Ce cheminement a provoqué la congestion à la tête de l'administration et la paralysie à ses extrémités; il s'ensuit un ralentissement des opérations et un gaspillage d'énergies dont le citoyen devait supporter le prix. Si l'on considère enfin qu'une augmentation du fardeau fiscal du citoyen est une mesure dont les gouvernements se servent avec une circonspection croissante, il apparaissait indispensable de rendre plus efficace l'administration publique dans la double perspective de mieux satisfaire les besoins des citoyens et ce, le plus rapidement, ainsi que d'accroître la productivité des services gouvernementaux, c'est-à-dire, réduire le taux d'augmentation des dépenses courantes afin de produire plus de services à un coût moindre.

Vers la fin des années 60, le gouvernement du Québec confiait à une firme de consultants en gestion la responsabilité d'entreprendre une étude générale des structures et du mode de fonctionnement de l'appareil administratif du gouvernement afin de conférer à la gestion administrative plus d'efficacité et de productivité. En 1970, un groupe de fonctionnaires était réuni dans le but d'examiner la question des ressources financières du gouvernement, ce qui devait amener l'adoption de la Loi de l'administration financière[14]. A la fin de la même année, le gouvernement créait un comité de direction de la réforme administrative composé de hauts fonctionnaires. Ce comité avait pour mandat d'identifier les secteurs prioritaires en matière de réforme administrative, de conseiller le gouvernement sur tout projet de transformation au sein de l'administration ainsi que de coordonner et de surveiller la mise en oeuvre immédiate des réformes administratives approuvées par le Conseil exécutif.

## 1. Les principes de la réforme administrative:
### Le gouvernement doit gouverner

Le pouvoir que détient le Conseil exécutif doit consister à déterminer les objectifs du gouvernement et à s'assurer de leur réalisation de façon à ce que l'activité gouvernementale reflète fidèlement l'idéologie, les orientations et les priorités du gouvernement. Cependant de multiples obstacles s'opposent à la réalisation de cette règle du système politique québécois. En effet, les ministres sont aussi des députés, c'est-à-dire qu'ils doivent normalement consacrer une partie de leur temps aux problèmes de leur comté respectif, s'occuper de l'administration de leur propre ministère, participer aux travaux de la Chambre et à ceux des Commissions parlementaires et en plus décider collégialement au Conseil des ministres des grandes orientations politiques et en contrôler la réalisation. Il devient donc nécessaire, voire impérieux, qu'ils soient dégagés des actes administratifs routiniers et que s'établissent de multiples délégations de pouvoir. La diversité des problèmes et des champs d'activités du gouvernement exige que des comités restreints du Conseil des ministres se spécialisent dans divers secteurs. De plus, les décisions à ce niveau ont presque toujours des conséquences très importantes d'ordre différent (social, politique, économique...) et il s'avère indispensable que les membres du gouvernement disposent des données nécessaires leur permettant de prendre des décisions dont ils peuvent prévoir toute la portée.

### Les administrateurs doivent administrer

Un système de contrôles centraux concernant la gestion budgétaire, la gestion du personnel, celle de l'équipement ou de l'approvisionnement, ralentit le

---

14 *L.Q.* 1970, ch. 17.

processus de prises de décisions et retarde leur application en plus de créer des frustrations innombrables chez les administrateurs des ministères sans compter que l'on finit par leur enlever tout esprit d'initiative. Un tel système ne constitue finalement pas un contrôle mais une centralisation d'exécution. Il faut que les ministères et organismes se voient confier des tâches administratives plus importantes et des pouvoirs accrus, que chaque gestionnaire devienne responsable de l'exécution d'activités gouvernementales bien définies et qu'il soit en outre investi de l'autorité requise afin de passer aussi rapidement que possible de la décision à l'action. Il importe néanmoins d'assurer homogénéité et cohésion dans l'administration publique, ce qui présuppose l'établissement de règles et de normes de gestion valables dans tous les secteurs. L'établissement de ces règles générales ne peut être la responsabilité d'un seul ministre : puisque tous les ministres sont égaux, il serait absurde que l'un d'eux édicte des règles pour ses pairs. Le gouvernement québécois, par l'adoption de la Loi de l'administration financière, a choisi de créer un comité[15] du Conseil des ministres chargé de remplir cette mission, ce qui se situe dans la logique du principe de la spécialisation des tâches.

## 2. *Les principales étapes de la réforme administrative*
### Le Conseil du trésor

L'ancienne Loi du ministère des Finances[16] prévoyait l'existence d'un Conseil de la trésorerie chargé d'exercer les fonctions de comité du Conseil exécutif en ce qui concerne les finances, les revenus et les dépenses du gouvernement ainsi que la retraite des fonctionnaires et employés du gouvernement. La Loi n'accordait cependant aucun pouvoir de décision à ce Conseil. La nouvelle Loi propose que le Conseil de la trésorerie, sous le nouveau vocable de Conseil du trésor, n'agisse plus seulement à titre de comité du Conseil des ministres, mais exerce, de son propre chef, la plupart des pouvoirs qu'il possédait anciennement en plus des pouvoirs nouveaux que lui confère la Loi. Il importe de remarquer que ces pouvoirs ne sont pas limités au secteur de la gestion financière, mais touchent les autres secteurs de la politique administrative.

En matière de gestion financière, le Conseil du trésor est devenu l'organisme central de budgétisation et de contrôle budgétaire. Il est chargé d'analyser les implications financières des plans et programmes des ministères et organismes du gouvernement, de préparer chaque année les prévisions budgétaires et de contrôler l'exécution des dépenses et engagements financiers autorisés par la Législature. Autrefois, les prévisions budgétaires étaient préparées sous l'autorité d'un sous-ministre adjoint des Finances, alors que le contrôle budgétaire s'effectuait sous l'autorité du contrôleur de la trésorerie qui, tout en relevant administrativement du sous-ministre des Finances, relevait fonctionnellement du Conseil de la trésorerie. Afin d'éviter toute confusion, il a été jugé préférable d'attribuer ces deux responsabilités à un organisme unique. On a donc confié au Conseil du trésor, à la fois la préparation des prévisions budgétaires et le contrôle des dépenses une fois que les crédits ont été votés. Le Conseil du trésor peut également adopter des règlements déterminant les méthodes que les ministères et autres organismes doivent employer dans la perception et l'administration des deniers publics ainsi que la manière dont ils doivent tenir les comptes. En outre, il a le pouvoir d'adopter des règlements relatifs aux comptes, honoraires ou frais de fournitures ou d'utilisation d'installations, ainsi qu'aux conditions des locations, des baux et des aliénations de biens publics.

Dans le secteur de la gestion du personnel, le Conseil du trésor exerce les pouvoirs du lieutenant-gouverneur en conseil en tout ce qui concerne l'approbation

---

15  Il s'agit du Conseil du trésor: *L.Q.* 1970, ch. 17, art. 18-28.

16  *S.R.Q.* 1964, ch. 64.

des plans d'organisation des ministères et organismes du gouvernement, les effectifs requis pour leur gestion ainsi que les conditions de travail de leur personnel. En outre, la Loi lui accorde les pouvoirs qui étaient autrefois conférés au lieutenant-gouverneur en conseil en vertu de la Loi du ministère de la Fonction publique et de la Loi de la fonction publique[17] du Régime de retraite des fonctionnaires[18] et du Régime de retraite des enseignants[19] sauf les pouvoirs relatifs à la nomination, la révocation et la retraite des sous-ministres ou autres fonctionnaires de rang équivalent. De prime abord, on serait tenté de prétendre que disparait la raison d'être du ministère de la Fonction publique. Or, ceci semble contraire à la réalité. En effet, il est appelé à jouer vis-à-vis du Conseil du trésor le même rôle que celui qu'il était appelé à jouer auprès du Conseil des ministres.

Il va sans dire que pour bien s'acquitter de ses vastes responsabilités, le Conseil du trésor doit avoir à son service un secrétariat bien organisé et composé d'un personnel compétent. Le titulaire du poste de secrétaire du Conseil du trésor est un fonctionnaire de haut calibre, possédant une expérience éprouvée en administration publique et il est assisté de personnes qui commandent par leur compétence et leur attitude le respect des fonctionnaires avec qui ils ont à transiger.

Dans le domaine particulier de la gestion financière, les objectifs que vise à atteindre le secrétariat du Conseil sont: premièrement, de permettre au gouvernement de prendre des décisions en connaissant le plus exactement possible leurs conséquences financières; deuxièmement, de permettre au gouvernement de contrôler l'utilisation des ressources financières affectées à l'exécution de ses décisions; et enfin, permettre au gouvernement d'évaluer de façon systématique et continue la rentabilité des programmes en cours.

Pour réaliser ces objectifs, le secrétariat du Conseil doit, entre autres activités, analyser en profondeur les conséquences financières des nouveaux programmes, vérifier le degré d'efficacité avec lequel ils sont exécutés, faire des analyses de coût/-bénéfice des programmes existants, c'est-à-dire comparer les coûts de chaque programme avec les bénéfices économiques et sociaux qui en découlent et suggérer des règles précises quant à l'engagement des dépenses votées par la Législature et voir à leur application.

Le Conseil du trésor est un organisme de direction central et non un organe exerçant un contrôle négatif. Il s'emploie à fournir aux ministères et autres organismes gouvernementaux les principes de gestion qui sont en mesure d'assurer l'efficacité maximale de l'administration publique ainsi qu'en surveiller l'application. Le Conseil du trésor doit donc déléguer le plus possible aux gestionnaires des ministères et autres organismes tout en prescrivant les modes d'exercice de cette délégation et en l'assortissant de sanctions appropriées.

Même si la Loi attribue un vaste champ de responsabilité au Conseil du trésor, il semble faux de prétendre qu'il crée un second cabinet ou un cabinet parallèle. Afin de préserver l'autorité suprême du Conseil des ministres, la Loi prévoit que le lieutenant-gouverneur en conseil peut toujours, par règlement, limiter les pouvoirs qui sont conférés au Conseil du trésor dans la mesure qu'il indique, ou assortir ces pouvoirs des conditions qu'il détermine.

---

17  *L.Q.* 1969, ch. 14.

18  Loi des pensions, *S.R.Q.* 1964, ch. 14.

19  *L.Q.* 1965, ch. 68.

## Le ministère des finances

Le nouveau rôle attribué au Conseil du trésor supposait une redéfinition des responsabilités du ministère des Finances. En effet, la tâche de préparer les prévisions budgétaires et de contrôler subséquemment l'opportunité des dépenses a été transférée de l'autorité du ministère des Finances à celle du Conseil du trésor.

Dans la fonction que la Loi attribue au ministre des Finances, la plus importante semble être celle d'effectuer des recherches et de conseiller le gouvernement en matière de politique économique, fiscale et budgétaire. Le ministère des Finances doit devenir dans le domaine de la politique économique et fiscale le conseiller expert du gouvernement, comme l'est le ministère de la Fonction publique en matière de gestion du personnel. L'analyse économique, ainsi que l'appréciation et la prévision de la conjoncture économique, sont des tâches dont ne peut se désintéresser un ministère des Finances. De plus, l'examen approfondi et constant de toute la structure fiscale, y compris la fiscalité gouvernementale, municipale et scolaire, en collaboration avec les autres ministères intéressés, ainsi que la suggestion de mesures destinées à l'améliorer avec l'évaluation des répercussions qu'elles peuvent avoir sur les recettes du gouvernement, sont des activités qui sont la préoccupation constante du ministère des Finances. Le ministère des Finance s'intéresse également à d'autres secteurs, comme la politique douanière et monétaire, afin d'être en mesure d'en analyser l'impact sur l'économie du Québec et de formuler des recommandations aux autorités fédérales.

Une autre responsabilité du ministre des Finances consiste dans la gestion de l'encaisse et de la dette publique. Les emprunts publics constituent aujourd'hui une partie importante du financement des activités gouvernementales. Le ministère des Finances ne peut donc plus limiter son action au financement du gouvernement même, mais il doit également coordonner le financement des organismes du secteur parapublic.

Enfin, le ministre des Finances est responsable de la préparation des comptes publics et de leur présentation à l'Assemblée nationale.

## Contrôleur des finances

La nouvelle Loi a modifié aussi les fonctions de l'ancien contrôleur de la trésorerie, poste créé en 1961. Les fonctions autrefois exercées par le contrôleur étaient de tenir un registre des engagements imputables sur chaque crédit et d'approuver, aux termes de l'arrêté en conseil 1556 de 1965, des dépenses à encourir inférieures à $25,000. Ainsi le contrôleur de la trésorerie était d'une part comptable des engagements et d'autres part approuvait le bien-fondé des propositions d'engagements de moins de $25,000.

Il y avait là une confusion qui pouvait conduire à des situations malsaines. Désormais, le pouvoir d'autoriser des dépenses et de juger de leur opportunité appartient aux divers ministères et organismes, sauf dans les cas où le gouvernement se le réserve ou l'attribue au Conseil du trésor. Le contrôleur de la trésorerie, qui porte dorénavant le titre de contrôleur des finances, est le comptable en chef du gouvernement. D'abord, il doit certifier, comme le faisait autrefois le contrôleur de la trésorerie, les disponibilités de crédit. Ensuite, il est chargé de faire la vérification avant paiement, c'est-à-dire, d'examiner la régularité et la légalité des dépenses avant d'en autoriser le paiement. Il est devenu en quelque sorte le gardien de la régularité du processus de contrôle budgétaire. En plus, le contrôleur des finances tient la comptabilité du gouvernement selon les règles édictées par le Conseil du trésor.

On pourrait croire que le contrôleur peut se trouver coincé lorsqu'il doit refuser une demande de paiement signé par les autorités d'un ministère. Il faut dire d'abord qu'il ne peut refuser qu'en se fondant sur des critères autres que ceux de la régularité ou de la légalité de la demande. Par conséquent, il n'y a pas de débat sur le bien-fondé de la demande. Et puis il y a référence au Conseil du trésor qui, lui, décide. Il va sans dire également qu'il faut miser ici sur une certaine discipline administrative de la part des autorités des ministères et aussi sur le fait que le Conseil exerce dès le départ son pouvoir réglementaire, de façon à édicter les normes et règles auxquelles doivent s'astreindre les ministères.

## Le vérificateur général

D'autres dispositions de la Loi concernent le vérificateur général qui a remplacé l'auditeur de la province. Autrefois, en vertu de la Loi du ministère des Finances et de la Loi de la vérification des comptes[20], l'auditeur remplissait deux rôles. D'abord il devait, pour le compte de l'organe exécutif, tenir les comptes, faire la vérification avant paiement, autoriser le paiement et contresigner les chèques émis par le gouvernement. En outre, il devait pour le compte de l'Assemblée nationale, tel que le stipule l'article 23 de la Loi de la vérification des comptes, effectuer une vérification après paiement. Ceci créait une situation pour le moins curieuse. On demandait en somme à l'auditeur de vérifier après paiement ce qu'il avait vérifié lui-même avant paiement. on lui demandait en d'autres mots de se vérifier et de se critiquer.

L'auditeur ne pouvait, selon l'avis du législateur, demeurer le serviteur à la fois de l'organe exécutif et de l'organe législatif. Afin de valoriser son rôle et de lui donner le détachement voulu pour qu'il puisse, dans son rapport annuel à la Chambre, s'exprimer librement, il a été relevé de cette double allégeance. Ses responsabilités en matière de vérification avant paiement et de paiement ont été conférées au contrôleur des finances. Le vérificateur a uniquement la tâche de vérification après paiement, tout comme le fait le vérificateur professionnel pour les actionnaires de toute entreprise.

La Loi de l'administration financière a fait du vérificateur général un véritable fonctionnaire de la Législature, chargé de faire la vérification finale des transactions financières qui ont été faites et d'en faire rapport à l'Assemblée nationale. La Loi prévoit que dans son rapport annuel le vérificateur général doit indiquer si les comptes ont été tenus d'une manière concevable, si les dépenses ont été faites de façon légale et régulière et si les règles et procédures appliquées sont suffisantes pour assurer une saine gestion des deniers publics. Le vérificateur général peut ainsi contribuer au perfectionnement des normes administratives et permettre une meilleure utilisation des ressources financières.

## Les ministères et organismes gouvernementaux

Un autre effet important de la Loi consiste à accroître la capacité de décision et, par voie de conséquence, à favoriser la capacité de gestion des divers ministères et organismes du gouvernement. Ainsi, le pouvoir d'autoriser des dépenses et de juger de leur bien-fondé appartient désormais aux ministères ou organismes, sauf dans les cas où le lieutenant-gouverneur en conseil juge bon de se le réserver ou de l'attribuer au Conseil du trésor. L'étendue de ce pouvoir peut varier selon certains critères comme, par exemple, la nature de la dépense, le montant en jeu, l'importance du budget de l'organisme qui fait les transactions, ainsi que la performance administrative passée des gestionnaires de cet organisme.

---

20  *S.R.Q.* 1964, ch. 65.

Une des caractéristiques de l'ancien système était la multitude d'autorisations requises pour engager la moindre dépense. Ce système avait pour conséquence néfaste de miner le sens des responsabilités des gestionnaires. Ces derniers, en effet, semblaient de moins en moins enclins à étudier à fond tous les aspects d'une décision, étant assurés que ces décisions seraient soumises à de nouveaux examens et à des approbations multiples à divers niveaux plus élevés. Il incombe donc au Conseil du trésor de décentraliser les pouvoirs de décision en matière d'engagement de dépenses tout en prescrivant par des règles et directives précises, les modalités d'exercice de ces pouvoirs. Le fait pour les fonctionnaires de prendre eux-mêmes des décisions permettra de passer directement de la décision à l'action et tout le processus d'exécution des activités gouvernementales s'en trouvera grandement accéléré.

### Le ministère de la Fonction publique

Le ministère de la Fonction publique a été institué le 28 novembre 1969 par l'adoption de la Loi du ministère de la Fonction publique[21]. Les fonctions du ministère de la Fonction publique sont d'élaborer et de proposer au gouvernement des mesures visant à accroître l'efficacité du personnel de la fonction publique, de surveiller l'application de ces mesures et, sous la direction du gouvernement, d'en coordonner l'exécution ; il a aussi pour fonctions de conseiller le gouvernement sur les conditions de travail du personnel du secteur public ainsi que de négocier en son nom, des conventions collectives régissant les conditions de travail des personnes qui occupent des emplois relevant du gouvernement et d'en coordonner l'application.

Du mandat défini ci-haut, on peut extraire les trois objectifs majeurs du ministère : accroître l'efficacité du personnel, accroître l'efficacité de l'organisation et voir à la consultation, à la négociation et à la coordination dans le domaine des relations de travail. Ces trois objectifs majeurs regroupent différents sous-objectifs dont l'identification permet de préciser les domaines d'activités du ministère de la Fonction publique. Ces domaines sont ceux des relations de travail et de l'organisation et de l'administration du personnel. Des services de soutien viennent, comme dans tous les autres ministères, supporter les activités qu'on retrouve dans les deux domaines ci-devant mentionnés.

### 3. *La réforme de l'administration financière*

La Loi de l'administration financière vise également à transformer le mode et le style de gestion à l'intérieur du gouvernement. Elle constitue la première d'une série de réformes dont les unes sont rattachées au style de gestion et dont les autres sont d'ordre réglementaire ou d'ordre purement opératoire. Deux de ces réformes méritent une attention spéciale, soit la budgétisation par programmes et la mécanisation des opérations budgétaires et comptables.

### La budgétisation par programmes

Ce système intéressant prioritairement l'allocation des ressources, il était normal que le Conseil du trésor soit le responsable de son implantation. Expérimentée depuis 1968, décidée officiellement en 1970, l'implantation du système PPB a comporté trois grandes phases se terminant en mars 1973.

La première phase consistait en un dégagement général de la production des ministères et organismes du gouvernement. Commencée en juin 1971, l'opération a

---

21  *L.Q.* 1969, ch. 14.

duré un an. Depuis juin 1972, le gouvernement possède une structure de programmes globale à cinq paliers: missions, domaines, secteurs, programmes, éléments de programme. L'année passée à les définir consistait également à vérifier le réalisme de cette structure dans la mesure où de tels programmes doivent pouvoir se prêter à la programmation dans l'avenir, à la budgétisation annuelle et à l'identification simple des responsables de leur production.

Il existe 4 missions, 15 domaines, 47 secteurs, 170 programmes et 411 éléments de programmes. Ces nombres, à chaque palier, sont suffisamment élevés pour que chaque palier administratif les considère comme significatifs et maniables. En même temps ces nombres sont suffisamment faibles pour que les instances décisionnelles centrales (Conseil du trésor et Conseil des ministres) puissent s'en servir comme outil de décision, c'est-à-dire de fixation de priorités et d'allocation des ressources.

La deuxième phase consistait à utiliser cette structure de programmes comme armature budgétaire officielle. Selon ce principe, les nouveaux articles votés par l'Assemblée nationale sont les programmes, les sous-articles, les éléments de programme. De même, il était nécessaire de modifier le cycle de préparation budgétaire du gouvernement dès mars 1972, afin que le premier budget par programmes du gouvernement soit réalisé en 1973-74. Cette deuxième phase s'est terminée en mars 1973 avec l'impression d'un nouveau livre du budget par programme.

La troisième phase consistait, en même temps que la production des ministères était dégagée, à mettre en place les mécanismes permettant leur remise en question. En octobre 1971, le Conseil des ministres choisissait sept programmes (ou secteurs) devant faire l'objet d'une remise en question pendant huit mois, de manière à ce que toute recommandation concrète résultant de ces études soit intégrée dans la préparation du budget 1973-74. Du succès de cette expérience-pilote dépend la pratique future dans l'administration de remettre en question annuellement une dizaine de ses programmes de manière à ce qu'une sorte de réflexion permanente s'instaure chez les hauts gestionnaires de l'administration.

Trois étapes restent à franchir quant à l'utilisation du système PPB dans la pleine acception du terme: la première étape consiste à développer, au sein des ministères des efforts de réflexion suffisamment avancés pour que chaque secteur de la structure de programmes du gouvernement bénéficie d'une stratégie pluri-annuelle de plus en plus claire et grâce à laquelle l'allocation annuelle des ressources gagne de plus en plus en rationalité; la deuxième étape consiste à développer l'infrastructure de la production gouvernementale, à l'intérieur de chaque élément de programme afin que la superstructure et la structure des programmes qui servent de base aux grandes décisions centrales puissent également constituer le fondement de la gestion quotidienne à tous les niveaux dans les ministères; la troisième étape consiste à développer l'instrumentation d'éclairage des choix avant production (analyse des systèmes et calculs avantage-goût) et à intégrer ces procédures complexes dans un circuit de décision des plus complexes, à mesure que les mécanismes d'allocation et de gestion des ressources se raffinent.

## La mécanisation des opérations budgétaires et comptables

Un autre projet en cours et qui est devenu opérationnel au cours de l'exercice financier 1973-74, est celui de la mécanisation des opérations budgétaires et comptables (projet MOBEC). Ce système permet d'abord de fournir aux gouvernants les informations dont ils ont besoin pour prendre des décisions en connaissant bien les conséquences financières. Il contribue également à augmenter l'efficacité des opérations de contrôle budgétaire. L'enregistrement rapide et la mise à jour régulière des engagements de dépenses permettront aux organismes centraux de suivre presque quotidiennement l'évolution de la dépense et sa conformité au budget. L'instauration d'un tel système facilitera aussi l'exercice par les gestionnaires des ministères de leurs responsabilités administratives.

La Loi de l'administration financière constitue un geste important en vue de doter le gouvernement québécois d'une administration moderne, efficace, capable de s'adapter aux mutations rapides de notre société, consciente du coût de ces opérations et préoccupée par la nécessité de fournir aux citoyens des services de qualité supérieure. Il contribuera à accroître la confiance des citoyens envers l'État, confiance qui constitue un élément essentiel de l'existence d'une véritable démocratie.

## 4. *La réforme des structures de l'administration*

On entend par administration l'ensemble des personnes intégrées dans une structure fonctionnelle qui, sous la direction d'un ministre ou d'une autre personne mandatée par la Législature, sont chargées de l'exécution ou de l'application, selon le cas, des lois édictées par celle-ci dans un domaine particulier. L'administration se distingue de la régie et de l'entreprise publique par sa dépendance immédiate de l'exécutif et par sa polyvalence; elle se distingue aussi de l'organisme consultatif en ce qu'elle est investie de tâches précises et exécutoires.

### Les ministères et administrations spécialisées

Au Québec, la Législature a institué deux types d'administration: les ministères et les administrations spécialisées. De préférence, elle a confié les pouvoirs et les tâches administratives au ministre ou au titulaire d'une fonction plutôt qu'à l'administration elle-même. Le mandat de l'administration est habituellement très large; c'est ainsi que la loi instituant le ministère de l'Éducation enjoint au ministre «de promouvoir l'éducation, d'assister la jeunesse dans la préparation de son avenir et d'assurer le développement des institutions d'enseignement». Pour ce qui est de l'exercice des pouvoirs, des modalités d'exécution des tâches et de l'organisation administrative on s'en remet habituellement au ministre responsable et au Conseil des ministres, qui sont investis d'un large pouvoir de réglementation. Toutefois la Législature peut imposer des restrictions à l'initiative ministérielle. La loi constituante d'une administration prévoit généralement la nomination d'un sous-ministre ou d'un fonctionnaire de rang équivalent et permet au ministre de s'adjoindre «tous les autres fonctionnaires et employés nécessaire à la bonne administration du ministère».

Le ministre est responsable devant la Chambre et devant l'opinion publique du fonctionnement des administrations dont il a la charge; en toutes circonstances, il sera tenu responsable des faits et gestes qui en émanent. En conséquence, le ministre doit orienter l'activité de l'administration, se prononcer sur les projets et les programmes que lui soumettent les fonctionnaires placés sous sa juridiction et entériner leurs décisions. Il doit aussi soumettre à ses collègues les projets qui requièrent un décret du Conseil des ministres et défendre en Chambre les projets de loi afférents aux fonctions qu'il exerce.

Le ministère correspond à une répartition verticale et sectorielle des compétences de l'État; c'est ainsi qu'un ministre sera chargé de la gestion des richesses naturelles, un autre de l'administration de la justice, etc. Cependant, certains ministères s'intéressent de plus près à la gestion interne de l'État ; ce sont les ministères des Finances, du Revenu et des Travaux publics.

Le rôle de l'administration spécialisée, comme son nom l'indique, est plus restreint. Il s'agit d'organismes de contrôle — la bourse, le personnel et les approvisionnements — ou d'administrations investies de fonctions particulières et que l'on pourrait difficilement intégrer à un ministère, telles la Sûreté du Québec ou la Protection civile. Enfin, on a considéré comme administrations spécialisées les services qui relèvent directement de la Législature (Vérificateur général, Bibliothèque, Présidence générale des élections) et ceux dont les fonctions s'apparentent à la fois à celle de l'administration et de la régie.

La fonction propre de l'administration et en particulier du ministère, c'est la gestion des affaires publiques, c'est-à-dire l'allocation et l'organisation des ressources matérielles et humaines de l'État, en conformité des lois édictées par la Législature et des règlements émis par le Conseil exécutif sous l'empire de ces lois. Cette fonction générale vise un souci d'efficacité, qui se manifeste par la prévision des besoins et la planification des tâches. En outre, les administrations sont appelées à informer les décisions de leur titulaire, du Conseil des ministres et de la Législature, c'est-à-dire d'en vérifier la pertinence et la rationalité et d'en prévoir les conséquences à courte et à longue échéance. La mission de l'administration s'achève dans l'éxécution des tâches qu'elle aura contribué à définir et à arrêter.

Le ministère est une administration polyvalente, en ce qu'il est appelé à assumer simultanément ou successivement les fonctions les plus diverses, à la discrétion d'une Législature souveraine dans la sphère de compétence que lui reconnaît la Constitution. Les fonctions ministérielles empiètent souvent et largement sur les domaines réservés aux régies, aux entreprises publiques ou aux organismes consultatifs. Il n'y a pas lieu de s'en étonner, puisque ces organismes sont des excroissances d'un régime administratif fondé essentiellement sur le ministère.

Presque tous les ministères produisent et distribuent des biens et des services. Le plus souvent, la production de ces biens et services ne peut être confiée à des entreprises publiques ou privées, soit parce que le consommateur ne peut être identifié, soit parce que la consommation ne peut être assujettie aux lois du marché, soit parce que le rendement social de la production est supérieur à son rendement monétaire. Le ministère peut être chargé de la mise au point et de l'application de règlements et du dépistage des délinquants ; on peut aussi lui confier l'inspection de certaines entreprises ou la surveillance de certains groupes ou catégories d'administrés. Le ministère peut en outre être chargé de missions d'information et de recherche, d'où la présence de services d'information dans la plupart des ministères et de bureaux de recherche et de planification dans plusieurs d'entre eux. De plus, le ministère peut être investi de pouvoirs d'adjudication, c'est-à-dire de la reconnaissance ou de l'octroi d'un droit ou d'un privilège. Enfin, le ministère peut s'occuper de la coordination de l'activité de certaines entreprises ou de certains groupes sociaux, tels les agents économiques : producteurs-consommateurs, travailleurs-entrepreneurs, etc.

Quoique la nomenclature administrative ne soit pas encore fixée au Québec et que les structures varient sensiblement d'un ministère à l'autre, une description générale de l'organisation interne du ministère sera sans doute utile. Lorsque le ministère est investi de fonctions connexes mais distinctes, les services pourront être groupés en plusieurs directions générales. Si une telle intégration verticale s'avère impossible, le ministère comprendra plusieurs services, placés sous l'autorité immédiate du sous-ministre adjoint. Chaque service groupera plusieurs divisions, celles-ci étant à leur tour organisées en sections. Le ministre sera en outre pourvu des services auxiliaires d'usage — approvisionnements, comptabilité, contentieux, documentation, information, personnel, etc. — qui pourront être placés sous la direction du sous-ministre (tableau 1).

## Les conséquences administratives de l'implantation du PPB

L'implantation du système de budgétisation par programmes a entraîné un bouleversement de l'ensemble structural fonctionnel de l'appareil étatique au Québec. Cependant, comme le système PPB suppose comme base de fonctionnement que des objectifs suffisamment clairs et réalistes soient envisagés au palier politique, il y a un besoin impérieux de cohérence à tous les niveaux en matière de fixation d'objectifs et de priorités et en matière de mise en oeuvre de ces politiques et priorités. Ceci constitue l'une des composantes les plus importantes du système PPB et est appelé «regroupement des *output*». Par regroupement des *output,* il faut entendre les étapes qui décrivent, palier par palier, la gamme des biens et services produits par le gouvernement.

Trois structures ont été retenues aux fins du regroupement. Il s'agit d'abord de la superstructure comprenant les missions, les domaines et les secteurs. Puis vient la structure qui comprend les programmes et les éléments de programme. Enfin, l'infrastructure englobe en plusieurs paliers les projets et les opérations composant chaque élément de programme (c.f. les organigrammes des missions gouvernementales, tableau 2). La superstructure regroupe les *output* gouvernementaux à leurs niveaux les plus agrégés. Il est commode de considérer les responsabilités de l'État en deux grandes missions. D'abord la mission économique que l'on peut définir par la maximisation du revenu moyen per capita et la mission sociale qui vise à éliminer les inégalités sociales ou la dispersion des revenus.

Cette différenciation nous permet de dégager quatre grandes missions qui sont celles retenues par le gouvernement à titre de superstructures comme base d'affectation des ressources.

La mission économique comprend les actions gouvernementales s'adressant aux domaines suivants : ressources naturelles et de l'industrie primaire, l'industrie secondaire, tertiaire (services), l'industrie des transports et enfin la ressource humaine en tant que facteur de production. La mission sociale comprend les domaines de la sécurité du revenu, de la santé et de l'adaptation sociale, de même que celui de l'habitation. La mission éducative et culturelle qui est une mission socio-économique dans la mesure où, à court terme, elle est sociale (les mêmes chances au départ pour tous) et à long terme elle est économique, l'éducation étant un investissement majeur pour le développement. Enfin, la mission gouvernementale et administrative regroupe deux préoccupations : premièrement, la permanence de la démocratie par les institutions gouvernementales et la protection de la personne et de la propriété ; deuxièmement, le soutien des missions économique, sociale et éducative par les relations intergouvernementales, la planification socio-économique et la gestion administrative centrale du gouvernement.

En ce qui concerne la structure et l'infrastructure, on a convenu de les appeler respectivement «domaines» et «secteurs». Comme il existe 15 domaines et 47 secteurs, le lecteur se référera au tableau 2 pour en voir la composition et les liens structuraux.

*Tableau 1*

**Description générale de l'organisation interne d'un ministère au Québec**

65

*Tableau 2*

*Les missions du gouvernement du Québec*

### MISSION GOUVERNEMENTALE ET ADMINISTRATIVE

| Institutions politiques | Gestion administrative centrale | Relations inter-gouver-nementales | Protection de la personne et de la propriété |
| --- | --- | --- | --- |
| ASSEMBLÉE NATIONALE | ADMINISTRATION DU PERSONNEL | RELATIONS INTER-GOUVERNEMENTALES | GESTION JURIDIQUE DU CADRE SOCIO-ÉCONOMIQUE |
| DIRECTION DU GOUVERNEMENT | ADMINISTRATION FINANCIÈRE | | CONTENTIEUX |
| INSTITUTIONS JUDICIAIRES | SERVICES DE SOUTIEN | | SÉCURITÉ PUBLIQUE |
| GESTION MUNICIPALE | STATISTIQUES PLANIFICATION ET COORDINATION | | INSTITUTIONS PÉNALES |

### MISSION ÉDUCATIVE ET CULTURELLE

| Éducation | Culture | Loisirs Sports |
| --- | --- | --- |
| ÉDUCATION PERMANENTE | ARTS | SPORTS ET JEUNESSE |
| ENSEIGNEMENT ÉLÉMENTAIRE | LETTRES ET BIENS CULTURELS | LOISIRS ET RÉCRÉATION DE PLEIN-AIR |
| ENSEIGNEMENT SECONDAIRE | | |
| ENSEIGNEMENT COLLÉGIAL | | |
| ENSEIGNEMENT SUPÉRIEUR | | |
| ADMINISTRATION ET SERVICES | | |

## MISSION ECONOMIQUE

| Ressources naturelles et Industries primaires | Industries secondaires | Services | Ressources humaines | Transports |
|---|---|---|---|---|
| AGRICULTURE | INDUSTRIES SECONDAIRES | COMMERCE | IMMIGRATION | TRANSPORTS TERRESTRES |
| FORETS | | TOURISME | RELATIONS ET CONDITIONS DE TRAVAIL | TRANSPORTS MARITIMES ET AERIENS |
| MINES | | MARCHÉ FINANCIER | MAIN-D'OEUVRE ET EMPLOI | |
| EAU | | COMMUNICATIONS | | |
| ENERGIE | | | | |
| PECHES MARITIMES | | | | |
| FAUNE | | | | |

## MISSION SOCIALE

| Sécurité du Revenu | Santé et Adaptation Sociale | Habitation |
|---|---|---|
| REGIMES DE COMPENSATION DU REVENU | PREVENTION ET AMELIORATION | HABITATION |
| REGIME DE PROTECTION DU REVENU | RECOUVREMENT DE LA SANTE | |
| | READAPTATION SOCIALE | |
| | ADMINISTRATION ET SERVICES | |

*Lectures recommandées*

G. Benezra, *Les systèmes canadiens et québécois des commissions parlementaires*, Ottawa, 1972. Thèse — LL.D. (Droit civil) — Université d'Ottawa.

A. Bernard, « La fonction du contrôle parlementaire des finances publiques », dans *Réflexions sur la politique au Québec*, Montréal, Sainte-Marie, 1968, p. 31-43.

J.-C. Bonenfant, « Comment naît une loi », dans *Les cahiers de l'I.C.E.A.*, 2 (1966), p. 9-18.

_____, « Le parlementarisme québécois » dans *Réflexions sur la politique au Québec*, Montréal, Sainte-Marie, 1968, p. 9-30.

H. Brun, *La formation des institutions parlementaires québécoises*, Québec, Presses de l'Université Laval, 1970.

P.A. Comeau, « Les Assemblées législatives » dans Louis Sabourin, éd., *Le système politique du Canada: Institutions fédérales et québécoises*, Ottawa, Éditions de l'Université d'Ottawa, 1968, p. 243-58.

J. Hamelin et L. Beaudoin, « Les cabinets provinciaux 1867-1967 », *Recherches sociographiques*, 8 (1967), p. 299-19.

A. Lajoie, *Les structures administratives régionales*, Montréal, Presses de l'Université de Montréal, 1968.

A. Macleod, « The Reform of the Standing Committees of the Quebec National Assembly: A Preliminary Assessment », *Revue canadienne de science politique*, 8 (1975), p. 22-40.

J. Marquis, *La composition du Conseil exécutif du Québec*, Québec, 1968. Thèse — M.A. (Sc. Pol.) — Université Laval.

E. Orban, *Le Conseil législatif de Québec, 1867-1967*, Montréal, Bellarmin, 1967.

_____, « La fin du bicaméralisme au Québec », *Revue canadienne de science politique*, 2 (1969) p. 312-27.

# Chapitre 2

# Le rôle des parlementaires dans la vie politique québécoise*

André Gélinas
Ministère de la Justice,
Gouvernement du Québec.

*André Gélinas est directeur de la recherche au Ministère de la Justice du Québec. Son intérêt pour les institutions, les politiques et les processus administratifs l'a amené à publier* Les parlementaires et l'administration *(Québec, Presses de l'Université Laval, 1970), et* Organismes autonomes et centraux *(Montréal, Presses de l'Université du Québec, 1975).*

*Le présent article, tiré de son premier livre, tente de cerner la façon dont les parlementaires québécois perçoivent leur rôle face à celui de l'administration publique. L'auteur a cueilli son information au moyen d'entrevues, de questionnaires et d'analyses de contenu du* Journal des Débats. *Aux fins de la présentation, il illustre, entre autres techniques, des distributions de fréquences et des graphiques directionnels.*

Dans les systèmes politiques occidentaux, on distingue habituellement quatre institutions fondamentales: les assemblées électives qui légifèrent, l'exécutif qui gouverne, les cours de justice qui arbitrent les conflits et l'administration qui applique la législation et exécute les décisions gouvernementales.

Mais il est devenu évident qu'aujourd'hui on ne peut comprendre le fonctionnement de l'Etat moderne en attribuant de façon exclusive la fonction législative aux assemblées électives, la fonction judiciaire aux tribunaux, la fonction gouvernementale à l'exécutif et la fonction administrative à la fonction publique. Il s'agit là en fait de processus beaucoup plus généraux qui débordent des cadres institutionnels classiques. Ainsi, on admet généralement que dans un système de type britannique l'exécutif qui a la maîtrise du processus législatif doit en déléguer une large fraction à

---

* Cet article est tiré du livre d'André Gélinas, *Les Parlementaires et l'administration au Québec*, Québec, Presses de l'Université Laval, 1969.

l'administration. Ainsi l'administration même subordonnée au gouvernement participe à chacun de ces grands processus législatif, judiciaire, administratif et exécutif. Elle constitue un réservoir de connaissances spécialisées et de techniques auquel les hommes politiques doivent nécessairement puiser. Le volume même des activités de l'État et leur complexité forcent ainsi l'exécutif à se limiter aux choix fondamentaux tout en restreignant sa marge de manoeuvre dans l'application de ses décisions. Il ne lui est assurément pas facile d'accepter par surcroît des limitations à son contrôle de l'administration, bien que celles-ci soient rendues nécessaires à cause du besoin de continuité administrative et par suite de l'affirmation des droits collectifs et individuels de ceux qui y travaillent. Il n'en faut pas plus pour que l'administration soit considérée comme jouissant d'une identité propre et d'une grande marge d'autonomie. Ce débordement des fonctions étatiques sur l'administration et l'indépendance accrue de cette dernière face au pouvoir politique complètent une sorte de mouvement de pince à l'intérieur duquel les parlementaires, de l'avis de plusieurs, éprouvent un sentiment d'impuissance. En effet les membres de ces assemblées ne sont plus, s'ils l'ont déjà été, les seuls à assumer le leadership politique d'une société. Ils ont dû, dans un passé assez récent, en remettre une bonne part aux organisations des partis politiques et, aujourd'hui, ils doivent de plus le partager avec les nombreux groupes financiers, industriels, syndicaux, professionnels et sociaux qui polarisent l'attention de la population, définissent des objectifs particuliers et mobilisent à leurs fins propres des ressources humaines et matérielles parfois considérables.

Il y aurait donc, selon cet interprétation, une montée de la bureaucratie administrative accompagnée d'une mise en veilleuse du rôle des assemblées élues. Qu'en est-il exactement dans le cas du Québec? C'est ce que nous avons voulu découvrir dans le cadre de cet article.

## Méthodologie

Pour y arriver nous avons choisi d'interroger les principaux intéressés, soit les parlementaires québécois, afin de connaître leurs opinions sur les rôles qu'ils sont appelés à jouer et sur ceux qui sont normalement dévolus, ou devraient l'être, à l'administration.

Dans le cas du parlementaire nous avons considéré qu'il pouvait représenter sa circonscription, promouvoir la politique de son parti, surveiller le travail de l'administration, faire valoir ses idées personnelles sur des problèmes d'intérêt public, être le porte-parole des corps intermédiaires, contrôler les initiatives prises par le gouvernement[1], représenter tous les électeurs de la province et légiférer.

Quant à l'administration, on peut considérer qu'elle a pour rôle de fournir des biens et services, d'appliquer des lois et règlements, de contrôler les activités des citoyens et enfin de conseiller le gouvernement.

Trois questions viennent alors spontanément à l'esprit: dans quelle mesure y a-t-il unanimité chez les parlementaires sur le contenu même de ces rôles, dans quelle mesure ces rôles sont-ils effectivement exercés et, enfin, quels sont les rôles dominants? Il ne suffit pas évidemment de fournir une typologie purement théorique dont les éléments restent imprécis et ne sont pas l'objet d'une certaine hiérarchie fondée sur l'importance relative de chacun d'eux. Il faut aussi vérifier les fondements empiriques d'une telle typologie.

---

1　Ce rôle nous a été suggéré notamment par la lecture de G.R. Strauss et R. Hornby, «The Influence of the Backbencher», *Political Quarterly*, 36 (1965), p. 251 et suivantes.

Pour répondre à ces questions nous avons adopté une double stratégie de recherches: tout d'abord un questionnaire, d'une durée moyenne de 90 minutes, fut soumis à 51 des 68 *backbenchers* ayant siégé à l'Assemblée législative du Québec durant les sessions de 1964 et de 1965, soit 31 ministériels et 20 oppositionnels; les ministres, le président de l'Assemblée ainsi que le chef de l'opposition furent exclus de l'échantillon[2]. Ensuite fut effectuée une analyse de contenu des interventions des *backbenchers* en Chambre, telles qu'inscrites au *Journal des Débats* (5270 interventions au total).

## La perception qu'ont les parlementaires de leur rôle

La première question que nous avons posée aux parlementaires proposait, comme nous l'avons déjà mentionné, huit rôles ou activités principales distinctes, parmi lesqulles ils devaient en choisir trois en indiquant un ordre de préférence. Il était précisé qu'il devait s'agir de rôles effectivement remplis et non de rôles théoriques.

Il ressort clairement au tableau 1 que la représentation de la circonscription est considérée comme le rôle dominant tandis que le rôle de législateur vient en second lieu. De plus une analyse plus sévère nous a permis de constater que les «représentants» se recrutent parmi les plus âgés et viennent des circonscriptions rurales alors que les «législateurs» sont plus urbains et représentent des circonscriptions où la population du secteur tertiaire et d'origine non francophone est plus considérable.

## *Tableau 1*

Les rôles des parlementaires (en pourcentages verticaux)

| Rôle privilégié | 1er choix | 2e choix | 3e choix |
|---|---|---|---|
| Représenter sa circonscription | 61 | 20 | 12 |
| Promouvoir la politique de son parti | 0 | 14 | 20 |
| Faire valoir ses idées personnelles sur des problèmes d'intérêt public | 4 | 6 | 29 |
| Être le porte-parole de corps intermédiaires | 4 | 14 | 7 |
| Contrôler les initiatives prises par le gouvernement | 0 | 0 | 5 |
| Représenter les électeurs de la province | 2 | 16 | 7 |
| Légiférer | 27 | 16 | 3 |
| TOTAL | 98 | 86 | 83 |

*Source:* Sondage décrit dans le texte. L'analyse porte sur 51 répondants.

2 Neuf *backbenchers* refusèrent ou ne furent pas disponibles au moment de l'enquête. Il est certain qu'idéalement nous aurions aimé connaître la perception que les fonctionnaires, la population et les groupes pouvaient avoir de ces rôles. Malheureusement compte tenu des contraintes de temps et d'argent, une telle recherche était impensable.

Toute cette analyse pourrait facilement tourner à vide si nous nous abstenions de préciser le contenu des rôles. C'est ce que nous avons tenté de faire pour les trois rôles principaux soit celui de législateur, celui de représentant de circonscription et celui de contrôleur de l'administration.

## 1. Le rôle de législateur

Dans le premier cas, nous avons, dans une question ouverte, demandé aux parlementaires de définir les rôles respectifs des députés et de l'administration quant à la législation. En forçant ainsi le parlementaire à se définir par rapport à l'administration, nous croyions pouvoir obtenir une réponse plus précise. Cependant, comme le démontre le tableau 2 les résultats sont assez étonnants.

Ainsi on observe que seulement 2% des parlementaires confèrent à l'administration le rôle le moins actif soit celui de faire des suggestions tandis que 28% d'entre eux avouent se contenter de regarder ce qui se passe. On note de plus que 32% des parlementaires «influencent et suscitent» la législation alors que 40% remettent l'ensemble du processus législatif à l'administration. Il semble donc à première vue que les parlementaires accordent un rôle législatif plus important aux fonctionnaires qu'à eux-mêmes, ce qui confirmerait notre hypothèse de départ. On aura remarqué que nous ne distinguions pas dans la question le rôle joué en caucus du rôle joué en assemblée. On peut alors peut-être émettre l'hypothèse que si le caucus avait été vraiment significatif à cet égard, nous aurions eu beaucoup plus de législateurs chez les ministériels. Or, tel n'est pas le cas car il n'y a pas de différence significative sur ce sujet entre les deux groupes[3].

## Tableau 2

### Rôles respectifs des parlementaires et de l'administration quant au processus législatif
(*en pourcentages verticaux*)

| Rôle de l'administration | | Rôles des parlementaires | |
|---|---|---|---|
| Préparer, rédiger, appliquer la législation | 86 | Influencer, amender, susciter la législation | 32 |
| Suggérer seulement | 2 | Examiner, scruter, critiquer, discuter, voter | 40 |
| Appliquer seulement | 12 | Regarder ce qui se passe | 28 |
| TOTAL | 100 | | 100 |

*Source:* Sondage décrit dans le texte. L'analyse porte sur 51 répondants.

3 Toutefois, en comparant les réponses obtenues à cette question avec celles déjà enregistrées à la première on découvre que les quatorze parlementaires qui s'étaient décrits comme législateurs à la question 1, nous n'en trouvons plus maintenant que trois qui disent «influencer et susciter la législation». On est forcé d'admettre une certaine incohérence chez les parlementaires, incohérence attribuable sans doute à une confusion des rôles théoriques et des rôles effectifs, laquelle serait beaucoup plus grande que ne l'aurait laissé croire leur absence d'illusion sur leurs activités réelles.

Quoiqu'il en soit, il est devenu évident par ce qui précède que les parlementaires, dans leur ensemble, se reconnaissent un rôle de législateur assez limité, et que, par contre, le rôle de représentant de circonscription leur semble plus conforme à la réalité. Nous ne prétendons pas ici avoir fait une découverte. Depuis un bon nombre d'années déjà, les observateurs des institutions parlementaires avaient noté l'influence très restreinte des parlementaires sur le processus législatif. Nous n'avons fait en somme qu'ajouter le témoignage des personnes les plus directement intéressés tout en soulignant l'imprécision qui, malgré tout, existe même chez elles quant au contenu réel du rôle de législateur.

## 2. *Le rôle de représentant de circonscription*

On subdivise généralement le rôle de représentant de circonscription. Cette distinction est fondée sur la perception qu'ont les parlementaires du degré de discrétion dont ils jouissent à l'égard de leur électorat respectif. Le délégué sera celui qui consent à subordonner ses propres opinions à celles de ses électeurs, alors que le fiduciaire, selon le concept popularisé par Edmund Burke, sera celui qui accordera la prépondérance à ses propres opinions face à celles de ses électeurs.

Afin de vérifier si cette dichotomie s'appliquait empiriquement au cas du Québec, nous avons d'abord demandé aux parlementaires si, d'après eux, leurs interventions en Chambre étaient faites en fonction des problèmes de leur circonscription ou de la province et, ensuite, si les problèmes administratifs (c'est-à-dire ceux qui sont soulevés par l'application de mesures publiques) qui les préoccupaient davantage se situaient au niveau de leur circonscription ou à celui de la province. (tableau 3).

Les résultats obtenus sont pour le moins ambigus. Premièrement, même si une majorité des députés interviennent en Chambre pour *parler* des problèmes de la province, 75% des députés disent *s'occuper* avant tout des problèmes administratifs concernant leur circonscription.

Deuxièmement, nous avons pu établir que la tâche du parlementaire, lorsqu'il agit sous l'incitation des électeurs de son district, consiste non pas à transmettre des suggestions ou des renseignements, mais plutôt à obtenir des biens et services, à fournir des informations et à faire corriger «des erreurs administratives» (tableau 4).

On comprendra mieux ainsi pourquoi la notion de parlementaire fiduciaire et même celle de délégué de circonscription semble inappropriées dans le cas du Québec puisque ici, il est plus exact de parler de requête ou de demandes plutôt que de directives de la part de l'électorat. Selon ces résultats, le député québécois serait non pas tant un fiduciaire ou un délégue mais un intermédiaire entre les citoyens et l'administration provinciale.

D'ailleurs ce rôle d'intermédiaire de l'administration n'est pas le propre des représentants des seuls milieux défavorisés, puisque même les jeunes députés libéraux élus après 1960 et représentant des circonscriptions «aisés» y attachent beaucoup d'importance.

Cependant la clientèle d'un parlementaire ne se limite pas à des individus mais s'étend également aux groupes ou corps intermédiaires. C'est pourquoi nous avons aussi demandé aux parlementaires quelles étaient les raisons qui motivaient les démarches des groupes auprès d'eux. Il est intéressant de noter (tableau 5) les différences entre les réponses qui nous furent fournies dans le cas de groupes avec celles fournies antérieurement dans le cas des électeurs. Nous constatons tout d'abord que la répartition des motifs est beaucoup plus égale quant au premier choix et, ensuite, que les demandes de biens et services diminuent de moitié, alors que les offres de renseignements et les suggestions triplent. Il semble bien, conséquemment, que ce sont les

## Tableau 3

*«Milieux géographiques» privilégiés des parlementaires (en pourcentages verticaux)*

| La perception de leurs interventions en Chambre en fonction des problèmes | | Les préoccupations des parlementaires à l'égard des problèmes administratifs | |
|---|---|---|---|
| de la circonscription | 39 | de la circonscription | 75 |
| de la province | 55 | de la province | 15 |
| sans réponse | 6 | sans réponse | 10 |
| TOTAL | 100 | | 100 |

*Source:* Sondage décrit dans le texte. L'analyse porte sur 51 répondants.

## Tableau 4

*Motifs qui amènent les électeurs à s'adresser aux parlementaires (en pourcentages verticaux)*

| Motifs privilégiés | 1er choix | 2e choix | 3e choix |
|---|---|---|---|
| Demander des informations | 27 | 31 | 13 |
| Corriger une erreur administrative | 12 | 20 | 25 |
| Donner des renseignements | 0 | 4 | 0 |
| Obtenir des biens et services (aide financière et technique) | 47 | 27 | 21 |
| Demander des emplois dans le secteur public | 14 | 14 | 25 |
| Faire des suggestions | 0 | 4 | 6 |
| TOTAL | 100 | 100 | 100 |

*Source:* Sondage décrit dans le texte. L'analyse porte sur 51 répondants.

## Tableau 5

*Motifs qui amènent les groupes à s'adresser aux parlementaires*
*(en pourcentages verticaux)*

| Motifs privilégiés | 1er choix | 2e choix | 3e choix |
|---|---|---|---|
| Demander des informations | 16 | 20 | 24 |
| Corriger une erreur administrative | 16 | 15 | 19 |
| Donner des renseignements | 18 | 17 | 19 |
| Obtenir des biens et services (aide financière et technique) | 27 | 20 | 19 |
| Demander des emplois dans le secteur public | — | — | — |
| Faire des suggestions | 23 | 28 | 19 |
| TOTAL | 100 | 100 | 100 |

groupes et non le corps électoral qui ont le plus de chances de véhiculer vers les parlementaires des informations, des opinions et des idées[4].

Il conviendrait de nuancer davantage les propositions qui précèdent, d'une part, par le fait que malgré tout il ne semble pas que les parlementaires soient dans la pratique des points d'accès privilégié des groupes, et, d'autre part, par le fait que les groupes qui sont censés intervenir auprès de ces derniers sont peu diversifiés, peu spécialisés et ont une action surtout locale. En effet, d'après les députés, les principaux groupes qui entreraient en contact avec les parlementaires seraient dans 60% des cas les organisations locales des Chambres de commerce, de l'Union des producteurs agricoles et des syndicats ouvriers. Il est remarquable d'ailleurs que ces mêmes groupes avaient préalablement été identifiés comme étant les trois plus importants dans la province. Bref, nos parlementaires, selon leurs propres témoignages, sont assurément à l'écart des centres majeurs de décision économique et, dans ce sens, ils sont représentatifs d'une large fraction de la population. A leur décharge il faut faire état de la nature du système parlementaire actuel avec sa structure du pouvoir axée sur les ministres, du régime constitutionnel avec son fractionnement des responsabilités et, sans doute, du manque d'organisation du patronat local dispersé en de nombreuses petites entreprises[5].

---

4  Il semble y avoir une association assez nette entre le fait pour un parlementaire d'attribuer, même aux groupes, le désir d'obtenir des biens et services et celui de représenter une circonscription rurale à prépondérance agricole. Bien que l'association ne soit pas aussi significative, on pourrait ajouter que ce sont les représentants des circonscriptions plus urbaines et de celles où les occupations supérieures sont plus nombreuses et les traitements plus élevés qui attribuaient davantage aux groupes la fonction de véhicule d'information et de suggestion.

5  A cet égard les deux formations politiques sont pratiquement sur le même pied, quoi que les syndicats semblent avoir été plus actifs auprès des *backbenchers* de l'opposition qu'auprès de ceux du parti au pouvoir.

Qu'en est-il enfin de l'action des parlementaires sur l'électorat et la population en général? Car on pourrait soutenir à priori qu'une vigoureuse action d'animation sociale aurait pour effet au moins d'amoindrir le caractère unilatéral et personnalisé des communications entre les parlementaires et leurs électeurs. À la limite, bien sûr, une telle action soulèverait des conflits d'opinion et il serait alors possible de parler du parlementaire fiduciaire.

Or, il est évident, du moins à l'époque où cette enquête fut menée, qu'au départ, la majorité des parlementaires québécois n'ont pas recours à des méthodes systématiques d'information de leurs électeurs, même dans les domaines où justement ils semblaient être particulièrement sollicités, soit les services offerts à la population du comté et les «décisions administratives». En fait, 31% répondirent qu'ils n'informent pas du tout leurs électeurs sur ces questions. Quant aux autres, ils n'ont recours qu'en nombre restreint aux média d'information. En effet, dans l'ensemble, 25% des députés affirment écrire des chroniques régulières dans les journaux, et 20% apparaissent de façon régulière à des émissions de télévision.

Il est certain que le coût constitue un obstacle majeur à une utilisation plus grande de tels moyens de communication. Cependant, il est assez troublant de constater qu'à une question où l'on demandait aux députés d'indiquer leur mode de communication préféré, 56% choisirent les allocutions prononcées lors de réunions sociales, et 10% seulement, les média d'information.

Il va sans dire que cette préférence marquée du parlementaire pour l'individualisation et la personnalisation de ses rapports avec ses électeurs se concilie assez bien avec l'exercice d'un rôle d'intermédiaire de l'administration. Pourtant, un tel rapprochement serait aussi possible avec l'exercice d'un rôle de partisan; il se pourrait même que la personnalisation des rapports corresponde à un comportement typique dans une société donnée. Enfin, il faut bien reconnaître que l'utilité du concept d'intermédiaire demeurera pratiquement nulle tant que celui-ci ne reposera que sur les rapports qui s'établissent entre la population et le député. L'autre partie de la relation est aussi fondamentale, à savoir, les rapports qui s'établissent entre le parlementaire et l'administration.

En effet, il reste encore à déterminer dans quelle mesure le parlementaire donne suite à de telles pressions des électeurs, et surtout, dans quelle mesure il exerce effectivement une autorité à l'égard de l'administration; en définitive, dans quelle mesure il contrôle cette dernière.

### 3. Le rôle de contrôleur de l'administration[6]

Il apparaît que, dans l'ensemble, les députés utilisent particulièrement les «instruments institutionnels» de contrôle de l'administration, à l'exception de la rédaction des lois, de préférence aux pressions et démarches personnelles (tableau 6).

Nous avons cru nécessaire toutefois d'élargir le cadre de référence en suggérant aux députés de ne plus se limiter aux contrôles proprement parlementaires, mais de considérer également les partis, les organes d'information et les corps intermédiaires. On note que si, individuellement, les protestations des corps intermédiaires et les commentaires des média d'information sont considérés comme jouant un rôle de contrôle important, les moyens de contrôle extérieurs au Parlement (tableau 7, données 1 à 5), ne sont que très légèrement favorisés par rapport aux moyens de contrôles internes.

---

6 Nous avons utilisé le terme contrôle plutôt dans son sens français de «vérification» et de «surveillance» plutôt que dans son sens anglais de «direction».

## Tableau 6

Moyens intraparlementaires de contrôle jugés les plus efficaces
(en pourcentages verticaux)

| Moyens de contrôle | 1er choix | 2e choix | 3e choix |
|---|---|---|---|
| La rédaction des lois | 2 | 8 | 6 |
| Le travail en comité | 40 | 19 | 15 |
| L'examen des crédits | 19 | 27 | 15 |
| Les débats en Chambre | 15 | 17 | 15 |
| Les rencontres personnelles avec les ministres | 11 | 13 | 11 |
| Les rencontres personnelles avec les fonctionnaires | 9 | 13 | 19 |
| Les décisions en caucus | 4 | 4 | 19 |
| TOTAL | 100 | 101 | 100 |

Source: Sondage décrit dans le texte. L'analyse porte sur 51 répondants et dans un cas le total des pourcentages dépasse 100%.

Les parlementaires seraient donc persuadés à la fois de l'efficacité des instruments de contrôle dont ils disposent, mais également de la sensibilité de l'administration au milieu dans lequel elle doit agir. Apparemment cette dernière ne revêtait donc pas les traits d'une menaçante caste bureaucratique, du moins aux yeux des parlementaires.

Si nous passons maintenant aux objets de ces interventions (tableau 8) nous constatons que les problèmes administratifs font l'objet d'une attention particulière de la part des simples députés, puisque 55% de leurs interventions portent sur ces problèmes[7]. Évidemment, la part qui revient aux *backbenchers* de l'opposition (Union nationale) est proportionnellement très considérable si l'on considère l'ensemble des interventions. On peut encore observer que les oppositionnels ont une préférence marquée pour les problèmes administratifs alors que les ministériels semblent accorder la priorité aux questions d'ordre politique.

Nous avons cru bon d'utiliser aussi cette distinction, entre des objets d'intervention d'ordre administratif et d'ordre politique, dans le but de faire reconnaître provisoirement tout au moins deux types majeurs de *backbenchers* au sein de l'Assemblée. En effet, on pourrait très bien considérer que le parlementaire qui intervient à propos de problèmes d'ordre politique agit en «politique» alors que celui qui intervient à propos de questions d'ordre administratif est un «administrateur».

---

7  Nous avons compté durant ces deux sessions, 5270 interventions pour l'ensemble des *back-benchers* «disponibles». Les ministres, le président de l'Assemblée et le chef de l'opposition furent exclus pour les raisons déjà indiquées précédemment. Il ne s'agit ici que des interventions faites au cours des «débats».

## Tableau 7

*Moyens intra ou extraparlementaires de contrôle jugés les plus efficaces*
*(en pourcentages verticaux)*

| Moyens de contrôle | 1er choix | 2e choix | 3e choix |
|---|---|---|---|
| Les changements de parti au pouvoir | 7 | 0 | 13 |
| Les plaintes des contribuables | 9 | 11 | 6 |
| Les commentaires de la presse la radio, la télévision | 24 | 21 | 17 |
| Les protestations et recommandations des corps intermédiaires | 9 | 30 | 13 |
| Les sanctions disciplinaires et les poursuites judiciaires | 2 | 0 | 0 |
| Les débats, critiques ou questions au Parlement | 16 | 15 | 21 |
| Les directives des ministres | 11 | 6 | 17 |
| Les interventions personnelles des députés | 11 | 11 | 6 |
| Les commissions d'enquête | 11 | 6 | 6 |
| TOTAL | 100 | 100 | 99 |

*Source:* Sondage décrit dans le texte. L'analyse porte sur 51 répondants.

Dans le même sens, en fractionnant ces types principaux en sous-types, nous pourrions découvrir notamment chez les administrateurs des «organisateurs» et des «financiers» et, chez les politiques, des «partisans» et des «ritualistes» (i.e. qui interviennent à propos du fontionnement de l'Assemblée).

Cependant, il faut bien avouer que la définition de types fondée uniquement sur l'identification des sujets d'intervention est incomplète, car il faut encore tenir compte de certaines modalités d'intervention qui peuvent même paraître déterminantes. Ainsi, on peut penser que le partisan s'intéressera non seulement au fonctionnement des partis politiques, mais aussi le fera de façon partisane. Un type devrait donc établir une jonction entre un sujet et certaines modalités d'intervention.

Or, à cet égard, nous avons cru devoir postuler que généralement les *back-benchers*, lorsqu'ils interviennent en assemblée, ne possèdent pas d'autorité de décision et que leurs interventions ne s'inscrivent même pas dans un contexte de négociations avec ceux qui détiennent cette autorité, i.e. les ministres. De sorte que les modalités qui devaient retenir notre attention étaient à la fois le sujet et le moment de l'intervention[8]. C'est d'ailleurs ce dont fait état le tableau 9.

---

8  Précisons toutefois que ces deux modalités n'ont été appliquées qu'aux interventions concernant l'administration. Par conséquent le «rôle» général de «politique» ne peut être subdivisé qu'en rapport avec les sujets d'intervention, alors que celui d'«administrateur» l'est par les sujets et les moments d'intervention. Cependant, nous croyons que la situation ne devrait pas varier sensiblement de l'un à l'autre.

## Tableau 8

### Objets des interventions des parlementaires
### *(en pourcentages verticaux)*

| | | | |
|---|---|---|---|
| - la politique administrative | 16 | - les partis politiques | 19 |
| - l'organisation des ministères | 11 | - le fonctionnement de l'Assemblée (règlements, motions) | 44 |
| - les finances | 21 | - les questions de politique gouvernementales (à Québec et ailleurs au Canada) | 5 |
| - l'information | 9 | | |
| - le personnel | 16 | - les principes et objectifs de la législation québécoise | 17 |
| - l'équipement matériel | 6 | | |
| - les services rendus ou à rendre | 16 | - autres | 15 |
| - les relations avec d'autres administrations | 5 | | |
| TOTAL | 100 | TOTAL | 100 |
| - pourcentage par rapport à l'ensemble des interventions | 55 | - pourcentage par rapport à l'ensemble des interventions | 45 |
| part du Parti libéral | 3 | part du Parti libéral | 9 |
| part du Parti Union nationale | 52 | part du Parti Union nationale | 36 |
| - pourcentage par rapport à l'ensemble des interventions du Parti libéral | 8 | - pourcentage par rapport à l'ensemble des interventions du Parti libéral | 93 |
| - pourcentage par rapport à l'ensemble des interventions du Parti Union nationale | 85 | - pourcentage par rapport à l'ensemble des interventions du parti Union nationale | 15 |

*Source:* Analyse de contenu de 5270 interventions en Chambre de 73 *backbenchers* en 1964-65.

Dans l'ensemble, les parlementaires se partagent en deux groupes assez distincts: les «propagandistes» qui approuvent et informent, et les «contrôleurs» qui s'informent et critiquent. Il apparaît également que cette division respecte assez fidèlement la ligne de démarcation entre les ministériels et leurs opposants. En fait, les trois-quarts des interventions des députés ministériels sont de type «informations» et «approbation». Il découle enfin, et presque par voie de conséquence, une préférence marquée de la part des oppositionnels pour le comité des subsides (organes de contrôle), et de la part des ministériels une prédilection pour l'assemblée générale

## Tableau 9

*Types et moments des interventions des* backbenchers *en assemblée selon les partis*
*(en pourcentages verticaux)*

| Sujets d'interventions | | | Moments des interventions | | |
|---|---|---|---|---|---|
| Les parlementaire | P.L. | U.N. | | P.L. | U.N. |
| informe | 31 | 8 | assemblée générale | 44 | 9 |
| s'informe | 10 | 65 | | | |
| critique | 3 | 15 | comité plénier | 6 | 14 |
| approuve | 41 | 2 | | | |
| défend | | | comité des subsides | 46 | 72 |
| suggère | 15 | 10 | | | |
| exige | | | période des questions | 4 | 5 |
| TOTAL | 100 | 100 | TOTAL | 100 | 100 |

*Source:* Analyse de contenu de 5270 interventions en Chambre de 73 *backbenchers* en 1964-65.

(organe de délibération). En d'autres termes, malgré l'absence de véritables négocia-tions, il subsiste à l'Assemblée un schéma de contestation très significatif.

En effet, si nous tentons de rapprocher les résultats des tableaux 8 et 9, on ne peut que noter la dominance d'un facteur institutionnel (i.e. le fait d'être au pouvoir ou dans l'opposition) non seulement sur le choix du rôle exercé, mais égale-ment sur les modalités employées. Il est évident que les *backbenchers* oppositionnels sont de façon plus spécifique des contrôleurs de l'administration et de la politique ministérielle, alors que les *backbenchers* ministériels sont des propagandistes à la fois de l'administration et de la politique ministérielle. Les autres rôles déjà suggérés sont donc profondément transformés et paraissent subordonnés.

Plus précisément encore, il appert que, toutes proportions gardées, les *backbenchers* oppositionnels semblent préférer exercer un rôle de contrôleur de l'administration qu'un rôle de contrôleur de la politique ministérielle, alors que les *backbenchers* ministériels préfèrent plutôt exercer un rôle de propagandiste de la politique ministérielle qu'un rôle de propagandiste de l'administration.

Face à cette séparation caractéristique des parlementaires, certains seraient enclins sans doute à suggérer que les rôles de ministériels et d'oppositionnels ou tout simplement de partisans soient substitués à ceux d'administrateurs et de politiques ou plus spécifiquement de propagandistes et de contrôleurs. À notre avis, une telle option ne serait pas justifiée, d'une part, parce que les notions de ministériel et d'oppositionnel reposent sur un statut et non sur des activités caractéristiques, et que, d'autre part, la notion de partisan ne contient pas implicitement celle de contrôleur, de la même façon d'ailleurs que la notion de représentant de circonscription ne contient pas celle de propagandiste. Enfin, nous croyons que la modalité, ou ce que

## Graphique I

*Rôle des* «backbenchers» *oppositionnels et ministériels en assemblée*

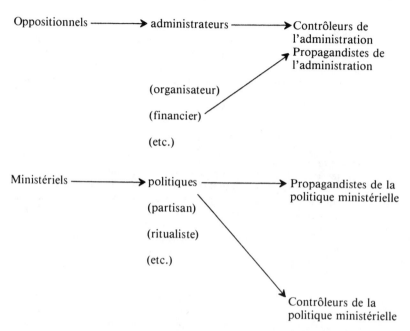

nous avons appelé le sujet d'intervention, est suffisamment déterminante pour nous permettre de considérer qu'en assemblée les rôles véritables sont ceux de propagandiste et de contrôleur et non ceux de politique et d'administrateur. Il est vrai que nous sommes dans l'impossibilité de vérifier si les types d'intervention observés en matière administrative se distribuent de la même façon en matière politique. Nous croyons cependant qu'une telle supposition est raisonnable et que même les interventions concernant les partis et le fonctionnement de l'Assemblée peuvent aisément être subordonnés à des fins de propagande et de contrôle et donner lieu à des sous-rôles. En résumé, il nous semble que ces rôles soient conformes à la fois aux exigences du fonctionnement des institutions parlementaires et à la division ainsi qu'à la stratégie des formations politiques qui les animent.

Il est certain, par ailleurs, que ce partage particulier du nombre des interventions, de leurs objets et leurs modalités soit susceptible de varier selon les époques et les pays malgré la similitude des institutions elles-mêmes. Malheureusement, il n'existe pas à notre connaissance d'études qui nous auraient permis d'établir de telles comparaisons. Il est également certain que les résultats que nous avons notés auraient été différents si nous avions inclus les interventions des ministres. Mais, ce faisant, nous aurions alors donné assurément une autre signification au terme «contrôle parlementaire». Il est aussi possible, enfin, qu'une composition différente de l'Assemblée aurait offert une image différente des *backbenchers,* même à l'intérieur du contexte québécois.

Cependant, il serait étonnant que les modifications soient substantielles. D'une part, les simples députés ministériels sont soumis à la discipline de parti et vraisemblablement dominés par les ministres tout en demeurant solidaires avec eux, ce qui a pour effet de limiter considérablement leur champ d'action. Par contre, il semble de bonne stratégie pour les dirigeants de l'opposition de concéder aux *backbenchers* une plus grande latitude, ne fut-ce que pour vérifier les aptitudes de chacun et multiplier les sorties contre le gouvernement[9].

D'autre part, il semble normal que les *backbenchers* ministériels choisissent de faire porter leurs interventions sur des questions ne concernant pas l'administration car, ici encore par solidarité avec les ministres, ils peuvent prétendre participer à la direction de l'administration. En fait, un examen plus détaillé révèle que les députés ministériels consacrent notamment la moitié de leurs interventions au fonctionnement de l'Assemblée, d'où l'importance chez eux du ritualisme qui peut toujours constituer une manoeuvre de diversion, habituellement pénible pour les spectateurs, mais qu'ils ont assurément avantage à maîtriser. C'est, à vrai dire, le seul débouché qui s'offre naturellement à eux dans un système qui les sous-utilise. Par contre, il est assez surprenant de constater que les oppositionnels, bien que n'ayant pas la maîtrise de l'orientation de la législation, semblent négliger la discussion des principes des projets de loi et cherchent plutôt à discuter les modalités d'application de cette éventuelle législation. On pourrait déduire d'un tel comportement qu'il existerait un accord tacite sur les objectifs, puisque c'est la discussion qui devient fondamentale, les votes ayant généralement une valeur théorique. Bref, la fonction de contrôleur de l'administration en assemblée revient sans conteste surtout aux simples députés de l'opposition et celle de propagandiste de la politique ministérielle aux *backbenchers* ministériels. Cette stratégie, du moins par voie de déduction, semble rendre le facteur institutionnel dominant ici.

Qu'en est-il de l'objet des interventions des parlementaires auprès de l'administration *à l'extérieur* de l'Assemblée? Il semble bien, aux dires des parlementaires interrogés, qu'ils s'occupent encore surtout d'obtenir des biens et services pour leur comté; d'ailleurs leurs préoccupations dominantes vont aussi dans ce sens. Cependant, il est intéressant d'observer qu'ils n'en modifient pas moins légèrement la nature des demandes des électeurs lorsqu'ils les transmettent à l'administration. Le tableau 10 groupe les trois préférences indiquées par les parlementaires interrogés.

En effet, on aura remarqué un léger déplacement des demandes d'emplois par les électeurs aux députés vers les offres de renseignements et de suggestions par les parlementaires à l'administration. Nous ne pouvons évidemment assurer que cette situation soit rigoureusement conforme à la réalité. D'un côté, on comprend très bien que les parlementaires aient pu être réticents à admettre une participation à ce qui peut apparaître comme une forme très précise de patronage, ce qui n'est pas le cas bien sûr pour les biens et services, formule au demeurant très large. Par ailleurs, rien ne prouve que cette déviation des démarches des électeurs ne soit pas le résultat d'une pratique établie qui aurait pour effet de libérer les députés d'un engagement trop prononcé à l'égard des électeurs. Plus généralement enfin, il est possible que l'on biaise ici le débat en postulant en quelque sorte une influence indue de la part des députés. On pourrait très bien considérer qu'il est même désirable qu'un député fasse en sorte que le plus grand nombre possible d'individus ne soient pas privés, par ignorance, de services auxquels ils ont droit. En corollaire, cela équivaut à condamner implicitement le fonctionnement de l'appareil administratif.

En réalité, il y a eu sans doute, chez la population, une ignorance des rouages administratifs et une culture politique marquée par le jeu d'influence; chez le gouvernement, un souci de restreindre des dépenses qui ne connaissent pas de limites

---

9  Cela est d'autant plus vrai que le nombre de députés d'opposition est réduit.

## Tableau 10

*Objets des interventions des électeurs et des parlementaires*

| | Interventions des électeurs auprès des parlementaires | Interventions des parlementaires auprès de l'administration |
|---|---|---|
| 1. Demander des renseignements | 34 | 35 |
| 2. Faire corriger une erreur administrative | 28 | 29 |
| 3. Donner des renseignements | 7 | 15 |
| 4. Obtenir des biens et services | 46 | 41 |
| 5. Obtenir des emplois dans le secteur public | 26 | 9 |
| 6. Faire des suggestions | 5 | 12 |

*Source:*  Sondage décrit dans le texte. L'analyse porte sur 51 répondants.

apparentes, mais aussi de conserver, à la marge, un droit de regard sur les bénéficiaires des services publics; chez l'administration, une certaine maléabilité politique nécessaire; et enfin chez les parlementaires, un certain désir, parfois vigoureux, de se rendre visibles et utiles à ceux qui, en définitive, déterminent leur carrière politique. Quoi qu'il en soit, il n'est assurément pas facile de déterminer à quel moment ces mécanismes d'échanges, tout en établissant un point d'équilibre général du système, mettent en danger ce système lui-même. Il est sans doute vrai que le suffrage universel, par le jeu des circonscriptions électorales, ait pu rendre nécessaire un saupoudrage des biens publics et un patronage «des petits». Mais l'absence de telles contraintes a pu ailleurs, on le sait, favoriser une minorité et un patronage «de gros». Il devient donc nécessaire de poser un diagnostic particulier à chaque milieu. Au Québec, il ne semble pas exagéré de dire que pendant longtemps on a exploité ces contraintes au niveau provincial et pratiqué une justice distributive d'un type spécial[10]. La création d'entreprises publiques au début des années 60, l'accroissement des dépenses essentielles et la réforme de la fonction publique ont grandement contribué à établir un meilleur équilibre.

Quoi qu'il en soit, il nous est apparu que la notion de contrôle de l'administration à l'extérieur de l'Assemblée devait être comprise dans le sens d'influence plutôt que dans celui de direction, ou encore, de surveillance ou de vérification. Ici encore, cette influence nous a paru limitée, et il y a sans doute lieu de retenir une fois de plus la notion d'intermédiaire de l'administration plutôt que celle de contrôleur de l'administration, ne serait-ce que pour dissiper toute équivoque.

En résumé, il nous est apparu que les parlementaires québécois, tout en se considérant dans l'ensemble comme des représentants de circonscription, exerçaient en fait trois rôle dominants, soit celui d'intermédiaire de l'administration, celui de contrôleur de l'administration et celui de propagandiste de la politique gouvernementale.

10  Sur le patronage et la justice distributive voir les articles de R. Hudon et d'E. Cloutier dans ce recueil.

En effet, il nous a semblé, d'une part, que malgré la préférence marquée de certains parlementaires pour le rôle de législateur, ce choix ne pouvait s'expliquer que par une définition limitative de la fonction de parlementaire. Les rôles de fiduciaire et même celui de délégué de circonscription impliquant des échanges d'idées et d'opinions ne correspondaient pas non plus à la nature réelle de l'objet et des modalités des rapports qui s'établissaient effectivement entre les parlementaires et leurs électeurs. Ces rapports, semblait-il, portaient sur l'obtention de biens et services et s'effectuaient selon un mécanisme de requêtes unilatérales.C'est pourquoi nous nous sommes crus justifiés d'attribuer au parlementaire, qui se voyait confier la tâche de faciliter cette allocation de biens, le rôle d'intermédiaire de l'administration.

Par ailleurs, nous étions conscients, ce faisant, de ne privilégier à la fois qu'un maillon dans une chaîne de relations puisque nous ignorions les rapports entre les parlementaires et l'administration, ainsi qu'un seul cadre d'action puisque nous laissions de côté les rapports qui s'établissaient entre les parlementaires et l'administration à l'intérieur de l'Assemblée.

Plus spécifiquement nous ignorions quelle influence le *backbencher* exerçait à l'égard de l'administration. Nous ignorions aussi si le rôle d'intermédiaire était conforme à l'activité réelle des parlementaires tant à l'intérieur qu'à l'extérieur de l'Assemblée. C'est pour tenir compte de cette double dimension du problème que nous avons introduit le rôle de contrôleur de l'administration. L'ambiguïté même du terme contrôle, en effet, nous permettait au départ de faire état de fonctions d'influence et de fonctions de surveillance selon la nature du cadre d'action, quitte, par la suite, à dissiper cette ambiguïté.

Or justement, nous avons pu établir d'abord qu'en assemblée le rôle de «surveillant» ou de contrôleur de l'administration n'est pas une notion abstraite, mais un rôle concret exercé de façon très prépondérante par les *backbenchers* de l'opposition. Nous avons dû en même temps reconnaître que les *backbanchers* ministériels exerçaient surtout un rôle de propagandiste. Nous avons cru pouvoir postuler que ces rôles pouvaient être applicables tant aux matières politiques qu'administratives.

Nous sommes conscients évidemment que seul un examen du cheminement de plusieurs décisions concrètes nous permettrait de mesurer véritablement l'influence des *backbenchers*. Ces perceptions demeurent toutefois significatives et nous permettent d'apprécier au moins une dimension du problème.

## La diversité des rôles de l'administration

Tout comme pour les rôles des parlementaires, nous avions soumis aux députés interrogés une énumération de fonctions qui nous semblait résumer assez bien l'ensemble des activités de l'administration. La question était formulée toutefois dans des termes différents, puisque nous demandions là une appréciation de l'importance relative dans les faits de chacune de ces fonctions, soit celle de fournir des biens et services (17%), celle de voir à l'application des lois et règlements (14%), celle de conseiller le gouvernement (17%) et celle de contrôler les activités des citoyens(1%).

Il apparaît que la distribution est à peu près égale entre les trois premières fonctions, alors que la fonction de contrôle fut presque totalement négligée. On peut noter que les deux partis ne différaient pas à cet égard. Il nous faut aussi retenir que dans l'ensemble, près des deux tiers des députés choisirent les rôles traditionnels et neutres. A première vue, on aurait donc tendance à sous-utiliser la compétence administrative ou, à tout le moins, à la considérer comme franchement subordonnée. Il n'y a sûrement pas là un indice de l'avénement d'une technocratie.

Il ne semble pas, aux dires des parlementaires que l'influence de l'administration soit excessive. En effet, après nous être assurés que tous les parlementaires sans exception reconnaissaient l'importance accrue qu'avait acquise l'administration au cours des années récentes, nous avons cherché à déterminer si, selon eux, elle jouissait de trop de latitude dans l'exercice de ses fonctions. Or, il est apparu que telle n'était pas l'opinion de la majorité des députés interrogés; au contraire, plusieurs auraient été prêts à lui concéder une marge de manoeuvre plus étendue. Ceci devrait contribuer à dissiper certains doutes quant à la possibilité de manipulation du pouvoir politique par l'administration. Par ailleurs, en groupant ensemble les résultats qui semblaient indiquer une insatisfaction des parlementaires à cet égard, nous avons pu observer que les insatisfaits se recrutaient de façon significative parmi les députés représentant des circonscriptions où le nombre de personnes exerçant des occupations dites supérieures était inférieur à l'indice provincial, en sommes des milieux moins favorisés. Les autres caractéristiques, dont celle de l'appartenance à un parti déterminé, ne jouaient pas de façon significative dans ce domaine.

Ces constatations sont sans doute d'autant plus probantes que 66% des députés avaient reconnu, par ailleurs, que l'accroissement de l'importance de l'administration s'était fait aux dépens des parlementaires, et que 75% d'entre-eux considéraient le syndicalisme dans la fonction publique comme étant utile au fonctionnement général de l'État et constituait à cet égard un gage d'efficacité.

Par contre, on doit ajouter que les opinions étaient plus partagées quant à l'identité de l'autorité que l'administration dessert effectivement et quant à la neutralité de cette dernière. En effet, alors que nous avions demandé aux députés si d'après eux, l'administration était dans les faits au service du Parlement, de la population, des groupes d'intérêt, du gouvernement ou du parti au pouvoir, nous avons obtenu une grande variété de réponses comme en témoigne le tableau 11.

Il ressort bien sûr un ordre général de préférence pour la population, le gouvernement et les groupes d'intérêt. Par contre, il apparaît que les partis possèdent à ce sujet des vues sensiblement différentes. La principale différence réside surtout dans le fait que les membres de l'Union nationale considèrent l'administration comme étant d'abord au service du parti au pouvoir, alors que les membres du Parti libéral considèrent qu'elle est principalement au service de la population. Selon les libéraux, l'administration agirait ensuite au profit du gouvernement et du Parlement alors que selon les unionistes elle agirait en second lieu au service de la population et des groupes d'intérêt indifféremment.

## Tableau 11

### Autorité que dessert l'administration

| L'administration est au service | Total des 3 choix | Parti libéral | Union nationale |
|---|---|---|---|
| du Parlement | 19 | 15 | 4 |
| de la population | 44 | 31 | 13 |
| des groupes d'intérêt | 25 | 12 | 13 |
| du gouvernement | 38 | 27 | 11 |
| du parti au pouvoir | 20 | 4 | 16 |

Source: Sondage décrit dans le texte. L'analyse porte sur 51 répondants.

Si l'on s'en tient à une première impression générale, il faudrait conclure que l'administration, aux yeux des unionistes, était, à l'époque du moins, particulièrement souple aux mains du parti au pouvoir. Cette conception semble être renforcée par cette autre observation à l'effet que selon les unionistes, l'administration dans l'ensemble n'était pas neutre mais bien favorable au parti au pouvoir[11]. En somme, selon les unionistes, le parti profitait, non seulement de façon particulière des services de l'administration, mais il pouvait encore compter sur sa loyauté idéologique.

Chez les libéraux, par contre, l'administration apparaît comme étant plus autonome, neutre et bureaucratique puisque c'est la population et le gouvernement dans son ensemble, non le parti et les groupes d'intérêt, qui commandent sa loyauté. Ces résultats jettent un éclairage particulier sur ce que l'on avait précédemment appelé les instruments extra-parlementaires de contrôle de l'administration.

Bien sûr, il serait tentant de voir dans le caractère contradictoire de ces deux opinions le simple prolongement de la dichotomie ministériels-oppositionnels. Ces derniers, on peut le penser, pourraient avoir tendance à exagérer l'emprise du parti au pouvoir sur l'administration, tandis que les premiers seraient plutôt enclins à minimiser cet influence. Toutefois, considérant que les unionistes n'avaient, au moment de l'entrevue, perdu le pouvoir que depuis quelques années seulement, on pourrait également dire qu'ils jugeaient la situation en fonction d'une expérience passée. Il fut un temps assurément où le Québec fut fort gouverné et peu administré. Quant aux libéraux, ont pourrait croire qu'ils se sont tellement identifiés au gouvernement dont ils faisaient partie qu'ils ont même assumé la responsabilité de ce dernier à l'égard de la population en général.

Quoi qu'il en soit, en tenant pour acquis la bonne foi de part et d'autre, on pourrait au moins affirmer que, selon les parlementaires, l'aministration ne constitue pas une force d'opposition à la structure gouvernementale, au contraire, et que, partant, elle participe par les voies organiques à l'influence que celui-ci détient.

## Conclusion

Les rôles de l'administration qui consistent à fournir des biens et services, à voir à l'application des lois et règlements et à conseiller le gouvernement apparaissent donc comme ayant une importance à peu près égale aux yeux des parlementaires. Toutefois, les députés ayant reçu une formation universitaire accordaient de toute évidence leur préférence au rôle plus positif de conseiller.

Par ailleurs, nous avons pu noter que notre énumération initiale était par trop limitative. En effet, après avoir examiné les rapports qui s'établissent entre les parlementaires et l'administration, nous avons pu rappeler que, selon la majorité des députés, c'est l'administration qui prépare la législation et c'est encore elle qui informe du déroulement des activités administratives.

---

11 On offrait aux députés quatre hypothèses. L'administration pouvait être favorable au parti au pouvoir, favorable au parti de l'opposition, neutre, elle pouvait enfin avoir des idées politiques différentes de celles des deux partis. Or, le tiers seulement des unionistes considéraient la fonction publique neutre dans son ensemble, alors que la même proportion de libéraux la considéraient favorable au parti au pouvoir. D'après la formulation de la question, il fallait apprécier la situation qui prévalait dans les faits et ne pas raisonner en termes de principes. Ces deux questions distinguaient les hauts fonctionnaires des fonctionnaires subalternes. Or, il est apparu que ceux qui percevaient la fonction publique supérieure comme étant «favorable au parti au pouvoir» faisaient de même pour la fonction publique subalterne. De plus, il est devenu aussi évident que les «législateurs» optaient pour la neutralité de la fonction publique, alors que les «représentants» optaient pour la partisanerie de cette même fonction publique.

Nous n'avons pu établir clairement que l'administration exerce effectivement une grande autorité en ce qui concerne les principaux objets des interventions des députés auprès d'elle, c'est-à-dire l'allocation des biens et services aux comtés et «la correction d'erreurs administratives». Chose certaine, cependant, aucun député ne laissa entendre que le pouvoir politique en tant que tel était, à l'époque, en position de défense à l'égard de l'administration. Au contraire, selon les unionistes, non seulement l'administration était-elle au service du parti au pouvoir, mais elle lui était dans l'ensemble favorable idéologiquement.

À vrai dire, les conceptions étaient passablement opposées là-dessus car, par ailleurs, les libéraux semblaient généralement considérer que l'administration était d'abord au service de la population et qu'elle était neutre. N'ayant pu déterminer dans quelle mesure cette opposition était attribuable au fait que nous avions affaire au fond à des députés ministériels et à des députés de l'opposition, nous nous sommes contentés d'observer qu'à tout le moins, il fallait reconnaître que l'administration participait à l'influence dominante exercée par le gouvernement.

Somme toute, les simples parlementaires nous ont assurément souligné l'importance accrue de l'administration publique et laissé entrevoir chez elle une certaine bureaucratisation de même qu'un certain dégagement d'un vieux schème partisan.

Cependant, il serait passablement audacieux de déduire de leurs témoignages que nous assistons à l'avènement d'une technocratie. Le gouvernement apparaît nettement comme le bénéficiaire du déclin des simples parlementaires, et en cela le système politique québécois se situe, sinon à une étape de son évolution, du moins dans une catégorie passablement importante de systèmes politiques actuels. On voit mal comment il pourrait en aller autrement lorsque l'on sait que l'établissement d'une véritable technocratie implique au moins trois éléments dont était dépourvu le Québec en 1964 et 1965; la valorisation de la technique chez la population et le personnel politique, l'existence de vastes réseaux d'échanges entre les secteurs privés et publics et l'articulation de recherches et de mécanismes de planification à l'intérieur du secteur public.

*Lectures recommandées*

J.-C. Bonenfant, «L'évolution du statut de l'homme politique canadiens-français», dans *Le pouvoir dans la société canadienne-française*, Québec, Presses de l'Université Laval, 1966, p. 117-30.

R. Boily, «L'évolution du statut de l'homme politique canadien-français», dans *Le pouvoir dans la société canadienne-française*, Québec, Presses de l'Université Laval, 1966, p. 125-29.

_____, «Les candidats élus et les candidats battus», dans *Quatre élections provinciales au Québec: 1956-1966*, Québec, Presses de l'Université Laval, 1969, p. 87-122.

_____, «Les hommes politiques du Québec, 1867-1967», *Revue d'histoire de l'Amérique française*, 21 (1967), p. 599-634.

A. Gélinas, «L'administration publique provinciale», dans L. Sabourin, *Le système politique canadien*, Ottawa, Editions de l'Université d'Ottawa, 1968, p. 269-86.

_____, «Les parlementaires et l'administration publique au Québec», *Revue canadienne de science politique*, 1 (1968) p. 164-79.

Marcel Hamelin, *Les premières années du parlementarisme québécois, 1867-1878*, Québec, Presses de l'Université Laval, 1974.

*Nos hommes politiques*, Montréal, Jour, 1967.

# Chapitre 3

# L'évolution de l'administration publique du Québec, 1867-1970*

James I. Gow
Université de Montréal

*James Ian Gow est professeur agrégé au département de science politique de l'Université de Montréal. Spécialisé dans les questions touchant l'administration publique, il a dirigé la publication d'un recueil de textes intitulé* Administration publique québécoise; textes et documents (*Montréal: Beauchemin, 1970*) *et publié plusieurs articles à ce sujet.*

*Son présent article a pour objectif de dégager certaines observations sur l'évolution globale de l'administration québécoise depuis la Confédération et d'avancer quelques hypothèses sur les rapports entre l'administration québécoise et son environnement politique, économique et social. Son étude, qui s'appuie principalement sur les documents gouvernementaux officiels, a recours à la grille d'analyse, aux statistiques, de même qu'à l'analyse de contenu. Certains des résultats sont présentés sous forme de tableaux de contingence et de polygones de fréquence.*

L'étude de l'histoire de l'administration publique du Québec soulève d'intéressants problèmes de science administrative et de science politique. Jusqu'à quel point, par exemple, cette histoire suit-elle l'évolution générale des administrations publiques du monde occidental? Peut-on trouver des parallèles entre la situation de l'administration publique québécoise pendant les cent dernières années et celles des pays en voie de développement de l'époque contemporaine? Est-il possible de faire une histoire purement administrative sans faire en même temps l'histoire politique, économique et sociale d'un pays?

* Cette recherche en marche depuis plusieurs années, est effectuée grâce à des subventions du Conseil des Arts du Canada. Toute personne qui voudrait prendre connaissance des rapports de recherche déjà complétés touchant divers secteurs de l'administration québécoise est priée de communiquer avec l'auteur.

Dans le cadre d'une recherche plus étendue sur ce sujet, nous avons dû mettre au point un instrument d'analyse qui tente de tenir compte de ces questions [1]. Le but de ce texte n'est pas d'y répondre de façon complète, mais plutôt de poser quelques jalons de réponses à partir de certaines observations sur l'évolution globale de l'administration québécoise depuis la Confédération. À partir de brèves analyses de l'évolution des dépenses publiques, des effectifs au service de l'État québécois, ainsi que de ses structures administratives, nous croyons pouvoir avancer quelques hypothèses sur les rapports entre l'administration québécoise et son environnement politique, économique et social.

## Les dépenses publiques au Québec, 1867-1969

En ce qui concerne l'évolution des dépenses publiques, nous présentons, au graphique 1, les courbes logarithmiques des dépenses totales et des dépenses per capita en termes de dollars courants, pour la période 1867-1969.

Pour ce qui est des dépenses totales, on est frappé par l'irrégularité de la courbe au 19e siècle, fait attribuable à la fois aux variations dans les revenus et au caractère parcellaire des dépenses [2]. Au 20e siècle, elle est plus régulière mais la tendance à la hausse n'est constante que depuis 1949. Cependant, depuis 1910, les dépenses ont au moins doublé tous les dix ans à l'exception des années 1930 [3]. Et même là, elles avaient doublé entre 1930 et 1939 avant de connaître une baisse importante au début de la guerre. Ce fait nous rappelle que le gouvernement du Québec n'a pas eu à faire face directement aux crises les plus importantes qui ont transformé les administrations des grands États modernes, c'est-à-dire les guerres mondiales. Au contraire, sa croissance a lieu en temps de paix.

Les dépenses totales ont augmenté de façon impressionnante depuis 1945. Elle ont triplé pour les décennies 1940 et 1950 et plus que quintuplé pour les années 1960. Quant à la courbe des dépenses per capita, elle ne fait que suivre celle des dépenses totales tout en l'aplanissant. Néanmoins, la croissance des dépenses per capita depuis cinquante ans est considérable. On peut l'observer en présentant des moments où ces dépenses ont franchi certains caps:

| | |
|---|---|
| 1920-21: | $ 10. |
| 1935-36: | $ 25. |
| 1948-49: | $ 50. |
| 1957-58: | $100. |
| 1963-64: | $200. |
| 1965-66: | $300. |
| 1967-68: | $400. |
| 1969-70: | $500. |

1   Voir J.I. Gow, «Histoire administrative et théorie administrative», *Revue canadienne de science politique,* 4 (1971), p. 141-145.

2   Il n'est pas facile d'établir les montants, même globaux, des dépenses du gouvernement québécois. Reconnaissant que les différentes notions de comptabilité appliquées par les gouvernements depuis cent ans rendent difficile une distinction entre les dépenses nettes et brutes et surtout entre les dépenses ordinaires, «extraordinaires» et de capital, nous avons opté pour une comparaison basée sur le chiffre des dépenses totales brutes (reflet de l'effort administratif mais non de l'effort fiscal). Mais, une fois cette option faite, il n'a pas été possible de trouver une série de chiffres valables pour les années 1930-1937, tellement le système de présentation des comptes publics avait changé. Ce ne fut que grâce à l'aide du Vérificateur général adjoint, M. Raymond Gariépy, que nous avons pu établir ces chiffres.

3   Rappelons que l'année fiscale de 1940-41 n'a duré que neuf mois étant donné qu'elle fut modifiée; au lieu d'aller du 1er juillet au 30 juin, elle débutera dorénavant le 1er avril pour se terminer le 31 mars.

*Graphique I*

**L'évolution des dépenses totales et des dépenses per capita
du gouvernement du Québec, 1867-1970**

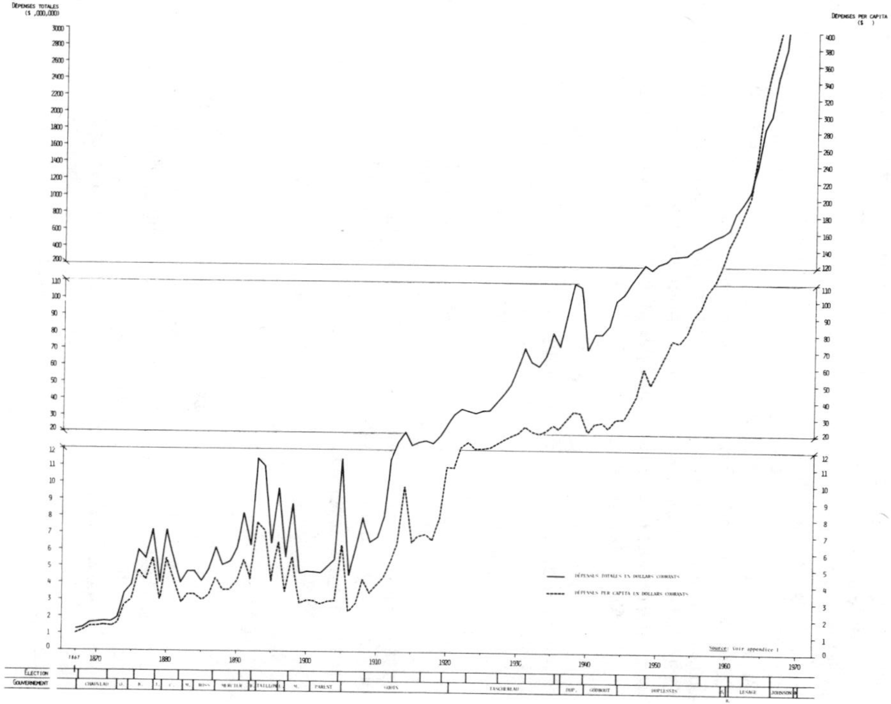

Puisque les hausses ne sont constantes que depuis 1950, les comparaisons remontant à l'époque précédente ne sont pas très utiles, mais il est frappant d'observer que depuis 1950, les dépenses per capita ont doublé en sept ans (1957) puis en six ans (1957-63) et finalement en quatre ans (1964-68)[4].

Le tableau 1 présente de façon sommaire les points prioritaires du budget québécois à différents moments depuis cent ans. Les priorités budgétaires au 19e siècle sont allées aux chemins de fer, à la sécurité publique (protection), aux ressources naturelles et à l'éducation. Au 20e siècle, si la voirie remplace les chemins de fer et si l'éducation demeure une dépense prioritaire, les budgets des ressources naturelles et de la protection sont proportionnellement à la baisse. Il y a eu des flambées de dépenses en matière de colonisation et d'aide aux chômeurs pendant la crise des années 1930, mais ces catégories ont disparu par la suite, pour des raisons très différentes bien sûr. La colonisation a connu une éclipse importante, sinon totale, après la deuxième guerre, éclipse qui est reconnue ouvertement par la fusion du ministère de la colonisation avec celui de l'agriculture en 1962. À partir de l'instauration du programme fédéral d'assurance-chômage en 1940, le Québec a perdu sa responsabilité immédiate en matière de chômage jusqu'au moment où il instaura l'assistance-chômage en 1959. Celle-ci devient alors une composante importante des dépenses consacrées à la santé et au bien-être social, catégorie qui, par ailleurs, n'a cessé d'augmenter par rapport à l'ensemble du budget du gouvernement québécois depuis vingt-cinq ans.

En résumé, au chapitre des dépenses, on peut dire que le 19e siècle a été dominé par des dépenses de développement économique sous forme des subventions à la construction des chemins de fer. L'endettement conséquent à l'impasse financiere qu'il a provoqué au début des années 1890 a à tel point traumatisé les gouvernements subséquents qu'en soixante ans il n'y a eu, au chapitre des dépenses courantes, que deux déficits importants. L'entre-deux guerres est dominé par les dépenses de voirie et de bien-être social, tandis que, depuis trente ans, la santé et l'éducation se sont joints à ces catégories de dépenses pour absorber une part toujours croissante du budget québécois. Pendant les années 1960, cette part oscille autour des trois-quarts de l'ensemble des dépenses.

## Les effectifs

S'il y a plusieurs incertitudes en ce qui concerne l'évolution des dépenses publiques, la situation est encore plus confuse en ce qui a trait aux effectifs du secteur étatique. Pour la période avant 1944, il est possible, avec l'aide des comptes publics, de dresser des listes d'employés par service, mais il est très difficile de savoir lesquels parmi ceux-ci sont des employés permanents, des employés temporaires, contractuels ou encore engagés à commission[5]. Ainsi, l'analyse de Paul Painchaud a révélé l'existence pour 1896 de quelque 180 fonctionnaires du «service civil», mais par

---

4  Exprimée en dollars *constants,* la courbe des dépenses per capita permet de tenir compte à la fois de la croissance de la population et de l'inflation. Ainsi, la croissance des dépenses en dollars constants per capita entre 1945 et 1968 est de l'ordre de six, tandis qu'elle est de l'ordre de vingt-quatre pour les dépenses totales en dollars courants. Il appert aussi que l'inflation était un facteur plus important dans la hausse des dépenses pendant les années 1950 qu'entre 1960 et 1967, puisque l'écart est relativement plus grand entre la courbe des dollars courants et celle des dollars constants. Pour la période de 1949-59, les dépenses per capita en dollars courants ont augmenté 2.18 fois, celles des dollars constants 1.30 fois, ce qui donne un rapport de 1.68. Pour la période 1959-67, les multiplicateurs sont 3.34 (dollars courants) et 2.44 (dollars constants) avec un rapport entre les deux de 1.37.

5  La catégorie du «gouvernement civil» utilisée dans les comptes publiés jusqu'en 1940 donnait une bonne liste des employés du «service intérieur», mais il fallait chercher sous d'autres chapitres les effectifs des services extérieurs.

## Tableau 1

**Répartition des dépenses nettes du gouvernement du Québec par catégories fonctionnelles, 1873-1968**

| Catégories | 1873 | 1883 | 1893 | 1903 | 1913 | 1923 | 1933 | 1945 | 1952 | 1963 | 1968 |
|---|---|---|---|---|---|---|---|---|---|---|---|
| Législation et administration | 16.9 | 10.6 | 17.3 | 9.9 | 18.0 | 7.4 | 6.0 | 7.8 | 5.4 | 3.7 | 2.8 |
| Protection, personnes et propriété | 23.8 | 11.7 | 9.4 | 13.0 | 15.8 | 10.2 | 5.5 | 5.8 | 4.1 | 4.9 | 3.8 |
| Transport et communications | 5.3 | 24.1 | 22.5 | 6.6 | 6.7 | 41.2 | 27.4 | 20.3 | 31.6 | 17.7 | 10.4 |
| Santé et Bien-être | 10.7 | 7.2 | 5.6 | 9.6 | 5.9 | 10.0 | 21.9 | 19.5 | 20.0 | 29.5 | 38.4 |
| Service récréatifs et culturels | — | — | — | — | — | 0.1 | 0.2 | 0.2 | 0.4 | 0.5 | 0.7 |
| Enseignement | 18.1 | 9.6 | 6.3 | 9.8 | 18.4 | 9.7 | 9.7 | 15.2 | 16.3 | 28.8 | 26.5 |
| Ressources naturelles et industries primaires | 18.8 | 7.5 | 6.1 | 11.2 | 22.2 | 9.5 | 18.0 | 15.5 | 11.4 | 6.7 | 5.0 |
| Industrie et commerce | — | — | — | — | — | — | — | — | — | 0.6 | 0.5 |
| Service de la dette | — | 22.4 | 29.4 | 32.9 | 12.7 | 11.9 | 11.3 | 15.7 | 9.7 | 5.2 | 3.6 |
| Divers | 6.4 | 6.9 | 3.4 | 7.0 | — | — | — | — | 1.1 | 2.4 | 8.3 |
| TOTAL | 100.0 | 100.0 | 100.0 | 100.0 | 100.0 | 100.0 | 100.0 | 100.0 | 100.0 | 100.0 | 100.0 |

Sources: Commission Royale d'Enquête sur les problèmes constitutionnels, 1956, vol. I, p. 231; Commission Royale d'Enquête sur la fiscalité, 1965, p. 487; Annuaire du Québec 1970, p. 779.

contre une autre étude révèle l'existence d'au moins 700 fonctionnaires dans l'ensemble des ministères et services[6] à cette époque.

Même considérés avec beaucoup de réserves, il nous semble que les chiffres présentés au tableau 2 constituent néanmoins une série à base constante pour la période 1933-1970.

Entre 1933 et 1970, la hausse des effectifs du gouvernement a été constante et rapide quoique moins rapide que celle des dépenses publiques, celle-ci était de l'ordre de vingt-cinq fois et celle-là de neuf. Si on découpe l'ensemble en périodes de cinq ans, on constate que la croissance des effectifs n'est pas fonction immédiate de celle des dépenses. Ainsi, malgré une baisse des dépenses totales pendant la deuxième guerre mondiale (période 1938-1944) les effectifs ont doublé, entre 1933 et 1944. Aussi, pendant que les dépenses ont plus que doublé, de 1959 à 1964, la croissance des effectifs est de l'ordre de 22%. De 1964 à 1969, cependant, la croissance est de l'ordre de 69%. Il semble donc y avoir un effet de décalage entre le «décollage» des dépenses en 1960-61 et celui des effectifs qui n'intervient que quatre ans plus tard.

## Tableau 2

### Les effectifs de l'administration québécoise, 1933-1970

| DATE | Administrations et régies | Entreprises publiques | Total | Employés par '000 habitants |
|------|--------------------------|----------------------|-------|----------------------------|
| 1933 | 6770 | 1302 | 8072 | 2.51 |
| 1944 | 12852 | 3346 | 16198 | 4.57 |
| 1950 | 17141 | ? | ? | ? |
| 1955 | 22262 | 6044 | 28302 | 6.20 |
| 1960 | 29298 | 7460 | 36766 | 7.13 |
| 1965 | 41847 | 14411 | 56258 | 9.94 |
| 1968 | 52140 | 20056 | 72196 | 12.18 |
| 1969 | 53301 | 18569 | 71870 | 12.01 |
| 1970 | 53700 | 16366 | 70066 | 11.65 |

Sources: *Journaux de l'Assemblée législative du Québec,* vol. 67, 1933, p. 116; *Annuaire du Québec;* Gérard Lapointe, *Essai sur la fonction publique québécoise,* Ottawa, Information Canada, 1971. *L'emploi dans les administrations publiques provinciales,* trimestriel, Ottawa, Statistique Canada, no de catalogue: 72-007.

À partir de la fin de 1967, le gouvernement Johnson a pratiqué un «gel» des effectifs. Celui-ci n'a pas d'effet marqué en 1968 mais, en 1969 et en 1970, pour la première fois depuis que des chiffres sont disponibles, il y a une légère baisse dans l'effectif total[7].

Une autre mesure du décalage entre la croissance des dépenses et celle des effectifs est fournie par la relation de ces chiffres avec ceux de l'accroissement de la population. Le nombre de fonctionnaires par rapport à la population a augmenté

6 Paul Painchaud, *Le Service civil dans la province de Québec, 1867-1900,* Montréal, 1956, (Thèse - M.A. (Hist.) - Université de Montréal), p. 232; Louis Gendreau, *L'administration publique au Québec en 1896,* Montréal, Université de Montréal, 1969 (miméographié).

7 Entre 1965 et 1970, la variation moyenne entre les effectifs au 31 mars et ceux du 31 août de chaque année est de l'ordre de 13,500.

moins rapidement que le montant des dépenses publiques par habitant en dollars constants. De 1944 à 1967, le nombre de fonctionnaires par mille habitants s'est multiplié par 2.44 tandis que les dépenses par habitant en dollars constants se sont multipliés par 4.87. Ceci est dû entre autres, à la décentralisation des secteurs prioritaires du budget des dépenses que sont la santé, le bien-être social et l'éducation. N'empêche que, de 1965 à 1968, le Québec avait moins d'employés gouvernementaux par tête de population que toute autre province au Canada[8].

Pour conclure cette section, nous pouvons dire que les effectifs du gouvernement québécois ont augmenté de façon remarquable depuis la deuxième guerre mondiale, mais que cette croissance n'est pas liée directement à celle des dépenses. Par ailleurs, les effectifs gouvernementaux ne constituent, à la fin des années de 1960, que le quart environ des effectifs du secteur public au Québec, étant donné qu'il y avait environ 200,000 employés des municipalités, des commissions scolaires et des hôpitaux publics[9].

## L'évolution des institutions administratives

Dans les paragraphes qui suivent, nous nous servons de la typologie offerte pendant quelques années aux lecteurs de l'*Annuaire du Québec*. En plus des ministères, nous retenons trois types d'institutions: les régies (organismes de réglementation de la vie économique et sociale), les entreprises publiques (organismes à caractère commercial ou industriel) et les conseils (organismes représentatifs, aujourd'hui presque entièrement consultatifs, mais autrefois souvent décisionnels)[10].

Pendant la longue période de domination conservatrice au 19e siècle (1867-1897), il y a peu de changements aux sept ministères créés en 1867-68,[11] mais on assiste par contre à la création de trois conseils puissants. Les nouveaux ministères, chemins de fer, colonisation, mines et pêcheries, ne connaîtront aucune stabilité institutionnelle, étant voués ou bien à la disparition pure et simple, ou bien à des pérégrinations successives. D'autre part, la création du Conseil de l'Instruction publique (correspondant à la suppression du ministère du même nom), du Conseil de l'Agriculture et du Conseil d'hygiène constitue l'un des faits les plus caractéristiques de l'époque, c'est-à-dire, la délégation de pouvoirs importants à des groupes ressortissants de milieux autres que celui de la politique.

La période libérale (1897-1936) a vu la création de trois nouveaux ministères (Travail, Voirie et Affaires municipales) ainsi que de huit régies qui témoignent toutes de nouvelles missions que l'Etat québécois avait déjà assumées. Les gouvernements de Maurice Duplessis, quant à eux, ont créé cinq ministères dont deux seulement, Industrie et commerce et Santé, sont demeurés relativement stables. Ils ont aussi créé huit régies et une seule entreprise publique (soit l'Office de l'autoroute des Laurentides). L'intermède Godbout a vu une activité particulièrement importante en matière de création de régies (trois), d'entreprises publiques (deux), d'organismes consultatifs (deux).

---

8  *Provincial Finances,* 3 (1967), p. 8 et 4 (1969), p. 8.

9  J.I. Gow, «La modernisation de la fonction publique du Québec», *Revue internationale des sciences administratives,* 21 (1970), p. 235.

10  Voir, par exemple, l'*Annuaire du Québec* 1966-67, p. 203, 214 et 217. Voir aussi Patricia Garant «Le contrôle gouvernemental des administrations décentralisées: la tutelle administrative» in R. Barbe, éd., *Droit administratif canadien et québécois,* Ottawa, Presses de l'Université d'Ottawa, 1968, p. 255, où ces mêmes distinctions sont retenues.

11  Les sept ministères créés en 1867-68 sont: le Conseil exécutif, les Officiers en loi de la Couronne (Justice), le Trésor, le Secrétariat de la Province, les Terres de la Couronne, l'Agriculture et les Travaux publics et l'Instruction publique. Ce dernier disparaît en 1875 avec la création du Conseil de l'Instruction publique.

Évidemment les années 1960 témoignent d'une activité fébrile en matière de création d'institutions administratives nouvelles. En six ans, le gouvernement Lesage a mis sur pied six ministères, trois régies, huit entreprises publiques et neuf conseils consultatifs. Cet élan s'est poursuivi sous le gouvernement de l'Union nationale (1966-1970) avec la création de cinq nouveaux ministères, sept régies, cinq entreprises publiques et trois organismes consultatifs.

Depuis 15 ans, un nouveau type d'organismes est apparu: le tribunal administratif[12]. Il en existe maintenant un en matière d'impôt (1954), un en matière de sécurité routière (1962) et, enfin, un troisième dans le domaine des relations de travail (1969), auquel s'est ajouté dès 1968 un autre type d'organisme d'appel, le Protecteur du citoyen.

Il ne s'agit pas ici d'attribuer des points aux gouvernements selon qu'ils ont créé ou non un grand nombre de nouvelles institutions. Au contraire, il nous semble qu'il y a plus à tirer d'une observation des types d'organisations employées à différentes époques que de leur nombre. Ainsi, il apparaît intéressant de noter qu'à partir du moment où l'on commence à assumer des missions qui correspondent à l'évolution de l'ère industrielle, on le fait avec des ministères nouveaux ou avec des régies. En effet, tous les gouvernements ont eu recours à cette dernière forme d'organisation. Par contre, les gouvernements libéraux ont créé le plus grand nombre d'organismes consultatifs et d'entreprises publiques.

On doit aussi remarquer que la création de la plupart des ministères depuis 25 ans constitue une mesure de consolidation et de pleine exploitation des secteurs d'activité en question plutôt que d'une entrée vraiment nouvelle en la matière. Cette constatation est liée étroitement avec une autre, à savoir qu'on est entré à reculons dans plusieurs secteurs d'activité devenus aujourd'hui des secteurs prioritaires; en effet, si l'on considère que la pleine exploitation d'un secteur exige qu'il y ait un ministre responsable de ce secteur devant la Législature (peu importe le nombre d'organes spécialisés qui oeuvrent dans ce même secteur), force est de constater que dans bien des domaines les choses se sont passées autrement[13]. Dans le cas de la Santé, du Bien-être, de l'Éducation, des Ressources naturelles, des Transports et Communications, et des Institutions financières, il y a eu ou bien des organes spécialisés ou bien des organismes apolitiques dans le domaine longtemps avant la création d'un ministère.

Une autre façon d'aborder les changements intervenus dans les structures de l'administration québécoise depuis cent ans consiste à étudier comment les rôles administratifs ont été dévolus à des organismes administratifs spécialisés. Traditionnellement la littérature américaine a présenté ces rôles comme étant de trois types: réalisation («line»), état-major («staff») et soutien («auxiliary»). Récemment, cependant, Lionel Ouellet a identifié deux rôles qui ont été mal servis par cette typologie[14]. Ce sont les rôles d'animation-liaison et d'inspection-contrôle. Dans la terminologie traditionnelle, ces rôles se trouvent confondus avec ceux d'état-major et de soutien, avec le résultat que l'on est amené à classifier sous la rubrique «état-major»

---

12   Nous distinguons entre la régie (organisme doté de pouvoirs quasi-judiciaires) et le véritable tribunal administratif (organisme) chargé de régler des litiges entre l'administration et les administrés). Selon le rapport récent du Groupe de travail sur les tribunaux administratifs au Québec du Ministère de la Justice intitulé: *Les tribunaux administratifs* [Québec, Ministère de la Justice, 1971], cette définition donnerait un total de dix tribunaux administratifs (recommandation 8, p. 128 et 288). Cependant, la majorité de ces organes se trouvent à l'intérieur d'administrations polyvalentes.

13   Garant, *op. cit.*, abonde dans le même sens: «La formule de la régie a été inventée à une époque où l'État timidement voulait réglementer et surveiller certains secteurs de l'activité économique et sociale des particuliers».

14   Lionel Ouellet, «Concepts et techniques d'analyse des phénomènes administratifs», *Revue canadienne de science politique,* 1 (1968), p. 311-335.

les services de recherche et les cabinets ministériels, et à confondre les dimensions «service» et «contrôle» dans les services de soutien. Il s'agit pourtant de choses fort différentes. Faire connaître les décisions du ministre et lui préparer des dossiers n'est pas la même chose que de mener des études de planification au sein d'un service de recherche; vérifier les dépenses n'a rien de commun avec l'émission de chèques.

Pour les fins de notre étude, nous avons retenu la classification de L. Ouellet qui définit quatre rôles fondamentaux, chacun ayant deux dimensions qu'il appelle axiologique et régulatoire. Cette grille peut se résumer ainsi:

| *Rôle* | *Dimension axiologique* | *Dimension régulatoire* |
| --- | --- | --- |
| Conception | prévision | organisation |
| Gestion | réalisation | soutien |
| Mission | animation / liaison | inspection / contrôle |
| Relations publiques | consultation | information |

Or, ce que nous avons dit plus haut sur la prise en main des secteurs d'activité administrative par la création de nouveaux ministères peut être traduit en termes des rôles identifiés par Ouellet. Une administration décentralisée, comme ce fut le cas jusqu'à tout récemment dans la plupart des secteurs de l'administration québécoise, est normalement incapable de jouer les rôles de conception, de mission et de relations publiques. La place importante accordée aux régies par le Gouvernement québécois depuis le début du siècle témoigne souvent d'un refus d'assumer pleinement l'ensemble des rôles administratifs (notamment en matière de santé, de services publics et de richesses naturelles). Certes on peut imaginer une situation exceptionnelle où une régie, en l'absence de politiques définies à un palier supérieur, déborderait de son champ d'action mais, règle générale, seul un ministère responsable devant le Parlement et le public de l'élaboration et de l'application de politiques dans un secteur donné peut remplir tous ces rôles[15].

Il est tout aussi révélateur d'interroger l'évolution de l'ensemble des institutions administratives afin de déceler les étapes de spécialisation institutionnelle à l'échelle de l'administration entière. Ainsi, quels sont les instruments que le Conseil des Ministres s'est donnés pour s'acquitter de sa tâche de conception?

En 1867, le gouvernement québécois a repris à son compte certains instruments administratifs dont les missions englobaient tous les paliers et tous les secteurs de l'administration et qui avaient été créés sous le gouvernement de l'Union nationale. A part le Trésor (avec une rôle de planification des dépenses) et le Greffier du Conseil exécutif (avec un rôle de liaison), ces organismes s'occupaient surtout de soutien administratif (les «Officiers en loi», les Travaux publics et l'Imprimeur de la Reine). A cela s'ajoute un organisme de contrôle financier, le Bureau de l'audition qui devait vérifier les dépenses aussi bien avant qu'après paiement, rôle qu'il a gardé au-delà de cent ans.

Entre 1867 et 1935, il n'y eut que deux additions, toutes deux dans le domaine du soutien, soit le Bureau de la statistique (1912) et le Bureau des archives (1920). Entre 1935 et 1960, deux autres organismes d'administration générale sont créés, chacun ayant plus d'un rôle à jouer: le Service des achats (1938), ayant essentiellement un rôle de soutien avec en plus une dimension de contrôle vis-à-vis des

---

15　La Commission Glassco était de cet avis: *Rapport de la Commission royale d'enquête sur l'organisation du gouvernement*, vol. 5, Ottawa, Imprimeur de la Reine, 1962, p. 32-34 et 21-55.

organismes administratifs qui étaient ses clients et la Commission du service civil qui, à ses origines (1943), remplissait le rôle d'organisation, de contrôle et de soutien.

À partir de 1960, toujours sur le plan strictement organisationnel, le gouvernement s'est donné pas moins de dix organismes nouveaux[16] dont six ont des rôles de prévision, sept des rôles d'animation-liaison, un le rôle d'organisation, trois des rôles de contrôle, et deux des rôles d'information. C'est dire qu'il y a eu effort de mise en place de structures avec un *potentiel* accru d'appui au travail de direction administrative de la part du Conseil exécutif.

Il est évident qu'il faudrait interroger les *pratiques* administratives de ces organismes avant de conclure à des réformes majeures de l'administration. Nous verrons plus loin, cependant, que ces pratiques ne font que renforcer cette impression de transformations majeures à partir de 1960.

## Le rôle de l'État

Le rôle de l'État ne se définit pas par rapport aux seules missions que celui-ci se donne. Il faut considérer les trois volets de tout système administratif: les missions, les moyens (dépenses, effectifs, matériel) et les institutions, car l'un sans les autres risque de donner un aperçu tronqué de la réalité. Une nouvelle loi (mission) pour l'application de laquelle on n'alloue pas des moyens adéquats reste sans grand effet. Par contre, une mission d'ordre administratif (de planification ou de coordination) peut n'exiger que de faibles ressources humaines et financières. Finalement, l'État peut assumer des missions, tout en déléguant à des corps autonomes ou décentralisés, la responsabilité de leur réalisation.

Dans ce sens, l'histoire administrative de ce dernier siècle au Québec peut se résumer par la prise en main graduelle par l'État de la réalisation de ses grandes missions.

Cependant, en ce qui concerne les missions elles-mêmes, il nous semble que la notion du rôle supplétif de l'État traduit de façon équitable la réalité québécoise jusqu'aux années 60. Ce rôle, selon nous, s'est traduit par la poursuite de deux objectifs: fournir un cadre de développement économique dans lequel les agents du secteur privé pourraient évoluer, et protéger la paix sociale. Dans le premier cas, il s'agissait de mettre sur pied une infrastructure que l'entreprise privée ne pouvait réaliser seule (chemins de fer, chemins de colonisation, ponts, voirie) et de mettre en valeur des ressources naturelles, aide à l'agriculture et à la colonisation, aide technique, enseignement, inspection et contrôle). Avec tout ce qu'elles comportaient de patronage et de scandales, il faut cependant reconnaître que les politiques concernant les chemins de fer et la colonisation représentaient des formes rudimentaires de planification du développement économique. D'autre part, on ne doit pas sous-estimer le travail qui s'est fait dans les domaines de l'aide technique (génie rural et forestier) et de l'enseignement spécialisé.

On voit aussi une responsabilité incompressible pour la paix sociale dans les premiers gestes de l'État dans les domaines de la santé publique et de la législation ouvrière. Ainsi, la création du Conseil d'hygiène en 1887 après une épidémie de petite

---

16   Ces organismes sont: le Conseil d'orientation économique (1961), le Ministère des affaires fédérales-provinciales (1961), le Contrôleur de la trésorerie (1961), l'Office d'information et de publicité (1961), la Commission de la fonction publique (1965), le Secrétariat général du gouvernement (1968), l'Office de planification et de développement (1968-69), le Ministère de la fonction publique (1969), le Ministère des communications (1969).

vérole s'inscrivait dans une longue tradition de réponses aux ravages des pires fléaux (i.e. le choléra et le typhus). La première législation concernant les conditions de travail dans les manufactures et les mines (lois de 1895 et 1892) cherchait à protéger les travailleurs contre les excès du capitalisme, tandis que la première législation en matière de relations de travail, (loi des différents ouvriers de 1901) visait surtout à la conciliation. Ces lois traduisent peut-être une nouvelle conscience sociale, mais elles s'inscrivent dans la tradition des mesures dites «de police administrative» en France, puisqu'elles visent surtout à garantir la paix et la salubrité publique.

Depuis 1960, ce rôle supplétif n'a pas été complètement abandonné[17]. L'activité des délégués commerciaux à l'étranger, les créations de SOQUEM (mines), de SOQUIP (pétrole) et de REXFOR (bois) en témoignent. Cependant, à ce rôle supplétif s'est ajouté celui d'une volonté de planifier l'ensemble de l'activité économique du moins ses aspects étatiques.

Une telle volonté de planification à l'intérieur même de l'État québécois est à l'origine de la création d'organismes de planification et de coordination, mais aussi, d'une rationalisation des structures administratives par la prise en main, comme nous l'avons dit, des secteurs jusqu'alors occupés de manière partielle par l'État. Si l'on a dû abandonner l'espoir de faire une planification indicative à brève échéance, une volonté d'intervenir de façon plus active dans le développement économique s'est cependant manifestée comme le révèle la liste de ces nouvelles entreprises publiques mentionnées plus haut et auxquelles doivent s'ajouter la Caisse de dépôts et l'Hydro-Québec.

On peut aussi dire qu'avec le régime des rentes (1965), les allocations familiales (1967), la loi de l'aide sociale (1969), l'assurance-hospitalisation (1961) et l'assurance-maladie (1970), le Québec est devenu un État-Providence, tandis qu'auparavant il n'intervenait que par des mesures partielles, telles la loi de l'assitance publique et les pensions à différentes catégories d'infirmes, de malades ou d'indigents.

Mais quelles furent les conséquences de la persistance de ce rôle supplétif pour l'État québécois? Ces conséquences sont au nombre de deux: nous estimons premièrement que la nature des activités de l'État a une influence déterminante sur les formes d'organisation et d'intervention des groupes de pression auprès de l'état[18]. Deuxièmement, la persistance d'un rôle supplétif pour l'État québécois a limité l'évolution du système administratif québécois. C'est à cette deuxième conséquence que nous voulons nous attarder pour l'instant.

## Le système administratif québécois

En abordant la dernière partie de cette étude, on se trouve devant deux voies d'analyse différentes[19]. D'une part, un thème qu'on retrouve dans la documentation veut qu'il y ait des lois de l'organisation et de l'action administratives (théories de la bureaucratie, de la science administrative et de la cybernétique). D'autre part, les

---

17    Voir à cet égard la critique de la Confédération des syndicats nationaux à l'effet que ces entreprises publiques ont un champ d'information très limité tout en étant au service «des monopoles étrangers»: *Ne comptons que sur nos propres moyens,* Montréal, C.S.N., 1971, p. 33.

18    Theodore Lowi, «American Business, Public Policy: Case-Studies and Political Science», *World Politics,* 16 (1964), p. 677-715; Robert Salisbury «The Analysis of Public Policy: A Search for Theories and for Rules», dans Austin Ranney, ed., *Political Science and Public Policy,* Chicago, Markham, 1968: ainsi que Robert Salisbury et John Heinz, «A Theory of Policy Analysis and Some Preliminary Applications», dans I. Sharkansky, ed., *Policy Analysis in Political Science,* Chicago, Markham, 1970.

19    Robert H. Jackson «An Analysis of the Comparative Administration Movement», dans *Administration publique du Canada,* 9 (1966), p. 108-130 ainsi que notre note de recherche 1, «Histoire administrative et théories...»

études concernant «l'administration du développement» suggèrent que les différences sociales et économiques d'un pays à l'autre viennent limiter considérablement la portée des lois qu'on peut dégager de l'analyse administrative des sociétés occidentales. Ainsi, la nature des objectifs de l'administration, la place de la bureaucratie parmi les élites et les modes de comportement des individus et groupes, tous ces facteurs auraient une influence sur les exigences d'organisation et de fonctionnement de l'administration dans les pays en voie de développement.

S.N. Eisenstadt, dans son étude sur les grands empires bureaucratiques du passé, a identifié un certain nombre de sociétés où l'on retrouvait certaines caractéristiques que l'on retrouve aujourd'hui dans les systèmes administratifs des peuples en voie de développement[20]. Avec des traits qui rappellent la «société prismatique» de Fred Riggs[21], Eisenstadt énumère trois conditions qui président à la création du système bureaucratique:

(1) Une spécialisation ou différenciation partielle des institutions socio-économiques qui donne naissance à des groupes économiques, religieux, militaires, en compétition les uns avec les autres;

(2) L'existence de certaines ressources disponibles («free floating resources») qui peuvent être soutirées à l'économie par voie de taxation permettant ainsi de financer la bureaucratie;

(3) Une volonté de la part des leaders politiques de poursuivre des objectifs nouveaux et indépendants des orientations traditionnelles de la société.

Eisenstadt insiste beaucoup sur la coexistence au sein de ces sociétés de valeurs traditionnelles relevant du statut des individus et des groupes, de liens de parenté ou, simplement, de la cohabitation territoriale, et de valeurs nouvelles basées sur la spécialisation fonctionnelle. Or, la bureaucratie, dans ces conditions, est porteuse de valeurs nouvelles. Partout, elle a tendance à chercher à contrôler l'accès aux postes de la haute administration et l'exercice de la profession, en un mot: les conditions d'exercice du métier de fonctionnaire. Donc le phénomène de l'auto-régulation, ou ce que Brian Chapman appelle la professionnalisation de la fonction publique, sert les intérêts des fonctionnaires tout en tendant à insérer un système fondé sur des normes de compétence plutôt que sur le statut personnel[22]. C'est la coexistence des deux types de normes qui caractérise, selon Riggs, les pays en voie de développement. Pour Eisenstadt, il y a deux autres tendances universelles dans le comportement des fonctionnaires: une recherche d'amélioration de leur situation économique et sociale, et des tentatives d'accroître leur participation dans l'élaboration des grandes politiques.

Il est évident que nous ne pourrons que très partiellement et imparfaitement vérifier l'ensemble des hypothèses de Eisenstadt ou de Riggs dans le cadre du Québec. Trop d'éléments manquent pour nous permettre de situer le Québec sur une telle échelle d'évolution socio-politique. Pour l'instant, nous tenterons simplement de voir dans quelle mesure les fonctionnaires québécois ont réussi à réaliser ces trois objectifs: normes de compétence, amélioration de leur situation et participation accrue.

---

20  S.N. Eisenstadt, *The Political Systems of Empires: The Rise and Fall of the Historical Bureaucratic Societies,* New York, Free Press, 1963.

21  Fred Riggs, *Administration in Developing Countries: The Theory of the Prismatic Society,* Boston, Houghton Mifflin, 1964.

22  Brian Chapman, *The Profession of Government,* Londres, Allen and Unwin, 1959.

Si on se fie aux qualifications requises d'un bon nombre de fonctionnaires (agronomes, médecins), ainsi qu'à la stabilité d'emploi de certains haut fonctionnaires, on pourrait conclure que la fonction publique québécoise était une bureaucratie bien avant 1960.

Malgré ce fait, nous estimons que l'administration n'a eu, avant 1960, qu'une influence limitée sur la vie politique au Québec et, ceci, Pour cinq raisons:

(1) Les fonctionnaires étaient peu nombreux et ne possédaient aucune organisation syndicale pour les défendre;

(2) La crainte de l'État et son rôle supplétif ont fait que la fonction publique n'a pas joui d'un haut prestige, même si certains corps de fonctionnaires avaient bonne réputation dans leur milieu professionnel;

(3) Malgré l'existence de professionnels parmi les fonctionnaires, la fonction publique n'était pas professionnelle au sens où les fonctionnaires devaient en principe être admis à des postes par voie de concours après que les qualifications requises fussent établies rigoureusement;[23]

(4) Le retard apporté à la création de divers ministères et le recours fréquent à la forme de régie ont aussi diminué l'importance de la fonction publique;

(5) L'absence d'un véritable système administratif.

Ce dernier point mérite quelques explications. Nous avons vu qu'avant 1960 il n'y avait que très peu de services d'état-major administratif à l'échelle de toute l'administration. Au fond, il n'y avait que le Ministère des Finances qui devait prévoir les dépenses une année à l'avance. Or, contrairement à ce qu'on aurait pu supposer, la qualité des prévisions ne s'est pas améliorée avant 1940. André Bernard a montré qu'entre 1896 et 1940 il n'y a eu que cinq années où les prévisions des dépenses ont dépassé 70% des dépenses réelles; en d'autres termes, il y avait normalement dans les prévisions une erreur de 50% ou plus[24].

Ceci tenait à la fois à une volonté de ne pas encourir de déficits budgétaires et à une technique, celle des dépenses autorisées par statut. A. Bernard a calculé qu'entre 1900 et 1941, il n'y a eu que trois années où l'Assemblée a voté plus de la moitié des dépenses annuelles, le reste étant déjà autorisé par statut. Il y a eu amélioration par la suite, mais entre 1947 et 1960, la moyenne des dépenses ainsi autorisées dépassait toujours largement les 40%. Depuis 1960, cette moyenne est tombée à près de 10%.

Ce désordre était voulu. Le foisonnement de fonds spéciaux, dans lesquels on pouvait puiser les montants nécessaires à des dépenses si importantes, en est le signe. L'absence de critères objectifs de dépenses en est un autre, surtout quand on considère que le Gouvernement n'était pas obligé de défendre ces dépenses autorisées par statut devant l'Assemblée.

Le même désordre se retrouve dans l'administration du personnel. Les chiffres officiels nous disent qu'en 1959, environ les deux tiers des employés des administrations et régies tombaient sous l'autorité de la Commission du service civil[25].

---

23  Des milliers de lettres reposent aux Archives nationales qui témoignent d'une conception de la fonction publique relevant du bien-être social, avec comme conséquence, que l'une des qualifications majeures d'un candidat était d'avoir joué de malchance.

24  André Bernard, *Parliamentary Control of Public Finance in the Province of Quebec,* Montréal, 1964. (Thèse - M.A. (Pol. Sc.) - McGill University).

25  *Annuaire du Québec,* Québec, Imprimeur de la Reine, 1964, p. 114.

Cependant, ce contrôle de la Commission était bien superficiel, étant donné l'absence d'un système de classification valable; en effet, la dernière classification remontait à 1925. En 1946, quand Taylor Cole effectua des recherches sur les diverses fonctions publiques au pays, on lui fit savoir à Québec qu'on travaillait à la revision de la classification de 1925[26]. Treize ans plus tard, ce travail n'était toujours pas achevé; et pourtant, en trois mois, Paul Sauvé, a pu le faire compléter.

Il s'agissait ici aussi d'un désordre voulu. Avant la réforme de 1959, selon Roch Bolduc:

> ... chaque fonctionnaire portait un titre propre pour désigner souvent une fonction similaire à celle de son voisin qui portait un titre différent, ou encore un titre identique à celui de son voisin pour désigner une fonction réellement différente[27].

On connait les pratiques paternalistes des gouvernements du temps passé. Ce qu'on oublie parfois c'est que les nominations à caractère politique, les écarts de salaire entre divers employés, et les avancements effectués au gré des chefs politiques furent rendus possibles grâce à l'absence d'un système de classification qui put permettre des comparaisons pertinentes, non seulement entre le sort fait aux divers fonctionnaires, mais aussi entre les qualifications exigées pour les postes et celles des titulaires. Sans classification, le concours perd toute signification.

Autre signe du peu de systématisation dans l'administration du personnel: avant 1961, aux dires de la Commission du service civil elle-même, il n'y avait pas de concours publics, seulement des examens d'entrée, et cela, pour un nombre limité de fonctions[28].

## Conclusion

Nous aurons certainement la tâche d'établir de façon plus complète et solide cette hypothèse centrale, mais les remarques faites ci-dessus suffisent pour démontrer que l'une des caractéristiques dominantes de l'Administration québécoise avant 1960 était l'«avant-système» administratif créé et soutenu par les dirigeants politiques des deux grands partis qui se sont partagés le pouvoir depuis le début du siècle. Par contre, l'instauration d'un système administratif, ou plutôt d'une systématisation administrative, depuis 1960 est marquante. En matière de personnel, le syndicalisme des fonctionnaires aidant, on a transformé la classification et on a donné à la fonction publique un véritable statut qui permet aux employés de connaître leurs droits et de les faire valoir. La pratique du concours public s'est généralisée. En matière de finance, la création du Conseil de la trésorerie et du poste de Contrôleur a aussi créé un système d'administration financière qui a été conservé par l'Union nationale[29]. On a pu parler aussi de l'«institutionnalisation du cabinet» entre 1960 et 1966[30]. Longtemps refusé par M. Duplessis, les réunions régulières des sous-ministres

---

26  Taylor Cole, *The Canadian Bureaucracy*, Durham, N.C., Duke University Press, 1947, p. 185-195.

27  Rock Bolduc «Le recrutement et la sélection dans la Fonction publique du Québec», *Administration publique du Canada*, 7 (1964), p. 205-214.

28  Gérald Lapointe, *op. cit.*, p. 62, entre 1943 et 1959-60 le «total de fonctions où un examen d'administration a été passé» ne s'est élevé au-dessus de 25 que deux fois, soit en 1958-59 (27) et en 1959-60 (35).

29  On se rappelle la «surprise» du Ministre des Finances de l'époque, Paul Dozois, devant les conclusions du rapport Primeau sur les états financiers du Québec au moment de l'élection de 1966, *Le Devoir*, 9 février 1967.

30  Jean et Louise Hamelin «Les cabinets provinciaux 1867-1967», *Recherches sociographiques*, 8 (1967), p. 315.

deviennent chose courante pendant les années 1960 au sein de commissions inter-ministérielles[31].

On pourrait énumérer d'autres cas où les gouvernements des années 1960 ont créé des organes ou des postes dont l'effet fut de confier à des fonctionnaires des responsabilités à l'endroit d'autres fonctionnaires, responsabilités qui relevaient autrefois des hommes politiques (notamment le Conseil d'orientation économique, l'Office de planification, le Protecteur du citoyen et le Ministère de la Fonction publique). Le phénomène n'est pas nouveau, il suit la tendance à la bureaucratisation ou à ce que nous avons appelé la professionnalisation de la fonction publique. Sans doute, cette dernière renvoie, comme le dit Eisenstadt, à l'évolution de toute la société. Quant à nous, cependant, il nous a été donné de voir combien cette évolution tient aux hommes politiques, aux objectifs qu'ils se sont fixés tant pour la société entière que pour l'administration.

La tendance vers l'auto-régulation ou la professionnalisation de la fonction publique n'est pas irréversible, Il existe suffisamment d'études concernant d'autres pays pour démontrer qu'une phase de «débureaucratisation», selon l'expression d'Eisenstadt[32], peut apparaître quand l'administration est entièrement soumise à un parti dominant et quand les organes de la lutte politique disparaissent ou sont éclipsés. Cette observation, et les résultats de nos recherches jusqu'à maintenant, nous poussent à cette réflexion finale: s'il existe certaines lois de l'action administrative efficace, et il semble bien que c'est le cas, leur application dépend des conditions économiques et sociales dans lesquelles les administrations doivent évoluer et, plus particulièrement, des gouvernements, de leur force relative face à d'autres groupes sociaux prédominants à une époque donnée, de leurs objectifs et de leurs attitudes envers les administrateurs.

---

31  Jacques Bourgault, *Les sous-ministres du Québec de 1945 à nos jours,* Université de Mont-réal, Montréal, 1972, (Thèse - M. Sc. (Sc. Pol.) - Université de Montréal).

32  S.N. Eisenstadt, «Bureaucracy, Bureaucratization and Debureaucratization», *Administrative Science Quarterly,* 4 (1959), p. 302-320.

*Lectures recommandées*

A. Baccigalupo, «Le nouveau visage de l'administration publique québécoise», *Annuaire du Québec, 1974,* Québec, Editeur officiel du Québec, 1975, p. 129-136.

J. Benjamin, «La rationalisation des choix budgétaires: les cas québécois et canadien», *Revue canadienne de science politique,* 5 (1972), p. 348-364.

R. Dussault, *Le contrôle judiciaire de l'administration au Québec,* Québec, Presses de l'Université Laval, 1970.

P. Garant, *La fonction publique canadienne et québécoise,* Québec, Presses de l'Université Laval, 1973.

A. Gélinas, *Organismes autonomes et centraux,* Montréal, Presses de l'Université du Québec, 1975.

J.I. Gow, éd., *Administration publique québécoise: textes et documents,* Montréal, Beauchemin, 1970.

Germain Julien, «La déconcentration des ministères québécois», *Annuaire du Québec, 1974,* Québec, Editeur officiel du Québec, 1975, p. 136-142.

_____, «La modernisation de la fonction publique au Québec», *Revue Internationale des sciences administratives,* 26 (1970), p. 234-242.

G. Lapointe, *Essais sur la fonction publique québécoise,* Ottawa, Information Canada, 1971. (Commission royale d'enquête sur le bilinguisme et le biculturalisme. Documents, no 12).

D. Latouche, «La vraie nature de la Révolution Tranquille», *Revue Canadienne de science politique,* 7 (1974), p. 525-536.

V. Lemieux, «L'analyse stratégique des organisations administratives», *Administration publique du Canada,* 8 (1965) p. 535-547.

_____, «Révolution et tranquillité dans l'administration», *Cité Libre,* XVI (1965) p. 16-33.

# L'État québécois dans ses relations avec la société québécoise...

# ...par le jeu des partis politiques

# Chapitre 4

# Les partis entre la communauté et le gouvernement: le cas du Québec*

Vincent Lemieux
Université Laval

*Professeur titulaire au département de science politique de l'Université Laval, Vincent Lemieux a effectué un grand nombre de recherches sur les partis et les administrations de même que leurs publics. De plus, il s'intéresse à l'analyse structurale de la politique, Il a publié* Parenté et politique: l'organisation sociale dans l'Ile d'Orléans (*Québec, Presses de l'Université Laval, 1971*); Le quotidien politique vrai (*Québec, Presses de l'Université Laval, 1973*); *en collaboration avec N. Gilbert et A. Blais,* Une élection de réalignement (*Montréal, Jour, 1970*); *en collaboration avec J. Meisel,* Ethnic Relations in Canadian Voluntary Association, *Ottawa, Information Canada, 1972.* (Documents of the Royal Commission on Bilingualism and Biculturalism, *10*). *Il a aussi dirigé la publication de* Quatre élections provinciales au Québec: 1956-1966 (*Québec, Presses de l'Université Laval, 1969*).

*Dans le présent article, Vincent Lemieux situe les partis dans leurs rapports entre le gouvernement et la communauté gouvernée. A l'aide de documents officiels, tels les résultats des élections fédérales et provinciales survenues au Québec entre 1948 et 1972 et les statistiques sur le chômage, il démontre que l'organisation des partis, de même que le système des partis, évoluent avec les opérations socio-politiques qui sont effectuées entre la communauté et le gouvernement. Il présente son modèle cybernétique de la gouverne d'une société à l'aide d'un schéma directionnel.*

\* Cet article a été préparé à partir d'une communication présentée au congrès de l'Association internationale de Science politique (Montréal, 1973). L'introduction est reprise d'un article «Pour une science politique des partis» paru dans la *Revue Canadienne de Science Politique*, 5 (1972), p. 485-502.

La science politique des partis s'est développée de façon paradoxale. Après avoir devancé la science politique générale, elle court maintenant derrière elle. Ainsi Ostrogorsky, Michels et même Duverger précédaient la science politique de leur temps, alors que les meilleurs spécialistes actuels des partis politiques se maintiennent tout juste dans le rang. Encore en 1960, Maurice Duverger écrivait que «l'étude des partis est une des branches les plus avancées de la sociologie politique»[1]. Mais depuis quelques années la plupart des auteurs qui tentent de renouveler l'étude des partis constatent plutôt un retard. La difficulté consiste d'abord à décider par quel bout prendre — ou reprendre — les partis. Dans son étude sur les partis politiques, Charlot distingue pas moins de six points de vue différents, qui renvoient à autant d'approches, elles-mêmes pratiquées par des spécialistes de diverses disciplines ou champs d'études[2]: (1) l'origine des partis, selon l'approche du développement politique, pratiquée par des politistes et des historiens; (2) les partis comme système d'encadrement, selon l'approche structurelle ou du comportement, pratiquée par des juristes, des politistes ou des spécialistes des organisations; (3) les objectifs des partis: l'approche utilisée est généralement celle de l'étude des idéologies; (4) les activités des partis: des sociologues et des politistes les étudient selon l'approche fonctionnelle ou l'approche du comportement; (5) l'environnement des partis: de nombreux spécialistes, politistes, juristes, économistes, démographes et sociologues s'intéressent à ce domaine, selon l'approche systémiste ou l'approche marxiste; (6) les systèmes de partis enfin, selon l'approche systémiste surtout, pratiquée par des politistes, des juristes et des historiens.

On peut évidemment chicaner Charlot sur le détail de l'énumération des spécialistes. Il n'en reste pas moins que son tableau reflète assez bien la dispersion actuelle des approches que bien peu de théories générales, ou même sectorielles, viennent contenir. A cet égard, les tentatives récentes sont insatisfaisantes, soit parce que, tout comme les anciennes, elles n'embrassent pas les composantes des partis, soit parce que tout en visant cet ensemble, elles ne parviennent pas à relier entre elles les propositions empiriques portant sur différentes composantes.

Aux États-Unis, la science des partis a été relancée par les ouvrages de Samuel J. Eldersveld[3] et de Frank J. Sorauf[4] parus au milieu des années soixante. Le premier a apporté à la notion de «stratarchie» des prolongements intéressants pour l'étude des partis comme systèmes d'encadrement, mais il ne déborde guère sur les autres champs distingués par Charlot. Au contraire, Sorauf a le mérite de présenter une vue globale des différentes composantes des partis américains. En particulier, son insistance à montrer que les partis ont une existence qui déborde le cadre électoral et l'appareil gouvernemental, a contribué à imposer une vue à la fois plus complète et plus intégrée des partis politiques. Cependant, tant dans son ouvrage de 1964 que dans ses travaux subséquents, il ne s'est contenté que d'indiquer des voies de théorisation, sans aller au delà d'un schématisme certes éclairant mais encore insuffisant à réorganiser le savoir acquis sur les partis.

D'autres auteurs, souvent très jeunes, ont tenté depuis de rassembler en faisceau des fils épars de cet acquis de connaissance. Une des entreprises les plus ambitieuses est actuellement menée par Kenneth Janda, dont l'équipe a accumulé une documentation considérable sur 150 partis oeuvrant dans 50 pays différents[5]. La

---

1 «La sociologie des partis politiques», dans G. Gurvitch et al. Traité de sociologie, Paris, Presses Universitaires de France, 1960, t. 2, ch. 2, p. 22.

2 La partis politiques, Paris, Presses Universitaires de France, 1971.

3 Political Parties: A Behavioral Analysis, Chicago, Rand McNally, 1965.

4 Party Politics in America, Boston, Little, Brown, 1968.

5 A conceptual Framework for the Comparative Analysis of Political Parties, Beverly Hills, Sage, 1970.

codification des données est faite selon un cadre conceptuel que Janda a présenté dans une récente brochure. Très ingénieux dans le choix des indicateurs des variables retenues, le cadre souffre toutefois de se tenir un peu trop au ras du sol, c'est-à-dire de la documentation existante.

De façon tout à fait différente, William E. Wright a voulu établir, à l'aide de toutes les composantes des partis, une distinction entre deux «modèles», distinction fondée sur des options prises par les dirigeants de parti ou par ceux qui en font l'étude[6]. Le modèle dit «rationnel-efficace» s'appliquerait aux partis qui n'ont, selon Wright, que des fonctions électorales et qui se préoccupent avant tout de façon très pragmatique, de gagner les élections plutôt que de formuler des mesures politiques. Le modèle dit démocratique conviendrait aux partis plus idéologiques qui cherchent à faire participer leurs membres à la formulation des mesures politiques.

Pour sa part, Gunnar Sjöblom propose de classifier les partis selon les effets des choix qu'ils font à propos de quatre types différents d'objectifs : la réalisation de leur programme, la maximisation des votes, la maximisation de l'influence au parlement et l'unité du parti[7]. Chacun des quatre choix étant dichotomique (positif ou négatif), une typologie est ainsi construite qui comprend seize configurations différentes, dont certaines apparaissent invraisemblables et d'autres plus vraisemblables. Ainsi on imagine difficilement une stratégie qui a pour résultat de maximiser les votes et l'influence parlementaire mais qui empêche la réalisation du programme et ébranle l'unité du parti.

Plus que celle de Wright, qui exploite l'opposition entre démocratie et efficacité, l'approche de Sjöblom a l'avantage de relier diverses composantes des partis en une problématique unifiée, celle de la cohérence stratégique entre des choix tactiques.

Dans cette voie, on peut chercher à définir une problématique des partis qui, tout en demeurant unifiée, réponde davantage aux préoccupations propres à la science politique. Sans rouvrir un débat souvent oiseux sur l'objet spécifique de notre science, on peut en guise de postulat dire qu'elle s'intéresse surtout aux problèmes du pouvoir et à ceux de la gouverne. On évite ainsi de faire de la science politique une science trop large, celle du pouvoir, ou une science trop étroite, celle de la gouverne.

## Schéma cybernétique de la gouverne d'une société

Pour définir la notion de gouverne[8], il nous semble qu'une représentation cybernétique de ce phénomène permet plus de rigueur et de fécondité que les schémas mieux connus de David Easton[9], de Gabriel A. Almond[10], ou même de Gérard Bergeron[11]. Nous adopterons le schéma d'un auteur français, Lucien Mehl[12] qui nous semble plus clair que celui du célèbre politiste américain, Karl Deutsch[13].

6 «Section One: Theory», dans W.E. Wright, ed., *A Comparative Study of Party Organisation,* Columbus, Ohio, Merrill, 1971.

7 *Party Strategies in a Multiparty System,* Lund, Suède, Student littératur, 1968.

8 Nous reviendrons plus loin sur la notion de pouvoir.

9 Voir surtout, *A System Analysis of Political Life,* New York, Wiley 1965. Pour un raffinement du schéma d'Easton qui permet de mieux situer les partis, voir Léon Dion, *Société et politique: la vie des groupes,* tome I, Québec, Presses de l'Université Laval, 1972, ch. 3.

10 Voir en particulier G.A. Almond et G.B. Powell, *Comparative Politics: A Developmental Approach,* Boston, Little, Brown, 1966.

11 *Fonctionnement de l'état,* Paris, A. Colin, 1965.

12 «Éléments d'une théorie cybernétique de l'administration» dans les Actes du Deuxième Congrès International de cybernétique, Namur, 1960, p. 645-72; «Pour une théorie cybernétique de l'action administrative», dans J.M. Aubry *et al., Traité de science administrative,* Paris, Mouton, 1966, p. 782-83.

13 *The Nerves of Governement,* New York, Free Press, 1966.

Le schéma de Mehl établit une distinction entre trois niveaux: celui des gouvernants, celui des fonctionnaires, et celui des gouvernés. Les deux premiers correspondent au gouvernement, et le troisième à ce qu'on pourrait nommer la communauté, le terme de société étant réservé à l'ensemble composé du gouvernement et de la communauté.

Pour fixer une terminologie qui nous sera utile par la suite, nous dirons que le niveau des gouvernants est le lieu de la sélection politique, celui des fonctionnaires le lieu de la transduction administrative et celui des gouvernés, ou de la communauté, le lieu de l'effection sociale. Entre ces niveaux se produisent des phénomènes de connexion; connexion socio-politique des gouvernés aux gouvernants, connexion politico-administrative des gouvernants aux fonctionnaires, et connexion socio-administrative des gouvernés aux fonctionnaires. Le tableau 1 présente ces trois niveaux et les six phases de la gouverne d'une société qui en découlent.

Selon une lecture cybernétique du schéma, les gouvernants sont ceux qui décident, par sélection politique, des mesures de régulation gouvernementale visant à maintenir la société à l'intérieur de certains écarts définis par des normes culturelles. Ils sont influencés en cela par leurs connexions avec les fonctionnaires et avec les gouvernés. Une fois la sélection politique faite, les mesures de régulation sont transmises aux gouvernés soit de façon directe, par connexion socio-politique, soit, comme c'est le plus souvent le cas, de façon indirecte, à travers les connexions politico-administratives et socio-administratives, la transduction administrative précisant ou médiatisant les mesures prises par les gouvernants. L'effection sociale qui se déroule dans la communauté constitue le terme le plus fréquent de la régulation gouvernementale bien qu'elle puisse porter aussi sur d'autres phases de la gouverne sociétale, telles la transduction administrative et l'une ou l'autre des connexions. De plus, c'est bien souvent la communauté et non les fonctionnaires ou les gouvernants eux-mêmes, qui suscite la régulation gouvernementale.

## *Tableau 1*

**Schéma cybernétique de la
gouverne d'une société**

| Gouvernement | sélection politique | |
|---|---|---|
| connexion socio-politique | connexion politico-administrative | |
| transduction administrative | connexion socio-administrative | |
| Communauté | effection sociale | |
| niveau des gouvernants | niveau des fonctionnaires | niveau des gouvernés |

Dans ce schéma, les partis constituent des connecteurs socio-politiques qui relient gouvernés et gouvernants, et qu'on peut représenter par un pont jeté entre ces deux niveaux. Nous définirons alors un système de partis comme l'ensemble des opérations socio-politiques par lesquelles les partis établissent les connexions d'un étage à l'autre[14].

De cette idée directrice découlent les trois corollaires qui seront explorés dans notre analyse des partis politiques au Québec:

1) Il existe un rapport entre l'organisation interne des partis et la nature des opérations qu'ils effectuent entre la communauté et le gouvernement;

2) Un système de partis évolue en fonction des effets tant attendus qu'inattendus, produits par les opérations socio-politiques majeures ou par l'absence de telles opérations;

3) L'évolution comparée de deux systèmes liés de partis (ainsi le système des partis fédéraux et le système des partis provinciaux du Québec) s'explique par les convergences ou les divergences entre les opérations socio-politiques majeures qui forment les enjeux de chacun d'eux.

Notre analyse, forcément sommaire, couvrira quatre étapes: les années 1948-1957, le tournant des années 1958-1962, la période allant de 1963 à 1968, et celle de 1968 à 1972. À cause de leur importance évidente dans la vie des partis, mais aussi parce qu'elles produisent des données quantitatives, les élections en fourniront la matière principale.

## Les parties durant les années 1948-1957

Pendant cette période de dix ans, le Parti libéral, ayant à sa tête Louis Saint-Laurent, tient en main le gouvernement du Canada et reçoit un appui fortement majoritaire des électeurs du Québec. Sur le plan provincial, ces derniers préfèrent cependant le Parti de l'Union nationale au Parti libéral: le gouvernement Duplessis sort victorieux des élections de 1948, 1952 et de 1956, avec dans tous les cas la majorité absolue des votes exprimés. Par contre, ces victoires unionistes servent peu le parti d'opposition sur le plan fédéral puisque le Parti conservateur n'obtient jamais plus du tiers des votes exprimés au Québec lors des élections fédérales de 1949, de 1953 et de 1957[15].

À l'exception des toutes dernières années de cette période de dix ans, les électeurs du Québec vivent dans une conjoncture de prospérité économique. Pour eux, les enjeux de la politique fédérale ne sont à peu près que symboliques: la communauté francophone du Québec, minoritaire au Canada, s'identifie au gouvernement libéral dont le premier ministre est un Canadien français. Cette identification

---

14    Pour plus de précisions sur ces notions et sur l'application qu'on peut en faire dans l'étude d'une société politique, on pourra lire V. Lemieux, «Politique et administration selon M.G. Smith», *Revue canadienne des études africaines,* 6 (1972) p. 57-72. Contrairement à ce que l'on lit parfois, l'approche cybernétique bien comprise ne postule aucune finalité intrinsèque au système. Les fins sont choisies par les gouvernants dans la phase de la sélection politique qui tentent, tant bien que mal, dans leurs relations avec les autres agents, de les réaliser dans les différentes phases de la régulation gouvernementale.

15    On trouvera des analyses plus poussées de ces éléments dans *Le Quotient politique vrai,* Québec, Presses de l'Université Laval, 1973.

définit, selon nous, l'opération socio-politique majeure de la politique fédérale au Québec, et cette opération va principalement de la communauté au gouvernement. Le premier ministre, qui se présente lui-même comme un Canadien sans plus, ne cherche surtout pas à faire une politique québécoise. Les autres partis ont une direction anglophone et la prospérité économique leur enlève toute chance de faire valoir d'autres enjeux.

Sur le plan provincial, l'opération socio-politique majeure semble aller également de la communauté au gouvernement, mais avec un retour du gouvernement vers la communauté. L'opération est conservatrice au sens propre du terme. Les secteurs les plus cohésifs de la communauté se donnent un gouvernement «familier», à leur image, qui va maintenir les solidarités traditionnelles et s'efforcer de mettre hors-jeu ceux qui les menacent ou qui appuient le parti d'opposition. La tendance à l'universalisation des relations de patron à client manifeste fort bien la force de cette opération socio-politique. Les relations du gouvernement et de la communauté reproduisent des relations valorisées à l'intérieur de celle-ci, sans que la communauté n'exige d'autres opérations majeures du gouvernement ni que le gouvernement en entreprenne d'autres envers la communauté. Le nationalisme du gouvernement Duplessis fait partie de la même opération socio-politique de conservation: il n'accepte pas qu'un autre gouvernement, ou tout autre agent extérieur au Québec, vienne troubler cette espèce de réverbération circulaire de la communauté au gouvernement, et du gouvernement à la communauté.

Dans cette perspective, le Parti libéral n'a pas le même sens au niveau provincial qu'au niveau fédéral. A ce dernier niveau, il est le parti des Canadiens français, le seul à permettre une identification forte de la communauté au gouvernement. Au niveau provincial, où la dimension symbolique et ethnique de la politique ne peut être pertinente puisqu'assumée par les deux partis, le Parti libéral incarne la distance prise par rapport aux solidarités traditionnelles en même temps que la complicité avec un gouvernement central dont on dit que l'immixtion au Québec menace, elle aussi, ces solidarités, dans une opération socio-politique qui irait, celle-là, du gouvernement à la communauté. Il n'est donc pas étonnant que plusieurs électeurs appuient le Parti libéral au niveau fédéral pour des raisons ethniques, mais lui préfèrent l'Union nationale au niveau provincial, pour des raisons conservatrices.

Garant d'une opération socio-politique majeure qui va d'abord de la communauté au gouvernement, et qui ne revient à la communauté que pour la maintenir dans ses solidarités traditionnelles, les partis dominants (Union nationale sur la scène provinciale et Parti libéral sur la scène fédérale) sont dotés d'une organisation simple qui ne sert qu'à la bataille électorale et à l'exercice du patronage. D'ailleurs ces deux fonctions se recouvrent: en échange des votes, du travail ou de l'argent nécessaire à gagner les élections, les patrons partisans distribuent postes, subventions, contrats et autres avantages sous la couverture d'un gouvernement bienfaisant, bon papa — ou encore mieux, oncle riche — de la grande famille des Canadiens français du Québec.

Au Québec, le Parti conservateur est réduit à toutes fins pratiques aux organisateurs de l'Union nationale auxquels il sert d'instrument pour résister, lors des élections fédérales, à l'opération symbolique dominée par les libéraux. Quant au Parti libéral provincial, il opte vers le milieu des années cinquante pour la réalisation d'une opération socio-politique majeure par laquelle le gouvernement inscrirait dans la communauté une «justice sociale» qu'elle ne produit pas d'elle-même. Du même coup, est créée une Fédération, pour organiser démocratiquement le parti à tous les paliers: ceux de la localité, de la circonscription, de la région et finalement de la province.

En deçà des doctrines et des déclarations officielles, il faut bien voir le sens de cette soi-disant démocratisation. C'est l'oeuvre d'hommes qui aspirent non seulement au gouvernement, mais aussi à la transformation de la communauté par celui-ci. Cet appel à une démocratisation, qu'il semble impossible de réaliser à courte échéance constitue à la fois un objectif électoral (c'est-à-dire un argument pour répondre à ceux qui accuseront le parti de vouloir changer la communauté) et un objectif idéologique (le renouvellement des élites politiques). Cette ruse idéologique vérifie bien qu'indirectement, notre premier corollaire selon lequel l'organisation interne des partis se comprend par ce qu'ils tentent d'opérer du gouvernement à la communauté (ou vice versa).

## Le tournant des années 1958-1962

Nous avons déjà signalé que jusqu'en 1957, deux conditions ont assuré le succès du Parti libéral fédéral au Québec: le monopole dont il joussssait, avec Louis Saint-Laurent, comme terme de l'identification symbolique des électeurs et la prospérité économique qui empêchait toute autre opération socio-politique majeure de retenir l'attention.

Aux élections fédérales de 1957, le Parti conservateur obtenait quelques sièges de plus que le Parti libéral dans l'ensemble du Canada. Il était donc appelé à diriger le gouvernement. Pourtant les électeurs du Québec continuaient d'appuyer le parti de Louis Saint-Laurent dans une proportion de deux contre un, lui assurant ainsi 62 sièges sur 75. Lors des élections tenues au début de l'année suivante cependant, le Parti libéral, alors dirigé par Pearson, ne recueillait plus au Québec que 46% des votes exprimés et 25 sièges sur 75. Dans l'ensemble du Canada, la victoire du Parti conservateur de John Diefenbaker était encore plus écrasante: 54% des votes exprimés et 208 sièges sur 265.

Avec le retrait de Louis Saint-Laurent et l'absence de Canadiens français prestigieux dans l'entourage de Pearson, l'opération majeure de la politique fédérale au Québec est en quelque sorte annulée. En même temps, la prospérité économique tire à sa fin: le taux annuel de chômage qui était de 6.0% au Québec, en 1957, y atteindra 8.9% en 1958. Sans qu'elles n'aient porté sur un enjeu bien précis, les élections de 1958 se solvent à l'avantage du Parti conservateur, libéré de son handicap symbolique, appuyé plus massivement par la machine toujours forte de l'Union nationale, et capable de canaliser, comme seule solution de rechange au Parti libéral, le mécontentement à fondement économique qui est dirigé, dans ces élections très peu «nationales», contre les députés en place.

Dans la formulation de notre deuxième corollaires, nous avons prévu que l'absence d'opérations socio-politiques majeures pouvait, tout aussi bien que leur présence, expliquer l'évolution d'un système de partis. Les résultats de l'élection fédérale de 1958 au Québec en sont l'illustration. Des facteurs étrangers à la position des partis par rapport aux opérations socio-politiques ont dans ce cas déterminé l'évolution électorale du système des partis, engendrant par ce fait même son instabilité.

Au Québec, le taux annuel de chômage, qui était de 8.9% en 1958, allait baisser à 7.9% en 1959, puis remonter à 9.1% en 1960. Sur le plan provincial, l'opération de conservation de l'Union nationale pouvait rallier derrière elle une majorité des électeurs tant et aussi longtemps que la prospérité économique entraînait une limitation du soutien à l'opération socio-politique de transformation de la communauté par le gouvernement, telle que proposée par le Parti libéral. Une conjoncture économique difficile favorise plutôt les partis qui veulent transformer la communauté au moyen de l'action du gouvernement, soit pour la ramener à des états antérieurs, soit pour y instaurer des états nouveaux.

La conjoncture du milieu de l'année soixante allait donc favoriser le Parti libéral dirigé par Jean Lesage, d'autant plus que l'Union nationale avait subi, coup sur coup, la mort de Duplessis (en septembre 1959) et de Sauvé, son successeur (en janvier 1960). Barrette, qui avait pris la relève, n'avait jamais été fortement identifié au conservatisme de son parti, et le scandale dit du «gaz naturel» révélait que les «oncles riches» de l'Union nationale (les ministres en particulier) se traitaient plus grassement qu'ils n'avaient jamais traité leurs électeurs. L'Union nationale apparaissait ou bien infidèle à sa tradition, ou bien inadaptée à la conjoncture du moment. Autrement dit, les effets plus inattendus qu'attendus de l'opération socio-politique majeure qui lui réussissait depuis plus de dix ans ne convenaient plus aux circonstances. Le Parti libéral en profita pour obtenir une légère majorité de votes et de sièges; il fut ainsi appelé à diriger le gouvernement pour la première fois depuis 1944.

Des élections fédérales eurent lieu deux ans après, soit l'été de 1962. Un nouveau parti, celui du Crédit social, faisait alors élire 26 députés sur 75 au Québec, grâce à une forte concentration de ses votes (20% des inscrits). Le Parti conservateur tombait de 39% à 23% des inscrits et le Parti libéral de 36% à 31%. Selon nous, ces résultats ne peuvent s'expliquer convenablement si l'on ignore l'évolution qui caractérisait à ce moment le système des partis provinciaux du Québec[16]. Notre troisième corollaire, dont nous allons maintenant tenter de démontrer une application, veut que l'évolution de deux systèmes liés de parti s'explique par les convergences et les divergences entre les opérations socio-politiques majeures qui font les enjeux de chacun d'eux.

Les succès des créditistes s'expliquent d'abord en ce qu'ils apparaissent comme authentiquement canadiens-français dans une situation où les deux partis traditionnels manquent de dirigeants prestigieux auxquels le groupe majoritaire dans la communauté québécoise puisse s'identifier. Les créditistes réaniment ainsi à leur profit l'opération symbolique qui domine traditionnellement la politique fédérale au Québec. De plus, dans le contexte d'une conjoncture économique qui demeure difficile (le taux moyen de chômage a été de 9.2% en 1961), ils proposent pour la première fois, nous semble-t-il, une nouvelle opération majeure, reliée à celle qui divise les partis provinciaux, et qui apparaît plus instrumentale que symbolique.

Cette opération va principalement du gouvernement à la communauté. Les créditistes ont longtemps hésité à l'assumer tout à fait, certains d'entre eux croyant qu'ils allaient ainsi se corrompre en politique. Encore indécise, en 1962, elle se présente sous forme d'alternative: le gouvernement doit-il, en suppléant à un pouvoir d'achat qui s'effondre, maintenir la contexture socio-économique de la communauté; ou doit-il plutôt tendre à un ordre nouveau où seront défaites, au profit des petites gens et de la classe moyenne, les concentrations d'intérêt, les bureaucraties et les autres dominations obscures de ceux qui n'ont jamais à s'expliquer? Chez les plus lucides des créditistes que nous avons rencontrés sur le terrain au cours des années, c'est dans ces termes que le dilemme était exprimé. La politique provinciale dramatisait d'ailleurs le même dilemme, autour d'une opération socio-politique majeure, animée cette fois par le Parti libéral, avec comme enjeu l'intervention active du gouvernement dans la communauté.

---

16  Sur le Crédit social on pourra lire Maurice Pinard, *The Rise of a Third Party,* Englewood Cliffs, Prentice-Hall, 1971; et Michael B. Stein, *The Dynamics of Right-Wrong Protest,* Toronto, University of Toronto Press, 1973. Ces deux ouvrages remarquables ne font toutefois pas une place suffisante, selon nous, à la politique provinciale dans l'explication des succès créditistes.

Les créditistes de 1962 sont partagés entre ces deux options, l'une plus urbaine, l'autre plus rurale. Quand des élections provinciales hâtives surviennent à l'automne 1962, les premiers se retrouvent plutôt derrière le Parti libéral, lequel, en magnifiant la nationalisation de l'électricité et certaines politiques sociales, entend montrer tout le bien que le gouvernement peut faire à la communauté. Les créditistes ruraux, plus conservateurs qu'interventionnistes, se retrouvent plutôt derrière l'Union nationale, qui conçoit toujours l'action du gouvernement sur la communauté comme étroitement soumise aux localismes et particularismes de celle-ci.

## De 1963 à 1968

Le Parti libéral du Québec est reporté au pouvoir en 1962 avec une majorité accrue. Au niveau fédéral, de nouvelles élections, en mars 1963, donnent une majorité de sièges et le gouvernement au Parti libéral, sans que les résultats au Québec n'accusent de changements significatifs, par rapport aux élections précédentes. Le Parti conservateur perd quelques milliers de voix au profit du Parti libéral et du Nouveau parti démocratique. Quant aux créditistes, ils gagnent quelques votes mais perdent quelques sièges, suite à une concentration moins grande de leurs appuis.

Le Canada et le Québec entrent, pour cinq ans environ, dans une période de prospérité économique relative qui va affecter les positions des partis envers les opérations socio-politiques majeures. Le taux de chômage moyen au Québec n'était plus que 6.4% en 1964. Il devait baisser jusqu'à 4.7% en 1966 pour ensuite remonter à 6.5% en 1968.

Dans une telle conjoncture, les créditistes eurent plus de difficulté à imposer, lors des élections fédérales de 1965, l'enjeu interventionniste qui, avec l'enjeu symbolique, avait permis leur succès de 1962 et de 1963. Cette difficulté fut accrue par le fait que le Parti libéral lançait dans le ciel électoral les «trois colombes», Marchand, Pelletier et Trudeau, permettant à tout le moins aux électeurs instruits de renouveler leur identification symbolique à ce parti. Avec un taux de participation inférieur de 5% à celui de 1963 (la prospérité économique endort), le Parti libéral et le Parti conservateur se maintiennent. Le Nouveau parti démocratique, bien identifié à son chef québécois Robert Cliche, atteint un sommet de 8% des inscrits, alors que le Crédit social passe de 21% à 12% des inscrits[17].

La conjoncture économique allait saper également l'attrait exercé par l'opération interventionniste du Parti libéral du Québec, à la tête du gouvernement provincial depuis 1960. Nous avons déjà noté qu'un parti interventionniste a plus de chances d'obtenir des appuis dans une conjoncture économique difficile qu'en période de prospérité. De plus, son action sur la communauté risque davantage de provoquer les effets inattendus dont il est question dans notre troisième corollaire que celle des partis pour qui le gouvernement sert à conserver des états donnés de société. Il semble que la réforme de l'éducation entreprise par le Parti libéral ait eu de tels effets inattendus, et négatifs pour lui, en ce qu'elle a porté atteinte à des solidarité et à des valeurs traditionnelles, plus importantes aux yeux de bien des électeurs que les avantages d'une plus grande accessibilité — sur le plan financier tout au moins — à l'enseignement[18]. L'Union nationale avait beau jeu, de par ses traditions non inter-

---

17  Deux raisons fondamentales nous semblent expliquer l'impuissance du Nouveau Parti Démocratique au Québec. D'abord il n'a jamais été identifié bien fortement au groupe ethnique canadien-français. Ensuite il n'a pas d'équivalent valable en politique provinciale, ce qui l'empêche de profiter de covergences favorables.

18  Ce thème a été développé au cours de notre étude «Les partis et leurs contradictions», dans J. L. Migué, éd., *Le Québec d'aujourd'hui,* Montréal, HMH Hurtubise, 1971, p. 153-172.

ventionnistes, de dénoncer ces bouleversements. D'autre part, un parti indépendantiste, le Rassemblement pour l'indépendance nationale, poussait à l'extrême la logique interventionniste qui avait amené le Parti libéral à des affrontements avec le gouvernement central. Seule l'indépendance politique du Québec pouvait permettre, selon le R.I.N., que le gouvernement du Québec construise la communauté plus ou moins socialiste prévue dans le programme de ce parti.

Tous ces facteurs (la prospérité qui incite à l'abstentionnisme électoral, les effets inattendus de la réforme de l'éducation qui favorisent l'Union nationale, et une certaine canalisation du courant indépendantiste vers le Rassemblement pour l'Indépendance nationale) expliquent que le Parti libéral ait vu son pourcentage de voix passer de 44% à 34% des inscrits. L'Union nationale, qui ne compense pas tout à fait son déclin «structurel» par l'appui conjoncturel des électeurs opposés aux réformes libérales, enregistre elle aussi une baisse de 33% à 29% dans le vote des inscrits. Servie par une carte électorale qui favorise la représentation rurale et par les ennuis causés par le R.I.N. au Parti libéral, elle n'en obtient pas moins une majorité des sièges (56 sur 108).

Durant cette période, l'organisation des partis traditionnels ne change guère, si ce n'est que le premier ministre et les ministres en viennent à tenir bien en main le Parti libéral du Québec, lequel devient d'ailleurs en 1965 une organisation autonome par rapport au Parti libéral du Canada. Cette double évolution est concomitante de celle qui pousse le parti à «construire l'État» en s'appuyant sur le postulat de plus en plus répandu selon lequel la communauté ne peut plus se passer de son gouvernement et, bien sûr, des hommes qui le dirigent. En 1965, l'Union nationale se dote également, à l'occasion d'un congrès de modernisation, d'une organisation mieux réglée au sommet. Elle indique timidement par là qu'elle ne refuse plus d'entrer dans la ronde de ceux qui estiment que la communauté, qu'elle soit du parti ou de la société, a besoin d'une direction officiellement détachée d'elle. Pour leur part, les créditistes refusent de se laisser entraîner par ce courant modernisateur, leurs dirigeants demeurant plutôt de la tendance conservatrice, et cela malgré les attitudes qu'adoptaient nombre de militants locaux en 1962 et en 1963. Au total, les positions des partis sur le sens des opérations majeures qu'ils reconnaissent comme enjeux de la politique se retrouvent assez bien dans leur organisation interne.

Les deuxième et troisième corollaires s'appliquent peu à la période 1963-1968. L'évolution des deux systèmes de partis est ralentie par la prospérité économique, et la liaison de l'un à l'autre se réduit presque aux conséquences de ce fait sociétal majeur, sans que d'autres convergences ou divergences soient à l'oeuvre.

## Les années 1968-1972

Il en va tout autrement de la période qui s'ouvre avec le choix, au début de 1968, de Pierre Elliott Trudeau comme chef du Parti libéral du Canada, le triomphe de celui-ci aux élections de juin 1968 et la création du Parti québécois à la fin de la même année.

L'accession de Trudeau à la tête de son parti et du gouvernement fédéral ravive l'opération symbolique d'identification des électeurs du Québec au Parti libéral. Quand arrivent les élections fédérales de juin 1968, la conjoncture économique est déjà moins bonne qu'en 1965 (le taux de chômage au Québec remonte de 5.4% à 6.5% de 1965 à 1968), mais elle ne s'est pas détériorée au point de gêner considérablement le parti ministériel. En pourcentage d'inscrits, les conservateurs et les créditistes se maintiennent à 15% et 12% respectivement, le NPD tombe de 8% à 5%, tandis que les libéraux passent de 32% à 38%, le plus haut plateau qu'ils aient atteint depuis

1957, c'est-à-dire depuis Louis Saint-Laurent.

L'irréductibilité du noyau dur des créditistes n'en témoigne pas moins du fait, qu'avec eux, les préoccupations socio-économiques sont désormais bien présentes en politique fédérale. Le 38% du vote des inscrits qu'obtiennent les libéraux dans des conditions somme toute assez favorables, est quand même inférieur de 7% à ce qu'ils obtenaient en 1957. Une étude faite sur les préferences des électeurs dans deux circonscriptions de la zone métropolitaine de Québec tend à montrer que les deux axes, le socio-économique et l'ethnique, ont commandé le choix des électeurs en 1968, et que les électeurs créditistes étaient tout particulièrement sensibles au premier. De plus, il semble que ces électeurs créditistes percevaient aussi bien leur parti comme étant à la gauche du NPD qu'à l'extrême droite[19].

La création du Mouvement souveraineté-association, suite à la scission de René Lévesque d'avec le Parti libéral du Québec, puis la transformation de ce Mouvement en Parti québécois, à l'automne 1968, allaient rapprocher un peu plus les enjeux de la politique provinciale et ceux de la politique fédérale. Nous avons déjà montré qu'avec les années 60, l'action du gouvernement sur la communauté était devenue l'opération socio-politique majeure, sur le plan provincial. Le Rassemblement pour l'indépendance nationale avait défendu le premier l'idée que cet enjeu en entraînait un autre, celui de l'indépendance politique du Québec. Le Parti québécois reprend cette idée en la présentant de façon plus respectable, s'opposant ainsi au Parti libéral qui, tout en demeurant interventionniste, refuse l'indépendance du Québec parce qu'elle lui apparaît désastreuse pour les moyens économiques qui rendent cet interventionnisme possible. Le parti ministériel, celui de l'Union nationale, qui avait longtemps combattu l'opération socio-politique selon laquelle le gouvernement doit décider de lui-même ce qui est bon pour une communauté, se laisse plus ou moins entraîner sur la pente de l'interventionnisme, poussé en cela par des forces sociales qui tentent de plus en plus de faire jouer l'État en leur faveur, sans toujours prendre conscience qu'elles font en cela le jeu même de l'Etat. Contre cette dérive généralisée de la logique de la communauté vers celle du gouvernement, indépendant ou non, un quatrième parti se forme en 1969: le Ralliement créditiste, issu du Parti créditiste fédéral. Il est surtout opposé à la prévalence grandissante du gouvernement sur la communauté et, par voie de conséquence, à l'indépendance du Québec. L'Union nationale, qui semble condamnée à l'ambiguïté face aux positions claires des trois autres partis, finira par apparaître comme plus ou moins interventionniste et plus ou moins indépendantiste. Elle s'effondrera aux élections provinciales de 1970, n'obtenant que 16% des inscrits et 17 sièges à l'Assemblée nationale. Le Ralliement créditiste récolte 9% des inscrits et 11 sièges[20]. Le Parti libéral, avec ses 37% des inscrits, recueille 72 sièges sur 108, ce qui aurait dû lui assurer une confortable gouverne.

Les événements d'octobre 1970 — enlèvement de James Cross et de Pierre Laporte par le Front de Libération du Québec, puis assassinat de ce dernier — allaient démontrer qu'il ne saurait y avoir maintenant de gouvernement confortable

---

19   Voir notre article «La composition des préférences partisanes» reproduit dans *Le Quotient politique vrai, op. cit.,* p. 193-226.

20   À nouveau, les aléas du système électoral expliquent ces résultats aberrants. Non seulement le vote créditiste est-il plus concentré que celui du Parti québécois, mais dans les circonscriptions où il est élevé, circonscriptions généralement moins populeuses que celles où excelle le Parti québécois, ce vote est partagé avec celui de deux et même parfois trois autres partis importants. Au contraire, là où le Parti québécois est fort, il se retrouve très souvent presque seul à partager les voix avec le Parti libéral.

au Québec... Ces «effervescences»[21] allaient révéler également que tous les principaux acteurs politiques n'avaient plus recours à la communauté qu'à des fins rhétoriques: le FLQ qui s'en faisait une image révolutionnaire complaisante à ses passions, mais contraire aux faits; le gouvernement qui déclarait presque textuellement: «dormez bien, nous veillons»; et les leaders politiques d'une opposition frustrée qui rêvaient de se substituer au gouvernement en place en évoquant, évidemment, le bien de la communauté.

Notre revue historique se termine avec les élections fédérales de 1972, où, comme en 1957, le Québec évolue par rapport aux élections précédentes, alors que l'Ontario et les provinces de l'Ouest réduisent le Parti libéral à former un gouvernement minoritaire. Au Québec, libéraux et conservateurs perdent chacun la faveur de 2 ou 3% des inscrits, alors que les créditistes voient leur popularité s'accroître de plus de 5% des inscrits. Une situation économique plus difficile qu'en 1968 (le taux moyen de chômage a été de 8.2% au Québec, en 1971) explique sans doute le poids électoral accru de l'opération dite socio-économique, par rapport à l'opération symbolique à contenu ethnique. Comme toujours, c'est le parti du Crédit social qui profite de cette évolution. Il aurait pu en profiter davantage si le gouvernement fédéral, par l'entremise de son Ministère de l'Expansion économique régionale, n'avait su rendre si clairement visible ses interventions dans le développement économique de certaines régions, dont celle de Québec en particulier.

Selon les termes mêmes de notre troisième corollaire, les opérations socio-politiques majeures qui forment les enjeux de la politique fédérale et ceux de la politique provinciale au Québec ont convergé plus que divergé durant la période 1968-1972. En politique fédérale, l'enjeu socio-économique s'est maintenu puis raffermi avec la croissance du chômage et des interventions régionales du gouvernement. La politique fédérale en arrivait ainsi à ressembler un peu plus à la politique provinciale, où l'action socio-économique du gouvernement dans la communauté constituait une opération politique majeure depuis près de quinze ans. La convergence allait affecter les deux partis libéraux. Celui du Québec se donnait en 1970 une orientation plus gestionnaire que réformiste qui rapprochait son style de celui du Parti libéral du Canada. En politique provinciale, l'enjeu de l'indépendance du Québec en venait à être imposé par le Parti québécois. Les résonances nationalistes de cet enjeu s'harmonisaient partiellement avec les résonances ethniques de l'opération symbolique dominante en politique fédérale. L'apparition du Ralliement créditiste en politique provinciale contribuait à rapprocher encore plus les deux systèmes de partis. Les résultats des élections fédérales de 1968 et de 1972 comparés avec ceux des élections provinciales de 1970 illustrent bien la convergence des opérations majeures aux deux niveaux de gouvernement[22].

## L'étude des partis, la cybernétique et le structuralisme

Nous croyons avoir montré jusqu'ici que les partis, connecteurs entre les gouvernements et la communauté, tentent de réaliser des opérations socio-politiques

---

21  Dans son dernier livre, Bertrand de Jouvenel écrit que la science politique a besoin d'une étude systématique des effervescence: *Du Principal,* Paris, Hachette, 1972, p. 233.

22  On constate en effet que les partis libéraux ont été appuyés successivement par 38%, 37% et 35% des inscrits à ces trois élections, le Parti conservateur et l'Union nationale par 15%, 16% et 12% des inscrits et les partis créditistes par 12%, 9% et 17%. Le Parti québécois n'est évidemment pas comparable au Nouveau parti démocratique, mais si on ajoute à celui-ci quelques 12% à 13% d'électeurs qui s'abstiennent aux élections fédérales de 1968 et de 1972, par rapport aux élections provinciales de 1970, on arrive à des résultats très voisins du PQ, soit environ 23%.

qui vont de l'un à l'autre. Nous avons aussi exploré des corollaires qui posaient successivement que l'organisation interne des partis réflétait ces opérations, qu'un système de partis évoluait selon ces opérations et selon leurs effets, et que l'évolution comparée de deux systèmes liés de partis (ainsi le système des partis fédéraux et des partis provinciaux au Québec) s'expliquait par les convergences et les divergences des opérations socio-politiques. Nous n'avons pas encore identifié le moteur de ce système.

Les opérations socio-politiques, de même que leur reflet dans l'organisation des partis (ou dans celle de l'appareil gouvernemental que nous aurions également pu explorer), peuvent être conçus comme les rapports d'instigation, au sens que leur donne Bertrand de Jouvenel qui voit là le rapport politique fondamental[23]. Le degré de réussite de ces instigations mesure le pouvoir sociétal, gouvernemental et directionnel des partis[24].

Le pouvoir directionnel consiste dans la capacité d'ordonner les connexions partisanes, que ce soit dans la communication ascendante des membres aux dirigeants, ou dans la communication des dirigeants aux membres.

Le pouvoir gouvernemental consiste dans la capacité qu'ont les dirigeants du parti et ceux qui leur sont associés d'ordonner la sélection politique de façon conforme aux objectifs ou au programme du parti. Les agents avec lesquels doivent compter les dirigeants du parti pour l'exercice de ce pouvoir sont les dirigeants des autres partis, s'il y en a, mais aussi des fonctionnaires et des groupes de gouvernés qui, par la voie des connexions politico-administratives ou socio-politiques, peuvent agir sur la sélection politique.

Le pouvoir social des partis réfère à l'impact qu'a dans la société leur action gouvernementale ou non-gouvernementale. Il s'agit donc d'un pouvoir auprès des gouvernés, qui consiste surtout dans la capacité d'ordonner l'effection sociale ou les connexions socio-politiques.

La notion de pouvoir ou d'instigation a le mérite, comme de Jouvenel l'a plus d'une fois souligné, de distinguer clairement la motivation politique de la motivation économique, et plus généralement, pour reprendre une distinction fondamentale en cybernitique, le «contrôle» de la communication[25].

Dans cette perspective politique plutôt qu'économique, les partis définiraient les opérations socio-politiques majeures et prendraient position sur elles de façon à maximiser leur pouvoir plutôt que leur intérêt. Les avantages qu'ils peuvent retirer de ces opérations compteraient moins que les «mises en mouvement» qu'elles permettent, étant bien entendu que les deux ont souvent l'heur de coïncider et que de toute façon cette distinction n'est qu'analytique. L'insistance sur la dimension politique de l'action a toutefois l'avantage, dans un monde où l'économique s'impose partout, de permettre une lecture nouvelle des faits.

Si on se limite à la politique provinciale, on ne peut expliquer Duplessis et l'Union nationale de son temps, ni leur choix de reproduire le gouvernement et toute la société à l'image de la communauté, sans reconnaître que les intérêts économiques comptaient moins dans cette opération que la satisfaction résultant de la mise en

---

23 *De la Politique pure,* Paris, Calmann-Lévy, 1963.
24 Nous avons analysé la distinction entre ces trois pouvoirs dans notre article «Pour une science politique des partis», *Revue canadienne de science politique,* 5 (1972), p. 485-502.
25 Cette distinction se trouve dans le titre même de l'ouvrage fondateur de Norbert Wiener, *Cybernetics or Control and Communication in the Animal and the Machine,* New York, Wiley, 1948.

mouvement des hommes pour que soient ainsi produite métaphoriquement des relations sociales valorisées. Si le Parti libéral s'est élevé contre cela à la fin des années cinquante et qu'il a proposé une opération socio-politique majeure où la communauté serait rendue plus juste par le gouvernement, c'était que ses partisans, moins puissants dans les secteurs traditionnels de la communauté et plus conscients par là des dominations «étrangères», voyaient dans l'intervention active du gouvernement qu'ils dirigeraient, la réalisation, frustrée ailleurs, de leur désir de puissance. Les adeptes du Parti québécois encore plus impuissants dans le réseau des solidarités traditionnelles et plus écorchés à la vue des dominations «étrangères», sont mus dix ans plus tard par la même motivation, décuplée par les prises de conscience survenues dans l'intervalle. Les créditistes, instigateurs comblés dans des milieux sociaux encore solidaires, et par là plus insouciants face à l'extérieur, ressentent moins le besoin de gouverner pour exercer de la puissance. Ce n'est qu'ensuite qu'un nouveau chef, Yvon Dupuis, a proposé de dépasser cette politique trop modeste et de s'emparer du gouvernement pour y déloger les instigateurs «socialistes» qui s'en servent à mauvais escient.

Le même type d'analyse peut être appliqué à l'organisation interne des partis et à leur participation au gouvernement, dont il faudrait montrer qu'elles sont reliées entre elles et avec le pouvoir social des partis.

L'évolution du Parti libéral du Québec depuis quinze ans illustre bien les interdépendances des trois types de pouvoir. Nous avons déjà indiqué comment le parti, au milieu des années cinquante, s'était «démocratisé» en se donnant des moyens directionnels faibles. Nous avons aussi montré comment les exigences du pouvoir gouvernemental, après la victoire électorale de 1960, avaient doublement renforcé le pouvoir directionnel; les ministres (et en particulier le premier ministre Lesage) en sont venus à tenir solidement en main l'appareil partisan, lequel arracha en plus son autonomie au Parti libéral du Canada. Cette évolution produisait plus ou moins celle du gouvernement lui-même qui était de plus en plus directif et soucieux d'élargir son autonomie vis-à-vis du gouvernement d'Ottawa. Des hauts fonctionnaires contribuaient fortement à ce renforcement du gouvernement. Contre toute attente, ce pouvoir directionnel et ce pouvoir gouvernemental accrus allaient se traduire par un recul électoral en 1966, c'est-à-dire par un affaiblissement du pouvoir sociétal du parti. Nous en avons proposé une explication qui n'est pas sans rapport, nous semble-t-il, avec la leçon qu'en a tiré le gouvernement libéral de Robert Bourassa. Pour maintenir son pouvoir social, du moins dans sa composante électorale, il a tenté de donner une allure plus gestionnaire qu'interventionniste à son pouvoir gouvernemental, en rejetant dans l'ombre les hauts fonctionnaires qui incarnaient la distance entre l'appareil d'État et la communauté, et en misant sur un retour à la prospérité économique, qui justifierait cette volonté d'un interventionnisme moins grand. Quant au pouvoir directionnel interne du parti, les dirigeants libéraux ont choisi de l'accaparer tout autant qu'à la fin du régime Lesage, mais de façon moins ouverte que ce dernier.

On pourrait appliquer cette analyse des rapports entre les trois pouvoirs à tous les partis. Nous voudrions plutôt terminer en indiquant comment ces jeux de pouvoir, qui contribuent aux régulations entremêlées des organisations partisanes, de l'organisation gouvernementale et de toute l'organisation sociale, dans le dénivellement des pratiques et des représentations et avec des effets de rétroaction (*feed back*), obéissent à des lois structurales, et en particulier, à des lois de connexité politique[26].

---

26  Sur ces lois, voir V. Lemieux, *Une politico-logique des organisations,* Montréal, Société canadienne de science politique, 1972, (cahier no 4).

Pour établir l'universalité de ces lois, il faudrait explorer soigneusement, leurs variations, ou mieux leurs transformations, d'une société à l'autre. Mais on peut distinguer provisoirement, à cet égard, ce que nous nommerions la logique du gouvernement et la logique de la communauté. Laissée à elle-même, la logique du gouvernement en est une de hiérarchie, où les gouvernés ne sont plus commandés que par lui, alors que la logique de la communauté, en situation d'autonomie, en est une de segmentation ou de «contraposition», de telle sorte que les pouvoirs internes à la communauté et leurs résistances à l'égard des pouvoirs gouvernementaux demeurent irréductibles. C'est la différence que fait M.G. Smith entre l'administration et la politique[27].

La position actuelle du Parti québécois et du Ralliement créditiste, en politique provinciale, illustrent assez bien ces deux logiques opposées, qui ne peuvent toutefois pas être laissées à elles-mêmes, dans la mesure où les groupes qui les défendent sont des connecteurs entre le gouvernement et la communauté, condamnés en cela à rassurer la communauté du bien-fondé des entreprises du gouvernement, ou à ne pas écarter tout rôle gouvernemental dans la revalorisation de la communauté. Ainsi le Parti québécois tempête-t-il sa volonté d'interventionnisme par un appel à la participation et au coopératisme. On retrouve le même phénomène dans son organisation interne. Le Ralliement créditiste quant à lui garde au moins à l'État son rôle de monnayeur et un certain rôle de gendarme. Ces partis ont un caractère plus idéologique que les autres (si l'on prend l'idéologie au sens marxiste) en ce qu'ils sont amenés de par leurs positions plus extrémistes à résoudre des contradictions plus accusées entre la logique du gouvernement et celle de la communauté.

Selon ce grand thème, qui déborde largement le cadre étroit de la présente étude, les opérations socio-politiques majeures entre la communauté et le gouvernement apparaissent comme des instigations par lesquelles des systèmes finalisés se conforment plus ou moins bien aux normes concurrentes qui les contraignent. Elles apparaissent aussi comme précontraintes par des lois structurales, opposées en leur principe, qui sous-tendent l'action du gouvernement et celle de la communauté.

---

27  Cette distinction est présentée dans le deuxième chapitre de *Governement in Zazzau 1800-1950,* London, Oxford University Press, 1960.

G. Bergeron, *Du Duplessisme à Trudeau et Bourassa,* Montréal, Parti pris, 1971.

G. Bergeron, «Political parties in Quebec», *University of Toronto Quarterly,* 27 (1958), p. 352-68.

M. Chaloult, *Les partis politiques dans le territoire pilote,* Mont-Joli, Québec, Bureau d'aménagement de l'Est du Québec, 1966. (Plan de développement 1967-1972 du bas Saint-Laurent, de la Gaspésie et des Iles-de-la-Madeleine, Annexes Techniques, no 14.

P.A. Comeau, «La transformation du Parti libéral québécois», *Canadian Journal of Economics and Political Science,* 31 (1965), p. 358-367.

L. Dion, «Party Politics in Quebec», dans H.G. Thorburn ed., *Party Politics in Canada,* 2e éd., Prentice-Hall, p. 118-125.

M. La Terreur, *Les tribulations des Conservateurs au Québec,* Québec, Presses de l'Université Laval, 1973.

D. Latouche, «Les tiers Partis, des trouble-fête», *Socialisme 66,* no 9-10 (oct.-déc. 1966), p. 119-137.

V. Lemieux, «Les partis et leurs contradictions», dans J.-L. Migué, éd., *Le Québec d'aujourd'hui: Regards d'universitaires,* Montréal, HMH, 1971.

_____, «Les partis politiques québécois», dans L. Sabourin, éd., *Le système politique du Canada,* Ottawa, Editions de l'Université d'Ottawa, 1968, p. 303-318.

_____, «Québec: Heaven is Blue and Hell is Red; dans *Canadian Provincial Politics,* Scarborough, Prentice-Hall, 1972, p. 262-289.

H.F. Quinn, *The Union Nationale Party,* Toronto, University of Toronto Press, 1963.

# Chapitre 5

# Pour une analyse politique du patronage*

Raymond Hudon
Université Laval

*Étudiant au doctorat à Queen's University, Raymond Hudon a participé à plusieurs projets de recherche au département de science politique de l'Université Laval portant sur les phénomènes de pouvoir dans les organisations, les problèmes du changement politique et social et la sociologie électorale. Il a publié, en collaboration avec V. Lemieux,* Patronage et politique au Québec, *Trois-Rivières, Boréal-Express, 1975.*

*Sa présente recherche, dont les données proviennent de journaux, d'entrevues et de mémoires d'hommes politiques, fait usage de l'analyse de contenu ainsi que la statistique pour comparer les formes de patronage pratiqué sous l'Union nationale et sous le Parti libéral du Québec.*

Lorsque nous avons entrepris notre recherche à l'été 1971, certaines personnes avaient le sentiment que nous cherchions à ressasser un problème à propos duquel tout avait été dit, une situation qui avait connu ses heures de gloire mais était en train de disparaître faute de pratiquants[1]. D'autres manifestaient un intérêt certain pour une recherche qui, semblaient-ils espérer, pourrait produire des résultats sensationnels en s'attaquant à un problème aussi controversé que celui dont nous entreprenions l'étude.

Les révélations faites au cours de l'hiver 1972 en rapport avec certains agissements du gouvernement libéral ont permis deux constatations importantes. Ces révélations ont d'abord rappelé que le phénomène du patronage était présent plus

---

* Le présent texte constitue une version revisée d'une communication présentée au Congrès de la Société canadienne de science politique, à Montréal, les 18-19 août 1973 et publiée par la suite dans la *Revue canadienne de science politique,* 7 (1974), p. 484-501.

1 La recherche à laquelle il est fait référence fut réalisée durant l'été 1971, de juin 1972 à l'automne 1973. Suventionnée par le Conseil des Arts du Canada et dirigée par Vincent Lemieux, la recherche fut principalement menée par deux assistants de recherche, Nicole Aubé qui s'est surtout attachée à analyser les représentations que divers agents ont du patronage, et l'auteur du présent texte.

que certains ne voulaient le croire. Cependant, les réactions suscitées, ou plutôt celles qu'on a pas réussi à susciter dans la population québécoise, ont démontré qu'il n'était plus aussi facile de faire sensation en révélant des cas de patronage qui en d'autres temps auraient probablement provoqué un tollé de protestations.

Les résultats des élections de 1973 n'ont cependant pas manqué d'amener un certain nombre de Québécois à effectuer un recul dans le temps jusqu'aux plus «belles années» de Maurice Duplessis à la tête de gouvernements unionistes fortement majoritaires et couramment reconnus pour pratiquer le patronage sur une haute échelle.

Nous esquisserons ici le modèle d'analyse qui a servi d'encadrement à l'élaboration d'une conception proprement politique du patronage. De plus, seront sommairement présentées les données sur lesquelles s'appuie notre tentative de faire voir brièvement comment le phénomène a pu évoluer au Québec depuis 1944 et quelles particularités il présente selon qu'il est pratiqué par l'un ou l'autre parti.

## Les données de l'analyse

Pour mener à bien une étude sur le patronage des partis politiques au Québec depuis 1944, la constitution d'un dossier le plus complet possible sur la pratique même du phénomène semble à prime abord s'imposer. Tout en tenant compte des contraintes posées par la nature des ressources disponibles, nous avons tenté de retracer le plus grand nombre possible de cas à partir desquels, après analyse, pourraient être dessinés, au moins à titre indicatif, les principaux caractères constitutifs du phénomène[2].

Les données recueillies comportent cependant de sérieuses imperfections qui en limitent la valeur. Tout d'abord, les cas recensés ne représentent que les facettes du phénomène qui ont été dévoilées publiquement à un moment ou l'autre de la période couverte par l'étude. De plus, les sources consultées n'ont pu rapporter de façon complète toutes les manifestations connues du phénomène. C'est pourquoi il a fallu postuler que la portion connue du phénomène constitue un ensemble suffisant pour saisir le phénomène dans son ensemble et que les données recueillies à travers les sources suffisent à donner une image assez représentative du phénomène observé pour permettre d'en faire une analyse quand même valable.

Il a cependant fallu atténuer la portée de ces limites en conduisant une série d'entrevues auprès d'informateurs qui pouvaient nous aider à cerner des aspects inédits du phénomène. Dans ce sens, nous avons interviewé une dizaine de journalistes appartenant au groupe de courriéristes parlementaires à l'Assemblée nationale. Nous avons rencontré aussi une trentaine d'hommes politiques, tant parmi ceux qui sont retirés de la politique active que parmi ceux qui occupaient, au moment de la recherche, des postes officiels. Enfin, nous avons consulté une série de près de cent cinquante rapports d'entrevues qui avaient été conduites auprès d'organisateurs de

---

2   Ont ainsi été recensés une série de près de trois mille cas de patronage qui constituent le premier univers de référence pour l'analyse du phénomène. Ces nombreux cas ont pu être rassemblés par suite d'une lecture attentive tout d'abord des journaux quotidiens, *Le Canada* de juin 1944 jusqu'à la fin de sa publication en 1954 et *Le Devoir* depuis ce moment jusqu'en 1972; ensuite de jounaux proprement partisans, *Le Temps* de l'Union nationale et *La Réforme* du Parti libéral, pour les principaux; enfin de journaux hebdomadaires d'opposition, *Vrai* publié par Jacques Hébert dans la deuxième moitié des années cinquante, et *Québec-Prese*. À travers ces différentes sources, ont été retenus tous les événements rapportés comme illustrant la pratique du patronage au Québec et les événements décrits de telle sorte qu'ils apparaisse avoir tous les caractères d'un cas de patronage.

divers partis provinciaux dans la région de Québec et à travers lesquels nous avons retracé des informations pertinentes à l'objet de notre recherche. Pour terminer, nous avons parcouru la plupart des «mémoires» que des hommes politiques québécois ont publiés au cours des dix années au Québec.

C'est en somme à la suite de ces opérations successives qu'a pu être conduite une analyse du patronage des partis politiques au Québec depuis 1944. Voyons d'abord dans quel cadre cette analyse fut menée.

## Le mode d'analyse

Pour guider notre analyse, nous choisissons d'abord d'interpréter les phénomènes politiques en nous inspirant d'un modèle cybernétique. Ce premier parti-pris théorique amène à concevoir la société politique comme un système finalisé vu sous l'angle du commandement. Les finalités de cette société prennent forme à travers des décisions collectives et se traduisent de façon concrète à travers des processus de répartition de moyens entre les différents acteurs de cette même société, une telle répartition correspondant plus ou moins fidèlement aux normes qui influencent l'orientation des décisions collectives.

L'élaboration et l'exécution des décisions collectives se réalisent à travers trois rôles principaux exercés dans une société politique qui correspondent aux différents postes communément distingués et identifiés comme des postes de gouvernant, de fonctionnaire et de gouverné. À chacun de ces postes principaux correspond une phase précise dans le processus de la régulation gouvernementale. Au niveau des gouvernants, se situe une phase de sélection politique[3]; au niveau des fonctionnaires s'opère une phase de transduction administrative; enfin, le niveau des gouvernés correspond au lieu de l'effection sociale.

Dans une étude sur le patronage politique, quand il est opéré par des acteurs partisans, il s'impose d'identifier encore une catégorie particulière d'agents qui, sous certains aspects, peuvent être rapprochés de l'étage gouvernant et qui, sous d'autres aspects, se retrouvent à l'étage des gouvernés, tout en constituant une sorte de pont entre ces deux étages, en dehors du circuit gouvernants-fonctionnaires-gouvernés. Nous suggérons le terme de connexion socio-politique, ou politico-sociale, pour identifier la phase opérée à ce niveau dans le processus de la régulation gouvernementale. Ces agents jouent généralement un tel rôle à travers des fonctions exercées dans le cadre des partis politiques et ils occupent des postes d'organisateurs[4].

L'action conjointe des gouvernants et des fonctionnaires constitue le Gouvernement, alors que les gouvernés peuvent être perçus comme formant la Communauté. Ces deux grands ensembles, pris comme un tout, représenteraient la Société (voir tableau 1).

Ce processus de la régulation gouvernementale tel qu'il vient d'être représenté se réalise par l'établissement de relations entre les différents acteurs de la

---

3 Les termes ici utilisés pour désigner ces phases sont inspirés du modèle élaboré par Lucien Mehl, dans son texte «Pour une théorie cybernétique de l'action administrative», dans J.M. Aubry *et al., Traité de science administrative,* Paris, Mouton, 1966, p. 781-833. Le schéma présenté plus loin est inspiré de Vincent Lemieux, «Politique et administration selon M.G. Smith», *Revue canadienne des études africaines,* 6 (1972), p. 57-72, et dont on trouvera une élaboration plus récente dans son article de ce recueil.

4 Cette phase de connexion n'est pas opérée par les seuls organisateurs; elle peut, par exemple, encore être opérée à travers des processus de consultation, car ces types de relations ne s'avèrent pas directement pertinents à notre objet d'analyse.

société, relations que nous percevons comme des rapports de puissance résultant de l'instigation entre ces acteurs[5].

La puissance d'un acteur est mesurable à travers sa capacité d'amener un autre acteur à se conformer à sa volonté avec l'intention d'atteindre un objectif précis. Cette puissance d'un acteur, dans un rapport avec d'autres, résultera de la combinaison de ses pouvoirs de contrôle sur l'activité de l'autre ou des autres acteurs avec lesquels il est en rapport et de ses pouvoirs de maîtrise sur sa propre activité[6].

Une telle perception des rapports entre différents acteurs amène à concevoir une opération de patronage comme un processus à travers lequel un patron contribue à rendre un client moins impuissant par la réalisation d'une relation de clientèle. Suite à cette relation de clientèle, le patron poursuivra l'opération de patronage en tentant d'acquérir plus de puissance au niveau de ses rapports avec ses rivaux dans la compétition politique.

## *Tableau 1*

### Représentation cybernétique du processus de la régulation gouvernementale dans une société

SOCIÉTÉ   GOUVERNEMENT   COMMUNAUTÉ

Sélection politique
(Gouvernants)

Effection sociale
(Gouvernés)

Transduction
administrative
(Fonctionnaires)

Connexion politico-sociale
ou socio-politique
(Organisateurs)

5   Bertrand de Jouvenel dit qu'il y a instigation quand A demande à B d'accomplir l'action H. *De la politique pure,* Paris, Calmann Lévy, 1963, p. 29.

6   Ces notions de maîtrise et de contrôle sont définies par Vincent Lemieux, «Le jeu de la communication politique», *Revue canadienne de science politique,* 3 (1970), p. 359-375.

## Une conception politique du patronage

La somme des réflexions retracées à travers les diverses études entreprises du phénomène du patronage permet de déceler certains caractères universellement applicables à la relation opérée entre un *patron* et un *client*. Tout d'abord, cette opération se réalise dans un échange de moyens entre les deux acteurs. Dans le cadre de cet échange, le patron possède une certaine supériorité sur le client et c'est ainsi qu'il est l'opérateur de la relation de patronage. L'opération du patron comporte un caractère disjonctif: le patron n'est pas tenu d'établir un lien de clientèle avec tous ceux qui pourraient être ses clients et il n'est pas obligé d'établir des relations de clientèles semblables avec tous ceux qui sont ses clients[7].

Dans cette optique, une *opération de patronage* pourrait être présentée comme une opération d'échange de moyens produite de façon disjonctive par le patron. Situons cette opération dans le contexte d'une société politique pour l'interpréter à la lumière des concepts qui viennent d'être présentés.

Dès que l'on parle du patronage des partis politiques, le phénomène tel qu'il est souvent caractérisé a déjà une portée politique. Plus fondamentalement, le phénomène est politique en ce qu'il permet au patron d'opérer une double transformation qui rend le client moins impuissant et contribue souvent à augmenter, ou tout au moins à consolider la puissance du patron dans ses rapports avec ses rivaux dans la compétition politique.

## *Tableau 2*

**Représentation graphique du processus
d'une opération de patronage**

Opération
de patronage

Relation
de clientèle

Relation
de rivalité

Niveau de la deuxième transformation

Niveau de la première transformation

P     R     C

---

7    Ce caractère disjonctif de l'opération de patronage permet de la distinguer plus facilement de l'opération d'une relation de caractère bureaucratique.

Cette double transformation pourrait être illustrée de la façon suivante (voir tableau 2). Une opération de patronage renvoie à un ensemble complexe de relations qui peuvent être ramenées, pour une part, à une *relation de clientèle* s'établissant entre un patron (P) et un client (C) suite à laquelle le patron peut, pour une autre part, modifier ou tenter de modifier ses *relations de rivalité* avec ses rivaux (R) dans la compétition politique.

La relation de clientèle se réalise concrètement à travers une double allocation de moyens opérée entre le patron et le client. D'une part, le patron attribue au client un moyen issu du commandement. D'autre part, le client remet à un patron un moyen qui permettra à ce dernier de rendre ses instigations plus puissantes dans la compétition politique à travers des relations de rivalité.

Sous l'angle de rapports de puissance, le processus d'une opération de patronage est le suivant. Laissé à lui-même, l'acteur qui deviendra client par l'établissement d'une relation de clientèle est relativement impuissant pour obtenir le moyen qu'il veut se voir attribuer. Par une opération de patronage, le patron permet une première transformation en faisant en sorte que le client soit moins impuissant vis-à-vis les appareils dont dépend l'attribution du moyen désiré. Le client peut ainsi influencer, de façon directe ou indirecte, le commandement.

Par la suite, grâce aux moyens obtenus du client dans la réalisation de la relation de clientèle, le patron cherche à opérer à son avantage une deuxième transformation par laquelle il modifiera ses rapports dans la compétition politique en tentant d'augmenter ou de consolider sa puissance face à ses rivaux[8].

Dans le contexte d'une société politique, la double transformation opérée dans le patronage signifie que le client obtient de façon moins impuissante des moyens extrants du commandement. Le client, en retour, remet au patron des moyens qui, utilisés à titre d'intrants, rendent les instigations de ce dernier plus puissantes dans la compétition politique.

D'un autre point de vue, la réalisation d'une relation de clientèle peut être conçue comme la réalisation d'un processus d'instigation où B, le réalisateur, accepte de réaliser l'action H commandée par A, mais seulement à certaines conditions.

En pratique, un client peut prendre l'initiative d'une instigation face à un patron en lui demandant de réaliser une première attribution à son avantage. Le patron accepte de réaliser cette première attribution à condition que le client en assure une deuxième à son profit. La réalisation de ce processus d'instigation permet en somme la réalisation de la relation de clientèle au niveau de laquelle s'opère la première transformation. C'est à la suite de la réalisation de cette relation de clientèle que le patron pourra amorcer à son profit la deuxième transformation au niveau de ses relations de rivalité avec ses rivaux dans la compétition politique.

Le processus d'instigation qui correspond à la relation de clientèle peut aussi originer du patron. Il s'agit alors de procéder aux ajustements nécessaires dans la définition des rôles. La nature du processus n'est cependant pas modifiée quant à sa signification fondamentale.

---

8   Dans la série de cas recensés pour saisir et illustrer le phénomène, nous n'avons pas toujours pu déceler clairement l'opération de la deuxième transformation. Cette lacune est principalement due à la nature des sources utilisées. Nous avons retenu les cas où il y avait au moins présomption de la première transformation et du caractère disjonctif de cette transformation, et pour lesquels on laissait soupçonner, le plus souvent de façon non explicite, la réalisation de la deuxième transformation. Pour parler de patronage politique, la deuxième transformation demeure essentielle.

## Les acteurs et les rôles dans une relation de clientèle

Le processus d'instigation que constitue une relation de clientèle se déroule essentiellement entre deux *acteurs principaux,* un patron et un client. Ces acteurs occupent divers postes situés à des phases particulières du processus de la régulation gouvernementale[9] et sont identifiés à un parti politique donné[10].

La relation de clientèle se réalise fondamentalement à travers quatre *rôles nécessaires:* opérateur, récepteur, source, émetteur. Le patron incarne le rôle d'*opérateur* tant vis-à-vis ses clients auxquels il permet d'obtenir plus facilement des moyens qu'ils convoitent que vis-à-vis ses rivaux qu'il cherche à surpasser dans la compétition politique. Le rôle de *récepteur* est par ailleurs personnifié par le client.

En plus d'exercer le rôle d'opérateur, le patron peut encore jouer les deux autres rôles nécessaires de source et d'émetteur ou l'un de ces deux rôles. Sinon, ces rôles seront incarnés par des *acteurs supplémentaires.*

De façon général, le rôle de source est rempli par l'acteur, organisation ou individu, qui détient selon les règles institutionnelles le pouvoir de contrôler la distribution du moyen remis par le patron au client ou, quand de telles règles n'existent pas, l'acteur qui contrôle effectivement l'attribution de ce moyen en dehors d'une relation de clientèle[11]. Le rôle d'*émetteur* est de son côté incarné par l'acteur qui, dans le cadre d'une relation de clientèle, remet au client le moyen attribué grâce à l'intervention du patron.

À la différence du patron et du client, ces acteurs complémentaires ne seront pas nécessairement des acteurs partisans. Ils pourraient être des acteurs non engagés dans un parti politique qui oeuvrent dans le secteur public ou dans le secteur privé. Les acteurs complémentaires peuvent donc être soit des acteurs partisans, soit des acteurs non partisans, publics ou privés. Il en va de même de l'acteur supplémentaire qui remplit le rôle de relayeur.

Le déroulement d'une relation de clientèle peut encore révéler un jeu plus complexe qui entraîne la définition d'un ou deux *rôles secondaires,* soit des rôles de relayeur et d'entremetteur, qui seront respectivement joués par des *acteurs supplémentaires*[12].

---

9  Le client peut être un gouvernement, un fonctionnaire, un organisateur ou un gouverné; le patron, lui, peut être un gouvernant, un fonctionnaire ou un organisateur. Dans une étude du patronage des partis politiques, il peut à prime abord sembler surprenant que des fonctionnaires puissent agir comme patrons. Il est cependant arrivé, parmi les cas observés, que le fonctionnaire soit à ce point identifié comme partisan qu'il nous a fallu retenir ces cas. Si nous n'avons pas de cas où le patron est un gouverné, cela tient en partie au fait suivant: quand un électeur était identifié dans un rôle de patron par rapport à un autre électeur, il était assimilé par nous au groupe des organisateurs.

10  Il est par là possible de constater que le patron a tendance à distribuer des moyens à des clients qui sont de même allégeance que lui. Cette règle, cependant, est loin de comporter un caractère absolu.

11  L'identification d'un tel rôle permettrait de distinguer dans le patronage des partis un patronage «gouvernemental» et un patronage de «parti», c'est-à-dire un patronage par lequel on transmet des moyens «normalement» attribués par les gouvernants ou les fonctionnaires et un patronage par lequel on distribue des moyens dont le parti est la source. Nous avons vite pris conscience que nos informateurs s'attachaient d'abord à «dénoncer» le patronage par lequel sont remis au client des moyens «normalement» contrôlés par le Gouvernement et les organisations qui s'y rattachent.

12  Ces rôles ne sont peut-être pas évalués très justement à travers l'ensemble de cas recensés pour amorcer l'analyse du phénomène au Québec. Cette lacune tiendrait principalement à ce que l'informateur qui dénonce un cas de patronage le fait avec l'intention de causer préjudice au patron identifié dans ce cas tout en jugeant que le tort causé sera proportionnel à l'impression d'abus dans la forme ou d'excès dans la répétition ou l'ampleur qu'une telle dénonciation pourra créer. Il devient ainsi plausible que l'informateur cherche à grossir le rôle du patron et soit porté à faire abstraction des autres acteurs qui auraient pu être reliés au processus de la relation de clientèle rapportée.

Dans de tels cas, le rôle de *relayeur* est en pratique incarné par un acteur qui se situe entre le patron et la source et qui transmet de la source au patron un moyen que ce dernier va remettre à un client donné ou transmet à la source le commandement du patron d'attribuer tel moyen au client. L'acteur qui joue, lui, le rôle d'*entremetteur* (ou d'intermédiaire) est l'acteur qui, dans une relation de clientèle, sert de point de contact entre le patron et le client sans toutefois être responsable du fait que le patron attribue ou non le moyen attendu par le client [13].

Avant d'apporter quelques précisions sur la nature et les qualités des moyens échangés entre un patron et un client, il apparaît pertinent de pouvoir identifier, dans une analyse du phénomène du patronage, celui qui prend l'initiative de la relation de clientèle [14]. Cet acteur peut être présenté comme l'acteur qui, parmi ceux qui contribuent à la réalisation de cette relation, fait une première démarche auprès de l'un des autres acteurs pour suggérer, en partie ou en totalité, les conditions d'un échange qui pourrait se réaliser entre un patron et un client, ou parfois même pour déterminer les conditions d'un tel échange quand il est en mesure de soumettre complètement cet autre acteur [15].

## Les moyens échangés et des modèles d'échange

Les moyens échangés entre un patron et un client, identifiés empiriquement, sont très divers. Ainsi, pour l'ensemble des cas recensés, les moyens qui sont le plus souvent attribués par un patron à un client, sont dans l'ordre: des emplois dans la fonction publique: «jobs», positions et situations (20.5% [16]); des subventions (12.4%); des contrats (9.7%); des achats pour des besoins publics (5.1%); des travaux de voirie (4.7%); des commissions (4.7%); de l'argent (4.6%); etc. [17]. Le patron, quand il remet des moyens à un client, guide son opération à partir de certains critères économiques. De façon concrète, la «valeur» des moyens attribués à un client n'est pas étrangère à la «valeur» qu'un client peut assurer à un patron.

---

13   Le rôle d'entremetteur, incarné la plupart du temps par des acteurs partisans, est généralement joué ensuite à une demande du client. Il importe de bien saisir la perception qu'a le client du statut des acteurs avec lesquels il est en contact. Si par exemple le client perçoit l'acteur qui joue le rôle d'entremetteur comme son patron, cet acteur devra être identifié comme l'opérateur de la relation de clientèle. Les autres acteurs seront alors replacés dans les rôles qui conviennent à leur activité dans la réalisation de cette relation. Le même danger d'ambiguïté peut s'appliquer à l'acteur qui jouera le rôle d'émetteur quand ce rôle ne sera pas joué par le patron lui-même. C'est pourquoi nous adoptons le point de vue du client pour situer les acteurs dans leurs rôles respectifs.

14   Si le patron est perçu comme l'opérateur du patronage, il n'est pas nécessairement celui qui prend l'initiative du processus d'instigation que constitue une relation de clientèle.

15   On saisit que seul le patron pourrait contribuer à déterminer de façon aussi absolue ces conditions.

16   Cette proportion pourrait être encore plus élevée. Nous avons en effet assumé que si un informateur rapportait, par exemple, en termes généraux vingt cas de congédiement dans un ministère à la suite d'un changement de gouvernement, il s'agissait là d'un seul cas de patronage et non pas de vingt. Quant à la distinction proposée entre les termes «job», position et situation, elle s'inspire d'un texte de Gilles Vigneault et elle ne peut être qu'approximative. Ainsi, le terme «job» correspondrait à un emploi de moindre importance, souvent non permanent alors que le terme position référerait à un emploi permanent, souvent assez rémunérateur. Le terme situation se rapporterait de son côté à un emploi qui, en plus d'être assez rémunérateur, comporte un prestige certain tout en n'étant pas nécessairement permanent.

17   Il est intéressant de remarquer que ces moyens remis au client n'occupent pas le même ordre d'importance selon que le patron est un gouvernant ou un organisateur. Ainsi, un patron-gouvernant attribue d'abord à un client les moyens suivants: des subventions (13.0%); des contrats (10.2%); des positions (9.5%); des situations (6.9%); des achats pour des besoins collectifs (6.0%); des inaugurations (5.9%); des commissions (5.5%); des travaux de voirie (5.2%); etc. De son côté, le patron-organisateur remet plus souvent les moyens suivants: des «jobs» (14.3%); de l'argent (11.9%); des subventions (10.0%); des positions (8.4%); des contrats (6.9%); des biens de consommation (6.0%); etc.

Ces moyens qui sont remis au patron par le client sont, on s'y attend, d'un tout autre ordre. Ils se rapportent directement ou indirectement aux activités électorales des partis, l'action électorale constituant, selon les règles du jeu politique, une des voies privilégiées par lesquelles les partis peuvent augmenter leur puissance dans la compétition politique. Pratiquement, ces moyens peuvent être identifiés, dans leur ordre d'importance, comme les suivants: le vote (28.8%); du travail d'élection ou d'organisation à divers niveaux (19.7%); des services partisans divers (17.2%); l'allégeance à un parti (10.4%)[18]; des contributions à la caisse électorale (5.4%); etc.

Le moyen remis par le client ou le patron à l'autre partie n'a pas de valeur «neutre»; il peut comporter un effet positif ou un effet négatif pour l'acteur auquel il est attribué. Ce qui justifie de parler de patronage positif et de patronage négatif. Ainsi, il y a *patronage positif* quand, par la réalisation d'une relation de clientèle, le patron ou le client remet à l'autre partie un moyen qui correspond à un avantage pour cette autre partie. Il y a par contre *patronage négatif* quand un acteur, patron ou client, retire à l'autre partie ou refuse de lui remettre un moyen qui correspond à un avantage pour cette autre partie.

L'attribution des moyens dans la réalisation de la relation de clientèle, qu'elle ait des effets positifs ou négatifs aux yeux de l'acteur auquel ces moyens sont destinés, peut être acquise ou simplement potentielle. Cette attribution est dite *acquise* quand un acteur, patron ou client, remet ou a déjà remis un moyen à l'autre partie; dans un tel cas, l'instigation est réalisée. Elle est par ailleurs dite potentielle quand cet acteur, patron ou client, promet simplement d'attribuer un moyen à l'autre partie; les conditions de l'instigation sont alors définies, mais l'instigation n'est pas achevée.

La combinaison de ces deux qualités rattachées aux moyens attribués par le patron ou le client dans le processus d'une relation de clientèle, à savoir les effets positifs ou négatifs de l'attribution et son caractère acquis ou potentiel, permet de définir par analogie des modèles de l'échange qui s'opère entre ce patron et ce client. Ainsi, l'attribution correspond, selon les qualités du moyen transmis, à une «récompense» quand le moyen remis est positif et acquis, à une «promesse» quand le moyen attribué est positif et potentiel, à une «punition» quand le moyen transmis est négatif et acquis, et à une «menace» quand le moyen attribué est négatif et potentiel.

Des modèles d'échange, pour ceux qui sont observés le plus souvent, peuvent alors être décrits sommairement. Le plus souvent, soit dans 52.5% des cas observés, le patron attribue un moyen positif et acquis à un client quand celui-ci remet, ou lui a déjà remis, un moyen positif et acquis: la relation de clientèle est achevée et le patron est en mesure d'amorcer la réalisation de la deuxième transformation au niveau de ses relations de rivalité avec ses rivaux dans la compétition politique. Par la suite, c'est-à-dire pour 21.7% des cas, le patron remet un moyen positif et acquis à un client alors que celui-ci attribue à ce patron un moyen positif mais seulement potentiel; la relation de clientèle n'est pas complètement réalisée et la deuxième transformation, au profit du patron, ne pourra être opérée au niveau des relations de rivalité seulement quand le client donnera suite à son engagement dans le cadre de la relation de clientèle. En troisième lieu, dans une proportion de 12.5% des cas, le patron transmet un moyen négatif et acquis à un client qui lui attribue, ou lui a déjà attribué, lui aussi, un moyen négatif et acquis: la relation de clientèle est «achevée», mais dans un sens négatif, et elle ne peut contribuer à améliorer la position du patron dans ses relations

---

18    Dans bon nombre de cas, ces services partisans renvoient au fait qu'un individu ait occupé, au nom du parti, des postes comme ceux de ministre, conseiller législatif, député, ou encore qu'il ait simplement été candidat au nom de ce parti, même si ce n'est qu'à un congrès de nomination de candidat.

de rivalité avec ses rivaux dans la compétition politique. Un autre modèle d'échange renvoie, pour une proportion de 7.2%, à des cas où le patron attribue un moyen positif et potentiel à un client qui attribue, lui aussi, un moyen positif et potentiel au patron: les conditions de la relation de clientèle sont définies, mais l'opération de patronage ne pourra être réalisée que si la relation de clientèle est opérée dans l'avenir.

## L'évolution du phénomène au Québec

Il peut être intéressant de voir si la pratique du patronage a évolué au Québec et quelles orientations cette évolution a empruntées. Bien situer une évolution de la pratique du patronage des partis politiques au Québec en nous inspirant du modèle et des concepts ici présentés, oblige à tenir compte de l'évolution des conditions politiques et administratives.

Ces conditions politiques et administratives seront d'abord saisissables au niveau des lois et règlements qui régissent particulièrement les règles du jeu électoral, les relations entre le Gouvernement et la Communauté, et la distribution de certains moyens contrôlés par le Gouvernement et allant vers la Communauté. Il peut par ailleurs se développer des règles du jeu informelles qui, tout en étant plus difficilement identifiables, n'en demeurent pas moins importantes dans l'adoption de conduites politiques particulières en ce sens qu'elles contribuent à influencer ces conduites.

La construction de ces conditions, aussi bien formelles qu'informelles, résulte souvent de la conjoncture politique. La conjoncture politique renvoie à une série d'éléments plus ou moins diffus qui contribuent à façonner dans un processus plus ou moins lent de nouveaux modèles de conduites politiques ou de nouvelles conditions qui orientent ces conduites politiques sans toujours les déterminer absolument. Cette conjoncture politique prend forme à partir d'événements précis qui, étant interprétés à partir de certaines valeurs culturelles et se produisant dans des conditions sociales, économiques et d'informations données, favorisent l'émergence de nouvelles conditions politiques.

Si les conditions politiques et administratives ne peuvent être absolument déterminantes de la pratique du patronage, elles peuvent en influencer l'orientation et la portée[19]. Une illustration simple, au moyen de la description de deux opérations peu complexes de patronage, aidera à mieux saisir la portée de cette dernière proposition. Ces deux opérations mettent en présence les acteurs suivants: un client-gouverné (un électeur), un patron-gouvernant (un député), et un acteur qui joue en même temps le rôle de source et peut être encore amené à jouer le rôle d'émetteur (la Commission de la Fonction publique). Dans les deux cas, le client veut se voir attribuer un emploi dans la fonction publique.

Dans un premier cas, il arrivait souvent, avant 1960, que le client demande au patron, le député, de lui obtenir cet emploi. Le patron demandait à la Commission de la Fonction publique (C.F.P.), connue alors sous le vocable de Commission du Service civil (C.S.C.) d'attribuer un emploi au client concerné, même si elle était officiellement la source de cet emploi. La C.S.C. pouvait parfois être amenée à jouer un rôle d'émetteur.

En relation avec la conjoncture politique, les règles régissant l'attribution

---

19  Il y a une erreur souvent répétée qui amène à percevoir le patronage comme dérogeant toujours aux règles officielles. L'opération de patronage n'est pas nécessairement une activité illégale ou paralégale: il peut arriver qu'elle soit réalisée dans les limites de certains mécanismes prévus par la loi.

des emplois dans la fonction publique ont été redéfinies au début des années soixante et doivent être depuis ce temps appliquées avec plus de rigueur. Ainsi, tous les postulants à un emploi doivent d'abord se présenter à un concours à la suite duquel, s'ils réussissent, ils pourront être admis à une liste d'éligibilité au sein de laquelle les «employeurs» de la fonction publique devraient choisir la personne nécessaire pour combler un poste vacant. Un patron peut donc difficilement imposer le choix d'un client si celui-ci n'est pas d'abord inscrit sur une telle liste d'éligibilité.

L'opération décrite ci-après va aider à comprendre comment de nouvelles conditions peuvent contribuer à réorienter les conduites des acteurs. Récemment, un électeur se présente à un concours administré par la C.F.P.; il est jugé apte et est inscrit sur une liste d'éligibilité. Le député obtient cette liste d'éligibilité ou en prend connaissance. À ce moment, le député commence à opérer une relation de clientèle. Comme patron, il va rencontrer l'électeur qu'il veut soumettre à un lien de clientèle et lui dit: «j'ai appris que vous cherchiez à obtenir un emploi dans la fonction publique; je vous ai trouvé un poste: veuillez vous présenter demain matin au bureau X, à l'heure Y». La C.F.P., tout en étant la source du moyen attribué, a ainsi été amenée, consciemment ou non, à participer à l'opération. Le député est devenu, dans le processus décrit, tout au moins l'opérateur d'une relation de clientèle qui pourra déboucher en une opération complète de patronage.

La description sommaire de ces deux opérations suffit déjà à faire comprendre que les conditions politiques et administratives peuvent influencer sur les modalités des opérations de patronage. Nous estimons aussi que ces mêmes conditions vont aussi avoir une influence sur l'ampleur de la pratique du patronage. Sur ce point, la distribution des cas recensés sur une base longitudinale démontrerait que la pratique du patronage des partis politiques au Québec a été plus courante entre 1952 et 1962. Un tel résultat doit cependant être pondéré par une série de facteurs[20].

Ces facteurs invitent à une grande prudence dans l'interprétation des données statistiques. D'ailleurs, bon nombre de nos informateurs disaient, en cours d'entrevue, que la pratique du patronage par les partis politiques est peut-être — certains disaient «sûrement» — aussi courante de nos jours même si on en parle moins.

En somme, l'ampleur de la pratique du patronage par les partis politiques au Québec n'aurait pas varié autant qu'on veut souvent le croire, mais elle serait plus raffinée dans ses formes. De plus, les partis apprendraient à opérer dans des champs nouveaux, en remplacement de champs traditionnels qui leur auraient échappé petit à petit par l'extension graduelle du système bureaucratique. Les données qui suivent aideront à déceler des tendances plus particulières dans l'évolution du phénomène.

Même si en termes absolus le patron demeure toujours l'acteur qui prend le plus souvent l'initiative de l'opération de patronage, il ressort qu'en termes relatifs le client avait plus tendance à prendre cette initiative avant 1960, particulièrement

---

20   A la fin des années cinquante, le patronage politique avait pu devenir un enjeu politique. L'existence et le travail de la Commission Salvas (Commission royale d'enquête sur la vente du réseau de gaz de l'Hydro-Québec à la Corporation de gaz naturel du Québec, 1961-1962), les dénonciations répétées des libéraux qui pouvaient compter avec une attitude de réceptivité du public, les enquêtes nombreuses et détaillées de Pierre Laporte alors journaliste au *Devoir,* etc., tout cela a pu contribuer à augmenter le nombre de cas recensés pour la seconde moitié des années cinquante, nous empêchant ainsi de tirer des conclusions sûres quant à l'ampleur de la pratique du patronage. Il apparaît aussi qu'au début des années soixante l'Union nationale s'est employée à dénoncer systématiquement le patronage opéré par les libéraux pour démontrer que les «purs d'hier» n'étaient peut-être pas aussi purs qu'ils avaient réussi à le faire croire. Il ne faut pas encore négliger le fait que les libéraux sortaient d'un «long carême» qui avait duré seize ans; ce qui expliquerait l'ampleur des appétits de plusieurs d'entre eux.

quand le patron était un gouvernant. Plus précisément, le client en est venu progressivement à prendre l'initiative de l'opération dans une proportion de plus en plus grande de cas entre 1944 et 1956. Par la suite, et cela jusqu'en 1966, le phénomène a évolué en «progression inverse». Enfin, depuis ce moment, on serait porté à croire que le client est de plus en plus enclin à prendre l'initiative de l'opération de patronage[21].

Nos données révèlent encore qu'il y a évolution en ce qui concerne les opérateurs du patronage. En effet, depuis 1962, il apparaît que les organisateurs sont relativement moins actifs comme patrons. Et parallèlement, une tendance amorcée depuis déjà 1956 tend à démontrer que ces organisateurs sont de plus en plus limités à jouer les rôles d'entremetteurs ou d'émetteurs dans la réalisation d'une relation de clientèle. L'aire des possibles se rétrécissant en ce qui touche la pratique du patronage, la liberté d'action des organisateurs s'est trouvée affectée. D'autre part, il est possible que les gouvernants, particulièrement le député, aient choisi de se réserver une part plus grande dans l'administration du patronage[22].

L'évolution des conditions dans lesquelles se situe la pratique du patronage des partis politiques nous aide à comprendre que l'argent, couramment distribué lors des campagnes électorales des années quarante et cinquante, constitue un moyen moins souvent remis par un patron à un client dans la réalisation d'une relation de clientèle. De même peut-on comprendre que, depuis 1962, des moyens tels des bourses, des pensions, des emplois, etc., soient de moins en moins attribués par un patron à un client dans une relation de clientèle, surtout quand ce patron est organisateur[23].

En corrélation avec la pratique moins courante du patronage des emplois depuis 1962, il n'est pas surprenant de constater que le patronage s'exerce moins auprès de clients-fonctionnaires depuis ce moment. Et dans le cas où on dénote encore leur présence à titre de clients, ceux-ci n'ont presque plus à attribuer au patron des moyens tels le travail d'élection ou d'organisation pour un parti. Pratiquement, les fonctionnaires n'ont plus tellement à assurer leur sécurité par le biais de services rendus au parti ministériel, leur syndicalisation les protégeant contre certains aléas politiques comme un changement de gouvernement.

Enfin, les services partisans, comme moyens transmis par un client à un patron en vue de la réalisation de la deuxième transformation, apparaissent de plus en plus appeler des récompenses. Ce qui signifierait, en pratique, que le fait de faire de la politique constitue un risque de moins en moins grand.

Suite à ces diverses constatations, une remarque d'ordre général s'impose. Il semble que la définition de règles de plus en plus nombreuses pour encadrer les relations entre le Gouvernement et la Communauté et les modes de distribution des

---

21   Une telle évolution doit être située dans le contexte suivant. Peu à peu, les électeurs en étaient venus à considérer comme «normal» d'obtenir des moyens du Gouvernement par voie de patronage; ce que suggère jusqu'à un certain point l'expression de «patronage érigé en système». Mais, à la fin des années cinquante, ils ont possiblement développé une certaine «gêne» à quémander des moyens de cette manière, compte tenu des dénonciations fracassantes de cette pratique. Mais les règles bureaucratiques régissent de plus en plus largement les rapports entre le Gouvernement et la Communauté, une partie des électeurs seraient de plus en plus tentés de personnaliser leurs rapports avec l'appareil d'État par le biais de relations de clientèle.

22   Les organisateurs interviewés manifestent justement des sentiments qui trahissent leur perte de pouvoir et de prestige. Bien plus, les députés actuels que nous avons rencontrés sont à peu près unanimes à dire que les électeurs vont de plus en plus directement à eux, sans passer par l'organisateur.

23   De telles tendances peuvent en grande partie s'expliquer par suite de l'adoption, depuis 1960, de nombreuses lois dans le domaine social, dans le domaine de l'éducation, etc. En ce qui touche les emplois, il faut encore tenir compte de l'événement que constitue la syndicalisation des fonctionnaires au début des années soixante.

moyens allant du Gouvernement vers cette Communauté n'assure pas immanquablement l'élimination du patronage opéré par les partis politiques au sein d'une société politique donnée. Le fait de restreindre la notion de patronage politique à la seule attribution d'emplois dans la fonction publique ou à la distribution sélective de prestations sociales sous l'influence d'acteurs partisans à des électeurs avec l'intention de les inciter à voter ou à travailler pour le parti — ou pour les remercier de l'avoir fait — pourrait conduire à croire plus facilement à des solutions magiques. Mais la pratique du patronage des partis politiques, tel que conçu ici, recouvre en fait une réalité beaucoup plus large.

## Les différences entre les partis

Lorsque nous demandions à nos informateurs, au cours d'entrevues menées auprès d'eux, s'ils percevaient des particularités propres au patronage de l'Union nationale par opposition à celui du Parti libéral, des formules de jugements revenaient de façon presque stéréotypée mais étaient très rarement élaborées. Ainsi, bon nombre d'entre eux disaient que l'Union nationale faisait du «petit patronage» alors que le Parti libéral faisait le «gros patronage». D'autres, en des termes différents, évaluaient que le patronage des libéraux est un patronage «pour les riches»; d'autres croyaient que le patronage des unionistes était «plus populaire». La plupart affirmaient que le patronage du Parti libéral est plus raffiné, «plus caché», par opposition à celui de l'Union nationale qui était «plus ouvert». Enfin, la plupart, excepté les libéraux, et on comprend pourquoi, soutenaient que les libéraux étaient «plus durs» dans la pratique du patronage alors que les unionistes pratiquaient un patronage «plus humanitaire», pour ne pas dire «plus juste».

Ces jugements coïncident avec des évaluations souvent formulées au sujet du patronage de chacun des partis. Nos données permettent cependant de les expliciter quelque peu.

Tout d'abord, par le type de clientèle qu'il permet de rejoindre, le patronage de l'Union nationale a des effets plus étendus, acquérant ainsi un caractère plus «universaliste». En effet, les patrons unionistes établissent relativement plus souvent que les libéraux des liens de clientèle avec des collectivités[24].

De son côté, le patronage des libéraux semblerait profiter d'abord aux amis. Un tel jugement s'appuie sur le fait que les patrons établissent moins de relations de clientèle avec des clients d'un autre parti que ne le font les patrons unionistes. Il faut cependant souligner que, dans une perspective longitudinale, les patrons unionistes avaient de plus en plus tendance à restreindre leurs relations de clientèle à des clients du même parti, c'est-à-dire eux aussi unionistes[25].

Que le patronage des libéraux soit plus réservé aux amis est un jugement qui tend encore à se confirmer quand on constate que les patrons libéraux remettent

---

24  Le terme collectivité réfère ici à des appareils comme les municipalités, les commissions scolaires, etc., et aux ensembles de populations que ces appareils recouvrent. Cette particularité du patronage unioniste a déjà été décrite éloquemment par Herbert F. Quinn, *The Union nationale; A Study in Québec Nationalism,* Toronto, University of Toronto Press, 1963.

25  Ce qui vient d'être dit s'applique bien aux cas de patronage positif. Mais lorsque l'on examine la portion de «réalité» à laquelle renvoie le patronage négatif, certaines corrections doivent être apportées. Quand il s'agit d'attribuer des moyens négatifs et acquis à des clients d'un autre parti, les patrons libéraux opèrent relativement plus de relations de clientèle que ne le font les patrons unionistes. Cette différence avait tendance à s'accentuer, l'Union nationale ayant de moins en moins tendance à opérer ce patronage «punitif» face à des clients non unionistes alors qu'une telle tendance ne peut être perçue, dans le temps, pour les cas où le patron est libéral.

relativement plus souvent des moyens à des clients-gouvernants, à des clients-organisateurs que ce n'est le cas pour les patrons unionistes[26].

Sur un autre plan, il ressort encore que les clients-gouvernés prennent plus souvent l'initiative de l'opération de patronage quand le patron est de l'Union nationale. Par ailleurs, les clients-organisateurs sont relativement plus souvent à l'origine d'une opération de patronage quand le patron est libéral.

L'Union nationale apparaît justement comme un parti plus populiste: ses représentant élus se veulent plus près du peuple[27]; il faut faire preuve de bienveillance, de mansuétude, il faut aider les gens qui ont de la misère, il faut soulager la misère, etc. Les organisteurs unionistes diront: «Tout le monde a le droit de vivre!». De tels propos aident déjà à comprendre, à mieux situer les différences constatées entre les clientèles propres à chacun des deux partis. Mais il est encore symptomatique de remarquer que les organisateurs libéraux, presqu'à l'unanimité, expriment une répugnance assez vive face au «quémandage» des électeurs, même s'ils jugent important de répondre aux demandes que ceux-ci leur adressent. Une telle répugnance existe aussi, il est vrai, chez les organisteurs unionistes, mais à un degré moindre[28].

En somme, l'Union nationale apparaît comme un parti plus électoraliste en ce sens que le patronage de l'Union nationale serait plus immédiatement, si on peut s'exprimer de cette manière, administré en vue de gains électoraux. Par le patronage, on cherche à se gagner des appuis, les plus massifs possibles: on tente alors de rejoindre les collectivités plus que ne le font les libéraux.

Cette tendance plus électoraliste de l'Union nationale se précise en constatant que le moyen, acquis ou potentiel, que représente le vote est plus souvent remis par les clients aux patrons unionistes. Quand le patron est libéral, la situation est un peu différente. Le vote est, bien sûr, attribué assez souvent par un client à un patron libéral, mais il l'est relativement moins que dans les cas où le patron est unioniste. L'allégeance[29], si on peut en parler en termes de moyen attribué à un client par un patron, occupe par ailleurs une place relativement plus grande parmi ces moyens quand le patron est libéral par opposition aux cas où le patron est unioniste[30].

Une distinction peut être faite entre le patronage du Parti libéral et celui de l'Union nationale. Les patrons libéraux attribuent relativement plus souvent des

---

26  Un informateur suggérait que cette différence tenait à un esprit de parti plus poussé chez les unionistes. Les unionistes seraient d'une certaine manière prêts à se sacrifier pour le bien du parti en ce sens qu'ils accepteraient plus facilement que les libéraux de ne pas se réserver des moyens attribués par voie de patronage pour les remettre à d'autres, même des non-unionistes, si cela peut être bénéfique pour le parti.

27  Une telle préoccupation revenait presque en leitmotiv dans la bouche de nos informateurs unionistes au cours des entrevues menées auprès d'eux. Vincent Lemieux formalise justement ces préoccupations de l'Union nationale en la comparant, sur ce point, aux autres partis politiques québécois: «La gauche: rétrospective et prospective», dans *Le quotient politique vrai*, Québec, Presses de l'Université Laval, 1973, p. 57-66.

28  L'allégeance réfère à l'appartenance à un parti sans qu'il y ait eu nécessairement travail d'élection ou d'organisation pour ce parti, mais cette appartenance correspond à plus qu'un simple vote ou qu'une simple identification symbolique au parti. On pourrait parler de l'acteur porteur de cette qualité comme d'un partisan, constituant un moyen terme entre le militant et l'électeur.

29  Nous pouvons ici préciser notre jugement sur le comportement plus électoraliste de l'Union nationale à travers les opérations de patronage. Les unionistes cherchent d'abord à se voir attribuer par le client dans la relation de clientèle des votes qui permettront la réalisation, à leur profit, de la deuxième transformation. Les libéraux, comparativement aux unionistes, travaillent plutôt à obtenir du client dans la relation de clientèle des moyens qui profiteront à leur organisation pour ainsi leur permettre de réaliser à leur avantage la deuxième transformation. Somme toute, les deux partis ont une visée électoraliste dans l'opération de leur patronage. L'Union nationale y va cependant plus directement.

30  Ce qui pourrait expliquer que plusieurs personnes parlent de «gros» et de «petit» patronage pour caractériser, dans l'ordre, le patronage de chacun des deux partis.

contrats à leurs clients, particulièrement quand ces clients peuvent être identifiés comme des compagnies. Cette tendance se vérifie encore quand ces clients sont des entrepreneurs dont l'entreprise est de taille plus restreinte, mais dans de tel cas, la différence entre le Parti libéral et l'Union nationale est moins accentuée [31].

Du fait qu'ils privilégient les relations de clientèle avec des collectivités, les patrons unionistes distribuent plus souvent des moyens tels que des subventions, des travaux de voirie. Ils se servent encore plus souvent des inaugurations ou bénédictions que ne le font les libéraux pour au moins suggérer des liens de clientèle [32].

Sous un autre aspect, les libéraux semblent plus machiavéliques dans leurs relations avec les clients. Ainsi, ils se voient remettre relativement plus souvent des moyens acquis de la part de ces clients alors que les patrons unionistes, de leur côté, semblent mieux accepter d'attribuer des moyens acquis à des clients contre des moyens attribués seulement de façon potentielle par ses clients [33].

Le patronage de l'Union nationale et du Parti libéral se distinguent encore au niveau des acteurs qui interviennent dans les relations de clientèle attribuables à chacun des partis. Ainsi, les acteurs partisans jouant le rôle d'émetteurs ou de relayeurs se rencontrent relativement plus souvent dans les relations où le patron est unioniste. Cette constatation est d'ailleurs confirmée dans le cadre des entrevues menées auprès des organisateurs; les organisateurs unionistes apparaissent en effet jouer un rôle plus actif dans la distribution du patronage, même si ce n'est qu'à titre d'entremetteurs et surtout d'émetteurs ou de relayeurs.

De plus, les acteurs privés, non partisans, qui jouent le rôle d'émetteurs sont relativement plus présents dans les relations de clientèle où le patron est unioniste [34]. Cependant, pour les cas où le patron est libéral, les acteurs publics, non partisans, qui jouent le rôle d'émetteurs sont présents relativement plus souvent. Ce qui aiderait à comprendre que plusieurs informateurs jugent que le patronage du Parti libéral est plus raffiné, «plus caché» [35].

---

31    Une telle distinction peut surprendre, car on sait bien que les libéraux distribuent eux aussi des subventions à des collectivités et que leurs représentants président eux aussi à des inaugurations diverses. La différence tient principalement à la façon dont l'Union nationale attribue ces moyens: souvent, on confère un caractère plus prononcé de disjonctivité à cette attribution en la situant presque formellement dans le cadre d'une première transformation opérée par un patron qui appellerait la remise de moyens à un patron dans le but de réaliser la deuxième transformation.

32    L'image de grosse entreprise suggérée par un informateur pour dépeindre le Parti libéral se rattache assez bien à de telles constatations; chez les libéraux, on a peut-être tendance à faire le patronage comme on fait des affaires. En opposition à cette façon de faire, les patrons unionistes semblent plutôt s'adonner à des «opérations-charme» auprès de leurs clients. Si on se reporte à une contatation déjà faite, à savoir que les unionistes établissent relativement plus souvent des liens de clientèle avec des non-unionistes, une telle remarque prend du poids.

33    En référant encore une fois au contenu des entrevues auprès des organisateurs, on perçoit chez les unionistes une volonté plus grande d'amener les fonctionnaires à collaborer. Cette collaboration se concrétise dans des rôles de relayeurs. En ce qui touche les acteurs privés, non partisans, qui jouent des rôles de relayeurs ou d'émetteurs, quelques-uns des informateurs ont justement raconté de quelle manière ils obtenaient la «collaboration» des entreprises privées. Les informateurs unionistes semblaient en parler plus en connaissance de cause que les informateurs libéraux mais un telle évaluation ne peut être que limitée.

34    On sait bien que si un moyen attribué à un client par un patron dans le cadre de la première transformation opérée dans une relation de clientèle est remise au client par un acteur public, non partisan, jouant le rôle d'émetteur, il s'avèrera plus difficile de présenter cette attribution comme reliée à un cas de patronage.

35    On saisit bien que si un moyen attribué à un client par un patron dans le cadre de la première transformation opérée dans une relation de clientèle est remis au client par un acteur public, non partisan, jouant le rôle d'émetteur, il s'avèrera plus difficile de présenter cette attribution comme reliée à un cas de patronage.

Sur un plan plus général, cette série de constatations successives suggère que les libéraux et les unionistes agissent à partir de conceptions différentes au sujet de la politique. Les unionistes seraient non-divisifs alors que les libéraux favoriseraient une plus grande compétition en politique. Les unionistes chercheraient, de façon plus poussée que les libéraux, à établir une sorte de consensus dans la Communauté. A la limite, il pourrait être dit que l'Union nationale cherche à reproduire au niveau de la Communauté un véritable «esprit communautaire» et à favoriser l'émergence de relations semblables à celles entretenues entre les membres d'une même famille.

De plus, le type de patronage opéré par l'Union nationale, en comparaison avec celui opéré par le Parti libéral, porte à croire que les unionistes s'attribuent à un degré plus élevé que les libéraux un rôle de médiation entre la Communauté et le Gouvernement. Faire de la politique équivaudrait plus pour les unionistes à rendre service aux gens qu'à voter des lois.

## Conclusion

Notre perception du phénomène s'est située plutôt à vol d'oiseau en ce sens que les techniques employées pour observer le phénomène nous permettait difficilement de le saisir dans toute sa complexité. De cette manière, il nous a été pratiquement impossible de reconstituer le raisonnement et les processus mentaux des acteurs participant à la réalisation d'une opération de patronage.

Nous n'avons peut-être réussi à saisir et à décrire qu'une part infime de la réalité du phénomène. Plus présisément, nous n'avons bien réussi à analyser en termes suffisants que les seules relations de clientèle dans le processus d'une opération de patronage, les relations de rivalité rattachées au phénomène par le biais de la deuxième transformation étant peu présentes à travers les sources consultées.

Une étude de l'évolution du phénomène amène tout de même à conclure que les opérations de patronage occupent encore une place significative dans l'ensemble des relations qui ont cours entre les différents acteurs de la société politique québécoise. Pourtant, on attribue souvent l'existence du patronage à des états de société moins évolués: une telle évaluation s'inspire peut-être d'une conception trop normative du phénomène. Si nous devons reconnaître que le patronage rencontre des conditions plus propices à son exercice dans des sociétés traditionnelles et dans des sociétés en voie de développement, le phénomène continue de se manifester dans des sociétés considérées comme modernes, même s'il est possiblement moins courant, ou moins apparent, et se présente sûrement dans des formes différentes.

La résistance à la bureaucratisation plus poussée dans nos sociétés modernes peut justement, entre autres, se manifester à travers la réalisation d'opérations de patronage. Bien sûr, à mesure que l'État étend le champ de ses juridictions et institutionnalise des règles précises de fonctionnement, le champ de manoeuvres peut se rétrécir momentanément; mais on peut prévoir que le phénomène du patronage des partis politiques arrivera à de nouvelles adaptations, du moins aussi longtemps que des mécanismes compensatoires n'auront pas été inventés dans le cadre de ces conditions nouvelles. Tout au moins en ce qui concerne le «petit» patronage.

L'étude d'un tel phénomène conduit au minimum à poser sous un angle différent, peut-être nouveau, le problème des relations entre le Gouvernement et la Communauté telles qu'elles sont conçues actuellement. Et ce problème est peut-être plus crucial encore dans une société comme celle du Québec qui a dû assumer le passage, peut-être plus rapidement qu'ailleurs, d'un style politique traditionnel à un style plus moderne.

*Lectures recommandées*

J. Hamelin et M. Hamelin, *Les moeurs électorales dans le Québec de 1791 à nos jours,* Montréal, Jour, 1962.

V. Lemieux, «Le législateur et le médiateur. Analyse d'une campagne électorale», *Recherches sociographiques,* 3, 1962, p. 331-345.

——————, *Le patronage politique. Une étude comparative,* Québec, Presses de l'Université Laval, à paraître.

——————, «Le patronage politique dans l'Ile d'Orléans», *L'Homme,* 10, no 2, avril-juin 1970, p. 22-44.

——————, «Patronage ou Bureaucratie», dans *Parenté et politique. L'organisation sociale dans l'Ile d'Orléans,* Québec, Presses de l'Université Laval, 1971, appendice C. p. 225-235.

V. Lemieux et R. Hudon, avec la collaboration de N. Aubé, *Patronage et politique au Québec; le patronage des partis politiques au Québec depuis 1944,* Trois-Rivières, Boréal-Express, 1975.

G. Paquet et J.-P. Wallot, *Patronage et pouvoir dans le Bas-Canada (1794-1812),* Montréal, Presses de l'Université du Québec, 1973.

H.F. Quinn, *The Union Nationale: A Study in Québec Nationalism,* Toronto, University of Toronto Press, 1963.

*...par l'implantation
de structures
politico-administratives*

# Chapitre 6

# Une analyse politique des affaires sociales au Québec*

Brigitte von Schoenberg
Université du Québec à Montréal.

François Renaud
Ministère des Affaires sociales.

*Brigitte von Schoenberg est chargée de cours au département de science politique de l'Université du Québec à Montréal et François Renaud, chargé de projets au Ministère des Affaires sociales du Québec. Ils s'intéressent tous deux aux partis politiques et aux groupes de pressions québécois, sujets sur lesquels ils ont déjà publié, conjointement ou séparément, quelques articles dans* Recherches sociographiques *et dans la* Revue canadienne de science politique.

*Leur contribution porte sur les changements dans la distribution des ressources, postes et pouvoirs amenés par la mise en oeuvre des récentes réformes du Ministère des Affaires sociales. Ils ont puisé leurs données dans des documents officiels ainsi que dans une enquête sur le terrain. Ils procèdent par analyse de contenu et par analyse statistique.*

La régulation consiste à déterminer les moyens de puissance dont disposent les acteurs dans un secteur d'activités publiques. Dans la perspective de l'analyse politique, ces moyens sont évaluables à la capacité qu'ils confèrent à ceux qui les

---

\* Cet article résume les principales observations et les conclusions générales qui se dégagent d'une recherche sur l'implantation et l'action du ministère des Affaires sociales du Québec. Cette recherche était dirigée par Vincent Lemieux à qui nous sommes redevables du cadre d'analyse, de la perspective théorique et, bien sûr, de la réalisation du projet dans son ensemble. Voir nos articles: V. Lemieux, F. Renaud et B. von Schoenberg, «La régulation des affaires sociales: une analyse politique», *Administration publique du Canada,* 17 (1974), p. 37-54; F. Renaud et B. von Schoenberg, «L'implantation des conseils régionaux de la santé et des services sociaux: analyse d'un processus politique», *Revue canadienne de science politique,* 7 (1974), p. 52-69; B. von Schoenberg, «Les partis politiques et la régulation des affaires sociales», *Recherches sociographiques,* 14 (1973), p. 327-339. Voir également nos rapports de recherche et particulièrement notre rapport final: V. Lemieux, F. Renaud et B. von Schoenberg, *Les conseils régionaux de la santé et des services sociaux: une analyse politique,* Québec, Université Laval, juin 1974 (polycopié).

détiennent de rendre les choix publics conformes à leurs choix privés, c'est-à-dire, d'exercer de la puissance. Dans ce sens, certains moyens s'avèrent plus efficaces que d'autres. Nous distinguons trois sortes de moyens: 1) *les ressources* sont des moyens tangibles ou intangibles échangés entre des acteurs; 2) *les postes* sont les lieux à partir desquels sont échangées les ressources, c'est-à-dire, des positions occupées par les acteurs et à partir desquelles ils entrent en relation; 3) *les pouvoirs,* qui constituent l'élément formel des relations de puissance, confèrent la capacité de participer à la formation des choix publics. À ce titre, les pouvoirs sont plus efficaces que les postes et ceux-ci le sont plus que les ressources.

La régulation porte donc sur la distribution de ces moyens dans une société. Elle peut les répartir d'une façon plus ou moins égale entre les acteurs, les concentrer chez quelques-uns, ou bien en prescrire l'usage à un ou plusieurs d'entre eux. L'utilisation des moyens de puissance peut se faire à deux «moments» distincts du contrôle du réseau; soit dans *la ligne du commandement* hiérarchisée par laquelle les choix publics sont fixés et administrés, soit dans *le circuit de la pression* où des acteurs tentent d'infléchir les choix publics dans le sens de leurs préférences. À l'un ou l'autre de ces moments, les acteurs non seulement signifient leurs préférences par rapport à un choix précis, mais se préoccupent également de la structuration du contrôle dans l'ensemble du réseau ou dans le sous-ensemble qui les inclut. Leurs actions visent à la fois à maintenir ou à augmenter leurs moyens et à s'assurer, autant que possible, que ces moyens soient efficaces dans la formation des choix publics ultérieurs. Cette lutte pour le contrôle d'un réseau d'activités publiques oppose différents types d'acteurs publics. Elle oppose aussi deux logiques structurantes de la société: celle du gouvernement et celle de la communauté. Aussi, la régulation peut-elle se déplacer entre le niveau gouvernemental et le niveau communautaire. C'est ce qu'entend démontrer notre article pour le secteur des affaires sociales au Québec. Une première partie analysera comment le déplacement, du niveau communautaire au niveau gouvernemental, de la régulation des affaires sociales avant 1960 a conduit, durant les années 60, à un renforcement de la régulation gouvernementale. Dans la seconde partie, nous verrons comment le rapport de la Commission royale d'enquête sur la santé et le bien-être social propose d'organiser la distribution des moyens entre les deux niveaux de la société. De ce point de vue, la création d'organismes régionaux devient un élément important du réseau. Les troisième et cinquième parties analyseront les dispositions des deux versions du projet de loi 65 sur la réorganisation des services de santé et des services sociaux en ce qui concerne les organismes régionaux[1], la quatrième étant consacrée à une très brève présentation des positions des publics face au projet de loi. Enfin, les deux dernières parties examineront le processus d'implantation des conseils régionaux et le jeu de puissance auquel leur mise en place et leur fonctionnement initial a donné lieu.

## La régulation des affaires sociales avant 1960

On peut dire de la régulation des affaires sociales avant 1960 qu'elle est plutôt communautaire que gouvernementale. Elle s'exerce à l'intérieur de la communauté, bien plus qu'à partir de l'appareil gouvernemental superposé à cette communauté. L'Église catholique et ses institutions ont le quasi-monopole de la régulation des affaires sociales avec le consentement, d'ailleurs, du gouvernement. La plupart des hôpitaux et des agences de service social sont créés et dirigés par les autorités religieuses: ainsi le territoire des agences de service social correspond le plus souvent à celui des diocèses où elles ont été implantées.

---

1 Offices régionaux des affaires sociales (ORAS) dans la première version et Conseils régionaux de la santé et des services sociaux (CRSSS) dans la seconde version.

La prépondérance de la régulation communautaire est évidemment concomitante à une régulation gouvernementale très limitée. Des données recueillies par le gouvernement fédéral montrent qu'en 1949, 8.9% seulement des revenus des hôpitaux du Québec proviennent du gouvernement provincial. Cette proportion est à peu près égale à ce qui provient des gouvernements municipaux, mais inférieure à ce qui provient de la charité privée (13.3%). En 1958, la contribution gouvernementale avait même baissé à 1.1% des revenus totaux alors que la part versée par les patients hospitalisés était passée de 67.8% en 1949 à 91.5% en 1958[2]. Dans le secteur des services sociaux, la situation est la même: les revenus de ces organismes proviennent en très grande partie jusqu'en 1960, des campagnes annuelles de charité[3].

C'est avec la Loi de l'assistance publique, en 1921, que la régulation gouvernementale a commencé à s'affirmer. Avant cette loi, le gouvernement du Québec n'apportait son aide financière que dans les cas d'enfants abandonnés, de délinquants et de malades mentaux. Les autres fonds étaient fournis par des initiatives privées et la partie des dépenses que les établissements ne pouvaient défrayer eux-mêmes était financée grâce à la charité privée[4].

Par la Loi de l'assistance publique, le gouvernement du Québec s'engageait à verser aux établissements reconnus un tiers du coût d'hospitalisation des indigents qu'ils recevaient. Cette allocation de ressources matérielles se doublait d'une prescription[5] envers les municipalités et les établissements, qui devaient se partager également les deux autres tiers du coût d'hospitalisation des indigents. Une fois reconnu, un établissement pouvait aussi recevoir une aide financière pour la construction, l'agrandissement, ou l'amélioration de ses bâtiments.

Si le gouvernement prescrit des contributions financières qui doivent venir des municipalités et des établissements, il ne prescrit pas ce que les établissements hospitaliers doivent faire de ces ressources matérielles[6]. Selon Rivard, «le Service de l'assistance publique exerçait une surveillance très restreinte sur les institutions agréées. (Il) n'était pas autorisé... à imposer des normes de fonctionnement comme conditions d'aide financière... (et) la loi protégeait... les institutions catholiques contre tout contôle provincial»[7]. La Loi de l'assistance publique manifeste donc un degré relativement faible de régulation gouvernementale dans le secteur hospitalier. Elle ne porte que sur les ressources et les postes des établissements ainsi que sur les contributions de ressources matérielles qui doivent venir des municipalités et des établissements pour le soin des indigents.

Ajoutons que l'hospitalisation des aliénés dans des asiles et des tuberculeux dans des sanatoriums relève, à partir de 1945 et de 1948 respectivement, de l'État québécois.

---

2    J.Y. RIVARD et al., L'évolution des services de santé et des modes de distribution des soins au Québec, (Rapport de la Commission d'enquête sur la santé et le bien-être social, annexe 2), Québec, 1970, p. 30-31 et 114.

3    Rapport de la Commission d'enquête sur la santé et le bien-être social, vol. VI, Les services sociaux, tome 1, Québec, 1972, p. 54.

4    J.Y. RIVARD, op. cit., p. 20-21 et 58.

5    Nous emploierons par la suite cette distinction entre allocation et prescription qui correspond à ce qu'on appelle parfois régulation positive et régulation négative. Dans le premier cas, la régulation consiste à allouer des moyens sans plus, alors que dans le second, elle consiste à contraindre ou à prescrire leur utilisation.

6    Il ne faut pas oublier cependant que des règlements du Conseil d'hygiène avaient prescrit, dès 1906, l'utilisation de certaines ressources matérielles dont disposaient les établissements par des règles minimales d'aménagement et de salubrité des hôpitaux, des maternités et des hospices.

7    J.Y. RIVARD et al., op. cit., p. 59.

On a déjà vu que les ressources matérielles allouées par le gouvernement ne constituent qu'une petite fraction de l'ensemble de celles dont disposent les établissements hospitaliers. Il n'y a à peu près pas de prescription gouvernementale pour ces ressources. La régulation des postes est aussi négligeable. Tout au plus prévoit-on, en 1950, que l'administration médicale des hôpitaux psychiatriques sera dirigée par un bureau médical ayant à sa tête deux médecins, un surintendant et un assistant, et entre 1925 et 1941, — à la suite d'amendements apportés à la Loi de 1925 sur les hôpitaux privés — que nulle personne ne peut exploiter un hôpital privé sans avoir obtenu une «licence» à cette fin. Cette «licence» est renouvelable annuellement et le «département de la Santé» est censé inspecter les établissements qui la possèdent.

Si le gouvernement concurrence peu la régulation faite par les établissements hospitaliers, il est amené par la voie de l'hygiène publique à établir sa propre régulation auprès des populations dans le sous-secteur de la santé. Pour améliorer l'hygiène publique et pour prévenir et combattre les épidémies, le gouvernement étend en effet son commandement sur les ressources des populations. Dès 1887, il adopte la Loi sur l'hygiène, qui oblige chaque municipalité à créer un bureau d'hygiène et qui met en place un Conseil supérieur d'hygiène dont la vocation «est de déceler la cause et la propagation des diverses maladies, d'établir des règlements antipollution, et de surveiller la formation des bureaux d'hygiène municipaux»[8]. En 1922, ce conseil devient le Service provincial d'hygiène avec des divisions de démographie, de laboratoire, d'épidémiologie, de génie et d'hygiène industrielle. En 1926, on crée, avec l'aide de la Fondation Rockefeller, les premières unités sanitaires pour favoriser l'accès de la population aux soins préventifs. C'est le Service provincial d'hygiène qui a donné naissance, en 1936, au ministère de la Santé et du Bien-être social.

La régulation gouvernementale s'étend dans le sous-secteur des services sociaux également. A partir de 1944, il y a prise de conscience, tant du côté du secteur privé que du côté du secteur public, de la nécessité de mieux organiser les services sociaux. Entre 1945 et 1950, d'importants services de protection et de réadaptation de l'enfance sont mis sur pied. En 1945, une clinique d'aide à l'enfance, attachée à la Cour de jeunes délinquants de Montréal, est instituée en vue d'aider les juges à identifier, dans la recherche des circonstances particulières à chaque cas de délit, les facteurs dont il y a lieu de tenir compte et les remèdes qu'il convient d'appliquer[9]. En 1950, la Cour du Bien-être social est instituée et on lui accorde plusieurs pouvoirs. C'est elle qui examine les cas de bien-être social et d'admission aux écoles de protection de la jeunesse de même que les requêtes relatives aux pensions de vieillesse et à l'adoption. Le juge est aussi chargé de protéger l'enfance et de voir aux bonnes relations entre les époux. Le ministère de la Jeunesse se voit confier, lors de sa création en 1946, l'administration des lois, mesures et institutions d'assistance à la jeunesse, ainsi que des lois de l'éducation spécialisée (aveugles, sourds-muets, etc.)[10]

Cette période antérieure à 1960 peut donc être caractérisée par deux traits principaux, reliés entre eux: une action gouvernementale qui porte surtout sur les ressources matérielles et sur les appuis et la prédominance qui s'ensuit de la régulation communautaire sur la régulation gouvernementale. Dans un premier temps, le gouvernement s'est surtout préoccupé de combler les déficiences en ressources matérielles dont pouvaient souffrir certaines personnes. La Loi de l'assistance publique de

---

8   Rapport de la Commission d'enquête sur la santé et le bien-être social, Vol. IV, *La santé*, Tome I, Québec, 1970, p. 24.

9   *S.Q.* 1945, ch. 27, art. 1.

10   Voir le Rapport de la Commission d'enquête sur la santé et le bien-être social, vol. VI, *Les services sociaux*, tome I, p. 49-51.

1921 est révélatrice de cette tendance; l'aide matérielle versée aux établissements hospitaliers vise les indigents. Dans un deuxième temps, soit à partir des années quarante, le gouvernement se préoccupe davantage des déficiences dans les appuis, mais sa régulation dans ce domaine demeure restreinte à l'enfance «exceptionnelle» (orphelins, délinquants), aux femmes célibataires et aux familles les plus dépourvues.

Durant toute cette période, la régulation communautaire a beaucoup plus de poids que la régulation gouvernementale. Les allocations du gouvernement ne constituent qu'une faible proportion des ressources qui circulent dans le secteur et il ne prescrit que bien peu l'utilisation de ces ressources. Ce sont surtout les clients, la charité privée et les établissements eux-mêmes qui fournissent les ressources nécessaires, le gouvernement provincial et les gouvernements municipaux n'apportant qu'une contribution d'appoint. De plus, la régulation gouvernementale ne touche à peu près pas les postes et pas du tout les pouvoirs des établissements, tenus pour la plupart par les congrégations religieuses ou par l'organisation ecclésiastique.

## Le renforcement de la régulation gouvernementale: 1960-70

Il se produit au cours des années soixante une rupture assez radicale par rapport à la régulation pratiquée dans la période précédente. Une régulation gouvernementale plus forte se manifeste d'abord par l'allocation et la prescription plus extensive des ressources, puis elle atteint les postes et les pouvoirs.

Par l'adoption d'un plan d'assurance-hospitalisation, qui entre en vigueur le 1er janvier 1961, le gouvernement du Québec augmente de façon considérable son allocation de ressources matérielles dans le secteur des affaires sociales. Cette mesure est adoptée parce qu'un grand nombre de citoyens, face aux coûts élevés de l'hospitalisation, sont dépourvus de ressources, ce qui les empêche d'occuper un «poste» de client par rapport aux établissements. Suite à l'adoption de la loi, le gouvernement du Québec fournit, en 1965, 78.6% des revenus des établissements hospitaliers, ce qui est beaucoup plus que durant la période précédente[11].

À ces allocations accrues, s'ajoutent bientôt des prescriptions plus nombreuses. Une division de la Direction générale de l'assurance-hospitalisation s'occupe de la qualité des soins hospitaliers et de la bonne utilisation des lits qui sont à la disposition des hôpitaux. Une autre division est chargée de la révision et de l'approbation des budgets.

La mise en place de ce système d'assurance-hospitalisation entraîne une régulation des postes et des pouvoirs. La Loi des hôpitaux de 1962 est significative à cet égard. Elle prévoit d'abord que tout hôpital doit posséder une charte de la législature (attribution de poste) et que tout agrandissement et toute transformation d'un hôpital est soumis à l'approbation du gouvernement (prescription des pouvoirs). La Loi prescrit aussi l'allocation des postes du conseil d'administration de l'hôpital et exige que la corporation qui le gère soit distincte de la corporation de mainmorte qui groupe les membres de la communauté religieuse. La corporation peut commander l'allocation du poste de directeur général, lequel est responsable devant elle de l'administration de l'hôpital. Enfin, la loi exige aussi la constitution d'un bureau médical, responsable des soins médicaux et de l'organisation scientifique de l'hôpital.

Dans les hôpitaux psychiatriques, l'allocation et la prescription gouvernementales s'accentuent également, à partir de 1962. Une division des services psychia-

---

11  J.Y. RIVARD *et al.*, *op. cit.*, p. 114. La moitié, environ, de ce 78.6% provient du gouvernement fédéral.

triques devient responsable de l'élaboration et de l'application de normes régissant les soins. Elle doit voir à l'organisation et à la régionalisation des services afin de décongestionner les hôpitaux et d'éviter l'hospitalisation inutile des malades.

Mais c'est surtout la Loi de l'assistance médicale de 1966 et la Loi de l'assurance-maladie de 1970 qui consacrent la suprématie de la régulation gouvernementale dans le secteur des affaires sociales et plus spécialement dans le sous-secteur de la santé. La première organise la gratuité des soins médicaux et chirurgicaux pour les assistés sociaux, tandis que la seconde étend cette gratuité à l'ensemble de la population. Avec ces deux lois, le gouvernement devient presque le seul allocateur de ressources matérielles. Les municipalités, la charité privée et les communautés religieuses ne comptent à peu près plus. De façon concomitante, le gouvernement prescrit les honoraires des médecins et la façon dont ils doivent accomplir leurs fonctions (c'est-à-dire leurs pouvoirs).

Dans le sous-secteur des services sociaux, la charité privée, par le truchement des campagnes de fédérations des oeuvres de charité, continue de jouer un rôle qui n'est pas négligeable. Mais le financement des agences de service social n'en a pas moins été modifé de façon importante depuis 1960. Avant cette date, les agences de service social, à l'exception de celles qui recoivent des fonds du gouvernement pour s'occuper de l'adoption des enfants, retirent leurs revenus principalement des campagnes de charité. Après 1960, «elles dépendent financièrement de l'État qui les subventionne presque en totalité» [12].

La période qui va de 1960 à 1970 se caractérise donc avant tout par une extention de l'allocation gouvernementale des ressources matérielles. Cette allocation est faite aux établissements pour qu'ils étendent leurs clientèles, dans le domaine de la santé tout au moins, à l'ensemble de la population. Avec l'assurance-hospitalisation et l'assurance-maladie, le gouvernement considère que toute la population souffre de déficiences en ressources physiques et que ces déficiences sont plus grandes que celles que peut révéler un «marché libre» de la médecine. Cette amplification de l'allocation des ressources matérielles aux établissements entraîne des prescriptions qui touchent surtout les ressources et les postes des établissements, mais aussi, bien que plus timidement [13], leurs pouvoirs. La régulation gouvernementale s'affirme donc par rapport à la régulation communautaire.

## Le rapport de la Commission Castonguay-Nepveu

Avant de proposer un réaménagement plus important des moyens de puissance, le gouvernement [14] crée une commission d'enquête sur la santé et le bien-être social. De 1966 à 1971, on marque un temps d'arrêt pendant lequel seront élaborées et discutées les possibilités de nouveaux choix publics. Les résultats de cette étape seront, entre autres, la publication du rapport de la commission d'enquête, la fusion du ministère de la Santé et du ministère du Bien-être social en un ministère des Affaires sociales et l'adoption d'une Loi sur les services de santé et les services sociaux.

---

12  *Les services sociaux,* tome I, p. 123.

13  À titre d'exemple, notons le fait suivant. En 1965, un projet de loi propose de modifier la Loi des hôpitaux de 1962. Le but de ce projet de loi est d'enlever au Bureau provincial de Médecine, assisté du conseil d'administration de l'Association des Hôpitaux du Québec et de la Commission générale des Hôpitaux catholiques de la Province, le droit de faire des règlements généraux pour les diverses classes d'hôpitaux. On veut donner ce droit au lieutenant-gouverneur en conseil, après consultation des organismes mentionnés plus haut, parce que ceux-ci n'ont pas réussi à s'entendre, après plusieurs tentatives. La Loi est adoptée, mais il faut attendre plusieurs mois avant que les règlements généraux ne soient édictés.

14  Le gouvernement d'alors est formé par l'Union nationale qui a défait le Parti libéral aux élections générales de 1966. En 1970, le Parti libéral reprendra le pouvoir.

Le rapport de la commission d'enquête sur la santé et le bien-être social propose un nouveau modèle de ce que pourrait être la répartition des moyens de puissance entre la communauté et le gouvernement, entre la population en général, les clients des services de santé et des services sociaux, les établissements qui dispensent ces services, les professionnels qui y travaillent, les instances administratives concernées et le niveau ministériel. Les recommandations de la commission tentent non seulement de corriger les déficiences en ressources matérielles et en appuis dont souffre encore une partie de la communauté mais elles proposent surtout l'adoption de certaines mesures susceptibles d'atténuer les inégalités dans la distribution des postes et des pouvoirs.

Du point de vue où nous nous situons, les recommandations les plus importantes de la commission sont celles qui proposent de créer un palier régional nanti des moyens nécessaires pour commander aux organismes de santé et des services sociaux de son territoire. Les offices régionaux de la santé et ceux des services sociaux[15] constituent de nouveaux postes à partir desquels les relations entre le gouvernement et la communauté sont réorganisées.

Le ministère se départit de certains de ses pouvoirs au profit des offices dont il agrée la constitution. Ceux-ci sont en effet chargés d'autoriser la création de nouveaux établissements et de prescrire les normes qui doivent régir leur administration. Les offices obtiennent également des pouvoirs de surveillance sur les activités des établissements. Enfin, le ministère leur confie des pouvoirs de gestion budgétaire et de répartition des sommes d'argent entre les établissements dans le cadre des programmes régionaux qu'ils auront élaborés. Les établissements se voient aussi privés de leur pouvoir d'emprunt et d'expropriation au bénéfice des offices. Situés dans la ligne du commandement, les offices sont des organismes décentralisés du ministère dont les conseils d'administration comprennent, par contre, des représentants du gouvernement, des établissements et de la population[16].

Parallèlement aux offices et en relation étroite avec eux, la commission recommande la mise sur pied de conseils régionaux qui seraient engagés dans des activités de pression. Ce sont des organismes aviseurs auxquels la commission confie quatre principaux objectifs: 1) restituer la souveraineté des citoyens sur les champs d'action collective; 2) fournir un canal d'expression à ceux qui sont sans voix; 3) pallier les inconvénients inhérents à l'organisation bureaucratique; 4) constituer la «conscience» extérieure de l'administration[17]. Les postes de ces conseils régionaux sont réservés aux établissements, aux professionnels oeuvrant dans le secteur, aux travailleurs, aux comités de citoyens et aux élus locaux. Leur rôle consiste surtout à donner des avis et à diffuser de l'information. Ils sont rattachés à un Conseil supérieur de la santé et / ou des services sociaux. Celui-ci exerce des activités identiques auprès du ministre; il reçoit les suggestions et les requêtes du public et donne son avis au ministre. Pour compléter cette institutionnalisation de la pression, le rapport sur la santé suggère de mettre sur pied des organismes consultatifs auprès des établissements et de

---

15   Bien que le rapport distingue deux structures, celle des soins de santé et celle des services sociaux, les recommandations étant similaires sur plusieurs points essentiels, dont la création d'offices régionaux, nous avons cru bon, pour ne pas allonger inutilement cet article, de traiter des deux simultanément.

16   En ce qui concerne la santé, le rapport recommandait que le conseil d'administration de l'office comprenne 20 membres nommés ou délégués de la façon suivante: 3 par le gouvernement, 2 par l'université, 3 par le centre hospitalier universitaire, 6 par les centres locaux de santé et par les centres communautaires de santé et 6 par la population de la région. Selon le rapport sur les services sociaux, le conseil d'administration de l'office devait être formé de 15 membres dont 2 nommés par le ministre, 6 délégués par la Conférence régionale des établissements de services sociaux et 7 élus par la population.

17   Rapport de la commission d'enquête sur la santé et le bien-être social, vol. VI, *Les services sociaux,* tome II, p. 69-70.

les relier au Conseil supérieur en y faisant participer certains de leurs membres. Les recommandations du rapport sur les services sociaux prévoient plutôt une Conférence régionale des établissements dispensant des services sociaux et la rattachent à la direction régionale de la programmation-recherche. Le rapport sur les services sociaux prévoit donc une intégration plus forte du circuit de la pression à la ligne du commandement que ne le fait le rapport sur la santé.

Les commissaires ont proposé d'accroître la régulation gouvernementale et, en même temps, d'associer de plus près la communauté à la formation des choix publics. Il leur est apparu essentiel d'augmenter les moyens des acteurs sociaux en leur confiant des postes: ceux des organismes consultatifs et certains postes des offices régionaux; en leur accordant des pouvoirs: ceux de donner leur avis et de participer à la définition et à la gestion des programmes; en leur fournissant des ressources: de l'information et des biens matériels. Le commandement n'est plus l'attribut du gouvernement seul; la pression n'est plus la spécialité des groupes qui avaient déjà acquis dans la communauté les moyens de l'exercer seuls.

## La première version du projet de loi 65

Qu'est-il advenu des recommandations de la commission d'enquête? Soulignons d'abord que, contrairement aux propositions faites par les commissaires, le gouvernement n'a pas créé deux ministères distincts, l'un pour la Santé et l'autre pour les Services sociaux, mais qu'il a plutôt fusionné des anciens ministères de la Santé, du Bien-être social et de la Famille en un nouveau ministère des Affaires sociales.

Depuis 1971, plusieurs projets de loi importants ont été présentés par le ministère des Affaires sociales[18]. Celui qui retiendra maintenant notre attention nous semble particulièrement intéressant parce qu'il touche spécifiquement la répartition des moyens de puissance dans le secteur des affaires sociales: c'est le projet de loi sur les services de santé et les services sociaux, mieux connu sous le nom de projet de loi 65.

Selon le rapport de la commission, une véritable réorganisation du réseau des services de santé et des services sociaux passait par la création d'un palier régional puissant. Le projet de loi, dans sa première version, consacre l'idée d'offices régionaux des affaires sociales (ORAS) réunissant les sous-secteurs de la santé et des services sociaux. Mais alors que le rapport situait les offices régionaux dans la ligne du commandement du ministère, les ORAS du projet de loi semblent dépendre davantage du palier politique. Ainsi, c'est le lieutenant-gouverneur en conseil qui a le pouvoir de créer un office pour une région donnée et de lui confier les pouvoirs qu'il voudra bien lui accorder. C'est également le lieutenant-gouverneur en conseil qui nomme les membres des conseils d'administration des ORAS après consultation auprès des universités (2 membres), des centres locaux de services communautaires (CLSC), des centres hospitaliers (CH), des centres d'accueil (CA) et pour les centres de services sociaux (CSS) (3 membres chacun) et des groupes socio-économiques (6 membres). L'important pouvoir de nomination est donc soustrait à la communauté au profit du palier politique.

Non seulement les offices sont-ils davantage soumis au palier politique pour l'attribution de leurs postes, mais ils le sont aussi dans l'exercice de leurs pouvoirs. En dehors du rôle de conseiller auprès du ministre pour les programmes et le financement des établissements — rôle que le projet de loi diminue déjà sensiblement par rapport aux recommandations de l'enquête — les ORAS sont pourvus par

---

18  Notons entre autres, la Loi de l'aide sociale et le Code des professions.

le projet de pouvoirs de surveillance, de réglementation et d'enquête auprès de ces établissements, mais ils n'assument plus celui de la reconnaissance (agrément) de ces établissements, puisque c'est maintenant le ministère qui accorde les permis d'opération. Comme dans le rapport, les établissements perdent leur pouvoir d'expropriation au profit des offices, mais l'exercice de ce pouvoir, de même que celui des pouvoirs de réglementation et de surveillance, requièrent l'approbation du lieutenant-gouverneur en conseil. De plus, les pouvoirs qu'ont maintenant les offices d'attribuer des ressources se réduisent à faire circuler des informations entre les publics et le ministère. Ils n'allouent plus d'argent aux établissements, mais soumettent plutôt leurs recommandations au ministre pour l'attribution des ressources dans leur région respective.

Les mesures de financement des établissement représentent pour ceux-ci un gain sur les offices régionaux du rapport car ce que les offices perdent en commandement sur les ressources matérielles, les établissements le gagnent en moyen de pressions officieuses auprès du ministère. Il leur est en effet plus facile de négocier budgets, octrois et subventions en tête à tête avec le ministre que de justifier leurs demandes dans les comités régionaux et ministériels où d'autres demandes doivent s'ajuster aux leurs, aux possibilités financières régionales et aux priorités en matière de besoins.

Le projet de loi confère peu de moyens à la population. Les six postes de l'ORAS réservés aux groupes socio-économiques sont comblés, comme les autres, par le lieutenant-gouverneur en conseil après consultation. L'ORAS est habilité à fixer la procédure qui doit être suivie par les établissements au cours de leurs séances annuelles d'information au public, et à établir les règles de nomination et d'élection des membres des comités administratifs de ces établissements. Ce n'est donc que très indirectement que la population est associée à la nouvelle organisation du secteur et rien ne vient garantir que soit atteint l'un des objectifs fondamentaux du rapport, soit l'expression des «sans voix», des comités de citoyens, des travailleurs et des professionnels. Dans les recommandations de la commission d'enquête, cette expression était assurée par les conseils régionaux, dont la fonction dédoublait celle des offices, les obligeaient ainsi à des échanges suivis et fréquents. La première version du projet de loi fait à toutes pratiques disparaître les conseils régionaux.

En somme, les ORAS sont beaucoup plus un instrument du ministre dans la région qu'un instrument des publics régionaux auprès du ministre. Ce sont des organismes hybrides dont les conseils d'administration ont une composition analogue à celle des offices régionaux de la santé du rapport de commission mais dont les postes sont alloués par le lieutenant-gouverneur en conseil. Bien qu'ayant des pouvoirs qui se rapprochent de ceux des conseils régionaux, ils sont directement rattachés au ministre, au lieu de se situer dans le circuit de la pression, en connexion avec un Conseil supérieur.

## Les publics à la Commission parlementaire

Le rapport sur les services sociaux produit après le dépôt du projet de loi 65 fait état de la critique des consultants de la commission en ces termes: «Les consultants redoutent que ce projet n'ait pris un mauvais départ (...). On ne voit pas comment sera assurée la représentation démocratique dans les différents organismes proposés et on se demande encore si l'ORAS bénéficiera à la fois du budget et de la latitude nécessaire pour entretenir avec les dispensateurs de services, des liens efficaces et réels et planifier avec eux le développement des services» [19].

---

19  *Les services sociaux*, tome I, p. 284.

De plus, lorsque le ministre soumettra le projet de loi à la discussion publique en Commission parlementaire, des établissements, des associations et corporations professionnelles, des comités de citoyens, des syndicats et des groupes religieux et ethniques feront connaître leur réaction et proposeront les modifications qu'ils croient nécessaires pour en arriver à une juste répartition des moyens de puissance entre eux, entre eux et le ministère et entre eux et le lieutenant-gouverneur en conseil.

La presque totalité des interventions des publics demandaient une réduction des moyens gouvernementaux de puissance sur les offices régionaux, sinon une réduction des moyens des offices sur la communauté. Si un consensus s'est établi contre l'accentuation de la régulation gouvernementale, il n'en va pas de même pour les régulations de rechange que les différents publics ont proposées. Examinons ces positions d'un peu plus près.

Les mémoires de conseils d'administration d'établissements, d'associations d'établissements ou encore d'établissements particuliers sont à peu près unanimes à juger que le projet de loi, tel qu'il est, impose un carcan trop rigide aux établissements dispensateurs de services de santé ou de services sociaux. La plupart d'entre eux réclament une «véritable délégation des pouvoirs aux ORAS» ainsi qu'une plus grande autonomie des établissements. Plusieurs mémoires soutiennent qu'il vaudrait mieux que les établissements puissent nommer eux-mêmes leurs représentants au conseil d'administration des ORAS. Selon eux, on pourrait ainsi éviter les dangers de politisation des offices que représentent, dans le projet de loi, les nominations faites par le palier politique. Certains autres mémoires demandent également que leur représentation soit garantie par la loi; c'est le cas des hôpitaux psychiatriques et de certains établissements à vocation particulière.

En disposant eux-mêmes des postes qui leur reviennent aux ORAS, les établissements sont consentants à confier plus de pouvoir à ces organismes comme, par exemple, la répartition des budgets. Par contre, ils s'opposent à ce que les offices puissent enquêter sur leurs agissements et réclament une diminution des pouvoirs de réglementation que le projet de loi accordent aux offices. Les associations d'établissements telles que l'Association des hôpitaux de la province de Québec (AHPQ), l'Association des foyers pour adultes (AFA), l'Association provinciale des institutions pour enfants (APIE) remettraient plutôt la responsabilité des enquêtes entre les mains d'un organisme provincial, organisme auquel elles seraient appelées à participer. En cela, elles sont rejointes par l'Association des directeurs et des établissements privés de bien-être et de santé (ADEP), laquelle, par contre, rejette en entier l'idée de créer des ORAS. Elle y voit un moyen supplémentaire d'accroître le contrôle gouvernemental sur tout le réseau des affaires sociales. L'AHPQ et l'ADEP proposent aussi de confier l'évaluation et l'agrément des établissements au nouvel organisme provincial.

Les grandes associations cherchent à contrer une trop forte décentralisation qui les laisserait en quelque sorte sans emploi et les priverait de leur raison d'existence. Elles tentent tout au moins de maintenir les moyens qu'elles avaient acquis antérieurement: des ressources matérielles importantes vouées à la défense des intérêts de leurs membres, des moyens de pression qui se traduiraient par des postes de consultation au ministère et même des moyens d'action auprès du ministre qui, tout en étant officieux, n'en demeuraient pas moins efficaces. Elles proposent en somme d'institutionnaliser le contrôle qu'elles pouvaient exercer sous l'ancienne régulation.

À l'opposé de ces grandes associations provinciales d'établissements, plusieurs petites cliniques et certaines institutions à clientèle et à vocation particulières refusent l'intégration au réseau. Elles réclament que la Loi prévoie des exceptions qui ne seraient pas soumises à la régulation. Isolées jusqu'à maintenant du reste du réseau, elles possèdent peu de moyens et craignent que, loin de leur en apporter davantage, leur incorporation au réseau ne les affaiblisse encore plus. Elles ne se sentent pas en mesure de contrebalancer la puissance des gros établissements et des professionnels. Elles estiment que leur représentation aux ORAS est moins que certaine et que, même si elle l'était, elle serait minoritaire et d'un poids minime comparativement à celui des autres acteurs. En général, ces établissements préféreront donc demeurer à l'écart et continuer à traiter directement avec le ministère pour le moins de chose possible.

Plus les établissements sont pourvus en moyens de toutes sortes, plus ils ont acquis de privilèges et de pouvoirs dans la communauté et face au gouvernement, mieux ils acceptent la création d'offices régionaux. Cependant, ils veulent s'assurer certains moyens, comme ceux de disposer eux-mêmes des postes des ORAS qui leur sont réservés, ce qui leur permettrait d'y exercer de la puissance. Les plus démunis reconnaissent leur impuissance et refusent d'être associés à des jeux de puissance où ils ne pourraient être que perdants.

Moins sensibles que les établissements aux pouvoirs que les ORAS pourraient exercer sur l'administration, la coordination des ressources et la programmation, les associations, corporations ou syndicats professionnels s'opposent surtout aux pouvoirs d'enquête des ORAS dans la mesure où ceux-ci pourraient porter atteinte au secret professionnel ou même toucher aux actes professionnels[20]. Par contre, leurs positions sur les autres pouvoirs des offices se rapprochent de celles des établissements: les ORAS devraient jouir des moyens que la Commission d'enquête avait déterminés. Comme les gros établissements, les professionnels désirent être associés de plus près au réseau, être consultés davantage et être moins commandés. Ils veulent réduire le contrôle que les instances politiques exercent sur le projet de loi, entre autres, sur l'attribution des postes des offices.

Les groupes spécialisés dans la promotion d'intérêts non professionnels comme les syndicats, les groupes à caractère religieux ou ethniques, les conseils de bien-être ou de développement social, tiennent des positions analogues à celles des petits établissements. Cela est surtout vrai des petits groupes qui demandent à être préservés de la régulation. Les groupes plus importants revendiquent une présence plus grande de la population dans le réseau: soit, par une représentation directe de celle-ci aux ORAS, soit par la création de conseils régionaux consultatifs auprès des offices, ou encore, pour certains groupes, par la participation majoritaire de la population aux différents conseils d'administration. Dans leur optique, ces postes devraient, bien entendu, constituer les instances décisionnelles du réseau.

Les différents publics qui se sont exprimés à la Commission parlementaire considèrent, pour la plupart, que le projet de loi ne leur accorde pas les moyens suffisants pour agir efficacement dans le réseau. Certains, tels les professionnels et les gros établissements, craignent que la structuration des relations de puissance proposée par le gouvernement ne vienne réduire leurs moyens, en particulier leurs pouvoirs. D'autres, tels les établissements plus petits et certains groupes spécialisés, préfèrent demeurer en retrait sachant bien que, de toute façon, ils ne parviendront pas à accroître leurs moyens suffisamment pour rivaliser avec ceux des autres. Pour les premiers, il est important que les instances politiques et le ministère contrôlent moins les ORAS et qu'eux les contrôlent davantage. Par la suite, ils pourraient

---

20  Notons ici que le ministre a déjà annoncé le projet de loi sur le Code des professions au moment où les mémoires sur le projet de loi 65 sont discutés en Commission parlementaire. La crainte des professionnels de voir disparaître certains de leurs privilèges n'est sans doute pas étrangère à la vigilance qu'ils manifestent devant leurs prérogatives que menacent les pouvoirs d'enquête des offices régionaux des affaires sociales.

réclamer que le ministère cède plus de pouvoirs et plus de ressources aux offices. Pour les seconds, la concurrence ne vient pas uniquement du niveau politique et administratif. Ils doivent aussi essayer d'équilibrer leur puissance à celle des groupes et établissements bien établis en tentant soit d'acquérir les moyens nécessaires, soit de rester en dehors du réseau.

## La seconde version du projet de loi

Devant les réactions des publics et des partis politiques d'opposition[21], le ministre Claude Castonguay retire le projet de loi et en propose une seconde version modifiée qui deviendra, à peu de choses près, la Loi sur les services de santé et les services sociaux (Loi 65).

Dans cette nouvelle version, les offices régionaux des affaires sociales disparaissent et sont remplacés par des conseils régionaux de la santé et des services sociaux (CRSSS). Les postes des conseils, au nombre de vingt-et-un, sont attribués par les publics. Le lieutenant-gouverneur en conseil ne se réserve plus que la nomination de deux membres après consultation des groupes socio-économiques. Les centres hospitaliers, les centres de services sociaux, les centres d'accueil et les centre locaux de services communautaires nomment chacun trois membres, l'université ou les universités de la région en nomment deux, les CEGEP, un et les quatre derniers membres, qui sont censés représenter la population, sont élus par les maires de la région. Ces nouvelles dispositions confèrent plus de moyens aux publics sur l'attribution des postes que ne le faisait la première version du projet de loi.

Par ailleurs, les pouvoirs des conseils sont considérablement réduits par rapport à ceux des ORAS. Les pouvoirs d'enquête ont disparu. Il ne leur reste plus, abstraction faite des pouvoirs de régie interne, que la réglementation et la surveillance de l'élection des membres des conseils d'administration des établissements. Ces pouvoirs sont cependant soumis à l'approbation du lieutenant-gouverneur en conseil. Ils doivent, bien sûr, voir à la promotion de la mise en commun des services entre les établissements, assister ceux-ci dans l'élaboration de leurs programmes de développement et de fonctionnement de leurs services, conseiller le ministre en ce qui a trait à la répartition et la meilleure utilisation des ressources. Mais ce sont là des activités qui relèvent plus de la pression que la réglementation.

Aux populations, les conseils doivent aussi allouer des informations et des appuis qui n'étaient pas prévus dans la première version du projet de loi. Ils sont chargés de susciter la participation de la population à la définition de ses propres besoins en matière de services de santé et de services sociaux, ainsi qu'à l'administration et au fonctionnement des établissements qui dispensent ces services. Ils sont autorisés à recevoir et entendre les plaintes des usagers des services du réseau et à faire, auprès de l'établissement en cause et du ministre, les recommandations qu'ils jugent appropriées à ce sujet. Enfin, ils sont chargés d'assurer des communications soutenues entre le ministre, les établissements et la population. La nouvelle version du projet de loi comporte deux autres dispositions importantes envers les populations. D'abord, comme certains groupes et établissements l'avaient demandé, quelques publics sont exemptés de la régulation. Elle ne s'applique pas aux activités bénévoles supportées principalement par des souscriptions publiques ni aux activités d'animation sociale, d'information populaire ou d'entraide sociale. Enfin, la loi reconnaît le droit des individus aux services sociaux et aux services de santé, sans limiter la liberté qu'ont les clients de choisir leurs professionnels.

---

21 Les positions des partis ont été étudiées dans B. von Schoenberg, «Les partis politiques et la régulation des affaires sociales», *Recherches sociographiques*, XIV, no 3, sept.-déc. 1973.

Même si le gouvernement relâche son emprise sur les conseils régionaux en remettant aux publics l'attribution des postes, il ne se retire pas pour autant de la régulation. Il compense cette perte de commandement par des pouvoirs accrus sur les établissements.

Le contrôle gouvernemental est plus fort au terme de cette législation qu'il ne l'était auparavant. Il est même plus fort que la Commission d'enquête ne l'avait recommandé puisque celle-ci proposait un partage des moyens de puissance entre le gouvernement et la communauté en associant les différents publics à la ligne du commandement par l'intermédiaire d'offices régionaux puissants. Le gouvernement gagne encore du terrain de la première à la seconde version du projet de loi. Même s'il recule en concédant l'attribution des postes aux publics, il retire des pouvoirs aux organismes régionaux.

Les établissements sont donc soumis davantage à la régulation gouvernementale. Par contre, ils obtiennent de nouveaux moyens dans leur rapport avec les autres membres de la communauté: des postes aux conseils d'administration des CRSSS et les pouvoirs qui s'y rattachent. Ils participeront, avec les représentants de la population élus par les maires et les représentants des groupes socio-économiques nommés par le lieutenant-gouverneur en conseil, à l'exercice des fonctions du CRSSS. Quant aux groupes socio-économiques et à la population, ils ne disposent pas directement des postes que la loi leur accorde.

## L'implantation des conseils régionaux

Comme nous l'avons vu, les conseils régionaux sont des conseillers auprès du ministre et des établissements, des récepteurs de plaintes et des animateurs auprès de la population. Dans la pratique, on peut se demander si ces fonctions auront le même poids dans tous les conseils. Les publics les plus puissants ne seront-ils pas mieux en mesure que les autres, plus démunis, d'imposer leurs choix?

Pour répondre à ces questions, nous avons étudié les principales activités des CRSSS dans leur première année et demie de fonctionnement (1973-74). Plus précisément, nous avons analysé le processus d'implantation des conseils, qui a consisté surtout dans l'attribution des postes des conseils; nous avons également examiné les orientations qui se dégagent des différents conseils à la lumière de leurs activités et de la formulation des choix qu'ils ont opérés par la suite. Nous présentons ici un bref aperçu des résultats de cette étude.

Un des objectifs de la Loi 65 était d'introduire de nouveaux interlocuteurs dans le réseau des affaires sociales à côté des établissements, des groupes professionnels et du gouvernement. Nous avons vu précédemment quelles étaient les mesures législatives adoptées pour rencontrer cet objectif au niveau des conseils régionaux. Nous nous interrogerons sur ceux qui détiennent les postes du réseau «ad hoc» créé spécifiquement pour la mise en place des conseils régionaux, sur les pouvoirs qu'ils exercent et sur les ressources à leur disposition.

Cette étape de l'application de la Loi donnera lieu à des jeux de puissance complexes entre les différents acteurs impliqués, l'enjeu n'étant rien de moins que l'approbation d'une catégorie critique de moyens que la Loi accorde aux conseils régionaux: leurs postes. Comme nous l'indiquaient les prises de position des établissements et des groupes dans leur mémoire à la Commission parlementaire, chacun possède son modèle des relations qu'il voudrait voir établir entre les différents publics, les conseils régionaux, le ministère et le palier politique. Ceux qui réussiront le mieux à faire passer leurs préférences dans ces choix publics seront en meilleure position pour les choix subséquents, car ils auront acquis un moyen de puissance efficace. Par la suite, ils auront de meilleurs atouts pour infléchir l'orientation des conseils dans le sens de leur propre choix. Cela est d'autant plus important que les options qui s'offrent aux conseils régionaux sont multiples: ils ont des fonctions vis-à-vis de la population, des établissements et du ministre. Nous verrons, dans l'ordre, les actions entreprises par le ministère, les missions régionales, les établissements, les maires et les groupes socio-économiques pour s'assurer que le processus d'implantation des CRSSS leur était favorable.

Le ministère crée un groupe de travail de douze personnes de différentes directions générales du ministère, du contentieux, du secrétariat général et du cabinet du ministre pour conduire les opérations d'implantation. Le premier geste de ce groupe ministériel sera de s'assurer la collaboration des organisations provinciales qui ont des instances régionales concernées par la mise sur pied des CRSSS: l'Association des hôpitaux de la province de Québec (AHPQ), la Fédération des services sociaux à la famille (FSSF), l'Association des foyers pour adultes (AFA), l'Association provinciale des institutions pour enfants (APIE), les Conseils régionaux de développement associés du Québec (CRDAQ), et le Conseil de bien-être du Québec (CBEQ). Ce sont, pour la plupart, des organisations qui ont d'ailleurs demandé dans leur mémoire à devenir des organismes-conseil auprès du ministère. Dans le processus, le rôle de chacune de ces organisations se limitera à désigner un des membres des missions régionales.

Le groupe ministériel crée, pour chaque région, une mission régionale composée des six personnes désignées par les organisations provinciales auxquelles il adjoint un agent de liaison. Cet agent, tout en apportant de l'aide à la mission dans son travail, assurera les communications entre le groupe et la mission. Placés dans une situation de conflit entre le groupe ministériel et les missions au sujet de la procédure à suivre pour les élections et les nominations des membres des CRSSS, les agents de liaison optent plutôt pour la position des missions. Ils ont tendance à privilégier leur travail auprès de leur mission régionale de sorte que le groupe ministériel est privé des ressources d'information essentielles pour maintenir l'action des missions sous sa direction. Cette perte d'information pour le groupe ministériel est aggravée par un conflit avec la direction générale des communications responsable des conférences téléphoniques hebdomadaires avec les agents de liaison: le groupe est maintenu à l'écart de ces conférences et perd ainsi une autre source d'information.

Compte tenu des moyens qu'il possède, le groupe ministériel n'intervient efficacement dans l'action des missions que sur trois objets: 1. Il les force à respecter le calendrier qui fixe le 1er octobre comme date limite pour la formation des conseils; 2. Il les presse à diffuser l'information sur les conseils régionaux aux personnes concernées par la mise sur pied des conseils, c'est-à-dire les maires, les directeurs et les conseils d'administration des établissements et les groupes socio-économiques, et ainsi à restreindre leurs activités d'information envers d'autres éléments du réseau, dont les Centres locaux de service communautaire; 3. Après bien des difficultés soulevées par les missions, il réussit à faire accepter la procédure d'élection et de nomination élaborée par le ministère, bien qu'il doive lui-même accepter que cette procédure soit suivie avec souplesse par les missions.

La puissance du groupe ministériel ne s'exerce pas au-delà de ces trois objets. Il n'aura donc que peu d'emprise sur le déroulement des séances d'information des missions, sur les concertations des différents secteurs et sur les élections elles-mêmes.

À cause de leur caractère provisoire et surtout à cause de leur composition, les missions ne forment cependant pas une entité en mesure de contrôler l'ensemble du processus. Leurs membres se considèrent comme les représentants de leur milieu ainsi que le confirme la division du travail qui prévaut à l'intérieur de chaque mission. Chacun s'occupe de son secteur et n'intervient pas dans celui de ses collègues.

Les actions communes se résumeront à affronter le groupe ministériel sur la question du guide d'élection et de nomination. Les missions obtiendront une autonomie plus grande pour chacun des secteurs qui ont à organiser la concertation en vue des nominations au conseil d'administration du CRSSS. Cela est vrai surtout pour les établissements qui possèdent déjà des moyens d'influencer cette concertation. Envers les secteurs qui ne sont pas présents au sein des missions, comme les maires et les groupes socio-économiques, les missions obtiennent plus de moyens pour conduire des ententes. Donc, en plus d'affronter le groupe ministériel sur la procédure d'élection et de nomination, les membres des missions agiront ensemble dans la concertation des maires et dans la consultation des groupes socio-économiques.

Pour les secteurs déjà bien organisés, la concertation peut se faire rapidement puiqu'ils possèdent des mécanismes régionaux de coordination et qu'ils sont très bien informés de la loi et de ses implications.

C'est le cas, en particulier, des centres hospitaliers. L'interprétation du guide étant élargie dans le sens d'une autonomie plus grande des différents secteurs, les centres hospitaliers peuvent alors procéder à leur concertation en vue des nominations sans que les missions ou le groupe ministériel n'aient à intervenir. Généralement, la concertation se déroule de façon assez informelle entre les directeurs généraux des hôpitaux. En certains endroits, un comité de concertation est établi et l'on va même jusqu'à fixer des critères d'éligibilité plus restrictifs que ceux déterminés par la loi et les règlements: ne sont admissibles comme candidats que les directeurs généraux et les membres d'un conseil d'administration, ce qui a pour conséquence de réduire à quelques individus le nombre de personnes éligibles et d'exclure les employés d'hôpitaux, par exemple.

Quelles que soient les ententes, il importe de souligner que les centres hospitaliers ont les moyens nécessaires pour contrôler l'attribution des trois postes des conseils régionaux qui leur reviennent d'après la loi; ils ont des ressources d'information, des appuis auprès des missions par leur représentant et ils obtiennent des pouvoirs par l'élargissement de la procédure.

Dans les centres d'accueil, les missions régionales interviennent un peu plus. Ces établissements sont répartis en trois organisations: l'établissement pour adultes, les établissements pour enfants et les établissements privés. Dans la plupart des cas, les missions tentent de faire accepter le principe d'un poste par catégorie d'établissements, les centres d'accueil ayant droit à trois postes dans chaque conseil régional. Les missions interviennent peu dans les concertations des centres de services sociaux. Elles préfèrent rester à l'écart là où certains problèmes surgissent et laissent le soin aux centres eux-mêmes de trouver une solution.

En confiant aux maires le soin d'attribuer quatre des vingt-et-un postes des conseils régionaux, le ministre Castonguay voulait apporter un élément nouveau par la voie élective non contrôlée par le Lieutenant-gouverneur en conseil et qui ne provenait pas nécessairement des établissements. Cependant, au début de la période de l'implantation, les maires ne comprennent pas pourquoi ils sont associés aux conseils régionaux et leur présence aux séances d'information des missons est très faible.

Pour remplir leur mandat, les missions doivent agir beaucoup plus directement dans la concertation des maires. Alors que les établissements sont laissés à eux-mêmes pour définir les critères de représentation qu'ils désirent, les maires sont davantage incités à prendre en considération la représentation géographique de la région. En général, les missions insistent peu pour que les maires élisent des personnes qui ne soient pas déjà associées au réseau ou qui ne fassent pas partie de l'élite locale. Elles se limitent à suggérer une procédure de concertation qui garantisse la représentativité géographique.

Peu de pouvoirs sont accordés aux groupes socio-économiques dans la loi; le Lieutenant-gouverneur en conseil nomme deux membres des conseils régionaux après consultation des groupes socio-économiques les plus représentatifs de la région. Au cours du processus d'implantation, les groupes obtiennent que la décision du lieutenant-gouverneur en conseil sur ces nominations soit plus délibérative. En effet, le ministre des Affaires sociales annonce que les préférences indiquées sur les listes des candidatures suggérées par les groupes seront respectées le plus fidèlement possible à la condition qu'elles répondent aux critères minima établis par le gouvernement. Ces critères visent à assurer une certaine représentativité géographique, socio-économique, d'âge et de sexe des membres des CRSSS.

Or, le guide d'élection et de nomination remet aux missions régionales le soin de dresser cette liste par ordre préférentiel. C'est ainsi que les groupes conservent le pouvoir de faire des suggestions mais ce sont les missions qui peuvent ordonner les choix et encore ces choix, pour être retenus par le Lieutenant-gouverneur en conseil, doivent-ils répondre à certains critères fixés par celui-ci.

L'impossibilité pour les groupes de se concerter et l'état de dépendance dans lequel ils se trouvent face aux missions régionales qui ordonnent leurs choix et au Lieutenant-gouverneur en conseil qui fait les nominations, font que ces agents sont les plus démunis en moyens de puissance si on les compare aux établissements et aux maires.

Analysons maintenant les résultats des nominations aux CRSSS. Les trois catégories d'établissements que nous avons étudiées ont désigné de façon presque exclusive des cadres supérieurs de leurs administrations. Le tableau 1 montre que, sur 99 personnes nommées par les centres hospitaliers (CH), les centres d'accueil (CA) et les centres de services sociaux (CSS), 87 sont soit membres d'un conseil d'administration d'un établissement, soit directeur général, soit directeurs de services. Par ailleurs, selon le tableau 2, 47 sont des professionnels et 48 sont des entrepreneurs, des commerçants ou des cadres moyens et supérieurs.

Lorsqu'on passe à l'analyse des représentants des maires et des groupes socio-économiques, une plus grande diversité apparaît. Des 44 personnes élues par les maires, 24 viennent de l'extérieur du réseau des établissements; cependant, quand on considère leur occupation, il appert que 34 proviennent des élites traditionnelles. Chez les personnes nommées par le Lieutenant-gouverneur en conseil, l'ouverture est encore plus prononcée: 14 sur 21 ne sont pas rattachées directement à des établissements et 12 sont ou des ménagères, ou des syndicalistes ou des enseignants. Au total seulement 77 sur 225 personnes siégeant sur les CRSSS viennent de l'extérieur du réseau des établissements, la moitié ayant été élue par les maires ou nommée par les groupes socio-économiques. Finalement, seulement 39 membres des CRSSS ne font pas partie de ce qu'on pourrait appeler les notables locaux.

## Tableau 1

**Répartition des membres des CRSSS selon les catégories qu'ils représentent et leurs responsabilités dans les établissements**

| Responsabilités dans les établissements | Catégories représentées | | | | | | | |
|---|---|---|---|---|---|---|---|---|
| | CH | CA | CSS | CLSC | Maires | Universités CEGEP | Groupes socio-écon. | Total |
| Membre d'un conseil d'administration | 7 | 5 | 13 | 2 | 7 | 5 | 2 | 41 |
| Directeurs généraux | 16 | 22 | 8 | 4 | 5 | 1 | 0 | 56 |
| Autres directeurs | 9 | 4 | 3 | 1 | 3 | 2 | 1 | 23 |
| Reliés aux établissements | 0 | 1 | 5 | 7 | 5 | 6 | 4 | 28 |
| Non reliés aux établissements | 1 | 1 | 4 | 14 | 24 | 19 | 14 | 77 |
| Total | 33 | 33 | 33 | 28 | 44 | 33 | 21 | 225 |

Les données des Tableaux 1 et 2 ont été compilées à partir des dossiers du ministère des Affaires sociales. Nous y incluons, à titre d'information, les caractéristiques des personnes nommées par les CLSC, les Universités et les CEGEP.

## Tableau 2

**Répartition des membres des CRSSS selon les catégories qu'ils représentent et selon leur occupation**

| | Catégories représentées | | | | | | | |
|---|---|---|---|---|---|---|---|---|
| Occupations | CH | CA | CSS | CLSC | Maires | Universités CEGEP | Groupes socio-écon. | Total |
| Professionnels | 16 | 9 | 22 | 7 | 12 | 20 | 5 | 91 |
| Entrepreneurs, commerçants, cadres supérieurs et moyens | 17 | 23 | 8 | 9 | 22 | 12 | 4 | 95 |
| Ménagères, enseignants, syndicalistes, autres | 0 | 1 | 3 | 12 | 10 | 1 | 12 | 39 |
| Total | 33 | 33 | 33 | 28 | 44 | 33 | 21 | 225 |

L'analyse du processus d'implantation des CRSSS, des concertations qui se sont déroulées dans chaque catégorie et des résultats de ces concertations révèle que :

(a) le ministère, en remettant aux établissements traditionnels du réseau (CH, CA et CSS) le contrôle de la mission régionale et le pouvoir de se concerter en dehors de tout commandement de cette dernière, leur accordait une autonomie très grande dans la désignation de leurs représentants, autonomie d'autant plus grande que le groupe ministériel avait perdu tous les moyens d'intervenir directement dans le déroulement quotidien des opérations au niveau de chaque région ;

(b) les missions, contrôlées qu'elles étaient par les représentants des établissements, se sont abstenues d'intervenir dans les activités de concertation des CH, des CA et des CSS. Par contre, en obtenant du ministère le pouvoir d'établir une liste de préférences parmi les candidatures soumises par les groupes socio-économiques à l'attention du lieutenant-gouverneur en conseil, elles avaient l'occasion de commander les groupes socio-économiques. Cependant, comme l'élaboration de cette liste de préférences avait lieu après que les établissements et les maires aient désigné leurs représentants et que, pour le ministère, la nomination des deux personnes au titre des groupes socio-économiques était surtout l'occasion de corriger les lacunes dans la représentation résultant des désignations effectuées par les maires et les établissements, la marge de manoeuvre des missions était réduite de beaucoup.

(c) les établissements, grâce à l'autonomie dont ils jouissaient, ont réussi à déléguer aux CRSSS des personnes capables de parler en leur nom et de défendre avec efficacité leurs intérêts.

(d) la désignation par les maires de quatre personnes n'a permis que bien faiblement d'ouvrir les CRSSS à des représentants des simples citoyens usagers des services de santé et des services sociaux. Les maires ont eu tendance à élire des notables locaux (maires, médecins, commerçants, entrepreneurs). Cependant, il est intéressant de noter qu'un peu plus de la moitié des élus des maires ne sont pas reliés directement au réseau des établissements.

(e) c'est par l'intermédiaire des groupes socio-économiques, c'est-à-dire par l'intermédiaire de la catégorie la plus dominée dans le processus, que l'entrée, dans la coordination des affaires sociales, de nouveaux interlocuteurs plus représentatifs de la population en général s'est surtout effectuée. Cependant, il faut remarquer que les représentants des groupes socio-économiques ne constituent qu'une petite minorité de chaque conseil régional.

On peut affirmer que l'objectif du ministère, qui était d'insérer entre les établissements et le gouvernement de nouveaux acteurs ne provenant pas des établissements mais de la population, n'a été que très partiellement atteint. Les trois grandes catégories d'établissements ont réussi à ne déléguer aux CRSSS que des cadres supérieurs alors que les catégories sur qui le ministère comptait pour introduire de nouvelles figures n'ont que faiblement répondu à ses attentes. Les catégories d'acteurs les plus puissantes et les plus présentes dans le réseau des affaires sociales sont, après l'implantation des CRSSS, encore plus puissantes et plus présentes alors que les catégories nouvelles d'acteurs n'ont pas réussi une percée très significative.

À la suite de Lowi[22], on peut s'interroger sur la valeur des politiques visant à assurer une participation plus grande des différents groupes à l'élaboration des politiques les affectant. Trop souvent on a tendance, dans les bureaucraties gouverne-

---

22  Theodore J. LOWI, *The End of Liberalism*, New York, Norton, 1969.

mentales, à traiter sur un pied d'égalité tous les groupes, quels que soient leur pouvoir et leur degré d'organisation. On ne considère que les intérêts organisés et plus les intérêts sont organisés, plus on leur accorde de moyens, ce qui ne fait qu'accroître leur commandement. De ce point de vue, ces politiques ont un effet conservateur.

De quelle influence peuvent jouir les représentants des groupes socio-économiques face aux personnes venant des établissements ? Peterson[23] a montré que la représentation formelle, c'est-à-dire la façon dont les représentants sont choisis, affecte la représentation réelle, c'est-à-dire l'influence que les représentants exerceront. Plus la sélection par une population de ses représentants est directe, plus la représentation formelle est forte et plus la représentation réelle ou l'influence du représentant sera grande. Dans le cas des représentants des groupes socio-économiques, la représentation est très indirecte, ce qui laisse présager une influence assez faible de leur part dans les décisions des CRSSS. L'absence de liens organiques entre les représentants et les représentés affaiblira encore leur influence. Dans le cas des représentants des établissements, la situation est toute autre : la représentation formelle est directe, donc très forte et des liens très étroits unissent les représentants aux représentés. Le type de coordination qui a prévalu au cours de l'implantation des CRSSS risque donc de caractériser les activités des CRSSS.

## Les CRSSS et les relations de puissance

Le fonctionnement des conseils régionaux dans leurs premiers dix-huit mois d'existence a confirmé les conclusions de notre analyse du projet de loi et du processus de leur implantation. Par une série d'entrevues faites auprès des directeurs généraux et de certains membres des conseils d'administration de huit CRSSS, par l'analyse de documents et de procès-verbaux de ces conseils et par les résultats d'un questionnaire envoyé à tous les membres des onze conseils régionaux existants, nous avons été en mesure de constater que: 1° le ministère des Affaires sociales n'a pas entièrement renoncé à voir dans les conseils régionaux des organismes qui puissent l'aider à commander; 2° les établissements forts comme les centres hospitaliers sont très influents dans les conseils régionaux ; 3° les établissements plus faibles comme les centres d'accueil y cherchent leur place ; 4° les représentants des groupes socio-économiques et ceux de la population élus par les maires sont assez marginaux quand ils ne sont pas rattachés à un établissement ; 5° sur le plan des fonctions exercées, celles à l'égard des établissements ont accaparé plus de ressources que celles à l'égard de la population ; 6° et surtout, les conseils régionaux accusent des particularités prononcées dans leurs orientations.

a) Les relations CRSSS-MAS.

Les conseils régionaux ne font pas partie d'un circuit formel de la pression ; aucun lien organique ne les rattachent, par exemple, au Conseil des affaires sociales. Ils ne s'intègrent pas non plus à la ligne du commandement du ministère comme l'indique, en autres faits, la place plutôt marginale du responsable des relations avec les CRSSS au ministère même. De cette ambiguïté découle en partie les différents rôles que des fonctionnaires voudraient voir jouer aux conseils régionaux.

Pour certains, dont la direction des systèmes de gestion, les conseils doivent devenir le bras du ministère dans chaque région. C'est l'option de la déconcentration

---

23   Paul E. PETERSON, « Forms of Representation : Participation of the Poor in the Community Action Program », *American Political Science Review*, 64, (1970), p. 491-507.

du ministère. En tant que gestionnaire, les CRSSS seraient ainsi intégrés à la ligne du commandement. Cette option s'est manifestée principalement lorsqu'on a confié aux CRSSS des responsabilités telles que l'étude des services d'urgence et l'implantation des réformes découlant de cette étude, responsabilités qui ont marqué les premiers pas des conseils. Alors que tous ont accepté de faire l'étude, un seul a refusé de gérer les programmes de réforme. Ils ont dû investir une bonne partie de leurs ressources en personnel, en temps et en énergie dans cette entreprise de sorte qu'il en restait peu pour autre chose.

Pour d'autres fonctionnaires, comme par exemple, ceux de la direction générale de la planification, les conseils régionaux doivent rester ce qu'ils sont, c'est-à-dire, des organismes consultatifs, préoccupés surtout par l'identification des besoins de leur région et par la répartition et la meilleure utilisation des ressources. Ils formulent des avis au ministère sur ces questions et c'est le ministère qui corrige et redresse les situations par ses services centraux ou encore par les agents régionaux de la programmation. C'est dans le cadre de cette option que l'on peut classer la consultation faite auprès des CRSSS sur la deuxième phase des projets de CLSC, sur le regroupement des achats des établissements et sur deux problèmes, l'un concernant les services à l'enfance et l'autre, les personnes âgées.

Enfin, le ministère peut encore considérer les conseils régionaux comme dépanneurs dans des situations difficiles. Sans être situés dans la ligne de commandement, les CRSSS constituent un moyen à la disposition du MAS pour l'aider à commander là où ce dernier éprouve des difficultés. C'est ainsi qu'ils seraient appelés à recevoir les plaintes des usagers des services du réseau, ce qui permettrait de décharger le ministère qui les reçoit sans trop savoir quoi en faire. Ils seraient également chargés de faire accepter, par le biais de la transmission de l'information, des décisions du ministère auprès de la population, ou encore, d'amener les établissements à coordonner leur action pour régler les problèmes de dédoublement ou de mauvaise utilisation des ressources. Les conseils régionaux ont joué ce rôle en certaines circonstances. Ainsi, l'un d'entre eux a reçu la responsabilité de faire accepter, par la population, un CLSC comme solution de rechange à la fermeture d'un hôpital.

Tous les conseils ne réagissent pas de la même façon devant les options que leur offre le ministère. Nous avons élaboré une typologie des conseils tenant compte des positions qu'ils ont prises face à leur situation dans le réseau. Le premier groupe de conseils comprend ceux qui se sont définis comme des organismes de pression (P). En général, ces CRSSS refusent de gérer des programmes qui lui viennent du ministère. Ils ne sont donc pas opposés à la présence d'agents déconcentrés de la programmation sur leur territoire qui, eux, sont les exécutants du MAS. Ils se montrent davantage préoccupés par leurs fonctions vis-à-vis la population : identification des besoins, réception des plaintes, animation et information pour susciter la participation à l'administration des services. Devant les établissements, ils essaieront de faire primer les besoins régionaux.

Le deuxième type comprend les conseils qui, tout en mettant l'accent sur la pression, ont aussi été tentés par le commandement (Pc). Les CRSSS qui appartiennent à ce type se sont montrés intéressés à associer la population au réseau en lui fournissant des informations et en l'incitant à participer à la formation des conseils d'administration des établissements. Par contre, ils ont accepté de se substituer au ministère dans des cas où celui-ci n'avait pas les moyens d'imposer une solution. L'option de la décentralisation du ministère les attire. Ils souhaiteraient devenir des organismes de commande dans leur région.

Les CRSSS du troisième type ne semblent pas, pour des raisons diverses, avoir opté nettement pour la pression ou le commandement. C'est pourquoi nous proposons de les désigner par pc, les minuscules indiquant qu'aucune des deux activités n'a une place prépondérante. D'une part, ils s'opposent à la présence d'agents déconcentrés de la programmation sur leur territoire et insistent pour implanter eux-mêmes certains programmes, telles les mesures qui découlent de leur étude sur les services d'urgence. D'autre part, sans refuser d'entrer dans le circuit de la pression, ils n'ont pas encore réussi à pénétrer dans leur milieu, que ce soit auprès de la population ou auprès des établissements, particulièrement auprès des centres hospitaliers.

Enfin, un dernier type de CRSSS semble accorder la priorité aux activités de commandement. Pour cette raison, nous les désignons comme appartenant au type pC. Fortement opposés aux agents de la programmation, ces CRSSS cherchent à occuper seuls tout le champ des relations ministère-établissements. Leurs activités à l'égard de la population sont à peu près inexistantes. Dans ces conseils, on montre peu d'enthousiasme vis-à-vis des CLSC et il peut même arriver que l'on tente de faire avorter certains de ces projets. Préoccupés d'abord par la pénétration du réseau d'établissements le plus puissant, comme les centres hospitaliers, ces conseils régionaux n'ont pas accordé une grande attention aux activités de pression, si ce n'est au niveau des notables locaux qui, eux, s'occupent de faire pression auprès du palier politique.

## b) L'influence des secteurs représentés au CRSSS

Les résultats de notre questionnaire confirment une hypothèse que nous avions avancée à la fin de l'analyse du processus d'implantation des conseils régionaux, à savoir que les secteurs qui ont été en mesure de diriger leur action sans trop se soumettre à l'action des missions régionales et à la procédure fixée par le ministère sont aussi ceux qui sont jugés les plus influents au sein du conseil.

Dans tous les conseils régionaux, les centres hospitaliers dominent sur les autres secteurs représentés[24]. À l'opposé, c'est chez les représentants élus par les maires, les représentants des groupes socio-économiques et aussi les représentants des CEGEP que l'influence est jugée la plus faible. Un indice de cette influence est révélé par la représentation des secteurs aux comités administratifs des CRSSS. Encore une fois, ce sont les centres hospitaliers qui ont la représentation la plus forte au sein de ces comités.

En utilisant les graphiques d'influence développés par Tannenbaum[25], nous avons pu constater que, de façon générale, les comités administratifs exercent une influence qui surpasse même celle des conseils d'administration des CRSSS. Les tableaux ont également révélé que les directeurs généraux des conseils régionaux sont très influents, souvent même plus que les comités administratifs et les conseils d'administration. Ce serait là une nouvelle dimension à ajouter dans la poursuite d'une étude sur les CRSSS et ce, d'autant plus, qu'avec les nouveaux mandats des conseils, les directeurs généraux acquièrent une force accrue : ils ont des ressources que les nouveaux membres n'ont pas, ne serait-ce que les informations acquises depuis leur entrée en fonction.

---

24 Dans deux régions cependant, ils sont surpassés par les permanents. Ce sont deux régions où les directeurs généraux jouent un rôle plus marqué qu'ailleurs.

25 A.S. TANNENBAUM, *Control in Organizations*, New York, McGraw Hill, 1968.

# Conclusion

Avant 1960, le gouvernement intervient peu dans la régulation des affaires sociales. La plupart du temps, il limite son action à accorder des ressources, surtout de l'argent, en faveur des plus démunis. Il laisse le soin à la communauté d'organiser son propre réseau de postes. Son intervention est supplétive : l'État se fait chevalier défenseur de la veuve et de l'orphelin mais dans les seuls cas où la communauté ne remplit pas ce rôle. Comme en fait foi la Loi de l'assistance publique de 1921, le gouvernement fournit alors à des postes « reconnus » les moyens d'agir sur le reste de la communauté. Les congrégations religieuses, détentrices de ces postes, possèdent, par accord tacite communautaire (une espèce de contrat social) et par protection gouvernementale, les moyens de puissance nécessaires au maintien d'une régulation privée. Leur contrôle est à peu près absolu, car elles peuvent ouvrir de nouveaux établissements, fermer des plus anciens et définir les clientèles et leur caractère. N'est-ce pas elles qui accordent le droit à l'indigence puisque la loi les protège de tout contrôle provincial ?

De 1960 à 1970, le gouvernement augmente ses contributions financières. L'assurance-hospitalisation, puis l'assurance médicale, éliminent peu à peu les distinctions de clientèle que les établissements pouvaient faire. Du même coup, le gouvernement impose certaines règles touchant le fonctionnement et même la reconnaissance des établissements. Les pouvoirs de créer de nouveaux postes échappent à la communauté. La relation entre les postes de clients et ceux d'établissements est régie par le gouvernement. Enfin, les règles touchant la direction des établissements sont fixées par lois et règlements.

La transformation qui s'opère durant cette période rend plus sensible d'autres inégalités entre les membres de la communauté. Ces inégalités ne relèvent plus uniquement de la disparité des ressources économiques mais elles dépendent de l'accessibilité aux postes et aux pouvoirs qui y sont rattachés. La commission Castonguay-Nepveu s'y attaque. Ses recommandations invitent le gouvernement à régir plus efficacement l'ensemble des relations de puissance dans les secteurs de la santé et du bien-être. Ainsi, la commission souligne-t-elle l'importance de dissocier le commandement, qui devra s'établir selon une ligne descendant du gouvernement vers la communauté, et la pression qui empruntera un circuit inverse. Ces deux moments associent la communauté et le gouvernement dans une structure de contrôle où le niveau régional (offices régionaux à vocation de commandement, conseils régionaux à vocation de pression) constitue un palier d'adaptation entre une logique gouvernementale qui, pour commander, trouverait plus simple de centraliser et une logique communautaire qui, pour n'être pas trop commandée, préférerait, à la limite, une situation anarchique. Le contenu des deux versions du projet de loi, le processus d'implantation des conseils régionaux et leur fonctionnement pendant les premiers dix-huit mois de leur existence sont, en quelque sorte, le produit de l'affrontement de ces deux logiques politiques.

*Lectures recommandées*

G. Bergeron, « Pouvoir, contrôle et régulation », *Sociologie et société*, 2 (1970), p. 227-249.

_____ , « Le développement des sciences du bien-être au Québec », *Service social, v. 13 no 2-3 (juillet-déc. 1964), p. 7-37.*

M. Hamel, « L'État et l'assistance sociale », Service social, v. 13, no 1 (janv.-juin 1964) p. 38-59.

V. Lemieux *et al.*, *Rapports d'étape de la recherche sur le ministère des Affaires sociales et ses publics*, Québec, Université Laval, Dép. de science politique, 1971-1972, 2v. (Polycopiés).

P. Melvyn, « La sécurité sociale : cheval de bataille ou cheval de bois ? », *Socialisme 66*, no 8 (mai 1966), p. 35-48.

_____ , « La sécurité sociale bien tranquille », *Socialisme 65*, no 5 (printemps 1965), p. 50-72.

S. Mongeau, *Évaluation de l'assistance au Québec*, Montréal, Jour, 1967.

C. Morin, « L'évolution des programmes de maintien du revenu au Canada de 1926 à 1958 », *Service social*, v. 9, no 2 (juillet-août 1960), p. 36-61.

M. Pelletier et Y. Vaillancourt, *Les politiques sociales et les travailleurs*, Montréal, 1974.

Chapitre 7

# Le système municipal québécois : un système en état de mutation

Jacques Léveillée
Université du Québec à Montréal.

*Jacques Léveillée est professeur au département de science politique de l'Université du Québec à Montréal. Il s'intéresse surtout aux politiques urbaines et régionales et a déjà publié, en collaboration avec J. Meynaud, Quelques expériences de fusions municipales au Québec, Montréal, Nouvelles Frontières, 1973. Il a de plus été l'un des principaux responsables, avec A. Bernard et G. Lord, d'une recherche sur le fonctionnement des divers gouvernements municipaux au Canada.*

*L'étude qu'il présente ici utilise l'approche systémique de Easton pour établir des liens entre les mutations conceptuelles dans la restructuration urbaine québécoise des dernières années et les acteurs politiques qui ont influé sur ce processus. Il trouve ses données dans des documents tant officiels qu'officieux dont il analyse le contenu à l'aide de statistiques descriptives. Il utilise un schéma directionnel de même que des tableaux de contingence.*

Plusieurs analystes politiques continuent, à la suite d'Aristote, à attribuer à l'institution locale des valeurs démocratiques irremplaçables[1]. Pour d'autres, cependant, l'institution locale ne peut plus répondre aux attentes que l'on a traditionnellement placées en elle à moins de se transformer de façon radicale. De telles transformations apparaissent inéluctables parce qu'un fossé énorme s'est creusé, depuis la fin du deuxième conflit mondial, entre les demandes des citoyens et les possibilités de réponses du gouvernement local. Suite aux nouvelles répartitions de fonctions entre les divers paliers de gouvernement, maintes corporations municipales ont du abandonner des champs d'intervention qui conféraient un sens à la participation démocratique au niveau local. À cette perte de plusieurs domaines d'intervention, s'est ajouté

---

1  Voir entre autres S.A. MacCorkle, *American Municipal Governement and Administration,* Boston, Heath, 1948; N.E. Long, «Aristotle and the Study of Local Governement», *Social Research,* 24 (1957), p. 287-310.

l'incapacité pour la majorité des municipalités de financer elles-mêmes la distribution des services sous leur compétence.

Comment, dans ces conditions défavorables, susciter ou même maintenir une ferveur démocratique auprès des citoyens ? Pourquoi investir dans la chose publique locale des énergies, souvent bénévoles, alors que les biens à administrer sont progressivement moins nombreux et, de toute façon, difficiles à gérer par suite des ressources financières limitées ? Comment enfin, faire revivre un sentiment d'appartenance communautaire au sein d'une population locale alors que les conditions modernes d'existence dirigent l'attention des individus et des groupes sur les débats et des combats qui se déroulent autour de centres de décision infailliblement situés au-dessus du niveau local ? Autant de questions qui, comme le souligne S. Greer, sont à la source des projets de réforme de nos institutions municipales[2].

Toutefois, ce serait faire preuve d'une myopie coupable que de voir dans ces nobles préoccupations la raison principale expliquant la mise en forme des projets de réorganisation municipale qui ont cours un peu partout. Un survol rapide de ces projets révélera à quiconque que les divers éléments du système municipal sont d'abord considérés sous l'angle de leurs apports éventuels à la croissance et à l'efficacité économique plutôt que de leurs contributions à l'épanouissement d'une vie démocratique locale. Tout conflit entre les deux objectifs est invariablement réglé à l'avantage du premier.

Certes on s'attache à présenter la réforme comme un effort ultime pour redorer le blason de la démocratie locale, pour remettre l'institution sur pied en élargissant ses bases physiques, juridictionnelles, politiques et financières. Mais les clauses d'application pratique de ces déclarations d'intention démontrent inévitablement que les deux premiers éléments de cette revitalisation occupent la première place alors que les deux derniers sont relégués aux oubliettes sous une avalanche de phrases creuses.

Il importe, pour les administrateurs publics qui sont à l'origine de ces projets de réforme, de sauvegarder cette croyance en la valeur démocratique de l'institution municipale, parce que cette dernière demeure importante pour les hommes publics en quête de réélections constantes. Bref, les préoccupations politiques ne sont jamais absentes des projets de réforme municipale parce que l'institution locale demeure un enjeu politique important pour tous les partis politiques. La survie d'un gouvernement, en ce qui concerne la question municipale, dépend de son habileté à formuler une réforme qui respecte les impératifs d'efficacité et de rationalité économiques, ce qui exige généralement un réaménagement de la quantité et de la qualité des institutions locales.

C'est là du moins l'hypothèse que nous nous proposons de vérifier dans le cas du Québec après une brève revue des approches théoriques disponibles pour l'analyse de notre sujet.

## Le choix d'une approche théorique

La majorité des études empiriques dans ce secteur ont privilégié l'une ou l'autre des approches suivantes : la « *public policy approach* » qui s'est surtout préoccu-

---

2  S. Greer, *The Emerging City,* New York, Free Press, 1962, p. 67-106; voir aussi A.F. Leemans, *Changing Patterns of Local Governement,* The Hague, International Union of Local Authorities, 1970.

pée d'analyser les facteurs qui expliquent l'adoption d'une politique de réforme municipale plutôt que d'une autre[3]; l'approche de *Michel Crozier* qui lui s'est attardé aux perceptions et attentes des principaux acteurs en cause dans ces politiques de réorganisation municipale[4]; et finalement l'approche de *David Easton* qui s'intéresse au processus politique accompagnant l'élaboration et l'exécution de ces politiques[5]. C'est finalement cette dernière approche que nous avons choisie.

Le cadre conceptuel de D. Easton nous permet de traiter des processus politiques d'élaboration, de formulation et d'exécution de la politique provinciale de réforme municipale tout en intégrant les variables relatives à l'environnement et aux bénéficiaires, sans qu'il soit nécessaire de recourir aux méthodes d'analyse plus élaborées et plus détaillées que les approches de M. Crozier et de la « public policy approach » mettent à contribution.

Dans ses hypothèses théoriques sur le système politique, D. Easton décrit les politiques gouvernementales comme autant de réponses aux demandes du milieu. Ces demandes sont amenées dans le système politique à travers des canaux de transmission (acteurs et institutions) généralement reconnus par les membres du système comme aptes à jouer ce rôle : les demandes deviennent alors des problèmes à solutionner (des « issues »). La transformation des demandes en problèmes est généralement accompagnée par un processus d'interprétation et reformulation des demandes initiales (voir le tableau 1). Nous essaierons donc dans un premier temps de décrire comment les acteurs du système municipal québécois ont interprété les forces de l'environnement (i.e. les demandes et les supports) et comment ils sont arrivés à formuler la solution qu'ils favorisaient.

Mais tous les problèmes ne font pas l'objet d'une décision de la part des autorités publiques. Pour que cette étape soit franchie, il faut souvent, en plus d'une volonté d'action au sein de l'appareil étatique et d'une pression sociale, la présence d'un ou plusieurs acteurs privilégiés qui font du problème l'objet de leur action[6]. Ces acteurs placés aux portes (« gate-keepers ») des canaux de transmission interprètent aussi bien les demandes que les forces de l'environnement avant de reformuler le tout sous forme de problèmes à résoudre. Ainsi, avant que la décision politique sur la régionalisation municipale et celle sur les fusions ne furent prises, divers membres du système politique québécois ont reformulé la question sous une forme qui leur était acceptable. Nous essaierons donc ensuite de décrire l'intervention d'un acteur privilégié au cours du processus qui mène du problème à la décision. Cet acteur peut entreprendre de faire du problème son objet pour une foule de raisons : ici comme ailleurs, il faut traverser le discours pour l'interpréter d'abord, et le dépasser ensuite. Mais cette action même de l'acteur privilégié s'inscrit dans un contexte politico-administratif qui délimite l'amplitude ainsi que la permanence de la politique promue et des projets défendus par l'acteur privilégié. Aussi, dans un deuxième temps, nous procéderons à une analyse de la stratégie de l'acteur privilégié en fonction des contraintes à son action.

---

3  C.W. Mills, *The Power Elite,* New York, Oxford University Press, 1956; F. Hunter, *Community Power Structure,* Chapel Hill, N.C., University of North Carolina Press, 1953; R.A. Dahl, *Who Governs?,* New Haven, Yale University Press, 1963; E.C. Banfield, *Political Influence,* New York, Free Press, 1961; J.Q. Wilson and E.C. Banfield, *City Politics,* New York, Vintage Books, 1966.

4  T.J. Lowi, « American Business, Public Policy, Case-Studies, and Political Theory », *World Politics,* 16 (1964), p. 677-715.

5  D. Easton, *The Political System,* New York, Knopf, 1953; *A Framework for Political Analysis,* Englewood Cliffs, Prentice-Hall, 1965; *A systems Analysis of Political Life,* New York, Wiley, 1965.

6  Voir H. Jamons, *Sociologie de la décision,* Paris, Centre National de la Recherche Scientifique, 1960, ch. 4-5.

## Tableau 1

**Schéma de David Easton appliqué à la question
de la réforme municipale au Québec**

Demandes

supports  rétroaction  *output*

Institutions
Gouvernementales

| | | |
|---|---|---|
| ex: subventions, annexion. | ex: Ministère des affaires municipales, cabinet. | ex: politique de fusion, de régionalisation |
| ex: associations, partis, conseils municipaux. | | |

## L'origine des demandes: l'environnement municipal

L'état du système municipal québécois et les problèmes inhérents à ce système peuvent être brièvement décrits sous trois titres: démographie et urbanisation, administration municipale, finance locale.

### 1. *Démographie et urbanisation*

Parmi les facteurs d'environnement qui ont le plus contribué à remettre en question notre système municipal, il faut accorder une place spéciale à l'évolution démographique et à l'urbanisation[7].

Ce sont les centre urbains déjà existants et les concentrations industrielles de petite taille qui ont le plus profité de l'expansion démographique remarquable survenue au Québec depuis le début du siècle. Au gré des années, les grosses et les moyennes municipalités ont accaparé une part sans cesse croissante de la population totale alors que les petites municipalités, en nombre aussi imposant d'année en année, en sont venues à regrouper une part toujours plus réduite de la population totale. Aussi, lors de la diffusion des premiers projets de réforme en 1965, les 139

---

7  J. Simmons, and R. Simmons, *Urban Canada,* Toronto, Copp Clark, 1969; *Recherches Sociographiques,* 9, no 1-2 (janv.-août 1968), no spécial; *L'urbanisation et la société canadienne-française;* S.D. Clark, *Urbanism and the Changing Canadian Society,* Toronto, University of Toronto Press, 1965; P.Y. Denis, «La présence urbaine au Québec et dans l'Ontario», *Revue canadienne de géographie,* 17 (1963), p. 3-8; J.V. Frenette, et C. Manzagol, «Éléments d'une problématique de l'Aménagement régional au Québec», *Revue de géographie de Montréal,* 23 (1969), p. 83-88; L. Michaud, «Le Déséquilibre urbain québécois: quelques suggestions pour une politique de réajustement», *Revue de géographie de Montréal,* 23 (1969), p. 115-121.

municipalités de plus de 4,000 habitants représentaient 70% de la population totale alors que les 1,445 autres municipalités ne regroupaient que 30% de la population québécoise (tableau 2).

C'est pour corriger cette situation que les premières tentatives du ministère des Affaires municipales prônaient surtout une diminution radicale du nombre des municipalités. L'idée était alors de provoquer des fusions de paroisses rurales avec les villages de ces paroisses.

## *Tableau 2*

**Nombre de municipalités selon leur importance entre 1931 et 1965**

| Importance | 1931 | 1941 | 1953 | 1961 | 1965 |
|---|---|---|---|---|---|
| 5,000 et moins | 334 | 282 | 252 | 245 | 238 |
| 500 à 1,000 | 566 | 569 | 548 | 517 | 520 |
| 1,000 à 1,500 | 305 | 348 | 344 | 455 | 367 |
| 1,500 à 2,000 | 136 | 149 | 173 | 167 | 173 |
| 2,000 à 3,000 | 83 | 89 | 100 | 103 | 116 |
| 3,000 à 5,000 | 35 | 54 | 69 | 82 | 96 |
| 5,000 à 10,000 | 15 | 17 | 39 | 59 | 63 |
| 10,000 à 25,000 | 12 | 14 | 30 | 39 | 50 |
| 25,000 et plus | 7 | 8 | 10 | 24 | 26 |
| TOTAL | 1,493 | 1,530 | 1,565 | 1,691 | 1,649 |

*Sources:* J. Meynaud et J. Léveillée, *La régionalisation municipale au Québec,* Montréal, Nouvelles Frontières, 1973.

## 2. *Administration municipale*

Nous croyons ne pas faire trop violence à la complexité du phénomène en suggérant que la conception traditionnelle voulant que la paroisse et le village servent de base à l'existence de municipalités distinctes constitue une variable explicative importante de la multiplicité des municipalités[8].

Cette conception traditionnelle n'eut pas comme seule conséquence de multiplier le nombre de municipalités au Québec mais aussi de promouvoir une conception de l'organisation municipale à laquelle il n'était demandé que d'exercer une fonction, soit celle de définir et de maintenir des limites territoriales. Ainsi, alors même que l'industrialisation et l'urbanisation croissantes de la province révélaient une hiérarchie de fonctions, de besoins et d'attentes (au sein de la communauté locale et

---

8  D. Routaboule, «Aux sources de la morphologie urbaine au Québec», *Revue de géographie de Montréal,* 23 (1969), p. 88-97.

entre les communautés) qui exigeait de la part des administrations locales d'être autre chose qu'un mécanisme de division territoriale, les administrations locales n'étaient et ne pouvaient être que des gardiens de territoire.

Alors que les besoins de type urbain s'uniformisaient à travers la province faisant en sorte que les problèmes des municipalités de paroisses et de villages s'assimilaient de plus en plus à ceux des agglomérations urbaines, un nombre de plus en plus grand de municipalités ne pouvait simplement plus les satisfaire. Que les populations soient situées dans des villes, des villages ou des paroisses, la consommation de masse les a atteint. L'homogénéité des besoins et des aspirations s'est faite et la population réclama des gouvernements, quelqu'ils soient, plus de sécurité, plus de confort, tous les services nécessaires à l'établissement de ces industries ou de ces projets d'habitation. C'est alors le marchandage pour le prix du gallon d'eau, la location de la pompe à incendie, etc..., entre la municipalité qui possède du terrain et non les services et la municipalité qui possède des services mais n'a plus de terrain libre. Au nom d'une autonomie basée sur une conception paroissiale de l'organisation municipale, ce type de système municipal vit encore comme si l'urbanisation n'était qu'un mot et que la notion d'agglomération ne correspondait à rien dans les faits.


### 3. *Finances municipales*

L'analyse des besoins administratifs conduit inévitablement à une étude des finances locales et de la crise fiscale municipale.

Toutes les municipalités rencontrent des problèmes financiers. Les municipalités urbaines doivent augmenter leurs dépenses à un rythme accéléré afin de satisfaire aux demandes de services nouveaux et coûteux (loisir, voies de communication...). Par suite d'une diminution de la population, les municipalités rurales subissent une contraction de leurs assiettes fiscales et une hausse du coût unitaire des services. Le problème fondamental est donc de trouver les sources de revenu susceptibles de permettre aux municipalités de maintenir à un coût raisonnable des services qu'elles doivent nécessairement administrer ou de créer des services d'un caractère plus nouveau comme le service des loisirs, le service d'urbanisme, le service de promotion industrielle.

Or, les sources de revenu posent un problème au Québec au moins depuis 1930. Avant cette année, la taxation foncière suffisait dans la majorité des cas à financer les dépenses municipales. La crise économique des années 1929-1935 mit toute la fiscalité municipale en déroute parce qu'elle demandait aux municipalités des efforts considérables pour aider les chômeurs, alors même que les propriétaires fonciers étaient incapables de payer leurs taxes. La période de guerre amena un bref répit. Toutefois, dès 1945, la situation recommença à se gâter parce que les municipalités dépensèrent beaucoup pour rattraper le temps perdu. Le fardeau de la taxe foncière augmenta donc progressivement puisqu'elle constituait encore le moyen le plus commode de financer ces dépenses. Le fonctionnement de ce système se heurta de plus en plus à une incapacité des contribuables de payer davantage car les besoins scolaires, financés à la même source, s'accroissaient rapidement à la faveur de l'expansion démographique et scolaire.

Ainsi, on peut dire que, depuis 1954, le fardeau fiscal est excessif puisque les revenus (y compris les subventions) sont inférieurs aux dépenses (y compris les immobilisations): en 1954, les revenus étaient de 186 millions et les dépenses de 232 millions; en 1963, les revenus atteignent 436 millions et les dépenses 595 millions.

Cette insuffisance des revenus se double d'une inégalité très grande entre les municipalités au point de vue des recettes globales. La conséquence en est que certaines municipalités souffrent d'une pénurie critique importante de revenus municipaux. Ainsi, alors que les municipalités rurales (1,400) représentaient 26% de la population entre 1960-1962, elles ne pouvaient cependant compter que sur 8% des revenus municipaux globaux. Les municipalités de la région de Montréal, par contre, bénéficiaient de 60% des revenus globaux, durant la même période, alors qu'elle ne représentaient que 40% de la population québécoise.

Une hiérarchie dans la richesse et dans la satisfaction des besoins s'est lentement établie. Il y a d'abord les villes industrialisées et celles qui peuvent profiter de l'évaluation foncière d'une grosse industrie. Il y a ensuite les cités et villes de moindre importance. Enfin, le milieu rural se présente comme un milieu où les revenus municipaux moyens par habitant sont si bas que les services, même les plus essentiels, doivent être subventionnés pour être distribués à la population.

Les solutions à ces trois types de problèmes, démographie, administration et finances, n'exigeaient pas, a priori, une remise en question radicale du système municipal existant. En effet, puisque ces problèmes font partie du patrimoine municipal québécois depuis toujours, les dirigeants municipaux auraient pu, tout en se conformant à une vieille tradition du milieu, proposer des remèdes immédiats et partiels. S'il en fut autrement, à partir de 1964, il faut y voir l'influence d'un mouvement régionaliste qui se développait alors à divers paliers du système politique québécois. Il faut aussi y voir l'influence d'un acteur privilégié qui canalisa cette idéologie régionaliste vers des fins municipales.

## Acheminement des demandes

Est-ce que le schéma de D. Easton, qui nous a aidé jusqu'ici à repérer les facteurs d'environnement qui créent un stress sur le système municipal, s'avère encore utile lorsqu'il s'agit de rendre compte de la mise en forme et de l'acheminement des exigences diffuses dans l'environnement local?

Les premières réactions gouvernementales aux pressions de l'environnement furent les tournées provinciales du ministre Pierre Laporte en 1964 et 1965. Les solutions proposées alors par le ministre se limitèrent à la nécesssité pour les municipalités de coopérer et de réduire leur nombre afin de retrouver leur raison d'être.

Au Congrès de l'Union des Municipalités tenu en octobre 1966, le sous-ministre des Affaires municipales présente le projet auquel les fonctionnaires du ministère, après consultation auprès des représentants de l'Union des Municipalités et des Conseils de Comté, étaient arrivés. Ce projet de loi prévoyait: (1) que les limites de rayonnement des 25 sous-régions administratives et des 16 centres intermédiaires devenaient les frontières de 40 régions municipales; :2) dans la mesure du possible, ces frontières respecteraient les limites des régions scolaires et des comtés municipaux; (3) la création d'un gouvernement régional, échelon intermédiaire entre les corporations municipales et l'État central.

Ce projet correspondait en 1966, aux intentions exprimées par un bon nombre de personnes ou de groupes au Québec: le ministre des Affaires municipales d'avant 1966, les hauts fonctionnaires de son ministère, les responsables de la régionalisation scolaire et de la régionalisation administrative, l'Union des municipalités, le Bureau d'Aménagement de l'est du Québec, la Commission Sylvestre (sur les problèmes de l'île Jésus), la Commission Bélanger (sur la fiscalité). Même l'Union des conseils de comté se disait favorable au projet qui signait pourtant l'arrêt de mort des conseils de comté [9]. Bref, ce projet traduisait dans une synthèse cohérente l'ensemble des demandes du milieu municipal telles que véhiculées, interprétées et formulées par les associations et experts municipaux. Respectueux de ces attentes, le projet du ministère des Affaires municipales semblait donc devoir connaître un succès rapide.

Les premières initiatives du ministre s'étaient limitées à prôner une diminution radicale du nombre de municipalités rurales au Québec. Mais cette mesure était vite apparue comme inefficace; le temps requis pour convaincre les conseils municipaux ruraux ne pouvait que retarder d'autant la mise en marche d'une réforme plus vaste de l'ensemble du système municipal. Aussi, il faut interpréter l'abandon de cette politique comme une victoire des forces traditionnelles. Nous devons cependant ajouter que cette victoire eut ceci de particulier qu'il n'y eut pas de véritable lutte. L'évidence d'une difficulté énorme à modifier des pratiques traditionnelles et le peu d'éclat de cette politique suffirent pour convaincre le ministre Pierre Laporte d'abandonner sa croisade.

Il en fut tout autrement lorsque le ministre aborda les problèmes urbains sous l'angle des besoins nouveaux, des exigences administratives nouvelles, de la coopération et de l'interdépendance municipale.

Comme nous l'avons montré plus haut, le ministre pouvait compter sur des appuis nombreux et importants en s'engageant sur cette voie. De plus, une action décisive à ce niveau ne pouvait que promouvoir le prestige de l'initiateur au sein d'un gouvernement où les luttes de prestige étaient vives entre ministres. Aussi, à partir de 1964, le ministre fit du regroupement et de la régionalisation les deux instruments qui devaient permettre d'ajuster le système municipal à l'heure du XXe siècle, tout en lui ouvrant, comme ministre, la possibilité de se hausser à un rang important dans la hiérarchie de la révolution tranquille.

L'idée d'une régionalisation municipale parcourut donc petit à petit l'espace qui s'étend de la formulation de besoins sociaux à la prise de décision politique: interprétation des besoins municipaux par les responsables des canaux de transmission, formulation de solutions par ces derniers, synthèse des besoins et des solutions et utilisation des appuis par un acteur privilégié au sein du gouvernement.

Le schéma descriptif d'Easton semble donc donner toute sa mesure. Le gouvernement s'apprête à fournir une réponse aux demandes transmises par les acteurs municipaux reconnus comme aptes à formaliser ces demandes à l'intention de l'autorité publique. La belle unanimité des conclusions de ces acteurs ne laisse aucun doute sur les voies de réforme à suivre. Le ministère des Affaires municipales sait lire très distinctement les recommandations ainsi que les appuis dont il peut espérer bénéficier advenant une décision dans le sens des recommandations acheminées vers lui. L'inexistence de conflits majeurs entre les divers projets permet, exercice très rare, une législation dans laquelle seraient absents les compromis boiteux. Et pourtant!...

## Prise de décision

Le projet de régionalisation du ministère des Affaires municipales fut relégué aux oubliettes par le nouveau gouvernement de l'Union nationale après l'élection de juin 1966. Pour leur part, l'Union des municipalités du Québec et l'Union des conseils

---

9  Pour une revue des projets défendus par ces groupes, voir J. Meynaud et J. Léveillée, *La régionalisation municipale au Québec,* Montréal, Nouvelles Frontières, 1973, p. 61-75.

de comté modifièrent graduellement leurs attitudes à mesure que les visées municipales de la nouvelle administration unioniste furent mieux connues. Tout se passa comme si les responsables municipaux, à l'instar du nouveau ministre des Affaires municipales, Paul Dozois, décidèrent de prendre un recul critique face aux idées émises depuis deux ou trois ans sur le sujet et qu'ils avaient eux-mêmes contribué à véhiculer.

Ce renversement était à prévoir dès le Congrès de l'U.M.Q. de 1966. Ce congrès constitue un véritable test de la nature et de l'état de consensus réformiste, tout en posant les limites du schéma de D. Easton trop centré sur les expressions publiques (écrites ou verbales) des demandes de l'environnement.

C'est à ce congrès, avons-nous dit, que fut présenté le projet de régionalisation municipale qui reçut l'appui officiel de l'U.M.Q. et de l'Union des conseils de comté. Le congrès adopta alors une série de résolutions priant le gouvernement de réaliser immédiatement le projet. Mais dans son discours de clôture, le nouveau ministre des Affaires municipales fit part de ses conceptions sur la fusion et la régionalisation. Il s'agit essentiellement d'une position favorable au désengagement de l'autorité provinciale dans ces matières afin de remettre aux populations locales et à leurs représentants la pleine autonomie de jugement et de décision :

> Les études présentées par M. Doucet, le sous-ministre des Affaires municipales, ne représentent pas nécessairement la pensée de ceux qui dirigent les destinées de la province depuis le 16 juin... Je vous mets en garde contre tout projet qui tenterait d'implanter une réforme radicale à la grandeur de la province. Plutôt que de vouloir la fusion des Conseils de comté, ne vaudrait-il pas mieux procéder par étapes en tentant l'expérience dans 1 ou 2 comtés-pilotes ou encore de permettre à la population des comtés intéressés de décider elle-même de la fusion.

Dans son discours de clôture au même congrès, le nouveau président de l'U.M.Q. tint un langage semblable, sinon identique, à celui du ministre, et cela bien que le Congrès venait tout juste d'adopter des résolutions favorables à la mise en marche de la politique de fusion et de régionalisation :

> Nos municipalités sont, en général, assez bien organisées, les services essentiels fonctionnent à plein rendement, les hôtels de ville, les écoles, les usines municipales surgissent à un rythme impressionnant... quant au gouvernement provincial, son rôle doit être de surveillance et d'aide discrète afin d'assurer une vie harmonieuse où les jeunes adultes peuvent s'épanouir et apporter les éléments enrichissants de leur âge et de leur audace.

Les conclusions auxquelles sont parvenus les dirigeants de l'Union des conseils de comté, après 1966, sont identiques à celles de l'U.M.Q. Au congrès de 1967, chacune des deux associations oublie les questions de régionalisation: l'U.M.Q. traite d'un sujet qui lui est cher, la fiscalité, tandis que l'Union des conseils de comté aborde le problème des services intermunicipaux. C'est donc dire qu'au moment où l'acteur gouvernemental atteignait les derniers paliers de son action, un changement dans le personnel politique bouleversa aussi bien l'interprétation des besoins et la formulation des solutions que la configuration des appuis.

Finalement le seul résultat tangible issu de toute cette effervescence réformiste se limita à une décision législative partielle, soit la «Loi des fusions volontaires». En effet, même si le regroupement municipal avait été présenté comme un élément important dans chacun des projets de régionalisation diffusés entre 1964 et 1966, il ne fut toujours conçu que comme un des moyens de réaliser une réorganisation plus profonde du système municipal traditionnel: l'U.M.Q. et le ministère insistaient alors tous deux davantage sur la structure interne et sur les pouvoirs du gouvernement régional plutôt que sur les étapes (dont les regroupements) à parcourir avant de réaliser ce gouvernement.

Comment alors interpréter le décalage entre cet apparent consensus réformiste et la position gouvernementale restreinte? Comment rendre compte des changements appréciables de perspectives entre les projets antérieurs à l'élection de juin 1966 et les déclarations postérieures à la prise du pouvoir par l'Union nationale? Double évaluation qui nous permet de mesurer la complémentarité entre les questions que nous avons soulevées plus haut concernant l'impact des forces du milieu, les contraintes subies par l'acteur privilégié dans son action réformatrice, et enfin, la permanence de la politique provinciale de fusion et des projets de régionalisation municipale.

S'il est plausible dans un premier temps, de suggérer que les dirigeants de ces associations municipales ont modifié ainsi leur position à cause des liens de dépendance qui unissent les municipalités et ces associations municipales au pouvoir provincial, nous devons, dans un deuxième temps, dépasser cette interprétation et mesurer les appuis véritables dont bénéficiait la régionalisation municipale parmi l'ensemble des représentants locaux. Ceci nous permet d'apprécier aussi bien les contraintes imposées à l'action du ministre Pierre Laporte et les raisons d'une décision gouvernementale partielle, que les fondements de la non-politique unioniste à partir de 1966.

## Les contraintes à l'action de l'acteur privilégié

Certes le changement de personnel politique apparaît comme la cause immédiate d'un renversement de perspectives dans le domaine de la régionalisation et de la fusion, mais il serait excessif et contraire aux faits que d'y voir la cause unique ou même principale. Si le nouveau ministre put, dès les premières semaines de son entrée en fonction, adopter des attitudes très différentes de celles qui s'étaient imposées depuis quelques années parmi les dirigeants municipaux, c'est que ces positions réformistes ne reflétaient qu'une partie des opinions qui avaient alors cours dans le milieu municipal. Nous suggérons donc l'hypothèse suivante annoncée en introduction: le ministre Paul Dozois sut se convaincre qu'en deçà du consensus réformiste il existait toute une réalité municipale prête à exprimer sa réaction à l'encontre d'un projet de régionalisation municipale. Ajoutons que la clientèle, l'organisation et l'idéologie de l'Union nationale favorisaient une telle réinterprétation.

Les études québécoises de sociologie électorale ont montré qu'il y avait à l'époque des différences d'implantation territoriale entre l'Union nationale et le Parti libéral du Québec: la force électorale unioniste se trouvant dans les corporations municipales rurales et dans les petites villes tandis que l'élément central de la clientèle électorale libérale se retrouvant dans les milieux urbains, en particulier Montréal [10].

Les quelques analyses disponibles sur les partis politiques québécois, et plus particulièrement sur l'organisation interne de ces partis, permettent également d'avancer, quoique prudemment, que les organisateurs de l'Union nationale diffèrent de ceux du Parti libéral sur un point fort important pour la validité de notre argumen-

---

10  P. Cliche, «Les élections provinciales dans le Québec, de 1927 à 1956», *Recherches sociographiques*, 2 (1961), p. 342-366; R. Boily, «Montréal, une forteresse libérale», *Socialisme 66*, no 9-10 (oct.-déc. 1966), p. 138-160; J. Hamelin, J. Letarte et M. Hamelin, «Les élections provinciales dans le Québec», *Cahiers de géographie de Québec*, 4 (:1960), p. 5-207.

tation[11]: plus que le P.L.Q., l'U.N. recruterait ses cadres parmi les notables locaux ayant des responsabilités au sein des commissions scolaires et des conseils municipaux.

L'organisation partisane et électorale de l'Union nationale plaçait ce parti dans une position très favorable pour interpréter et traduire en projets d'action ou en législations, les aspirations et les craintes des élus locaux que ce soit au plan scolaire ou au plan municipal. Au cours de la période où le ministre Laporte et le Parti libéral tentent avec quelques succès de rallier à leurs idées un certain nombre de leaders municipaux au sein des associations municipales, l'Union nationale et son critique des affaires municipales, Paul Dozois, continuent d'alimenter leur réflexion à une source parallèle, c'est-à-dire chez ceux qui n'arrivent pas à exprimer leur vision de l'organisation municipale. C'est en somme cette masse d'acteurs locaux, qui se sentent plus ou moins anéantis par l'action conjuguée des experts et du P.L.Q., qui a fourni à l'Union nationale, en la personne de Paul Dozois, la possibilité de formuler, dès son accès au gouvernement, un projet municipal de rechange puisé au coeur même de son organisation partisane et de sa clientèle.

Si notre argumentation est juste, la nature des bases de l'organisation unioniste rendrait donc compte de la capacité de produire immédiatement un projet de rechange tandis que les caractéristiques de la clientèle de l'Union nationale expliqueraient le sens de ce projet.

C'est encore la nature des alliances de chacun des partis qui devait nous permettre de progresser dans notre compréhension des éléments majeurs des projets en conflit puisque ce sont ces alliances qui façonnent dans une large mesure les particularités idéologiques et législatives des partis politiques.

Nous ne disposons pas encore au Québec d'études comparables à celles de certains chercheurs américains sur les relations existant entre les politiques gouvernementales prônées par un parti et l'origine urbaine (ville centrale), semi-urbaine (banlieues et petites villes), ou rurale de sa clientèle et de sa députation au niveau de l'État ou de la Fédération. Formulons tout de même quelques hypothèses.

L'ensemble des rapports sociaux qui lient les acteurs locaux aux instances supérieures des partis politiques et des gouvernements se conjuguent avec le type de clientèle électorale de ces partis pour imprimer une orientation particulière aux programmes et aux législations formulées par les partis. C'est pourquoi l'Union nationale a toujours été plus empressée d'intervenir pour tenter de contrôler les milieux fortement urbanisés[12]. Par contre, elle abandonne volontiers toute perspective de direction autoritaire lorsqu'il s'agit de milieux faiblement urbanisés. Une utilisation paternaliste et parcellaire des ressources financières et administratives que procure l'exercice du pouvoir lui permet de se sentir à l'aise au sein de l'Union des conseils de comté et de l'Union des municipalités du Québec.

La situation est inverse pour le Parti libéral. Son organisation partisane et sa clientèle électorale rendent ce parti moins apte à comprendre et à représenter le milieu rural ou semi-urbain. La rationalité politique que l'on peut déduire des pro-

---

12    P.A. Comeau, *L'organisation d'une parti politique dans un comté du Québec,* Montréal, 1964, thèse - M.A. (Sc. Pol.) - Université de Montréal, p. 57-62; V. Lemieux, (éd.) *Quatre élections provinciales au Québec,* Québec, Presses de l'Université Laval, 1969, p. 67-122; G. Loriot, *Les élections provinciales dans un comté en voie d'urbanisation: Napierville-LaPrairie 1956-1966,* 1970, Thèse - M.A. (Sc. Pol.) - Université de Montréal, p. 113-118.

13    Les tractations politiques qui en 1959 ont entouré la disparition de la Commission métropolitaine de Montréal et la naissance de la Corporation du Montréal Métropolitain constituent à ce propos des indices-types. Il faut aussi noter que les communautés urbaines de Hull, Québec et Montréal sont des produits législatifs du gouvernement unioniste.

grammes et des législations libérales entre 1960 et 1966 démontre son impatience devant le type de rationalité véhiculé par les associations municipales, en particulier l'Union des conseils de comté. On comprend dès lors que le parti ait tenté de diminuer le nombre et l'importance des sources locales de cette rationalité (réunion des paroisses et villages, fusions des villages aux petites villes, incorporation des villes aux conseils de comté, régionalisation municipale autour des noyaux les plus fortement urbanisés). La perspective fondamentale sera toujours de fournir davantage de moyens d'actions aux centres urbanisés afin qu'ils impriment à toute la réalité municipale une rationalité qui s'agence sur celle du parti.

Les complexes clientèle-organisation-programme-législation de chaque parti expriment donc deux rationalités fort différentes. À une rationalité réformiste fondée sur des valeurs de changement, d'efficacité et de clarté technique s'est opposée une rationalité traditionnelle exprimant des valeurs de continuité et de respect d'un ordre municipal façonné au cours des ans par la confrontation des exigences administratives et des contraintes humaines. Chaque rationalité s'est manifestée à travers deux structures de pouvoir dont les fondements, les appuis, la configuration et la force se sont avérés plus ou moins dominants selon les étapes et selon les secteurs de politique gouvernementale.

Ainsi, le ministre de l'Éducation de l'époque, Paul Gérin-Lajoie, avait-il conçu, tout comme le fera plus tard Pierre Laporte au plan municipal, la réorganisation scolaire en s'appuyant sur un ensemble de groupes porteurs de valeurs de changement. Ayant commencé son action avant ce dernier, Gérin-Lajoie était parvenu à traduire dans les lois aussi bien que dans les faits, les bases matérielles et humaines de la réforme. C'est pourquoi, lorsque l'Union nationale arriva au pouvoir, elle fut confrontée à un ensemble de réalisations bien implantées (construction, personnel administratif, études de base importantes).

La régionalisation municipale n'offrait pas de contraintes aussi rigides à l'action des nouveaux dirigeants: la régionalisation n'existait qu'à l'état de projet, les dispositifs de celui-ci, comme ne manque pas de le souligner Paul Dozois, ne s'appuyaient pas sur des études assez fouillées pour entraîner une adhésion, même de principe. Il fut donc possible de repousser l'ensemble de la réforme et même de contester la valeur de la Loi des fusions volontaires sans qu'il soit nécessaire de se justifier devant les réformistes.

Il nous reste maintenant à voir si la suite des événements cadre bien avec cette interprétation. Tel qu'annoncé dans les premières pages de ce texte, nous tenterons de localiser et de mesurer l'impact de la nouvelle configuration des forces de l'environnement, soit, d'un côté, le retrait des appuis disponibles en 1965-1966 et la conjoncture politique d'avril 1970 et, d'un autre côté, l'intervention fédérale dans le domaine municipal.

## Une nouvelle situation: L'effet de rétroaction

L'analyse des politiques gouvernementales s'inscrit dans une démarche de recherche qui, à l'image des politiques elles-mêmes, n'est jamais terminée. Une décision, l'annonce d'une décision imminente et même la publication d'une intention de légiférer sur une question, transforment d'une façon ou d'une autre la configuration des demandes et des supports du milieu social concerné. C'est ce que D. Easton nomme l'effet de retour provoqué inévitablement par les gestes posés ou annoncés par les autorités publiques. Ainsi, les premiers projets de régionalisation et la première législation sur les fusions volontaires eurent comme effet de ralentir les élans réformistes d'un certain nombre de groupes, d'autant plus que les nouveaux dirigeants unionistes exprimaient une volonté ferme de ne pas intervenir dans le domaine. Au cours de la période qui s'étend de 1966 à 1970, il fut très peu question de régionalisation municipale et de fusion.

## 1. Création des communautés urbaines

Toutefois, malgré les déboires de l'idée de régionalisation municipale, l'inadaptation du système municipal aux nécessités de la vie québécoise ne perdait rien de son actualité. Le gouvernement unioniste dut donc remédier aux problèmes les plus pressants par la mise en place de la formule de la communauté urbaine. Les demandes d'intervention formulées à l'endroit du gouvernement provincial à cet effet étaient anciennes et nombreuses dans les cas de Montréal et de Québec. Il ne semblait faire aucun doute qu'une action énergique serait bien accueillie [13].

Ainsi, la seule intervention provinciale de la période 1966-1970, mais elle est de taille, concerne la création des trois communautés urbaines de Hull, Québec et Montréal. Pourquoi l'Union nationale, par ailleurs amorphe au sujet de la réforme municipale dans son ensemble, intervient-elle de façon autoritaire, et disons-le, inattendue, dans ces agglomérations urbaines?

Une première explication est que l'Union nationale dispose d'une liberté d'intervention plus grande que le Parti libéral en milieu urbain par suite de sa faible implantation électorale dans ces milieux. Qu'il s'agisse de réorganisation municipale ou scolaire sur l'Ile de Montréal, il faut s'attendre à ce que le Parti libéral ait les coudées moins franches que l'Union nationale alors que le contraire est prévisible lorsque l'une ou l'autre des réformes visera le territoire québécois hors des centres urbains importants, en particulier Montréal [14].

La clientèle, les cadres organisationnels, l'idéologie et les chefs de l'Union nationale ont historiquement conduit ce parti à se méfier de Montréal. Les phénomènes montréalais étaient perçus comme menaçants parce qu'étrangers à la vision du monde que ce parti incarnait. Aussi, lorsqu'il intervenait, c'était de manière autoritaire et superficielle afin d'empêcher la métropole de répandre ses effets corrupteurs sur l'ensemble du corps social.

Mais la mort de Duplessis, le séjour du parti dans l'opposition, son implication, même volontaire, dans les mouvements de pensée identifiés à la révolution tranquille, le recrutement de quelques candidats provenant du milieu urbain montréalais, la présence d'une poignée de fonctionnaires capables de formuler des solutions dans une perspective métropolitaine, enfin, l'évolution des structures économiques et sociales du Québec entre 1960 et 1970, sont autant de facteurs qui expliquent que l'Union nationale ait pu, en 1969, se faire le promoteur d'une législation comparable à plusieurs législations occidentales se rapportant au phénomène métropolitain. En créant les communautés urbaines de Hull, Québec et Montréal, l'Union nationale est demeurée fidèle à son mode traditionnel d'intervention dans les affaires métropolitaines. Toutefois, contrairement à sa pratique ancienne et à l'étiquette conservatrice qui est généralement sa marque de commerce, elle a été à l'origine d'une décision que plusieurs réformateurs qualifierait de progressiste.

---

13  Parallèlement à l'application de cette formule aux agglomérations urbaines de Hull, Québec et Montréal, le ministère des Affaires municipales poursuivait l'étude de la régionalisation municipale. Les schémas élaborés, en particulier le plan REMUR, ne seront pourtant jamais mis en application.

14  Ceci ne veut pas dire que l'Union nationale détient le monopole des interventions provinciales en milieu métropolitain montréalais. Sur un mode moins brutal, plus camouflé, le Parti libéral est effectivement actif dans la vie de la métropole.

Il est peu probable que le Parti libéral se fasse le fossoyeur de ces communautés urbaines. Les reculs, les compromis tactiques auxquels se soumettra le Parti libéral ne l'empêcheront pas de perpétuer et même d'accélérer la prise en charge des problèmes ou fonctions métropolitaines par des institutions supramunicipales de gestion. Les cadres supérieurs de son organisation et les intérêts économiques auxquels est identifié le parti l'amèneront inévitablement à promouvoir les objectifs poursuivis par les forces dynamiques du milieu montréalais tout en ménageant les susceptibilités des classes moyennes ou professionnelles qui constituent le noyau principal de sa clientèle.

Au delà des divergences quant au mode plus ou moins discret d'intervention du gouvernement provincial dans les affaires métropolitaines montréalaises, aucun parti politique ne peut, dans le contexte économique des années 1970, se permettre d'abandonner l'agglomération montréalaise à son sort. Alors qu'il était logique et de peu de conséquences économiques que l'Union nationale décide de ne pas promouvoir la réforme municipale dans l'ensemble du territoire québécois parce que ces interventions lui aliéneraient une partie importante de ses effectifs organisationnels et partisans, il serait inconcevable que le Parti libéral provoque la mort de la Communauté urbaine de Montréal même si l'existence d'un gouvernement métropolitain n'est acceptée que par une infime minorité des citoyens et des dirigeants politiques des banlieues montréalaises.

La nature des demandes adressées au gouvernement libéral par les groupes économiques en instance de prendre le contrôle définitif du développement de l'agglomération montréalaise (grands promoteurs immobiliers, entreprises industrielles, commerciales et financières multinationales) s'accommodent mal du schéma eastonnien décrit et utilisé jusqu'ici. Par exemple, la prise de position de la Chambre de Commerce du district de Montréal sur le sujet ne sera toujours qu'un faible reflet des demandes ou objectifs visés par ses intérêts économiques supérieurs parce que la composition même de ce corps intermédiaire le rend beaucoup plus attentif aux revendications des petits entrepreneurs, commerçants, industriels ou propriétaires fonciers qu'à celles des grandes organisations économiques et financières. Ces groupes trouvent leurs meilleurs alliés au sein du comité exécutif de la ville de Montréal, du cabinet provincial et du gouvernement fédéral. Dans le cas de Montréal, les processus politiques se déroulent désormais dans cette zone restreinte entre les *input* et la boîte noire du schéma de D. Easton.

L'enjeu économique que représente Montréal ne peut s'accommoder d'un vacuum législatif et interventionniste à son endroit. Puisque le gouvernement montréalais ne dispose pas de pouvoirs d'intervention sur l'ensemble du territoire de l'agglomération, et que le gouvernement provincial tarde à faire connaître ou même à élaborer une politique de développement pour l'agglomération, le gouvernement fédéral a pris sur lui de combler le vide législatif et interventionniste que la majorité des commentateurs de la scène montréalaise ont identifié depuis quelques années. Son intérêt pour la région montréalaise et pour le système urbain québécois dans son ensemble a contribué, plus que tout autre facteur, à remettre à l'ordre du jour la réflexion municipale laissée en plan après les élections provinciales de juin 1966. Cette réflexion présente des aspects particuliers à cause de l'influence conjuguée de la conjoncture politique québécoise et du sens même des interventions fédérales.

2. La conjoncture politique québécoise depuis 1970

Après diverses déclarations soulignant la nécessité d'une restructuration municipale, le nouveau ministre des Affaires municipales, Maurice Tessier, rendit publique en mars 1971 une proposition de réforme des structures municipales, laquelle doit déboucher sur un programme général de régionalisation. Comme il était prévisible, ce document a suscité de nombreuses controverses et ne fut jamais traduit en législation. En revanche, le ministre Tessier fera adopter, en décembre 1971, la «Loi favorisant le regroupement des municipalités», soit une réplique plus ou moins fidèle de la loi sur les fusions volontaires. De plus, en décembre 1972, le ministre des Affaires municipales diffusera un avant-projet de loi sur l'urbanisme qui contient un certain nombre de recommandations susceptibles de réorienter la discussion sur la réforme municipale.

Trois traits caractérisent le débat dans sa phase actuelle. D'une part, les facteurs qui nécessitent une restructuration semblent désormais parfaitement connus. D'autre part, les orientations suggérées tendent à l'établissement de compromis entre les partisans d'une redistribution rationnelle et exhaustive des effectifs des municipalités et les partisans du statu quo. Les multiples déclarations contradictoires qui ont marqué le passage de Maurice Tessier au ministère des Affaires municipales sont révélatrices de ce nouvel état de choses, d'un côté on promet de procéder avec lenteur pour tout ce qui touche à la réforme municipale, mais de l'autre, on prononce des menaces à l'endroit des administrateurs locaux réfractaires à un éventuel projet de restructuration qui puiserait son inspiration aux idées déjà avancées par Pierre Laporte. Dans un type de discours, on note un souci de respecter cette nouvelle réalité municipale où après quatre années de réelle quiétude pour la majorité des municipalités, personne n'aspire, à revivre la révolution tranquille municipale des années 1964-1966. Selon la terminologie de D. Easton, on dira que le ministre Tessier se fait, dans ces premiers discours, un interprète attentif des demandes diffuses de l'environnement alors que, dans la seconde série de discours, il rend évident le décalage qui existe entre ses énoncés réformistes et l'état de l'environnement aussi bien en termes de demandes que d'appuis. Enfin, troisième trait caractérisant le débat dans sa phase actuelle, une approche plus fonctionnelle semble devoir s'imposer à la réflexion régionale, soit la nécessité de concevoir des entités municipales encore plus larges, capables de formuler et d'appliquer des plans d'urbanismes sectoriels et régionaux.

L'indécision manifeste du gouvernement libéral quant au choix de l'un ou l'autre mode d'intervention tient à plusieurs facteurs dont les plus importants sont la conjoncture politique québécoise issue des élections d'avril 1970 et d'octobre 1973 et l'intervention grandissante du gouvernement fédéral dans le domaine urbain. Abordons brièvement le premier facteur, soit la conjoncture politique depuis 1970.

Si les problèmes municipaux auxquels doit répondre une restructuration municipale n'ont rien perdu de leur actualité, par contre, le contexte politique général de cette réforme s'est considérablement modifié. C'est toute la configuration des clientèles partisanes qui est en voie de modification rapide avec l'arrivée du Parti québécois et du Ralliement créditiste sur l'échiquier électoral. Les combinaisons gagnantes perdant de leur netteté et de leur persistance, les partis politiques se trouvent placés au coeur de cette période difficile où chaque action, et a fortiori, les conséquences de chacune de ces actions doit faire l'objet d'une évaluation critique au plan des appuis. Bref, le contexte politique du retour au pouvoir du Parti libéral en 1970 se définit comme très problématique pour ce dernier. Ou bien le parti tente de promouvoir le type de programmes politiques identifiés à la révolution tranquille et récupère ainsi une partie des appuis du Parti québécois, ou bien les stratèges orientent l'action législative vers des positions de plus en plus en retrait par rapport à 1960-1966 afin de reconquérir la clientèle créditiste et l'ancienne clientèle de l'Union nationale. Dans certains secteurs, l'accent sera mis sur la première option (v.g. les Affaires sociales). Dans d'autres, dont celui des Affaires municipales, les énergies seront orientées vers la récupération de forces politiques qui s'agitent dans les couloirs des hôtels de ville, des conseils municipaux et des commissions scolaires.

Dans cette lutte incertaine à quatre et, depuis 1973, à trois seulement, le Parti libéral ne peut se permettre d'indisposer les acteurs locaux des petites municipalités de la province car le Ralliement créditiste s'affirme tout à fait disponible pour y accueillir les mécontents et consolider son implantation dans ces secteurs. Par contre dans la région de Montréal, le Parti libéral se doit de jouer une partie serrée afin de perpétuer ses appuis traditionnels dans les banlieues tout en convainquant les populations électorales de la ville de Montréal de ne pas céder davantage aux avances du Parti québécois.

On peut donc affirmer que le domaine municipal devient pour le Parti libéral un élément sensible de son jeu politique plutôt qu'un secteur neutre de transcription d'un esprit réformiste comme au temps de la révolution tranquille, ce qui explique les incertitudes et les ambiguïtés des ministres Maurice Tessier et Victor Goldbloom depuis le retour au pouvoir du Parti libéral.

La stratégie libérale dont il est ici question ne s'élabore toujours qu'avec difficulté puisque les structures traditionnelles du parti, tout comme ses orientations idéologiques et les priorités législatives économiques du gouvernement Bourassa (appuyées par les interventions fédérales de plus en plus importantes), ne s'adaptent pas facilement à ce qu'exigerait une cour assidue auprès des élites politiques locales (à distinguer des élites économiques et professionnelles). Aussi, à défaut de cette réorganisation fondamentale des forces locales à l'avantage du Parti libéral, réorganisation perçue comme vitale à la survie du parti à mesure que le Parti québécois accapare cette clientèle urbaine qui formait le noyau central du Parti libéral, les stratèges libéraux doivent récupérer au sein de la députation l'homme capable de ne pas miner davantage le milieu rural. Ils estimaient avoir trouvé en Maurice Tessier l'homme de la situation parce que, croyait-on, il possédait les qualités et le style politique qui ont valu aux politiciens de l'Union nationale et du Ralliement créditiste d'être écoutés et suivis en milieu rural et semi-urbain.

En ce sens, la nomination de Maurice Tessier au poste de ministre des Affaires municipales est un indice d'une stratégie municipale particulière quoiqu'encore incertaine sous certains aspects de la part du Parti libéral. D'un côté, son idéologie «gestionnaire» lui dicte la poursuite des processus de rationalisation et de centralisation de ses interventions en milieu québécois (éducation, santé et bien-être, régionalisation administrative, réforme municipale). D'un autre côté, cette marche vers la centralisation du pouvoir doit plus que jamais tenir compte des forces politiques locales afin de ne pas se couper de ces unités décentralisées qui ont été et demeurent les fondations de l'organisation partisane des partis politiques provinciaux.

Cette nouvelle stratégie du Parti libéral se présente comme une tactique qui ne dévoile pas ses couleurs véritables. Plutôt que de colliger dans un document complet et cohérent les objectifs, moyens et étapes de la réforme municipale, le Parti libéral s'efforcera dorénavant d'attaquer le problème par les biais économiques et urbanistes. En cela, le parti trouvera des alliés sympathiques au niveau du gouvernement fédéral parce que ce dernier est également contraint, à cause du problème constitutionnel canadien, d'intervenir en milieu urbain sans révéler ses objectifs précis.

Loin de perdre de son importance comme certains le proclament et le souhaitent, l'institution municipale représente à notre avis un enjeu politique à plus d'un titre.

## 3. La présence du gouvernement fédéral

Quelle que soit la forme que prendront les interventions fédérales en milieu urbain québécois, il apparaît évident que les gestes posés par ce palier de gouvernement auront un impact notable sur la stratégie municipale provinciale et sur la configuration du système municipal québécois. Étant axé sur le développement des agglomérations urbaines dynamiques et sur les pôles de croissance économique, les politiques urbaines fédérales aideront le gouvernement québécois à abandonner ses projets de régionalisation municipale pour l'ensemble du territoire, projets qui ne suscitent que peu d'appuis tout en soulevant de multiples mécontentements. L'accent mis par le fédéral sur la solution de problèmes fonctionnels afin d'éviter les débats juridictionnels inspirera par ailleurs le gouvernement provincial à faire de même pour éviter les débats politiques municipaux.

L'avant-projet de loi sur l'urbanisme rendu public au mois de décembre 1972 traduit bien le deuxième volet de la stratégie municipale que le gouvernement provincial a importé du gouvernement fédéral. La formulation même, et surtout l'utilisation qui en sera faite éventuellement, laisse place à l'adoption d'une stratégie favorable aux centres urbains déjà constitués plutôt qu'à la mise en marche d'un projet de décentralisation et de régionalisation qui concernait toutes et chacune des régions du Québec. Le gouvernement libéral de Robert Bourassa tentera, par le biais de cette loi, de s'évader du cercle vicieux dans lequel il s'est enfermé par ses projets de régionalisation municipale.

Les partis politiques qui se sont succédés au pouvoir depuis 1960 ont parties liées à ces gouvernements locaux qu'ils entendent restructurer. La conjoncture politique actuelle rétrécit encore un peu plus leurs facultés d'intervention à ce niveau. De son côté, le gouvernement fédéral, incapable de s'égarer dans cette voie dangereuse de la restructuration municipale à cause des barrières constitutionnelles, dispose d'une plus grande liberté de manoeuvre et peut consacrer une bonne partie de ses énergies à la formulation de programmes urbains réclamés par plusieurs experts et par les grands centres urbains canadiens et québécois. Il n'est donc pas étonnant que le gouvernement fédéral se révèle de plus en plus comme le véritable initiateur des idées et des ébauches de solution aux problèmes urbains canadiens.

Politiquement mieux situé que la majorité des gouvernements provinciaux, le gouvernement fédéral peut négliger de s'engager dans les conflits d'intérêts entre gouvernements locaux et gouvernements provinciaux pour se mettre directement à l'écoute de ces grands bâtisseurs des villes modernes que sont les promoteurs immobiliers et les corporations multinationales. En concevant des réponses favorables aux attentes de ces derniers, il rencontre inévitablement des auditeurs attentifs chez les administrateurs publics des grandes villes du pays alors que les autorités provinciales hésitent à le suivre dans cette voie à cause des préalables qu'elles se fixent ou les compromis qu'elles doivent faire avec la réalité du système de gouvernement local.

Dans le cadre du Québec, cette hésitation a, jusqu'à ces dernières années, été dépendante d'une hésitation plus globale. Chaque nouvelle intervention fédérale, et elles furent nombreuses, faisait l'objet de vives critiques de la part des autonomistes québécois qui, à défaut d'évaluer les programmes municipaux fédéraux en les confrontant aux priorités municipales québécoises inexistantes, brandissaient inlassablement des arguments nationalistes.

Cette tendance persiste mais reçoit beaucoup moins d'appuis de la part des acteurs municipaux et des associations municipales. D'autant plus que la doctrine du fédéralisme rentable permet de mettre ce type d'argumentation en sourdine. La stratégie du gouvernement libéral semble être de modifier ses interventions et ses projets au gré des changements stratégiques et politiques qui prennent naissance dans la capitale fédérale.

Puisque les nouvelles démarches fédérales (zones spéciales, parcs nationaux, aéroport de Mirabel, port de Québec, subventions à l'intention des centres urbains déjà constitués) se produisent à un moment où les villes témoignent d'une impatience vis-à-vis des pouvoirs exercés sur elles par la législature provinciale et réclament la possibilité de s'adresser directement au gouvernement fédéral afin de bénéficier de ces ressources pour des projets urbains qu'elles espèrent cautionner; puisque le gouvernement provincial s'est laissé convaincre par le fédéral d'abandonner sa politique, ne devrait-on pas plutôt dire ses intentions politiques, de décentralisation économique et institutionnelle pour mieux profiter des nouvelles disponibilités financières offertes par le fédéral, il ne lui restait qu'à élaborer un projet de loi qui réponde le mieux possible aux nouvelles demandes et aux nouveaux supports de l'environnement. Ce sera l'avant-projet de loi sur l'urbanisme et de l'aménagement du territoire.

Cet avant-projet de loi définit une formule d'intervention provinciale dans le fonctionnement du système municipal qui diffère sensiblement des projets de rationalisation élaborés entre 1964 et 1971. Il répond à une tentative d'occuper, au moins à titre de partenaire, le terrain municipal avant que le pouvoir central ne profite des multiples faiblesses de l'organisation locale traditionnelle du Québec pour y infuser sa rationalité et continuer à y faire prévaloir ses programmes. C'est ainsi que l'avant-projet de loi prévoit des mécanismes visant à centraliser, par l'intermédiaire de la Commission interministérielle de l'aménagement du territoire et du Directeur provincial de l'urbanisme, tous les efforts de rationalisation de l'utilisation du sol au niveau local (Commission d'urbanisme) et régional (Commission d'aménagement de secteur).

Cette coupure horizontale (la fonction urbaniste) plutôt que verticale (régionalisation municipale) du système municipal atteint, du moins en théorie, plusieurs objectifs. Elle permet d'éviter un confrontation directe avec les gouvernements locaux à un moment où cette confrontation pourrait être néfaste. Elle donne satisfaction aux classes moyennes et aux petits propriétaires fonciers des petites villes et des banlieues en explicitant des règles à suivre aux plans du zonage, du lotissement, de l'habitation. Enfin, sous le titre «Projet particulier d'aménagement» (section XIV de l'avant-ptojet de loi), elle laisse place à de multiples accommodements susceptibles de contenter les administrateurs publics et les grands promoteurs immobiliers des centres urbains dynamiques du Québec, tout en invitant le gouvernement fédéral à utiliser cette voie d'intrusion pour la réalisation de projets auxquels il prête son appui.

En résumé, le gouvernement libéral de Robert Bourassa, après s'être égaré au début de son mandat dans la voie désormais extrêmement périlleuse de la rationalisation municipale, semble être parvenu à une lecture plus juste des demandes et des supports de l'environnement. Nous avons décrit cet environnement nouveau en traitant de la conjoncture politique québécoise d'avril 1970 et de la présence fédérale dans le domaine municipal québécois. Nous croyons que ces deux ensembles de facteurs sont responsables des réponses vers lesquelles s'oriente le gouvernement provincial avec l'avant-projet de loi sur l'urbanisme. Dans le cadre du schéma de D. Easton, nous dirions que le système s'est adapté à un environnement transformé et s'apprête à répondre à la nouvelle configuration des attentes et des supports d'une portion importante de l'environnement municipal québécois.

# Conclusion

L'intention première de cette analyse du système municipal québécois en état de mutation était de confronter les données empiriques obtenues par l'analyse des projets et des intentions de réforme municipale au Québec à l'approche théorique d'Easton. Dès l'introduction, nous nous étions fixés comme tâche d'effectuer un retour critique sur l'utilité du schéma de D. Easton, tel qu'appliqué à notre sujet, sur deux plans, soit celui de l'organisation du matériel empirique et celui de l'interprétation des étapes franchies par la réforme municipale au Québec au cours de la dernière décennie. C'est ce que nous entendons maintenant présenter.

Au plan de l'organisation du matériel, le cadre conceptuel de D. Easton s'adapte relativement bien à notre sujet. Les notions d'environnement et de canaux de transmission permettent de repérer les variables indépendantes aussi bien que les acteurs qui interviennent d'une façon ou d'une autre au cours du processus qui mène à la formulation des projets et des décisions. Il faut, cependant, scruter plus à fond dans l'oeuvre de D. Easton pour récupérer des concepts utiles à l'analyse de cette phase critique de la réforme municipale qui correspond à la venue de l'Union nationale au pouvoir en juin 1966. Il y a, de fait, à cette époque, deux systèmes parallèles qui coexistent. Le premier correspond parfaitement au schéma décrit par Easton dans la deuxième partie de son livre, *A Systems Analysis of Political Life,* sur les demandes et leur transformation en décisions. Le second se conforme à certaines idées émises par Easton dans la troisième et quatrième parties du même ouvrage, soit les parties traitant des supports, en particulier les sections portant sur le soutien des autorités. Ainsi, à côté d'un système qui s'appuie sur des demandes et des supports ouvertement exprimés, se développe un autre système dont la caractéristique majeure est de prendre racine dans un environnement où les demandes sont diffuses et les supports temporaires cachés.

Nous avons tenté de rendre compte de la coexistence de ces deux systèmes, ou mieux, de ces deux ensembles de projets municipaux, dans l'analyse que nous avons faite des clientèles, des organisations partisanes, et des programmes législatifs du Parti libéral et de l'Union nationale.

La notion de «feedback» (effet de retour ou rétroaction) nous a par la suite aidé à apprécier l'état de l'environnement suite à la première législation sur les fusions et aux premières ébauches de rationalisation municipale. Nous avons alors constaté que la configuration des demandes et des supports dans le milieu municipal québécois ne se présentait plus avec la même netteté que lors des deux premières périodes (gouvernement libéral de 1960 à 1966, gouvernement unioniste de 1966 à 1970). Les concepts d'environnement, de demandes et de supports furent certes encore utiles en vertu de leur grande généralité dans l'oeuvre de D. Easton. Par contre, le mécanisme des canaux de transmission, pourtant relié au fonctionnement de ces concepts se découvrait pour le moins obscur, à moins d'amplifier les quelques déclarations de certains maires de villes québécoises importantes et de confier à ces porte-parole le titre de canaux de transmission. En bref, plus que les deux autres périodes, il nous a été nécessaire d'abandonner le cadre conceptuel d'Easton pour rendre compte, et éventuellement expliquer, pourquoi la formulation d'une nouvelle politique municipale au Québec prenait l'orientation inscrite dans l'avant-projet de loi sur l'urbanisme et l'aménagement du territoire.

Les hypothèses explicatives auxquelles nous avons eu recours pour l'interprétation de l'abandon des projets de rationalisation municipale en 1966, de l'introduction des communautés urbaines en 1970, et de celle d'une nouvelle stratégie

185

provinciale d'intervention depuis la publication de l'avant-projet de loi sur l'urbanisme en décembre 1972, restent à plus d'un titre sommaires. Le schéma théorique d'Easton nous permet certes de nous sensibiliser à certaines variables explicatives. Toutefois, le cadre conceptuel est généralement trop centré sur les expressions publiques (verbales ou écrites) des demandes de l'environnement pour nous faire découvrir toutes les variables «environnementales» pertinentes à notre sujet. Cette tendance du schéma d'Easton peut même orienter la recherche dans des voies néfastes si nous ne prenons pas nos distances par rapport à la simplicité mécanique du tableau-synthèse qui est abusivement présenté comme l'essence de la pensée d'Easton. Nous nous sommes efforcés d'éviter le piège en puisant à certains concepts développés par D. Easton au sujet des rapports. Cependant, l'élasticité très grande de ce concept nous incite à penser que son utilisation éventuelle dans une recherche du type de celle que nous avons entreprise exigera un long travail d'«opérationalisation» avant de lui faire porter les fruits qu'il peut porter.

Serait-ce la tâche la plus urgente que nous devrions nous fixer pour l'analyse des mécanismes relatifs à l'organisation municipale au Québec? Nous ne le croyons pas. À moins de redéfinir à des fins proprement municipales cette notion de support. Soit de concevoir et d'analyser l'institution municipale comme support économique, politique, et idéologique de certaines classes au niveau local, comme support de l'appareil d'État (provincial et fédéral) dans la réalisation de ses fonctions administratives, politiques, économiques et idéologiques. En somme, de penser l'institution municipale, non plus dans les termes même de cette croyance généralisée qui nous la présente tantôt comme un éden démocratique, tantôt sous l'angle d'une entreprise exclusivement administrative, mais sous son angle essentiellement politique. C'était l'hypothèse de base de notre travail. C'est aussi la conclusion la plus ferme à laquelle nous parvenons au terme de notre analyse des tentatives de réforme du système municipal québécois au cours de la dernière décennie.

*Lectures recommandées*

G. Bourassa, «La connaissance politique de Montréal: bilan et perspectives», *Recherches sociographiques,* 6 (1965), p. 163-180.

—————, «Les élites politiques de Montréal», *Canadian Journal of Economics and Political Science,* 31 (1965), p. 35-51.

—————, «Le système municipal québécois», dans L. Sabourin, éd. *Le système politique du Canada,* Ottawa, Editions de l'Université d'Ottawa, 1968, p. 337-350.

G. Lapointe, «Le pouvoir municipal: une recherche sociologique», *Recherches sociographiques,* 2 (1961), p. 401-436.

J. Meynaud et J. Léveillée, *La régionalisation municipale au Québec,* Montréal, Nouvelle Frontière, 1973.

—————, *Quelques expériences de fusions municipales au Québec,* Montréal, Nouvelle Frontière, 1972.

—————, «Le phénomène urbain» numéro spécial, *Sociologie et société,* 4 (1972).

L. Quesnel-Ouellet, «Régionalisation et conscience politique régionale: la communauté urbaine de Québec», *Revue canadienne de science politique,* 4 (1971, p. 191-206.

—————, «Situations et attitudes face au changement dans les structures municipales», *Revue canadienne de science politique,* 6 (1973), p. 195-219.

R. Rumilly, *Histoire de Montréal,* Montréal, Fides, 1970-74, 5 v.

«L'urbanisation de la société canadienne-française», numéro spécial, *Recherches sociographiques,* 9 (1968).

# Les acteurs du système politique québécois

# Les nouveaux demandeurs intrasystémiques

# Chapitre 8

# Les sources de l'engagement indépendantiste*

François-Pierre Gingras
McMaster University

*François-Pierre Gingras est professeur adjoint au Department of Political Science de McMaster University. Il a produit plusieurs articles sur les mouvements nationalistes et indépendantistes québécois.*

*Dans la présente contribution, il tente d'expliquer pourquoi certains Québécois ont adhéré au Rassemblement pour l'Indépendance Nationale. Pour ce faire, il met en relation le type et l'intensité de leur engagement indépendantiste tout en contrôlant cette relation par leur situation économique personnelle, leur statut socio-professionnel, leur statut socio-économique anticipé et le cadre de leurs relations interethniques. Ses données, cueillies au moyen d'un sondage et d'entrevues en profondeur, sont analysées à l'aide de tableaux statistiques de contingence et de coefficients d'association.*

Dans cet article nous tenterons d'identifier certains paramètres qui expliquent la décision de plusieurs Québécois d'adhérer à l'idéologie indépendantiste. Nous chercherons ensuite à déterminer si ces mêmes paramètres peuvent expliquer les divers degrés de ferveur de cet engagement indépendantiste. Un certain nombre de raisons ont déjà été mises de l'avant pour expliquer la montée de l'indépendantisme au Québec. Ainsi certains ont suggéré qu'il s'agissait là du désir de la classe moyenne québécoise de briser les barrières institutionnelles qui arrêtent son avancement socio-économique. D'autres au contraire ont soutenu que l'indépendantisme était le résultat d'un manque d'information et d'une mauvaise compréhension entre les Canadiens anglophones et francophones. D'autres, enfin, ont suggéré qu'il y avait de fait très peu de véritables indépendantistes mais que des difficultés économiques personnelles pouvaient forcer des individus à appuyer cette idéologie en guise de protestation.

* Version révisée et abrégée d'une communication présentée au congrès de l'Association canadienne de science politique tenu à Montréal en 1972. Une bourse d'été de McMaster University a rendu possible la révision de la communication originale.

## Méthodologie

L'enquête sur laquelle s'appuie notre analyse fut menée auprès des membres du Rassemblement pour l'Indépendance Nationale (R.I.N.) peu avant la dissolution de ce parti en 1968. Nous avons tout d'abord effectué une cinquantaine d'entrevues en profondeur, d'une durée moyenne de deux heures, auprès de militants rinistes. Sur la base des résultats obtenus lors de ces entrevues, deux questionnaires furent construits et distribués auprès d'un échantillon plus large.

Le premier, tiré à 50 exemplaires, nous a permis de cerner certains problèmes méthodologiques. Le second, qui comprenait 114 questions, fut envoyé par la poste à un échantillon de mille membres choisis au hasard et obtint un taux de réponse de 43%. Dans la première partie de notre étude nous allons tenter de mesurer l'intensité de l'engagement indépendantiste. Dans une deuxième partie nous chercherons à expliquer ce degré d'intensité.

## La mesure de l'engagement indépendantiste

La ferveur d'un engagement politique ne se mesure pas uniquement aux activités entreprises pour appuyer cet engagement mais aussi aux comportements que les membres du parti seraient éventuellement prêts à accepter pour eux-mêmes ou pour d'autres. À côté de l'engagement politique immédiat (tableau 1), il y a aussi l'activisme potentiel. Par ce terme, nous entendons une prédisposition à recourir à des méthodes d'action directe, certaines étant désapprouvées par la société ou du moins s'écartant des normes politiques auxquelles la majorité souscrit et se conforme. La participation à des manifestations est un premier élément de cet activisme potentiel. Les moyens que l'on est disposé à utiliser pour faire triompher la cause de l'indépendance en sont un second.

On constate à la lecture du tableau 1 que l'activisme des membres du RIN est relativement élevé; 90% paient leur cotisation annuelle, 22% exercent des responsabilités administratives au sein du parti et 48% affirment avoir participé à la campagne électorale. Il ne s'agit donc pas d'un parti de cadres traditionnel, mais d'un parti de militants.

À la lecture du tableau 2 on constate qu'un pourcentage relativement élévé d'indépendantistes (19%) n'exclut pas le soulèvement armé pour hâter l'indépendance bien que la très grande majorité (93%) favorisent des moyens pacifiques pour y arriver.

Afin de faciliter l'analyse, nous avons construit à partir de ces constatations deux échelles d'attitudes afin de mieux résumer la position des répondants face à leur engagement en faveur de la cause indépendantiste.

La première échelle mesure l'engagement actuel et elle fait appel à deux composantes : l'activité et la ferveur. Elle donne une vision globale de l'engagement du militant et compense, par l'introduction de la composante de la ferveur, les carences d'une échelle où seule la composante d'activité serait prise en considération. Nous aurons donc sous les yeux la position résumée de l'indépendantiste sur des aspects intéressant son statut au RIN, son assiduité aux assemblées et sa présence au congrès de dissolution, ses contributions à la caisse du parti, sa participation aux manifestations, son adhésion psychologique à la cause, son acceptation d'éventuels sacrifices matériels, sa détermination à contribuer physiquement à l'avènement de l'indépendance. Notre deuxième échelle cherche à mesurer l'activisme potentiel des membres du

## TABLEAU 1

### PARTICIPATION POLITIQUE DES MILITANTS DU RIN
### (EN POURCENTAGES)

| Type de participation | %<br>de membres<br>du RIN |
| --- | --- |
| Membership dans une formation politique | 100 |
| Participation à une campagne électorale | 48 |
| Présence à des assemblées | |
| - aucune | 11 |
| - une seule fois | 7 |
| - deux fois | 9 |
| - trois ou quatre fois | 17 |
| - de cinq à neuf fois | 20 |
| - dix fois ou plus | 36 |
| Présence au congrès de dissolution | 20 |
| Contributions monétaires | |
| - cotisation annuelle | 90 |
| - contribution supplémentaire | 41 |
| Exercice d'une fonction ou d'une charge | 22 |
| Participation à des manifestations | |
| - aucune | 27 |
| - une seule fois | 19 |
| - de deux à quatre fois | 31 |
| - cinq fois ou plus | 23 |

Sources: Sondage décrit dans le texte. L'analyse porte sur 430 répondants.

RIN en incluant la participation aux manifestations et la position du membre sur les moyens à prendre afin d'accélérer ou simplement de rendre possible l'indépendance du Québec[1].

Le tableau 3 nous résume la distribution des militants rinistes sur ces deux échelles. On remarque que même si une majorité des membres font preuve d'un niveau d'engagement relativement élevé (37%) ce n'est qu'une minorité de militants qui fait preuve d'un taux élevé d'activisme potentiel (21%), la majorité manifestent nettement plus de réserves dans ce domaine, avec 41% de tièdes et 38% de modérés.

---

[1]    On trouvera une description plus détaillée de la composition de ces deux échelles dans François-Pierre Gingras, *Les sources du comportement indépendantiste : quelques traits du militant*, Communication présentée à la réunion annuelle de l'Association Canadienne de Science Politique, Montréal, 1972.

TABLEAU 2

## ATTITUDES À L'ÉGARD DES MOYENS DE RÉALISER L'INDÉPENDANCE DU QUÉBEC ( EN POURCENTAGES)

| Type de moyens | le moyen ultime accepté | le moyen le plus souhaitable | le moyen le moins souhaitable |
|---|---|---|---|
| - aucune action spéciale | 0 | | |
| - vote en faveur d'un parti indépendantiste | 12 | | |
| - participation à des manifestations | 31 | | |
| - recours aux armes pour faire face à une agression militaire | 38 | | |
| - recours aux armes pour hâter l'avènement de l'indépendance | 19 | | |
| - élection d'un parti ou d'un front indépendantiste | | 81 | 1 |
| - référendum | | 5 | 10 |
| - assemblée constituante, États généraux | | 5 | 8 |
| - plus d'un moyen « pacifique » | | 2 | 0 |
| - coup d'État, occupation du parlement | | 4 | 14 |
| - violence individuelle ou collective | | 1 | 63 |
| - plus d'un moyen « violent » | | 1 | 4 |

Sources : Sondage décrit dans le texte. L'addition des pourcentages se fait horizontalement.

# TABLEAU 3

## DOSSIER PARTIEL DE L'ACTIVITÉ DES MILITANTS DU RIN
## (EN POURCENTAGES)

|                              | faible | modéré | élevé |
|------------------------------|--------|--------|-------|
| Échelle d'engagement         | 25     | 38     | 37    |
| Échelle d'activisme potentiel | 41    | 38     | 21    |

Sources : Sondage décrit dans le texte. L'addition des pourcentages se fait horizontalement.

On dénote une association relativement faible entre l'échelle d'engagement et l'échelle d'activisme potentiel, ce qui signifie que les mêmes individus ne sont guère portés à manifester les deux types de comportement (gamma = .35). Fait à signaler, un taux d'association modéré entre l'occupation d'un poste au RIN et le moyen ultime qu'un membre se dit disposé à utiliser pour faire triompher la cause indépendantiste : les membres qui exercent une fonction sont aussi ceux qui sont le plus prêts à aller le plus loin.

Si l'on considère enfin l'intensité de la ferveur indépendantiste, nous constatons que les membres qui souscrivent le plus inconditionnellement à la cause indépendantiste se trouvent aussi les plus actifs en temps de campagne électorale et, dans une moindre mesure, se disent le plus disposés à recourir éventuellement à des moyens extrêmes. Par ailleurs, ils ne sont pas nécessairement les manifestants les plus assidus.

Examinons maintenant certains facteurs qui peuvent expliquer cette ferveur indépendantiste mesurée soit par une échelle d'engagement ou par une échelle d'activisme potentiel.

## 1. *La situation économique personnelle de l'individu*

Considérée sous un angle statique, la situation financière personnelle de l'individu ne semble guère avoir d'influence sur l'engagement indépendantiste actuel ou potentiel de l'individu. Ainsi, la partie supérieure du tableau 4 nous indique que la satisfaction de l'individu face à sa situation financière actuelle n'est pas un bon prédicteur de l'intensité de son engagement indépendantiste actuel (gamma = -.08) ou potentiel (gamma = .19). L'engagement indépendantiste n'est donc pas le résultat d'une protestation de l'individu face à une situation socio-économique précaire dans laquelle il serait plongé.

Il est plausible de supposer que la ferveur de l'engagement indépendantiste d'un individu ne dépend pas tellement de ses conditions financières actuelles mais des conditions financières qu'il estime être en droit de recevoir. Mais l'association entre cette variable et l'intensité de l'engagement actuel et potentiel est à peine plus élevée (tableau 4) que dans le cas de l'hypothèse précédente et n'atteint pas un niveau

## TABLEAU 4

## FERVEUR INDÉPENDANTISTE SELON LA SATISFACTION FACE AUX CONDITIONS MATÉRIELLES (EN POURCENTAGES)

| Degré de satisfaction | Engagement actuel | | | Activisme potentiel | | |
|---|---|---|---|---|---|---|
| | faible | modéré | élevé | faible | modéré | élevé |
| *Satisfaction face aux conditions actuelles* (.00,.19)* | | | | | | |
| satisfait | 22 | 37 | 41 | 43 | 44 | 13 |
| assez satisfait | 21 | 39 | 40 | 44 | 32 | 24 |
| non satisfait | 26 | 40 | 34 | 33 | 24 | 33 |
| *Conditions jugées méritées* (.12,.19) | | | | | | |
| assez satisfait | 25 | 36 | 39 | 50 | 33 | 17 |
| peu satisfait | 22 | 36 | 42 | 37 | 42 | 21 |
| très peu satisfait | 11 | 42 | 47 | 39 | 29 | 32 |

Sources: Sondage décrit dans le texte. L'addition des pourcentages se fait horizontalement.

* Il s'agit de coéfficients d'association gamma entre la satisfaction actuelle et l'engagement actuel et entre la satisfaction actuelle et l'activisme potentiel.

suffisant (gamma = .12 et .19) pour que cette variable puisse être considérée comme une véritable variable explicative. Les indépendantistes ne sont donc pas des insatisfaits économiques.

Certaines études soutiennent que ce n'est pas tellement le *niveau* mais *l'évolution* des conditions matérielles d'existence qui influe sur la participation politique des gens. On souligne ainsi que des changements. pour le mieux ou pour le pire, dans ce domaine contribuent davantage à amener le militant virtuel à la politique que des conditions économiques précaires mais stables[2]. Pour expliquer cette lassitude des

---

2    Voir entre autres Crane Brinton, *The Anatomy of Revolution*, New York, Random House, 1965; J.C. Davies, «Toward a Theory of Revolution», *American Sociological Review*, 27 (1962), p. 5-18.

# TABLEAU 5

## FERVEUR INDÉPENDANTISTE SELON L'ÉVOLUTION DES CONDITIONS FINANCIÈRES DE L'INDIVIDU AU COURS DES CINQ DERNIÈRES ANNÉES (EN POURCENTAGES)

| Ferveur indépendantiste | Changement rapide | lent | Changement majeur | mineur | Changement mieux | pire |
|---|---|---|---|---|---|---|
| *Engagement actuel* (.00, .01, -.23) | | | | | | |
| faible (.00) | 23 | 21 | 23 | 23 | 21 | 33 |
| modéré (.01) | 39 | 42 | 39 | 39 | 39 | 37 |
| élevé (-.23) | 38 | 37 | 38 | 38 | 40 | 30 |
| *Activisme éventuel* (-.06, -.07, .08) | | | | | | |
| faible (-.06) | 40 | 42 | 40 | 42 | 40 | 44 |
| modéré (-.07) | 37 | 40 | 37 | 41 | 42 | 23 |
| élevé (.08) | 23 | 18 | 23 | 17 | 18 | 33 |

Sources : Sondage décrit dans le texte. L'addition des pourcentages se fait verticalement.

classes défavorisées on souligne que les énergies physiques et mentales sont toutes entières absorbées par les activités permettant la survivance de la personne et de la famille. D'où l'impossibilité, dans de telles situations, de développer des représentations globales selon lesquelles la situation n'est pas convenable et l'action politique de la part d'une seule personne peut amener un changement favorable[3].

D'après le tableau 5, il semble cependant que la quantité et le rythme du changement n'affectent pas l'intensité de l'engagement actuel et potentiel. Par contre la direction de ce changement semble exercer une certaine influence (gamma = .23). Ainsi une amélioration plutôt qu'une dégradation des conditions financières semble être accompagnée d'en engagement actuel assez élevé. C'est donc ceux qui ont le mieux réussi qui, comme l'avait remarqué Tocqueville, en «veulent encore plus». Dans le cas de l'engagement potentiel, cependant, la relation n'est pas aussi précise.

Mais cette relation disparaît peut être si nous considérons le niveau des aspirations matérielles? Ainsi Albert et Raymond Breton interprètent l'indépendantisme comme la conséquence d'un fossé entre les aspirations des individus et les possibilités offertes par la société[4].

---

3    Voir à ce sujet H.F. Lionberger, *Adoption of New Ideas and Practises*, Ames, Iowa State University Press, 1960 ; N.J. Snelser, *Theory of Collective Behavior*, New York, Free Press, 1962.

4    Raymond et Albert Breton, « Le séparatisme ou le respect du statu quo », *Cité Libre*, v. 13, no 46 (avril 1962), p. 17-28.

## TABLEAU 6

### FERVEUR INDÉPENDANTISTE SELON L'ÉVOLUTION DES CONDITIONS FINANCIÈRES DE L'INDIVIDU AU COURS DES CINQ DERNIÈRES ANNÉES, CONTRÔLANT POUR LES ASPIRATIONS MATÉRIELLES (EN POURCENTAGES)

| | Aspirations matérielles | | | | | | | | |
| | Faibles | | | Moyennes | | | Élevées | | |
| | Dét.* | St. | Am. | Dét. | St. | Am. | Dét. | St. | Am. |
|---|---|---|---|---|---|---|---|---|---|
| *Engagement actuel* (.30, .24, .42) | | | | | | | | | |
| faible | 39 | 24 | 16 | 31 | 22 | 24 | 57 | 25 | 21 |
| modéré | 39 | 40 | 39 | 38 | 39 | 39 | 29 | 56 | 34 |
| élevé | 22 | 36 | 45 | 31 | 39 | 37 | 14 | 19 | 44 |
| *Activisme potentiel* (.31, -.06, -.36) | | | | | | | | | |
| faible | 71 | 45 | 41 | 27 | 24 | 38 | 13 | 33 | 38 |
| modéré | 18 | 23 | 24 | 45 | 47 | 28 | 25 | 33 | 43 |
| élevé | 12 | 32 | 34 | 27 | 29 | 34 | 63 | 33 | 20 |

\* Dét. = détérioration
St. = stabilité
Am. = amélioration

Sources: Sondage décrit dans le texte. L'addition des pourcentages se fait verticalement.

C'est pourquoi, dans le tableau 6 nous avons mis en relation à la fois le niveau d'aspirations matérielles, le changement dans les conditions matérielles et la ferveur indépendantiste. On constate alors qu'il y a une relation directe entre engagement actuel et amélioration des conditions, quel que soit le niveau des aspirations, mais surtout si ces dernières sont élevées (gamma de .24 à .42). On observe d'autre part une spécification de l'influence des aspirations sur l'activisme potentiel: à un niveau faible d'aspirations, il y a relation directe entre amélioration des conditions et activisme potentiel

TABLEAU 7

## FERVEUR INDÉPENDANTISTE SELON L'ATTITUDE FACE AU TRAVAIL (EN POURCENTAGE)

| Degré de satisfaction | Engagement actuel | | | Activisme potentiel | | |
|---|---|---|---|---|---|---|
| | faible | modéré | élevé | faible | modéré | élevé |
| *Satisfaction face au prestige accordé* (-.05, -.25) | | | | | | |
| trop de prestige | 30 | 22 | 48 | 29 | 33 | 38 |
| suffisamment | 26 | 36 | 38 | 41 | 44 | 15 |
| pas assez | 23 | 41 | 36 | 43 | 34 | 23 |
| *Satisfaction face au travail* | | | | | | |
| aime son travail | 21 | 37 | 42 | 46 | 37 | 17 |
| n'aime pas son travail | 28 | 36 | 37 | 36 | 37 | 28 |

Sources : Sondage décrit dans le texte. L'addition des pourcentages se fait horizontalement.

(gamma =.31) alors qu'à un niveau élevé d'aspirations correspond une relation inverse entre ces mêmes variables (gamma =.36). Lisant ces données à la lumière des entrevues que nous avons menées, nous pouvons avancer que les militants dont le sort s'est récemment amélioré (sans recours à la violence politique) croient que l'activité indépendantiste offre des promesses d'une amélioration accrue pour la société québécoise comme pour eux-mêmes. Mais ceux qui ont plutôt subi une évolution défavorable mais qui font aussi preuve d'aspirations élevées se manifestent comme les principaux supporteurs en puissance d'un recours à la violence pour améliorer le sort des Québécois démunis (eux inclus), puisqu'une action indépendantiste pacifique ne leur a pas bénéficié mais leur a peut-être même causé des problèmes graves. À un niveau d'aspirations faible cependant, cette révolte ou au moins cette insatisfaction ne joue pas et l'on retrouve la même relation directe qu'entre engagement et évolution des conditions matérielles.

### 2. *Le statut socio-professionnel et l'engagement indépendantiste*

Se pourrait-il, comme l'a suggéré Albert Breton, que les indépendantistes soient des individus bloqués dans leur promotion professionnelle et qui appuient l'indépendance en espérant des carrières plus prometteuses.

D'après les résultats présentés au tableau 7 la satisfaction socio-professionnelle (mesurée en termes de prestige) ne semble pas influencer l'engagement des rinistes de façon sensible, encore que ceux-ci tendent à manifester un comportement différent selon qu'ils aiment leur travail ou non.

Exécuter un travail qu'il aime dispose le riniste à participer activement à la vie de son parti et à s'identifier avec la cause indépendantiste (gamma = .13) mais l'éloigne de l'action révolutionnaire (gamma = .22), parce qu'il n'y voit pas de justification suffisante pour mettre en péril un équilibre dont, somme toute, il n'est pas trop insatisfait. De la même façon, les rinistes s'estimant le plus justement appréciés de la société hésitent à s'engager de façon accentuée ou à pencher vers l'extrémisme. Quant à l'activisme potentiel, il est assez affecté par l'attitude de ne pas aimer le travail qu'on fait: c'est l'expression d'une agressivité ici encore transposée sur le plan politique, agressivité souvent enracinée dans la limitation des débouchés offerts aux jeunes accédant au marché du travail.

### 3. *Le statut socio-économique anticipé et l'engagement indépendantiste*

Tous les indépendantistes s'accordent à prédire advenant l'indépendance, une amélioration de la vie des Québécois sur les plans socio-culturel et politique. L'indépendantiste «sait», bien sûr, que l'indépendance permettrait aux Québécois d'utiliser le puissant levier législatif pour mettre un peu d'ordre dans un système économique qui favorise les Anglo-Saxons et les riches au détriment des francophones, en particulier les plus démunis. Il «sait» qu'on pourrait faire quelque chose, mais il espère surtout que l'accession à la souveraineté ouvrira aux Canadiens français des canaux de mobilité ascendante comme l'a naguère fait l'intégration à l'Hydro-Québec des compagnies privées d'électricité, nationalisées après les élections de 1962. Il se doute que les gens qu'il rencontre tous les jours au travail vont en bénéficier, mais il ignore si cela doit affecter ses propres chances d'avancement ou si son revenu personnel s'accroîtrait. Il pense bien que le niveau de vie de l'ensemble des Québecois s'améliorerait mais il ne sait absolument pas comment évolueraient les prix et de quelle façon son niveau de vie à lui serait touché. Il espère aller au ciel, mais se demande ce qui l'y attend.

Les principales représentations que se font les rinistes des conséquences socio-économiques de l'accession à l'indépendance apparaissent au tableau 8. Les réaction ne sont guère pessimistes dans l'ensemble. Mais on ne rêve pas en couleur pour autant. Seulement un riniste sur trois a peur de voir son niveau de vie personnel baisser dans les dix premières années et 26% craignent d'assister à une diminution relative de leur propre revenu pendant la même période. Si, plutôt que de penser à l'influence de l'indépendance sur sa vie à soi, on évalue l'impact de l'indépendance sur l'ensemble des Québécois, la vision s'éclaire et se nuance: 34% des rinistes pensent que les prix n'augmenteraient que modérément au cours des années suivant la séparation et un militant sur deux estime qu'une baisse de niveau de vie ne serait qu'un aléa temporaire, d'une durée maximale de 5 ans.

Les représentations se placent sous le signe d'un optimisme tempéré en abordant le thème de l'impact sur l'activité professionnelle. On est dans l'ensemble beaucoup plus enthousiaste si on envisage la situation des gens comme soi en général (38% prédisent que les autres en retireraient des bénéfices) que si l'on ne considère que l'accroissement de ses propres chances d'avancement (escompté par seulement 25% des militants). On semble d'autant moins prévoir une évolution favorable que l'objet de l'impact est plus rapproché et l'incertitude est beaucoup plus grande vis-à-vis de soi-même.

Ces données ne confirment guère le pressentiment de certains qui croient que beaucoup d'indépendantistes le sont simplement sur la base d'une recherche des intérêts personnels froidement calculés faisant passer leurs ambitions personnelles avant l'intérêt général. À moins qu'on n'y inclue la satisfaction d'intérêts autres qu'économiques.

TABLEAU 8

## FERVEUR INDÉPENDANTISTE SELON LES REPRÉSENTATIONS
## DES CONSÉQUENCES SOCIO-ÉCONOMIQUES DE L'INDÉPENDANCE
### (EN POURCENTAGES)

| Conséquences | Engagement actuel | | | Activisme potentiel | | |
|---|---|---|---|---|---|---|
| | faible | modéré | élevé | faible | modéré | élevé |
| *Chances d'avancement* | | | | | | |
| moins grandes (10%)* | 16 | 49 | 35 | 41 | 22 | 37 |
| semblables (65%) | 28 | 36 | 36 | 47 | 38 | 15 |
| plus grandes (25%) | 21 | 40 | 39 | 27 | 43 | 30 |
| *Revenu personnel sur dix ans* | | | | | | |
| hausse (16%) | 20 | 33 | 47 | 29 | 36 | 35 |
| stabilité (58%) | 26 | 41 | 33 | 47 | 35 | 18 |
| baisse (26%) | 22 | 37 | 41 | 32 | 50 | 17 |
| *Niveau de vie personnel sur dix ans* | | | | | | |
| hausse (19%) | 14 | 31 | 55 | 29 | 40 | 31 |
| stabilité (48%) | 28 | 39 | 33 | 47 | 37 | 16 |
| baisse (33%) | 23 | 41 | 36 | 37 | 42 | 21 |
| *Situation des gens exer- çant une profession similaire* | | | | | | |
| meilleure (37%) | 18 | 39 | 43 | 27 | 40 | 33 |
| peu affectée (53%) | 29 | 36 | 35 | 50 | 38 | 12 |
| moins bonne (10%) | 28 | 47 | 25 | 45 | 29 | 26 |
| *Niveau de vie de l'ensem- ble des Québécois* | | | | | | |
| Hausse ( 7%) | 8 | 29 | 63 | 41 | 23 | 36 |
| stabilité (26%) | 28 | 31 | 41 | 53 | 33 | 14 |
| baisse avant 5 ans (58%) | 22 | 43 | 35 | 34 | 45 | 21 |
| baisse après 5 ans ( 9%) | 30 | 30 | 40 | 36 | 36 | 28 |
| *Prix des produits sur 5 ans* | | | | | | |
| forte hausse ( 7%) | 30 | 45 | 25 | 42 | 32 | 26 |
| hausse modérée (42%) | 22 | 44 | 34 | 38 | 41 | 21 |
| stabilité (45%) | 24 | 31 | 45 | 43 | 38 | 19 |
| baisse ( 7%) | 23 | 32 | 45 | 37 | 37 | 26 |

\* Pourcentage de l'ensemble.

Sources : Sondage décrit dans le texte. L'addition des pourcentages se fait horizontalement.

Quand une personne recherche des satisfactions personnelles comme la réalisation de ses possibilités, la fierté, la considération d'autrui, etc., il y a là un facteur très dynamique. La participation à la vie politique et l'engagement politique sont encouragés par l'identification graduelle de la personne à une cause. Le choix de cette cause comme objet d'identification constitue un processus fort complexe qui semble dépendre au premier chef de facteurs liés au milieu social et aux contacts personnels, joints à des préférences personnelles plus ou moins déterminées par des facteurs psychologiques modelés au cours du processus de socialisation de l'acteur. Cette identification à une personne, un objet ou une idée pousse les gens à joindre les rangs des mouvements sociaux. Chez les nationalistes, l'identification se fait avec la culture nationale et la cause devient l'épanouissement individuel. Et la représentation des conséquences économiques, culturelles ou autres du mouvement social se traduit normalement par des liens plus ou moins étroits avec le degré d'engagement du militant vis-à-vis de la cause qu'il a épousée. C'est ce que nous essayons d'observer ici.

Un premier regard assez rapide nous révèle que ce sont les optimistes à l'égard des suites de l'indépendance qui prévalent, et de loin, chez les membres possédant un taux élevé d'engagement. Par contre, si l'on regarde les rinistes dont le niveau d'engagement ou d'activisme potentiel est faible, on découvre que les optimistes sont alors nettement sous-représentés.

Ceux qui ne prévoient aucun changement profond de la vie économique après l'indépendance viennent pour leur part en tête des militants dont le taux d'engagement est plutôt faible et ils constituent toujours le contingent le plus nombreux des répondants dont l'activisme potentiel est assez réduit; dans les deux cas, ils sont suivis des pessimistes. Enfin, la proportion de rinistes à posséder un niveau élevé d'activisme potentiel est nettement supérieure chez les optimistes, fréquemment talonnés des pessimistes, laissant derrière eux ceux qui ne distinguent à l'horizon de l'indépendance ni bénéfice ni désavantage notables.

On comprend assez bien que, dans les six exemples de représentations dont il est ici question, les membres les plus engagés proviennent pour une large part, et de façon assez décisive, du groupe de ceux qui entrevoient des cieux socio-économiques plus sereins après la proclamation de l'indépendance. C'est d'ailleurs tout à fait dans le sens de l'interprétation générale que nous donnons du comportement des militants des mouvements sociaux.

Ceux qui ne prévoient aucun bénéfice ou désavantage socio-économique tangible vont plutôt former la masse des moins engagés vis-à-vis de leur cause, des membres les moins identifiés à un Québec indépendant. C'est même une tendance qui devient la règle si l'on observe ces avantages ou désavantages socio-économiques qui les concernent directement et personnellement: chances d'avancement, revenu, niveau de vie propre. Sur le plan du sort collectif des Québécois, en particulier du niveau de vie et de l'évolution des prix, qui sont d'ordre plus général que la situation des gens exerçant une profession semblable à celle du répondant, les plus pessimistes tendent même à prédominer parmi les peu engagés: ce sont des pessimistes incertains. Les pessimistes certains, eux, penchent pour le retrait de l'activité politique. Pour ce qui est de l'activisme potentiel, il nous faut nous attarder davantage encore à ces membres, largement minoritaires il est vrai, pour qui les lendemains de l'indépendance ne sont pas tout de miel et de roses, du moins sur le plan des gains économiques et de l'avancement professionnel. Ils ne forment pas de concentrations particulièrement importantes dans les catégories d'activisme potentiel faible ou élevé, au profit de ceux qui n'entrevoient guère de changement dans le premier cas et au profit des plus optimistes dans le second. Mais cela tient précisément à leur ambivalence: dans un cas comme dans l'autre, ils viennent souvent en second lieu. Et ils ne sont vraiment distancés que sur les questions du revenu et du niveau de vie personnel. Autrement, ils hésitent, allant même jusqu'à se demander si l'indépendance est *vraiment* souhaitable. Ce sont eux qui s'écartent le plus de la ligne idéologique du parti et qui sont même prêts à s'abstenir de voter ou à appuyer un autre candidat si le porte-couleurs indépendantiste ne leur plaît pas lors d'élections.

Peut-on prédire que l'indépendance du Québec aura des conséquences néfastes pour l'ensemble de la population et néanmoins manifester des dispositions révolutionnaires en sa faveur? Quelques membres (même pas une dizaine sur un peu plus de 350) sont dans ce cas. Peut-être par intérêt personnel mesquin: c'est le raisonnement d'Albert Breton poussé à l'extrême.

Peut-on entrevoir une détérioration de ses propres conditions de vie et quand même militer âprement pour la cause qui en serait responsable? Nous ne sommes plus à l'ère des martyrs et pourtant... Et pourtant plus d'un chef indépendantiste a perdu son emploi par suite de son identification à une cause encore impopulaire. Et de 10% à 33% des membres, selon l'aspect de la question, militent en faveur de l'indépendance en croyant qu'elle aura pour eux des conséquences néfastes sur le plan économique. De 14 à 24 membres particulièrement pessimistes quant à leur sort (sur presque 350) se classent même parmi ceux dont l'activisme est le plus élevé. Comme quoi l'argent et une profession ne sont pas toujours tout et que nous avons bien affaire à un mouvement social remettant en cause des valeurs traditionnelles fondamentales... Mais gardons-nous de généralisations hâtives.

## 4. *Le cadre ethnique et l'engagement indépendantiste*

Les relations avec les anglophones offrent des perspectives privilégiées, car elles touchent un point sensible de l'idéologie indépendantiste, à savoir le sentiment plus ou moins anti-anglais dont on se défend tant bien que mal dans le mouvement, accolé à la réclamation de l'unilinguisme français. Peut-on stéréotyper l'indépendantiste comme un individu qui évite les anglophones à domicile comme au travail, les déteste tout en ne les connaissant pas et se lance à corps perdu dans la campagne de l'unilinguisme d'un Québec libre, comme Don Quichotte le faisait contre les moulins à vent? Le tableau 9 nous révèle que si les indépendantistes n'ont que peu de contacts avec les anglophones à leur lieu de résidence, ces contacts interethniques sont néanmoins très fréquents au lieu de travail. Cette différence entre les contacts au domicile et au travail disparait dans le cas de la ferveur de l'engagement indépendantiste (tableau 10) où il ne semble pas non plus y avoir d'association étroite entre la fréquence des contacts interethniques et l'intensité de l'engagement (soit actuel ou potentiel).

En résumé, cette analyse nous a permis de constater que:

1° La situation personnelle de l'individu n'expliquerait que très faiblement sa décision de devenir un militant indépendantiste;

2° Les changements nombreux et rapides dans les conditions matérielles d'existence d'un individu n'expliquent en rien sa ferveur indépendantiste mais que par contre les indépendantistes se retrouvent surtout parmi ceux qui ont vu ces conditions s'améliorer récemment;

3° La satisfaction plutôt que l'insatisfaction professionnelle est un facteur expliquant la ferveur de l'engagement indépendantiste;

## TABLEAU 9

### FRÉQUENCE DES CONTACTS À DOMICILE ET AU TRAVAIL AVEC LES ANGLOPHONES PARMI LES INDÉPENDANTISTES (EN POURCENTAGES)

| Type de contact avec les anglophones | à domicile | au travail |
|---|---|---|
| régulier | 11 | 29 |
| fréquent | 13 | 16 |
| occasionnel | 38 | 19 |
| rare | 32 | 20 |
| nul | 16 | 16 |
| TOTAL | 100 | 100 |

Sources : Sondage décrit dans le texte.


## TABLEAU 10

### FERVEUR INDÉPENDANTISTE SELON LA FRÉQUENCE DES CONTACTS AVEC LES ANGLOPHONES (EN POURCENTAGES)

| Ferveur indépendantiste | Contacts nuls ou rares | | Contacts occasionnels ou fréquents | |
|---|---|---|---|---|
| | domicile | travail | domicile | travail |
| *Engagement actuel* | | | | |
| faible | 30 | 28 | 23 | 24 |
| modéré | 25 | 23 | 27 | 22 |
| élevé | 45 | 49 | 50 | 54 |
| *Activisme potentiel* | | | | |
| faible | 43 | 49 | 38 | 38 |
| modéré | 23 | 15 | 28 | 26 |
| élevé | 32 | 36 | 35 | 36 |

Sources : Sondage décrit dans le texte.

4° Les indépendantistes ne prévoient pas que l'indépendance leur apportera, personnellement, de grands bénéfices;

5° Les indépendantistes ont des contacts assez fréquents, surtout à leur lieu de travail, avec les anglophones.

*Lectures recommandées*

A. d'Allemagne, *Le RIN et les débuts du mouvement indépendantiste québécois,* Montréal, Étincelle, 1974.

F.-P. Gingras, «L'indépendantisme; du mouvement social au parti politique: le Rassemblement pour l'Indépendance Nationale», dans R. Pelletier, *Partis politiques au Québec,* Montréal, HMH, 1976.

R. Pelletier, *Les militants du R.I.N.,* Ottawa, Éditions de l'Université d'Ottawa, 1974.

Groupe de recherches sociales, *Opinions sur le séparatisme,* Montréal, 1963.

C. Barker, A. Lévesque et C.A. Vachon, *Les idées politiques des Canadiens français,* rapport de recherche soumis à la Commission royale d'enquête sur le bilinguisme et le biculturalisme, 1965, 3 v. (Div. 3, Rapport no 9).

Chapitre 9

# Le militant politique et son parti*

Réjean Pelletier
Université Laval

*Réjean Pelletier est professeur adjoint au département de science politique de l'Université Laval. Son intérêt pour les partis politiques québécois l'a amené à publier* Les militants du R.I.N., *Ottawa, Éditions de l'Université d'Ottawa, 1974 et à diriger la publication de* Partis politiques au Québec, *Montréal, H.M.H., 1976.*

*Dans le présent article, il cherche à expliquer l'évolution idéologique du Rassemblement pour l'Indépendance Nationale en considérant ce parti comme un système et ses militants comme des demandeurs auxquels le système partisan doit répondre pour conserver leur appui. Ses données, qui proviennent d'un sondage effectué par la poste, sont analysées à l'aide de statistiques descriptives.*

C'est au cours de son congrès national d'octobre 1968 que le Rassemblement pour l'Indépendance Nationale s'est sabordé. Né en septembre 1960 comme mouvement d'éducation politique et groupe de pression, le R.I.N. s'est transformé en parti politique au cours d'un congrès spécial tenu à Montréal en mars 1963. Durant plus de huit ans, quoique minoritaire sur la scène politique québécoise, le R.I.N. s'est imposé comme catalyseur de la question nationale et point de référence des partis traditionnels sur le plan constitutionnel[1]. Ayant su profiter du déblocage provoqué par la révolution tranquille, il fut en même temps un élément actif de cette révolution. Un certain nombre d'idées qu'il avait lancées au cours de sa brève existence ont marqué les partis politiques au pouvoir ou furent reprises, plus tard, par le Parti Québécois. Sans le R.I.N., le visage actuel du Québec serait probablement différent de ce qu'il est effectivement.

Après avoir traversé une courte phase de nationalisme culturel au cours des années 1960-1961, le R.I.N. allait rapidement devenir le point de référence par excellence du nationalisme politique. Cependant, sous l'influence conjuguée de Pierre Bourgault (à la tête du RIN à partir de mai 1964) et de revues à caractère socialiste comme *Révolution Québécoise* et *Parti pris,* ce nationalisme politique allait se doubler progressivement d'un nationalisme socio-économique. Dès lors, l'indépendance politique devint pour le R.I.N. un moyen pour réaliser le mieux-être des Québécois et pour obtenir leur libération économique. Pour comprendre cette évolution du R.I.N. d'un nationalisme culturel à un nationalisme politique et socio-économique, l'action du

\* Tiré et adapté de « Le militant du RIN et son parti » *Recherches Sociographiques,* 13 (1972), p. 41-73.

[1] Aux élections de juin 1966, il recueillait 5.6% du vote total ou 7.3% du vote dans les 73 comtés où le parti a présenté un candidat. Sur le RIN on pourra consulter André d'Allemagne, *Le RIN et les débuts du mouvement indépendantiste québécois,* Montréal, Étincelle, 1974.

militant nous a paru essentielle, puisqu'il se trouve à la fois aux écoutes du système social et intégré à un parti politique. De ce fait, le militant perçoit les besoins et les aspirations des membres du système social, besoins qui sont par la suite convertis en demandes (*input*). Ces demandes sont présentées aux autorités du parti afin d'être converties à leur tour en réponses (*output*), par exemple, dans l'élaboration d'un programme politique. Ces réponses doivent normalement entraîner le soutien de la part des membres du parti qui peut alors aller de l'avant dans son action. C'est précisément cette dynamique demandes-réponses-soutiens qui constitue l'armature conceptuelle de cette étude.

## Cadre théorique et méthodologie

Les demandes sont le résultat de besoins ou de désirs qui se manifestent dans l'environnement (i.e. le système social) sous formes d'attentes, d'opinions, de motivations, d'idéologies, d'intérêts ou de préférences formulés par les individus et les groupes sociaux[2]. Dans le cas d'un parti politique, ce sont ses propres membres qui, à l'écoute du système social par leur insertion dans différents groupes sociaux comme la famille ou les associations volontaires, transmettent ces demandes aux autorités de leur parti. Ces autorités, cadres dirigeants du parti ou congrès nationaux, peuvent convertir ou non ces demandes en réponses.

Dans une seconde phase, ces réponses codifiées dans un programme deviennent aussi des demandes que le parti, considéré cette fois globalement, présente aux autorités du système politique. Ces autorités, à leur tour, peuvent accepter ou refuser ces demandes et donc les convertir ou non en décisions impératives.

Dans notre analyse du militant riniste face à son parti, nous ne considérons que la première phase du processus, c'est-à-dire la dynamique des demandes et des réponses à l'intérieur d'un parti politique ou, en d'autres termes, les interactions politiques entre les membres et les autorités du parti.

Selon les réponses des autorités, les membres pourront accorder un soutien plus ou moins grand à leur parti, soit sous forme d'action en faveur du parti, soit sous forme d'attitude ou d'orientation à son égard. Le soutien est un élément essentiel à la vie d'un parti politique. S'il en est privé, le parti ne peut que s'affaiblir, s'effriter ou même disparaître complètement.

Notre analyse s'appuie sur les réponses de 220 anciens militants rinistes à un questionnaire qui leur fut distribué en avril 1970[3]. Notre échantillon fut rassemblé à partir d'une liste fournie par le parti et comprenant les noms de tous ceux qui détenaient (en août 1967) des postes dans les exécutifs de comté. Cette liste principale, qui couvre toutes les grandes régions du Québec, fut complétée par deux autres listes, l'une des membres du R.I.N. dans le comté d'Ahuntsic et l'autre d'un certain nombre de militants de la région métropolitaine de Québec. Le choix du comté d'Ahuntsic s'explique par le fait que ce comté était doté de l'une des organisations les plus dynamiques du R.I.N. et qu'il était assez représentatif des membres rinistes au niveau de la région de Montréal, cette région étant elle-même majoritaire au sein du R.I.N. C'est donc dire que notre échantillon n'est pas un échantillon au hasard selon les

---

2    Voir à ce sujet la définition qu'en donne David Easton, *A Systems Analysis of Political Life*, New York, Wiley, 1965, p. 70-84.

3    Le taux de réponse fut de 47%.

critères généralement reconnus en ce domaine. Cependant, après recoupement avec certaines données socio-économiques retrouvées dans les archives du parti, nous croyons que notre échantillon représente assez fidèlement les militants du R.I.N.[4].

## La dynamique des demandes et des réponses

Dans le cas du R.I.N., comme de la majorité des partis politiques québécois (du moins en théorie), l'autorité suprême est le congrès national. Ce qui veut donc dire que le militant, dans ces congrès, se présente à la fois comme formulateur de demandes et comme autorité politique qui, par son vote, va accepter, refuser ou modifier telle ou telle demande. Dans ces moments-là, le militant interagit avec lui-même et avec les autres militants. Il est toutefois certain que les dirigeants du parti peuvent intervenir et faire pencher la balance dans un sens donné. C'est cependant leur autorité morale en tant que dirigeants et non pas leur position structurelle dans la hiérarchie qui est alors déterminante. En somme, ce qui nous intéresse avant tout, ce ne sont pas les structures du parti, ni la forme de son organisation, mais les interactions entre les militants et les autorités, interactions qui s'expriment dans cette dynamique des demandes des militants et des réponses des autorités.

### 1. La formulation des demandes

À cet effet, nous avons posé un certain nombre de questions susceptibles de nous faire connaître les demandes les plus importantes que les militants ont déjà formulées ou même auraient voulu présenter à leur parti. Le tableau 1 en donne une liste non exhaustive, classée selon un ordre de priorité.

Il ressort clairement que c'est le problème de la constitution qui arrive de loin en tête comme premier choix — il est en effet choisi autant de fois que tous les autres problèmes réunis. Cependant, 16.4% des militants le situent malgré tout au dernier échelon. Suit le problème du chômage qui l'emporte sur les autres comme deuxième et troisième choix. C'est donc dire que, si les problèmes constitutionnels sont importants, les problèmes économiques, en particulier celui du chômage, le sont autant. Les problèmes concernant la langue et l'éducation suivent ensuite.

Cependant, à la question : « D'après vous, est-ce que l'indépendance du Québec est plus importante que tous ces problèmes ? », la réponse est massivement positive. En effet, 83.2% des militants considèrent l'indépendance plus importante que les problèmes mentionnés plus haut contre seulement 13.6% qui sont d'avis contraire.

Ces réponses traduisent certes la volonté d'assurer l'indépendance politique du Québec, ce qui est une exigence propre à tous les militants du R.I.N., mais elles résultent aussi d'une socialisation politique des membres à l'intérieur du parti. En

---

4    De notre enquête, il ressort que le militant riniste est avant tout de sexe masculin (85%) et marié (60%). C'est un parti «jeune» puisque plus de 55% de ses militants sont âgés de 35 ans ou moins et que 10% seulement dépassent la cinquantaine. Seulement 12.8% des militants du R.I.N. ont dix ans ou moins de scolarité. Par ailleurs, 37.7% ont terminé leur cours secondaire, leur école technique ou un cours spécialisé. Quant a l'autre moitié, elle possède soit un brevet d'enseignement (7.7%) soit un cours classique ou collégial (8.6%), soit un diplôme universitaire (31.8%). Quant au revenu du militant riniste, il est nettement supérieur à la moyenne québécoise. En effet, 41.4% des répondants affirment jouir d'un revenu annuel de $10,000 et plus, alors que 8.6% seulement ne disposent que d'un revenu inférieur à $5,000. En termes d'occupation, la moyenne bourgeoisie (professionnels et cadres administratifs supérieurs), comprend 18.6% des militants du parti tandis que la nouvelle petite bourgeoisie (étudiants, enseignants, fonctionnaires et employés du secteur privé) regroupe 48.6% de l'ensemble des militants ; les petits propriétaires, artisans et commerçants, regroupent 6.8% des militants ; seulement 10.5% des militants peuvent être considérés comme appartenant à la classe ouvrière (ouvriers spécialisés et manoeuvres).

## TABLEAU 1

## DISTRIBUTION DES PRINCIPAUX PROBLÈMES POLITIQUES SELON UN ORDRE PRIORITAIRE (EN POURCENTAGES).

| | Constitution | Chômage | Éducation | Langue française | Logement | Agriculture | Grèves |
|---|---|---|---|---|---|---|---|
| 1er choix | 49.1 | 21.4 | 9.5 | 13.6 | 0.5 | 0.5 | 0.5 |
| 2e choix | 7.7 | 29.5 | 21.8 | 21.4 | 10.0 | 4.5 | 3.6 |
| 3e choix | 5.5 | 21.4 | 20.0 | 15.4 | 13.7 | 15.0 | 5.0 |
| 4e choix | 2.3 | 15.0 | 13.2 | 15.9 | 12.7 | 19.5 | 13.2 |
| 5e choix | 4.5 | 5.9 | 15.9 | 9.1 | 20.0 | 20.9 | 14.1 |
| 6e choix | 5.9 | 0.9 | 10.4 | 9.1 | 22.7 | 20.5 | 20.0 |
| 7e choix | 16.4 | | 2.3 | 8.2 | 12.7 | 12.3 | 35.4 |
| Non réponse | 8.6 | 5.9 | 6.9 | 7.3 | 7.7 | 6.8 | 8.2 |
| Total | 100.0 | 100.0 | 100.0 | 100.0 | 100.0 | 100.0 | 100.0 |

Source: Sondage inédit décrit dans le texte (n= 220).

La question était formulée comme suit : « Parmi les problèmes suivants, quels sont ceux auxquels devrait s'attaquer n'importe quel parti politique au pouvoir ? (Établir un ordre d'importance en les numérotant de 1 à 7). »

d'autres termes, si les militants du R.I.N. souhaitent aussi fortement l'indépendance du Québec, c'est qu'ils ont été imprégnés de la doctrine du parti, en plus d'être eux-mêmes convaincus de cette nécessité. Il devient donc difficile de départager l'influence respective de chaque facteur — conviction intérieure des militants et apprentissage d'un credo politique — sur cette volonté d'obtenir l'indépendance du Québec, bien que l'on puisse reconnaître une certaine influence du parti et de ses dirigeants sur l'ensemble des membres.

Mais il faut aussi préciser que, même si les militants rinistes accordent autant d'importance à la question de l'indépendance, ce qui est d'ailleurs normal, ils ne considèrent pas cependant l'indépendance comme une fin en soi, mais comme un moyen. Le but ultime devient alors non pas la seule indépendance politique, mais la libération à long terme des Québécois par une véritable révolution nationale.

Cette interprétation est d'ailleurs confirmée par les réponses à une autre question où nous demandions, parmi un certain nombre de raisons, laquelle était la plus importante pour faire l'indépendance du Québec.

Bien que 27.7% des personnes interrogées optent pour la seule raison politique, c'est-à-dire que «pour avoir sa propre constitution et son indépendance politique», la majorité, soit 57.7% affirme qu'il faut faire l'indépendance «pour pouvoir être maître de son économie et développer le Québec comme on le veut», les autres se répartissant entre la politique sociale, la politique linguistique et la politique extérieure.

Pour compléter ce tableau des demandes présentées au R.I.N. par les militants du parti, nous avons retenu une question qui concerne certains points du programme politique. Il s'agissait, pour les militants, d'indiquer par ordre d'importance les aspects du programme du R.I.N. qui les touchaient personnellement et qu'ils voulaient voir réaliser à tout prix (tableau 2)[5].

Les résultats obtenus confirment amplement notre interprétation précédente. Mais il nous faut souligner que, là encore, les réponses des militants peuvent résulter à la fois d'une socialisation par le parti et d'une profonde conviction intérieure. Pour cette raison, il est normal que l'indépendance politique vienne en premier lieu puisque ce thème était la marque distinctive du R.I.N. et que c'était là l'article fondamental du credo politique du parti. Cependant, ce nationalisme politique se double aussi d'un nationalisme économique et d'un nationalisme culturel de sorte que les trois courants de pensée dont nous faisions état dans notre introduction se retrouvent ici étroitement unis.

Sur le plan économique plus particulièrement, les réponses des militants témoignent d'une volonté de développement du Québec où le nationalisme s'allie à une certaine forme de socialisme: il ne s'agit pas seulement de lutter contre la mainmise étrangère et de contrôler des investissements étrangers, mais aussi de nationaliser les services publics, les ressources naturelles et même les terrains urbains afin d'éviter la spéculation. L'État doit aussi tenter de réduire les disparités régionales et jouer un rôle actif dans l'économie par l'établissement d'un plan et l'élaboration d'une politique d'investissements. Certains préconisent même le contrôle par l'État du commerce extérieur. En somme, les militants souhaitent non seulement l'indépendance politique du Québec, mais aussi son indépendance économique.

---

5    Si l'on tient compte de la deuxième phase du processus politique précédemment décrit, on peut considérer ces demandes comme celles qui doivent être présentées en priorité aux autorités du système politique par le parti considéré globalement.

## TABLEAU 2

### CHOIX PRIORITAIRES DES MILITANTS PARMI LES DIFFÉRENTS ASPECTS DU PROGRAMME R.I.N. (EN POURCENTAGES)

| Aspects du programme | 1er choix | 2e choix | 3e choix | 4e choix | 5e choix |
|---|---|---|---|---|---|
| Indépendance politique | 51.8 | 4.1 | 3.6 | 2.3 | 3.6 |
| Économie et chômage | 14.5 | 23.2 | 18.6 | 15.5 | 9.5 |
| Langue et culture | 12.7 | 23.2 | 12.7 | 9.6 | 6.4 |
| Politique sociale | 3.6 | 8.2 | 7.7 | 10.5 | 5.5 |
| Éducation | 1.4 | 8.2 | 10.5 | 5.0 | 5.9 |

Source: Sondage inédit décrit dans le texte (n= 220).

Nous n'avons ici que les 5 catégories les plus importantes. Si la plupart des militants (84.0% ont exprimé un premier choix, très peu (30.9%) ont exprimé leur cinquième préférence, ce qui explique pourquoi les pourcentages verticaux ne totalisent pas 100%.

Mais ces demandes appellent des réponses en ce sens qu'elles requièrent des décisions de la part des autorités auxquelles elles s'adressent. C'est précisément ce jeu des interactions entre les demandes et les réponses, entre les militants et les autorités de leur parti, entre les partis et les autorités du système politique, qui traduit la dynamique de fonctionnement du système politique. C'est pourquoi il nous faut aussi étudier le second volet de cette dynamique, à savoir les réponses des autorités rinistes aux demandes formulées par leurs militants.

### 2. La réponse aux demandes

Une première question vise à mesurer le degré d'efficacité du R.I.N. à l'égard des principaux problèmes qui préoccupent les militants du parti[6]. Pour ceux-ci, il ne fait aucun doute que leur parti apporte «des solutions satisfaisantes» aux grands problèmes de la vie politique québécoise. En effet, seulement 8.2% des militants répondent catégoriquement non à la question posée, alors que le reste se partage entre un oui catégorique (55.9%) et un oui nuancé (35.0%). Les premiers croient que le R.I.N. peut apporter des solutions satisfaisantes à tous les problèmes mentionnés plus haut, alors que les autres sont plutôt d'avis que leur parti est en mesure de le faire surtout à l'égard des problèmes constitutionnels et linguistiques. Il apparaît donc clairement que, pour les militants interrogés, le R.I.N. a su répondre efficacement dans l'élaboration de son programme aux problèmes qui les préoccupent.

---

6    La question posée était la suivante: « D'après vous, le R.I.N. est-il en mesure d'apporter des solutions satisfaisantes à ces problèmes? ».

La seconde question vise précisément à mesurer le degré d'efficacité du R.I.N. dans l'application de son programme, dans l'hypothèse où il aurait pris le pouvoir[7]. Là encore, les avis sont très peu partagés. En effet, 83.7% des militants croient que le R.I.N., une fois au pouvoir, aurait mis en application les points les plus importants de son programme; 1.4% des répondants seulement sont d'avis contraire et 14.9% ne savent pas, alors que 3.6% refusent de répondre. Bien que la question soit hypothétique, les réponses montrent bien que les militants témoignaient d'une grande confiance à l'égard de leur parti, qu'ils le croyaient capable de mettre en oeuvre son programme et donc de répondre à leur attente.

Dans la dernière question, nous ne cherchions pas à savoir si le R.I.N. était capable de répondre efficacement aux demandes de ses membres, mais s'il était attentif aux opinions ou suggestions émanant de la base[8]. En d'autres termes, il ne s'agit pas de mesurer l'efficacité du parti, c'est-à-dire sa capacité de répondre aux demandes de ses membres, mais le degré d'attention qu'il portait aux revendications en provenance de ses membres, surtout de ceux qui manifestaient la plus grande activité dans le parti. Ici encore, les opinions émises sont favorables au R.I.N. puisque la très grande majorité des personnes interrogées croient que leur parti a tenu compte souvent (61.8%) ou à quelques reprises (23.7%) de leurs opinions ou suggestions, contre seulement 1.8% qui affirment le contraire (2.7% sans opinion).

Il est d'ailleurs intéressant de rapprocher ces réponses de celles qui découlent d'une autre question où nous demandions si «les députés se soucient de l'opinion de leurs électeurs après leur élection». Voici comment se répartissent les réponses: jamais (13.6%), rarement (43.6%), de temps à autre (35.0%), la plupart du temps (4.6%) et ne répondent pas (3.2%). Le contraste est donc saisissant entre l'attention que le R.I.N., dans l'esprit des militants, portait à l'opinion de ses membres et celle qu'un député peut porter à l'opinion de ses électeurs après son élection.

En somme, nous pouvons conclure que, dans ce jeu d'interactions entre les militants et leur parti, le courant était intense dans un sens comme dans l'autre, c'est-à-dire des militants aux leaders du parti et des leaders aux militants. En effet, les militants n'ont pas craint de travailler activement dans le cadre de leur parti et de présenter aux autorités du parti des demandes bien précises, bien que certaines exigences puissent résulter d'une doctrine politique à l'intérieur du parti. De même, les autorités se sont montrées attentives aux opinions de leurs militants et sont apparues à leurs yeux comme efficaces et capables non seulement d'apporter des solutions satisfaisantes aux problèmes les plus épineux, mais aussi de mettre en oeuvre le programme ambitieux de réformes politiques, économiques et sociales présenté par le parti.

### 3. L'expression des soutiens

Lorsqu'un parti répond d'une façon satisfaisante aux aspirations et aux demandes de ses membres, il peut s'attendre en retour à recevoir un soutien diffus ou spécifique de leur part, c'est-à-dire à ce que ses membres ou ses militants agissent en sa faveur par la suite[9]. Est-ce le cas pour le R.I.N.?

---

7    «Croyez-vous que, au pouvoir, le R.I.N. aurait mis son programme en application?»

8    «Lors des réunions du parti, croyez-vous que le parti a tenu compte des opinions ou des suggestions des gens comme vous?»

9    Selon D. Easton, le soutien spécifique prend la forme d'une action ou d'un comportement observable, alors que le soutien diffus prend plutôt la forme d'une attitude ou d'une orientation. David Easton, op. cit., p. 159-161.

Pour répondre à cette question, nous avons considéré avant tout le soutien à l'égard de la politique du parti ainsi que les gestes concrets que le militant est prêt à poser pour soutenir le parti.

L'immense majorité des militants (97.7%) favorise la transformation du Québec en un pays indépendant du reste du Canada, ce qui est d'ailleurs normal dans le cas du R.I.N. Par contre, si 78% des militants favorisent cette transformation sans aucune restriction, il s'en trouve malgré tout 19.1% pour émettre quelques réserves quant aux modalités d'application, surtout dans le secteur économique de cette indépendance. Ce sont surtout les militants de la phase de «consolidation», c'est-à-dire ceux qui ont adhéré au parti entre 1963 et 1965, qui formulent quelques restrictions: ils forment, en effet, 47.6% de ce groupe de «restrictionnistes».

D'autre part, les militants, dans leur ensemble, sont prêts à poser des gestes concrets pour faire triompher la cause de l'indépendance. Ainsi, 81.2% se disent prêts soit à voter pour un parti indépendantiste, soit à essayer de convaincre leurs concitoyens de la cause de l'indépendance, ou les deux à la fois. Plus du quart (25.9%) accepterait de prendre part à des manifestations. Enfin, devant la possibilité d'une action armée, 39.1% affirment être décidés de recourir aux armes pour faire face à une agression militaire, alors que 13.2% seraient même prêts à prendre les armes pour hâter l'avènement de l'indépendance. Que ce soit au niveau de la dimension indépendantiste du programme riniste ou des gestes concrets pour favoriser la réalisation de l'indépendance, il ne fait aucun soute que les militants rinistes soutiennent sans réserve leur parti.

Contrairement à ce que l'on aurait pu s'attendre, l'intensité de ce soutien ne varie guère avec l'âge ou avec le lieu de résidence. Ainsi le tableau 3 nous révèle que le coefficient d'association Q entre l'âge des militants et l'intensité du soutien n'est que de 34.2. De la même manière, le coefficient d'association entre le lieu de résidence et l'intensité du soutien est de 0.0.

L'appui à la cause de l'indépendance n'est qu'un aspect du soutien accordé par le militant riniste à son parti. Ce soutien peut aussi se manifester à l'égard de certains aspects précis du programme du parti. Par leur accord ou leur désaccord avec ces différents aspects, les militants n'expriment pas seulement une orientation idéologique à l'égard de certains problèmes cruciaux, mais aussi leur soutien ou non-soutien à l'égard de solutions inscrites d'une façon explicite dans le programme de leur parti. Ainsi 95.4 des rinistes appuient le programme du parti sur la question de la langue, 84.6% sur celle de l'éducation, 94.1% sur celle des investissements étrangers et 92.7% sur celle de la participation ouvrière à la gestion des entreprises.

Comme on peut le constater, les militants rinistes sont fortement solidaires du programme de leur parti, même si certains aspects de ce programme ont déjà suscité des discussions passionnées et des controverses tant au sein du parti que dans la population québécoise.

Nous nous sommes attachés jusqu'ici au soutien à l'égard du parti dans son ensemble. Il est aussi possible de spécifier l'appui au chef du R.I.N. (Pierre Bourgault). À cet égard, le degré de satisfaction des militants envers leur chef manifeste aussi une volonté de soutien des actions de ce chef et d'appui à son leadership. Dans l'ensemble (92.7%), les militants se montrent satisfaits du rôle qu'a joué Pierre Bourgault comme chef du R.I.N. Ce bloc fortement majoritaire se partage entre ceux qui se disent très satisfaits (51.8%) et ceux qui s'estiment plutôt satisfaits (40.9%). De l'autre côté, seulement 5.9% manifestent leur mécontentement et de ce nombre, 1.4% sont très

TABLEAU 3

## INTENSITÉ DU SOUTIEN AU R.I.N. SELON L'ÂGE ET LE LIEU DE RÉSIDENCE (EN POURCENTAGES)

|  | Électoralistes | Activistes |
|---|---|---|
| *Âge* | | |
| Moins de 35 ans | 43.2 | 60.8 |
| Plus de 35 ans | 56.8 | 39.2 |
| Total | 100.0 | 100.0 |
| *Résidence* | | |
| Montréal | 56.4 | 56.0 |
| Province | 43.6 | 44.0 |
| Total | 100.0 | 100.0 |

Source: Sondage inédit décrit dans le texte (n= 220).

mécontents. Ces chiffres traduisent donc, par le biais de la satisfaction, l'appui ou le soutien pratiquement sans partage des militants à l'égard de leur chef.

En somme, que ce soit au niveau de l'action concrète, au niveau du programme ou au niveau du chef, les militants apportent massivement leur soutien au parti.

## Perception globale du parti

À partir du fonctionnement du R.I.N. tel que décrit dans la dynamique des demandes et des réponses et dans l'expression du soutien qui en résulte, il nous est possible de dégager une vision globale de ce parti. En effet, les demandes des militants et les réponses des autorités nous permettent de définir l'orientation générale du parti et l'idéologie qui l'anime. Selon nous, dans le cas du R.I.N., c'est sous le double aspect de parti populaire et de parti révolutionnaire que cette idéologie a cherché à se manifester.

À la question de savoir si le R.I.N. était un parti populaire comme l'indiquait son programme, 48.6% des militants interrogés le croient effectivement, alors que 45% sont d'avis contraire, les autres refusant de répondre. C'est donc dire que les opinions sont presque également partagées à ce sujet. Parmi ceux qui ont expliqué leur réponse positive, 44.1% l'estiment populaire par ses caractéristiques internes c'est-à-dire dans sa composition et son recrutement (22.5%) ou dans sa démocratie interne et son financement (21.6%). De même, 44.1% croient que le R.I.N. est un parti populaire parce qu'il a su percevoir les besoins de la population et a cherché à y répondre par son programme politique et les buts qu'il s'était fixés (14.7%), par les moyens employés et les actions entreprises (11.8%), ou par les deux à la fois (17.6%). Comme l'écrivait un militant, «le R.I.N. ne se «gargarise» pas de nébuleuses idéologies; il invente constamment des solutions québécoises à des problèmes québécois. En cela, il est près du peuple qui seul le maintenait en vie avec ses cotisations et ses dons» [10].

C'est parmi les adhérents de 1966 (année d'élections) que la proportion des militants définissant le R.I.N. comme parti populaire est la plus grande (56.2%). À l'inverse, c'est dans le groupe des adhérents de 1963-65, c'est-à-dire parmi ceux qui ont travaillé à la consolidation du parti, que la proportion des militants ne considérant pas le R.I.N. comme parti populaire est la plus forte (48.1%). On pourrait donc croire que, dans le feu d'une bataille électorale, le R.I.N. a voulu et a réussi en partie à se rapprocher de la population québécoise et que, dans la phase de consolidation, le recrutement et l'action se sont fait sentir surtout chez les classes moyennes (fonctionnaires, professeurs, étudiants).

On pourrait aussi rapprocher cette perception du R.I.N. comme parti populaire d'une autre question où il s'agissait d'identifier le groupe de personnes «qui profiterait le plus de l'indépendance politique du Québec si elle était faite par un chef politique comme Pierre Bourgault».

TABLEAU 4

**GROUPE QUI PROFITERAIT LE PLUS DE L'INDÉPENDANCE DU QUÉBEC SI ELLE ÉTAIT FAITE PAR PIERRE BOURGAULT (EN POURCENTAGES)**

|  | % |
| --- | --- |
| Hommes d'affaires | 4.1 |
| Professionnels | 1.4 |
| Fonctionnaires, professeurs, étudiants | 21.8 |
| Travailleurs de bureau | 0.0 |
| Ouvriers | 43.2 |
| Agriculteurs | 4.1 |
| Plus d'un choix | 15.5 |
| Personne | 3.6 |
| Non réponse | 6.3 |
| Total | 100.0 |

Source: Sondage inédit décrit dans le texte (n= 220).

---

10    Parmi ceux qui ont expliqué leur réponse négative, c'est précisément l'inverse qui se produit en ce sens qu'on a repris à peu près les mêmes thèmes, mais en affirmant qu'ils ne s'appliquaient pas au R.I.N. Pour la majorité d'entre eux (72.2%), le R.I.N. n'est pas un parti populaire à cause de sa composition, de sa base sociale et de son manque d'appui dans la population. Pour d'autres, il n'était pas populaire à cause de son programme et de ses idées (6.2%) ou à cause de son image extérieure (14.4%), faite de violence à certaines occasions, ce qui a pu provoquer la peur dans de larges couches de la population.

Il ressort de ces chiffres que, même si plusieurs militants croient que le R.I.N. n'est pas un parti populaire précisément à cause d'un manque d'appui chez les ouvriers et les secteurs les plus défavorisés de la population québécoise, un grand nombre d'entre eux pensent malgré tout qu'une indépendance faite par un chef politique comme Pierre Bourgault profiterait surtout au groupe des ouvriers. Il semblerait donc que le programme du parti, les discours de ses dirigeants, les appuis accordés à la classe ouvrière et plus particulièrement à de nombreux grévistes, bref l'orientation idéologique et l'engagement concret du parti avaient façonné une certaine image du R.I.N. chez un bon nombre de militants, image d'un parti dévoué aux intérêts des ouvriers. Il ne faut pas oublier cependant cette proportion appréciable de militants qui pensent que l'indépendance profiterait surtout à une fraction de la classe moyenne composée de fonctionnaires, professeurs et étudiants, ce qui est d'ailleurs normal pour un parti qui y recrute une bonne part de sa clientèle.

Appelés à se prononcer sur l'affirmation selon laquelle le R.I.N. est un parti révolutionnaire, les militants ont majoritairement (55%) répondu par la négative, alors que 39.1% le croient révolutionnaire, les autres refusant de se prononcer.

Cette majorité qui dénie au R.I.N. tout caractère révolutionnaire, le juge plutôt comme un parti réformiste, «socialisant» ou d'avant-garde (35.5%), ou tout simplement de droite, bourgeois et traditionnel (20.4%). Dans cette même veine, quelques-uns (14%) ont insisté sur son caractère électoraliste et son respect des normes de la démocratie pour lui refuser l'étiquette de parti révolutionnaire. Certains (17.2%) ayant associé la révolution à la violence, ont estimé que le R.I.N. s'était déjà prononcé contre la violence et que, par conséquent, il n'était pas révolutionnaire: c'était au contraire, la fausse propagande des autres partis qui avait associé le R.I.N. à la violence. En somme, ce mot d'un militant du parti résume la pensée d'un grand nombre; «Nous étions des politiciens, non des révolutionnaires».

Parmi ceux qui ont expliqué leur réponse positive, la grande majorité (68.7%) a jugé le R.I.N. révolutionnaire à cause du changement radical qu'il prônait, de sa contestation du système ou de son action. Comme l'écrivait un militant, le R.I.N. voulait «changer radicalement et en profondeur un système, un état de choses». Et un autre: «La révolution étant, de fait, un changement brusque et complet d'une situation, le R.I.N. voulait ce changement total qui fait passer tout un peuple de l'enfance à la maturité». Certains (18.1%) ont insisté davantage sur ses idées et son programme à caractère socialiste, alors que quelques-uns (10.8%) l'ont jugé tel par comparaison aux vieux partis ou même au Parti Québécois.

Il est intéressant de remarquer que la proportion des militants définissant le R.I.N. comme parti révolutionnaire est la plus forte (43.8%) dans le groupe des adhérents de 1966. C'est aussi ce même groupe qui qualifiait majoritairement le R.I.N. de parti populaire. A l'inverse, c'est dans le groupe des adhérents de 1963-65 que la proportion est la plus forte de ceux qui ne considèrent pas le R.I.N. comme parti révolutionnaire (60.8%), ni d'ailleurs comme parti populaire (48.1%). Un certain nombre de militants semblent donc associer parti révolutionnaire et parti populaire. On pourrait dès lors supposer que, pour ces militants, le R.I.N. ne pouvait être révolutionnaire que s'il était populaire et que pour être véritablement populaire, il devait être révolutionnaire.

Cependant, cette façon de considérer le R.I.N. ne semble s'appliquer qu'à une partie des militants si l'on tient compte des chiffres suivants. Parmi les 199 personnes qui ont exprimé leur accord ou leur désaccord à l'effet que le R.I.N. était un parti populaire et un parti révolutionnaire:

1) 60 (30.1%) l'ont jugé non populaire, ni révolutionnaire.
2) 46 (23.1%) l'ont jugé populaire et révolutionnaire.
3) 57 (28.7%) l'ont jugé populaire, mais non révolutionnaire.
4) 36 (18.1%) l'ont jugé révolutionnaire, mais non populaire.

C'est donc dire que 93 militants (catégorie 3 et 4) n'associent pas nécessairement les deux termes et que, pour eux, leur parti peut être populaire sans être révolutionnaire et inversement.

En somme, si une faible majorité se dégage en faveur du R.I.N., comme parti populaire, par contre une bonne majorité ne le croit pas révolutionnaire. Il semblerait donc exister un décalage entre les militants et les dirigeants du parti qui parlaient souvent de révolution. les deux groupes cependant semblaient conscients du fossé qui séparait le R.I.N. de la majorité de la population, en particulier des ouvriers.

## Conclusion

Des questions posées au début de cette étude, nous pouvons dégager les conclusions suivantes:
1) Le militant riniste est un homme jeune et instruit, possédant un revenu élevé et membre de la classe moyenne. Il est de sexe masculin et marié;
2) Il souhaite avant tout l'indépendance du Québec, mais une indépendance qui doit s'accompagner de l'épanouissement culturel et du développement économique des Québecois. Bref, indépendance et socialisme, bien que la forme de ce socialisme ne soit pas toujours clairement définie par les militants. Ce sont là d'ailleurs les deux thèmes dominants développés dans le programme du parti. Aux yeux des militants, leur parti était en mesure d'apporter des solutions aux problèmes du Québec, précisément par l'application de ce programme;
3) Le militant a apporté un soutien massif et sans équivoque à son parti, soutien qui a pu se traduire non seulement par une action électorale, mais aussi par un engagement concret. Cet appui, il le manifeste aussi au programme du parti et à ses chefs, en particulier à Bourgault;
4) Les sentiments sont plus partagés devant l'idéologie globale du parti. Ce n'est qu'une faible majorité qui le considère comme parti populaire. Cependant, on était conscient au R.I.N. du hiatus entre la volonté de rapprochement du parti vis-à-vis de la population et la réponse plutôt froide et mitigées de celle-ci.

Ces conclusions partielles nous inspirent quelques reflexions qui débordent le cadre de cette recherche et nous permettent de formuler des hypothèses qu'une étude plus étendue et plus approfondie que celle-ci nous permettrait sans doute de vérifier:
1) Il y avait chez les militants du R.I.N., du moins si l'on se fie aux témoignages de notre enquête, une certaine harmonie, une certaine conjonction entre eux et leur parti. Ils acceptaient le nationalisme et la forme de socialisme que le R.I.N. préconisait dans son programme. Ils pouvaient donc se reconnaître dans leur parti et assumer plus facilement son destin. Mais une telle rencontre ne s'était pas encore produite entre le R.I.N. et la population. Il manquait au R.I.N. cette sorte d'enracinement dans la conscience collective québécoise, si tant est qu'une telle conscience puisse exister, qui lui aurait permis de prendre pied dans cette population de telle sorte quelle puisse s'y reconnaître. Pour la majorité des Québécois, le socialisme que préconisait le R.I.N. semblait d'inspiration étrangère à la réalité québécoise, ce qui pouvait expliquer ses

difficultés d'implantation. Tant que ce socialisme n'avait pas été « québécisé », il avait peu de chance de s'épanouir au Québec et le R.I.N. avec lui ;

2) Dans les années 1960-70, ce sont les couches intellectuelles de la société québécoise qui ont prôné des idées nouvelles et, parfois, le renversement de l'ordre établi. Peut-on parler, dans le cas de ces intellectuels, d'avant-garde révolutionnaire qui aurait pu opérer un rapprochement avec la classe ouvrière, surtout si l'on songe à certains militants du R.I.N. qui ont souhaité ce rapprochement et travaillé à sa réalisation? Il nous semble cependant que, durant les années d'existence du R.I.N., cette avant-garde n'est demeurée qu'une avant-garde sans que la troupe suive vraiment: ce phénomène s'est vérifié tant à l'intérieur même du R.I.N. qu'au niveau du parti face à la population québécoise. Dans les prochaines années, nous pouvons assister soit à une prise en main de leur destin par les ouvriers sans se soucier des théories des intellectuels. Pour que la première hypothèse puisse se vérifier, il faudra que le nationalisme de l'intellectuel débouche sur un combat contre les inégalités sociales et que ce combat ne soit pas mené à coups de principes et de slogans d'importation étrangère. Pour le moment, si l'on se base sur la conjoncture politico-sociale actuelle, la seconde hypothèse semble la plus probable.

3) Le progamme du R.I.N. était certes réformiste, sinon révolutionnaire sous certains aspects. Dans une optique purement électoraliste, il pouvait sembler compromettant pour le parti. Mais c'est précisément le rôle d'un parti d'opposition d'offrir des solutions nouvelles à des problèmes parfois anciens, solutions qu'il pourrait éventuellement convertir lui-même ou qui pourraient être converties par d'autres en décisions politiques[11]. Mais ce que le R.I.N. proposait, c'était plus qu'un programme parmi d'autres puisqu'il souhaitait la transformation du Québec en Etat souverain politiquement et libéré économiquement. Tout en s'intégrant au système politique québécois existant, il recherchait en même temps la disparition de ce système de sorte qu'il pouvait apparaître anti-systémique, même s'il acceptait la contrainte des élections. C'est peut-être le propre de nos démocraties occidentales de permettre, sous certaines conditions, la formation de groupes d'opposition qui exigent la disparition d'un système politique sous sa forme ancienne et son remplacement par un nouveau système politique. En même temps, ces groupes d'opposition peuvent servir de soupape de sûreté pour le système existant, du moins tant qu'ils acceptent de s'y intégrer. Si, parmi eux, certains refusent tout compromis, ils vont alors s'engager dans la violence afin de faire triompher leur cause, ce qui était le cas des membres du F.L.Q. dont une majorité avait déjà milité au sein du R.I.N. ;

4) Le soutien est aussi un élément essentiel dans la vie d'un parti ou d'un système politique. Dans l'ensemble, les militants du R.I.N. ont apporté un soutien sans équivoque à leur parti. Ce n'était cependant pas le cas du parti vis-à-vis du système politique québécois. Si un système a besoin d'être légitimé pour survivre, l'entrée du R.I.N. sur la scène politique québécoise venait rompre le consensus établi sur le plan politique dans la société québécoise, et de ce fait, rendait plus difficiles les exigences de la ligitimité. Comme le soulignait Easton, la séparation d'un groupe est peut-être l'indicateur le plus significatif du retrait du soutien à l'égard d'une communauté politique[12]. On pourrait donc croire que, si la surcharge des demandes peut provoquer un certain stress dans le système politique, le déclin du soutien peut provoquer la disparition de ce système (il est évident que ce déclin peut être causé aussi par la non-

11    Ce que Georges Lavau appelle la fonction de « relève politique », dans « Partis et systèmes politiques : interactions et fonctions ». *Revue canadienne de science politique*, 2 (1969), p. 40.

12    David Easton, *op. cit.*, p. 180.

satisfaction des demandes). Lorsque la propagande et l'action d'un parti anti-système réussissent de plus en plus, la légitimité du système mis en cause par cette propagande va diminuer continuellement jusqu'au moment où il faudra la remplacer par une nouvelle légitimité dans un nouveau système. Sur cette pente, le mouvement peut sembler irréversible...

*Lectures recommandées*

Les mêmes que pour le texte de F.-P. Gingras.

# Chapitre 10

# Le créditisme et l'indépendantisme : deux mouvements de protestation*

Michael Stein
McGill University

*Michael Stein est professeur agrégé au Department of Political Science de McGill University. Ses recherches sur les partis et les mouvements politiques, en particulier au Canada et au Québec, ont donné lieu à plusieurs publications dont* The Dynamics of Right-Wing Protest: A Political Analysis of Social Credit in Quebec, *Toronto, University of Toronto Press, 1973 et, en colla- boration avec R.J. Jackson,* Issues in Comparative Politics: A Text with Readings, *Toronto, Macmillan, 1971.*

*Dans le présent article, il entreprend de comparer le créditisme et l'indépen- dantisme en tant que mouvements politiques. Il y fait notamment ressortir les diverses étapes qui mènent du mouvement au parti politique. Il puise des données dans divers documents émanant de ces mouvements, auxquels il joint de ses propres données établies lors de recherches antérieures. Il utilise une grille pour classifier les mouvements à l'étude.*

Depuis l'élection provinciale d'octobre 1973, nous assistons à un réaligne- ment profond des partis politiques au Québec. Un parti, l'Union Nationale, semble s'être engagé de façon irrémédiable dans un processus d'auto-élimination. Par contre, deux nouveaux partis, le Parti Québécois et le Crédit Social se sont solidement implantés, le premier devenant l'Opposition officielle et le second, le tiers-parti « officiel ». Mais ce réalignement ne se limite pas à l'apparition et à la disparition des partis politiques. Il ne fait que traduire à un niveau organisationnel certains bouleverse- ments dans la structure socio-économique de la société québécoise (montée de nouvelles classes sociales, urbanisation, changements dans la structure d'occupation, progrès de l'éducation). Dans cet article, nous chercherons à préciser la nature et les conséquences de cette relation entre changements socio-économiques et changements dans la strcture des partis. Plus précisément nous chercherons: (1) à définir le cré- ditisme et l'indépendantisme en tant que mouvements politiques et (2) à identifier les différentes phases de l'évolution de ces mouvements.

---

* Cet article est tiré d'une communication présentée à la réunion annuelle de l'Association canadienne des études ethniques, Toronto, 27 octobre 1973, *The Dynamics of Contemporary Party-Move- ments in Quebec: Some Comparative aspects of Créditisme and Indépendantisme* et de «Le Crédit Social dans la province de Québec: sommaires et développements», *Revue canadienne de science politique,* 6 (1973), p. 563-581.

# Le créditisme et l'indépendantisme comme mouvements politiques

Dans la littérature de sociologie politique, un mouvement social est défini comme une forme d'action collective visant à mobiliser des individus pour promouvoir des changements fondamentaux dans l'ordre social[1]. Dans toutes les définitions du concept de «mouvement social», les éléments centraux sont les sentiments communs de mécontentement et le désir général de changer la société.

Un mouvement politique est un type particulier de mouvement social. Il est dirigé vers un changement de l'ordre politique. Il a un certain nombre de traits en commun avec d'autres structures politiques comme les partis politiques et les groupes de pression, qui sont eux-mêmes en compétition pour exercer de l'influence dans l'arène politique. Mais l'important, c'est la façon dont les mouvements politiques se distinguent des autres structures politiques plus conventionnelles.

Premièrement, les mouvements politiques ont des buts plus larges que la plupart des autres structures de compétition politique. Ils visent l'éducation politique, la mobilisation des masses, et d'autres modes d'action dirigés vers un changement général. Deuxièmement, les mouvements politiques sont généralement organisés autour d'une série de croyances ou de buts utopiques concrétisés dans une idéologie politique qui agit comme force d'unification de leurs membres[2]. Troisièmement, les mouvements politiques manifestent une structuration des rôles politiques et une distribution du pouvoir, de l'influence et de l'autorité parmi leurs membres, ce qui les distingue des autres structures politiques. Les structures d'organisation ont tendance à être plus serrées au niveau de la direction et plus souples au niveau des membres. Les dirigeants ont tendance à concentrer le pouvoir et l'autorité entre leurs mains afin de maintenir un contrôle sur les décisions qui définissent la stratégie et les tactiques du mouvement[3].

Il y a deux types principaux de mouvements politiques, définis par leurs buts: les mouvements de protestations et les mouvements révolutionnaires. Le mouvement révolutionnaire est voué à la destruction du système et à l'obtention du pouvoir afin de transformer complètement l'ordre social. Le mouvement de protestation a des buts plus limités: changer la façon dont les décisions sont prises ou transformer les normes qui délimitent ce processus décisionnel sans détruire le système lui-même[4].

Les mouvements de protestations ont comme buts de politiser la masse et de la gagner à leur idéologie. Par une série d'actions dissidentes contre le régime ou ses autorités, ils cherchent à attirer l'attention de la population sur leurs griefs. Leurs objectifs sont, ou de persuader les autorités d'adopter leurs points de vue, ou de les déplacer et de prendre le pouvoir eux-mêmes afin d'appliquer les changements qu'ils désirent. Mais ils n'ont pas pour objectif de changer fondamentalement les règles du régime ou la base de la société.

Sur le plan idéologique, il y a deux types principaux de mouvements de protestations: mouvements de droite et les mouvements de gauche. Les mouvements de droite font appel surtout, en termes généraux, aux secteurs de la population

---

1    Rudolf Heberle, *Social Movements: An Introduction to Political Sociology,* New York, Appleton Century-Croft, 1951, p. 6.

2    *Ibid.,* p. 12, 434.

3    K. Lang and G.E. Lang, *Collective Dynamics,* New York, Crowell, 1961, p. 495.

4    R.J. Jackson and M.B. Stein, *Issues in Comparative Politics: A Text with Readings,* Toronto, MacMillan, 1971, p. 266.

dont l'importance numérique est à long terme, appelée à décliner (par exemple, les paysans dans une société en voie d'industrialisation et les cols bleus dans une société de type post-industriel). Leurs appels sont caractérisés par un désir de préserver les conditions sociales et économiques actuelles ou de recréer la société du passé. Les mouvements de gauche, par ailleurs, font appel à des secteurs de la population dont l'importance est croissante (par exemple, les cols bleus dans une société industrialisée et les cols blancs où les technocrates dans un société post-industrielle). Ils veulent établir dès maintenant les conditions d'une société future par des programmes de revenu minimum garanti, des mesures sévères contre la pollution, des services de santé décentralisés, etc.[5]

## 1. *Les créditistes*

Les créditistes peuvent être définis comme un mouvement de *protestation* car ils n'ont jamais voulu plus que changer la méthode de distribution du crédit en pensant que tous les autres changements désirés dans l'ordre économique, social ou politique étaient déterminés par la technique économique. Dans le domaine politique, ils ne veulent transformer ni le régime parlementaire, ni le système fédéral canadien, pas plus qu'ils ne veulent la destruction ni l'abolition du système capitaliste dans l'ordre économique. De plus, à l'exception d'une brève période (1946-48), ils n'ont jamais voulu de changements fondamentaux du système démocratique[6].

De plus, le «créditisme» est un mouvement de protestation de *droite* parce que son appel est essentiellement conservateur et orienté vers la préservation d'un ordre social et économique qui est en voie de disparaître très rapidement au Québec. Les créditistes croient que les valeurs traditionnelles comme l'obéissance, le devoir et la moralité étaient plus répandus dans le système social du passé qu'aujourd'hui, et qu'ils seront rétablis aussitôt que l'influence corrompue du capitalisme monopolistique et les appétits avares des banquiers seront tenus en échec par le système du crédit social. Ils prévoient un nouvel essor du fermier, du marchand dans les petites villes et des artisans, dès qu'ils auront assez de crédit pour se financer. Ils croient au relèvement de l'Église et des institutions religieuses, et demandent la préservation du système d'enseignement confessionnel. Ils dénoncent les ravages de la pornographie et des drogues tout en souhaitant protéger les petites villes et les villages de l'influence néfaste des mass media urbains[7].

## 2. *Les indépendantistes*

Tout comme les créditistes, les indépendantistes partagent les deux caractéristiques essentielles de tout mouvement social: un sentiment généralisé de mécontentement face à la société actuelle et un désir très fort de changer la société. De plus, comme les créditistes, les indépendantistes n'ont jamais défini leurs objectifs dans un cadre uniquement électoral. Au début, les efforts du mouvement portaient surtout sur

---

5 Il s'agit évidemment ici d'une description générale de tendance. En certains cas, des suggestions et des tactiques de gauche peuvent plaire à des gens des secteurs déclinants de la population. De même, des mesures de droite peuvent plaire à des gens d'un segment de la population en pleine croissance. Au reste, certaines mesures sont proposées en termes suffisamment vagues et émotifs pour attirer des adhérents de droite comme de gauche.

6 De 1946 à 1948, les directeurs ont demandé la création de corps législatifs aux parlements fédéral et provincial afin de représenter plus fidèlement les électeurs de chaque circonscription. Cette idée aurait été empruntée à l'expérience russe des societs et aux essais du gouvernement Lublin en Pologne. Il y eut une tentative de créer de telles structures (unions d'électeurs), mais ce projet se montra irréalisable et fut abandonné.

7 Cette analyse du Crédit social est tirée en majeure partie de mon livre *The Dynamics of Right-Wing Protest: A Political analysis of Social Credit in Québec,* Toronto, University of Toronto Press, 1973.

un effort d'éducation de la population québécoise quant aux bénéfices éventuels d'une indépendance politique. A partir de 1962, le mouvement étendit sa sphère d'activité et ses méthodes d'action jusqu'à organiser des manifestations, des marches et des occupations pour protester contre les abus auxquels étaient soumis les francophones ou pour publiciser l'idée d'indépendance. Ce n'est qu'en février 1965, soit cinq ans après sa fondation, que le Rassemblement pour l'Indépendance Nationale décida de se lancer carrément dans la lutte électorale. Finalement, le mouvement indépendantiste s'est développé, dès le début, autour d'un ensemble de croyances organisées de façon cohérente dans une idéologie. Au début, cette idéologie se limitait à proposer un modèle d'organisation politique pour le Québec. Par la suite, on y donna une dimension socio-économique plus élaborée de sorte qu'avec la publication de son dernier manifeste, *Quand nous serons vraiment chez nous*, le mouvement, de son propre aveu, est devenu plus social-démocrate dans son orientation[8].

Sur le plan organisationnel, le mouvement indépendantiste a quelque peu dévié, du moins dans les premières années de son existence (1957-1968), du modèle habituel des mouvements politiques. Comme ces autres mouvements, sa structure, au niveau des membres de la base, a toujours été relativement flexible. Mais contrairement aux créditistes, les premiers leaders du mouvement, André d'Allemagne, Marcel Chaput et Pierre Bourgault, n'ont jamais tenté ou étaient incapables d'imposer leurs vues dans les réunions annuelles du parti ou même dans les réunions des comités directeurs. Les conflits et les dissensions occasionnés par cette absence de direction centralisée ont sans contredit ralenti l'expansion initiale du mouvement[9].

Parce qu'il veut détruire le fédéralisme canadien, on a souvent qualifié le mouvement indépendantiste de mouvement révolutionnaire. Pourtant il n'en est rien puisque les objectifs du mouvement sont en fait très modérés. Sur le plan politique, il s'agit de remplacer une forme de démocratie (parlementaire) par une autre (présidentielle). Sur le plan économique, il s'agit d'adapter le régime capitaliste pour en faire un régime mixte où le coopératisme aurait une place privilégiée. Dans le domaine social, le mouvement propose de mettre un terme aux abus les plus évidents tout en ne modifiant pas de façon substantielle la structure de classe. Même sur la question de l'indépendance, le mouvement, du moins depuis que René Lévesque en est devenu le leader en 1968, ne propose plus une séparation complète du reste du Canada, mais une sorte d'association économique grâce à une union monétaire et douanière. En résumé, il ne semble faire aucun doute que le mouvement indépendantiste, même s'il s'inscrit dans la longue tradition des mouvements de gauche, n'en demeure pas moins, et cet avis est partagé par ses adhérents, un mouvement de protestation plutôt qu'un mouvement révolutionnaire[10].

## L'évolution du mouvement créditiste et indépendantiste

Les analystes des mouvements sociaux ont rarement essayé de décrire les modes d'évolution de ces mouvements et de mettre en évidence les facteurs responsables de leur transformation. On a généralement observé, cependant, que les mouvements politiques tendent à évoluer en trois phases principales qui peuvent être assimi-

8     Voir à ce sujet, Réjean Pelletier, « Une voie québécoise vers la social-démocratie », *Le Devoir*, 19 octobre 1973 ; François-Pierre Gingras, *L'évolution de l'idéologie indépendantiste, 1957-1972*, communication présentée à la réunion annuelle de la Société canadienne de science politique, Montréal, 1973.

9     Voir l'analyse de François-Pierre Gingras, *Militants, leaders et dynamique d'un mouvement d'indépendance*, Communication présentée au IXe congrès de l'Association internationale de science politique, Montréal, 1973. Voir aussi André d'Allemagne, *Le RIN et les débuts du mouvement indépendantiste québécois*, Montréal, Étincelle, 1974, p. 57.

10     Voir l'article de Réjean Pelletier dans le présent recueil, ch. 9.

lées à des traits caractéristiques de leurs dirigeants. Ces phases sont, *grosso modo,* la mobilisation, la consolidation et l'institutionnalisation. Le processus d'évolution tout entier peut être considéré comme une sécularisation graduelle du mouvement et une perte de son élan idéologique, menant à sa transformation éventuelle en une autre forme institutionnelle ou à sa disparition.

La phase de mobilisation est la période au cours de laquelle les militants du mouvement sont recrutés, la masse de la population est soumise au prosélytisme et à la propagande, les structures de base et les modes d'action sont établis. Le processus-type de cette phase peut être décrit ainsi : un noyau de personnes est attiré par l'idéologie dissidente pour plusieurs raisons : des griefs d'ordre économique, politique ou social, des besoins et intérêts personnels ou collectifs, etc[11]. Ces personnes viennent de différentes classes sociales, des éléments marginaux aussi bien que des groupes intégrés, et même de l'élite. Ils sont plus dévoués aux buts du mouvement et consacrent plus de temps et d'efforts à les définir et à les réaliser que les autres adhérents. Ce groupe soulève et oriente les émotions et les griefs des masses aliénées[12]. Durant cette phase les dirigeants sont plutôt des prophètes ou des prédicateurs. Ils doivent leur rôle de direction à leur capacité de concrétiser les principales idées du mouvement et de convertir à leur cause de nouveaux membres. Leur autorité vient de la supériorité qu'on leur reconnaît dans la formulation ou l'interprétation de la « foi », et l'art de la mettre à la portée des masses[13].

Durant la phase de consolidation, le mouvement développe ses ressources, augmente le nombre de ses adhérents, affermit ses structures, en précise les rouages et modifie sa stratégie et ses tactiques pour mieux faire face aux situations nouvelles. À cette phase, il est généralement dirigé par des hommes qui ont les talents d'organisateurs, d'administrateurs ou de propagandistes.

Durant la phase d'institutionnalisation, le mouvement essaie de maintenir et d'augmenter ses appuis par des négociations et des alliances avec d'autres groupes ; sa stratégie et ses tactiques deviennent plus pragmatiques et moins liées à l'idéologie première et aux buts du mouvement ; il accepte des compromis. Il est alors généralement dirigé par des hommes pragmatiques et opportunistes, qui ne sont pas aussi versés dans la doctrine originale que l'étaient les premiers dirigeants. Ils n'y sont pas si dévoués non plus et sont prêts à sacrifier à des fins immédiates ce qui reste du mouvement original.

Une des caractéristiques dominantes des mouvements sociaux est leur tendance inhérente à donner lieu à l'apparition de factions. On attribue généralement cette tendance aux conflits inévitables qui s'élèvent entre membres doctrinaires et membres moins doctrinaires lorsqu'il s'agit de passer de l'idéologie à l'action. Cette tendance est particulièrement manifeste dans les mouvements politiques. En plus du facteur que nous avons déjà mentionné, il y a à cela plusieurs autres raisons. Ainsi un conflit apparaît souvent entre membres d'âge et d'expérience politique différents,

---

11    Voir, par exemple, les raisons diverses de l'adhésion à des mouvements politiques, données par Hadley Cantril, *The psychology of Social Movements,* New York, Wiley, 1944, ch. 2-3; Eric Hoffer, *The True Believer,* New York, Harper, 1951, ch. 1-3; Gabriel Almond, *Appeals of Communism,* Princeton, Princeton University Press, 1954, ch. 4-11.

12    K. Lang et G.E. Lang, *op. cit.,* p. 495.

13    Les idées exprimées dans ces paragraphes sont tirées en grande partie de Hoffer, *op. cit.,* ch. 15; C.W. King, *Social Movements in the United States,* New York, Random House, 1963, p. 72; Neil Smelser, *The Theory of Collective Behavior,* New York, Free Press, 1963, p. 361, et Lewis N. Killian, «Social Movements», dans Robert E.L. Faris, éd., *Handbook of Modern Sociology,* Chicago, Rand McNally, 1964, p. 441-443.

conflit qui se manifeste dans les luttes entre les différents types de dirigeants et les différents styles de direction[14]. De plus, de nouvelles bases de pouvoir tendent naturellement à se développer en dehors du groupe des premiers dirigeants ; on peut attribuer cette tendance au fait que l'hétérogénéité s'accroît à mesure que le mouvement évolue[15]. Un autre facteur expliquant l'apparition de factions dans les mouvements politiques est la faiblesse de l'appareil de contrôle, particulièrement dans les mouvements de type non révolutionnaire ou protestataire. Quand des divergences d'orientation se manifestent, la direction a peu de récompenses à offrir et peu de sanctions en son pouvoir pour maintenir sa prédominance sur les membres du mouvement[16].

Bien que ces explications soient dans l'ensemble valables, elles ne vont pas au fond des choses. Et, fait plus important, elles ne font pas vraiment le lien entre le phénomène des factions et la dynamique de changement qui est sous-jacente dans les mouvements politiques. La plupart des analystes ont tendance à considérer les factions comme une cause de faiblesse, comme une force destructrice d'énergie, comme une aberration par rapport à la bonne marche des processus d'évolution et de développement de ces mouvements.

À mon avis cependant, même si les factions provoquent un conflit interne ou un schisme avoué, elles n'en forcent pas moins le mouvement à aller de l'avant, amenant le remplacement de ses dirigeants, la réorientation de sa stratégie et de ses tactiques et la réorganisation de ses structures. Ces orientations nouvelles peuvent être cruciales et déterminer le succès ou l'échec relatif du mouvement. En d'autres termes, c'est le conflit et non l'accord qui doit être considéré comme la norme des mouvements politiques et l'ingrédient essentiel dans la détermination de leur développement et de leurs effets ultimes sur la société au sein de laquelle ils opèrent. C'est l'hypothèse que j'ai tenté d'exposer dans mon étude du mouvement du crédit social au Québec. Il me sera impossible ici de faire une analyse détaillée du phénomène du factionalisme. Je me contenterai de résumer quelques-unes des conclusions de cette étude et de tenter de les étendre au mouvement indépendantiste.

1. *Évolution et factionalisme à l'intérieur du Crédit Social*

Disons tout d'abord que le créditisme est déjà passé par deux des trois phases typiques de l'évolution des mouvements politiques, celle de mobilisation et celle de consolidation, et qu'il entre maintenant dans la troisième phase, celle de l'institutionnalisation.

La première phase du développement du mouvement créditiste au Québec, de 1936 à 1957, correspond à peu près au type idéal de mobilisation. C'est dans les trois premières années de cette période, qui commence avec l'établissement de la Ligue du Crédit Social et de son journal, les *Cahiers du Crédit Social,* que les nombreux militants de première heure, ceux qui formaient le noyau de la première génération créditiste, se sont joints au mouvement. Mais le recrutement de militants et d'appuis importants parmi la population ne se produisit qu'en 1940, avec la création de l'Union des électeurs et de son journal bimensuel *Vers Demain.* De 1939 à 1948, le mouvement créditiste a grandi très rapidement, passant de 2,000 à 65,000 membres, et ce en utilisant une méthode de recrutement très simple mais très efficace: on attribuait à

14    R. Heberle, *op. cit.,* p. 118-119.

15    K. Lang et G.E. Lang, *op. cit.,* p. 533; N. Smelser, *op. cit.,* p. 361; M. Zald et R. Ash, «Social Movement Organizations; Growth, Decay and Change», dans Barry McLaughlin, éd., *Studies in Social Movements: A Social Psychological Perspective,* New York, Free Press, 1969, p. 478.

16    K. Lang et G.E. Lang, *op. cit.,* p. 533. Voir aussi Joseph Nyomarky, *Charism and Factionalism in the Nazi Party,* Minneapolis, University of Minnesota Press, 1961.

chaque membre un certain quota de recrutement. Quiconque obtenait son quota de 25 membres était automatiquement nommé au corps d'élite du mouvement, l'Institut d'Action politique, qui à son apogée comprenait de 2,000 à 3,000 membres environ. Les plus dévoués et les plus efficaces de ce groupe étaient nommés au directorat du mouvement, ayant à sa tête Louis Even et Gilberte Côté-Mercier; ce directorat n'a jamais eu plus de sept membres. Les directeurs, avec l'aide de leurs lieutenants, déterminaient les décisions politiques majeures du mouvement et maintenaient un strict contrôle sur la troupe[17].

Lors de la première phase, les créditistes furent loin d'atteindre leur objectif, qui était d'amener une grande proportion des Québécois à soutenir les doctrines du crédit social. Aux élections de 1948, l'Union des électeurs ne récolta que 150,000 votes et n'a pas gagné un seul siège. Après ce désappointant effort et une campagne beaucoup plus restreinte aux élections fédérales de 1949, l'Union s'abstint de toute autre tentative électorale [18] mais fit l'essai d'une autre technique d'action politique pour implanter le crédit social, celle de la pression directe sur les politiciens. Quand cette technique échoua également et que le nombre des membres commença à diminuer, les directeurs se désintéressèrent des choses temporelles et l'Union prit un caractère plus religieux.

La sconde phase du mouvement créditiste, celle de consolidation, commença en 1957, avec l'arrivée à la direction de la deuxième génération des créditistes, sous la direction de Réal Caouette[19].

Avec les autres dirigeants de la deuxième génération[20], R. Caouette était convaincu que le meilleur moyen d'établir le crédit social était de fournir un effort électoral concerté. Tous s'opposaient à l'orientation de plus en plus religieuse du mouvement. C'est pourquoi en septembre 1957, douze membres, surtout de la seconde génération créditiste, se réunirent à Montréal pour former le Ralliement des Créditistes.

Les fondateurs du Ralliement n'avaient pas à l'origine l'intention de former une organisation complètement nouvelle. Ils voulaient plutôt créer au sein de l'Union une structure politique parallèle qui rallierait à l'action électorale tous les créditistes de la province, y compris les factions dissidentes[21]. Quand les directeurs de l'Union, L. Even et G. Côté-Mercier, rejetèrent cette idée, les leaders de la deuxième génération

---

17    Louis Even et Gilberte Côté-Mercier étaient les chefs indiscutables du mouvement. Even jouait le rôle de prophète et d'idéologue. Il réussit à exprimer les doctrines abstraites du Major Douglas en termes compréhensibles pour la petite bourgeoisie, les travailleurs et les cultivateurs du Québec. Gilberte Côté-Mercier était l'organisatrice et la propagandiste par excellence : elle décidait de la stratégie à suivre et c'est elle qui choisit la plupart des symboles du mouvement, y compris le béret blanc que les membres portèrent à partir de 1949.

18    En 1956, l'Union contracta une alliance électorale avec les Libéraux provinciaux de Georges Lapalme. Quatre de ses membres, y compris Réal Caouette, se présentèrent comme candidats libéraux. Tous furent battus.

19    Caouette s'était joint au mouvement en 1940 et s'était affirmé dès le début comme un propagandiste et meneur de campagnes électorales de premier ordre. Il se présenta aux élections provinciales de 1944 et aux élections fédérales de 1945 comme candidat de l'Union des Électeurs, et arriva honorablement en deuxième place dans les deux cas. Mais son appétit pour l'action électorale fut assouvi pour de bon en 1946, quand il remporta le siège de Pontiac dans une élection partielle.

20    Laurent Legault, son organisateur dans plusieurs campagnes électorales, Gilles Grégoire, fils de J.E. Grégoire, ancien maire de Québec et leader de l'Union dans la plupart de ses premières campagnes, et François Even, fils de Louis Even.

21    Les factions dissidentes incluaient la poignée de membres survivants de la Ligue, et les Créditistes expulsés de l'Union par Gilberte Côté-Mercier à cause de leur opposition à sa politique et qui, d'année en année, avaient fini par être assez nombreux.

déclarèrent leur indépendance. À l'origine, le Ralliement des Créditistes fut conçu à la fois comme un parti et comme un mouvement ; son objectif principal était d'amener les électeurs à voter pour ses candidats et donc de prendre le pouvoir. Mais il n'abandonna jamais ses objectifs d'éducation populaire.

À ses débuts, le Ralliement était surtout composé de membres sécessionnistes de l'Union des Électeurs et, de ce fait, ne se développa que très lentement. Mais en 1960, R. Caouette et L. Legault firent alliance avec le Crédit Social de l'ouest que Robert Thompson était en train de réorganiser. À peu près en même temps, le Ralliement fit diffuser dans certaines régions du Québec une série de programmes de télévision qui amenèrent au parti de nouveaux membres qui n'avaient pas fait partie de l'Union des Électeurs. Sous la direction de L. Legault, le parti-mouvement se donna les mêmes structures électorales et les mêmes méthodes de financement que celles de l'Union. Si l'idéologie du Ralliement demeurait essentiellement inchangée, la stratégie et les tactiques furent profondément transformées. Les leaders du Ralliement se consacraient maintenant sans équivoque à prendre le pouvoir. Les associations de comtés conservèrent leurs cercles d'étude, mais l'organisation des élections devint rapidement leur principale raison d'être.

Le Ralliement gagna un nombre d'électeurs beaucoup plus élevé que ne l'avait fait son prédécesseur, l'Union des Électeurs. L'Union n'avait jamais pu obtenir plus de 10% du vote populaire, tandis que le Ralliement remporta 26% des voix au Québec aux premières élections fédérales auxquelles il participa (1962), et il obtint 29% des voix aux élections fédérales de 1963. Ainsi le Ralliement non seulement consolida la base du mouvement créditiste au Québec, mais il l'élargit considérablement. Mais cette base demeura limitée, atteignant rarement plus d'un quart de la population totale du Québec et ne sortant que faiblement des régions rurales et semi-urbaines. En fait, jusqu'aux élections fédérales de 1972, il semblait que le Ralliement créditiste était continuellement en déclin[22].

Il n'est donc pas surprenant de constater que vers 1970, avec le vieillissement de la deuxième génération créditiste, une troisième génération, comprenant plusieurs fils des créditistes de la deuxième génération arriva à maturité et commença à prôner la réorientation des buts du parti-mouvement. Pour eux, la survivance du créditisme était liée aux nouvelles forces telles l'urbanisation, le nationalisme et le désir de modernisation économique et culturelle. Ils conçurent une stratégie destinée à transformer le mouvement de protestation de droite en un parti politique conventionnel, avec une idéologie conservatrice plus pragmatique et une base plus large et plus urbaine. Ils contribuèrent ainsi à mener le mouvement à sa troisième phase, celle de l'institutionnalisation.

L'apparition de la troisième phase fut préparée en mars 1970 par la tenue d'un congrès destiné à choisir le chef du parti provincial nouvellement créé. On nomma tout d'abord Camil Samson, un choix des membres de la deuxième génération. Mais après plusieurs complots[23], les créditistes élurent finalement à la tête de leur parti un ancien ministre libéral, Yvon Dupuis.

---

22 Aux élections fédérales de 1962, le Ralliement reçut 26% du vote populaire au Québec, obtenant 26 sièges; en 1963, il eut 29% du vote populaire et 20 sièges; en 1965, il obtint 19% du vote populaire et 9 sièges. En 1968, il reçut 16% du vote populaire mais augmenta son nombre de sièges jusqu'à 14; en 1972, il eut 24% du vote populaire et 15 sièges; en 1974, il obtint 17.4% du vote populaire et 11 sièges. Le Ralliement Créditiste reçut 12% du vote populaire et 12 sièges aux élections provinciales de 1970, mais en 1973, il n'obtint que 11% du vote et deux sièges.

23 Samson fut «remplacé» par l'exécutif provincial en 1972 qui installa Armand Bois comme chef intérimaire du parti jusqu'au congrès de février 1973 pour l'élection du chef du parti.

Y. Dupuis fut à bien des égards l'incarnation du dirigeant pragmatique de la phase de l'intitutionnalisation. Il projetait une image jeune et attrayante, avait de l'expérience politique et avait fait preuve de ses dons d'orateur. De plus, il s'est gagné une large clientèle politique à Montréal en se servant avec succès d'une émission de «ligne ouverte» dont il était l'animateur et d'une journal, *Le Défi*[24].

Même s'il partageait l'orientation des créditistes, Y. Dupuis donna des signes d'un désir de moderniser et renouveler l'idéologie créditiste pour attirer au parti de nouveaux éléments. Il ne s'intéressa guère à la doctrine orthodoxe du crédit social ou aux traditions du mouvement. Son seul objectif était de prendre le pouvoir politique, et il sembla prêt à prendre tous les moyens nécessaires pour y parvenir. Par exemple, en 1973, il transforma les structures financières du parti basées sur les souscriptions populaires en faisant appel ouvertement aux grandes corporations. Malheureusement, ses tentatives pour faire progresser le Crédit social ont jusqu'ici échoué et, aux élections provinciales de 1973, M. Dupuis lui-même fut défait tandis que le parti ne recueillait que 11% du vote populaire et ne faisait élire que deux candidats, dont C. Samson, l'ex-chef du parti et Fabien Roy, l'ex-chef parlementaire. Depuis lors, un nouveau processus de factionalisation semble s'être engagé. En décembre 1973, le congrès créditiste a privé Dupuis de son poste de chef et a aboli ce poste pour les deux prochaines années. Il a alors élu Fabien Roy comme président du parti et a confirmé Camil Samson dans son poste de chef parlementaire. La faction de Y. Dupuis a rejeté l'autorité de ce congrès qui fut qualifié de «réunion de samsonistes et de royalistes surtout composée de vieux créditistes rétrogrades». En mai 1974, Y. Dupuis tint son propre congrès et créa un nouveau parti, le Parti Présidentiel. En décembre 1975, ce parti s'est dissout au profit de l'Union Nationale.

## 2. *Évolution du mouvement indépendantiste*

L'évolution du mouvement indépendantiste, même si elle fut plus rapide, peut aussi être divisée en trois phases. La phase de mobilisation qui dura de 1961 à 1968 fut avant tout centrée autour du Rassemblement pour l'Indépendance Nationale[25]. Ses premiers chefs, André d'Allemagne et Marcel Chaput, contribuèrent à faire connaître le mouvement et en furent pour ainsi dire les premiers prophètes. Mais ce n'est qu'avec l'arrivée de Pierre Bourgault, un journaliste possédant des talents d'orateur remarquables, que le mouvement atteignit une masse critique suffisante pour s'imposer à l'attention des mass-média et du public. Au début, les contributions volontaires des membres suffisaient à financer les campagnes d'éducation populaire qui constituaient la principale activité du mouvement.

En 1962, Marcel Chaput, entraînant avec lui les sections les mieux organisées et aussi les plus riches, quitte le R.I.N. pour fonder le Parti Républicain du Québec avec l'intention d'en faire un véritable parti politique, option qu'avait toujours rejeté le R.I.N. Après quelques manifestations d'éclat, comme les jeûnes successifs de son chef pour amasser des fonds, le P.R.Q. sombrera dans l'oubli. Mais cette sécession et l'appui initial considérable que reçut M. Chaput força les leaders du R.I.N. à repenser leur option non électorale. En 1963, la décision fut prise de transformer le R.I.N. en parti politique et le nouveau parti se donna un programme électoral. En plus de recommander l'indépendance pour le Québec, ce programme contenait plus de deux cents articles sur des sujets aussi divers que la politique forestière et la construction

---

24    Journal dont la principale caractéristique est de ne publier que des lettres de lecteurs en réponse à ses déclarations radiophoniques.

25    Pour une description détaillée de ce groupe, qu'il caractérise premièrement comme groupe de pression (1960-63), et plus tard comme parti politique (1963-68), voir André d'Allemagne, *op. cit.* Nous suivons dans notre discussion les grandes lignes de ce livre.

d'autoroutes[26]. Un groupe de militants, mécontents de l'orientation gauchisante du nouveau parti et de la domination exercée par les intellectuels de Montréal, quitta le R.I.N. pour fonder le Regroupement National. Plus tard, ils se réunirent avec des dissidents du Ralliement Créditiste sous l'étiquette du Ralliement National. Formé en grande partie de militants créditistes mécontents de l'orientation jugée trop fédéraliste du Ralliement Créditiste fédéral, le Ralliement National présenta ses propres candidats à l'élection provinciale de juin 1966 et recueillit environ 3% du vote populaire[27].

Ayant réuni 7% des voix au scrutin de 1966, le R.I.N. organisa une campagne de recrutement qui doubla le nombre de ses membres (8,000). Parmi les nouveaux membres, un groupe, dirigé par Andrée Feretti, tenta de transformer le parti en un véritable parti de gauche avec un programme qui ferait une plus grande place aux intérêts des travailleurs.

À partir de 1968, le mouvement indépendantiste est entré dans une phases de consolidation qui devait se terminer avec la campagne électorale de 1973. En 1968, la faction Feretti quitta les rangs du R.I.N. et le Mouvement Souveraineté-Association, mis sur pied au même moment par René Lévesque, commença à drainer le réservoir de membres du R.I.N. En octobre 1968, après avoir tenté d'en arriver à une entente formelle avec le M.S.A., le R.I.N. se saborda tout en recommandant discrètement à ses membres de se joindre au nouveau parti (Parti Québecois) qui, entre temps, avait été fondé sur la base des éléments du M.S.A. de R. Lévesque et du R.N. de Gilles Grégoire. Aux élections de 1970, le Parti Québécois réussit à faire élire sept députés tout en recueillant 23% du vote populaire. Ces résultats encourageants pour un parti qui en était à ses premières armes électorales ne firent que confirmer la prédominance des élements modérés du parti, R. Lévesque en tête, qui réussirent entre 1970 et 1973, à bloquer toutes les tentatives de certains éléments de radicaliser le parti. C'est ainsi qu'aux congrès de 1971 et 1973, R. Lévesque réussit, grâce à son prestige personnel, à empêcher l'adoption par le Congrès National du parti de résolutions jugées discriminatoires contre la minorité anglophone du Québec et de résolutions prévoyant un système fondé sur l'autogestion des entreprises par les travailleurs.

Depuis 1973, le Parti Québécois semble en voie de s'installer dans une phase d'institutionnalisation. Reconnu comme parti officiel à l'Assemblée Nationale et considéré comme l'Opposition officielle, le P.Q. est depuis lors à la recherche d'une sorte de deuxième souffle. L'élection de 1973 n'a fait que confirmer l'incertitude qui règne dans le parti quant à la direction que doit prendre cette institutionnalisation. Comme l'a montré l'étude de S. Carlos, E. Cloutier et D. Latouche, le Parti Québécois a maintenant réussi à faire le plein, surtout à Montréal, de toutes les voix indépendantistes[28]. En effet, avec 83% des voix indépendantistes, le P.Q. n'a plus guère à espérer de ce côté. Il lui faut maintenant se tourner du côté des électeurs qui, sans appuyer l'indépendance, pourraient quand même appuyer le Parti Québécois. Reste à savoir si le P.Q. pourra faire l'économie de la phase d'institutionnalisation et gagner le pouvoir en évitant de faire des compromis sur son option fondamentale, soit

---

26    Pour une étude intéressante des programmes des partis politiques lors de l'élection de 1966, voir K. Mellos, « Quantitative Comparison of Party Ideology », *Revue canadienne de science politique*, 3 (1970) p. 559-578. Voir aussi A. d'Allemagne, *op. cit.*

27    Le R.N. était dirigé pendant l'élection, par René Jutras, antérieurement du Regroupement National et Laurent Legault, ancien président du Ralliement Créditiste. Après l'élection, le parti a élu Gilles Grégoire, un ancien député créditiste au Parlement fédéral, comme chef du parti.

28    S. Carlos, E. Cloutier et D. Latouche, « L'élection québécoise de 1973 », *La Presse*, 19-24 novembre, 1973.

celle de l'indépendance. Déjà au lendemain de l'élection, certains à l'intérieur du parti avaient suggéré que le P.Q. se concentre sur son programme socio-économique et se débarasse du boulet que constitue l'option indépendantiste. Tout dépend en fait des dirigeants qui seront appelés à remplacer R. Lévesque.

Cette brève analyse nous suggère que le créditisme, et à un degré moindre, l'indépendantisme sont passés par les phases typiques des mouvements politiques dans leur processus d'évolution et d'adaptation face aux changements des conditions dans lesquelles ils doivent opérer. Ces deux expériences nous suggèrent quand même un certain nombre de constatations quant aux similarités et aux différences entre les deux mouvements.

Premièrement, alors que dans le cas des créditistes, chaque nouvelle phase et chaque réorientation du mouvement semblent avoir été causées par une nouvelle génération de leaders, dans le cas des indépendantistes, la phase de consolidation a été amenée par la subordination volontaire des fondateurs du mouvement à un groupe de convertis récents dirigés par René Lévesque. Dans les deux cas cependant, le passage de la phase de mobilisation à la phase de consolidation a été facilité par l'apparition d'un chef, R. Caouette et R. Lévesque, jugé seul apte de faire passer le mouvement du statut de groupuscule à celui de formation de masse capable de remporter des élections.

Deuxièmement, à chaque phase, le changement d'orientation du mouvement a généralement été précédé d'une période de factionalisme interne qui s'est intensifiée et a provoqué des scissions ouvertes. Ce conflit semble avoir servi de catalyseur en créant et en imposant un changement fondamental et une réorientation du mouvement.

Troisièmement, quoique le factionalisme et les scissions se soient produits pendant toute l'évolution du mouvement créditiste, le factionalisme semble avoir atteint son plus haut degré à la phase de consolidation en dépit de la direction très ferme et non contestée de R. Caouette. Ceci semble dû à plusieurs facteurs: c'est à ce stade que les conflits entre adhérents du concept de mouvement et ceux du concept de parti et entre protestataires modérés et protestataires souffrant de désaffection profonde sont les plus intenses[29]; les moyens de contrôle interne à la disposition de la direction sont affaiblis lorsque le mouvement commence à se transformer en parti plus conventionnel; les forces externes du milieu québécois — nationalisme, modernisation économique et sociale, conflit économique et linguistique — incluencent alors sérieusement les développements internes du mouvement; le mouvement semble avoir atteint sa limite extrême d'expansion.

Dans le cas du mouvement indépendantiste par contre, on remarque que l'arrivée de René Lévesque a grandement diminué les manifestations de factionalisme qui devinrent moins ouvertes et moins importantes que durant la phase de mobilisation. Ceci fut sans contredit dû aux succès de R. Lévesque qui réussit à diminuer l'opposition existante entre les tenants du concept de mouvement idéologique et ceux qui prônaient une action partisane de type électoraliste. En rappelant à l'objectif fondamental du mouvement et en soulignant que le mouvement était en pleine expansion, Lévesque réussit ainsi à faire coexister les protestataires dont la désaffection est profonde et les protestataires plus modérés.

---

29    La définition de ces concepts est donnée à la note 31.

## Les leaders des mouvements de protestation

Même si les causes de factionalisme à chaque stade sont évidemment complexes, on peut isoler certains sous-groupes de dirigeants qui peuvent être considérés comme les forces motrices du changement. Dans un sondage de 69 dirigeants créditstes en 1967, j'ai pu distinguer deux sous-groupes principaux:[30] les dirigeants modérés et les dirigeants gagnés d'une profonde désaffection[31]. Ces deux sous-groupes qui se distinguent non seulement par leurs attitudes politiques, mais aussi par leurs origines socio-économiques et leurs modes de participation politique, sont en conflit constant au sujet des objectifs, de la stratégie et des tactiques du mouvement.

Les dirigeants créditistes modérés vivent ordinairement dans les petits centres urbains. La plupart se sont joints au mouvement alors qu'ils étaient jeunes et à la suite de difficultés économiques personnelles. Avec les années, leur situation économique s'est améliorée et ils ont habituellement atteint un statut social légèrement plus élevé que celui de leurs parents. Actifs dans des groupes sociaux et religieux, leur sentiment de frustration face à la société demeure limité et se traduit par un désir de réformes.

Les dirigeants très dissidents (environ 10% de l'échantillon) proviennent ordinairement des strates les plus défavorisées. Ils sont moins actifs dans les associations volontaires et ont été attirés par l'aspect de «refus» du créditisme. En conséquence, ils prônent une transformation plus radicale de la structure politique et économique.

À la phase de mobilisation, ce conflit est plus facilement contenu puisque le mouvement est en cours d'expansion. Cependant, à la phase de consolidation, il se produit des reculs inévitables, particulièrement dans un mouvement de protestation avec un potentiel électoral restreint. Les dirigeants de cette phase, plus politiques que ceux de la première génération et plus modérés aussi, font face à l'opposition des dirigeants plus dissidents. On peut alors avancer l'hypothèse suivante: à ce stade, l'absence de contrôles structurels, sociaux et personnels et l'importance primordiale accordée par les membres aux buts du mouvement encourageront la tendance naturelle des membres très dissidents à diriger leur insatisfaction contre le mouvement lui-même et contre les chefs jugés trop modérés. Il en résulte des conflits insolubles. Quand ces conflits sont renforcés par des différences d'origine et de statut social entre ces deux sous-groupes, cette insatisfaction se double d'un désaccord sur la distribution des statuts et des rôles à l'intérieur du mouvement. Le conflit et les alliances qui résultent amèneront à un schisme. Cette hypothèse de comportement schismatique est représentée dans le tableau 1.

Une analyse similaire peut être faite pour les membres du mouvement indépendantiste. Ainsi F.-P. Gingras, dans son étude des membres du RIN, a suggéré l'existence de deux sous-groupes de militants: les modérés, qui constituent plus de 80% du membership, et les engagés, dont 6% peuvent être considérés comme des

---

30    Pour une description de cette enquête, voir les appendices A et B dans *The Dynamics of Right-Wing Protest, op. cit.*, p. 240-246.

31    Les leaders créditistes «très dissidents» ont été définis originalement comme ceux manifestant une forte désapprobation des systèmes politique et économique. Ils diffèrent des autres créditistes sur plusieurs points, tels leur statut socio-économique, leurs modes de participation aux associations volontaires et au mouvement, leur autoritarisme, leurs allures conspiratrices, et leurs conceptions de la protestation.

TABLEAU I

## UN MODÈLE DE COMPORTEMENT SCHISMATIQUE

Revers politiques → Désaccords normaux sur la stratégie et la tactique.

| | |
|---|---|
| Absence de contrôles structurels, sociaux. → | Pas de compromis sur les tactiques. |
| Existence d'une protestation radicale chez les membres très dissidents → | Contestation continuelle des stratégies et des tactiques |
| Suprématie des buts du mouvement → | Intolérance aux stratégies et aux tactiques jugées inefficaces |

Différences dans les origines et le statut social → Désaccord sur la distribution des statuts et rôles → Schismes

Conflits insolubles sur la stratégie et les tactiques

partisans de solutions extrémistes [32]. Tandis que le militant modéré disait appartenir à la classe moyenne et s'affirmait satisfait de sa situation économique personnelle (emploi, revenus, prestige), le militant riniste engagé avouait être insatisfait de son emploi et de ses revenus. Pessimiste quant à la vision de la société, il ne participe guère aux associations volontaires. Très actif dans les démonstrations, il ne s'intéresse guère aux activités routinières du parti.

La tension qui s'est développée entre ces deux sous-groupes peut être considérée comme une des causes principales des schismes qui ont frappé tout d'abord le R.I.N. et qui ont ensuite menacé le P.Q. Il existait au sein du R.I.N., comme au sein des créditistes, un accord chez tous les membres quant à l'objectif majeur du mouvement (l'indépendance politique pour le Québec) mais aussi des désaccords, comme il est normal d'en rencontrer dans tout mouvement ou organisation, quant à la stratégie et aux tactiques pour y arriver. Tant que le mouvement était en pleine phase d'expansion, ces désaccords demeuraient sans importance puisque l'attention de tous était centrée sur «l'ennemi» fédéraliste. Cependant lorsque les difficultés du parti augmentèrent, les membres de cette faction tournèrent leur attention vers les dirigeants du parti qu'il accusèrent de «droitisme». Ayant échoué dans leur tentative de remplacer les dirigeants modérés, ils durent abandonner le parti, ce qui permit à ce dernier d'adopter plus facilement une position conciliatrice dans les négotiations avec le M.S.A.

## Conclusion

Les deux mouvements-partis étudiés ici reflètent les forces socio-économiques et politiques existant dans la société. Lors de sa naissance, le mouvement créditiste apportait une réponse à l'anxiété et à l'insécurité générées par la crise économique des années 1930. Malheureusement, il ne put saisir toute l'ampleur de certaines des conséquences immédiates de cette crise: industrialisation, urbanisation, sécularisation et bureaucratisation accélérées de la société québécoise. S'il n'est pas capable de s'adapter à ces transformations, et pour ce faire le créditisme devra probablement se transformer en un mouvement complètement différent de ce qu'il a été jusqu'ici, il est probable que le mouvement déclinera pour éventuellement disparaître ou se marginaliser.

Par contre, le mouvement indépendantiste s'est adapté très facilement à ce processus de modernisation. Originellement, le parti reflétait l'idéologie cléricale et conservatrice du Québec des années 1950 (avec Raymond Barbeau comme l'un de ses leaders). Mais dans une série d'adaptations, il a su intégrer les phases successives de l'évolution du nationalisme québécois: nationalisme culturel, nationalisme politique et maintenent nationalisme socio-économique. Reste à savoir si le mouvement pourra continuer à maintenir ce fragile équilibre entre les partisans du succès électoral à tout prix (même au prix de mettre en veilleuse l'option indépendantiste) et ceux pour qui cette option, plus que le succès électoral, représente la raison d'être du mouvement.

---

32    François-Pierre Gingras, *Les sources du comportement indépendantiste*, communication présentée au Congrès de l'Association canadienne de science politique, Montréal, 1972. Voir aussi le chapitre 8 du présent volume.

*Lectures recommandées*

*Le Crédit Social*, no spécial de *Parti Pris*, v. 3, no 8 (mars 1966).

J. Hamel, « La fonction tribunitienne et la députation créditiste », *Revue canadienne de science politique*, 8 (1975), p. 3-22.

V. Lemieux, « Les dimensions sociologiques du vote créditiste au Québec », dans *Le quotient politique vrai*, Québec, Presses de l'Université Laval, 1973.

M. Pinard, *The Rise of a Third Party*, Englewood Cliffs, Prentice-Hall, 1971.

M. Stein, *The Dynamics of Right-Wing Protest*, Toronto, University of Toronto Press, 1973.

_____ , *The Split Between the Ralliement des Créditistes and the National Social Credit Party: an Attitudinal Explanation*, report submitted to the Royal Commission on Bilingualism and Biculturalism, 1966. (D.V. 3., Report no. 4 ).

# Chapitre 11

# Le crédit social au Québec: un mouvement populiste méconnu*

Alfred Sicotte
Université de Montréal

*Alfred Sicotte est attaché de recherche au département de sociologie de l'Université de Montréal. Il s'intéresse aux mouvements sociaux québécois, tout particulièrement aux coopératives.*

*Sa présente contribution, issue d'une recherche en équipe, a pour objectif de bien identifier les composantes idéologiques du mouvement créditiste, à propos desquelles il lui apparaît que les analyses antérieures sont inexactes ou incomplètes. Il en vient à déceler, chez les créditistes qui sont ouvriers, des tendances nettement progressistes qu'il rapproche de certaines manifestations du populisme américain. En plus de données cueillies dans les documents du mouvement créditiste et des données antérieurement établies par d'autres auteurs, il utilise l'entrevue et l'enquête sur le terrain pour générer de nouvelles données. Son analyse fait appel à diverses grilles classificatrices.*

Vouloir clarifier le problème que pose à l'analyse sociologique le phénomène créditiste au Québec, c'est du même coup s'engager à critiquer et à dépasser les explications existantes. Selon nous, ni la sociologie fonctionnaliste qui parle d'un mouvement de protestation de droite propre aux classes moyennes[1], ni l'approche marxiste courante[2] qui renvoie entièrement à la petite bourgeoisie traditionnelle, ne réussissent à rendre compte de la signification réelle du créditisme.

D'une part il y a l'explication de la sociologie politique universitaire: le Crédit social est un mouvement de protestation de droite; ses membres voteurs se recrutent parmi les couches moyennes de la société; le dirigeant typique, plus ou moins

---

* La présente analyse constitue un rapport préliminaire d'une recherche subventionnée par le Ministère de l'éducation du Québec au titre du Programme de formation de chercheurs et d'action concertée. Cette recherche intitulée «Crédit social et classes sociales», a débuté en septembre 1973. Y ont participé les professeurs Pierre Bocage, Guy Bourassa et Gabriel Gagnon (directeur de la recherche) de l'Université de Montréal, ainsi que les chercheurs Pierre Arcand, Hélène Brossard-Tremblay et Alfred Sicotte, ces derniers ayant travaillé en équipe à l'élaboration méthodologique du projet.

1 Voir Maurice Pinard, *The Rise of a Third Party: a Study in Crisis Politics,* Enflewood Cliffs, Prentice-Hall, 1971, Vincent Lemieux, *Le quotient politique vrai,* Québec, Presses de l'Université Laval, 1973, Michael Stein, *The Dynamics of the Right-Wing Protest: a political Analysis of Social Credit in Québec,* Toronto, Universty of Toronto Press, 1973.

2 Depuis la tentative de l'équipe de *Parti pris* en 1966, (v. 3, no 8, mars 1966), aucun effort n'a été fourni par les chercheurs marxistes pour approfondir le phénomène créditiste. On s'est contenté de répéter: entreprise politico-idéologique de la petite bourgeoisie traditionnelle.

modéré, est passé du prophète au politicien moderne. Dans un langage souvent apparenté à celui du pouvoir, cette sociologie politique fonctionnaliste a réglé le cas du créditisme en le confondant aux visées utopiques des groupes marginaux.

D'autre part, suivant les militants marxistes, un parti politique, fondé sur des valeurs religieuses anciennes et autres vieilles idées sur l'école, le sexe, etc., qui proclame vouloir changer la société, est immédiatement taxé de réactionnaire, de fasciste et de petit-bourgeois [3]. On ne se trompe pas tellement en disant que, pour l'ensemble des groupes de gauche, le Crédit social apparaît plutôt comme un ennemi à combattre; il symbolise le mouvement de la petite-bourgeoisie traditionnelle en voie de dissolution, dont les valeurs mises de l'avant sont contre le changement et donc par essence anti-révolutionnaires.

Nous croyons que les revendications sociales du créditisme ne sont pas par définition anti-révolutionnaires. Nous ne croyons pas non plus que le créditisme soit, par définition, un mouvement fasciste contenant quelques thèmes populaires. L'hypothèse que nous avançons peut se formuler en trois points: 1) le Crédit social est un mouvement social qui, tout en résistant à une intégration idéologique dominante (i.e. la nécessité de l'intervention de l'État dans la vie économique, la nécessité de l'efficacité des grands ensembles, l'importance du rationalisme technologique), revendique pour les classes dominées les droits sociaux proclamés autant par les révolutions bourgeoises du 18ème et du 19ème siècle que par les révolutions socialistes du 20ème, d'où l'ambivalence idéologique de ce mouvement qui véhicule à la fois des thèmes bourgeois et prolétariens; 2) le Crédit social est une forme de populisme dont les diverses manifestations sont liées à différentes étapes du développement du capitalisme; 3) le Crédit social est un type particulier de mouvement populaire regroupant quatre fractions de classe: la petite-bourgeoisie, le prolétariat, les petits capitalistes et la classe des petits producteurs.

Dans ce travail, nous avons voulu faire ressortir ces trois volets tout en cherchant à démarquer notre point de vue de celui qui oriente les thèses que nous critiquons.

Après avoir, dans un premier temps, présenté les différentes explications existantes sur le Crédit social et suggéré qu'il fallait les dépasser en suivant l'exemple des recherches sur le socialisme agraire, nous nous appliquons à dégager le double régistre sur lequel se fonde non seulement l'idéologie, mais aussi le mouvement créditiste lui-même. L'existence de ce double registre est illustrée par la présentation de trois types de contradictions inhérentes au Crédit social. Celles-ci se situent aux niveaux politique et idéologique et mettent en relief les points où notre interprétation du créditisme diffère de celle des fonctionnalistes. Alors que ces derniers reconnaissent l'existence d'éléments contradictoires pour ensuite les escamoter, nous montrons en quoi ceux-ci sont bien réels dans trois domaines particuliers.

Nous démontrons d'abord qu'il y a des ouvriers «conscients» dans le Crédit social, alors que la thèse courante parle dans ce cas d'inorganisation ouvrière; nous soutenons qu'il y a un appui conscient de la part des groupes d'âges les plus jeunes, alors que l'on parle d'aliénation politique pour désigner ce comportement des jeunes; nous disons finalement qu'il y a au niveau idéologique des propositions issues non seulement du principe de la propriété privée mais aussi de celui de la propriété collective.

---

3    Cette interprétation a été formulée récemment de la façon suivante: «Les créditistes cherchent à canaliser le mécontentement et les justes aspirations parmi les couches populaires pour les traduire par une idéologie proprement réactionnaire et des propositions qui vont carrément à l'encontre des intérêts objectifs de la classe ouvrière», voir «Début d'un mouvement socialiste à Montréal», *Mobilisations. 3,* (1974), p. 25.

Par la suite, nous présentons le créditisme comme une forme de populisme et nous discutons brièvement de ce mouvement populaire qui peut être à la fois de droite et de gauche, à la fois axé sur le passé et tourné vers l'avenir. C'est ici que nous amorçons une critique de la notion d'utopie et de son rôle dans l'explication des mouvements sociaux. Nous suggérons que cette notion est liée à une position de classe et n'a donc pas une grande valeur pour l'analyse.

Finalement, après avoir critiqué la notion de petite-bourgeoisie traditionnelle, nous suggérons, à l'aide de données recueillies en Beauce, que le Crédit social est composé de membres représentant quatre fractions de classes distinctes. La critique de la notion de petite-bourgeoisie traditionnelle (i.e. les petits producteurs ne font pas partie de la petite bourgeoisie traditionnelle) permet de saisir plus clairement la position quasi identique qu'ont les petits producteurs et les ouvriers dans les rapports d'exploitation. Or, les petits producteurs et les ouvriers forment la majorité des membres du Crédit social en Beauce. On peut en conclure que, même si l'horizon idéologique créditiste est dominé par la petite bourgeoisie et la classe des petits capitalistes, il existe au sein du créditisme une base sociale pouvant être à l'origine d'une véritable transformation sociale.

## *Les explications courantes*

### *L'observation journalistique*

Aux élections fédérales du 18 juin 1962, la vague créditiste amena à la députation trente représentants d'un parti jusque là fort peu connu. Un tel succès électoral d'un tiers parti étonna bon nombre d'observateurs habitués à expliquer les rouages du bipartisme. Au Québec, où le parti avait obtenu 26 de ses sièges, les élites modernisantes s'inquiétèrent de ce raz-de-marée incompréhensible[4]. A cause de son côté folklorique et de son penchant vers le traditionnalisme, le créditisme ne devait pas attirer un grand nombre d'électeurs. C'était là du moins l'avis de la plupart des experts de la scène politique, habitués aux déboires de l'Union des Électeurs depuis 1944. Pourtant, après sa grande victoire de 1962, où quelques 500,000 électeurs appuyèrent les candidats créditistes au Québec, le Crédit social continue à représenter plus de 15% de l'électorat québécois au fédéral et environ 10% aux élections provinciales[5].

Jusqu'en 1962, l'intelligentsia urbaine s'était contentée de ridiculiser les membres de l'Union des Électeurs, surnommés les Bérêts Blancs, et le journal *Vers Demain*[6], véhicule des premiers propagandistes québécois de la doctrine créditiste.

---

4    Voir Michael Stein, *op. cit.*, p. 87, pour un compte rendu de quelques réactions de la presse montréalaise au lendemain des élections.

5    Depuis 1962, les proportions de l'électorat québécois qui appuient le Crédit social aux élections fédérales sont les suivantes :

| | |
|---|---|
| 1962 | 26.0% |
| 1963 | 27.3% |
| 1965 | 17.5% |
| 1968 | 16.4% |
| 1972 | 22.0% |
| 1974 | 17.2% |

Aux deux dernières élections provinciales, le Crédit social a obtenu au moins 10% du vote: soit 11% en avril 1970 et 10% en octobre 1973.

6    Le journal *Vers Demain,* après avoir servi à diffuser depuis 1939 les idées du Major Douglas et la doctrine sociale de l'Église, est devenu avec les années et la perte de prestige politique de ses deux fondateurs, Louis Even et Gilberte Côté-Mercier, un feuillet axé sur le mysticisme et l'anticommunisme.

Mais par la suite, il devenait impérieux d'expliquer, non seulement la présence du créditisme sur l'échiquier politique, mais aussi la signification sociale de ce mouvement paradoxal. En janvier 1963, sous le pseudonyme d'Isocrate, le politicologue Gérard Bergeron entreprend la démystification des créditistes en parlant d'une espèce nouvelle: «l'homo créditistus»[7]. Le représentant typique de cette espèce est «Bon père, bon époux, bon citoyen... pur... réaliste... indigène et... utopiste»[8]. Quant au chef, le «super-homo-créditistus» Réal Caouette, il peut être dangereux car, malgré ses grandes qualités de tribun, il admire Hitler et Mussolini[9]. Bref, si l'on en croit Bergeron, il s'agit d'une espèce foncièrement bonne (parce que respectueuse de la loi et de l'ordre) mais ayant des tendances dangereuses (car elle peut suivre aveuglément un chef autoritaire et fasciste).

Pour sa part, le professeur Charles Taylor, de McGill University, candidat socialiste battu aux élections de 62, craint que l'élite (qui représente selon lui les éléments urbanisés, cultivés, et progressistes de la société) se soit trop éloignée de la masse: «Le phénomène du créditisme a montré l'abîme qui existe dans certaines régions entre l'élite et la masse de la population»[10]. Il poursuit en disant que les créditistes se sont probablement révoltés plus contre l'élite des classes professionnelles de la campagne que contre celle des progressistes. Il n'en demeure pas moins que, pour lui et pour un bon nombre d'intellectuels dits progressistes, il s'agit d'une révolte de la masse pouvant retarder le progrès.

Rappelons-nous que cette version du mouvement créditiste est héritée d'une certaine sociologie qui nomme «retard culturel» la situation de domination dans laquelle se trouvent des régions sous-développées et «modernisation par les biais des élites» la solution à ce problème[11].

*La petite-bourgeoisie ou la version marxisante*

Pour les intellectuels de *Parti pris,* qui consacrent un numéro spécial de leur revue au dossier créditiste[12], l'espèce «homo-créditistus» est en réalité le peuple qui s'exprime à travers le Crédit social, mais sous une forme «mystifiée et réactionnaire»[13]. On peut déduire de cette interprétation que le peuple est mystifié parce que l'idéologie qu'il appuie n'est pas nécessairement la sienne et qu'il est réactionnaire par le fait que cette idéologie se traduit dans la réalité par des mesures anti-progressistes, anti-modernistes, anti-révolutionnaires.

---

7    A croire qu'il suffit d'ironiser sur un phénomène pour en diminuer l'importance. Voir Gérard Bergeron, *Du Duplessisme au Johnsonisme, 1956-66,* Montréal, Parti pris, 1967, p. 235.

8    *Ibid.,* p. 240-255. On remarquera dans l'énumération des attributs contradictoires servant à caractériser une même réalité.

9    *Ibid.,* p. 261.

10    Charles Taylor, «Impressions d'un Québécois anglophone», dans *Les nouveaux Québécois,* Québec, Presses de l'Université Laval, 1964, p. 79.

11    Cette position théorico-idéologique a déjà été durement critiquée. Voir André Gunder-Frank, *Le développement du sous-développement,* Paris, Maspero, 1970.

12    Voir note 2.

13    Pierre Maheu, «L'ambiguïté du peuple», *Parti pris,* v. 3, no 8 (mars 1966), p. 6.

La notion de peuple désigne habituellement l'ensemble des groupes sociaux qui ne participent pas au pouvoir mais plutôt qui le subissent et le contestent. Selon Nicos Poulantzas, il s'agit d'un concept stratégique désignant une alliance spécifique des classes dominées [14]. Or, cette alliance contre la classe dominante est une force sociale progressive puisqu'elle veut dépasser un ordre dominant et forcément répressif. Lorsque les gens de *Parti pris* avancent que le Crédit social est une idéologie petite-bourgeoise parce qu'il «fait appel à tous ceux dont la position économique peut être définie comme petite-bourgeoise», [15] et qu'ils précisent que le Crédit social est réactionnaire, on peut conclure que c'est la petite-bourgeoisie qui détermine cet aspect réactionnaire.

En résumé, les tenants de cette position affirment que l'idéologie du Crédit social est tout simplement celle de la petite-bourgeoisie traditionnelle [16] (artisans, petite production agricole, petit commerce) dont les conditions de reproduction en tant que classe (ou fraction de classe) sont en voie de dissolution rapide face à l'expansion du capitalisme des monopoles. Après avoir admis comme à priori cette nécessaire détermination des places dans la production sociale, le raisonnement sur l'idéologie créditiste s'enchaîne mécaniquement: puisqu'il s'agit d'agents de production dont la position dans les rapports de production est appelée à disparaître dans les sillons du développement capitaliste, il va de soi que la lutte politique et idéologique de ces agents est un combat d'arrière garde. Et si les thèmes idéologiques qu'ils véhiculent sont, eux aussi, déjà des vestiges du passé, à plus forte raison leur lutte politique ne peut que revêtir le manteau de la réaction. On parlera donc de la montée du fascisme.

## Le mouvement social de droite ou la version fonctionnaliste

Alors que sa concurrente marxiste se spécialisait au niveau de l'explication théorique, la version fonctionnaliste du phénomène créditiste a été à la source de recherches empiriques importantes. On a voulu d'abord répondre à la question: pourquoi un tel succès électoral d'un tiers parti?

On sait que le créditisme n'a pas connu au Québec les succès électoraux permettant de former un gouvernement comme ce fut le cas en Alberta (1935-1971) et en Colombie-Britannique (1952-1972). Il n'en demeure pas moins que la doctrine créditiste a trouvé au Québec, surtout depuis 1957 et la confirmation de Réal Caouette comme chef du Ralliement Créditiste, un terrain de plus en plus accueillant. Pourquoi? C'est la question historique par excellence, celle qui désigne l'événement comme lieu de solution. C'est donc à l'histoire et à son déroulement, dont la compréhension renvoie trop souvent à elle-même, comme cause et fin du changement social, que l'on a réservé le droit d'expliquer le créditisme.

En premier lieu, c'est à une situation économique en voie de détérioration ou en crise que l'on doit attribuer la possibilité même de l'existence du créditisme. La version économique est sous-jacente à l'ensemble des thèses fonctionnalistes sur le Crédit social. Vincent Lemieux, Maurice Pinard et Michael Stein disent qu'une situation économique détériorée constitue un facteur important, sinon décisif, dans le succès créditiste [17]. Nous sommes bien d'accord: le mouvement créditiste, tout comme

14 Nicos Poulantzas, *Les classes sociales dans le capitalisme aujourd'hui,* Paris, Seuil, 1974, p. 27.

15 Michel Mill, «La théorie économique du Crédit social, «*Parti pris, op. cit.,* p. 15.

16 Nous discutons plus loin des relations entre la petite-bourgeoisie traditionnelle, la nouvelle petite-bourgeoisie et le Crédit social.

17 Vincent Lemieux, *op. cit.,* p. 161; Maurice Pinard, *op. cit.,* p. 118; Michael Stein, *op. cit.,* p. 238.

les différents mouvements populistes, apparaît au niveau politique et idéologique seulement lorsqu'un état de crise économique rend intolérable la situation d'exploitées des classes dominées.

Pour appuyer la thèse politique la plus en vue, Maurice Pinard soutient que la domination du Parti libéral fédéral sur la scène politique québécoise a poussé l'électorat à chercher dans un tiers parti une opposition que le Parti Progressiste-Conservateur ne pouvait assurer depuis 1917[18]. Selon Vincent Lemieux[19], cette thèse, bien qu'inattaquable dans son principe, présente certaines faiblesses méthodologiques[20]. Quoi qu'il en soit de leurs divergences passagères, ces deux auteurs sont bien d'accord pour dire que les libéraux et les conservateurs présentent des partis politiques en opposition. C'est là où ils rejoignent et se font le porte-parole d'une classe dominante qui assure, sous des couleurs différentes, sa présence à la direction de la société par l'entremise de ses partis politiques, défenseurs de la propriété privée des moyens de production, du profit raisonnable et de l'ordre. L'opposition politique permise par une législation fondée sur l'appropriation privative peut-elle être autre chose qu'une façon de gouverner d'une classe dominante? Vouloir que les gens votent pour un tiers parti par opposition, n'est-ce pas voir la réalité à la façon des idéologues de la démocratie libérale[21].

Forcément, qui parle en termes d'opposition politique est obligé d'ajouter le type d'opposition: la gauche ou la droite, ou une variante intermédiaire. Dans ce schéma, le Crédit social est à droite. Pourquoi? Nos auteurs s'entendent: à cause des valeurs nationalistes et fortement conservatrices des élites québécoises et, complémentairement, à cause de l'absence d'une élite politique de gauche capable de susciter une opposition modernisante[22]. Ainsi, une crise économique interprétée par des valeurs nationalistes se traduit par une réaction «aux forces socio-économiques modernisantes»[23]. Nous critiquerons plus loin en détail l'approche qui conduit à qualifier le phénomène créditiste de mouvement de protestation de droite.

Les deux thèses déjà présentées (i.e. le Crédit social au Québec est un mouvement de protestation de droite, ou encore l'expression de la petite-bourgeoisie traditionnelle et réactionnaire) ne nous apparaissent pas satisfaisantes. Quelques études sur le socialisme agraire et le radicalisme petit-bourgeois peuvent nous aider à saisir le caractère essentiellement contradictoire du Crédit social. Dans ces études, on

---

18    Maurice Pinard, *op. cit.,* p. 70 et 248.

19    Vincent Lemieux, *op. cit.,* p. 201.

20    Pour démontrer sa thèse, Maurice Pinard s'appuie sur le fait qu'aux élections fédérales de 1957 et de 1958, le Crédit social a eu plus de succès dans les circonscriptions conservatrices faibles que dans celles où les conservateurs étaient forts, *op. cit.,* p. 23 et suivantes. Pour sa part, Vincent Lemieux utilise les élections fédérales de 1953 et de 1957 pour démontrer le contraire: une relation positive entre la force des conservateurs en 1953 et 1957 et celle des créditistes en 1962, *op. cit.,* p. 202 et suivantes.

21    Le dicton créditiste bien connu, «quand la machine est finie on ne change pas le chauffeur (i.e. Parti Libéral ou Parti Conservateur), on change la machine», illustre bien la qualité non partisane du mouvement. Il s'agit d'une *union* de tous les *électeurs* en vue d'instaurer une démocratie plébiscitaire. C'est dans ce sens que le fait de réduire le Crédit social à un parti d'opposition équivaut à prendre parti pour le point de vue de l'ordre dominant. Voir C.B. Macpherson, *Démocracy in Alberta,* Toronto, University of Toronto Press, 1953, p. 205.

22    Maurice Pinard, *op. cit.,* p. 100.

23    Michael Stein, *op. cit.,* p. 231.

met en relief l'ambivalence du radicalisme petit-bourgeois dont la lutte peut prendre un caractère progressiste et / ou réactionnaire. Cette ambivalence est illustrée par Richard Hofstader lorsqu'il note que le populisme américain est issu du radicalisme «d'entrepreneurs» respectant le capitalisme privé tout en réclamant une société plus démocratique et plus égalitaire [24]. Toutefois, on verra plus loin que, pour cet auteur, le populisme américain est avant tout un mouvement réactionnaire. Suivant cette thèse, Bart Poseat affirme que le Crédit social au Québec est aussi un mouvement réactionnaire généré par le radicalisme petit-bourgeois [25].

Le professeur marxiste C.B. MacPherson estime que l'ensemble des mouvement agraires américains et canadiens démontrent une oscillation entre le radicalisme et le conservatisme [26]. Selon lui, si le conservatisme est inhérent au radicalisme agraire petit-bourgeois, le radicalisme l'est aussi. Notre position est que le mouvement créditiste constitue une force sociale à la fois progressiste et réactionnaire, à la fois basée sur le passé et axée sur l'avenir, à la fois en rupture et en association avec l'ordre dominant. Il s'agit d'une force sociale fondée sur les contradictions propres à ses éléments constitutifs [27] qui vivent, en tant qu'agents sociaux dominés, une idéologie dont les principes devraient assurer leur domination.

## L'ambivalence du crédit social

### Le contenu du discours créditiste n'a pas une seule logique

Si l'on s'en tient aux déclarations du créditiste Réal Caouette sur les événements d'octobre 1970 au Québec, sur les réfugiés politiques chiliens ou sur les journalistes de Radio-Canada, on a là les éléments du discours fasciste sur la primauté de la loi et de l'ordre exprimés à travers un anticommunisme et un anti-intellectualisme virulents.

Il est cependant assez clair que le Crédit social au Québec est un mouvement qui déborde largement le carcan idéologique du caouettisme. L'ouvrage de Michael Stein a mis en évidence la grande diversité d'opinions véhiculées à l'intérieur du mouvement [28]. De même, dans un interview qu'il accordait à un journaliste de *Québec-Presse* [29], le député créditiste de Beauce-Sud, Fabien Roy, affirmait que son parti n'était ni à gauche ni à droite, mais en avant. Il avait d'ailleurs tenu des propos similaires quelques temps auparavant en estimant que son parti était le seul parti politique qui allait au fond des choses puisqu'il mettait en cause les pouvoirs financiers, pouvoirs qui contrôlent en réalité l'évolution de la société. Et en ce sens, il s'agirait d'un parti révolutionnaire qui, tout en voulant changer les maîtres du pou-

---

24    Richard Hofstader, «Population in North America», in G. Ionescu et E. Gellner, éds. *Populism; Its Meaning and National Characteristics,* London, Weidenfels and Nicolson, 1969, p. 9-10.

25    Bart Poseat,«Agrarian Radicalism:Political Responses to Dissolution of Small merchant Production, North America» Montréal, Université de Montréal, Dép. d'anthropologie, 1971, (Ronéotypé).

26    C.B. Macpherson, *op. cit.,* p. 224 et suivantes.

27    À savoir des éléments de la petite-bourgeoisie, de la classe ouvrière, de la classe des petits producteurs et des petits capitalistes. Voir notre discussion subséquente à ce sujet.

28    Voir Michael Stein, *op. cit.,* ch. 3 sur les dirigeants créditistes. Précisons que des opinions divergentes existent autant du point de vue de l'organisation politique du mouvement que de celui de la doctrine. Voir aussi les articles de Michael Stein et de Vincent Lemieux dans le présent recueil, ch. 4 et 10.

29    *Québec-Presse,* 20 au 26 octobre 1974, p. 2.

voir, ne prône pas la violence [30]. Il est évident que les représentations des agents et les explications qu'ils fournissent à leurs conduites ne constituent pas un matériel significatif en termes de compréhension des rapports sociaux. Elles indiquent cependant l'horizon possible à l'intérieur duquel le sociologue doit chercher.

Selon un informateur (petit entrepreneur et organisateur créditiste de la Beauce), il y a trois sortes de Crédit social: 1) le Crédit social matériel, celui que l'on connaît à travers le parti politique, les publications et les diverses activités créditistes; 2) le Crédit social mental, celui qui explique les vices du système et la nécessité de la réforme monétaire, 3) le Crédit social pur, qui symbolise la société idéale où les hommes vivent en toute liberté «sans pape, sans roi, sans premier ministre, sans administrateurs» [31].

On voit mal dans ces propos une personne qui voudrait instaurer «une démocratie autoritaire, organisée et concentrée sur une base nationale» [32]. Son discours constitue plutôt un mélange d'anarchisme, de socialisme utopique et de réformisme. Peut-on dire que de telles idées sont à la base d'un mouvement réactionnaire et fasciste? Si notre homme était seul, on pourrait croire à l'égarement passager d'un individu. Ce n'est pas le cas. Notre enquête [33] auprès des membres du parti du Crédit social dans le comté de Beauce-Sud nous a permis de constater qu'il y a d'autres «chauds créditistes» (une expression typique de la Beauce) qui véhiculent un discours populaire et progressiste. Lorsqu'un syndicaliste créditiste affirme que le Crédit social veut défendre l'intérêt des travailleurs et prône des mesures socialistes, il vaut mieux, plutôt que de parler d'aliénation, se rappeler qu'il y a des liens de parenté très étroits entre le Crédit social et les différents programmes de changement social mis de l'avant par les socialistes de l'utopie. À la fin de son ouvrage, C.B. MacPherson, note l'étrange similitude entre les idées du Major Douglas et celles d'hommes tels Saint-Simon, Fourrier et Proudhon [34].

On doit alors constater qu'il existe une différence notable entre ce que pensent certains créditistes de leur mouvement et ce qu'en ont dit jusqu'à maintenant les analystes sociaux. Si la subjectivité des premiers peut-être une indication de leur connaissance biaisée du créditisme, l'objectivité des seconds n'est pas une garantie de leur appréciation exacte du phénomène [35]. En effet, l'explication du créditisme par le savant langage de l'université peut reproduire avec nuances et détails le discours même des leaders les plus en vue, aux yeux desquels le Crédit social ne saurait être que réactionnaire, ou elle peut rivaliser avec ce discours officiel en utilisant le discours de créditistes plus près de la base, tel celui des membres, dont on peut tirer une version possiblement progressiste. Il nous faut donc pousser davantage notre analyse et tenter d'expliquer les fonctionnements de ce double langage.

---

30    Communication personnelle, Saint-Georges de Beauce, été 74.

31    Communication personnelle, Saint-Georges de Beauce, été 74.

32    Il s'agit de la définition du fascisme d'après l'un de ses plus brillants défenseurs, Mussolini. Voir Ernst Nolte. *Three Faces of Fascism,* New York, Holt, Rinehart and Winston, 1963, p. 7

33    Au cours de l'été 1974, 60 entrevues en profondeur ont été réalisées auprès de différents membres créditistes de Beauce-Sud. Cette cueillette a été effectuée par Alfred Sicotte, assisté de Monique Aumont et Marcel Faulkner. Une analyse plus approfondie de ces données est en cours.

34    C.B. Macpherson, *op. cit.,* p. 234 et suivantes.

35    Nous verrons subséquemment plus en détail comment l'explication sociologique universitaire du Crédit social est assujettie, elle aussi, à une façon particulière de voir la société.

*Les contradictions*

Plutôt que de prendre parti pour l'une ou l'autre de ces interprétations, il nous semble plus juste de faire le constat de l'existence de certains éléments contradictoires au sein du créditisme. Il s'agit de contradictions bien réelles, c'est-à-dire de celles qui mettent en cause la classe dirigeante, mais surmontées par le fétichisme de l'argent, la mystification de la loi naturelle, l'illusion que la volonté du peuple peut accéder à la direction du gouvernement par le simple fait de son existence. C'est du moins ce que nous allons essayer de montrer dans les pages qui suivent.

À part le fait que certains créditistes se croient révolutionnaires [36] et d'avant-garde, quelles contradictions peut-on dégager au sein du discours créditiste? Suivant les oppositions que commandent les deux pôles «indicatifs» révolutionnaire-réactionnaire, nous croyons possible de faire ressortir au moins trois éléments contradictoires concernant trois niveaux bien différents que l'on regroupe ensemble pour les besoins de l'exposé: les classes sociales, les groupes d'âges et l'idéologie concernant l'appropriation des biens. En identifiant à priori les oppositions dans chacun des niveaux selon le pôle révolutionnaire-réactionnaire, on obtient le tableau 1 suivant:

TABLEAU 1

PÔLES INDICATIFS

| NIVEAU DE CONTRADICTION | RÉVOLUTIONNAIRE | RÉACTIONNAIRE |
|---|---|---|
| Classes sociale | Classes ouvrières | Petite-bourgeoisie traditionnelle |
| Groupe d'âge | Jeunes | Vieux |
| Idéologie concernant l'appropriation des biens | Collective | Privée |

Suivant les définitions déjà présentées du Crédit social, il s'agirait d'un mouvement dominé par la petite-bourgeoisie traditionnelle (agriculteurs, petits commerçants), mettant de l'avant des valeurs anciennes (éducation religieuse, etc.,) défendues par les groupes les plus vieux, insistant sur l'initiative individuelle et la propriété privée. Ces caractéristiques placeraient les créditistes du côté de la réaction. Pourtant, le Crédit social est appuyé par des travailleurs syndiqués, il suscite l'adhésion d'une forte proportion de jeunes et il met de l'avant des propositions égalitaristes sur l'appropriation des biens. Il y a donc autre chose qu'une polarisation réactionnaire dans ce mouvement. Pour s'en rendre compte, nous examinerons rapidement le sens des trois types de contradictions identifiées dans le tableau ci-haut.

Première contradiction:Présence importante de la classe ouvrière: le cas des ouvriers syndiqués.

---

36    Nous avons remarqué qu'en Beauce comme sans doute dans d'autres régions du Québec, le mot révolutionnaire est associé à l'emploi de la violence. Ainsi, certains accusent la junte chilienne d'être «des révolutionnaires». Il va sans dire qu'un créditiste qui se dit révolutionnaire prend le soin d'ajouter qu'il n'est pas un révolutionnaire «à mitraillette».

La plupart des chercheurs qui se sont intéressés au Crédit social ont tôt fait de remarquer l'importance de l'appui que la classe prolétarienne lui accordait. Maurice Pinard note que le parti a plus de succès parmi les travailleurs qui se disent de la classe ouvrière que parmi ceux qui se disent de la classe moyenne. Il constate aussi que les segments syndiqués de la classe ouvrière supportent davantage le parti que ceux qui ne le sont pas [37]. Mais il y a plus, car les ouvriers s'occupent activement de l'organisation du parti, du moins en période électorale. Ainsi, Vincent Lemieux fait remarquer que, lors de l'élection fédérale de 1962 dans la circonscription de Lévis, il y avait huit organisateurs sur treize qui venaient du milieu ouvrier [38]. Nous avons pu constater que la plus grande partie des organisateurs du candidat créditiste Romuald Rodrigue, aux élections fédérales de 1974, venaient aussi du milieu ouvrier. Or, s'il est vrai que la classe prolétarienne est porteuse de la révolution et que ses membres les plus conscients sont actifs dans ces organisations de classe (syndicat), leur présence dans le Crédit social ne peut qu'indiquer le côté populaire et virtuellement progressiste de ce mouvement [39].

D'après Pierre Maheu, le commun dénominateur entre les ouvriers (aux exigences révolutionnaires, par définition) et les agriculteurs (aux tendances réactionnaires, par définition), c'est la pauvreté qui caractérise les deux classes en transition [40]. Or la pauvreté en soi ne suffit pas à susciter un mouvement revendicatif. Maurice Pinard démontre assez clairement que les plus démunis de la société ne sont pas les premiers à adhérer à des mouvements de protestation [41]. D'ailleurs comme l'a déjà remarqué Oscar Lewis, les plus pauvres ne participent presque pas à la vie nationale, mais se referment plutôt sur eux-mêmes en une «sous-culture de pauvreté» [42]. Mais alors, comment expliquer la base sociale du créditisme?

La classe ouvrière et la petite-bourgeoisie traditionnelle créditistes constitueraient-elles deux classes qui pourraient, selon la terminologie de Pinard, faire partie de la catégorie moyenne de la classe ouvrière. En effet, selon Pinard, ce sont les catégories moyennes de la classe ouvrière (entre $3,500 et $5,000 de revenu par année) qui, en situation de déclin économique, rallient le mouvement créditiste [43]. Dans ce sens, le phénomène créditiste serait un «lower class protest phenomenon» [44]. Une telle explication nous permet de constater que les professions libérales et la bourgeoisie ne s'intéressent pas assez au créditisme pour y participer, mais elle ne dit pas pourquoi

---

37    Maurice Pinard, *op. cit.*, p. 141.

38    Vincent Lemieux, *op. cit.*, p. 166.

39    Pour Lénine, l'organisation des ouvriers dans des organisations économiques ne peut mener qu'au syndicalisme réactionnaire. C'est pourquoi il faut que le parti, l'avant-garde, vienne de l'extérieur, indiquer la direction révolutionnaire. (Voir Lénine, V.I., *Que faire?* Paris, Éditions Sociales, 1971, p. 164). Nous disons que cette avant-garde doit sortir de la lutte de libération du peuple et non venir de l'extérieur. Il est vrai que, dans le créditisme, les ouvriers syndiqués escamotent les intérêts propres de la classe prolétarienne pour défendre les aspirations des petits producteurs et des petits-bourgeois. Mais cela ne veut pas dire qu'ils ont une position réactionnaire. Au contraire, dans la conjoncture, le Crédit social constitue souvent la seule forme de contestation populaire à l'ordre dominant. Il s'agit d'une position similaire à celle de l'ouvrier syndiqué militant au sein du P.Q.

40    Pierre Maheu, *op. cit.*, p. 7 et suivantes.

41    Maurice Pinard, *op. cit.*, p. 131-161.

42    Bien qu'il faille en critiquer la pertinence analytique, la notion de sous-culture décrit empiriquement une facette de l'aliénation des classes laborieuses. Voir Oscar Lewis, *La vida; une famille puertoricaine dans une culture de pauvreté: San Juan et New York*, Paris, Gallimard, 1969.

43    Maurice Pinard, *op. cit.*, p. 139.

44    Michael Stein, *op. cit.*, p. 8.

une fraction de la classe ouvrière y adhère. Abordant la question de front, Maurice Pinard y fournit une explication structurelle. Si la classe ouvrière n'a pas une conscience de classe développée et des organisations de classe autres qu'économiques, cette classe inorganisée en situation de révolte appuiera le mouvement le plus disponible, qu'il soit de droite ou de gauche[45].

Effectivement, cette explication peut rendre compte du comportement d'une des fractions les plus aliénées de la classe ouvrière mais elle n'explique pas comment il se fait que des syndicalistes appuient d'une façon «disproportionnée»[46] le mouvement créditiste? Ce n'est sûrement pas parce qu'ils sont parmi les éléments les plus inorganisés de la classe ouvrière. Serait-ce alors parce qu'ils n'ont pas de conscience de classe bien développée, étant donné qu'ils militent uniquement à la défense économique des travailleurs? On voit aisément qu'un tel raisonnement ne peut mener qu'à une impasse. En effet, si les syndiqués les plus actifs n'ont pas de conscience de classe, il est inutile de chercher ailleurs: le critère de la conscience de classe n'est plus discriminant. Bien qu'il l'observe empiriquement, Maurice Pinard ne semble pas pouvoir admettre dans son cadre théorique qu'une partie de la fraction la plus militante, ou la plus consciente (selon les régions), de la classe ouvrière appuie le Crédit social.

En fait, suivre Maurice Pinard, c'est admettre que la classe ouvrière n'a pas d'idéologie de classe avant d'avoir une conscience de classe ou une organisation politique de classe. Mais d'où vient cette fameuse conscience de classe? D'où vient l'organisation politique du prolétariat? Elle ne vient sûrement pas de la bourgeoisie, ni de la social-démocratie de la petite-bourgeoisie. Elle ne peut venir que d'une idéologie prolétarienne qui, au fur et à mesure où elle se détache, dans le procès de la lutte des classes, de la domination idéologique bourgeoise, produit ses propres instruments de lutte ou s'allie à des mouvements sociaux dominés par d'autres classes (v.g. la petite-bourgeoisie) mais susceptibles de défendre ses intérêts[47].

Le mouvement créditiste intéresse donc à la fois des ouvriers syndicalement inorganisés et dont la position dans les rapports de production est en déclin, et des syndiqués qui sont à l'avant-garde du mouvement ouvrier. Il est possible que, pour les uns, il représente une contestation générale de la politique des vieux partis alors que pour les autres, il remplace le parti des travailleurs inexistant. Pour ces deux fractions de la classe ouvrière, le Crédit social représente une force sociale, un language, un mode de vie qui se veut différent et populaire.

Deuxième contradiction:Présence importante de l'effectif des jeunes: la question de l'aliénation

Examinons maintenant la deuxième contradiction que les experts ont tendance à escamoter un peu trop rapidement. L'étude effectuée par Vincent Lemieux dans la circonscription de Lévis présentait les jeunes comme les propagandistes les plus efficaces du Crédit Social[48]. D'après l'enquête menée par Maurice Pinard, on

---

45    Maurice Pinard, *op. cit.*, p. 85.

46    *Ibid.*, p. 141.

47    Bien entendu, l'idéologie prolétarienne peut être construite par des intellectuels révolution-naires qui, étant donné leur implication personnelle dans la lutte des classes, ne sont pas des petits-bourgeois (voir notre discussion subséquente à ce sujet). Il conviendrait mieux de les nommer des petits travailleurs par analogie aux petits-bourgeois.

48    Vincent Lemieux, *op. cit.*, p. 166-167.

constate que le groupe d'âge qui a appuyé le plus massivement le Crédit social en 1962 est celui des 24 ans et moins. Il y a en effet 24% de plus de vote en faveur du créditisme venant de ce groupe d'âge que de celui des 60 ans et plus. Ajoutons que parmi l'ensemble des partis politiques en présence, c'est le Crédit social qui obtient le plus fort appui du groupe des jeunes[49].

Comment expliquer qu'un parti qualifié de réactionnaire et prônant des valeurs traditionnelles reçoive au fédéral un appui aussi marqué de la part des jeunes, reconnus comme étant les agents les plus réceptifs aux changements et aux innovations?[50] Pour expliquer ce phénomène paradoxal, Maurice Pinard, fait le raisonnement suivant: si les jeunes votent plus pour le Crédit social, c'est qu'ils sont plus susceptibles d'avoir un degré élevé d'aliénation rebelle («Rebellious alienation»), cette catégorie d'aliénation étant une forme d'aliénation politique semblable à celle des personnes les plus âgées qui, elles, ont tendance à battre en retraite («retreatist alienation»)[51].

Il vaut la peine de dire deux mots à propos de cette aliénation politique. Qu'est-ce que l'aliénation politique? Dans la tradition marxiste, ce concept sert à désigner la situation dans laquelle se trouvent les hommes dominés et exploités qui, faute de pouvoir reconnaître leurs intérêts, vivent comme si les intérêts des classes dominantes étaient les leurs[52]. Pour notre auteur, l'aliénation politique désigne tout autre chose et peut se mesurer grâce aux réactions positives et négatives face à trois énoncés qui permettent de construire un «indice d'aliénation politique»: 1) «habituellement, nos députés élus perdent contact avec les électeurs («the people»); 2) les intellectuels prennent trop de place dans nos gouvernements; 3) en général, le gouvernement ne se préoccupe pas de ce que la plupart des gens pensent»[53].

Le plus étonnant dans l'interprétation de cet indice, c'est que plus une personne réagit affirmativement aux énoncés, plus son degré d'aliénation politique s'élève[54]. Cet indice nous apparaît un effort de formalisation inadéquat pour cerner de fa-

---

49    Le pourcentage des votes exprimés pour les différents partis chez les 24 ans et moins est le suivant : Crédit social : 38%, Conservateur : 22%, Libéral : 35%, N.P.D. : 5%. (Voir Maurice Pinard, *op. cit.*, p. 164). L'enquête menée par Pinard ne semble pas corroborée par certains sondages sur l'intention de vote aux élections provinciales de 1970. En effet, d'après trois sondages CROP, *Le Soleil* et Regenstreif, le Ralliement Créditiste est un des 4 partis provinciaux qui reçoit le moins de vote du groupe 18-24 ans. (Voir Robert Boily et al., *Données sur le Québec*, Montréal, Presses de l'Université de Montréal, 1974, p. 202). Seule la présence du P.Q., qui reçoit, selon les trois sondages, 39%, 49% et 44% du vote des 18-24 ans, explique cette faiblesse du Ralliement Créditiste chez les jeunes du Québec. N'y a-t-il pas lieu pour les politicologues d'examiner de quelle façon le vote créditiste à Ottawa ressemble au vote péquiste au Québec? Notons aussi que le sondage Carlos-Cloutier-Latouche, effectué lors des élections provinciales d'octobre 1973, indiquait que la catégorie dichotomique «moins de 35 ans/plus de 35 ans» ne permettait pas d'établir de différence significative dans l'électorat créditiste, ce qui signifierait que le Parti Créditiste québécois attire autant les jeunes que les vieux. Voir Serge Carlos et al., «Autopsie du 29 octobre», *La Presse*, 19 novembre 1973, p. B10.

50    Concernant cette question, voir, entre autres, Philippe G. Altbach et Robert S. Lauser, *The New Pilgrims*, New York, McKay, 1972.

51    Maurice Pinard, *op. cit.*, p. 170-171.

52    Chez Marx, l'homme aliéné est dépossédé de son travail, du produit de son travail et de sa nature même. Seule l'abolition de la propriété privée et l'instauration du communisme mettront fin à l'aliénation.

53    Notre traduction.

54    En effet, on attribue la valeur 0 à une réaction négative, 1 à une réaction indécise et 2 à une réaction affirmative. De là, on peut tirer des catégories : celui qui obtient un score de 0 à 2 pour les trois questions a un degré d'aliénation politique minimal; celui qui a de 3 à 4 est dans la moyenne et celui qui a 5 et plus est très aliéné. Il serait surprenant de trouver des lecteurs qui ne sont pas, selon cet indice, très aliénés politiquement.

çon valable le problème de l'aliénation politique. Malgré cela, si l'on veut absolument l'utiliser, nous croyons que son interprétation doit être précisément l'inverse de celle mise de l'avant par Maurice Pinard. À suivre son raisonnement, on a l'impression d'écouter un idéologue du Parti libéral affirmer devant une Chambre de commerce que les jeunes qui contestent et qui votent P.Q. sont des individus aliénés[55]. Il suffit d'examiner les questions que pose ce chercheur pour se rendre compte qu'elles reposent, en filigrane, sur l'explication des rapports sociaux telle qu'avancée par le pouvoir; il utilise tout naturellement, sous forme de langage scientifique, le langage de l'idéologie dominante. Dans ce langage, sont considérés comme aliénés ceux qui ne participent pas au pouvoir, ne croient pas à la démocratie libérale et ne sont pas enthousiasmés par les législations des gouvernements; bref, tous ceux qui se sentent, et qui sont effectivement, en marge des grands projets du gouvernement, sont aliénés. Du point de vue du pouvoir, cette aliénation est une charge négative; pour le sociologue qui veut cesser de jouer le sorcier pour le pouvoir, il existe une autre explication de l'aliénation dans les rapports sociaux.

S'il est vrai que les classes dominées sont aussi des classes aliénées (du point de vue des sujets qui vivent les contradictions de ces classes), il n'en demeure pas moins que les individus qui font sauter la «fausse conscience», condition idéologique de cette aliénation, commencent à participer à un pouvoir d'un ordre différent. Ils ne sont plus aliénés (ou ils le sont moins) puisqu'ils ont comme projet de renverser totalement ou partiellement la vieille société qui est reconnue comme source de cette aliénation. Or, chez Maurice Pinard, les individus qui mettent en cause le pouvoir des classes dominantes et le système de reproduction des conditions de ce pouvoir (élections, etc.) sont aliénés. Pour accepter son interprétation, il faut croire comme lui, que les hommes d'affaires du Parti libéral, représentant massivement les différentes fractions de la bourgeoisie[56], se préoccupent des problèmes des ouvriers, des agriculteurs et des petits commerçants. Il faut croire que le gouvernement ne livre pas les intérêts du peuple aux compagnies multinationales[57] et que les députés qui sont choisis par la caisse électorale sont des émanations du peuple. Bref, il nous faut croire que seuls ceux qui détiennent le pouvoir ne sont pas aliénés.

De fait, si la classe dominante (bourgeoisie) n'est pas aliénée, les classes dominées (petite bourgeoisie et prolétariat) qui vivent le projet idéologique de la classe

---

55    Maurice Pinard affirme qu'effectivement, le parti séparatiste au Québec recrute un grand nombre de jeunes; ceux-ci étant aliénés, il s'ensuit que le Parti québécois apparaît comme un refuge pour aliénés (voir Maurice Pinard, *op. cit.,* p. 164).

56    Parmi les 102 députés libéraux élus aux élections provinciales du 29 octobre 1973, deux seulement étaient d'origine ouvrière ou paysanne. Des étudiants du département de science politique à l'Université de Montréal ont calculé que les 102 députés libéraux élus le 29 octobre 1973 appartenaient aux catégories suivantes:

| Classe moyenne | nombre |
| --- | --- |
| Bourgeoisie | 77 |
| Moyenne | 23 |
| Ouvrière | 1 |
| Paysanne | 1 |

Voir J.L. Roy *et al.,* « Une campagne, deux déroutes… et la victoire de l'Armée Rouge », Montréal, Université de Montréal, Dép. de sociologie. (Ronéotypé). Cette victoire libérale massive signifiait à toutes fins pratiques, la disparition à peu près complète des députés issus des milieux populaires, alors que ceux-ci représentaient environ 10% de l'effectif de la députation entre 1956 et 1966. Voir Robert Boily, *op. cit.,* concernant le Parti libéral du Québec.

57    Voir, entre autres, à ce sujet, *Le Rapport Gray sur la maîtrise économique du milieu national*; *ce que coûtent les investissements étrangers*, Montréal, Leméac-Le Devoir, 1971; Kari Levitt, *La capitulation tranquille: la mainmise américaine sur le Canada*, Montréal, Réédition — Québec, 1972.

au pouvoir comme s'il était le leur, le sont. Autrement dit, si les agents de la classe au pouvoir ne vivent pas l'idéologie dominante sur le mode imaginaire puisque cette idéologie est l'expression universalisée de leur façon de vivre les rapports sociaux, tous ceux qui adhèrent à cette idéologie tout en étant exclus du pouvoir ne peuvent qu'être aliénés.

Troisième contradiction: Un contenu dont les exigences débordent le langage qui le soutient.

La troisième contradiction du mouvement créditiste se situe d'emblée au niveau de l'idéologie officicielle [58]. Comment expliquer, sans faire de court-circuit, que d'un même souffle un créditiste puisse défendre à la fois, d'une part la propriété privée, la liberté individuelle et la famille, et d'autre part la nécessité d'organisations coopératives, des mesures sociales avancées (un salaire garanti à tous les citoyens), une augmentation des pensions de vieillesse, le droit au travail et le droit au loisir?

On sait qu'il n'y a pas de contradiction entre le principe de la propriété privée et celui de l'organisation coopérative. Dans la plupart des cas, le second sert à la concrétisation du premier. Toutefois, le désir d'établir une redistribution plus égalitaire est assez remarquable. On se rappellera que dans la doctrine créditiste, le dividende national, comme technique de répartition du surplus de production ressemble au dividende ou à la ristourne dans le système coopératif. Alors que, dans les entreprises coopératives, l'individu a droit à une ristourne s'il est sociétaire (tout comme l'actionnaire a droit à des dividendes dans une compagnie privée), dans la doctrine créditiste, il suffit d'être citoyen pour avoir un droit automatique au dividende national. Mail il y a plus. La croyance aux élections comme forme possible du changement, dans une perspective plébiscitaire réalisant la volonté du peuple, peut être une position naïve dans une société marquée par la lutte des classes, mais elle souligne néanmoins un projet démocratique qui, d'une certaine façon, se compare au projet nationaliste.

Se laisser convaincre qu'il faille «chercher la cause principale de toutes les crises sociales dans le système monétaire vicié du capitalisme»[59] équivaut à se laisser persuader que la victoire nationaliste va transformer la situation des travailleurs québécois[60]. Le système monétaire constitue le symbole concret de l'arbitraire de la classe dominante dans la gestion de l'économie et de son usurpation du travail social; la présence anglaise au Québec est le témoin de l'exploitation capitaliste. Même si, dans les deux cas, l'ennemi principal n'est pas identifié et que le mouvement social s'attaque à ce qui est le plus apparent, parler de réaction à ce propos, c'est, nous semble-t-il, avoir une courte vue.

Ajoutons à ceci le couple liberté / sécurité qui revient sans cesse dans la littérature créditiste, et dont les deux termes mènent dans des voies fort différentes. Sans qu'il nous soit nécessaire d'entrer dans les détails, on comprendra aisément qu'il y a place pour passablement de confusion dans un code qui valorise à la fois l'État (comme seul initiateur possible de mesures sociales souhaitées) et l'individu, considéré comme entité autonome opposée aux mesures collectives de l'État. Autrement dit, il est possible pour quelqu'un qui se sent lésé dans le système actuel de trouver dans la

---

58    Lorsque nous parlons d'idéologie officielle, il s'agit des textes écrits ainsi que des discours des principaux leaders. Nous nous sommes servis plus particulièrement du «Cours d'orientation politique» produit en janvier 1964 par le Ralliement Créditiste, ainsi que des 6 numéros d'*Ordre Nouveau*, parus de novembre 1970 à septembre 1971.

59    André Kostakeff, *Qu'est-ce que le Crédit Social?*, Montréal, Jour, 1962, p. 22.

60    Le nationalisme met l'accent sur l'aspect ethnique de la domination capitaliste, le créditisme insiste sur son aspect monétaire.

configuration idéologique créditiste quelques propositions répondant à ses aspirations.

S'il y a dans le créditisme une ambiguïté idéologique que l'on pourrait caricaturer dans le couple d'opposition ouvrier / patronat, ce n'est pas l'effet du hasard. Nous croyons que le créditisme, tout comme le populisme, contient à la fois la revendication de la classe ouvrière et celle de la petite production marchande face à l'industralisation et à la domination du capital monopoliste. En ce sens, les contradictions su sein du Crédit social sont similaires à celles qui caractérisent le populisme.

## Le Crédit social est une forme de populisme

Il est d'une part généralement admis que l'ensemble des mouvements populistes connus ont en commun d'être des réponses politiques à la dissolution de la petite production marchande et du petit commerce face au développement du capitalisme monopoliste. Nous croyons qu'il s'agit là d'une phase particulière du développement des différents mouvements populistes. D'autre part, on a noté une double tendance chez les forces populistes, taxées tantôt de mouvements progressistes, tantôt des mouvements réactionnaires, suivant l'interprétation qui est faite de leurs revendications. Nous croyons qu'il s'agit de mouvements essentiellement contradictoires dans la mesure où ils ne constituent pas la représentation spécifique des intérêts d'une seule classe sociale. Les populistes russes défendaient la société précapitaliste, les populistes nord-américains et européens voulaient représenter les classes moyennes, les populistes latino-américains et africains revendiquent l'unité nationale de toutes les couches de la société contre l'impérialisme blanc et leurs bourgeoisies *comparadores* («acquéreurs»).

Les populistes russes, bien que considérés comme formant un mouvement révolutionnaire par certains auteurs[61], ont été sévèrement critiqués par Lénine qui les considère comme des éléments réactionnaires. Dans son remarquable ouvrage sur le développement du capitalisme en Russie, ce dernier, à l'encontre des populistes, démontre de quelle façon le capitalisme se développe au sein de la paysannerie et en quoi il s'agit d'une force progressive et nécessaire[62]. D'après Lénine, les populistes russes défendaient des «doctrines romantiques sur la production populaire précapitaliste»[63]. Or, il semble bien que les mouvements populistes défendent toujours un type de rapports sociaux qui précède celui qui est dominant au moment même où cette idéologie populiste se fait entendre. Ainsi les populistes russes défendent la communauté primitive contre le capitalisme, les populistes nord-américains soutiennent le capitalisme concurrentiel face au capitalisme des monopoles, différents populismes latino-américains et africains appuient le capitalisme national (concurrentiel et monopoliste) face à l'impérialisme.

---

61    Les populistes russes (les Narodniki), issus d'un groupe d'intellectuels mais parlant au nom de la paysannerie, représentaient un mouvement antitsariste et anticapitaliste. Ils rejettaient à la fois le traditionnalisme et le modernisme ; ils voulaient renforcer la communauté paysanne, le « mir », tout en combattant l'individualisme petit-bourgeois. Voir Peter Worsley, «The Concept of Populism», in *Populism...* p. 212-250. On se souviendra que Trotsky est arrivé au marxisme après avoir milité dans les rangs des populistes.

62    Rappelons que Marx a déjà soutenu l'idée contraire, à savoir que la communauté russe pouvait passer directement au socialisme. Dans sa lettre à Vera Zassoulitch, Marx affirme en effet : « La commune rurale encore établie sur une échelle régionale peut graduellement se dégager de ses caractères primitifs et se développer directement comme élément de la production collective sur une échelle nationale ». Voir Maurice Godelier, *Karl Marx : Lettre à Vera Zassoulitch (1881), sur les sociétés pré-capitalistes*, Paris. Éditions Sociales, 1970, p. 319.

63    V.I. Lénine, « Le développement du capitalisme en Russie », dans *Oeuvres*, tome 3, Paris, Éditions Sociales, 1969, p. 335.

Il est clair que l'étendu et la disparité des revendications sociales contenues dans les mouvements populistes associés à la critique de différentes étapes de développement du capitalisme peuvent difficilement être réunies sous un même vocable. Comme l'affirme Peter Worsley après avoir examiné l'ensemble des mouvements populistes connus: «Tout ce que ces mouvements semblent avoir en commun, c'est un nom»[64]. Toutesfois, comme nous l'avons suggéré, il est possible de spécifier au moins trois formes de populisme qui ont vu le jour parallèlement au développement du capitalisme; cf. tableau 2 suivant:

## TABLEAU 2

| Forme de populisme [65] versus | Étapes de développement du capitalisme |
|---|---|
| 1) Défense de l'organisation communautaire précapitaliste ex.: populistes russes | capitalisme marchand et concurrentiel |
| 2) Défense du capitalisme concurrentiel ex.: populiste nord-américain [66] mouvement poujadiste Crédit social | capitalisme monopoliste (national) |
| 3) Défense du capitalisme national ex.: péronisme | capitalisme monopoliste (international ou impérialisme). |

L'idéologie véhiculée par les différentes formes de populismes prendra nécessairement plusieurs variantes et exploitera, au nom du peuple, des thèmes souvent contradictoires. Les populistes russes qui voulaient instaurer une société communiste n'avaient, dans le contenu de leur revendication, rien en commun avec les créditistes qui prônent la généralisation du capitalisme concurrentiel. Les deux occupent pourtant des positions structurelles similaires en ce qu'ils sont périphériques au pouvoir politique dominant. Or, l'absence de pouvoir semble être un élément entrant dans la définition même du populisme. Selon le sociologue américain Edward Shils, deux caractéristiques constituent la base du mouvement populisme: 1) la primauté de la volonté populaire et 2) la notion d'une relation directe entre le gouvernement et le peuple[67]. Comme le dit Worsley, ces deux caractéristiques peuvent servir de base à une grande variété de partis politiques. D'après lui, le vrai populisme, ce serait la participation populaire au pouvoir politique. Visiblement, l'auteur confond la réalité et ses propres désirs puisque, comme il l'avoue lui-même «habituellement, les mouve-

---

64    Peter Worsley, *op. cit.,* p. 244.

65    Une analyse plus approfondie des différents mouvements sociaux permettrait sans doute d'isoler d'autres formes de populisme.

66    Il y a eu plusieurs mouvements populistes aux États-Unis. On peut les regrouper de la façon suivante: Patrons of Husbandry (1873-76); Independant parties (1878-80); People's parties (populism) (1892-98); Non-Partisan League (1916-22). Voir Bart Poseat, *op. cit.*

67    Peter Worsley, *op. cit.,* p. 244.

ments populistes sont des échecs»[68]. C'est peut-être parce qu'une fois au pouvoir, le mouvement populiste, assez ironiquement, ne peut plus être populiste. L'analyse du comportement des deux mouvements agraires populistes de l'Alberta (U.F.A. et Crédit social) montre bien que l'accession au pouvoir politique et son exercice subséquent a graduellement conduit à la disparition des positions radicales du départ[69].

Rappelons que les seuls mouvements populaires (c'est-à-dire représentant une alliance des classes dominées) qui ont réussi à exercer le pouvoir d'une manière révolutionnaire sont ceux-là qui se sont issés à la tête de leur pays par les armes (Cuba, Chine). L'Histoire ne nous permet de retenir aucun exemple d'un mouvement populaire ayant maintenu des positions révolutionnaires après avoir accédé au pouvoir par des moyens dits démocratiques. Les mouvements populistes témoignent assurément de cette deuxième forme de mouvements populaires. En effet, ce n'est que lorsqu'un mouvement politique dit populiste s'assure le pouvoir politique à la suite d'élections démocratiques qu'il est possible de voir en clair quels intérêts de classe y sont défendus, car alors ce mouvement défend les intérêts spécifiques des classes ou fractions de classes qui le dominent, au nom du peuple, c'est-à-dire qu'il fait exactement ce que font l'ensemble des partis politiques au pouvoir dans nos démocraties capitalistes.

Dès qu'il exerce le pouvoir, le mouvement cesse ses revendications populistes pour se livrer aux intérêts supérieurs du grand capital. C'est du moins la leçon que l'on peut tirer de l'histoire des différents mouvements populistes qui ont pris le pouvoir. Que ce soit le Bourguibisme, le Péronisme, le Crédit social en Alberta et en Colombie-Britannique, le facisme en Italie et en Allemagne, ou même le Bonapartisme, l'ensemble de ces mouvements, apparentés de près ou de loin au populisme[70], ont toujours défendu, une fois au pouvoir, les intérêts des classes associées au développement plus avancé du capitalisme, c'est-à-dire la bourgeoisie financière sous Bonaparte[71] et le grand capital sous le fascisme[72] et dans les provinces de l'Ouest canadien. De même, dans les deux exemples des pays en voie de développement que nous avons donnés, l'arrivée au pouvoir de mouvements populistes a aussi signifié une pénétration plus forte de l'impérialisme.

C'est dire que le populisme est un mouvement contradictoire dans la mesure où il constitue une force de contestation d'un pouvoir politique dominant qu'il ne veut cependant pas renverser totalement. Toutefois, à la différence des autres partis politiques au pouvoir, qui prétendent eux aussi parler au nom du peuple, seuls les mouvements de protestation dominés et périphériques au pouvoir politique peuvent être dit populistes. Entrent dans cette catégorie l'ensemble des mouvements politiques issus des classes dominées, mais non spécifiquement d'une seule d'entre elles. Cela expliquerait pourquoi de tels mouvements peuvent être réactionnaires et / ou révolutionnaires.

---

68    *Ibid.*, p. 245 et suivantes.

69    Voir C.B. Macpherson, *op. cit.*

70    Il est possible d'établir des distinctions entre ces différents mouvements. Alain Touraine, par exemple, parle de mouvements national-populaires pour souligner l'aspect nationaliste de différents mouvements; mais nous croyons que dans l'ensemble (sauf pour les mouvements révolutionnaires armés), ils ont un même rôle face au capital. Voir Alain Touraine, *Sociologie de l'action*, Paris, Seuil 1966, p. 398.

71    Karl Marx, *Les luttes de classe en France, 1848-1850*, Paris, Éditions Sociales, 1972.

72    Nicos Poulantzas, *Fascisme et dictature : la IIIe Internationale face au fascisme*, Paris, Maspero, 1970.

Le professeur Elie Halévy[73] qualifiait le mouvement chartiste (1838-1848) de «vaste mouvement réactionnaire et révolutionnaire à la fois». Les six points mis de l'avant par le mouvement dans la Charte du peuple étaient révolutionnaires ou, tout au moins, très réformistes. On réclamait: 1) le suffrage universel, 2) le scrutin secret, 3) l'indemnité parlementaire, 4) la suppression du cens d'éligibilité, 5) l'égalité des circonscriptions électorales et 6) les élections annuelles. Par contre, ce même mouvement protestait contre le machinisme et prônait le retour à la terre et à l'individualisme agraire.

Aux États-Unis, deux spécialistes des mouvements populistes des années 1880 se renvoient la balle, l'un défendant le caractère progressiste du populisme, l'autre en démontrant les aspects réactionnaires. Pour Richard Hofstader[74], il s'agit d'un mouvement réactionnaire caractérisé par les éléments suivants: 1) un retour au capitalisme privé sur lequel se fonde le mythe d'un âge d'or à retrouver; 2) la primauté de l'argent en tant que cause et remède à l'exploitation de l'homme; 3) la vérité des lois naturelles, du travail honnête; 4) une vision conspirationnelle de la réalité[75], d'où l'antisémitisme; 5) une vision dualiste du changement social: l'industriel se développe au détriment de l'agriculteur.

Norman Pollack[76] fait entendre un autre son de cloche. D'après lui, le populisme est un mouvement progressiste dont les caractéristiques suivantes sont les plus importantes: 1) une utilisation sélective des valeurs traditionnelles; 2) la défense du droit de vote des noirs et des femmes; 3) un rapprochement avec les organisateurs du mouvement ouvrier; 4) une lutte antimonopoliste; 5) un système de défense collectif, basé sur le principe coopératif. Bref, c'est «en essayant de démocratiser l'industrialisation que le mouvement populiste constituait une force sociale progressiste»[77].

Du point de vue que nous défendons, ces deux interprétations de la nature du populisme américain ne sont pas aussi incompatibles qu'elles le semblent à première vue. Si le mouvement populiste est à la fois soucieux du passé mais projeté dans l'avenir, il ne peut qu'être l'expression de thèmes contradictoires. Cependant, ce qui doit retenir l'attention, c'est la raison pour laquelle il peut être à la fois réactionnaire et révolutionnaire. Alain Touraine soutient qu'un mouvement social populaire constitue l'expression des contradictions et des crises du système économique; il est par conséquent un rejet global de la légitimité de la classe dominante. Par contre, ce mouvement populaire «est toujours marqué par la tension entre la conscience aliénée qui reproduit la visée de la classe supérieure et une volonté de rupture»[78]. Cette dernière caractéristique du mouvement populaire ressemble étrangement à ce que l'on a déjà pressenti au sujet du Crédit social, à savoir le côté aliéné, logé à l'enseigne de l'ordre, de

73    Elie Halévy, *Histoire du socialisme européen,* nouv. éd. rev. et corr., Paris, Gallimard, 1974, p. 55-56. (Coll. Idées, no 308).

74    Richard Hofstader, *The Age of Reform: from Byron to FDR,* New York, Knopf, 1955; et «Populism in North America».

75    C'est-à-dire qu'on donne une dimension personnelle et psychologique (v.g. les banquiers veulent voler le peuple) à un phénomène objectif; l'importance grandissante de la bourgeoisie financière.

76    Norman Pollack, *The Populist Response to Industrial America: Mid-Western Populist Thought,* Cambridge, Harvard University Press, 1962; et *The Populist Mind,* Indianapolis, Ind., Bobbs Merrill, 1967.

77    Notre traduction de Norman Pollack, *The Populist Mind,* p. XI.

78    Alain Touraine, *Production de la société,* Paris, Seuil, 1973, p. 377. Voir aussi les p. 390 et suivantes.

la propriété privée, de la bonne démocratie et de l'antisocialisme, et le côté libérateur consacré au triomphe de la volonté populaire, du droit collectif au travail et au loisir et de l'espérance dans une société honnête.

Le mérite d'Alain Touraine réside sans doute dans sa capacité de voir les mouvements sociaux, non pas comme l'expression univoque d'une seule orientation sociale, mais plutôt comme le lieu de conjonction de diverses practiques oppositionnelles des classes dominées. C'est à partir de cette idée que nous voulons maintenant examiner plus à fond le créditisme au Québec. Tout d'abord, nous allons voir en quoi il s'agit d'un mouvement utopique, ce qui nous donnera l'occasion de critiquer la position défendue par le politicologue Michael Stein. Par la suite, nous tenterons de formuler certains énoncés qui permettent de situer le Crédit social dans le rapport des forces sociales.

## Le créditisme : un mouvement utopique

Dans la terminologie de la sociologie politique fonctionnaliste, tout mouvement social qui n'est pas entièrement géré par les institutions reconnues est utopique. C'est ainsi que tout mouvement, révolutionnaire ou non, mettant en cause la légitimité de la classe dominante est un mouvement utopique. Voyons ce raisonnement dans la démarche suivie par Michael Stein au cours de sa démonstration du caractère utopique du mouvement créditiste[79].

Un mouvement social est une action collective impliquant une certaine mobilisation de personnes en vue d'amener des changements fondamentaux. Un mouvement politique est une forme de mouvement social visant à changer l'ordre politique. De même que le mouvement social s'oppose à l'ordre social, de même le mouvement politique s'oppose aux «structures politiques conventionnelles». Le mouvement politique peut être constitué comme les structures politiques conventionnelles, à savoir qu'il peut être doté d'un parti politique et de groupes de pression, mais il en diffère, entre autres[80], parce qu'il est organisé autour de buts utopiques, c'est-à-dire, selon notre lecture de Michael Stein, de projets irréalisables issus d'un groupe marginal à la société qui exerce des pressions sur la majorité silencieuse.

En clair, tout mouvement politique est utopique dès qu'il fait appel à un langage différent du code conventionnel. Il y a deux sortes de mouvements politiques: les mouvements protestataires et les mouvements révolutionnaires. Toujours d'après Michael Stein, un mouvement révolutionnaire serait un mouvement politique utopique visant un changement radical de la société alors qu'un mouvement de protestation voudrait modifier les règles à l'intérieur du système établi. Du point de vue de cet auteur, qui s'apparente à celui du système établi ou des structures conventionnelles, tous ces mouvements expriment les ressentiments des minorités, les inquiétudes des marginaux, les doléances des laissés-pour-compte de la modernisation. Selon lui, l'utopie se range du côté des mouvements sociaux, la raison et la science du côté du système établi et de l'ordre. La phrase suivante en est une illustration assez claire: «Les mouvements de protestations ont recours à des actes radicaux en vue d'attirer l'attention du *public* sur *leurs griefs*»[81]. Le politicologue qui parle ainsi n'a pu que suivre des

---

79   Michael Stein, *op. cit.*, p. 10 et suivantes.

80   Selon Michael Stein, le mouvement politique est différent aussi des structures conventionnelles parce que : 1) les leaders concentrent le pouvoir entre leurs mains ; 2) les partisans suivent les leaders et ne sont pas concernés par les structures décisionnelles ; 3) les buts poursuivis comprennent des changements dans l'éducation et la mobilisation de masse. *Ibid.*, p. 11.

81   Nous soulignons. *Ibid.*, p. 12.

cours d'objectivité à l'université. Mais qui est le fameux public si les 500,000 électeurs du Crédit social en sont exclus? Comment peut-on écrire une seule ligne sur les rapports sociaux si on ne reconnaît pas aux revendications populaires le droit de faire partie du public? Le public, on le sait, c'est la majorité silencieuse, notion inespérée (probablement trouvée par un sociologue) que les classes dominantes injectent dans les mass-média sous l'apparence de l'arbitre «neutre» mais garantissant leur légitimité. Michael Stein nous donne un bel exemple du développement boiteux de la *science* politique en employant la notion idéologique de «public» comme référant sociologique neutre pour démarquer les mouvements politiques des structures politiques conventionnelles. Quant aux «griefs», ce ne sont pas ceux du public ou de la majorité silencieuse et ils portent donc bien leurs noms [82].

Pour nous, les revendications des mouvements populaires ne s'opposent pas à celles du public, elles s'opposent aux intérêts des classes dominantes. Les projets que les classes dominées et exploitées veulent mettre de l'avant ne sont pas plus utopiques que ceux des classes dominantes. La seule différence entre les deux, c'est que l'utopie des classes dominantes prend la forme de la rationalité, de la légitimité des institutions sociales, de la «vérité» du système et de ses règles, de la justesse de «sa» sociologie, alors que l'utopie des classes dominées constitue un projet de domination sociale à venir.

L'utopie-idéologie prolétarienne est en opposition totale à l'utopie-idéologie bourgeoise; une classe conteste à une autre la direction de la société. C'est le terrain de la lutte des classes. Les mouvements populistes ne revendiquent pas le droit à la gestion du développement social en termes d'antagonismes de classes mais plutôt en termes de situations conflictuelles devenues intolérables pour un certain nombre de groupes sociaux. La lutte des classes y est déformée et souvent enlisée dans la réaction «spontanée» des classes dominées devant l'exemple flagrant (crise économique) de leur état de dominées.

Alain Touraine emploie l'expression de «mouvement de crise» pour désigner ce genre de protestation sociale. Selon lui, «un mouvement fasciste (qui est un exemple d'un mouvement de crise) n'est pas un mouvement social de droite, opposé aux mouvements de gauche. Il s'agit au contraire de l'absorption de la contestation sociale et de la pression institutionnelle par des conduites de crise» [83]. C'est ce qui expliquerait d'après lui que l'on puisse trouver des «thèmes populaires» dans des mouvements fascistes tels que le national-socialisme (mouvement nazi), le poujadisme et, sans doute aussi, dans le Crédit social. En effet, «une crise provoque des réactions de défense qui prennent, surtout dans la strates moyennes dont la situation de classe est la plus confuse, la forme du rejet des minorités, privilégiées ou non, mais qui ne sont en fait dénoncées que par les mécanismes irrationnels des préjugés, de la recherche du bouc émissaire, de la recherche intégriste d'une unité qui, n'ayant aucun contenu réel, est amenée nécessairement à se réduire à l'adhésion au mouvement lui-même et à son leader» [84].

---

82  Mais il ne faut s'étonner de rien. À croire Michael Stein, les agents sociaux qui représentent l'impérialisme américain comme étant dominant au Québec ont une «vision du monde conspirationnelle» et ne peuvent donc pas être pris au sérieux. En réalité, ses propos à ce sujet ressemblent trop au discours politique et ne méritent pas que l'on s'y attarde davantage. Dans une telle perspective théorique, il est surprenant qu'il ait réussi malgré tout à produire un document intéressant sur le développement historique du Crédit social et ses diverses formes de direction.

83  Alain Touraine, *Production...*, p. 385. En conclusion, nous abordons la question des mouvements de crise et de leur valeur explicative en ce qui concerne le Crédit social.

84  *Ibid.*, p. 385.

Cette dernière description met bien en relief la nécessité pour le mouvement de protestation de se présenter comme l'émanation de toutes les classes de la société, comme l'expression de la volonté du peuple. Toutefois même si cette unité est sans contenu réel, sa recherche n'est pas uniquement le fait des mécanismes irrationnels des préjugés. La recherche d'une identité commune face à un ennemi commun dans la conjoncture est essentielle pour le développement stratégique et rationnel d'une force sociale susceptible de modifier les règles du jeu. C'est pourquoi, au sein du créditisme québécois, il y a une identification d'un aspect de l'ennemi commun sous la forme des sociétés multinationales et de l'État, rouage de l'exploitation; d'où une voie de convergence avec le mouvement ouvrier. Il y a aussi identification de l'ennemi sous l'aspect du capital «étranger» conduisant à des liens au mouvement nationaliste. En revanche, la tendance à vouloir identifier l'ennemi sous la forme du communisme et de la juiverie allemande est bien présente au sein du Crédit social. Au-delà du caractère réactionnaire, il ne faut pas oublier que la recherche d'un bouc émissaire (la juiverie mondiale, le système monétaire ou autre) sert au mouvement créditiste à consolider ses frontières, tout comme l'identification du colonisateur sert le mouvement nationaliste. Dans les deux cas, l'utopie consiste plutôt à passer à côté des véritables contradictions sociales; celles-ci, on le sait, ne peuvent se dégager qu'à partir d'une analyse des classes sociales constitutives des formation sociales.

## Crédit social et classes sociales: la notion de petite-bourgeoisie

Le support électoral important obtenu par les candidats créditistes permet à ces derniers d'affirmer que toutes les classes de la société appuient le Crédit social. Ce n'est évidemment pas le cas. De toute manière, les performances électorales d'un mouvement social ne nous en apprennent pas nécessairement long sur sa nature car, en période électorale, les alliances stratégiques masquent les différences plus fondamentales existantes entre les partis d'opposition [85]. C'est pourquoi nous pensons que l'origine de classe des membres offre des possibilités de connaissance plus exactes sur la véritable nature du mouvement.

Nous avons pu constater que le créditisme dans le comté de Beauce-Sud en 1974 était surtout identifié à un parti politique. Or, ce parti politique recrutait principalement comme membres les travailleurs (petits producteurs, ouvriers, commis, etc.) les plus exploités de la région. Le tableau 3, construit à partir des occupations de 107 membres sur un effectif de 350 répartis dans cinq municipalités de Beauce-Sud, confirme assez clairement ce fait. Il appert en effet que seule une petite minorité des membres créditistes que nous avons recensés (12 sur 107) se rangent du côté de la classe capitaliste (les propriétaires des moyens de production employant du travail salarié).

Or, malgré une composition constituée en majorité de travailleurs, on ne peut infirmer le fait que le Crédit social soit un parti politique prônant des valeurs défendues par la petite bourgeoisie. Cela peut cependant vouloir dire qu'il met de l'avant des revendications que les travailleurs considèrent comme les leurs. Il revient au chercheur d'établir, plus clairement que ne le font les acteurs eux-mêmes, les intérêts divergents et convergents des deux principales couches sociales (travailleurs et petite-bourgeoisie) qui constituent la clientèle du Crédit social.

En ce sens, il convient, avant d'aller plus loin, de définir de façon plus nette

---

85　En Beauce par exemple, aux dernières élections provinciales de 1973, les membres du Parti québécois ont appuyé Fabien Roy, seul candidat pouvant battre l'homme du Parti libéral, le prestigieux M. Lacasse, maire de St-Georges Ouest.

TABLEAU 3

## RÉPARTITION DE 107 MEMBRES CRÉDITISTES
## SELON LEUR PLACE DANS LA PRODUCTION SOCIALE*

| Secteur de production | Propriétaires de leurs moyens de production qui emploient du travail salarié | Propriétaires de leurs MP qui n'emploient pas du travail salarié | Salariés |
|---|---|---|---|
| Agricole | 1 | (31) - - - - - - - -→ | 31[1] |
| Forestier | 2 | | 13[2] |
| Industriel | 6 | | 24[3] |
| Commercial | 2 | 1 | 10 |
| Financier | 1 | 6[4] | |
| Services publics | | | 3[5] |
| Services privés | | 7[6] | |
| TOTAL | 12 | 14 | 81 |

* Une liste de 350 membres du Crédit social nous a été remise par le président du comté de Beauce-Sud en mars 1974. De cette liste, nous avons retenu que les 219 personnes habitant les cinq principales municipalités du comté (soit St-Georges Ouest, St-Georges Est, St-Gédéon, St-Prosper et St-Ephrem). Après avoir éliminé les femmes «ménagères» et les personnes dont l'occupation était trop imprécise (exemple, garagiste), il nous est resté 107 membres dont l'occupation permettait d'identifier leur place dans la «production sociale».

1. Il s'agit de petits propriétaires agricoles. Nous expliquons plus loin en quoi il faut les considérer comme des ouvriers salariés.

2. Plusieurs bûcherons sont à la fois travailleurs de bois, petits propriétaires agricoles et ouvriers salariés.

3. Parmi ces vingt-quatre ouvriers, il y a deux contremaîtres.

4. Soit six agents d'assurances.

5. Soit deux professeurs et un concierge d'école publique.

6. Soit deux barbiers, un forgeron, une couturière, un chauffeur de taxi et un propriétaire d'abattoir.

la notion de petite-bourgeoisie. Chez Karl Marx, ce concept désigne les commerçants et les boutiquiers de la France du milieu du 19e siècle. Dans une série d'articles sur les luttes de classes, il ne parle jamais d'une petite-bourgeoisie rurale mais toujours soit de la bourgeoisie foncière, soit de la paysannerie ou de la classe moyenne. Il explique comment le paysan français, en plus de payer des intérêts sur des hypothèques et de débourser tous ses bénéfices nets, est forcé de céder «une partie du salaire de sorte qu'il est tombé au dégré du tenancier irlandais; et tout cela sous le prétexte d'être propriétaire privé». Il poursuit en disant: «On voit que son exploitation ne se distingue que par la forme de l'exploitation du prolétariat industriel»[86].

Les ressemblances profondes que Karl Marx relève entre des agents sociaux dont les places dans les rapports de production sont différentes nous incitent à utiliser une approche similaire dans notre analyse des membres créditistes. C'est-à-dire qu'au-delà des distinctions formelles, il est nécessaire de mettre à jour les ressemblances réelles entre les agents sociaux. Dans ce sens, l'utilisation de la notion de petite-bourgeoisie traditionnelle pour distinguer le petit producteur du travailleur ne nous apparaît pas adéquate. Qui plus est, nous ne considérons pas pertinents les critères structuraux habituels utilisés pour la définition de la petite bourgeoisie. Le débat actuel sur la petite-bourgeoisie, nouvelle ou ancienne, dans le courant marxiste structuraliste[87] ne nous apparaît pas pouvoir rendre compte de façon satisfaisante du phénomène créditiste. Il nous semble que la seule définition utile et opératoire de la petite-bourgeoisie est celle fournie par C. Beaudelot, R. Establet et J. Malemort selon lesquels un petit-bourgeois est celui qui «bénéficie de la rétrocession d'une fraction de la plus-value que le capitaliste industriel extorque à la classe ouvrière»[88]. Ces auteurs procèdent donc au calcul de la part de plus-value dont bénéficient les différents petits-bourgeois, en partant des revenus d'un ouvrier qualifié comme seuil de référence. Après avoir tenu compte des dépenses encourues pour devenir professeur, avocat, cadre moyen, etc., ils calculent la partie des revenus qui dépasse le revenu «normal» de l'ouvrier qualifié (c'est-à-dire celui où l'on considère que l'ouvrier qualifié est payé «normalement» pour la vente de sa force de travail) et disent que cette partie en trop est une rétrocession de plus-value extorquée aux travailleurs productifs.

Sur cette base, seul un travailleur improductif peut être un petit-bourgeois parce que, par définition, il ne produit pas de plus-value[89] et n'en extorque pas directement aux travailleurs. De même, un artisan ou un petit paysan (petit producteur) n'entrent pas dans la catégorie des petits-bourgeois étant donné qu'ils sont toujours rémunérés en deça du salaire normal que reçoit un ouvrier qualifié pour sa force de travail. Selon cette définition, il n'y a que très peu de membres du Crédit social qui sont aptes à faire partie de la petite-bourgeoisie[90].

Mais la petite-bourgeoisie a bien des facettes: elle peut être rurale, urbaine, traditionnelle ou nouvelle. En un mot, dans la mesure où elle permet de désigner tous les agents qui ne sont ni capitalistes ni travailleurs, elle est trop vague. Prenons

---

86    Karl Marx, *Les luttes...*, p. 139 et suivantes. Nous soulignons.

87    Nicos Poulantzas, *Les classes...*

88    C. Beaudelot, R. Establet et J. Malemort, *La petite bourgeoisie en France*, Paris, Maspero, 1974, p. 28.

89    Il existe pourtant des travailleurs productifs ou indirectement productifs dont la qualification (v.g. chauffeurs de pelles mécaniques) permet un salaire dépassant le seuil fixé pour la rémunération de l'ouvrier qualifié. Contrairement au petit-bourgeois, il produit de la plus-value mais c'est pour en récupérer la plus importante fraction. Dans ce cas, nous croyons que la notion d'aristocratie ouvrière convient plus que celle de petite-bourgeoisie. On ne saurait non plus passer sous silence le caractère «économiste» du critère avancé pour définir la classe des petits-bourgeois. Il y aurait lieu de joindre à ce critère celui de la position politique et idéologique d'un agent social pour déterminer de façon plus exacte son appartenance de classe.

90    Céline St-Pierre et Hélène David appliquent de façon fort orthodoxe les critères structuraux et formels de la propriété et de la possession des moyens de production pour classer les fermiers/paysans dans la petite-bourgeoisie, et pour classer les travailleurs salariés improductifs (dont les intellectuels) comme fraction de la classe ouvrière. C'est le monde à l'envers; un travailleur intellectuel a beau être marxiste, il vit de la plus-value que les capitalistes extorquent aux travailleurs productifs. Voir Céline Saint-Pierre, « De l'analyse marxiste des classes sociales », *Socialisme Québécois*, no 24 (printemps 1974), p. 9-33; et Hélène David, *Remarques au sujet de « De l'analyse marxiste des classes sociales »*, Montréal, Université de Montréal, Dép. de sociologie, 1973. (Ronéotypé).

l'exemple de la petite-bourgeoisie rurale. S'agit-il des petits commerçants, notaires, avocats, professeurs qui vivent à l'extérieur des villes? S'agit-il d'une notion qui voudrait désigner les travailleurs agricoles qui possèdent leurs moyens de production? De façon générale, on confond petite-bourgeoisie traditionnelle et petite-bourgeoisie rurale. Nicos Poulantzas, voulant donner une dimension réelle à cette notion, affirme que la petite-bourgeoisie traditionnelle française est constituée des petites entreprises (dont certaines agricoles) employant entre 0 et 5 salariés [91]. Il est peut-être douteux de vouloir trouver de façon automatique (mécanique) la catégorie «petite-bourgeoisie traditionnelle» chez les agents sociaux employant moins de 5 salariés. D'après nous, cette catégorie n'est pas une classe sociale, mais bien une catégorie statistique.

Notre position est la suivante. En agriculture, celui qui emploie du travail salarié productif et utilise la plus-value sous forme d'accumulation de capital est un capitaliste agricole. Celui qui emploie un travailleur salarié dont la plus-value fournie est dépensée en revenus est un fermier paysan (ou petit producteur) en voie de devenir un capitaliste foncier mais il ne s'agit pas là d'un petit-bourgeois. En effet, le petit producteur qui emploie un ouvrier agricole et qui travaille lui-même à produire des valeurs, 60 heures pas semaine, n'est pas un petit-bourgeois, c'est un petit capitaliste qui utilise directement du travail salarié dont le surtravail (ou la plus-value) ne lui permet pas un reproduction élargie. Que ce petit capitaliste ait un «train de vie» dix fois moins confortable que le petit-bourgeois, cela n'a rien a voir à la situation [92].

Il n'y a donc pas de place dans une appréciation claire des rapports sociaux en agriculture pour une petite-bourgeoisie rurale, ou traditionnelle, ou ancienne, la petite-bourgeoisie en campagne étant constituée, là comme ailleurs, par les agents qui, étant donné leurs positions dans les rapports de production, profitent d'une rétrocession de plus-value. Or, on profite d'une rétrocession de plus-value lorsqu'on n'exploite pas directement le travail salarié. Ni la propriété juridique ni la possession de ses moyens de production ne suffisent à définir un petit-bourgeois et par conséquent, l'artisan ou le petit producteur (fermier-paysan), même s'il est propriétaire de ses moyens de production, fait partie d'une autre classe que celle de la petite-bourgeoisie.

Contrairement au commerçant qui est complètement intégré dans des rapports de production capitaliste et qui assure sa reproduction «élargie» grâce à une rétrocession de plus-value que le capitaliste industriel extorque à l'ouvrier, le petit producteur lui, n'est pas complètement intégré dans les rapports capitalistes de production, du moins formellement. Dans le cas du petit producteur et de l'artisan, il s'agit d'un travailleur, producteur de valeur, qui entre en relation avec le marché capitaliste pour vendre un produit (où il se fait extorquer du surtravail et de la plus-value) qu'il a ouvré lui-même avec ses moyens de production. Le processus de travail qui a conduit à tel produit agricole n'est pas en lui-même un processus capitaliste (bien qu'il soit surdéterminé par des rapports capitalistes) étant donné que le producteur-artisan est maître de son processus de travail.

Quelle est donc la différence entre un petit producteur et un commerçant? La place du dernier ne peut être définie qu'à l'intérieur de rapports capitalistes de production. Or, dans ces rapports, il n'est ni ouvrier ni capitaliste, il est petit-

---

91    Nicos Poulantzas, *Les classes...*, p. 164.

92    Le petit-bourgeois n'étant pas un petit capitaliste, il ne fait pas partie de la classe capitaliste. Rappelons-nous en effet que «la petite-bourgeoisie» n'est pas une bourgeoisie plus petite que les autres; elle n'est pas bourgeoisie tout court car elle n'exploite pas, du moins principalement, du travail salarié. Voir Nicos Poulantzas, *Ibid.*

bourgeois[93]. Le petit producteur-artisan lui, est assimilable à un ouvrier d'un mode de production différent du mode capitaliste. Il forme une classe à part, classe en voie de disparition il est vrai, mais classe dont la position dans les rapports de production est bien spécifique. Or, cette classe, que l'on peut appeler provisoirement les petits producteurs, peut avoir les mêmes intérêts que la classe ouvrière face au rapport d'exploitation qui n'est que formellement différent dans les deux cas. Ainsi, les petits producteurs (c'est-à-dire les petits fermiers qui ne peuvent devenir des capitalistes agricoles rentables) et ouvriers constituent en Beauce deux classes exploitées, dont la défense des intérêts peut prendre dans la conjoncture la même expression politique et idéologique.

Mais il n'y a pas que les travailleurs exploités qui appuient le Crédit social, il y a aussi des petits-bourgeois et des capitalistes. Et si l'on s'en tient au discours créditiste, on constate que les intérêts de ces deux dernières classes sont effectivement bien défendus. De fait, nous croyons que l'idéologie créditiste telle que vendue sur le marché symbolique par ses représentants politiques est largement dominée par la fraction petits-bourgeois — petits capitalistes du Crédit social. Nous croyons qu'il ne s'agit là que de la partie voyante et superficielle de l'iceberg, celle que l'on se plaît à répéter sur le compte des créditistes.

En d'autres mots, l'idéologie officielle serait très voisine de ce que Nicos Poulantzas[94] appelle l'idéologie de l'individualisme petit-bourgeois. Cependant, insérée dans l'idéologie officielle (idéologie de Douglas, Caouette, Samson, *Ordre Nouveau,* etc.) et souvent camouflée derrière ce que les créditistes produisent eux-mêmes comme explication principale de leur mouvement, il y a l'idéologie de la *majorité des membres du parti,* idéologie qui, trop facilement noyée ou dissoute dans les quelques généralisations sur *la loi et l'ordre, l'incompétence de l'État, la juiverie internationale, le communisme,* n'en revient pas moins en force dans la recherche de la liberté, l'égalité, le droit du travail, etc. Ainsi, même si l'idéologie dominante au sein du créditisme recouvre les thèmes chers au capitalisme concurrentiel, elle n'est pas pour autant produite par la «petite-bourgeoisie traditionnelle» mais par les petits-bourgeois (suivant la définition avancée) et les petits capitalistes insatisfaits du sort que leur réserve le développement du capitalisme monopoliste.

Il est donc inexact d'affirmer que le créditisme est constitué par la petite-bourgeoisie traditionnelle appelée couramment «les petits notables locaux». Nous prétendons que dans le comté de Beauce-Sud, les notables locaux (avocats, notaires et commerçants) sont en majorité libéraux, alors que la plupart des petits agriculteurs en voie de disparition (prolétarisation)[95] sont probablement créditistes, seule forme d'opposition politique existante.

---

93    Quels agents font partie de la petite-bourgeoisie ? Les travailleurs improductifs qui permettent la reproduction des conditions matérielles et sociales du capital sans pour autant occuper des fonctions de contrôle sur la force de travail et sans faire partie des travailleurs salariés improductifs rémunérés moins que l'ouvrier qualifié.

94    Nicos Poulantzas, *Les classes...,* p. 309 et suivantes.

95    Au Québec, depuis 1941, 60% des propriétaires agricoles ont dû quitter la terre. Une forte proportion de ceux qui demeuraient étaient obligés de vendre leur force de travail sur le marché capitaliste ; un nombre considérable de ceux-là empruntent pour payer les intérêts de leurs dettes antérieures.

# Conclusion

Nous avons montré que le Crédit social ne se réduisait pas à «un mouvement de protestation de droite de la petite-bourgeoisie traditionnelle». Nous avons voulu mettre en évidence les liens étroits qui unissaient, au-delà des distinctions formelles, les petits producteurs et les travailleurs, membres majoritaires du Crédit social. Le but que nous poursuivons n'est pas de classifier différemment les agents sociaux et leurs pratiques politiques pour fins académiques mais de fournir aux travailleurs en lutte l'occasion d'examiner le mouvement créditiste d'une autre façon.

La théorie économique du Crédit social soutient qu'une erreur dans le système de comptabilité des entreprises est à la base de la domination des «pouvoirs de l'argent». Devant l'évidence «naturelle» de l'égalité de tous les hommes devant Dieu et la matière, le créditiste conçoit que c'est parce qu'il y a une conspiration du silence autour de cette vérité que celle-ci n'est pas reconnue d'elle-même. Cette représentation des agents sociaux témoigne d'une profonde méconnaissance de la nature des rapports sociaux dans le capitalisme. Il s'agit du discours de «l'individu» qui vit le rapport d'exploitation économique dans la forme de la domination politique et idéologique de la classe capitaliste.

Il n'y a pas de doute que les conceptions bourgeoises de la lutte politique sont dominantes au sein du créditisme. L'électoralisme, qu'il prenne la forme plébiscitaire ou non, est un mode de participation populaire à un type spécifique d'institutions sociales. Or, celles-ci ne tombent pas du ciel; elle réfléchissent les intérêts des forces sociales qui les dominent.

Dans son analyse du socialisme agraire de l'Ouest canadien (Alberta: Crédit social, Saskatchewan: C.C.F.), Seymour Martin Lipset affirmait que différentes idéologies pouvaient jouer le même rôle fonctionnel: «le péronisme, le socialisme, le communisme, le nationalisme-militaire, jouent le même rôle; ils sont appuyés par les exploités»[96]. De fait, identifié comme une opposition structurelle à un système dominant, le mouvement populaire peut revêtir diverses options idéologiques, sans être réellement différent en tant que «forme d'opposition». C'est dire que le mouvement populaire, assujetti aux formes de luttes politiques contrôlées par les classes dominantes, ne peut que se vouloir réformiste, quel que soit son carcan idéologique, et c'est ainsi sans doute qu'il est perçu par un grand nombre de ses adhérents.

On a dit que le mouvement populiste émergeait sur la scène politique lorsque les conditions de l'exploitation économique s'aggravent démesurément (v.g. crise économique), et qu'il disparaissait lorsque l'abondance revenait[97]. On en a conclu qu'il s'agissait d'un mouvement de crise[98]. Or, dans la mesure où le développement du capitalisme correspond à une succession de crises économiques, les mouvements «de protestation» qui accompagnent ces crises ont un caractère permanent. Il ne suffit donc pas de réduire le Crédit social à un mouvement de crise et de limiter l'analyse à la

---

96    Seymour Martin Lipset, *Agrarian Socialism: the Cooperative Commonwealth Federation in Saskatchewan: a Study in Political Sociology,* Toronto, Oxford University Press; Berkeley, University of California Press; 1950, p. 124.

97    John Donald Hicks, *The Populist Revolt. A History of the Farmer's Alliance and the People's Party,* Minneapolis, University of Minnesota Press, 1931.

98    Alain Touraine, *Production...*

production d'une telle notion. Au contraire, à cause de cette permanence de « mécontentement social », il est important de savoir dans quelles conditions ce mouvement peut être un allié des travailleurs.

Un mouvement social ne se mesure pas à ses propositions réactionnaires, réformistes ou révolutionnaires ; il se juge à sa position dans la lutte des classes. Depuis les tout débuts de son existence, le Crédit social a été dominé par la petite-bourgeoisie et les petits capitalistes et n'a pas renforcé la position des travailleurs. Seules la prise en charge et la transformation de leur mouvement permettront aux travailleurs créditistes de s'allier à la véritable lutte contre l'ordre dominant.

*Lectures recommandées*

Les mêmes que pour le texte de M. Stein.

# Les nouveaux demandeurs parasystémiques

# Chapitre 12

# La participation politique des femmes au Québec*

Francine Dépatie
Conseil du Statut de la Femme

*Francine Dépatie est coordonnatrice du Conseil du statut de la femme, un organisme créé par le Gouvernement du Québec. Pour la Fédération des femmes du Québec, elle a dirigé la recherche de:* La participation politique des femmes du Québec, Ottawa, Information Canada, 1971. (*Études préparées pour la Commission royale d'enquête sur la situation de la femme au Canada, 10*).

*Le présent article, issue de cette étude, analyse les facteurs qui influencent la participation des Québécoises à la politique, notamment l'aliénation et la non-intégration politique en ce qui a trait aux affaires politiques. Elle a procédé par sondage dont les données sont analysées au moyen de tableaux statistiques de contingence.*

Que la femme ait été exclue de la vie politique ou, tout au moins, qu'elle ait subi un traitement différent, est une donnée familière, surtout si l'on remonte au-delà des dernières décennies. Mais qu'en est-il de la situation de la femme dans la société actuelle? Peut-on dire qu'aujourd'hui la femme a sa juste part de responsabilité, surtout si l'on se réfère à un idéal qui appelle chacun des citoyens à une véritable participation? La question demeure en effet de savoir ce que fait la femme de ses droits politiques? Que recouvre l'expression ambiguë et galvaudée d'«émancipation de la femme»? Dans quelle mesure correspond-elle à la réalité dans le domaine de la vie politique?

C'est cette vaste question que nous abordons dans cette recherche où nous nous appliquerons à découvrir jusqu'à quel point la femme a pu s'insérer dans la vie civique et politique. Notre étude porte exclusivement sur la population féminine du Québec.

---

\*    Il s'agit d'une version remaniée d'une étude menée pour la Commission royale d'enquête sur la situation de la femme au Canada : Francine Dépatie, *La participation politique des femmes du Québec*, Ottawa, Information Canada, 1971. Cette étude a été réalisée alors que son auteur était professeur au Département de science politique de l'Université de Montréal.

À la base de notre analyse, nous posons deux hypothèses fondamentales.

Nous estimons, comme point de départ, que la participation des individus à la vie politique et civique de leur société est nécessairement liée au sentiment que cette participation est efficace. À l'inverse, un faible niveau de participation correspond, chez l'individu, à l'idée que sa participation à la vie politique n'est pas très utile. La perception de l'efficacité de la participation constitue donc une première catégorie générale de stimuli nécessaires pour provoquer un certain type de comportement politique, soit celui de la participation.

Mais parler de non-participation féminine présuppose déjà la contestation d'une situation et nécessite essentiellement l'éclaircissement du sens donné au terme central de cette recherche: celui de participation. En ce qui nous concerne, on ne participe à la vie civique et politique que si l'on prend part aux décisions qui la façonnent. Dans l'analyse de la participation, on doit cependant tenir compte des divers degrés de participation possibles et des conditions de base qui affectent la participation.

À partir de cette première hypothèse, nous nous proposons d'analyser la mesure dans laquelle les femmes québécoises ont conscience de faire partie d'un tout social organique, la perception qu'elles ont de leur situation et de celle des citoyens en général face au pouvoir politique ainsi que le degré de satisfaction qu'elles éprouvent à ce sujet.

L'étude de l'aliénation des citoyens vise à établir s'ils situent les obstacles à leur participation surtout au niveau de lacunes personnelles ou au niveau d'une rigidité sociale qui leur est extérieure. Quant à nous, notre intérêt est avant tout de savoir si les femmes participent peu parce qu'elles se sentent incompétentes ou «pas faites pour cela», ou parce qu'elles considèrent qu'elles auraient trop de difficultés à surmonter, qu'elles sont l'objet de discrimination ou, plus généralement, que tout effort de participation aux décisions politiques est nécessairement voué à l'échec en vertu même de l'organisation de la société politique.

La deuxième catégorie de stimuli nécessaires à la participation est envisagée sous l'angle des stimuli particuliers. Que l'on soit d'accord ou non avec l'idée d'une différenciation des rôles en fonction du sexe, il peut être utile pour nous de savoir si certains secteurs de la vie sociale peuvent servir plus que d'autres de point de départ à une certaine insertion des femmes dans la vie sociale organisée. Traditionnellement, certains domaines de la vie civique ont été considérés plus accessibles aux femmes que d'autres. Cette différenciation demeure-t-elle valable aujourd'hui?

Nous posons comme hypothèse que la femme québécoise voit son rôle socio-politique comme différent de celui de l'homme. Cette perception peut être étudiée à l'aide du diptyque «satisfaction-insatisfaction». La femme québécoise est-elle satisfaite du rôle qu'elle se voit attribuer dans la vie politique ou en est-elle insatisfaite?

Puisque l'objet de cette recherche est, au départ, de faire le point de la situation dans laquelle se trouvent les femmes québécoises en ce qui concerne leur intégration à la vie civique et politique de la société où elles vivent, et que nos hypothèses de travail visent à saisir cette situation en termes de la perception qu'en a la population étudiée, l'appareil méthodologique dont nous nous servirons doit être en mesure d'en recueillir les attitudes fondamentales.

Pour obtenir les données qui nous intéressent, nous avons utilisé la technique du questionnaire. La population sur laquelle porte l'enquête étant la population féminine du Québec, l'échantillon devrait la présenter dans sa totalité. L'échantillon consiste en deux mille individus de la province de Québec ayant deux caractéristiques essentielles: celles d'être du sexe féminin et d'être agées d'au moins dix-huit ans.

Pour assurer la représentativité régionale de l'échantillon, ces deux mille femmes ont été choisies à partir des dix régions administratives du Québec soit: Gaspésie — Bas Saint-Laurent, Saguenay — Lac St-Jean, Québec (région), Trois-Rivières, Cantons de l'Est, agglomération de Montréal, Montréal (région), Outaouais, Nord-Ouest et Côte-Nord. La répartition des individus a été faite à raison de deux cents pour chacune des dix régions. Les individus ont été choisis au hasard à partir des bottins téléphoniques.

Une fois les adresses choisies, il fallait prévoir un mode de choix des répondantes qui assure un échantillon non biaisé en fonction d'un certain nombre de caractéristiques plus ou moins connues, telles l'intruction, l'âge et la position dans le ménage. Ce choix a été fait à l'aide de grilles qui déterminaient les répondantes en fonction de leur âge, assurant aussi une répartition objective de l'échantillon.

On effectua un premier envoi de deux mille questionnaires. Environ quatre cents furent retournés dont trois cent soixante-et-onze dûment complétés. Précisons que les questionnaires non complets provenaient soit de fausses adresses, soit de ménages où il ne se trouvait pas de femmes de plus de dix-huit ans.

Ce premier envoi fut suivi d'un rappel téléphonique, accompagné d'un nouvel envoi. Dans certains cas, un troisième questionnaire fut expédié. Cette deuxième vague nous a permis de recueillir près de six cents retours dont un certain nombre étaient inutilisables pour les raisons mentionnées plus haut. En tout, nous avons obtenu plus de 850 réponses aux principales questions.

Les questionnaires complétés provenant de toutes les régions, on peut considérer l'échantillon comme représentatif de ces régions.

## Intégration et aliénation politiques de la Québécoise

Dans cette section, nous nous emploierons à faire l'analyse des données dans la perspective indiquée par la première ligne directrice de cette recherche: l'explication du niveau de participation des femmes à la vie civique et politique par le sentiment d'efficacité ou d'inefficacité qu'elles en retirent.

### 1. Caractéristiques socio-économiques de l'échantillon

De façon à pouvoir situer l'ensemble de la population féminine québécoise, dégageons tout d'abord brièvement les principales caractéristiques socio-économiques de l'échantillon.

Près de la moitié de nos informatrices ont été élevées dans un milieu rural et environ cinquante pour cent d'entre elles ont entre vingt-six et quarante-cinq ans. La plupart sont mariées et ont encore des enfants à la maison et plusieurs (37.1%) ont au moins un enfant qui n'est pas d'âge scolaire. Le revenu des maris de 33.6% de ces femmes est inférieur à $6,000. par an. En comparant les types d'emplois du mari et du père, on note une certaine mobilité sociale ascendante ainsi que la diminution des emplois occupés dans une ferme. Environ le quart des répondantes n'ont jamais occupé d'emploi au dehors du foyer. Dans le cas de celles qui ont déjà travaillé ou qui travaillaient au moment de l'enquête, peu nombreuses sont celles qui occupaient des emplois comportant des responsabilités, et leurs salaires sont nettement inférieurs à ceux des maris. Quant au nombre d'années d'études, la majeure partie de l'échantillon a de 5 à 12 ans de scolarité.

À partir de cette description, nous pouvons déjà saisir les composantes essentielles de la situation dans laquelle les femmes du Québec évoluent, situation qui peut être considérée comme typique de celle des populations féminines en général. Leurs responsabilités économiques, mesurées en termes de revenus personnels sont, en effet, nettement inférieures à celles des maris; leurs responsabilités familiales (charge des enfants etc.) sont lourdes et, en dehors des activités liées à leur propre foyer, le type d'emploi qu'elles occupent ou ont pu occuper (pour celles qui travaillent ou ont déjà travaillé), ne comporte à peu près jamais de responsabilités administratives.

## 2. Intérêt manifesté pour la politique

Pour donner une première vue d'ensemble de la situation, nous nous baserons principalement sur une évaluation subjective de l'intérêt que présente la politique pour la population féminine et de la connaissance qu'elle en a. Nous analyserons aussi une question de type objectif portant sur l'écoute et la lecture des nouvelles politiques.

Pour ce faire, examinons d'abord les réponses à la question «Est-ce que la politique vous intéresse?» Il fallait répondre selon une échelle sociométrique mesurant l'intensité de l'intérêt et le faire séparément pour les secteurs municipal, provincial, fédéral et international.

Comme on pouvait s'y attendre, en se fiant aux études antérieures sur la question, l'intérêt, évalué subjectivement, est faible. Pour tous les secteurs de la vie politique, la proportion des femmes se disant «peu ou pas intéressées» est plus importante que la proportion des femmes se disant «beaucoup ou assez intéressées» (voir tableau 1).

TABLEAU 1

### ÉVALUATION SUBJECTIVE DE L'INTÉRÊT PORTÉ À LA POLITIQUE (EN POURCENTAGES)

| Intérêt | Politique municipale | Politique provinciale | Politique fédérale | Politique internationale |
|---------|---------------------|----------------------|-------------------|-------------------------|
| beaucoup | 14.0 | 18.8 | 16.8 | 9.3 |
| assez | 24.9 | 24.5 | 25.7 | 19.7 |
| un peu | 35.7 | 35.3 | 35.3 | 30.2 |
| pas du tout | 25.4 | 15.9 | 19.3 | 37.7 |
| pas de réponse | - | 5.5 | 2.9 | 3.5 |
| TOTAL | 100.0 | 100.0 | 100.0 | 100.0 |

Sources:   Sondage inédit décrit dans le texte. L'analyse porte sur 883 répondants.

D'après ce tableau, l'intérêt porté par les femmes québécoises est différencié selon les secteurs de la vie politique. Mais contrairement aux hypothèses les plus courantes sur le sujet, l'interêt n'est pas indirectement proportionnel à l'éloignement ni à l'envergure du secteur politique. Nous ne trouvons pas en effet d'accroissement continu de l'intérêt en fonction du rapprochement du secteur. Nous trouvons plutôt un manque d'intérêt plus marqué pour les deux secteurs limites, c'est-à-dire le secteur municipal et surtout le secteur international, et une auto-évaluation est à peu près semblable pour les secteurs provincial et fédéral. Le «nationalisme québécois», à première vue, ne semble donc pas jouer dans la détermination de l'intérêt politique chez les femmes du Québec.

Cette question de l'intérêt mérite d'être étudiée plus à fond. Certaines variables étudiées par rapport à cette attitude nous permettront sans doute de mieux la comprendre.

Tout d'abord, nous pouvons nous demander si la répartition de l'intérêt est la même pour les deux groupes ethniques majeurs du Québec. En distinguant entre les femmes canadiennes-françaises qui habitent Montréal et celles qui habitent hors de Montréal, nous pouvons examiner en même temps l'influence que peut avoir sur l'intérêt porté à la politique le fait de vivre dans un grand centre urbain. Les résultats sont clairs: plus de Canadiennes anglaises disent s'intéresser à la vie politique et ceci pour tous les secteurs sauf un, le provincial, où la proportion des femmes qu'intéresse la politique parmi les Canadiennes anglaises, est équivalente à celle des Montréalaises de langue française. (voir tableau 2). Dans les trois catégories d'analyse retenues,

TABLEAU 2

### ÉVALUATION SUBJECTIVE DE L'INTÉRÊT POUR LA POLITIQUE SELON L'ORIGINE ETHNIQUE ET GÉOGRAPHIQUE (EN POURCENTAGES)

| Intérêt | Politique municipale | Politique provinciale | Politique fédérale | Politique internationale |
|---------|----------------------|-----------------------|--------------------|--------------------------|
| Francophones - Mtl. | | | | |
| élevé | 38.1 | 52.8 | 43.1 | 34.7 |
| faible | 61.9 | 47.2 | 56.9 | 65.3 |
| Francophones - hors Mtl. | | | | |
| élevé | 36.1 | 44.6 | 39.8 | 22.6 |
| faible | 63.9 | 55.4 | 60.2 | 77.4 |
| Anglophones | | | | |
| élevé | 45.1 | 54.7 | 61.2 | 44.8 |
| faible | 54.9 | 45.3 | 38.8 | 55.2 |

Sources: Sondage inédit décrit dans le texte. L'analyse porte sur 883 répondants. L'addition des pourcentages se fait verticalement.

soit Canadiennes françaises de Montréal, Canadiennes françaises hors de Montréal et Canadiennes anglaises, nous observons une répartition similaire entre les secteurs: intérêt plus répandu pour les secteurs provincial et fédéral que pour les secteurs municipal et international. Dans certains cas — secteur provincial et international — le groupe des Canadiennes françaises de Montréal se rapproche beaucoup plus du groupe des Canadiennes anglaises que de celui des Canadiennes françaises habitant hors de Montréal.

Un dernier point à souligner: légèrement plus de Canadiennes françaises de Montréal s'intéressent à la vie politique fédérale que de Canadiennes françaises du reste du Québec, 43% pour les premières et 39.8% pour les deuxièmes. Pour les Canadiennes françaises, le plus fort taux d'intérêt se trouve au niveau provincial (52.8% pour les répondantes de Montréal; 44.6% pour celles habitant à l'extérieur de Montréal), bien qu'il demeure, dans les deux cas quelque peu inférieur à celui des Canadiennes anglaises (54.6%). Pour les Canadiennes anglaises, le plus fort taux d'intérêt se situe au niveau fédéral (61.2%).

Notons que la relation établie entre l'intérêt porté à la vie politique et l'appartenance à un grand centre urbain joue particulièrement pour les secteurs politiques provincial et international puisque l'on ne constate que peu de différence entre Montréalaises et non Montréalaises en ce qui concerne les secteurs fédéral et municipal (respectivement 3.3% et 2.0% de différence).

## 2. Auto-évaluation de la connaissance politique

À la question: «Avez-vous l'impression d'être au courant de la politique?», les Québécoises ont répondu de la façon suivante: une proportion négligeable des femmes (3.1% s'estime «très au courant»; 31% se disent «assez au courant», et les autres, soit 6.5%, se disent «peu», «très peu» ou «pas du tout au courant».

Si l'on reprend la distinction concernant la région et la langue, nous obtenons une distribution semblable à celle concernant l'auto-évaluation de l'intérêt (voir tableau 3). L'intérêt de ce tableau ne réside pas surtout dans la mesure de la connais-

TABLEAU 3

**AUTO-ÉVALUATION DE LA CONNAISSANCE POLITIQUE SELON L'ORIGINE ETHNIQUE (EN POURCENTAGES)**

| Degré de connaissance | Francophones de Montréal | Francophones de l'extérieur | Anglophones |
|---|---|---|---|
| très au courant | 2.7 | 2.5 | 5.4 |
| assez au courant | 35.7 | 24.7 | 50.1 |
| peu au courant | 35.7 | 39.8 | 21.6 |
| très peu au courant | 23.2 | 24.7 | 13.5 |
| pas du tout au courant | 2.7 | 8.3 | 9.4 |
| TOTAL | 100.0 | 100.0 | 100.0 |

Sources:  Sondage inédit décrit dans le texte. L'analyse porte sur 840 répondants.

sance politique de certaines catégorie de femmes, mais plutôt par ce qu'il révèle de ce qui est socialement admis par les femmes qui composent ces catégories. En ces termes, le groupe des Canadiennes anglaises se distingue clairement de celui des Canadiennes françaises. Ainsi, il paraît normal pour les Canadiennes françaises (même celles de Montréal) d'admettre qu'elles connaissent peu de choses à la politique.

Le type de travail fait par la femme n'introduit pas de changement perceptible dans l'auto-évaluation de ses connaissances politiques. Par ailleurs, le fait d'avoir occupé un emploi au dehors du foyer correspond à une connaissance (subjectivement établie) plus grande de la politique dans le cas des Canadiennes françaises (voir le tableau 4). Cette variable doit donc être considérée comme l'un des facteurs qui expliquent la différence d'attitude entre les populations féminines des deux groupes

TABLEAU 4

### AUTO-ÉVALUATION DU DEGRÉ DE CONNAISSANCE POLITIQUE SELON L'ORIGINE ETHNIQUE ET LE GENRE DE TRAVAIL*(EN POURCENTAGES)

| Degré de connaissance | Professionnels | Bureau et métier spécialisé | métier non spécialisé | jamais travaillé |
|---|---|---|---|---|
| *Francophones de Mtl* | | | | |
| Très au courant | -- | 4.8 | -- | 7.6 |
| assez au courant | 18.7 | 66.7 | 37.5 | 15.4 |
| un peu au courant | 50.0 | 19.0 | 41.7 | 38.5 |
| très peu et pas du tout au courant | 31.3 | 9.5 | 20.8 | 38.5 |
| *Francophones de l'extérieur* | | | | |
| très au courant | 5.6 | 2.8 | 2.7 | 0.5 |
| assez au courant | 41.2 | 42.6 | 21.7 | 19.3 |
| un peu au courant | 26.0 | 35.2 | 38.8 | 43.8 |
| très peu et pas du tout au courant | 27.2 | 19.4 | 36.8 | 36.4 |
| *Anglophones* | | | | |
| très au courant | 12.5 | 11.1 | 3.1 | 10.0 |
| assez au courant | 62.5 | 55.6 | 31.2 | 40.0 |
| un peu au courant | 12.5 | 22.2 | 9.4 | 40.0 |
| très peu et pas du tout au courant | 12.5 | 11.1 | 56.3 | 10.0 |

Sources:   Sondage inédit décrit dans le texte. L'analyse porte sur 842 répondants. L'addition des pourcentages se fait verticalement.

*      Les catégories d'emploi sont ainsi définies :
- Professionnel, emplois de bureau avec responsabilités (n= 157).
- Emploi de bureau sans responsabilités. métier spécialisé (n= 166)
- Métier non spécialisé (n= 319).
- N'a jamais travaillé (n= 210).

ethniques, car la proportion des femmes canadiennes-anglaises qui n'ont jamais travaillé au dehors est un peu moins importante que celle des Canadiennes françaises de la même catégorie: 11.8% dans le cas des Canadiennes anglaises, 17.6% dans le cas des Canadiennes françaises de Montréal et 27.4% dans le cas des Canadiennes françaises hors de Montréal.

Ces premières mesures subjectives d'intérêt à l'égard de la politique et de la connaissance de celle-ci nous donnent un aperçu global de la situation de la femme québécoise face à la vie civique et politique. Un des résultats les plus intéressants qui ressort de cette analyse est sans doute le fait que le type d'emploi exercé par la femme n'introduit pas de variation substantielle dans l'attitude de celle-ci, sauf dans le cas des Canadiennes anglaises. L'on peut considérer, en effet, que cette catégorisation correspond à une répartition selon le statut économique. La distinction entre d'une part les métiers non spécialisés, catégorie qui recouvre les emplois dans une usine et le service domestique, et d'autre part les professions libérales et les catégories dites «inter-professionnelles», nous permet certainement d'établir des projections en termes de niveau de scolarité et de statut socio-économique en général.

Nous pouvons donc retenir que, dans le cas des Canadiennes anglaises du Québec, le statut socio-économique introduit une plus grande variation que dans le cas des Canadiennes françaises, qu'elles soient de Montréal ou d'ailleurs, et que le fait de n'avoir jamais occupé d'emploi diminue, dans le groupe canadien-français, les chances de s'estimer «au courant de la politique».

En face de ces évaluations subjectives, un certain nombre de mesures objectives viennent compléter le tableau de la conscience politique des Québécoises.

3. *Lecture et écoute des nouvelles politiques*

Les contacts avec les nouvelles de nature politique sont relativement nombreux. On peut considérer comme un indice important d'éveil à la chose politique le fait que 35.2% des femmes du Québec disent lire régulièrement les nouvelles politiques dans les journaux, même en tenant compte de l'inflation naturelle à laquelle on peut s'attendre avec ce type de question (voir le tableau 5). Le médium le plus employé est, comme on pouvait s'y attendre, l'émission d'information à la tévévision.

TABLEAU 5

**NIVEAU DE LECTURE OU D'ÉCOUTE DES NOUVELLES POLITIQUES (EN POURCENTAGES)**

| Niveau d'écoute | Journaux | Radio | Télévision |
|---|---|---|---|
| régulièrement | 35.2 | 29.8 | 40.5 |
| quelquefois | 37.2 | 38.5 | 49.3 |
| jamais | 24.6 | 28.4 | 7.6 |
| pas de réponse | 3.0 | 3.3 | 2.6 |
| TOTAL | 100.0 | 100.0 | 100.0 |

Sources: Sondage inédit décrit dans le texte. L'analyse porte sur 880 répondants.

Notons que la catégorie «quelquefois» est assez difficile à interpréter en ce sens que les individus qui en font partie peuvent avoir une fréquence de contacts très variable avec les nouvelles politiques. Il serait certainement prudent d'y voir une fréquence de contact assez faible. Nous demeurons donc en présence d'une population dont les trois-quarts, sont, à des degrés variables, touchés par la nouvelle d'ordre politique.

Sur ce point, nous constatons encore d'importantes différences entre les Canadiennes françaises et les Canadiennes anglaises et entre les Canadiennes françaises de Montréal et les Canadiennes françaises du reste de la Province. 43.2% des Canadiennes anglaises disent lire régulièrement les nouvelles politiques dans les journaux, alors que seulement 28% des Canadiennes françaises disent en faire autant. Soulignons de plus que le groupe des Canadiennes françaises qui habitent en dehors de Montréal se distingue des deux autres par un pourcentage nettement plus élevé de femmes qui ne lisent jamais les nouvelles politiques dans les journaux (33.3% des Canadiennes françaises n'habitant pas Montréal; 18.9% des Canadiennes françaises de Montréal et 17.9% des Canadiennes anglaises).

## 4. Participation aux organisations politiques

Un indice d'intérêt prononcé pour la vie civique et politique est certainement la participation d'une population à des organisations de type politique, qu'elles soient «partisanes» dans le sens traditionnel du terme ou qu'il s'agisse de groupes axés sur des revendications sociales. Comme l'indique le tableau 6, la participation à ce type d'organisations, pas plus d'ailleurs qu'à tout autre type, n'est pas un phénomène très répandu parmi la population féminine du Québec. Plus de 80% de celle-ci ne fait partie d'aucun type d'organisation. Signalons que ce taux de non-participation dépasse les 90% dans le cas d'organisation de travail.

Dans une démocratie utopique, la participation au processus électoral pourrait être l'indicateur le plus important de la conscience ou de la participation politique. Cependant, un taux relativement élevé de votation aux élections fédérales ou provinciales ne saurait être mis en équation avec un haut niveau de conscience politique. Les sondages antérieurs, faits au Québec ou ailleurs, ont systématiquement démontré la non correspondance entre les taux d'information et d'intérêt et le vote.

Des répondantes à notre enquête, 87.4% affirment avoir voté aux dernières élections provinciales, 82.7% aux dernières élections fédérales et 78.7% à toutes les élections depuis qu'elles ont qualité d'électrices.

Les deux principales raisons invoquées par les répondantes pour expliquer leur abstention sont le fait qu'elles étaient trop jeunes (3.6% et 4.5%) ou qu'il leur était impossible de se déplacer (1.6% et 2.1%). De si minimes pourcentages ne nous permettent évidemment pas d'étudier l'abstentionnisme féminin en profondeur.

Le vote ne constituant pas réellement un indice de participation, il devient plus important pour nous d'aborder les attitudes politiques ou apolitiques en elles-mêmes. Sur la portée du vote pour la femme québécoise, nous pouvons introduire des éléments significatifs à partir de questions posées sur l'individualité du vote.

À la question: «Lorsque vous votez, avez-vous plutôt tendance à vous fier au choix d'autres personnes (mari, famille...) ou avez-vous l'impression de décider vous-même?», la distribution des réponses a été la suivante: 15.4% se fient au choix d'autres

## TABLEAU 6

### PARTICIPATION À CERTAINS TYPES D'ORGANISATIONS
### (EN POURCENTAGES)

| Assiste aux réunions | Bienfaisance | Loisirs | Travail | Politique |
|---|---|---|---|---|
| régulièrement | 8.4 | 12.1 | 4.6 | 10.1 |
| quelquefois | 2.5 | 3.3 | 4.1 | 6.4 |
| jamais | 2.2 | -- | -- | -- |
| ne fait pas partie | 86.9 | 84.6 | 91.3 | 83.5 |
| TOTAL | 100.0 | 100.0 | 100.0 | 100.0 |

Sources: Sondage inédit décrit dans le texte. L'analyse porte sur 885 répondants.

personnes et 84.6% décident par elles-mêmes. Ainsi, une proportion assez importante de la population féminine estime décider elle-même de son vote. Cette affirmation de l'autonomie du vote est plus répandue chez les Canadiennes françaises que chez les Canadiennes anglaises. Nous trouvons en effet que 87.3% des Canadiennes françaises, contre 78.1% des Canadiennes anglaises, décident par elles-mêmes.

Le statut socio-économique et l'expérience de travail hors du foyer ne semblent pas avoir d'influence sur le sentiment de l'individualité du vote. Cette constatation est particulièrement frappante si l'on se réfère aux hypothèses habituelles qui font une certaine part au concept d'élite liant la participation autonome à un statut socio-économique élevé. Cette relation peut fort bien exister en ce qui concerne les populations masculines, mais elle ne semble pas jouer dans le cas des femmes.

Quelle est cependant la force de l'adhésion à cette autonomie du vote? La réponse à une question concernant le vote des autres femmes a révélé des failles dans cette autonomie. En effet, alors que 79.8% de notre échantillon estimaient décider elles-mêmes comment voter, 39.4% pensent que, pour la majorité des couples mariés, c'est le mari qui décide. Leur évaluation de la situation de la femme et du droit de vote dans notre société peut être considérée comme une indication valable de la situation réelle, laquelle bien sûr les inclut.

Quelle justification y-a-t-il à ce que ce soit le mari qui décide du vote? La plupart des femmes qui estiment que le mari décide du vote attribuent cette situation au fait «qu'il connaît mieux ça» (27.6%) et que cela est «normal» (21.9%).

Nous touchons ici à un aspect de la perception des rôles socio-politiques des individus reliés à une différenciation sexuelle. Cette question portant sur l'individualité du vote nous permet de constater qu'une forte majorité des femmes perçoivent leur propre vote comme autonome mais qu'une proportion substantielle d'entre elles estiment que pour les autres femmes, ceci n'est pas le cas. La principale raison invoquée pour expliquer cet état de chose est le fait que les maris connaissent mieux la politique que les femmes. L'idée d'une carence personnelle empêchant la participation réelle est donc aussi soulevée par cette question.

Le faible degré de participation, l'hésitation à se prononcer sur des questions politiques, le degré d'intérêt relativement faible et la facilité avec laquelle bon nombre de femmes avouent peu connaître la politique nous amènent à poser la question de leur aliénation.

Les femmes du Québec (prises dans leur totalité, car nous savons que les différences du statut, contrairement aux hommes, n'entraînent que peu de variations dans les comportements des femmes) hésitent-elles à être actives politiquement parce qu'elles estiment que leur participation est inefficace? Attribuent-elles cette inefficacité à elles-mêmes ou au système? Ont-elles des complexes ou sont-elles fatalistes? Trouvent-elles cette situation satisfaisante? Voici les questions auxquelles nous tenterons maintenant de répondre.

Tout d'abord, dans quelle mesure le sentiment d'impuissance politique est-il répandu chez les femmes? Nous leur avons posé la question classique: «Pensez-vous que les gens comme vous ont de l'influence sur la façon dont le gouvernement mène le pays»? et avons pu constater qu'une assez faible proportion de la population féminine (16.9%) croit que «les gens comme elles» peuvent influencer le gouvernement. Nous sommes donc loin d'être en présence d'une situation de participation démocratique idéale. Ces données sont particulièrement intéressantes lorsqu'on les rapproche de la participation électorale: une forte majorité des femmes vote aux élections mais une toute aussi forte majorité ne croit pas avoir d'influence sur le gouvernement.

L'appartenance à l'un ou l'autre groupe ethnique ne fait pas varier sensiblement les proportions de sentiment de puissance ou d'impuissance politique. Notons toutefois que le groupe de Canadiennes françaises de Montréal compte un pourcentage légèrement plus élevé de femmes qui croient avoir «assez» d'influence sur le gouvernement: 20.1% contre 15.1% pour les francophones de l'extérieur de Montréal et 16.8% pour les anglophones.

Ce premier point établi, examinons maintenant l'attitude qu'ont les femmes en face des autres femmes, en politique. Comment interprètent-elles la faible proportion de femmes actives? Ont-elles plutôt tendance à la relier à des raisons d'incompétence généralisée de la femme ou à des difficultés particulièrement importantes qui interviennent dans le cas des femmes? Nous analyserons deux séries de données. D'abord, les raisons invoquées par les femmes pour expliquer la plus faible proportion de femmes que d'hommes qui se présentent aux élections et, en second lieu, le cas de la proportion inégale de femmes et d'hommes occupant des postes de direction dans les organisations mixtes.

Comme l'indique le tableau 7, 34.2% des femmes, soit le plus fort pourcentage individuel, ont donné comme première raison pour expliquer la faible présence des femmes dans la lutte électorale, une lacune qu'elles attribuent aux femmes comme catégorie: «elles n'ont pas la préparation nécessaire».

Cependant, en dehors des 23.5% qui interprètent cet état de chose en termes de prépondérance du rôle familial chez la femme, nous trouvons que 32% des répondantes énumèrent, comme raison majeure de leur non-participation électorale, des obstacles extérieurs: 10.9% estiment que les femmes n'ont pas assez de temps pour ce genre d'activité; 11% qu'elles ont moins de chances d'être élues et 10.4% que les hommes n'en veulent pas. Les deux dernières raisons, en particulier, révèlent la perception d'une certaine discrimination à l'endroit de la femme en politique. Il est à remarquer que seulement 10.9% des répondantes ont choisi la réponse la plus anodine et la plus facile à choisir parce qu'elle ne demandait aucune prise de position: la rationalisation par le manque de temps.

TABLEAU 7

## RAISONS POUR LESQUELLES IL Y A MOINS DE FEMMES QUE D'HOMMES QUI SE PRÉSENTENT AUX ÉLECTIONS (EN POURCENTAGES)

| Raisons | % |
|---|---|
| Elles n'ont pas la préparation nécessaire | 34.2 |
| Elles n'ont pas le temps | 10.9 |
| Elles doivent surtout s'occuper de leur famille | 23.5 |
| Elles ont moins de chances d'être élues | 11.0 |
| Les hommes n'en veulent pas | 10.4 |
| Autres raisons | 0.5 |
| Pas de réponse | 9.5 |
| TOTAL | 100.0 |

Sources: Sondage inédit décrit dans le texte. L'analyse porte sur 882 répondants.

Si, parallèlement à cette question, nous étudions celle de la répartition des postes de directions entre les membres des deux sexes dans les organisations mixtes, nous trouvons qu'un quart de notre échantillon — ce qui est étonnant — estime qu'il y a autant de femmes que d'hommes dans les postes de direction. Seulement 53.5% des femmes répondent par un «non» catégorique à cette question, 17.5% ne sachant pas que répondre.

Ici, la distribution des raisons invoquées pour justifier le moins grand nombre de femmes que d'hommes aux postes de direction dans les organisations mixtes est particulièrement intéressante. La très grande majorité des femmes, soit 42.2%, estime que «l'on ne donne pas aux femmes autant de chances qu'aux hommes», (voir tableau 8). C'est donc, encore une fois, la révélation d'un sentiment de discrimination assez répandu parmi la population féminine du Québec.

En ce qui concerne les sentiments d'efficacité ou d'inefficacité personnelle, nous pouvons les déceler en analysant les raisons évoquées par les répondantes pour expliquer leur non-participation à divers types d'organisations. Comme nous avions prévu que des raisons différentes pouvaient être invoquées selon le type d'organisation, nous avons procédé en deux étapes successives: les répondantes devaient donner leurs raisons de non participation d'abord pour les groupes de types politique, puis pour les groupes de type bienfaisance.

Sans doute l'une des données les plus intéressantes qui ressorte de la distribution du tableau 9, est le fait que les femmes invoquent le manque de compétence et le manque d'intérêt plus souvent en ce qui concerne les organisations du premier type (23.1% et 23.8%) qu'en ce qui concerne les organisations du deuxième type (12.2% et 16.1%). L'idée qu'il faille avoir une compétence particulière pour participer à la vie politique ou à des organisations de travail ou de revendication pourrait bien finalement vouloir dire que ces domaines de la vie sociale organisée ne soient pas considérés comme étant à la portée des gens «ordinaires». L'aliénation politique serait donc expliquée par le sentiment d'une carence personnelle.

L'analyse de cette première série de données nous permet d'élaborer un certain nombre de généralisations au sujet de la population féminine québécoise. Ainsi, nous somme amenés à conclure que, pour une proportion importante de la population féminine du Québec, malgré un contact relativement constant avec le monde politique (par l'intermédiaire indirect des techniques de diffusion de l'information et par les discussions politiques) et surtout malgré l'affirmation de l'autonomie du vote et de la nécessité de s'intéresser à la politique, l'intérêt manifesté pour la politique et le degré de connaissance politique sont relativement faibles et que la participation (en excluant le vote lui-même), ainsi que la propension à participer, le sont encore plus. Les réactions, face au monde politique, que ce soit du point de vue d'une action à prendre ou d'une opinion à former, ont tendance à être passives dans une proportion significative des cas.

Si l'on se réfère aux études antérieures, le statut socio-économique est un facteur nettement moins important dans le cas des femmes que dans le cas des

TABLEAU 8

**RAISONS POUR LESQUELLES IL Y A MOINS DE FEMMES DANS LES POSTES DE DIRECTION (EN POURCENTAGES)**

| Raisons | % |
| --- | --- |
| Les femmes ne sont pas faites pour cela | 3.2 |
| Les femmes sont moins compétentes que les hommes | 3.9 |
| On ne donne pas aux femmes autant de chances qu'aux hommes | 40.2 |
| Elles sont moins compétentes et on ne leur donne pas autant de chances | 7.8 |
| Ne sait pas | 3.4 |
| Ne s'applique pas | 37.0 |
| Pas de réponse | 4.5 |
| TOTAL | 100.0 |

Sources : Sondage inédit décrit dans le texte. L'analyse porte sur 883 répondants.

## TABLEAU 9

### RAISONS DE LA NON—PARTICIPATION DES FEMMES AUX ORGANISA- TIONS SELON LE TYPE D'ORGANISATIONS (EN POURCENTAGES)

| Raisons | organisation de type politique, n= 604 | organisation de type bienfaisance, n= 572 |
|---|---|---|
| manque de temps | 36.6 | 52.8 |
| opposition du mari | 8.1 | 4.7 |
| manque d'intérêt | 23.8 | 16.1 |
| manque de compétence | 23.1 | 12.2 |
| autres raisons | 8.4 | 14.2 |
| TOTAL | 100.0 | 100.0 |

Sources : Sondage inédit décrit dans le texte. L'analyse porte sur 604 répondants.

hommes, en ce qui concerne l'influence qu'il exerce sur la participation ou la propension à participer. Quand il s'agit de l'intérêt porté à la politique et de la connaissance qu'on en a, le statut socio-économique a un peu plus d'influence, surtout pour le groupe de Canadiennes anglaises.

Le type de région qu'habite la femme est souvent un facteur qui introduit une certaine variation de comportement. La région qui se distingue le plus souvent est celle de l'agglomération de Montréal. Le fait de vivre dans un grand centre urbain, même en tenant constante la variable socio-économique, provoque un plus grand intérêt pour la vie politique et une plus grande propension à participer. Les femmes de la région de l'Outaouais ont un comportement souvent très semblable aux femmes de la région de Montréal. La proximité de la province voisine ou la forte proportion du groupe canadien-anglais dans cette région expliquent peut-être ces différences de comportements.

D'autres régions présentent parfois des comportements particuliers: ainsi plus de femmes de la région de Québec témoignent d'un faible intérêt et d'une faible propension à participer à la vie politique que ce n'est le cas pour la plupart des autres régions; celles de Trois-Rivières, qui dans notre échantillon sont en moyenne parmi les plus scolarisées, sont à la fois parmi les plus informées et les moins participantes. On trouve parmi ce groupe un fort pourcentage de femmes qui font confiance au système politique.

La passivité ou la non-insertion des femmes dans la vie politique s'explique, pour un grand nombre, par un manque de confiance en elles-mêmes (sentiment d'une lacune personnelle) et par des barrières imputables à la société. L'impression d'être l'objet d'une certaine discrimination se fait surtout en ce qui concerne l'obtention de postes de direction.

280

## La perception du rôle socio-politique de la femme

L'hypothèse est simple: elle pose que l'évaluation que les femmes font de leur rôle subit l'influence de tous les stéréotypes qui ont contribué à constituer une image bien précise de la femme, provoquant ainsi son retrait de la vie civique et politique. Nous allons tenter de voir dans quelle mesure les femmes québécoises perçoivent leur rôle comme étant différent de celui des hommes dans la société.

Il apparaît qu'une forte majorité de la population féminine ne puisse concevoir que la plus grande partie des responsabilités économiques dans un ménage soient dévolues à la femme plutôt qu'au mari. La différenciation des rôles selon le sexe est évidente dans ce domaine. Ainsi seulement 9.6% des répondantes croient qu'une femme a plus de chance d'être heureuse si elle travaille que si elle reste à la maison (ce pourcentage monte à 28% dans le cas des femmes qui n'ont pas d'enfants). Ces considérations sont également valables pour les deux groupes ethniques, comme elles le sont pour les Montréalaises et pour les non-Montréalaises. Le statut socio-économique, ainsi que l'expérience de travail, n'introduisent de variation que dans le groupe des Canadiennes anglaises où nous trouvons une plus grande proportion de femmes de statut socio-économique plus faible ainsi que de femmes n'ayant jamais travaillé qui désapprouvent le travail hors du foyer.

Cependant, une importante proportion des femmes (34.7%) estime que leur entourage est contre le travail pour les femmes mariées et l'on sent, en particulier, que le comportement de la femme mariée qui a des enfants et qui travaille à l'extérieur est jugé anormal. Ainsi les femmes estiment que 41.9% des maris désapprouvent que leur femme travaille à l'extérieur.

Parallèlement à cela — et cette constatation est cruciale pour notre recherche — nous remarquons chez un bon nombre de femmes, mariées ou non, le désir d'avoir un travail au dehors. Il existe donc une certaine insatisfaction individuelle en ce qui a trait à la différenciation rigide des rôles économiques en fonction du sexe, mais qui ne va pas jusqu'à ébranler la suprématie masculine dans ce domaine.

Ce premier aspect de la question du rôle de la femme dans la société nous servira de point de départ pour l'analyse de la perception de son rôle politique. Où la femme québécoise se situe-t-elle dans le monde politique? Son manque d'intérêt et sa faible participation sont-ils liés surtout au sentiment d'inutilité de cette participation, inutilité qui dépendrait de carences personnelles ou d'une lacune du système, ou dépendent-ils aussi de l'idée que ces questions ne concernent pas les femmes, que les femmes ont une place spécifique dans la société et que cette place se situe en dehors du domaine politique?

Pour répondre à cette question, nous analyserons une série de données qui portent, directement ou indirectement, sur le rôle de la femme en politique, y compris les stéréotypes concernant ce sujet. Nous aborderons ces données en nous demandant si les femmes du Québec estiment qu'elles ont une place particulière à tenir dans la société et si elles sont satisfaites de la situation qui leur est faite.

Une forte majorité (70.9%) des répondantes estime que les organisations féministes sont nécessaires parce que l'on n'accorde pas aux femmes toutes les chances qu'elles devraient avoir dans la société en général. Il est très important que nous considérions ce point en particulier car le type d'action pratique à entreprendre pour encourager la participation des femmes sera, de toute évidence, différent s'il s'adresse à des femmes qui ont le sentiment d'être l'objet de discrimination, et qui sont donc insatisfaites, ou s'il s'adresse à des femmes qui sont satisfaites de la situation.

Le groupe ethnique, la région, le statut socio-économique et l'expérience de travail influencent peu les opinions des femmes québécoises à ce sujet, à l'exception des Montréalaises, chez qui le statut socio-économique très bas et l'inexpérience de travail augmentent les possibilités d'insatisfaction.

Abordons maintenant certaines propositions qui nous permettront de déceler, en termes d'étendue et de profondeur, l'existence, chez les femmes elles-mêmes, de stéréotypes concernant la place de la femme dans la société? Les femmes se considèrent-elles membres à part entière de la société. Le tableau 10 présente, par ordre décroissant le degré d'approbation que les répondantes ont accordé à diverses propositions ayant trait à la place sociale de la femme.

La grande majorité (70.0%) des informatrices considère que la place de la femme est au foyer. Cette proposition révèle une perception des rôles différenciés entre les hommes et les femmes, perception qui fait partie de l'imagerie traditionnelle de la femme. Ce qui en fait un stéréotype au même titre que les autres, c'est que cette conception suppose que la femme qui n'est pas au foyer ne joue pas son rôle dans la société.

La proposition qui a rallié le deuxième plus grand nombre de suffrages approbateurs est celle selon laquelle les hommes doivent prendre les décisions importantes. Les femmes, qui sont d'accord avec cette proposition dans une proportion de 48.2%, s'attribuent ainsi automatiquement un rôle de soumission, lorsqu'il s'agit de choses importantes.

Les deux propositions portant spécifiquement sur des aspects politiques suivent immédiatement avec des taux d'approbation de 33.1% et de 31.7%. Pour cette proportion de la population féminine, la femme n'est pas faite pour s'occuper de groupes politiques, mais plutôt d'organisations de bienfaisance; plus généralement, elle n'a rien à faire en politique puisque «la politique, c'est l'affaire des hommes». Ainsi donc, pas moins de 31% des répondantes attribuent à la femme un rôle qui est catégoriquement non politique.

Dans des proportions presque aussi élevées (30.8% et 29.2% respectivement), on estime que les jeunes filles doivent être avant tout préparées à tenir la maison et que les femmes actives, hors du foyer, manquent leur véritable vocation. Ici, la portée du point de vue du «rôle» est évidente: pour la femme, l'activité majeure est le foyer. Il est à remarquer cependant que, dans le cas du rôle secondaire de l'instruction pour les jeunes filles, le pourcentage des femmes qui se disent «absolument pas d'accord» est particulièrement élevé (33.3%). Notons enfin que 21.5% des répondantes sont d'accord pour nier à la femme des capacités générales de direction. Par ailleurs, il ne s'en trouve qu'une très faible minorité (9.5%) pour approuver l'énoncé selon lequel la femme qui se mêle d'avoir une carrière sérieuse est souvent ridicule.

Il apparaît donc clairement, qu'en général, une proportion significative des Québécoises attribuent aux femmes un rôle différent de celui des hommes dans la société.

Examinons enfin le sentiment d'optimisme ou de pessimisme des femmes face à leur possibilité d'accession aux mêmes sphères politiques que les hommes. À la question: «Actuellement en Inde, le chef du pays est une femme; pensez-vous que cela pourrait arriver ici?», 40.6% des informatrices ont répondu positivement, 40.3% négativement et 19.1% ne le savaient pas. Lorsqu'une proportion aussi forte de la population féminine estime que jamais une femme ne deviendra chef du pays, on a là une indication d'un pessimisme fondamental et généralisé. Cette proportion est d'autant

## TABLEAU 10

### LISTE DE PROPOSITIONS VISANT À DÉTERMINER L'EXISTENCE DE STÉRÉOTYPES MISOGYNES (EN POURCENTAGES)

| Propositions | Fortement d'accord | d'accord | pas d'accord | absoluement pas d'accord | ne sait pas | total |
|---|---|---|---|---|---|---|
| 1. la place de la femme est avant tout au foyer | 31.9 | 38.1 | 19.3 | 6.7 | 4.0 | 100.0 |
| 2. en général il est préférable que les hommes prennent les décisions importantes | 15.2 | 33.0 | 39.2 | 10.2 | 2.4 | 100.0 |
| 3. la femme est plutôt faite pour s'occuper d'organisations de bienfaisance que de groupes d'affaires ou de groupes politiques | 10.8 | 22.3 | 42.6 | 16.0 | 8.3 | 100.0 |
| 4. la politique, c'est l'affaire des hommes | 13.9 | 17.8 | 38.2 | 25.3 | 4.8 | 100.0 |
| 5. il est plus important de préparer les jeunes filles à bien tenir la maison que de les faire instruire comme les garçons | 14.7 | 16.1 | 34.7 | 33.3 | 1.2 | 100.0 |
| 6. les femmes qui ont beaucoup d'activités (---) en dehors du foyer manquent leur véritable vocation | 9.9 | 19.3 | 44.7 | 15.4 | 10.7 | 100.0 |
| 7. la femme n'est pas faite pour diriger | 5.7 | 15.8 | 45.1 | 24.3 | 9.1 | 100.0 |
| 8. la femme qui se mêle d'avoir une carrière sérieuse est souvent ridicule | 3.5 | 6.0 | 41.2 | 37.6 | 11.7 | 100.0 |

Sources: Sondage inédit décrit dans le texte. L'analyse porte sur 883 répondants.

plus significative que la question est tendancieuse, puisqu'on y cite le cas d'un grand pays où cette situation existe déjà. S'il est vrai qu'une proportion égale des femmes peuvent être considérées comme optimistes, il n'en demeure pas moins qu'il se dégage de ces réponses un certain fatalisme concernant la place de la femme dans la société.

En bref, l'idée que les individus dans une société ont un rôle différent à jouer en fonction de leur sexe est clairement implantée chez les femmes québécoises. Par ailleurs, cette idée ne recouvre pas également tous les secteurs de la vie sociale: les répondantes n'ont en effet pas attribué de responsabilités spécifiques aux femmes dans les domaines de la morale et de la religion.

## Conclusion

En guise de conclusion, nous tenterons de faire le point sur les données recueillies et analysées afin d'en dégager un tableau général.

L'analyse des réponses aux questions d'attitudes tend à démontrer l'existence d'une aliénation politique ou d'une non-intégration à la vie politique chez les femmes québécoises. Cela se vérifie par le degré d'intérêt relativement faible que celles-ci portent à la politique, intérêt qui demeure faible malgré des contacts assez fréquents avec les événements politiques par le truchement des techniques de diffusion de l'information. Il est à noter cependant, que, dans la perspective de notre recherche, le fait qu'un certain pourcentage de femmes même s'il reste moyen, se dit «assez intéressées ou assez au courant» de la politique est une donnée importante parce qu'elle traduit ce qu'une certaine partie de la population féminine estime être une attitude sociale valable. On remarque, par ailleurs, que la proportion de Canadiennes anglaises se considérant «au courant» de la politique est un peu plus élevée que celle des Canadiennes françaises. Dans les deux groupes cependant, on discute de politique: dans le cas des Canadiennes françaises, plutôt avec la famille; dans le cas des Canadiennes anglaises, avec les amis. Pour une partie des femmes québécoises, la politique n'est donc pas un sujet tabou ou rejeté comme allant tout à fait à l'encontre de l'idée de féminité.

L'on peut mesurer un retrait plus net face à la vie politique si l'on s'attarde au diptyque activité-passivité. C'est en effet par l'absence de participation effective et par une très faible propension à participer que la population étudiée manifeste au moins un certain niveau d'apolitisme. Mises en demeure de choisir entre des options passives et actives, peu de femmes choisissent les options actives.

D'une part, le sentiment d'éloignement à l'égard de la politique est relié à une idée d'incompétence personnelle. En réponse à différentes questions posées dans le but de saisir les raisons de l'absence d'insertion dans la vie politique, l'on présente souvent des explications comme le fait «de ne pas avoir la compétence nécessaire», le fait que «d'autres sont mieux placés» et qu'ils «connaissent mieux ça». D'autre part, ce sentiment est aussi relié à la perception que des obstacles à la participation sont inscrits dans l'ensemble du système socio-politique. C'est ainsi qu'on ne fait rien parce que, de toute façon, «dans ces cas-là, il n'y a rien à faire». Les empêchements à la participation sont aussi souvent vus comme la conséquence d'une discrimination contre les femmes en particulier: «on ne donne pas autant de chances aux femmes» semble être une option considérablement répandue.

Quant aux perceptions possibles de rôles socio-politiques différenciés selon les sexes, nous constatons qu'il existe effectivement chez les femmes québécoises de telles perceptions. Près du tiers de la population féminine fait siens la plupart des stéréotypes qui ont cours au sujet de la place de la femme dans la société. En ce qui touche au domaine des responsabilités économiques, elles perçoivent leur rôle comme nettement secondaire à celui des hommes et ceci vaut pour toutes les sous-catégories de la population à l'étude. Par ailleurs, certaines affirmations, comme celle voulant que «les femmes qui ont une carrière sérieuse soient souvent ridicules» ne soulèvent que peu d'approbation de la part des femmes québécoises. Tout en estimant que «la place de la femme est au foyer», elles expriment assez clairement, et dans des proportions importantes, leur insatisfaction de n'exercer que la seule fonction de ménagère, quand c'est le cas.

Pour ce qui est du domaine spécifiquement politique, peu de femmes expriment des objections à ce que d'autres femmes fassent activement de la politique; elles s'y montrent au contraire favorables. Mais en ce qui les concerne personnellement, un grand nombre d'entre-elles hésitent à prendre position ou à poser des gestes de nature politique; leur attitude demeure une attitude de passivité. Il est important de souligner ici cependant que cette attitude passive n'est pas nécessairement propre à la population féminine.

Malgré cette hésitation à prendre part, directement ou non, à la vie politique, une importante proportion des femmes québécoises affirme que les femmes devraient s'occuper de politique autant que les hommes et qu'il est important de s'intéresser à ce qui ce passe dans d'autres pays. Par exemple, le fait que la majorité affirme voter d'une façon autonome alors qu'elles estiment que, dans la plupart des ménages, c'est le mari qui décide du vote, indique clairement que la façon juste de voter pour une femme mariée est de décider elle-même. Il est, bien sûr, plus difficile d'affirmer ici qu'elles prennent effectivement cette décision seules.

Il ressort donc de cette analyse que la population féminine québécoise n'est pas totalement insensible au fait politique et qu'elle ne s'en désintéresse pas complètement. C'est surtout le passage de la nécessité perçue à l'action qui ne se fait pas.

Sur le plan pratique de la rééducation politique de la femme québécoise, il est important de tenir compte de cette donnée qui nous suggère de mettre l'accent surtout sur des modes de participation active qu'il faut présenter à la population considérée. Puisqu'il semble en effet qu'une bonne partie de cette population accepte théoriquement que les femmes aient une part active dans la vie politique de leur société, il devient plus logique de travailler à créer des conditions politiques qui permettraient et encourageraient cette participation. Nous croyons que c'est à partir de cette idée générale que devrait être abordée la question pratique de la particpation féminine à la politique.

*Lectures recommandées*

C. Carisse et J. Dumazedier, «Valeurs familiales de sujets féminins novateurs», *Sociologie et sociétés,* 2 (1970), p. 265-283.

M.J. Gagnon, *Les femmes vues par le Québec des hommes,* Montréal, Jour, 1974.

J. Henripin, *La fin de la revanche des berceaux: ce qu'en pensent les Québecois,* Montréal, Presses de l'Université de Montréal, 1974.

M. Jean, *Québecois du XXe siècle,* Montréal, Jour, 1974.

L. Richard, *La femme au Québec,* Montréal, Parti québécois, 1974.

# Chapitre 13

# Syndicalisme, nationalisme et socialisme

Louis Le Borgne
Université de Grenoble.

*Louis Le Borgne a été, de 1972 à 1976, directeur du Centre de documentation en sciences humaines de l'Université du Québec à Montréal.*

*Le présent article trace les développements qui ont marqué l'évolution d'une centrale syndicale, la CSN, au sujet de la double question du nationalisme et du socialisme. Il s'agit d'une réflexion avant tout de caractère historique où l'auteur fait usage des informations recueillis dans les documents officiels publiés par l'organisme.*

L'analyse des rapports entre un appareil syndical et une problématique politique particulière a été maintes fois entreprise, tant à l'étranger qu'au Québec. Cependant, si les études ont été faites sur la Confédération des Syndicats Nationaux (CSN) d'une part, et sur la question nationale au Québec et au Canada d'autre part, nous ne pensons pas que l'analyse de la contradiction entre ces deux éléments ait déjà été envisagée. La présente recherche tentera d'engager une telle analyse.

Bien sûr, nous n'avons pas ici la prétention de développer une méthode et encore moins une théorie nouvelle des rapports entre syndicalisme et question nationale. Mais nous croyons qu'il faut aller plus loin qu'un simple constat de contradiction entre les deux réalités étudiées ou une simple énumération historique des prises de position d'un appareil syndical sur le nationalisme et vice-versa.

---

\* Adapté de Louis Le Borgne, *La CSN et la question nationale*, Montréal, Albert St-Martin, 1976.

# L'Alliance objective entre la CSN et l'État

Jusqu'en 1960, la CSN voyait dans l'État québécois duplessiste un instrument au service des intérêts économiques autochtones et étrangers, ayant intérêt à combattre toute forme d'implantation syndicale, qu'elle soit d'origine internationale ou nationale, qui pourrait leur faire perdre le profit supplémentaire acquis aux dépends d'une main-d'oeuvre généralement meilleur marché que dans le reste du continent nord-américain. Mais cette centrale ne perdait quand même pas espoir de pouvoir collaborer à une éventuelle réforme « moderniste » de cet État.

Mais à partir de 1960, avec la Révolution tranquille, la CSN voit dans les réformes opérées par le gouvernement libéral de Jean Lesage et, faites avec l'appui des néo-nationalistes et de nouvelles couches sociales au Québec, l'occasion inespérée (ou plutôt espérée depuis longtemps) de devenir une grande centrale syndicale à la fois par le nombre accru de ses adhérents que lui amèneront ces réformes et par l'influence politique qu'elle peut avoir à l'intérieur de ce gouvernement de réforme.

Non seulement, la CSN appuie-t-elle idéologiquement cette réforme mais elle entend y mettre du sien en y participant, et ce, en syndiquant la grande masse des travailleurs du secteur public et para-public. Elle invoquera ouvertement le sentiment nationaliste québécois mais saura utiliser face au gouvernement d'alors, l'argument technocratique pour le convaincre de lui laisser la quasi-exclusivité de cette syndicalisation.

La CSN est convaincue que la présence d'un syndicat libre, travaillant en conjoncture avec la Commission du Service Civil, pourrait aider grandement le gouvernement à mettre de l'ordre dans les conditions de travail, les salaires, la définition et les hiérarchies des emplois de son personnel. Graduellement, le patronage serait éliminé et la fonction publique revalorisée[1].

Il est entendu que la CSN ne peut être que ce syndicat « libre », de son propre point de vue, et qu'elle est la seule à pouvoir offrir sa franche collaboration à l'État québécois face aux autres syndicats internationaux.

Ainsi à l'origine la CSN cherche-t-elle à sortir de son implantation traditionnelle dans les secteurs primaires (travailleurs des mines et du bois) et secondaires (travailleurs du textile, du papier et de la métallurgie), pour lui permettre de s'implanter dans la masse déjà importante des travailleurs du secteur tertiaire en commençant par les employés des institutions publiques et para-publiques (les fonctionnaires, les enseignants, les employés d'hôpitaux, etc.). Ainsi, dès 1966, la CSN réussit à devenir un dangereux adversaire des « unions » internationales et de leur « cartel » québécois, la FTQ.

Cette alliance objective entre l'appareil syndical de la CSN et l'appareil d'État peut expliquer le rôle qu'a pu jouer celle-ci dans le développement de l'appareil d'État et l'intérêt primordial qu'elle attachait à ce développement et à son intégrité. Ceci explique, en contrepartie, la relative facilité qu'ont eu les gouvernements successifs durant les années soixante pour implanter une structure gouvernementale à laquelle la population québécoise était peu habituée avant 1960.

---

1    CSN, *Mémoire annuel au gouvernement provincial,* Montréal, 1966.

Nous verrons maintenant comment et pourquoi les deux appareils ont su y trouver leur compte sans que des mouvements sociaux ou des manifestations spectaculaires soient mis en branle.

Dans la première moitié des années soixante, qui correspond à peu près au règne du Parti libéral, l'État québécois et la CSN ont tout intérêt à se soutenir l'un l'autre.

La CSN y a intérêt parce que, même si à l'époque, elle se défend de tout nationalisme à l'ancienne mode et répudie par conséquent les fondements idéologiques de sa fondation, elle ne peut être que très dépendante de tout événement politique et social d'importance qui a lieu au Québec, et ce, pour la simple raison que cette centrale syndicale en est une, essentiellement québécoise, et que sa base sociale, comme ses perspectives d'implantation sont essentiellement québécoises à quelques exceptions près.

Face à ce cul-de-sac que constitue une organisation trop provinciale (par opposition à une implantation métropolitaine) et trop limitée à un secteur déclinant de l'économie (cuir, textile), la CSN n'a d'autre choix que d'être la centrale syndicale de la Révolution tranquille.

Ce statut l'obligeait nécessairement et inévitablement à participer très tôt, aux transformations de la Révolution tranquille ce que les «unions» internationales n'ont pas su et n'ont pas pu entreprendre si ce n'est que très tardivement.

En conséquence la CSN verra son appareil dépendre de plus en plus directement des intérêts politiques du Parti libéral de Jean Lesage, des réformes étatiques que ces intérêts projettent et des classes sociales dominantes qui les supportent.

Quant à l'État québécois il est dominé au début des années soixante par une classe politique réformiste, divisée en une fraction de tendance néo-nationaliste et une autre de type technocratique. Ainsi, ce qui caractérise cette période, c'est l'alliance de ces deux idéologies au profit d'une réforme de l'appareil d'État québécois qui saura mieux répondre aux besoins d'un capitalisme monopoliste d'État naissant. Si d'une part il y a une volonté d'autonomie dans le cadre québécoise de cette réforme, il se manifeste d'autre part, un besoin de rationalisation du fonctionnement de l'État, dont les projets de planification régionale ou de réorganisation de la fonction publique sont une des formes d'expression. Si dans le premier cas, la planification régionale fit long feu après l'expérience du BAEQ, la réorganisation de la fonction publique au profit de la réforme de l'État pu être menée à bien grâce à la collaboration de ces fractions néo-nationalistes et technocratiques.

Si dans un premier temps, le gouvernement refuse toute idée de syndicalisation de la fonction publique («la Reine ne négocie pas avec ses sujets», disait M. Lesage), il voit bien que l'introduction de la convention collective est un bon instrument de rationalisation des politiques de planification interne. Mais avant de s'engager sur cette voie. l'État demandera des garanties, et la CSN s'empressera de les lui fournir en lui démontrant sa volonté de suivre les objectifs de rationalisation de l'appareil d'État.

Ainsi, l'osmose idéologique entre la CSN et les tenants de la Révolution tranquille est suffisamment complétée pour que le gouvernement Lesage offre à la CSN, sur un plateau d'argent, le contrôle syndical des employés de l'État. Mais nous allons voir que l'échec de la Révolution tranquille au niveau de ses projets économiques, allait démontrer que l'État n'était pas neutre malgré son idéologie réformiste et que les intérêts économiques de la bourgeoisie autochtone ou étrangère pouvaient être assez puissants pour faire reculer l'État dans ses projets «socialisants» de planification régionale ou d'encadrement économique (SIDBEC, SGF).

Les limites pratiques du réformisme allaient forcer la CSN à se poser ouvertement des questions d'abord sur la nature de l'État et plus tard sur le statut de l'État .

## La CSN et la critique du rôle de l'État québécois

Cette prise de conscience progressive par la CSN du rôle de l'appareil d'État en économie capitaliste ne se fera pas seulement sur le plan de la réforme économique mais aussi sur le plan des relations de travail. En effet, du fait que la CSN ait réussi a affilier l'immense majorité des employés du secteur public et para-public (fonction publique et affaires sociales), et du fait que le gouvernement provincial se retrouvait pour ainsi dire, devant un interlocuteur quasi unique, pour ne pas dire un adversaire, dans le cadre des négociations collectives, il était inévitable que l'appareil d'État québécois et l'appareil syndical de la CSN se retrouvent seuls face à face.

En avril et en mai 1966, les grèves successives du Syndicat des professeurs de l'État du Québec, des ingénieurs de l'Hydro-Québec et des fonctionnaires-professionnels du gouvernement du Québec se règlent, la première, en faveur des syndiqués, les autres, au détriment de ces derniers. Mais en juillet-août de la même année, la grève des 32 500 employés d'hôpitaux, tous affiliés à la CSN, se terminera après 19 jours de confrontation ouverte entre le gouvernement de l'Union nationale et la CSN par un match relativement encourageant pour les travailleurs. Mais déjà à cette occasion, une menace de loi spéciale avait été brandie pour briser la grève. Dès cette époque, l'État commence à fourbir ses armes idéologiques (l'intérêt public) et légales (lois d'exception). En janvier de l'année suivante, 9,000 enseignants, pour la plupart de la région de Montréal, allaient connaître la première loi d'exception contre une grève légale dans le secteur public. La CSN allait commencer à en tirer ses propres conclusions.

Ainsi, dès le début de 1966, lors du Congrès de la CSN, Marcel Pepin, ancien secrétaire général et à ce titre, membre de l'appareil syndical et nouvellement élu président de la Centrale en remplacement de Jean Marchand, devait déclarer:

> Comme employeur, le gouvernement provincial ou ses agences, se sont révélés parfois au moins aussi durs que l'entreprise privée. Les difficultés que nous avons rencontrées à l'Hydro, par exemple, sont de ce nombre. Nous comprenons mal que l'État puisse copier les méthodes les plus mauvaises des entreprises privées, ou plutôt, nous croyons le comprendre trop bien; il nous est apparu assez clairement, au cours de plusieurs de nos négociations avec l'État ou avec ses agences, à la Régie des Alcools, par exemple, ou à l'Hydro, que ces négociations se déroulaient sous l'oeil vigilant des grands intérêts privés et que ceux-ci n'entendaient pas voir le gouvernement adopter à l'égard de la main-d'oeuvre des attitudes plus sociales que celles dont eux-mêmes étaient disposés à faire preuve envers leurs propres employés.[3]

---

2    La nature de l'État fait référence aux intérêts économiques des classes sociales qui le contrôlent. Ex.: état antique féodal, capitaliste, socialiste, etc... Le statut de l'État est lié à son niveau d'organisation de contrôle ou de domination / autonomie, souvent déterminé par des réalités nationales ou culturelles (excepté les USA, par ex.).

3    M. Pepin, *Une société pour l'homme,* Montréal, CSN, 1966, p. 17.

Ce constat apparaît déjà comme la première prise de conscience du mouvement syndical et de la CSN en particulier, à l'effet que l'État n'était pas neutre même avec un vernis technocratique, mais qu'il était plutôt, d'abord et avant tout au service des classes dominantes, et que celles-ci pouvaient tout aussi résolument interrompre une réforme sociale et politique lorsque cette dernière allait trop loin, qu'elles pouvaient en réaliser une, comme elles le firent en 1960, afin de moderniser un appareil d'État qui ne répondait plus à ses nouvelles exigences économiques.

Cette déception allait être d'autant plus grande que l'État, ou plutôt ceux qui le dominent, saura enlever d'une main, par des lois d'exception, ce qu'il avait offert de l'autre dans le cadre de sa réalisation. De 1966 à 1972, la CSN allait faire progressivement l'expérience d'une contradiction de plus en plus exaspérante entre les revendications des travailleurs organisés des secteurs public et privé et la nature de l'État au service de la bourgeoisie. Cette prise de conscience était le contrecoup du développement spectaculaire du syndicalisme CSN dans le secteur public et parapublic. Mais cela ne se fera pas d'un seul coup.

Devant cette situation, la CSN n'a pas à cette date d'idéologie et encore moins de stratégies bien précises. Celles-ci se construiront de façon ponctuelle. Il faut critiquer l'État québécois dans ses oeuvres. Il faut combattre les actes politiques du gouvernement. Il faut résister aux pouvoirs des intérêts privés. Mais les moyens qui sont mis en oeuvre font référence soit à la simple information, soit à la dénonciation, en se limitant à l'action ponctuelle des comités de citoyens ou de futurs comités d'action politique (CAP) dont l'action est circonscrite dans le cadre des problèmes du chômage, du logement, de l'assistance sociale ou de l'économie familiale. Et, parmi d'autres moyens, on note la nécessité d'élaborer une idéologie propre qui contrera l'idéologie dominante: «Un quatrième moyen: concurrencer par une critique bien à nous, la pensée des classes dominantes»[4]. Ce sera le projet du «Deuxième front».

Dans ce projet, dominent au moins deux choses: l'appel aux masses, à son imagination et à son initiative, et la nécessité du combat politique. Sur ces deux points, ce document aura une influence considérable à l'intérieur du mouvement ouvrier et syndical au Québec. La CSN, comme le reste du mouvement syndical québécois, auront besoin de ces deux bases, faute de quoi ils se livreront à l'impuissance et à la désintégration.

Mais si en 1968, la CSN ouvrait son «Deuxième Front», elle ignorait encore dans quel cadre national il fallait l'ouvrir; elle préféra rester dans le vague des attaques générales contre les gouvernements provincial et fédéral sans prendre position dans la querelle constitutionnelle entre Ottawa et Québec. Cette ambiguïté n'est pas nouvelle.

## Position traditionnelle de la CSN face au nationalisme :

En 1961, après avoir changé de nom, la CSN revisait ses statuts en leur donnant un contexte «national» qui rejetait en même temps un cléricalisme traditionnel trop limité à la société canadienne-française:

La Confédération est une organisation syndicale, nationale, démocratique et libre[5].

---

4    M. Pepin, *Le Deuxième front,* Montréal, CSN, 1961, p. 18.
5    CSN, *Statuts et règlements,* 1961, article 2.

La Confédération a pour but de promouvoir les intérêts professionnels, économiques, sociaux et moraux des travailleurs canadiens, sans discrimination, à cause de la race, de la nationalité, du sexe, de la langue, de la religion[6].

Ainsi, le qualificatif de «national» prend dès le début un sens qui cherche à aller à contre-pied des tendances traditionnelles de l'ancienne CTCC, tant sur le plan religieux que sur le plan national. Il n'est plus question de se limiter aux travailleurs canadiens-français catholiques mais de rejoindre tous les travailleurs canadiens, entendu au sens large.

Au début des années soixante, l'avènement des forces néo-nationalistes représentées par des groupes de droite comme l'Alliance Laurentienne de Raymond Barbeau, ou le Parti Républicain du Québec de Marcel Chaput, ou par des forces de gauche ou progressistes comme l'ASIQ de Raoul Roy, et le Rassemblement pour l'Indépendance Nationale sera rejeté par le mouvement syndical en général ou bien tout simplement ignoré.

En ce qui concerne la CSN, le développement des groupes néo-nationalistes comme le RIN et ce, malgré leur appui ouvert à l'idéologie et au développement de la Révolution tranquille, ne provoque qu'une attitude de rejet comme en 1962 où «la centrale se prononce contre le séparatisme, à moins qu'on ne lui prouve que cette mesure soit nécessaire pour le statut économique, social et culturel de la nation[7].»

La volonté de la CSN de s'identifier au cadre constitutionnel canadien ne fait pas de doute, mais son attitude pratique, comme ses prises de positions quotidiennes, dénote qu'elle est assez réaliste pour se rappeler que sa base sociale a été et reste pour le moment la société canadienne-française au Québec et que, par conséquent, elle aurait tort de se démarquer un peu trop de celle-ci sur les différentes questions à l'ordre du jour, y compris le «séparatisme».

Jusqu'ici la CSN a les réactions de défenses traditionnelles à tout organisme canadien-français classique. Défense de la langue, défense des minorités et défense de l'autonomie provinciale, surtout dans le cadre de l'expansion de l'appareil d'État provincial au Québec. Mais cela prendra encore un certain temps avant que la CSN accepte ou admette de se limiter au cadre étroit de la province de Québec, alors que théoriquement tout le contexte canadien lui est ouvert. C'est pourquoi elle refusera encore longtemps de considérer le problème culturel et politique du Québec dans l'optique de l'idéologie néo-nationaliste.

On peut comprendre autrement cette attitude d'hostilité devant le «séparatisme», du fait qu'à l'époque de Duplessis, comme d'ailleurs auparavant, le nationalisme et le cléricalisme étaient l'éternel cheval de bataille contre le développement du mouvement syndical, même catholique, et même d'origine canadienne-française et nationaliste comme la CSN.

Au début de la Révolution tranquille et pour l'appareil de la CSN à l'époque, le néo-nationalisme indépendantiste n'apparaissait que comme une variante radicalisée (ou même fasciste) de l'autonomisme de Duplessis. Le mouvement

---

6    *Ibid.,* article 3.

7    R. Parenteau, *L'évolution du nationalisme à la CTCC-CSN,* thèse de M.A., Dép. de sociologie, Université Laval, 1970, p. 45.

syndical dans son ensemble, à la base comme au sommet, ne pouvait voir chez les tenants du «séparatisme» que l'expression traditionnelle d'une petite bourgeoisie canadienne-française, attentive seulement à exploiter la classe ouvrière à son seul profit.

Voyons à présent comment s'est développé le processus d'acquisition d'une conscience nationale à travers l'acquisition d'une idéologie de la classe ouvrière.

## La CSN et le néo nationalisme

On a vu jusqu'en 1966, la CSN utiliser l'idéologie nationaliste pour favoriser son implantation dans les secteurs publics et para-publics et, comme toute idéologie, elle ne l'utilisait pas de manière innocente, car c'était sous cette forme que s'exprimait sa collaboration idéologique avec l'État québécois.

Cependant, à la fin de l'année 1965, la conjoncture va commencer à évoluer. Lors de son départ en août, Jean Marchand voit couronner son oeuvre maîtresse: la syndicalisation des fonctionnaires de la Province de Québec et leur affiliation à la seule centrale syndicale québécoise qui prétend répondre à une des conditions exigées par la loi de la Fonction publique, à savoir son absence d'affiliation ou de contact avec un parti politique, c'est-à-dire la CSN. Il laissera en héritage un avant-projet de mémoire au Comité de la Constitution de l'Assemblée législative du Québec qui aurait été rédigé, semble-t-il, par M. Pierre Elliot Trudeau[8].

Le mémoire définitif tel qu'il sera adopté par les appareils syndicaux concernés, s'il diffère beaucoup dans sa forme de l'avant-projet, ne différera pas tellement quant au fond de la position bien connue de monsieur Trudeau en matière constitutionnelle. Dans l'avant-propos, on y voit un long réquisitoire anti-séparatiste qui se termine par une défense du statu quo constitutionnel marqué de quelques aménagements dans la répartition des responsabilités entre Ottawa et Québec. Dans la forme et pour la forme, cet avant-projet invoque l'argument économiste pour mobiliser les travailleurs contre le séparatisme, étant sous-entendu que de toute façon, ceux-ci ne s'intéressent pas aux «problèmes constitutionnels» mais s'il n'y a rien qui touche ou qui effleure les intérêts propres de la classe ouvrières en matière constitutionnelle.

Sur la forme cependant, le mémoire définitif est beaucoup plus sobre, se contentant de rejeter le séparatisme comme une idéologie économiquement non rentable pour les travailleurs et difficilement applicable dans son établissement: «Tant que les analyses n'auront pas été faites et discutées, l'indépendance demeurera à nos yeux seulement une hypothèse et non une thèse; une hypothèse insuffisante pour permettre non seulement l'adhésion mais une discussion objective de quelque importance»[9].

Cependant, contrairement à Trudeau, ce mémoire admet que la question nationale est d'abord une question à poser au Québec et que c'est dans le contexte québécois qu'il faut régler le problème.

---

8    P.E. Trudeau, *Mémoire commandité conjointement par la CSN, FTQ et UCC,* miméo, 1965, avant-projet confidentiel.

9    CSN-FTQ-UCC, *Mémoire soumis au comité de la constitution de l'Assemblée législative du Québec,* Québec, 1966, p. 17.

Nous n'interprétons pas à l'heure actuelle la crise dont nous parlons comme une catastrophe, mais comme un avertissement, d'ailleurs assez grave. Qu'on le veuille ou non, le chemin d'une harmonisation des institutions québécoises et des institutions canadiennes passe par le Québec, il serait dangereux de l'oublier [10].

Cette position est bien plus nuancée que celle avancée par Trudeau dans son avant-projet et qui rejette même la spécificité québécoise de la question nationale, laissant la place tout au plus aux problèmes des rapports, particulièrement entre Canadiens français et Canadiens anglais sur le problème de la langue dans le Canada tout entier. La différence sera capitale, car elle indique que depuis le départ de Marchand, l'optique pan-canadienne des projets de développements futurs de la CSN s'est estompée avec lui.

De plus, ce mémoire conjoint élaboré dans les officines des bureaucraties syndicales, puisqu'il ne sera entériné que par le bureau confédéral, est un bon exemple de l'attitude à la fois élitiste et peu compromettante de ces appareils syndicaux.

La publication du mémoire allait provoquer une réaction en chaîne dont l'effet ne se fit pas immédiatement sentir. Ainsi, dès son congrès d'octobre 1966 et en réaction au mémoire conjoint CSN-FTQ-UCC, la CSN adopte à l'unanimité une résolution sur le droit du Québec à l'autodétermination, un peu pour contrebalancer l'absence de conclusion du mémoire conjoint sur la constitution présentée par le bureau confédéral de la CSN au congrès (...).

Attendu que le mémoire a été étudié à de nombreuses occasions, qu'il a été adopté par le bureau confédéral et soumis aux autorités gouvernementales, le Comité ne voit pas la nécessité de faire des recommandations [11].

Cette résolution, bien que formelle, avait cependant pour effet, d'afficher une première expression purement nationaliste à la CSN depuis 1960 et ce, en plein congrès. De plus, elle admettait de la part de la CSN que la question nationale au Canada, était bel et bien un problème d'origine québécoise, même si on n'y fait allusion qu'au Canada français. Et que, par conséquent, la CSN en tant que mouvement syndical québécois «de facto», ne pouvait y être indifférente ou l'ignorer sous prétexte que ce mouvement syndical ne pouvait pas prendre position au nom de ses membres sur des questions de nature politique.

Cette prise de position, toute modérée qu'elle était, allait être suivie par d'autres, qui l'étaient beaucoup moins et à des niveaux structurels qui montreront combien la CSN représente des intérêts de groupes multiples et plus complexes que la composition de classes ou de fractions de classes qu'avait connu traditionnellement la Confédération avant 1960 ou même avant 1965. Ainsi, en octobre 1967, à son congrès de Trois-Rivières, le Syndicat professionnel des enseignants, affilié à la CSN et à une des premières composantes de la FNEQ, adoptera la résolution suivante:

Tout en réaffirmant notre confiance à la CSN, nous déplorons les initiatives de MM. Robert Sauvé et Marcel Pépin, qui, sans avoir consulté les adhérents de la CSN, ont associé la centrale syndicale au manifeste tripartite

---

10    *Ibid.*, p. 17.

11    CSN, *Procès-verbal de la 43e session du congrès de la CSN*, Montréal, CSN, 1966, p. 390.

FTQ-CSN-UCC, rejetant l'option indépendantiste et prônant le fédéralisme[12].

Il est significatif que cette résolution ait attaqué la représentativité de l'appareil sur les questions politiques à cause de sa non-consultation des membres sur des questions d'intérêt général (politiques), et qu'elle semble admettre à fortiori qu'une prise de position en faveur de l'indépendance par la CSN doit être représentative de tous les membres de la centrale. Mais ce type de réaction montre bien que la CSN des années 66-67 n'est plus la même que celle du début des années soixante ou précédentes, et qu'elle a dans son sein de nouveaux types de travailleurs qui ne voient pas du même oeil la question nationale que «l'establishment» syndicale. Ce sera le défaut de celui-ci de ne pas s'en être aperçu.

Il y aura cependant quelques exceptions individuelles dans cet appareil syndical. Ainsi, la présence à la CSN d'un Pierre Vadeboncoeur, qui a fait le choix indépendantiste au milieu des années soixante, montre bien que l'appareil syndical n'était pas monolithique et qu'il pouvait inclure des individus qui, tout en ayant fait l'expérience du nationalisme de Duplessis, pouvaient admettre que la question nationale puisse être comprise autrement que dans une perspective réactionnaire. Mais la CSN allait avoir à faire face à des groupes de pression extérieurs autrement plus étrillants que les quelques syndicalistes ou cadres de l'appareil dont l'idéologie personnelle de type socialiste rejoignait l'idéologie néo-nationaliste.

En effet, s'il existe des mouvements dont parle Marcel Pépin dans son rapport moral de 1966, qui doublent la CSN par la gauche, il en existe d'autres qui tout en la doublant par la gauche, mettent la CSN devant ses «responsabilités nationales». Parmi ceux-ci notemment, il y a le groupe Parti pris mais il y a aussi des partis politiques comme le RIN. Durant les années soixante, le RIN sera un des plus dynamiques représentants de cette «nouvelle petite bourgeoisie» néo-nationaliste, avec sa gauche ouvriériste et un centre de type technocratique (le RIN se détachera de sa «droite» avec le départ de Marcel Chaput). Ce parti / groupe de pression ne manquera pas d'entreprendre différentes offensives en direction du mouvement syndical et plus particulièrement, vers la CSN qui lui semblait être la centrale syndicale la plus réceptive à l'idéologie nationaliste. Une des principales critiques que ne manquera pas de faire le RIN envers le mouvement syndical, sera son manque d'intérêt à entreprendre des luttes sur le plan de la langue de travail au Québec et son manque de leadership dans la classe ouvrière. Ainsi en septembre 1966, Pierre Bourgault alors chef du RIN, déclarait:

> Je crois que la direction de la CSN est «pourrie» sur le plan idéologique. Dans ce domaine, la direction de la FTQ ne vaut guère mieux. On fait du syndicalisme comme en 1895. On manque tout à fait d'originalité dans les solutions. La pensée des syndicats est sclérosée mais la direction ne semble pas y attacher une importance particulière. Les deux centrales, FTQ et CSN font trop peu de cas des revendications des ouvriers canadiens-français qui doivent avoir le droit de travailler dans leur langue[13].

Cependant, le RIN est assez réaliste pour ne pas demander que le mouvement syndical prenne immédiatement position en faveur de l'indépendance. Mais à l'occasion des congrès de la CSN par exemple, il engageait celle-ci à faire un choix.

---

12    Cité dans *L'indépendance*, vol. 6, no 3 (1967), p. 5.

13    Cité dans *L'indépendence*, vol. 6, no 20 (1966), p. 1.

L'exécutif de la Confédération est élu à tous les deux ans au congrès biennal. La majorité des congrès viennent des syndicats. Ce sont eux qui établissent les grandes lignes de la politique du mouvement... D'où il s'ensuit que Pepin et les autres dirigeants ne peuvent inventer la politique du mouvement (...)

Il leur appartient aussi d'avoir le courage de soumettre aux membres leurs opinions sur l'avenir du mouvement, sur l'enjeu véritable des luttes qu'on a menées [14].

Le RIN croit que par le biais de la politisation, la CSN sera en mesure d'entreprendre ses propres réformes internes et peut-être par le fait-même, reviser ses positions constitutionnelles: «La CSN devra donc ou prendre le pouvoir, faire sa propre révolution ou forcer les gouvernements à la faire. Dans les deux cas, elle accepte le défi politique» [15].

Quoiqu'il en soit, nous connaissons les réponses à moyen terme que la CSN apportera à ces exigences; et elles seront au total positives, même si verbalement les chefs syndicaux réagiront négativement ou ne feront aucune allusion aux groupes de pressions nationalistes.

Mais déjà fin 1967 début 1968, les événements vont s'accélérer et l'entrée en scène du Parti québécois (PQ) coïncidant avec la bataille du «Bill 63» sur le choix des langues d'enseignement au Québec, va accélérer l'exarcerbation des contradictions dans la question nationale dont les événements d'octobre ne seront qu'une des péripéties des plus spectaculaires.

Comme on l'a vu précédemment, les dirigeants de la CSN, comme Marcel Pepin ou Robert Sauvé, ne voulurent rien savoir face au développement des nouvelles forces politiques néo-nationalistes et refusèrent systématiquement d'engager leur centrale dans un débat de fond sur la question nationale.

Jusqu'ici les réactions négatives des centrales syndicales et de la CSN en particulier, face à l'incident De Gaulle et face aux États Généraux, ne sont que l'expression exclusive d'appareils syndicaux qui ne comprennent rien au développement politique récent du Québec. Ces dirigeants syndicaux se croient toujours dans la période faste de la première moitié des années soixante. Ils croient que le syndicalisme de collaboration avec l'État québécois peut encore se perpétuer, que l'État jouera toujours franc-jeu.

Cependant, dès janvier 1967, la grève des enseignants de la région de Montréal, qui se terminera par la première loi spéciale (Bill 25) des années soixante, privant des syndiqués de leur droit de grève légale, allait donner à ces dirigeants un avant-goût des futurs rapports Etat / Syndicats de même qu'une bonne mesure des moyens encore disponibles entre les mains d'un gouvernement qui apprendra à se servir judicieusement de la population comme «otage» à l'intérieur d'un conflit somme toute limité. Malgré tout, les appareils syndicaux ne sentirent pas immédiatement le danger et furent incapables de s'unir concrètement, si ce n'est par des déclarations verbales d'appui aux syndiqués concernés.

Mais avec les départs de Jean Marchand et de Robert Sauvé, disparaissait une certaine image de la CSN longtemps liée aux projets et aux avantages de la

---

14    Cité dans *L'indépendance,* vol. 6, no 21 (1966), p. 1.

15    *Ibid.,* p. 1.

Révolution tranquille. À ce moment-là, la CSN représentait la grande majorité des travailleurs du secteur public et para-public (50% de ses membres et 90,000 syndiqués). Si la grève perdue du transport public à Montréal avait laissé la CSN avec ses seules forces, celles-ci sont cependant très importantes et surtout représentatives de toutes les couches laborieuses de la société québécoise.

Le Congrès de 1968 de la CSN allait voir naître le «Deuxième Front», seule solution idéologique et stratégique à l'impasse créée par les répressions des grèves du secteur public et para-public et auxquelles l'euphorie et l'idéologie de collaboration de l'époque Marchand avaient peu préparé la CSN à réagir. Ce congrès allait aussi préparer le terrain à des «intrusions» idéologiques; et ceux qui les avaient fait naître, furent bien incapables de les réprimer par la suite, quand elles échappèrent à leur propre contrôle. En effet, le langage nouveau d'une partie de l'appareil syndical et l'arrivée massive de nouvelles catégories de travailleurs à la CSN prépareront un terrain favorable à la contestation idéologique permanente de la base sur l'appareil et ce, à commencer par la question nationale.

Ainsi, à ce fameux Congrès de 1968, la CSN décide en fin de compte, de prendre officiellement position en faveur de la langue française comme langue de travail. L'accélération du développement de la contradiction principale (la question nationale) en même temps que le développement de la contradiction fondamentale (lutte de classes) allaient montrer dès cet époque, qu'on ne pouvait lutter contre un État, dans ce cas-ci, québécois, sans en connaître la nature ni sans en identifier le statut. La grève de cinq mois de la Régie (d'État) des Alcools qui se termina en novembre 1968, finit par obliger la CSN, même au niveau de l'appareil syndical et après les dures expériences précédentes (grèves des hôpitaux, grèves des transports publics, grèves à l'Hydro-Québec), à reviser complètement sa position traditionnelle sur la nature de cet État québécois dont elle avait participé, au début des années soixante, à la réforme et à la consolidation par son idéologie de collaboration et de rationalité. Ainsi, la CSN revenait aux mêmes constatations d'avant la Révolution tranquille et retournait aux dures réalités longtemps oblitérées par l'idéologie réformiste.

Si le développement de la contradiction fondamentale, force d'un côté la CSN à reconnaître le rôle répressif que joue l'appareil d'État dans les rapports de classes et, par conséquent, à élaborer une idéologie qui saura analyser et faire prendre conscience de cette réalité pour mieux s'en défendre, de l'autre côté, les nouvelles fractions de classes issues de la Révolution tranquille syndiquées et «reconnues», si l'on peut dire, par celle-ci, allaient entraîner une partie de plus en plus grande de la classe ouvrière traditionnelle dans le débat sur la question nationale. À savoir que la situation d'oppression nationale tant sur le plan culturel que sur le plan politique, est le lot actuel des Canadiens français en général et des Québécois en particulier et, que le seul cadre politique qu'ils pourraient contrôler totalement a, actuellement, un statut dépendant à tous les niveaux, directement ou indirectement.

Évidemment, la création du MSA (devenu plus tard le PQ) par René Lévesque et l'influence idéologique de ce dernier, aura été aussi déterminante et même aura encore fait plus pour inciter la majorité des membres de la CSN vers l'idéologie néo-nationaliste que ne l'aurait pu tous les rapports moraux ou toutes les résolutions des congrès de la CSN qui, d'ailleurs, auront été presque toujours muets sur cette question.

Progressivement, beaucoup de militants et de cadres syndicaux de la base deviendront membres du PQ et participeront intensément dans les rangs de ce parti à la campagne électorale d'avril 1970. Il y aura même de nombreux cadres syndicaux qui se présenteront pour le PQ (et aussi, il faut le dire pour le PLQ, l'UN, le NPD-Québec). Ainsi pour le PQ, pas moins de dix-huit syndicalistes se présenteront en avril 1970, dont Robert Burns et J.P. Boutin de la CSN contre quatre candidats syndicalistes au Parti libéral, un seul à l'Union nationale et trois au NPD. De plus les relations toujours informelles entre la CSN et le PQ se développeront surtout au niveau des Conseils centraux régionaux de cette centrale dont le rôle est justement d'intervenir au niveau politique pour la défense des travailleurs. Mais le cas du Conseil Central des Syndicats Nationaux de Montréal (CCSNM) dirigé par Michel Chartrand, est le meilleur exemple sans doute où un appareil entier de la CSN appuiera un candidat PQ à fond, dans le cadre de la lutte électorale de Robert Burns dans Maisonneuve.

Cependant, avant d'en arriver là, certaines étapes durent être franchies et de nombreuses justifications furent avancées et, chaque fois, ce fut une certaine base syndicale qui s'affirma de façon décisive, malgré les réticences de l'appareil central de la CSN. Au contraire, à la FTQ, si ce ne fut pas l'opposé, du moins la direction de la FTQ et une partie de la direction de ses puissantes fédérations (SCFP, Métallos) suivirent-elles ouvertement la poussée de leur base vers le PQ et envoyèrent encore plus de leurs cadres se présenter comme candidat péquiste que ne le fit la CSN.

Ces étapes furent celles par exemples de la grande controverse sur le Bill 63 en 1969, la CSN refusant, comme la FTQ d'ailleurs, d'adhérer d'abord au Front pour un Québec Français visant à combattre ce projet de loi sur la langue d'enseignement au Québec. Ce Front qui était déjà composé de la Société St-Jean-Baptiste, du PQ, de la CEQ et de divers autres groupes de pressions nationalistes combattait pour les mêmes raisons qui poussaient traditionnellement les syndicats à se méfier d'abord des mouvements et des campagnes strictement nationalistes ou paraissant telles. Malgré tout, de nombreuses fédérations et syndicats locaux de ces centrales, directement concernés par le débat créé par le Bill 63, puisque leur base était liée par le secteur de l'éducation ou par le secteur nationalisé, comme par exemple, FNEQ ou SCFP, allaient participer aux manifestations de protestation contre le Bill 63 et forcer, par leur exemple leurs centrales respectives à adhérer au MQF un peu plus tard.

Face à cette réalité sans doute, une instance supérieure de la CSN, son Conseil confédéral, réunissant plus d'une centaine de délégués du Bureau Confédéral, des différentes fédérations et des principaux syndicats ainsi que ceux des Conseils centraux régionaux, se prononca en octobre 1969 en faveur de l'unilinguisme français au Québec sans autres précisions. En tenant compte de ses prises de positions antérieures sur le droit à l'autodétermination du «Canada français», sur le rejet de la formule Fulton-Favreau, sur le français comme langue de travail, c'était quand même la première fois que la CSN, à travers une de ses principales instances décisionnelles, prenait position dans le sens d'une idéologie nationaliste radicale, dépassant même sur la stricte question de la langue, la position officielle du PQ.

Le résultat assez ambigu des élections de 1970 où le PQ gagna sa première victoire morale, ne fit qu'accentuer la tendance à l'appui direct au PQ, surtout après que la CSN eut retrouvé au moins un homme à elle (Robert Burns) dans la députation péquiste. Les résultats des élections dans les quartiers populaires de Montréal qui éliront des candidats péquistes, permettront au CCSNM de justifier sa position précédente et même de renforcer la thèse «étapiste» au sein de la CSN, d'autant plus que la majorité des travailleurs du secteur public et para-public appuyaient cette tendance.

Beaucoup allaient justifier cette attitude en faisant remarquer que tout en appuyant le PQ, le CCSNM gardait un esprit critique face à ce parti, et affirmaient qu'en appuyant la lutte pour l'indépendance par le PQ, on frayait une voie à l'idéologie du socialisme, position qui sera celle de Pierre Vallières. La force relative du PQ lui crée donc de nouveaux alliés après les élections de 1970 et, même à la CSN, certains s'aventurent à faire des déclarations après les élections, ce qu'ils n'avaient pas osé avant, comme le Conseil Central des Laurentides qui déclara ouvertement en novembre 1970 sa volonté «d'axer ses politiques d'avenir vers l'indépendance du Québec»[16].

Au treizième congrès du CCSNM en avril 1971, celui-ci transforme un appui électoral et circonstanciel d'avril 1970 en faveur du programme péquiste, en appui officiel au Parti québécois en tant qu'organisation, et non pas seulement à son programme de libération nationale dans le cadre d'une renaissance de l'idéologie de la Révolution tranquille.

Malgré les événements et malgré la pression de la base en congrès ou au Conseil confédéral, la direction de la CSN refusera toujours de prendre la voie indiquée par le CCSNM à l'effet de considérer le PQ comme le meilleur représentant des intérêts des travailleurs. L'occasion allait lui en être fournie, à l'occasion de la manifestation inter-syndicale FTQ-CEQ-CSN contre le lock-out du journal *La Presse*, de prouver la justesse de son point de vue, alors qu'à cette occasion le PQ refusa de se compromettre dans cette manifestation ouvrière pour des raisons qui tenaient plus plus de l'instict électoral que de la solidarité syndicale.

Mais répéter à tout venant que «l'action politique à la CSN s'exerce en dehors des partis politiques, parce que nous considérons que les partis politiques sont des leurres, et que ce n'est pas par ce chemin là que les travailleurs organisés pourront eux-mêmes décider de leur sort»[17], n'était qu'une façon négative et simpliste de surmonter le défi du «Second Front» et de ses effets dans le domaine national ou tout simplement politique.

La CSN se retrouve donc avec un autre conflit politique sur les bras, conflit qui risque de la diviser si elle décide trop tôt de le trancher formellement dans un congrès.

La première réaction avait été d'ignorer le problème et de refuser d'en parler. Mais cela n'avait pas suffi et le problème s'était amplifié avec les années. Pour certains, la deuxième solution, définitive celle-là, était d'éliminer le problème en écartant un de ses pôles, à savoir Michel Chartrand. Ce sera l'expulsion de celui-ci et de son syndicat (syndicat national de la construction de Montréal) en juin 1970, de la FBB de la CSN. On sait que cette opération échouera parce que Michel Chartrand restera à la tête du CCSNM et ne pourra de ce fait, être expulsé de la CSN, à moins d'expulser tout le CCSNM de la CSN.

Une troisième tentative de surmonter la crise, allait être avancée afin de résoudre politiquement cette fois-ci, cette contradiction principale qui était parvenue à apporter la division idéologique jusqu'au sein de la CSN. Seule une idéologie propre au mouvement ouvrier et dans la ligne du «Second Front», lequel semblait faire encore l'unanimité de tous à la CSN, pouvait sortir la CSN de la dangereuse pente de la dépendance idéologique au PQ auquelle l'avait, semble-t-il, attelé le CCSNM.

---

16    Cité dans *Québec Presse*, vol. 2, no 48 (1970, p. 2.

17    Cité dans *Québec Presse*, vol. 3, no 36 (1971), p. 3.

*Socialisme et nationalisme*

Cette troisième tentative ne sera pas le fait d'une décision bureaucratique ni même d'une résolution d'une quelconque instance de la CSN, mais plutôt le résultat d'un cheminement idéologique interne à travers lequel chaque groupe et chaque instance syndicale devra se situer, ce qui n'allait pas l'empêcher de toute façon d'être à l'origine d'une scission.

Le refus de la CSN en tant que mouvement de masse, de prendre position ou même de discuter à fond de la question nationale, s'il avait eu pour conséquence immédiate d'éviter les scissions internes, n'avait quand même pas empêché des incursions isolées et de plus en plus avancées de certaines instances syndicales en faveur du PQ qui en retirait seul les bénéfices politiques. Cette évolution en ordre dispersé privait la CSN de toute réflexion collective sur la question nationale.

Le seul moyen de surmonter la contradiction n'était ni de l'ignorer ni de l'éliminer, mais de trouver des instruments et des cadres d'analyse qui aillent au-delà des prémisses théoriques de l'étapisme et des limites idéologiques et politiques imposées par le PQ qui en découlaient. Cette analyse devait revenir à l'objet même de la lutte syndicale traditionnelle, à savoir la défense de l'intérêt des travailleurs qui seule fait l'unité du mouvement syndical. C'est à ce moment que l'on passa à l'autre volet de la problématique étapisme-indépendance-socialisme, à savoir le socialisme. Mais dans la hâte de trouver une solution, si on commença à s'intéresser au projet socialiste, on laissa momentanément de côté la partie indépendantiste du projet, à cause de la complexité théorique qu'elle impliquait et la crainte qu'en misant sur les deux éléments de ce volet, on ne verrait pas la volonté bien arrêtée de la CSN de se différencier radicalement du PQ. Par conséquent, on misa d'abord uniquement sur le projet socialiste et on relégua aux oubliettes encore une fois le projet indépendantiste dans le document-clé de cette offensive idéologique de la CSN: «Ne comptons que sur nos propres moyens».

Lorsque la CSN mettra de l'avant, en octobre 1971, ce nouveau manifeste précédé depuis peu par un autre document comme «Il n'y plus d'avenir pour le Québec dans le système actuel», il sera immédiatement perçu comme une tentative de mettre sur pied un instrument d'analyse de la société.

Sans entrer dans le détail du contenu du document. «Ne comptons que...», il apparaît que toute l'analyse économique qui y est faite, semble prendre pour cadre celui du Québec, et la société et ses besoins qui y sont décrits sont essentiellement et exclusivement québécois. Malgré tout, l'appareil d'État dont on dénonce la collusion avec les intérêts capitalistes, semble avoir le même statut que n'importe quel autre État indépendant, politiquement. En somme, seule la volonté populaire et une bonne stratégie politique d'un éventuel État socialiste québécois face à l'impérialisme américain, seraient suffisants pour modifier la situation économique qui y est dénoncée. Pour les auteurs du manifeste, l'indépendance du Québec est déjà faite au moment où ils écrivent, ou alors elle n'est pas nécessaire à leur projet. De toute façon, ils n'en parlent pas, ou si peu, si ce n'est pour dire qu'on se fait des illusions si l'on croit qu'avec simplement un État indépendant on peut «civiliser» le capital étranger.

Plus tard, beaucoup plus tard, après la crise que dût subir la CSN en 1972, «Ne comptez que...» apparaîtra rétrospectivement comme un document en faveur de l'indépendance du Québec.

Nous ne sommes pas d'accoprd avec cette assertion parce que nous croyons que justement le manifeste de la CSN avait été adopté même par des dirigeants de la

CSN dont la pensée politique, on le verra, était très éloignée du cadre d'analyse marxiste qui avait présidé à son élaboration, parce que justement «Ne comptons que...» avait toutes les apparences d'une charge contre le néo-nationalisme indépendantiste prôné par le PQ. L'espoir de ces dirigeants était peut-être centré sur la forte connotation socialisante de ce document qui parviendrait à s'opposer au discours idéologiquement progressiste du PQ. C'était utiliser la vieille tactique de l'opposition du «social» et du «national» en espérant qu'elle serait encore utilisable.

De toute façon, il est un fait sur lequel on n'a pas assez insisté: ce sont les dirigeants syndicaux qui étaient les plus liés aux secteurs traditionnels de la CSN et qui s'opposaient le plus farouchement à toute discussion sur la question nationale qui demandèrent à certains intellectuels de rédiger ces manifestes.

Ces dirigeants tentèrent donc par la question sociale et en y mettant, croyaient-ils, des couleurs socialisantes, d'enterrer la question nationale qui divisait la CSN et d'éviter ces mêmes divisions sur leur propre document en espérant l'enterrer de la même manière, un peu plus tard. Mais le manifeste allait, si l'on peut dire échapper à leur contrôle et avoir des effets insoupçonnés de ses initiateurs. Cette petite histoire est un bon exemple de l'utilisation d'un certain gauchisme idéologique, afin de mieux camoufler une stratégie ou une politique en fait, réactionnaire ou conservatrice. La crise de la CSN de 1972 allait mettre bas les masques idéologiques et permettre de connaître plus précisément les véritables acteurs de cette évolution en plusieurs tableaux. En attendant, seule la manière différente d'appréhender ces manifestes permettra à «Ne comptons que...» d'être adopté en octobre 1971, sans trop de discussion sur son contenu, par le Conseil confédéral de la CSN. Auparavant, le document «Il n'y plus d'avenir...» avait été adopté à l'unanimité par ce même Conseil confédéral.

Ceci s'explique par le fait que les éléments conservateurs ne pouvaient qu'adopter un document dont ils avaient encouragé la rédaction et qui surtout, ne faisait aucune allusion à la question nationale si ce n'est par une brève mention qui semblait de toute façon négative et qui surtout pouvait être utilisée plus tard comme un épouvantail idéologique «marxisant» auprès des syndiqués contre Marcel Pepin, le défenseur du manifeste et ses alliés progressistes. Les néo-nationalistes pro-péquistes ne pouvaient qu'adhérer à un manifeste qui semblait admettre implicitement dans son langage, la nécessité d'un État québécois indépendant. Enfin, la gauche «anti-étapiste» de la CSN voyait dans «Ne comptons que...» la base même de son projet idéologique et politique. En somme, le 6 octobre 1971, journée où fut adopté «Ne comptons que...» fut une journée de dupe.

En attendant, ce document n'allait donner à la CSN qu'un court répit et une unité plutôt artificielle durant les négociations et la constitution du Front Commun inter-syndical du printemps de 1972 dans le secteur public et para-public. Car immédiatemtt après l'adoption du manifeste, les deux factions progressiste et modérée, se lanceront dans une guerre de dénonciation. Le manifeste sera utilisé par les modérés comme une étiquette idéologique contre Marcel Pepin et ses alliés progressistes à l'intérieur de la CSN.

Si la publication de «Ne comptons que...» est à l'origine théorique, si l'on peut dire, des premières revisions idéologiques d'une certaine gauche à la CSN, concentrée surtout au CCSNM, le «lock-out» du journal La Presse et sa fameuse manifestation du 29 octobre 1971 à laquelle refusera de participer le PQ allait être à l'origine d'une des premières contradictions entre les objectifs poursuivis par le PQ et ceux poursuivis par les centrales syndicales.

En effet, ce jour-là, la direction du PQ et ce, malgré le souhait de sa minorité pro-syndicale, décide de ne pas participer à cette manifestation de protestation contre le «lock-out» de *La Presse,* manifestation organisée et appuyée par les trois centrales du Québec. La raison donnée tient à une seule chose: ne pas être mêlé à une manifestation dont on n'avait pas le contrôle et qui risquait de mal tourner, étant donné l'interdiction de toute manifestation par le maire Jean Drapeau (et tel fut le cas). Le PQ ne voulait pas ternir son image de marque dans une manifestation de rue et surtout paraître avoir été à la remorque des syndicats dans cette affaire. Plus tard, René Lévesque établira plus précisément les limites de la collaboration entre le PQ et les syndicats.

> Il est bien évident que nous avons été toujours du côté des travailleurs, salariés ou à l'heure, col bleu ou col blanc. Mais nous n'avons jamais prétendu être un parti travailliste, dans le sens du mot, tel qu'on le voit en Europe. Nous avons toujours refusé de nous laisser bousculer par les syndicats et de développer une sorte de dépendance avec ces derniers. L'incident du 29 octobre a créé un froid dans les jours qui suivirent, mais la raison a pris le dessus sur l'émotivité. Nous avons maintenant la preuve que nos membres sont profondément d'accord avec la décision que nous avons prise[18].

La désillusion du 29 octobre 1971 allait amener une partie des nationalistes de la CSN à réviser leur position, soit ne plus espérer une hypothétique radicalisation du PQ et par conséquent, rejeter le suivisme politique caractéristique de la période 1970. Les révisionnistes donneront la mesure de leur capacité à changer rapidement de stratégie politique au niveau théorique d'abord sur la question nationale, faute d'avoir assez d'emprise pour le moment sur la pratique syndicale et la politique quotidienne. Nous reviendrons sur leurs tentatives ultérieures d'appliquer dans la pratique leurs constats théoriques. En attendant, le quatorzième congrès du CCSNM tenu en avril 1972, va permettre de développer jusqu'à ses conséquences logiques dans le domaine national l'idéologie socialiste qui teinte «Ne comptons que...». Il désignera même cette idéologie comme étant officiellement celle de la CSN. Le thème du congrès, «Le socialisme c'est la démocratie», confirmera cette tendance. Le document de base du congrès décrira plus directement que le manifeste de la CSN, les concepts inhérents à l'idéologie socialiste y compris la lutte des classes et la nécessité d'une organisation propre aux travailleurs, etc... Ici, nous sommes déjà loin du «Second Front» de Marcel Pepin. Mais l'intérêt de ce congrès réside aussi dans la manière dont avait été intégrée la question nationale dans le projet socialiste.

La question nationale avait été auparavant le fer de lance idéologique de certaines couches syndicales et d'une bonne partie des appareils qui lui étaient rattachés. Mais avec l'apparition du PQ, l'aspect partisan de cette question va embarrasser énormément ses militants, étant donné la nature résolument hostile à toute partisanerie politique de la CSN. Ainsi, le CCSNM avait été à l'avant-garde de la question nationale dans le mouvement ouvrier depuis la fondation du PQ et il n'avait pas pu imposer ses vues à toute la CSN, étant donné ce caractère partisan qui aurait risqué de diviser le mouvement.

Avec le projet socialiste, l'unanimité d'un certain groupe à la CSN sur le question nationale allait disparaître pour faire place à un autre regroupement sur la base, celui-là, de l'idéologie socialiste. Restait encore à résoudre le problème de la difficile intégration de la question nationale dans ce tourbillon idéologique.

---

18    Cité dans *Point de Mire,* vol. 3, no 7 (1971), p. 10.

Le 14ème congrès du CCSNM va tenter de poser la question et d'y répondre en même temps. Si ce congrès parle de la nécessité d'une organisation des travailleurs sur le plan politique, il ne voit pas le problème que lui pose l'existence du PQ, même si celui-ci n'avait pas très bien rempli les espoirs que l'on avait mis en lui. Le CCSNM n'ose pas critiquer à fond le PQ même s'il a toujours les mêmes préventions face à ce dernier, invoquant par là l'expérience historique et la pratique politique.

Pourquoi un parti des travailleurs est-il un objectif à moyen terme? Dans la conjecture actuelle, l'attitude du PQ face au capitalisme et à l'entreprise privée démontrera concrètement, *pratiquement* aux travailleurs qu'ils doivent prendre en mains leur propre sort. D'ici là, nous devons aussi oeuvrer politiquement au niveau municipal et régional et travailler à améliorer notre syndicalisme[19].

Dans un deuxième temps, ce congrès du CCSNM, vote une longue résolution qui tente de faire la synthèse entre la question nationale et son projet socialiste, et dont l'élément principal est, à notre avis, le considérant suivant:

Considérant par ailleurs que le socialisme est impossible à instaurer, que ce soit par étapes, ou d'un seul coup, dans un pays, où les pouvoirs exécutifs législatifs et judiciaires essentiels sont partagés entre un gouvernement central et les gouvernements des provinces[20].

Ce point de la résolution semble bien dire que tout tient d'abord au règlement de la question nationale par l'indépendance politique du Québec. En somme, que le règlement de la contradiction fondamentale au Québec n'aura un commencement de solution qu'après la résolution de la contradiction principale. Et pour mieux souligner cette thèse, la résolution dit plus loin:

Considérant aussi que le Canada et le Québec resteront obsédés par la question constitutionnelle tant que celle-ci ne sera pas réglée radicalement par l'indépendance du Québec[21].

On voit ici à quel type de réduction linéaire est soumise l'idéologie socialiste et la lutte des classes qui la sous-tend. En d'autres mots, la lutte de classes est invoquée comme une réalité, le socialisme comme un objectif et l'indépendance comme un prérequis.

Enfin, une confiance quasi absolue dans «l'éducation à la base des travailleurs» montre les perspectives à très court terme qu'étaient les projets politiques de la nouvelle gauche socialiste à la CSN.

Ce court terme dans la pratique politique révélait, non seulement les limites des nouveaux cadres idéologiques que la CSN de gauche s'était imposée à elle-même, mais aussi les limites politiques du syndicalisme en général comme instrument d'expression des intérêts politiques des travailleurs.

Ce constat de faiblesse du mouvement ouvrier devant la force d'attraction du PQ, même dans ses propres organisations syndicales, le manque de formation et

---

19    «Le socialisme c'est la démocratie», *Agence de presse libre du Québec*, 56 (1972), p. 18.

20    Cité dans *Agence de presse libre du Québec*, 56 (1972), p. 28.

21    *Ibid.*, p. 28.

d'expérience historique du mouvement syndical sur le plan politique enfin l'inadéquation de l'objectif syndical par rapport à l'objectif d'un parti politique, vont faire que cette analyse théorique bien que pleine de perspective d'action, n'aura aucune influence immédiate sur la pratique politique à court terme du mouvement syndical dans la CSN. En effet, celle-ci, après l'échec du FRAP au niveau du CCSNM, connaîtra aussi un échec plus grave encore avec la formation des comités populaires contre le Parti libéral. Et ces échecs successif amèneront un organisme devenu pourtant très critique envers le PQ, comme le CCSNM, à être très modéré dans ses mots d'ordre pré-électoraux envers le PQ et en fin de compte, à demander à ses membres de voter encore une fois en faveur du PQ, faute de mieux.

- À l'étape actuelle il n'est pas question de s'opposer à l'indépendance politique du Québec.

- À partir de ce moment-là, il devient important pour les travailleurs de ne pas combattre le PQ au même titre que les autres partis [22].

Dans ce texte comme dans la conclusion du cahier de formation déjà cité, et malgré une volonté d'autonomie idéologique différente de l'attitude adoptée précédemment, ces propositions reviennent de facto à une attitude d'appui tactique au PQ, caractéristique de la stratégie étapiste. Ce résultat politique médiocre de la nouvelle prise de conscience du rôle politique des travailleurs dans le domaine national ne peut s'expliquer que par l'incapacité du mouvement syndical à prendre la place d'un appareil ou d'une organisation réellement et uniquement politique et / ou même d'en susciter un, ne serait-ce qu'au niveau régional, aire pourtant non couverte par le PQ. L'expérience du FRAP et celle plus récente et plus générale à la CSN des comités populaires, vont montrer l'inutilité de prétendre à l'autonomie idéologique dans une organisation pour la défendre. Cette organisation devait elle aussi être autonome, même des syndicats.

Le CCSNM aura servi d'avant-garde, sur ce plan, à tout le mouvement de la CSN en entier. Mais celui-ci ne sut pas en tenir compte ni en éviter les erreurs ni même en développer les acquis idéologiques ou théoriques au niveau pratique. Nous verrons comment la CSN a su institutionnaliser ces acquis idéologiques et théoriques sans pouvoir cependant faire l'application pratique / politique adéquate et immédiate que ces acquis imposent logiquement.

## La CSN et l'impasse politique

Chronologiquement, l'analyse et la position politique du CCSNM a fait suite au congrès de 1972 de la CSN. À cette occasion, la direction avait tenté d'introduire indirectement la question nationale dans un débat général sur l'idéologie de la CSN. Elle en fut cependant incapable pour des raisons plus profondes que simplement le manque de temps; en fait, la question nationale à la CSN allait apparaître de moins en moins prioritaire au fur et à mesure que cette centrale devra entreprendre des campagnes de consolidation, suite aux séquelles scissionnistes du Front Commun de 1972.

---

22    CCSNM, *La solidarité des travailleurs dans la lutte,* Montréal, CCSNM, 1973, p. 3.

La CSN se trouvait donc à la croisée des chemins dont elle n'avait pas été la première à soupçonner l'existence, mais qui dans la pratique politique se présentait pour la première fois autrement que dans un cadre théorique, à savoir, l'intérêt particulier des travailleurs dans le domaine national. Malheureusement, au niveau politique, le chemin était bloqué par deux obstacles de taille. La présence du PQ d'un côté, l'absence d'un parti qui aurait été au mains des travailleurs de l'autre côté, et la CSN en cherchant à suppléer à cette lacune par ses comités populaires, allait courir à l'échec. Seul le CCSNM allait faire avancer le débat théorique, mais ses effets politiques immédiats allaient être nuls; puisqu'à toute fin pratique, le CCSNM allait devoir appuyer le PQ dans sa campagne électorale de 1973, même si ce n'était qu'au niveau des associations locales du PQ dites «progressistes». Le congrès de 1972 de la CSN n'avait qu'ouvert la voie à un nouveau débat théorique que seul le CCSNM sera en mesure d'engager. En attendant, le CCSNM en proposant des solutions à court terme et plutôt modérées envers le PQ en fin de compte, ne faisait que constater une situation obejctive à laquelle seules des circonstances nouvelles ou des forces différentes de celles déjà connues pouvaient apporter des modifications importantes que même un mouvement de masse comme la CSN ne pouvait provoquer, malgré la tentative malheureuse des comités populaires proposés par Marcel Pepin lors du Congrès de 1972.

Même dans la CSN, le débat sur la question nationale n'aura pas pour conséquence pratique d'identifier de façon formelle la CSN au projet indépendantiste. Ainsi, le congrès chargera le Conseil confédéral d'organiser un référendum sur la question, faute de pouvoir en décider lui-même, soit-disant par manque de temps. Mais ce même Conseil confédéral sera le cadre d'un débat interne entre les tenants, non plus de l'indépendantisme et du fédéralisme, mais de l'étapisme pro-péquiste et de l'autonomie politique des travailleurs sur la question nationale. En effet, les anti-indépendantistes ayant perdu toute influence dans l'appareil de la CSN après la scission de 1972, le débat allait se transporter uniquement à l'intérieur du projet indépendantiste. À sa séance d'octobre 1972, le Conseil confédéral amende la recommandation no 5 du comité des douze qui se lisait ainsi: «Que l'importante question de l'indépendance du Québec soit l'objet d'un débat spécial, dont le moment et les modalités doivent être déterminés par le congrès»[23], en y ajoutant sur proposition de Thérèse Montpas, présidente du CCSNQ, appuyée par Michel Chartrand, le paragraphe suivant: «Que la question de l'indépendance soit traitée comme un des éléments de l'étude sur le socialisme qui doit être faite et que cette question ne fasse pas l'objet d'un débat isolé du contexte général»[24]. Cet amendement allait tout à fait à l'encontre des tenants de l'étapisme pro-péquiste pour qui la CSN se devait de faire uniquement un référendum à l'intérieur de l'organisme appuyant le PQ sans qu'il soit nécessaire de se poser des questions sur le contrôle ou non des travailleurs sur le PQ. Ces tenants de la position classe / appui vont insister pour que le référendum ait lieu afin que la question se «règle» ainsi. Malgré une proposition dilatoire de Thérèse Montpas, Jean Des Trois Maisons, président du Syndicat des Fonctionnaires de la Ville de Montréal, fait adopter une résolution qui exige la tenue d'un tel référendum sur demande du Conseil confédéral de la CSN. L'adoption de cette résolution va révéler au grand jour la contradiction dans laquelle s'était inscrit le Conseil confédéral et qui n'était que l'épiphénomène d'une division idéologique entre les deux thèses, qui prévalaient à l'intérieur du projet indépendantiste: l'étapisme pro-PQ et l'indépendance / socialisme favorable à l'autonomie politique des travailleurs sur la question nationale.

---

23    CSN, *Procès verbal de la 45 session du Congrès de la CSN*, Montréal, CSN, 1972, p. 123.
24    *Ibid.*

En acceptant les deux amendements, le Conseil confédéral se condamnait à l'impuissance politique ou à la division. En effet, la proposition de Thérèse Montpas visait non pas tellement à prendre immédiatement et formellement une position en faveur de l'indépendance, position qui ne ferait que servir la stratégie du PQ qui visait à tout demander sans rien donner en échange comme garantie, qu'à donner à la CSN une idéologie politique qui lui soit propre et à intégrer la question nationale dans cette idéologie. Mais ce projet demande du temps et une situation politique qui n'existait pas alors et qui n'existe pas encore aujourd'hui. Par contre, l'amendement de Jean Des Trois Maisons ne visait qu'à servir un projet politique immédiat et situé hors du mouvement syndical, à savoir donner le maximum d'appui au PQ et ce, sans condition en retour. Ces deux projets, même tous deux favorables à l'indépendance du Québec, étaient en fait contradictoires et les appliquer tous les deux ne pouvait que provoquer un autre débat idéologique dont la CSN ne pouvait plus faire les frais au dépens de son unité.

Appliquer uniquement l'un ou l'autre des amendements aurait nécessairement impliqué un choix parmi les deux, avec pour conséquence la même situation que celle décrite plus haut pour leur application. La seule solution qui subsitait était d'enterrer la question pour le moment au niveau de la CSN et de laisser à chaque groupe constitutif de la CSN, le droit d'établir «de facto» sa position ou son évolution vis-à-vis ces questions.

C'est ce que fit le CCSNM qui développa la recherche théorique dans le cadre du projet socialisme / indépendantisme et chercha à mettre en place une position collective et organisée, devant la question nationale et surtout devant le PQ, qui correspondrait aux intérêts des travailleurs. Mais cette position, on l'a vu, reste pour le moment pratiquement limitée au débat théorique d'avant-garde et à une position d'appui critique au PQ qui se veut moins individuelle.

Quant aux tenants de l'étapisme, faute de ne pouvoir imposer leur projet immédiat de référendum sur l'indépendance au sein de la CSN, ils en restèrent à leur attitude traditionnelle: l'appui individuel et inconditionnel au PQ et division absolue entre l'action partisane et l'action syndicale.

L'enterrement de première classe du référendum fut à première vue un échec des étapistes, mais l'incapacité politique de leurs adversaires, incarnés par le CCSNM par exemple, qui durent appuyer de toute façon le PQ aux élections de 1973, leur donne pour le moment le dernier mot en fait. Cela sera vrai, tant que la gauche en faveur de l'organisation politique des travailleurs n'aura pas réussi à mettre sur pied une telle organisation et surtout tant qu'elle n'aura pas imposé un programme qui intègre la lutte de libération nationale dans son projet socialiste et qui soit crédible chez les travailleurs syndiqués ou non. Cette dernière condition est liée évidemment à l'existence du PQ et à son influence idéologique dans le domaine national et même social dans la classe ouvrière.

Ainsi encore une fois, la CSN restait le reflet des intérêts comme des divisions de la société québécoise sur d'importantes questions politiques et de ce fait, elle prenait conscience de ses limites politiques et structurelles à l'intérieur de débats idéologiques qui dépassaient les raisons quotidiennes qui justifiaient son existence. La défense économique des travailleurs faisait de la CSN une organisation de masse suffisamment forte pour répondre organisationnellement et idéologiquement à ces besoins économistes, mais trop faibles pour résoudre des problèmes qui dépassaient ces objectifs à court terme.

# Conclusion

S'il reste une conclusion provisoire à tirer, elle réside dans l'aspect positif et l'aspect négatif d'une réalité propre à la CSN: l'intégration réussie et originale de cette centrale dans la société québécoise. En effet, cette intégration a permis de révéler au grand jour des problèmes politiques et idéologiques qui sont propres aux travailleurs des différents milieux où la CSN a des membres. Elle a permis de débattre ouvertement des questions à première vue uniquement théoriques, mais qui se sont révélées l'expression cohérente de problèmes ressentis de façon latente et non articulée, même chez les ouvriers. Si la CSN n'avait pas accepté en fin de compte, l'opposition d'une partie de son appareil, de soumettre toutes ces questions à ses membres ouvertement, il est possible que tout ce débat serait resté encore longtemps la chasse gardée ou le ghetto intellectuel, comme on voudra, des idéologues et des définisseurs de situations d'avant-garde.

Mais cette ouverture au débat devait se payer par le risque qui est propre à tout débat politique, de la division et de la polarisation de factions, inévitable dans des organisations de masse comme la CSN. Heureusement, malgré de dures pertes, la CSN a pu consolider son organisation et se donner une image renouvelée qui, bien que non encore comprise par tous, n'en reste pas moins une des plus progressistes en Amérique du Nord; cette image l'éloigne définitivement du syndicalisme d'affaires, caractéristique au syndicalisme nord-américain. Elle l'éloigne aussi de cette tendance qui semblait être la sienne au début des années soixante, celle du centralisme bureaucratique et de la collaboration sans condition avec l'État.

Le débat sur la question nationale allait permettre en effet, de donner toute sa mesure à l'autonomie affichée mais de plus en plus réelle des différentes instances locales et régionales de la CSN. La question nationale aura été l'occasion pour ces instances de s'exprimer de façon autonome et leur a permis d'influer sur la marche idéologique de la centrale, en lui insufflant un ton qui correspond de plus en plus aux préoccupations de toute la société québécoise. Enfin, à l'occasion du débat sur la question nationale, mais pas seulement sur cette question, de nombreux militants syndicaux ont pris conscience des limites politiques de l'action syndicale et de son organisation en dehors de la défense quotidienne des intérêts économiques des travailleurs.

Ceci explique sans doute l'engourdissement du débat sur la question nationale à la CSN et sa consolidation sur la base de deux thèses qui président à la division actuelle du mouvement syndical sur la question nationale.

L'extrême conscience d'être aussi bien le miroir ou l'image d'une société toute entière que d'être l'expression privilégiée des aspirations d'une bonne partie des travailleurs de cette société, a fait de la CSN une organisation de masse, écartelée entre les nécessités de la lutte syndicale de base, que celle-ci soit bureaucratisée ou au contraire militante, et les nécessités de la lutte idéologique propre à représenter les intérêts des travailleurs. Des travailleurs qui ne sont pas n'importe quels travailleurs, mais plus précisément des ouvriers, des fonctionnaires, des professionnels ou des enseignants oeuvrant au Québec.

Or, autant peut être simple le sens des contradictions entre Capital-État et force de travail dans les luttes syndicales quotidiennes au niveau local, autant cet aspect apparaît compliqué et inexplicable pour le simple syndiqué ou même le militant syndical de base et autant aussi il leur est difficile de saisir cette réalité lorsqu'elle prend un sens général sous une forme idéologique et politique. Cela devient même extrêmement nouveau lorsqu'il s'agit de réintroduire cette vision générale des choses dans la lutte locale.

Si on admet que la conscience de classe comme la conscience nationale ne peuvent être que des phénomènes sociaux et qui ne prennent toute leur ampleur que sur une base sociale, sans exclure évidemment l'expression individuelle de ces phénomènes chez les intellectuels, écrivains et artistes, la CSN apparaît comme exemple type de l'expression de ces prises de consciences sociales. Elle a dû, elle doit encore, s'attaquer à tous les niveaux, pratique et théorique, aux contradictions dans l'aspect principal comme dans l'aspect fondamental. Aujourd'hui et pour longtemps encore, la CSN et tous les travailleurs, organisés ou non, doivent faire face à ces contradictions dont de nombreux aspects sont particuliers au Québec, même s'ils ne sont pas absolument nouveaux dans l'histoire du mouvement ouvrier mondial.

Même si dans le cadre de la contradiction principale, le débat sur la question nationale a souvent, ou plutôt toujours, été annexé par les classes dominantes et même utilisé comme un instrument idéologique dans la contradiction fondamentale, aujourd'hui cette domination idéologique dans la contradiction principale est beaucoup plus faible malgré les apparences, car à présent la division des classes dominantes sur la question nationale est de plus en plus forte. Exprimée d'une part par le PQ et d'autre part, par le Parti libéral, cette division laisse paradoxalement la place à un discours idéologique sur la contradiction principale qui est propre aux intérêts des travailleurs.

Ainsi, à travers cette relative faiblesse de la bourgeoisie québécoise à dominer le débat de façon unitaire sur la question nationale comme elle en avait l'habitude, le mouvement syndical, et surtout la CSN, allait mettre de l'avant, non pas sa propre solution vis-à-vis la question nationale, mais une explication sur le rôle de l'État dans la contradiction fondamentale, qui allait viser au coeur des intérêts politiques, et en fin de compte économiques, des classes dominantes. C'est ainsi que la CSN mettra à sa véritable place la contradiction principale, secondaire mais aussi dominante, par rapport à la contradiction fondamentale des rapports de classes.

Si ce discours nouveau dans le mouvement syndical était utilisé par certains pour oblitérer la contradiction principale, sous prétexte qu'elle avait été annexée par les classes dominantes, comme l'avait soutenu le PCC devant la réalité du nationalisme canadien-français, ou parce qu'il fallait combattre la montée de l'idéologie néonationaliste indépendantiste dans la classe ouvrière, ces utilisations opportunistes seront assez tôt dénoncées ou dépassées par les événements de la pression de la base syndicale.

Par contre, plusieurs dirigeants désiraient réellement donner un discours autonome aux travailleurs sur la contradiction fondamentale croyant par le fait même que ceux-ci iraient directement à la résolution de cette contradiction et qu'ils balaieraient spontanément la contradiction principale comme moins urgente ou secondaire dans la lutte syndicale. Ce fut un des grands apports de certains leaders stratégiquement bien placés, comme Marcel Pepin, à l'évolution idéologique du mouvement syndical au Québec. Même si la poussée de leur base les a souvent mis à l'arrière plan et même dépassés quelques fois, ils ont réussi à introduire de grands débats idéologiques qui ont permis d'aller beaucoup plus au fond des choses, que tout autre mouvement.

Ainsi des manifestes ou des rapports moraux comme le «Deuxième Front» et «Ne comptons que...», ont réussi de façon efficace à contrer une idéologie de collaboration de classe, dont un des grands tenants, l'ancien président Jean Marchand, s'était fait l'initiateur lors de ses rapports privilégiés avec l'État réformiste de la Révolution tranquille.

Aujourd'hui, l'idéologie socialiste de la CSN est un fait acquis, même si le contenu de ce socialisme (réformiste ou révolutionnaire) soit encore à discuter et n'est pas effectivement discuté de façon intense à l'intérieur de la CSN, sauf par les militants syndicaux les plus avancés. Personne non plus ne semble contester maintenant la critique de la fonction de l'État capitaliste qui a été faite à travers les manifestes et les rapports moraux de la CSN depuis bientôt huit ans. Ceux qui pouvaient encore le faire ont quitté la CSN à la suite d'une des premières batailles frontales entre les travailleurs organisés de l'État bourgeois lors du Front Commun de 1972, bataille qui justement est venue confirmer le bien fondé des analyses précédentes.

Par contre, si la CSN était parvenue à dénoncer la société de classes existant au Québec et l'État qui en était le support, cette dénonciation n'avait pas suffi à réduire cette contradiction fondamentale et, surtout, elle avait failli détourner le mouvement syndical de toute critique sur le statut de l'État, en refusant de l'identifier. En effet, les références de Marcel Pepin à un État désincarné et non identifié, risquaient de rendre sa critique inopérante parce que, trop abstraite. Mais le développement d'une base syndicale, liée à l'existence de l'État québécois et à sa consolidation parce qu'étant son principal employeur, va forcer la CSN à développer sa critique non seulement sur la contradiction fondamentale sur la base de la critique de la fonction de l'Etat, mais aussi sur la contradiction principale sur la base d'une critique du statut de l'État, tenant compte de la question nationale au Canada et au Québec.

Cette introduction par la base syndicale de la question nationale dans les débats idéologiques de la CSN ne se fit pas de façon spectaculaire comme l'avaient été les manifestes ou les rapports moraux de la CSN. En effet, la méfiance traditionnelle de la CSN face à toute idéologie qui n'était pas la sienne, fit que ce n'est qu'après 1968 et le «Second Front», et surtout après le succès relatif du PQ aux élections de '70 et la crise d'octobre de la même année, que la question nationale allait être un sujet à l'ordre du jour au sein de la CSN. Cependant, dès 1966, au moment même où les appareils de trois centrales syndicales québécoises (CSN-FTQ-UCC) produisent leur mémoire conjoint pro-fédéraliste à la Commission parlementaire sur la constitution à Québec, les conditions sociologiques et idéologiques étaient déjà réunies à l'intérieur de la CSN pour lancer le débat. En effet, la présence massive des syndiqués du secteur public et para-public allait complètement modifier la stucture habituelle de la CSN et être très déterminante dans l'évolution de la polémique sur la question nationale.

Mais à la différence de la FTQ par exemple, la CSN n'allait pas avoir une attitude totalement suiviste par rapport au PQ, bien que cette attitude eût caractérisé toutes les centrales syndicales québécoises au lendemain des élections de 1970. Plus tard, même cette similitude de position envers le PQ aura des sources différentes, selon que l'on sera à la CSN ou à la FTQ. Ainsi, dans cette dernière centrale, le mot est surtout donné par les grandes fédérations des unions internationales ou canadiennes, comme les Métallurgistes Unis de Jean Gérin-Lajoie ou le Syndicat canadien de la Fonction publique de Jacques Brulé, et les dirigeants de ces fédérations appuient personnellement le PQ de façon inconditionnelle, en suivant une politique de classe-appui à travers les organisations dont ils ont le contrôle, et sans qu'il y ait fondamentalement un débat, à la base, sur ces questions.

Par contre, à la CSN, l'appui tactique au PQ sera une position spontanée de nombreuses instances de bases locales ou régionales comme le CCSNM, malgré l'opposition de principe de la direction centrale de la CSN. En effet, cette position de classe-appui du PQ sera combattue pour des raisons diverses par différents membres de l'appareil. Et seules de mauvaises expériences, comme la manifestation de *La Presse* du 29 octobre 1972 où le PQ refusa de s'impliquer, ou la publication d'un manifeste comme «Ne comptons que…», parviendront à faire prendre conscience à plusieurs de ces instances du danger de l'appui tactique au PQ sur la question nationale sans pour autant nier l'importance de la question nationale dans la résolution de la contradiction fondamentale telle que décrite dans les manifeste de la CSN.

Cette différence d'attitude a son importance, surtout à la CSN, car elle montre jusqu'où peut aller une critique du PQ et des intérêts de classe qu'il défend et qu'il défendra après l'indépendance, si elle est faite par une organisation des travailleurs comme la CSN qui tente d'aller plus loin que le simple appui électoral à un parti s'affichant comme progressiste. Cette critique du PQ a sa source justement dans la dénonciation par la CSN de la fonction de l'État, qu'il soit indépendant ou pas, et force par conséquent, les militants syndicaux comme les travailleurs à s'interroger sur le type de société que leur prépare un parti politique comme le PQ.

Dans un des rares documents de la CSN sur la question nationale, le CCSNM va aller jusqu'à la limite théorique de cette analyse critique du PQ et de son projet idéologique de rationalisation de l'État par l'indépendance du Québec. Mais le CCSNM ne pourra aller jusqu'aux conclusions pratiques de cette analyse critique du PQ et devra se résoudre à recommander à ses membres et militants de donner un appui critique au PQ aux élections de 1973, un appui qui, contrairement à 1970, ne serait plus individuel mais organisé sur la base de comités populaires. Or, l'échec de ces comités ainsi que l'échec des expériences précédentes des intrusions syndicales de la CSN sur le terrain politique dans un cadre non partisan ou régional comme le FRAP, allaient montrer la vanité d'un tel objectif, puisqu'ils allaient laisser le PQ maître de sa tactique comme de sa stratégie politique sans que les travailleurs organisés puissent y changer quoi que ce soit. L'absence d'organisations politiques propres aux travailleurs allait forcer la CSN à admettre pratiquement la théorie de l'appui tactique, qui dans le langage du CCSNM veut dire «régler le problème constitutionnel d'abord», façon implicite d'admettre que le PQ prend actuellement toute la place.

Cette impuissance politique de la CSN se double de la crainte de voir de nouvelles divisions en son sein, sur la base du débat entre les tenants de l'appui tactique, qui sont favorables au PQ au même titre que les dirigeants de la FTQ par exemple, et les tenants du rôle dominant des travailleurs dans la question nationale et de leur autonomie idéologique sur cette question. Cette division potentielle à l'intérieur de la CSN fera avorter le projet de référendum de cet organisme sur l'indépendance et bloquera tout développement politique majeur sur cette question.

### Lectures recommandées

P. Bernard, *Structures et pouvoirs de la Fédération des Travailleurs du Québec,* Ottawa, Bureau du Conseil privé, Equipe spécialisée en relations de travail, étude no 13, 1969.

P. Bernard et J. Dofny, *Le Syndicalisme au Québec: Structure et mouvement,* Ottawa, Bureau du Conseil privé, Equipe spécialisée en relations de travail, étude no 9, 1968.

L. Bernier, *et al., La Lutte syndicale chez les enseignants,* Montréal, Parti pris, 1973.

R. Blais, *L'idéologie économique de la CSN,* thèse de M.A., Dép. des relations industrielles, Université de Montréal, 1971.

CSN, *En grève,* Montréal, Jour, 1963.

R. Desrosiers et D. Héroux, *Le travailleur québécois et le syndicalisme,* Montréal, Presses de l'Université du Québec, 1973.

D. Ethier, *et al., Les travailleurs contre l'État bourgeois,* Montréal, L'Aurore, 1975.

A.E. Leblanc et G.D. Thwaites, *Le monde ouvrier au Québec: bibliographie retrospective,* Montréal, Presses de l'Université du Québec, 1973.

C. Levasseur, *Le syndicalisme international au Québec,* Laboratoire d'études administratives et politiques, Université Laval, 1975.

G. Lortie, *L'évolution de l'action politique de la C.S.N.,* thèse de M.A., Dép. des relations industrielles, Université Laval, 1965.

L.-M. Tremblay, *Le syndicalisme québécois: Idéologies de la C.S.N. et de la F.T.Q., 1940-1970,* Montréal, Presses de l'Université de Montréal, 1972.

P.-E. Trudeau, *La grève de l'amiante,* Montréal, Cité Libre, 1956.

# Chapitre 14

# La contre-culture, ou comment parler de politique sans en faire

Marie-France Moore*
University of Chicago

*Marie-France Moore est étudiante au doctorat au Department of Political Science de University of Chicago. Vivement intéressée par le phénomène contre-culturel, elle a publié quelques articles à ce sujet.*

*Elle entend dégager ici la place que les tenants de la contre-culture accordent au politique dans leur projet global. Ses données proviennent essentielle-ment d'une analyse de contenu de la principale revue contre-culturelle québécoise.* Mainmise, *analyse effectuée au moyen d'une grille conçue par L. Dion et M. De Sève.*

Depuis l'époque des premiers « beatniks » des années cinquante, le mouve-ment de contestation des jeunes s'est profondément transformé[1]. Premièrement, il ne s'agit plus, dans la majorité des cas, d'un individualisme destiné à un cercle restreint mais bien d'un individualisme qui se veut exemplaire, allant même parfois jusqu'au messianisme. Deuxièmement, le mouvement comporte maintenant une dimension politique alors qu'il était, dans sa première phase, apolitique. Cette dimension politi-que s'est elle-même manifestée en deux moments différents : le mouvement a d'abord poursuivi des buts politiques précis (le désarmement nucléaire, le respect des droits civiques, l'arrêt de la guerre au Vietnam) puis la critique s'est généralisée, « l'Establish-ment » devenant sa cible préférée. Troisièmement, la jeunesse est de moins en moins considérée comme étant une « période de transition » mais davantage comme un état d'esprit, un mode de vie, ce qui a permis au mouvement d'élargir ses bases et d'élaborer une philosophie[2].

---

* Décédée le lundi, 20 août 1979.

1 Sur l'origine du mouvement des jeunes, voir : Kenneth Keniston, *The Uncommitted. Alienated Youth in American Society*, New York, Dell, 1960 ; Thomas F. Parkinson, *A Casebook on the Beats*, New York, Crowell, 1961 ; Jack Newfield, *A Prophetic Minority*, New York, American Library, 1966. Sur l'historique du mouvement des jeunes de 1954 à 1968, voir : Massimo Teodori, éd., *The New Left : A Documentary History*, Indianapolis, Bobbs-Merrill, 1968, p. 477-482.

2 Sur l'évolution du mouvement, voir : Richard Flacks, *Youth and Social Change*, Chicago, Markham, 1971 ; Lyman T. Sargent, *New Left Thought : An Introduction*, Homewood, Ill., Dorsey Press, 1972 ; Manuela Semidei, *Les contestataires aux États-Unis*, Paris, Casterman, 1973 ; Charles Reich, *Le regain américain*, Paris, Laffont, 1971 ; Alain Touraine, *Université et société aux États-Unis*, Paris, Seuil, 1972 ; Margaret Mead, *Culture and Commitment : A Study of the Generation Gap*, Garden City, N.Y., Natural History Press, 1970.

Au delà de ces caractéristiques qui en forment la base commune, on peut, depuis 1968, diviser le mouvement des jeunes en trois branches selon les moyens d'action préconisés pour atteindre un but final commun, soit celui de créer une nouvelle société. Ces branches sont la «Nouvelle Gauche» qui oeuvre avant tout au plan politique, la «Contre-culture» qui privilégie le plan culturel et les «Yippies» qui tentent de concilier ces deux approches [3].

Si le mouvement des jeunes semble avoir eu son origine aux États-Unis, il n'en reste pas moins un phénomène commun à la grande majorité des sociétés hautement industrialisées, dont le Québec. Il est vrai qu'aucun des moments «historiques» du mouvement ne s'est déroulé au Québec mais la jeunesse québécoise a été fortement influencée par tous les événements qui pouvaient se dérouler soit en France, soit aux États-Unis. Il appert de plus que c'est la contre-culture qui s'est gagné les faveurs du plus grand nombre de jeunes, au Québec comme ailleurs.

Dire que la contre-culture existe au Québec n'implique pas qu'elle soit proprement québécoise. La spécificité québécoise d'un tel phénomène est très difficile à établir et ce, pour plusieurs raisons. Premièrement, il faudrait mener une étude comparative des lignes de force du mouvement dans les différents cadres nationaux. Deuxièmement, une telle étude devrait être inscrite dans le développement historique propre à chacune de ces sociétés. Une troisième difficulté est inhérente à la nature même du mouvement; la contre-culture se veut internationaliste. Quatrièmement, la contre-culture ayant fait son apparition au Québec avec quelques années de retard sur les États-Unis, il y eut une période de rattrapage qui a consisté tout d'abord à traduire et à assimiler les principales idées élaborées aux États-Unis et puis ensuite à les adapter à la situation québécoise. En conséquence, la créativité contre-culturelle commence à peine à se manifester au Québec. Qu'on ne puisse parler de contre-culture spécifiquement québécoise n'entraîne nullement qu'il faille conclure à sa faiblesse ou mettre en doute son importance comme phénomène social québécois: le mouvement contre-culturel dépasse les bornes nationales et il se peut qu'il s'agisse là d'un phénomène propre à une civilisation plutôt qu'à une formation sociale particulière.

La plupart des auteurs qui se sont intéressés au mouvement des jeunes l'ont étudié dans son ensemble, sans trop faire de distinction entre ses diverses branches ou encore, ont privilégié un aspect de la philosophie du groupe qu'ils avaient choisi sans tenir suffisamment compte des autres aspects. Il devient dès lors très difficile de faire une étude comparative valable entre la Nouvelle Gauche et la contre-culture puisque l'aspect culturel de la pensée de la Nouvelle Gauche est à peu près inconnu et l'aspect politique de la contre-culture laissé sous silence. Cette étude comparative serait pourtant essentielle pour comprendre le mouvement de contestation des jeunes puisque la différence fondamentale entre ces groupes se situe au niveau du choix entre le militantisme politique et la révolution culturelle.

---

3    Sur le mouvement en général, voir les ouvrages mentionnés dans la note précédente et : Jacques Lazure, *La jeunesse du Québec en révolution*, Montréal, Presses de l'Université du Québec, 1970 ; Jacques Lazure, *L'asociété des jeunes Québécois*, Montréal, Presses de l'Université du Québec, 1972.

Sur la Nouvelle Gauche, voir : Harold Jacobs, *Westhermen*, Ramparts Press, 1970 ; Kenneth Keniston, *Young Radicals : Notes on Committed Youth*, New York, Harcourt, Brace, Jovanovich, 1968 ; Henry J. Silverman, *Americain Radical Thought : The Libertarian Tradition*, Lexington, Mass., Heath, 1970. Sur la contre-culture et les Yippies, voir : Charles Reich, *op. cit.* ; Theodore Roszak, *The Making of a Counter Culture*, New York, Doubleday, 1968 ; Naomi Feigelson, *The Underground Revolution : Hippies, Yippies and Others*, New York, Funk & Wagnalls, 1970.

Nous tenterons, dans ce travail, de réaliser l'une des deux conditions préalables à une telle étude comparative en voyant la place que la contre-culture accorde au politique dans son projet global. Il va sans dire qu'avant d'entreprendre une telle démarche, nous avons d'abord tenté de cerner le phénomène contre-culturel dans son ensemble et ce, afin d'en surestimer la dimension politique tout en s'assurant de bien percevoir les multiples répercussions politiques de la contestation culturelle.

Pour cerner le phénomène contre-culturel, nous avons fait appel au concept théorique de culture politique tel que défini par Léon Dion et Micheline De Sève dans leur document de travail *Modèle d'analyse des cultures politiques*. Par culture politique, ces deux auteurs entendent:

> Un ensemble de structures symboliques axées sur des valeurs exemplaires apprises et assimilées par les individus et les collectivités se manifestant sous la forme de schèmes valorisants reportés par ces derniers, sous la forme de valorisations, sur les objets valorisés à l'occasion de démarches visant à définir le support d'autorité requis pour qu'ils soient transposables en actions et décisions rendues finalement obligatoires pour tous et sur les dispositions du soi en situation par suite de semblables démarches, de même qu'agencés de façon à constituer des configurations sous la forme de types généraux[4].

Sur le plan opérationnel, les valeurs objectivées proprement dites sont étudiées selon quatre dimensions principales: (a) l'analyse de la situation effectuée par les acteurs sociaux a été découpée en sept paliers dont six (écologique, démographique, économique, technologique, culturel et stratification sociale) sont assimilés au système social et le septième au système politique; (b) l'organisation en vue de l'action ou les moyens que les acteurs sociaux se donnent pour réaliser leurs objectifs selon certaines stratégies; (c) les finalités de l'action, soit les conceptions que se font les acteurs sociaux de l'autorité, de la participation et du changement et (d) le soi face au système, c'est-à-dire les valorisations par lesquelles les acteurs sociaux ramènent à eux ces valeurs objectivées et s'estiment par rapport au système établi.

Cette démarche a ceci d'original qu'elle ne limite pas la culture politique d'une collectivité aux seules valorisations explicites mais procède d'une mise en relation constante des attitudes et des comportements à la base de tout système d'expression symbolique. C'est ainsi que des thèmes qui recouvrent les problèmes fondamentaux posés à une société politique sont étudiés au titre des finalités de l'action mais que la recherche se propose de distinguer nettement entre les «finalités proclamées» et les «fins effectivement poursuivies». Ces «finalités proclamées» sont retracées en (a) et procèdent des déclarations d'intention par rapport à chacun des paliers analysés alors que les «fins effectivement poursuivies» sont identifiées en (b) selon les moyens et ressources dont les acteurs sociaux croient disposer et ceux qu'ils utilisent réellement.

Ce cadre théorique et méthodologique a été appliqué à la revue *Mainmise*, principal représentant — sinon le seul — de la contre-culture au Québec[5]. *Mainmise*

---

4    Léon Dion et Micheline de Sève, *Modèle d'analyse des cultures politiques*, Québec, Université Laval, Dép. de science politique, 1972, p. 24.

5    Les résultats de cette première recherche ont été publiés sous le titre « *Mainmise*: trois ans de recherche », *Mainmise*, no 26, (août 1973), p. 16-50.

est une revue d'information consacrée exclusivement au mouvement contre-culturel, à ses manifestations et à ses réalisations, quel qu'en soit le pays d'origine. Il nous est dès lors permis d'assimiler *Mainmise* et contre-culture québécoise. Précisons toutefois que seuls les 23 premiers numéros du magazine *Mainmise* (oct. 1970-mai 1973) font l'objet de la présente analyse[6].

Des résultats de cette première recherche, nous ne retiendrons ici que l'essentiel des éléments ayant une nette spécificité politique: d'une part les valorisations portant sur le palier politique de l'analyse de la situation et, d'autre part, les finalités de l'action. Il nous sera ensuite possible d'intégrer cette conception politique de la contre-culture à sa conception plus générale du changement social.

Cette démarche devrait nous permettre de saisir le fondement subjectif déterminant qui a conduit la contre-culture à son refus du militantisme politique. Fondement subjectif, car il s'agit de découvrir les causes de ce refus au sein même de la contre-culture et non pas d'analyser les conditions qui ont favorisé le développement de ce mouvement ou les rapports qu'il entretient avec «la» culture.

## La conception politique de la contre-culture

Les valorisations éffectuées au palier politique ont été divisées en deux thèmes: la conception du politique et la conception de la politique. Le politique recoupe l'appareil d'État et ses composantes internes ainsi que les processus et les mécanismes d'interaction du système politique et du système social. La politique concerne les règles du jeu et les titulaires des rôles d'autorité.

### 1. La conception du politique

L'analyse du système politique faite par la contre-culture est fondée sur un modèle analogue à celui maintenant familier de David Easton et comme ce dernier, elle pose qu'un système politique doit correspondre à ce modèle pour être qualifié de démocratique[7]. Les variables fondamentales de ce schéma sont les *input* (demandes et soutiens), les *output* (décisions et actions), la rétroaction des seconds sur les premiers et les processus de conversion par lesquels le système transforme les *input* en *output*.

Voyons maintenant comment la contre-culture a adapté ce schéma, l'évaluation du système politique qui en découle et les conclusions que la contre-culture a tirées de cette analyse.

Pour la contre-culture, les soutiens (qui doivent venir de l'environnement social) proviennent de deux sources: le pouvoir financier qui assure la survie continue du système politique et l'électorat dont l'apport est essentiel pour justifier la prétention du système à la démocratie. Par contre les seules demandes qui sont retenues par ce système sont, toujours selon la contre-culture, celles du pouvoir financier. Celles de l'électorat sont automatiquement oubliées. En somme, le système est entièrement

---

6 Barrington Moore Jr., «Thoughts on Violence and Democracy», *The Journal of Social Issues,* 26 (1970), p. 165-187.

7 David Easton. *A Framework for Political Analysis,* Englewood Cliffs, Prentice Hall, 1965, p. 112 et suivantes. La similitude entre le modèle «castonien» et celui que l'on retrouve implicite dans l'analyse de la contre-culture se retrouve jusque dans le vocabulaire. Des mots *input, output* et rétroaction sont fréquemment utilisés par la contre-culture pour décrire la vie politique.

soumis à ce pouvoir et les *output* lui sont tous favorables[8]. Le système politique peut fonctionner sans trop se soucier des revendications de l'électorat car il a en main tous les atouts pour le manipuler à sa guise. À l'occasion, cette manipulation peut se faire grâce à une utilisation «scientifique» de la répression sexuelle: «Frustrez un individu sexuellement, isolez-le dans son monde de culpabilité sexuelle et vous le manipulerez comme vous l'endendez, en lui tendant sans jamais le lui donner, le fruit défendu. Vous le ferez faire la guerre, vous le ferez haïr les autres races, les autres langues»[9].

Pour se mériter la qualificatif de démocratique, un régime politique doit être représentatif de l'ensemble des citoyens. Dans un régime politique libéral, cette représentativité est assurée par le moyen des élections. Or, la contre-culture estime que le vote a perdu son sens puisqu'il permet de désigner les hommes qui remplirons la fonction législative et la fonction gouvernementale, deux fonctions qui selon elle, n'existent plus. La fonction législative a été remplacée par la fonction administrative. «Le parlement et le peuple n'ont plus que l'illusion de prendre des décisions», de faire des lois[10]. La complexité même de ces lois oblige les parlementaires à s'en remettre aux administrateurs qui sont plus compétents en ce domaine. Les décisions politiques, elles, sont en fait prises par l'élite technocratique qui contrôle cette administration et assure effectivement la décision gouvernementale.

Le parlement ne servant plus qu'à entériner ces décisions, il ne sert à rien d'élire des hommes qui non seulement n'ont plus aucun rôle à jouer, mais qui de plus, permettent au système politique de transgresser la loi fondamentale qu'est la Constitution. Si peu importants sont ces politiciens que si nous «les envoyons dans une fusée vers le soleil, il ne mourra pas sur la terre une personne de plus»[11]. Le vote n'étant plus qu'une fumisterie et les institutions politiques un non-sens, «la démocratie se trouve dans un cul-de-sac»[12]. Ce régime politique est en fait élitiste et technocratique: la démocratie n'est qu'un masque chargé de cacher cet élitisme[13].

Les *output* du système ont des répercussions sur l'ensemble des citoyens mais, selon la contre-culture, ceux-ci n'ont aucune possibilité de faire entendre et accepter leurs revendications. La rétroaction n'existe que pour le pouvoir financier. La contre-culture considère que le régime actuel fait tout en son pouvoir pour minimiser et enrayer la rétroaction qui pourrait venir des citoyens: les structures politiques ne sont pas conçues pour permettre les réactions de l'ensemble de l'environnement social et les gouvernements vont même jusqu'à rendre certaines d'entre elles illégales (les manifestations, par exemple)[14]. Cette absence de rétroaction des *output* sur les *input*

---

8 «Partout en Amérique des efforts sont systématiquement entrepris pour acheter des législations qui soient favorables aux compagnies et aux corporations qui les paient», C.L. Stevens, «EST ou comment se conduire pendant la prochaine décennie», *Mainmise*, no 6, (sept. 1971), p. 163.

9 «Gagnez votre liberté sexuelle», *Mainmise*, no 6, (sept. 1971), p. 95.

10 G. Gustaitis, «Turned-on, qu'est-ce-que cela veut dire?», *Mainmise*, no 1, (oct. 1970), p. 78.

11 B. Fuller, «L'évangile selon Fuller», *Mainmise*, no 3, (janv. 1971), p. 4.

12 G. Gustaitis, *op. cit.*, p. 78.

13 «Sous le couvert de la démocratie, tout notre système politique est conçu pour subsister, en tant que super-système élitiste, sur l'énergie 'votée' par les individus», Pénélope, «Et maintenant Pénélope vous parle de Mainmise qui a un an», *Mainmise*, no 6, (sept. 1971), p. 21.

14 «Nos structures d'information étant prévues pour minimiser le feedback, il est fatal que tout mécanisme qui tente d'aller contre ce fait soit considéré comme illégal. Ainsi les démonstrations de rues sont interdites, dès qu'elles se présentent AVANT TOUT comme un FEEDBACK», «Où en sommes-nous vraiment», *Mainmise*, no 6, (sept. 1971), p. 46.

empêche le régime politique de servir les intérêts de l'ensemble des citoyens. Sans cette rétroaction il est pourtant impossible aux hommes politiques de «découvrir les besoins réels des gens»[15].

La contre-culture juge que ce système politique est super-légaliste. En principe, les citoyens pourraient avoir recours au pouvoir judiciaire pour faire respecter leurs droits. Mais ce pouvoir a, lui aussi, trahi les citoyens: il ne sert plus leurs intérêts mais uniquement ceux du «Pouvoir et de la Finance»[16].

### 2. La conception de la politique

Pour la contre-culture, la politique se situe exclusivement au sein de «l'Establishment». L'exercice du pouvoir fait l'objet d'une guerre entre divers clans de gangsters, chaque clan ayant ses propres supports financiers dont dépend, en dernier ressort, la victoire, puisque toute répartition du pouvoir dépend de la répartition de l'argent et vice versa[17].

Le fonctionnement du pouvoir politique actuel repose, selon la contre-culture, sur la technologie qui permet l'accumulation de l'information. Être informé, c'est être libre d'exercer son pouvoir. Le gouvernement, en monopolisant les informations, empêche la participation des citoyens et leur enlève toute possibilité de critique. Ce monopole vient donc accentuer l'impossibilité institutionnelle de rétroaction populaire. Pour briser ce monopole et établir une véritable démocratie il faut «redonner à chacun l'usage de la technologie». Sans cette démocratisation de la technologie il y a danger de fascisme, par contre si le gouvernement «redonne au peuple les instruments technologiques qui lui appartiennent de fait, l'Utopie sera la Réalité quotidienne»[18].

Au niveau de la conception du politique, la contre-culture désavoue le système actuel parce qu'elle considère qu'il n'est plus vraiment démocratique. Elle croit de plus que même un système où des hommes politiques élus gouverneraient effectivement ne saurait aboutir à l'établissement d'un meilleur régime. Tous leurs actes sont en effet motivés non pas par la recherche de la justice, de la sagesse, de la paix, de la liberté et du bonheur, mais bien par l'électoralisme car après tout «le devoir d'un gouvernement est TOUJOURS de se faire réélire»[19]. Parce qu'ils sont soumis au pouvoir financier et parce qu'ils veulent d'abord et avant tout être réélus, les politiciens mènent à l'anéantissement. Ils n'ont plus qu'un rôle d'intermédiaire tout à fait inutile, voir même néfaste[20]. Il n'est donc pas étonnant d'entendre la contre-culture affirmer: «La politique, issue d'un système que nous réprouvons, nous pue au nez»[21].

---

15   C. Stevens, *op. cit.*, p. 197.

16   *Ibid.*, p. 198.

17   Pour *Mainmise*, il existe une quasi-identité entre pouvoir et argent : « Ce que nous voulons, c'est que l'on bâtisse la Société sur des idéaux culturels et sociaux et non pas sur la répartition du pouvoir qui, finalement, n'est qu'une répartition de l'argent ».

18   « Une lettre ouverte à M. Trudeau sur le fascisme électronique », *Mainmise*, no 11, (mars 1972), p. 39.

19   « Ne trébuchons pas », *Mainmise*, no 15 (août 1972), p. 10.

20   « Si l'homme choisit l'anéantissement, qu'il continue donc à laisser son sort entre les mains des politiciens », B. Fuller, *op. cit.*, p. 5.

21   Pénélope, « Et maintenant Pénélope vous parle de Mainmise », *Mainmise*, no 2, (déc. 1970), p. 18.

Pour être en mesure de s'imposer aux citoyens, ce pouvoir politique, essentiellement démagogique, suppose le maintien et la construction d'une société dont les mécanismes psychologiques de fonctionnement sont essentiellement constitués par la peur car «le pouvoir, c'est être capable d'emprisonner ou de tuer quelqu'un pour désobéissance» par le manque de confiance en soi et par la méfiance envers les autres[22]. Une fois ces fondements psychologiques bien établis, «l'Establisment» peut se consacrer à la promotion de ses intérêts propres.

## Les finalités de l'action

Nous tenterons maintenant d'identifier les principes qui fondent les convictions de la contre-culture et qui en ordonnent les références.

### 1. La conception de l'autorité

La contre-culture refuse l'autorité hiérarchisée de l'Establishment fondée sur la peur et la méfiance. Elle ne refuse cependant pas toute forme d'autorité, Ainsi, une autorité basée sur «une certaine forme personnalisée d'attraction et d'influence» lui paraîtrait acceptable parce que naturelle[23]. Une telle autorité aurait comme fondement «l'aura individuelle, le champ d'influence et le charisme» dont jouirait son détenteur qui ne saurait par ailleurs être élu ou choisi pas plus qu'il ne pourrait s'imposer comme chef. Il serait un guide et son influence naturelle le fera reconnaître comme tel. Cette autorité s'acceptera d'autant plus facilement qu'elle sera avant tout une «discipline personnelle... une façon individuelle de faire le bien»[24].

Dans ces conditions, l'autorité ne saurait être reliée à l'exercice d'une fonction mais plutôt à la personne même qui exerce cette fonction. En effet, d'aucun ne peut à proprement parler détenir une autorité dont l'existence, telle une émanation personnelle, est strictement inhérente au caractère d'un individu. C'est en définitive la personnalité de «celui qu'on écoute» qui lui confère une certaine forme d'autorité.

Bien que l'organisation politique qu'elle souhaite soit légitimée par le charisme, la contre-culture refuse de considérer ces guides charismatiques comme une élite. Contrairement aux élites de la société actuelle qui exercent un monopole sur l'information, les guides contre-culturels remettraient le contrôle et l'utilisation de la technologie au peuple et ne pourraient échapper aux critiques populaires, tous étant adéquatement informés. Le rôle de ces guides serait donc de suggérer quelle décision devrait être prise parmi l'éventail des possibilités. L'autorité ne représente plus alors le pouvoir, elle devient simplement «un point de repère pour l'action»[25].

La contre-culture estime que la démocratie actuelle ne permet l'éclosion que de la volonté de «l'Establishment» au détriment de la «volonté générale». De la même façon, sa conception du système politique et de la politique la porte à croire qu'il n'y a que les droits de l'«Establishment» qui sont respectés. La contre-culture entend donc

---

22    Non titré, *Mainmise,* no 5, (juin 1971), p. 109.

23    C. Stevens, *op. cit.,* p. 202.

24    *Ibid.,* p. 202.

25    «La saga des computers ou la guerilla de l'information», *Mainmise,* no 11, (mars 1972), p. 24.

s'opposer à la volonté de l'«Establishment» en prônant les droits individuels. Elle se sent pourtant incapable de dégager dès maintenant toutes les composantes de cette volonté générale, constituée de la somme des volontés individuelles, puisque cette société nie les individus. Elle est cependant persuadée que tous les individus veulent (ou voudront) se libérer et qu'elle propose des moyens infaillibles pour arriver à cette libération.

Son projet repose donc sur la nécessité d'un consensus général en ce qui a trait aux objectifs et aux moyens suggérés pour réduire puis annihiler la peur et la méfiance et pour élargir la confiance mutuelle nécessaire au bon fonctionnement de la forme d'autorité qu'elle préconise. Une fois ce consensus établi, la volonté générale pourra se manifester. La somme des libérations individuelles mènera à la libération collective et les droits individuels seront en parfait accord avec les droits collectifs. Pourtant, si la contre-culture refuse l'autorité de «l'Establishment», elle ne s'oppose pas à ce que, dans cette société libérée, des contrôles soient exercés: elle prévoit même qu'ils seront accrus. Leurs buts différeront cependant de ceux de l'«Establishment» car ils viseront essentiellement à une libération plus profonde et plus étendue [26].

C'est donc davantage la forme, la nature et la finalité de l'autorité, plutôt que l'existence même de celle-ci, que la contre-culture conteste. Signalons toutefois que la contre-culture n'indique pas qui sera responsable de l'exercice de ces contrôles accrus. On ne peut que supposer que ce rôle sera dévolu aux guides charismatiques qui n'auront à souffrir aucune contestation ou désaccord puisque le consensus aura été préalablement établi. Il semble donc que, dans la phase actuelle de négation de l'autorité de l'«Establishment», la contre-culture accorde la priorité fondamentale à la reconnaissance du droit à la libération individuelle et, de façon plus générale, à l'individu et à l'ensemble de ses droits. Que cette priorité demeure dans le monde futur qu'elle espère ne tient qu'à l'opération mathématique qui sous-tend sa conception de la société, c'est-à-dire l'égalité entre la somme des droits individuels et les droits collectifs.

## 2. La conception de la participation

Il semble y avoir divergence au sein même de la contre-culture en ce qui concerne la participation. Le fait de privilégier le plan culturel a conduit certains adeptes de la contre-culture ou bien à se désintéresser complètement du politique ou bien à associer participation politique et soutien à l'ordre établi. Ceux-ci considèrent la politique comme extérieure à leur sphère d'activités ou refusent d'apporter toute contribution autre qu'obligatoire au processus de réalisation des projets relevant des affaires de l'État.

D'autres adeptes de la contre-culture considèrent par contre qu'au moins une forme de contribution volontaire ne saurait être refusée: le vote. Pour eux, le vote est un geste qui permet aux jeunes de la contre-culture de remettre leur sort entre les mains de ceux qui sont prêts à agir politiquement en leur nom. Ceux-là acceptent donc

---

26    « Nous approchons d'un nouveau genre d'existence, un monde post-civilisation dont les points les plus saillants seront des séries d'intégration de plus en plus larges à tous les niveaux du purement politique et économique au purement psychique. Cette nouvelle existence comportera des contrôles sur toute notre vie qui seront beaucoup plus étendus que ceux des cultures précédentes. Pourtant la nature de ces contrôles et leur fonctionnement nous LIBÉRERONT, non seulement de l'esclavage économique mais aussi de l'esclavage idéologique, culturel et émotif », « Images », *Mainmise*, no 5 (juin 1971), p. 19.

les principes de la délégation de pouvoir et de la représentativité, et décident «d'utiliser leur pouvoir en votant»[27]. De cette façon «on ne va pas faire de la politique, mais on va chéquer»[28].

D'autres enfin conçoivent l'action politique comme une prolongation de l'action culturelle mais refusent les formes traditionnelles de l'action politique. C'est ainsi qu'un mouvement qui mettrait l'accent sur la participation de tous les citoyens à tous les niveaux dans une organisation basée sur les quartiers et les communes pourrait recevoir l'approbation de cette frange de la contre-culture qui se rapproche des Yippies. Sans rejeter le principe de la délégation et de la représentativité, ces derniers insistent sur la participation politique directe. Plutôt que d'exercer une surveillance sur le pouvoir, ils entendent exercer le pouvoir eux-mêmes[29].

De ces trois tendances au sein de la contre-culture, on peut découvrir un dénominateur commun: la contre-culture comme telle n'entend pas se faire l'instigatrice d'action politique qui lui soit propre mais ses adeptes peuvent arriver à être individuellement, des participants à des mouvements politiques extérieurs à la contre-culture.

On peut conclure que pour la contre-culture, le dégré de passivité ou d'activité politique est valorisé en fonction de la nature du système politique. À l'heure actuelle, la tendance à la passivité (*drop-out*) politique domine nettement, bien qu'une minorité souhaite une participation réduite tout en espérant qu'une fois les conditions préalables à la société utopique réalisées, la participation sera pleine et entière. De la même manière, la valorisation de l'obéissance ou de la soumission est fonction du système politique et de la légitimité qui le sous-tend. La soumission et l'obéissance sont l'objet d'une valorisation nettement négative pour le moment et il demeure difficile de cerner la place assignée à l'individu dans la société utopique contre-culturelle. Quant à la volonté de déterminer ou de contrôler la prise de décision, elle semble assez nette chez la contre-culture dans la mesure, encore une fois, où elle est fonction de l'avénement de la société utopique. D'ici là, l'autodétermination, considérée comme indispensable au niveau individuel, est mise en veilleuse au niveau politique.

## 3. *La conception du changement*

Pour la contre-culture, tout est changement et tout est en changement. Il n'est pas question, pour elle, de «valoriser» le changement: c'est une donnée avec laquelle il faut compter car rien ne peut l'arrêter. Le changement a toujours été bien que la société s'employait à le nier. Il est actuellement plus rapide que jamais dans la mesure où le changement dans la conscience de l'homme et le changement technologique, lesquels entretiennent un rapport dialectique, sont tous deux plus rapides[30].

La contre-culture ne parle que très peu d'évolution mais beaucoup de révolution et de transformation. La révolution, telle qu'entendue jusqu'à maintenant,

---

27    « Benjamin Spock, Président des EU ? », *Mainmise*, no 10, (janv. 1972), p. 170.

28    « Les élections », *Mainmise*, no 18, (déc. 1972), p. 16.

29    « Il ne suffit plus de surveiller le pouvoir, il faut l'exercer », Linda Gaboriau, « Le Frap et l'utopie urbaine », *Mainmise*, no 2, (déc. 1970), p. 190.

30    Cette révolution sociale et politique qui secoue la planète n'est pour Mainmise « qu'un effet secondaire de la révolution profonde qui s'opère dans la conscience que l'Homme a de lui-même », « Images », *Mainmise*, no 5, (juin 1971), p. 16.

est rejetée par la contre-culture parce qu'elle implique un renversement, le remplacement d'un ordre structuré par un autre ordre structuré. La transformation diffère de la révolution en ce qu'elle est un processus continu: c'est le changement perpétuel. La transformation n'amènera pas de nouvel ordre: le changement doit devenir une nouvelle forme d'équilibre qui ne saurait tolérer de structures fixes et rigides.

Cette transformation n'équivaut ni à l'évolution, car elle suppose une mutation souvent catastrosphique, ni à l'anarchie puisque on y retrouve aussi des «timoniers», habilités à «naviguer» à travers les configurations toujours changeantes de la transformation, et des «transformateurs», capables de devancer ces changements. Ceux-ci veilleront à ce que la transformation soit positive tant pour la conscience individuelle que pour la société[31].

## *Le politique dans la conception du changement social*

Pour la contre-culture, la conscience est déterminée par le medium qui supporte les informations plutôt que par les informations elles-mêmes (selon la théorie chère à McLuhan) et par les sens qui entrent en jeu dans la perception de ces informations. Ainsi, une personne dont la culture est formée principalement par l'imprimé développera une conscience linéaire-visuelle alors qu'une autre qui sera formée par les média électroniques, dont tous les sens seront requis pour capter l'information, aura une conscience universelle «simulsensorielle».

La conception cybernétique que la contre-culture se fait du système politique relève de la théorie générale des communications, et partant, d'une conscience-simulsensorielle. Ainsi, reproche-t-elle surtout à ce système sa déviance par rapport à ce modèle, déviance qui est imputable à la conscience linéaire des hommes politiques. Étant donné qu'il ne saurait y avoir d'hommes politiques non-linéaires puisque ces deux termes s'excluent mutuellement, la contre-culture estime que le système politique pourrait très bien fonctionner si «la» politique en était bannie.

Cette conception politique a pour conséquence que la première tâche à laquelle la contre-culture doit s'attaquer est de réduire la peur et la méfiance, ces fondements psychologiques de l'autorité et du fonctionnement actuel du système politique. Il n'y a pas là d'action directement politique mais une action culturelle et idéologique dont chaque individu est rendu responsable dans la mesure où il doit se libérer intérieurement de tout ce qui s'oppose à la formation d'une véritable conscience simulsensorielle.

Les moyens d'action préconisés pour atteindre ce but sont bien connus: d'abord et avant tout, les drogues qui permettent le déconditionnement social, le rock, principal véhicule des idées de la contre-culture, la libération sexuelle, prérequis à toute autre libération, la vie en commune qui élimine la famille nucléaire et autoritaire et qui permet l'acquisition de connaissances hors des cadres de l'école conservatrice, et enfin les religions orientales qui fournissent une discipline de croissance.

---

31    «Principes moteurs du Mouvement, ils (les timoniers) ne sont toutefois ni chefs, ni supérieurs. Ils ont maîtrisé les cartes de navigation pour la décennie en cours. Au-delà de toute organisation, ils génèrent des champs d'influence qui peuvent produire soit une structuration, soit une dislocation. Ils font un avec le Cosmos», C. Stevens, *op. cit.*, p. 208.

L'utilisation effective de ces moyens par la contre-culture n'a, jusqu'à présent, eu un effet significatif que presque exclusivement sur le plan culturel. La contre-culture croit cependant que le jour où la nouvelle conscience simulsensorielle, dont seraient absentes la peur et la méfiance, l'emportera sur la linéarité, la population nouvellement consciente ne pourra faire autrement qu'élire, dans un premier temps, des hommes politiques eux-mêmes nouvellement conscients dont le premier rôle sera de s'auto-détruire en tant que politiciens et de se convertir en guides. Les fonctions législative et exécutive n'étant plus vraiment nécessaires, ils céderont la place à des administrateurs «conscients» ou en deviendront eux-mêmes. Ce sera le charisme et l'influence naturelle de ces hommes qui alors fonderont leur autorité. Ils travailleront pour le bienfait de l'humanité en respectant la personne humaine et n'imposeront de contrôles accrus que pour mieux parvenir à une plus grande libération de l'homme.

Le deuxième rôle de ces guides sera d'abolir le monopole de l'information, fondement objectif du pouvoir politique actuel. Le contrôle de l'information sera remis à la population consciente qui pourra alors avoir accès à toute l'information disponible, l'utiliser selon son bon gré et être ainsi en mesure de participer à la prise de décision.

Leur troisième tâche consistera à fractionner les grandes corporations, qui pourront subsister même après la victoire de la nouvelle conscience sur la linéarité de façon à limiter leur pouvoir sur les gouvernements.

Ce sont donc les hommes qui sont au centre de l'argumentation de la contre-culture. D'une part, ce sont les hommes politiques actuels qui sont responsables des déviances du système politique et, de l'autre, tout le poids de la transformation de ce système repose sur les épaules des guides intéressés par la chose politique.

## Conclusion

De la place qu'occupe le politique dans le projet global de la contre-culture, il est possible d'inférer que le changement d'ordre culturel constitue à lui seul tout son projet, qu'il est en lui-même et par lui-même la totalité du changement social. La contre-culture établit que ce seul changement entraînera automatiquement tous les autres, ou mieux encore qu'il les contient tous. Le scénario imaginé par la contre-culture repose sur une seule prémisse: la conscience est le «moteur de l'histoire». Ce postulat l'a vite conduit à une conclusion: «La révolution est dans votre tête. Vous êtes la révolution»[32]. Il suffira donc que les consciences se transforment pour que le système politique s'adapte à la nouvelle société. Dans ce contexte, il ne saurait être question, pour la contre-culture, de formuler, à partir de sa conception politique, des objectifs politiques précis, des moyens d'action politique concrets ou d'élaborer un programme politique, bref de concevoir un projet politique. Elle se contente d'établir cet automatisme dans le changement social. D'ailleurs, une telle entreprise lui serait logiquement impossible à réaliser, étant donné que l'organisation politique est conçue comme une activité hautement linéaire et donc étrangère à la «philosophie» de la contre-culture et que la notion de collectivité lui semble inconnue: pour la contre-culture, l'union ne fait pas la force, l'addition des actions individuelles suffit. Il n'est donc pas étonnant que la contre-culture soit axée sur la recherche de la libération individuelle par des moyens d'action individuels car elle conçoit que c'est de la somme des libérations individuelles que surgira la libération globale.

---

32    «We want the world and we want it now», *Mainmise*, no 5 (juin 1971), p. 60.

Choisir de travailler au niveau des consciences plutôt qu'à celui des institutions, espérer la révolution culturelle plutôt que militer pour une révolution qui soit d'abord politique, constitue, pour la contre-culture, une décision qui repose sur son évaluation des institutions politiques: celles-ci n'existent et ne fonctionnent qu'en vertu de la volonté des hommes. Ainsi, non seulement la contre-culture refuse-t-elle le militantisme politique mais elle estime qu'il serait vain de travailler au renversement des gouvernements, des classes dominantes et des institutions politiques et économiques sans avoir préalablement changé la mentalité des hommes car, celle-ci étant autonome, l'ancienne mentalité rétablirait vite ses droits sur toute structure nouvelle et rien de fondamental n'aurait ainsi changé à la vie.

*Lectures recommandées*

G. Houle et J. Lafontaine, *Ecrivains québécois de nouvelle culture,* Montréal (bibliographies québécoises, no 2), Bibliothèque nationale du Québec, 1975.

G. Lane, *L'urgence du présent: essai sur la culture et la contre-culture,* Montréal, Presses de l'Université du Québec, 1973.

J. Lazure, *La jeunesse du Québec en révolution,* Montréal, Presses de l'Université du Québec, 1970.

_____, *L'asociété des jeunes,* Montréal, Presses de l'Université du Québec, 1972.

M.-F. Moore, «Mainmise: version québécoise de la contre-culture», *Recherches sociographiques,* 14 (1973), p. 363-381.

M. Rioux, *Attitudes des jeunes du Québec âgés de 18 à 21 ans,* rapport de recherche soumis à la Commission royale d'enquête sur le bilinguisme et le biculturalisme, 1965. (Div. 5-A, Rapport no 11).

L. Racine et G. Sarrazin, *Pour changer la vie,* Montréal, Jour, 1973.

# Chapitre 15

# Idéologie et stratégie de la violence politique au Québec, 1962-1972*

Marc Laurendeau
Montréal-Matin

*Marc Laurendeau est éditorialiste en chef au journal* Montréal-Matin. *En tant que chercheur en science politique, il s'est surtout intéressé au phénomène de la violence politique, intérêt dont est issu* Les Québécois violents, *Trois-Rivières, Boréal-Express, 1974.*

*Son présent article, qui est une adaptation de certains chapitres de ce livre, traite principalement de l'évolution idéologique de la violence politique au Québec ainsi que du contexte stratégique dans lequel elle s'est opérée. Ses données proviennent de documents officiels et officieux issus de divers groupements politiques violents ainsi que d'entrevues qu'il a effectuées auprès de certains de leurs membres. Il utilise l'analyse de contenu de même que la grille d'analyse.*

On ne saurait peindre un tableau politique complet du Québec sans y inclure la violence politique de la période 1962-1972. Bien sûr, certains sont tentés de la reléguer au rang de phénomène marginal et souhaitent qu'on oublie vite ce souvenir gênant. Mais on risquerait alors de s'isoler des réalités pour se réfugier dans un monde idéal. Dans cet article, nous ne prétendons pas évidemment étudier tous les aspects du phénomène de la violence. Deux questions surtout ont retenu notre attention: (1) *l'idéologie* de la violence politique au Québec: ses sources, son contenu, son évolution, ses modalités et (2) les *possibilités de réussite* de la violence révolutionnaire: enjeux, facteurs stratégiques, facteurs secondaires.

---

\* Cet article est adapté d'un livre publié par l'auteur. *Les Québécois violents*, Montréal, Boréal-Express, 1974; le lecteur pourra s'y rapporter pour tout complément d'information.

# L'idéologie de la violence politique au Québec

En octobre 1962, à Montréal, un groupe de personnes qui ne croient plus à la possibilité pour l'indépendance du Québec de se réaliser par des voies démocratiques mettent sur pied un *Réseau de résistance* afin d'accélérer et de mener à terme le processus d'indépendance. Après quelques barbouillages d'affiches, ce premier groupe connaît en mars 1963 une scission d'où émergea le *Front de libération du Québec* qui, le lendemain même de sa création, soit le 7 mars 1963, passe aux actes en lançant des cocktails Molotov contre trois manèges militaires. Dès son premier communiqué, le F.L.Q. laisse percer une préoccupation idéologique:

> La dignité du peuple québécois demande l'indépendance. L'indépendance du Québec n'est possible que par la révolution sociale. La révolution sociale signifie un «Québec libre». Étudiants, ouvriers, paysans, formez vos groupes clandestins contre le colonialisme anglo-américain[1].

Plus tard, le 6 avril 1963, une bombe composée de vingt-quatre bâtons de dynamite est déposée sous la tour de transmission des ondes de télévision située sur le Mont-Royal. Elle est désamorcée à temps. Suivent les rafles, les perquisitions et les arrestations. Le service d'information du F.L.Q. émet alors un texte qu'aucun journal n'a publié et qu'on peut à juste titre, considérer comme le premier manifeste du F.L.Q., celui du 16 avril 1963. On y trouve ces mots:

> ... l'indépendance seule ne résoudrait rien. Elle doit à tout prix être complétée par la révolution sociale. Les Patriotes québécois ne se battent pas pour un titre mais pour des faits. La Révolution ne s'accomplit pas dans les salons. Seule une révolution totale peut avoir la puissance nécessaire pour opérer les changements vitaux qui s'imposeront dans un Québec indépendant[2].

La dimension *idéologique* de l'action felquiste est donc précisée dès le départ. Il ne s'agira pas là d'un mouvement de banditisme où les acteurs agissent avant tout pour leur profit personnel. Il ne saurait être question de comprendre l'action du F.L.Q. si on refuse de la situer dans le cadre d'un combat politique. Cette idéologie de la violence politique, les premières cellules du F.L.Q. ne l'ont pas créée de toutes pièces mais bien formulée par référence — positive et parfois négative — à la théorie marxiste.

## 1. *La violence comme instrument d'action politique*

Malgré les affirmations de certains[3], il faut bien reconnaître, et les felquistes sont les premiers à le faire, que la violence fait étroitement partie de notre histoire. En effet, l'implantation et le maintien, pendant 150 ans, d'une colonie française en Amérique du Nord n'ont été possibles que par des recours répétés à la violence comme en témoignent les multiples guerres contre les Amérindiens et celles contre les Anglo-Saxons qui les avaient mobilisés, la défaite militaire de 1760, la révolte de Pontiac, les

---

1    Voir Claude Savoie, *La véritable histoire du F.L.Q.*, Montréal, Jour, 1963, p. 28.

2    *Ibid.*, p. 43-46.

3    Ainsi Michel Roy déclare en 1971 (*Le Magazine Maclean*, v. 11, no 1 (janvier 1971), p. 10) : « À vrai dire, notre société était l'une des dernières à savourer les fruits     parfois amers, il est vrai     de la paix, de la liberté et de la démocratie, au point qu'elle était citée en exemple dans le monde et qu'il ne fut venu à personne l'idée que le territoire le plus tranquille de ce continent pût ainsi basculer dans la tourmente ».

invasions américaines de 1775 et 1812, la rébellion de 1837-38, l'incendie du Parlement de Montréal, la double révolte des Métis, les agitations populaires du début du XIXe siècle et les deux crises de la conscription.

Par la suite, il y eut au Canada, entre 1910 et 1966, 227 grèves marquées par des explosions de violence, dont 66 au Québec[4]. Plus récemment, nous avons connu les grèves violentes de Sorel, d'Asbestos, de Murdochville, de la Dominion Ayers, de la Seven-Up, de Lapalme, etc. Tous ces conflits en disent long sur la supposée paix sociale au Québec. Ainsi que le souligne le politicologue Bruce Smith[5], parler de la violence dans le processus politique revient à parler du processus politique en tant que tel. En réalité, les activités politiques traditionnelles se déroulent au seuil d'une escalade toujours possible vers la violence. Écarter la violence du processus politique, sous prétexte qu'elle rend toute vie politique impossible, n'est pas conforme à la réalité historique. La démocratie occidentale a derrière elle une genèse très violente. Dans le fonctionnement des grandes révolutions, des individus modérés ont établi et consolidé les gains de la révolte en montant au pouvoir soutenus par une vague de colère, de désespoir et d'aspirations. Des hommes engagés et souvent des femmes engagées aussi, s'étaient livrés à de féroces rébellions et avaient trouvé les justifications pour le faire. De ce travail de destruction, les modérés et les pragmatiques ont tiré les avantages majeurs[6]. La violence, complète antithèse de la nature et de l'esprit de l'éthique démocratique, n'en demeure pas moins un élément essentiel du processus démocratique[7]. Depuis 1918[8], par exemple, on compte au moins 192 tentatives d'assassinat dirigées contre des chefs de gouvernement, dont 39 qui ont réussis (dans 25 pays). Les tentatives d'assassinat dirigées contre des hommes politiques se chiffrent, elles, à plus de 1,500 au cours de la même période.

Pour les felquistes, il ne saurait donc être question d'isoler la violence du processus politique en la considérant uniquement sous l'angle de la pathologie ou de la déviance. Ils n'acceptent pas non plus cette version officielle de l'histoire suivant laquelle le développement politique des sociétés occidentales doit être associé à une longue et difficile conquête de la démocratie sur la violence. Au contraire, la démocratie, dans sa version tant libérale que socialiste, est historiquement issue de revendications violentes et son développement a coïncidé avec un accroissement accéléré de la puissance et du raffinement des moyens de violence mis à la disposition de l'autorité publique, tels les dévastateurs armements de guerre et les nouvelles techniques policières

---

4    Daniel Latouche, *La violence au Québec: l'entreprise de théorisation,* Communication présentée au 6e congrès annuel de l'Association canadienne d'éducation et de recherche pour la paix, St-John's, Terre-Neuve, (juin 1971), p. 13.

5    Bruce Smith, «The Politics of Protest: How Effective is Violence» dans R.H. Connery, éd., *Urban Riots: Violence and Social Change,* New York, Vintage Books, 1969, p. 115.

6    Barrington Moore Jr., «Thoughts on Violence and Democracy» dans R.H. Connery, éd., *Urban Riots,* p. 6.

7    Lynne B. Iglitzin, «Violence and American Democracy», *The Journal of Social Issues,* 26 (1970), p. 165-187.

8    Murray Clard Havens, Cral Leiden et Karl M. Schmitt, *The Politics of Assasination,* Englewood Cliffs, Prentice-Hall, 1970, p. 23, 161-168. Voir également: J. Kikham, S.G. Leuy et W.J. Crotty, *Assassinations and Political Violence. A Report to the National Commission on the Causes and Prevention of Violence,* Washington, D.C., U.S. Government Printing Office, 1969.

de répression. En éliminant la loi de la jungle entre les individus et les groupes, l'État moderne, loin d'avoir aboli la violence, a, au contraire, fondé son pouvoir et sa légitimité sur l'exercice d'un monopole exclusif des instruments de violence.

## 2. La violence politique québécoise et la théorie marxiste

Le thème dominant de la première argument élaborée par le F.L.Q. est l'oppression, l'exploitation et la colonisation des Québécois. Voici comment cela est exprimé dans le manifeste du 16 avril 1963:

> Il nous suffit de penser aux centaines de milliers de chômeurs, à la misère noire des pêcheurs de la Gaspésie, aux milliers de cultivateurs à travers le Québec dont le revenu dépasse à peine $1,000 par an, aux milliers de jeunes qui ne peuvent poursuivre leurs études par manque d'argent, aux milliers de personnes qui ne peuvent avoir recours aux soins médicaux les plus élémentaires, à la misère de nos mineurs, à l'insécurité générale de tous ceux qui occupent un emploi: voilà ce que nous a donné le colonialisme [9].

La démarche paraît logique. Devant l'impuissance à résoudre un problème politique et constitutionnel, devant le spectacle de l'oppression, si on ne croit pas à la possibilité de procéder par la voie légale, on préconise la violence. Il s'agit donc d'un nationalisme d'extrême-gauche, inspiré du marxisme. En effet, Marx envisageait la violence comme un mal nécessaire, une inévitabilité historique pour déloger la bourgeoisie de la position dominante. Puisque, advenant le cas où le prolétariat puisse sérieusement aspirer à prendre le pouvoir légalement au moyen des élections, la bourgeoisie n'hésitera pas à utiliser la violence pour garder les postes de commande dans la structure du pouvoir, la violence serait alors inévitable. Par ailleurs, même dans le cas où le prolétariat réussirait à s'emparer du pouvoir sans violence, il ne pourrait espérer réaliser sa révolution sans un recours à la violence pour faire échec aux manoeuvres de sabotage des classes dirigeantes nouvellement évincées. En somme, selon l'idéologie marxiste, le niveau de violence à utiliser dépend entièrement du degré de résistance offert par la classe bourgeoise à la révolution prolétarienne. La récente expérience chilienne tendait d'ailleurs à démontrer la difficulté d'instaurer un régime marxiste sans un recours minimal à la violence.

Un aspect caractéristique du marxisme est son internationalisme. À cet égard, l'idéologie felquiste se rattache au marxisme classique: les prolétaires n'ont pas de patrie. Les activistes du F.L.Q. combattent d'abord pour la libération de l'oppression avant de combattre pour la spécificité québécoise, puisque celle-ci ne servirait peut-être pas forcément la cause des Québécois. Ainsi dès 1963, dans un de ses premiers communiqués le F.L.Q. proclame son appui à «tous les mouvements travaillant pour l'indépendance nationale, en particulier celui de Porto-Rico, l'Armée de libération nationale du Vénézuéla et celle du Guatémala» [10].

Par ailleurs, les felquistes évitent de tomber dans un gauchisme [11] qui n'accorderait aucune place à la lutte nationaliste au sein de la lutte du prolétariat international. De même prennent-ils soin de ne pas placer le nationalisme au-dessus de la lutte

---

9     C. Savoie, *La véritable histoire...*, p. 45.

10    Jacques Lacourçière, *Alarme Citoyens*, Montréal, La Presse, 1972, p. 35.

11    Hérésie marxiste soutenue par Trotsky et Rosa Luxembourg qui n'accorde aucune place à la lutte nationale pour défendre avec plus d'énergie les intérêts du prolétariat international.

pour le socialisme. Ils affirment l'importance de leur double but: indépendance et révolution sociale. Tant mieux si les actions menées sur la base de l'indépendance servent de levier à l'ensemble de la classe ouvrière. Sur ce point, les felquistes respectent donc une certaine orthodoxie marxiste.

Il n'en est cependant pas ainsi en ce qui concerne le recours à la lutte armée. Selon Marx et Lénine, la lutte armée doit être envisagée comme faisant partie d'un tout historique. À cet égard, les positions de Lénine sur le terrorisme ont une valeur d'autant plus enrichissante pour le marxisme qu'elles ont été le fruit d'une pratique révolutionnaire. Lénine ne rejette aucune forme de lutte par principe. Il juge des formes de lutte, y compris le terrorisme, en fonction du mouvement de masse et de conditions historiques, politiques, économiques et culturelles concrètes. Selon lui, il est impérieux que la question des formes de lutte soit envisagée sous son aspect historique. Poser cette question en dehors des circonstances historiques concrètes, c'est ignorer l'essence du matérialisme dialectique.

Le marxisme s'instruit donc à l'école pratique des masses. Il ne se substitue pas aux masses en leur conseillant des formes de lutte supposément meilleures et plus efficaces.

Dans cette perspective, la classe ouvrière n'a pas besoin d'être piquée au flanc pour se mettre en action et apprendre à s'organiser. Les révolutionnaires ne doivent pas penser que les travailleurs vont pouvoir revendiquer seulement lorsqu'ils auront été agités par des moyens de lutte (attentats, vols, enlèvements, etc...) qu'ils n'auront pas eux-mêmes choisis. Cette dernière croyance serait anti-marxiste [12] et, dans la pratique, entraînerait les militants révolutionnaires à se substituer aux masses en leur donnant des leçons préliminaires de révolution.

En 1901, Lénine rejette carrément l'idée d'utiliser la terreur comme instrument de lutte politique:

> «On nous propose aujourd'hui la terreur, non point comme l'une des opérations d'une armée combattante, opération étroitement rattachée et articulée à tout le système de lutte, mais comme un moyen d'attaque isolé, indépendant de toute armée et se suffisant à lui-même. D'ailleurs, à défaut d'une organisation révolutionnaire centrale et avec des organisations locales faibles, la terreur ne saurait être autre chose. C'est bien pourquoi nous déclarons résolument que, dans les circonstances actuelles, la terreur est une arme inopportune, inopérante, qui détourne les combattants les plus actifs de leur tâche véritable et la plus importante pour tout le mouvement et qui désorganise non pas les forces gouvernementales mais les forces révolutionnaires» [13].

Cinq ans plus tard, soit en 1906, Lénine allait cependant accepter l'idée de la terreur mais à la condition qu'elle s'inscrive dans un système de lutte armée populaire et organisée. À ce moment, Lénine substitue l'expression «guerre des partisans» aux termes de «terreur» ou de «terrorisme». Il écrit:

---

12    Roch Denis, « Le terrorisme dans la révolution au Québec », dans *Québec occupé*, Montréal, Parti Pris, 1971, p. 174.

13    V.I. Lénine, « Par où commencer », dans *Oeuvres*, Paris, Éditions sociales, 1964, Tome 5 : (mai 1901-février 1902), p. 15-16.

«...l'ancien terrorisme russe était l'affaire d'intellectuels conspirateurs; aujourd'hui la lutte des partisans est menée, en règle générale, par des militants ouvriers ou simplement par des ouvriers en chômage»[14].

La violence politique devient donc alors l'une des formes de lutte utilisées au moment de l'assaut décisif. Selon cette conception, lorsque l'assaut décisif est commencé et, pendant toute la période de la guerre civile, le Parti est associé directement à la lutte. C'est à lui que revient la responsabilité de donner une direction au terrorisme.

Au lieu d'espérer que la révolution surgisse de l'émergence historique simultanée de conditions objectives et subjectives favorables, les terroristes québécois ont tenté de la faire résulter d'une psychose révolutionnaire suscitée chez les masses exploitées par une propagande de démonstration par les faits. Ils semblent avoir préféré une révolution spontanée (psychologiquement déterminée) à une révolution historique (conditionnée par la maturité des conditions économiques et sociales). Ils entretenaient donc une vision assez hérétique de la violence comme stratégie marxiste. Si, au niveau de la critique, leurs constats étaient articulés de façon orthodoxe (colonisation, exploitation, etc.), par ailleurs, de par leur action impatiente, ils s'inscrivaient tous plus ou moins dans un courant anarchiste.

Le rôle du marxisme est de saisir, d'organiser, de fusionner et d'exprimer consciemment les formes de lutte adoptées par les masses elles-mêmes tout au long du développement de ces luttes. En l'absence d'une organisation révolutionnaire centrale et d'organisations révolutionnaires locales solides, et lorsque les masses sont dispersées, le marxisme considère la terreur comme une forme de lutte inopportune et dangereuse. L'organisation de classe se construit à travers les luttes populaires qui, elles, se développent au même rythme que la construction de l'organisation. Les deux évolutions sont très intimement liées et il n'est pas de stratégie marxiste qui puisse justifier la préséance de l'agitation généralisée sur le travail d'organisation, ainsi que le proposait le F.L.Q.

## 3. *Certains traits de l'évolution idéologiques de la violence politique au Québec*

Afin de déceler l'évolution idéologique du F.L.Q. nous comparerons maintenant le contenu du premier manifeste (1963) à celui du manifeste de 1970. Dans les deux cas, on constate que l'idée d'indépendance du Québec est accompagnée de celle de révolution sociale. En ce sens, il y a donc continuité. Remarquons toutefois que le manifeste d'octobre 70 constitue un appel plus pressant: il est plus long que le premier et évoque concrètement les problèmes sociaux susceptibles de provoquer la lutte des classes et, partant, la révolution.

Cependant, la différence la plus évidente entre les deux manifestes se situe au niveau du langage employé. On pourrait d'abord penser que cette différence de langage est simplement due à l'arrière-plan culturel des rédacteurs. Ainsi, on imagine mal comment Georges Shoeters, un pilier de la toute première vague felquiste, lui-même d'origine belge et de formation universitaire, aurait pu donner son adhésion à un manifeste rédigé dans un québécois «joualisant». Il suffit d'ailleurs de rappeler que le premier F.L.Q. était issu du Réseau de Résistance, groupe voué à la défense de la langue française par des moyens violents (vandalisme, etc.), pour comprendre les

---

14    V.I. Lénine, « La guerre des partisans », dans *Oeuvres*, Paris, Éditions sociales, 1966, Tome 2, (*sept. 1906*), p. 220.

circonstances qui expliquent la forme assez châtiée du manifeste de 1963, laquelle est précise et peu académique, bien qu'elle laisse échapper à l'occasion certains accents d'ardeur révolutionnaire:

> «Depuis la seconde guerre mondiale, les divers peuples dominés du monde brisent leurs chaînes afin d'acquérir la liberté à laquelle ils ont droit. L'immense majorité de ces peuples a vaincu l'oppresseur et aujourd'hui vit librement (...) Acquérons les leviers politiques vitaux, prenons le contrôle de notre économie, assainissons radicalement nos cadres sociaux! Arrachons le carcan colonialiste, mettons à la porte les impérialistes qui vivent par l'exploitation des travailleurs du Québec.
> Les immenses richesses du Québec doivent appartenir aux Québécois»[15].

Le manifeste se termine par un dynamique appel à l'action:

> «Patriotes du Québec, aux armes! L'heure de la révolution est arrivée! L'indépendance ou la mort»[16].

Par contre, le manifeste de 1970 est rédigé dans un autre langage et revêt un autre ton. Nous croyons qu'il y a deux raisons à cela: une raison culturelle et une raison statégique. D'abord, ce manifeste rejette la langue académique pour adopter une forme de langage parlé qui n'hésite pas devant la grossièreté insolite ou la vulgarité inattendue lancée à la face. Parler «joual», pense-t-on, c'est rejoindre le peuple. Sur ce point, ses rédacteurs ont eu raison: si beaucoup de gens se sont déclarés en désaccord avec le manifeste, personne n'a prétendu n'en pas comprendre la langue. De plus, l'adoption de cette forme d'expression constitue un rejet du langage de la bourgeoisie, c'est-à-dire de la minorité possédante. Pour les felquistes, le simple fait qu'il existe deux niveaux de langage au Québec (le français «international» de la bourgeoisie et le «joual» du peuple) confirmerait l'existence des injustices sociales dénoncées dans le manifeste. L'emploi du «joual» est une démonstration concrète que, d'une part, ce langage est bien le nôtre et que, d'autre part, nous savons que c'est un produit inférieur. C'est souligner que nous parlons une langue méprisée[17].

Grâce à son utilisation du langage populaire, le F.L.Q. de 1970 tenta de se faire accréditer comme porte-parole des travailleurs québécois. Le manifeste qui s'adresse à «M. Bergeron de la rue Visitation» et «M. Legendre de Ville de Laval», recherche de façon concrète des appuis dans chaque secteur de la population, tels les travailleurs mis en chômage, «ceux à qui l'on a donné aucune raison pour les crisser à la porte». Puis, en des termes moins polis que ceux utilisés dans le premier manifeste, il parle des colonialistes: «ces big boss de l'économie et de la politique, prêts à toutes les bassesses pour mieux nous fourrer». L'injure est souvent grossière et percutante: elle ne porte plus, comme dans les tracts de 1969, sur un Jean Lesage, qui a «jeté bas son masque de libérateur» et qui est devenu «traître à son peuple», mais sur un «Bourassa, le serin des Simard» et sur «Trudeau, la tapette». Alors que le manifeste de 1963 ne faisait allusion à la révolution sociale qu'à l'aide d'une seule phrase, celui de 1970 recourt à des exemples répétés de façon à frapper par diverses réalités l'imagination des lecteurs et ainsi recueillir leur adhésion.

---

15    C. Savoie, *La véritable histoire...*, p. 43.

16    *Ibid.*, p. 46.

17    Pour M. Gérard Pelletier, ministre du gouvernement fédéral, l'emploi du «joual» prouve que les felquistes se soucient peu de savoir si on parlerait français ou joual dans la République du Québec. G. Pelletier, *La crise d'octobre*, Montréal, Jour, 1971, p. 73.

Tout autant que par l'évolution qu'il révèle au niveau du langage, le manifeste de 70 est marqué par l'importance qu'il accorde à de multiples revendications sociales. Cette insistance a surpris nombre d'observateurs qui n'avaient pas jusqu'alors décelé un tel degré de politisation chez les travailleurs québécois[18].

## 4. Courants et factions idéologiques

Une autre façon de déceler l'évolution idéologique de la violence politique au Québec consiste à étudier les courants de pensée qui ont influencé les diverses phases du terrorisme québécois. Bien que personne n'ait jamais prétendu jouer le rôle d'idéologue au sein du F.L.Q., on peut néanmoins identifier certains individus dont les écrits ont reflété et animé les tendances idéologiques à l'intérieur de ce mouvement.

Il convient tout d'abord de mentionner l'influence idéologique déterminante qu'a eu Raoul Roy, directeur-fondateur de la *Revue Socialiste* et fondateur de l'Action socialiste pour l'indépendance du Québec, sur les premières cellules felquistes[19]. À une époque où les premiers groupes indépendantistes concentraient presque toute leur attention sur la question nationale (1960-1963), c'est vraisemblablement Raoul Roy qui, avec son insistance à promouvoir un Québec indépendant certes, mais surtout socialiste, a donné à l'action terroriste ses premières préoccupations d'ordre social.

Mais ce sont surtout les noms de Pierre Vallières et de Charles Gagnon qui sont associés au développement de l'idéologie de la violence politique du Québec. Ce sont eux, en effet, qui, à partir de 1965 — date où ils rejoignent la clandestinité — impriment au mouvement terroriste une orientation d'appui aux travailleurs qui s'est manifestée par des interventions dont le but était de radicaliser les ouvriers et de créer une psychose propre à l'éclosion de la révolution. C'est surtout en fonction des contributions théoriques de P. Vallières et C. Gagnon que nous pouvons discerner un certain nombre de courants idéologiques à l'intérieur même du mouvement felquiste.

Plus que quiconque, du moins jusqu'en 1970, P. Vallières a symbolisé le courant marxiste à l'intérieur du F.L.Q. Pendant toute cette période, il fut considéré comme un tenant du marxisme-léninisme le plus dur. Pourtant, cette perception n'était pas juste. Voici, par exemple, comment il décrit son adhésion au marxisme :

> En découvrant le marxisme, j'eus l'impression de trouver ce que j'avais toujours cherché, ce que mon père aussi avait confusément cherché, ce que tous les prolétaires cherchent : une vérité, leur vérité, capable à la fois de les réconcilier avec la vie et de leur permettre de travailler ensemble à la seule chose qui vaille vraiment la peine d'être vécue : la révolution, le renversement du capitalisme et l'édification des structures sociales égalitaires[20].

Puis, après une étude plus approfondie du marxisme, il en fait une critique personnelle qui l'amène à des préférences :

---

18    « For the first time, many English Canadians, and perhaps many Québécois as well, realized that the F.L.Q. were something other than separatists in a hurry ». John Saywell, *Québec 70*, Toronto, University of Toronto Press, 1971, p. 51.

19    D'après des interviews menés auprès d'anciens membres du premier F.L.Q., ceux-ci venaient souvent chez Roy raconter leurs aventures. Voir C. Savoie, *op. cit.*, p. 40.

20    Pierre Vallières, *Nègres Blancs d'Amérique*, Montréal, Parti-Pris, 1967, p. 287.

Ayant compris la nécessité de mettre en pratique mes idées, j'ai étudié surtout, à partir de cette époque, les écrits et les actions révolutionnaires de notre temps: Lénine, Rosa Luxembourg, Mao Tsé-toung, Castro et «Che» Guevara. J'ai été plus fortement impressionné par la pensée de Mao Tsé-toung et les idées du Guevara que par l'oeuvre de Lénine[21].

Très près de la pensée de Georges Lukacs et Karl Korsch, tous deux excommuniés par la IIIe Internationale, Vallières ne peut s'empêcher de constater que les soviétiques n'ont pas su, ou n'ont pas voulu, intégrer les ouvriers au processus révolutionnaire, tandis que l'avant-garde s'est institutionnalisée en tant que nouvelle classe dirigeante. Pour Vallières, le marxisme n'est pas un système achevé et achevable; il est une méthode de pensée et d'action, une praxis dont il est impossible de donner une définition précise et permanente. Autant Vallières rejette le pragmatisme opportuniste des partis capitalistes, autant il se méfie de l'obsession des fatalités révolutionnaires des partis «qui se sont donnés le nom de communistes»[22]. L'idéal de Vallières se fonde sur l'humain, sur les hommes avec leurs capacités de produire et de créer, de détruire et de recréer, de transformer, de défaire et de refaire. On comprend dès lors que, du maoïsme, il retienne l'idée de révolution permanente.

Formellement, Vallières rejette l'anarchisme, car le peuple, laissé à la spontanéité de ses révoltes toujours à recommencer, ne possède aucune force militaire, n'est pas lucide et conserve une conscience de classe qui demeure à l'état d'instinct. Vallières imagine une structure sociale vraiment égalitaire, c'est-à-dire libre pour tous, fraternelle et coopérative, au sein de laquelle chaque individu puisse devenir davantage une personne. Voici comment il élabore cette vision:

> Seule une structure sociale égalitaire peut permettre concrètement aux travailleurs de participer activement et de profiter réellement et au maximum des produits de leur activité libre et disciplinée en même temps. Il ne s'agit pas seulement de «permettre» d'en haut (de la hauteur de quelque «praesidium» suprême) une libre circulation, «à la base», des suggestions, des propositions et des critiques, mais beaucoup plus que cela: il s'agit, à travers cette structure égalitaire, de mettre en place, par un travail collectif, les mécanismes d'une démocratie concrète et efficace, d'une démocratie pour tous qui donne aux travailleurs et à toute la société les moyens de tirer le plus grand parti possible des potentialités, non seulement de l'«économie» mais de l'ensemble des activités humaines et des «énergies» qui se déploient dans l'univers connu et sur lesquelles les hommes possèdent un pouvoir illimité de contrôle et d'utilisation, à des fins «humaines», de progrès, de bonheur, de satisfaction des besoins connus et «pas encore connus»[23].

Par la recherche de la destruction du principe autoritaire, par la foi en l'homme que cette forme de gouvernement suppose, la conception de Vallières englobe les éléments les plus créateurs et, en partie, les plus utopiques de la pensée anarchiste. L'influence idéologique de Pierre Vallières des années 1966-67 fut considérable, surtout en ce qui concerne la conception d'un futur gouvernement: pas de dictature du prolétariat exercée par une avant-garde qui serait le parti communiste, pas de structures contraignantes pour l'homme.

---

21    *Ibid.*, p. 306-307.

22    *Ibid.*, p. 316.

23    *Ibid.*, p. 342.

En 1970-1971, la pensée de P. Vallières allait connaître une remise en question, puis un revirement complet. En 1972, il publie *l'Urgence de choisir* [24] dont l'un des buts est d'empêcher une relance du F.L.Q. [25] en démontrant, sur un plan théorique, l'inutilité et même le danger d'une telle action.

Se demandant si le F.L.Q. a vraiment sa raison d'être, il pose d'abord le problème préalable de savoir si la situation est révolutionnaire et, par conséquent, si la lutte armée est justifiée. Il lui semble que non parce qu'il n'y a pas impossibilité objective qu'une lutte de masse puisse s'organiser et se développer par le processus électoral et qu'ainsi, un parti de masse puisse conquérir le pouvoir par des élections. Pour appuyer ses dires, il cite Che Guevara qui affirmait qu'il ne faut jamais exclure à priori qu'un changement révolutionnaire dans une société donnée puisse commencer par un processus électoral. Tant mieux, ajoute Vallières, si le changement peut se réaliser totalement par ce processus. La lutte armée ne peut être amorcée ni se développer si les masses croient pouvoir réaliser leurs aspirations par un processus électoral donné. La nouvelle position de Vallières s'apparente donc à l'«allendisme».

Selon Vallières, il y a danger à ce que le F.L.Q. coexiste avec le PQ, dont il entendait compléter l'action, car le pouvoir politique pourrait utiliser le prétexte de la violence terroriste pour écraser le PQ, les centrales syndicales ainsi que les comités de citoyens et bloquer ainsi le processus électoral. La violence fournit aussi — la crise d'octobre 1970 l'aurait amplement démontré — l'occasion rêvée pour le pouvoir d'éliminer les forces progressistes de façon efficace et définitive.

La réflexion de Pierre Vallières l'amène à penser que si, jusqu'à octobre 70, l'agitation armée du F.L.Q. était l'expression radicale du caractère spontané que tout mouvement de libération nationale connaît à ses débuts, elle est devenue de fait, à compter de cette date, l'alliée inconsciente mais objective de la stratégie répressive du régime en place. De plus, Vallières reproche au F.L.Q. d'enlever son contenu de masse à la lutte armée, de dissimuler le caractère de lutte prolongée de tout processus de libération par une présentation romantique de victoire à court terme et de substituer à toute vision à long terme l'incohérence d'une agitation pratiquée pour elle-même et pour les «kicks» qu'elle procure au «délinquant qui sommeille en chacun de nous» [26]. Après sa longue réflexion, Vallières conclut que c'est de la confusion entre lutte armée (qui, autant que lutte de masse, exige, pour naître et se développer, un certain nombre de conditions qui n'existent pas présentement au Québec) et agitation armée qu'ont surgi les tentatives avortées de structurer le F.L.Q. Les terroristes, qui n'ont pas attendu que le situation soit révolutionnaire au Québec pour agir, espéraient que leur organisation se développerait une fois que la situation serait devenue révolutionnaire. C'était oublier qu'une organisation ne naît pas seulement de la volonté révolutionnaire de ceux qui se donnent pour tâche de la bâtir, mais avant tout, d'un besoin réel des masses dans une situation donnée.

C'est même avec un certain recul que Vallières rend un verdict historique sur le F.L.Q.:

L'histoire pardonnera facilement au F.L.Q. son inexpérience des années '60 et retiendra comme positif, à bien des égards, beaucoup de ce qu'il a accompli

---

24    *L'Urgence de choisir*, Montréal, Parti-Pris, 1972.

25    Une cellule se préparait à réorganiser le F.L.Q. En dépit de l'offensive idéologique, déclenchée contre cette initiative, des vols en vue de financer la cellule seront tentés en 1971. Pierre-Louis Bourret y perdra la vie.

26    *Ibid.*, p. 134.

334

au plan du réveil politique des Québécois, de la critique de la sociéét et de la définition des besoins et des aspirations populaires. Le peuple en a déjà fait, malgré eux, des héros, à cause de cela. Mais l'histoire ne pardonnerait jamais aux Felquistes de 1972, 1973, ou 1974 qui, enrichis par l'expérience collective d'octobre '70, en refuseraient les leçons et sacrifieraient au romantisme de bonne-volonté la responsabilité qui leur incombe aujourd'hui[27].

Selon Vallières, le F.L.Q. n'a donc plus aucune raison d'être. S'il se lançait dans l'action, cela demeurerait une dangereuse fuite en avant. S'il demeurait attentiste, il ne serait qu'une inoffensive et inutile chapelle de contemplatifs en réserve pour l'apocalypse. Ses membres fidèles perdraient vite tout contact avec la réalité.

Le désavoeu le plus total qu'exprime Vallières va à l'encontre des tenants, au Québec, du marxisme orthodoxe. Il qualifie leur démarche de livresque; il affirme que leur idéologie en est une de bibliothèque et de répertoire qui nie le caractère spécifique de la lutte québécoise. Selon lui, les marxistes orthodoxes présentent leurs théories importées comme une doctrine révélée d'en haut[28] alors qu'en réalité, le socialisme doit être adapté à chaque situation et qu'à ce moment-là, les Québécois ont surtout besoin d'une praxis collective personnelle de libération. Le recours à l'universel abstrait, dit Vallières, ne libère pas plus que le recours à Dieu. Contrairement au maoïsme sur ce point précis, Vallières croit que ce n'est pas l'idéologie qui détermine la pratique, mais la pratique qui détermine l'idéologie[29].

Pour Pierre Vallières, l'indépendance serait plus qu'une simple réforme: ce serait une libération. En effet, nier à une société comme le Québec le droit de s'autodéterminer revient, en fait, à nier à cette société le droit d'appliquer une stratégie de développement économique et social. L'indépendance, comme rupture avec l'impérialisme et le colonialisme, apparaît comme une opération révolutionnaire. La politisation de la question sociale renvoie à la question nationale qui l'englobe. Vallières prévoit que les Québécois, ayant en mains les leviers politiques de leur vie sociale et économique seraient nécessairement portés à aller plus loin que la simple survivance culturelle: ils en viendraient nécessairement à désirer une émancipation plus complète. C'est donc par l'indépendance que le socialisme pourra éventuellement leur apparaître comme une solution pratique à leurs problèmes collectifs.

Face à cette lutte si importante que les Québécois doivent mener, Vallières insiste avec vigueur sur la nécessité de l'unité stratégique. Les Québécois ont le choix de gagner cette bataille ou de disparaître. Le Parti québécois leur offre l'avantage d'une action cohérente, structurée et consciente, dans un combat courageux et croyable. À côté de cela, la montée d'un deuxième parti de masse (ouvrier marxiste ou prolétarien) ne serait qu'un facteur de division et de dispersion.

À l'opposé des internationalistes de l'abstraction, qui proposent un idéal prolétarien sans contenu national, le Parti québécois offre un programme dont le contenu paraît à Vallières progressiste et révolutionnaire. Ce programme n'est, en tout cas, pas plus modéré ni plus conservateur que celui du Vietcong ou que celui que proposait Castro aux masses cubaines pendant la lutte contre Batista.[30]

---

27   *Ibid.*, p. 129.

28   *Ibid.*, p. 70.

29   *Ibid.*, p. 55.

30   *Ibid.*, p. 95.

En terminant *l'Urgence de choisir,* Vallières précise qu'il voit l'indépendance comme un immense bond en avant qui devra être suivi de nombreux autres. Selon lui, la Révolution culturelle de Chine nous apprend que chaque génération doit faire sa révolution. Il se prononce carrément en faveur de la révolution permanente, [31] seul élément important qu'il conserve de son maoïsme antérieur. Pierre Vallières paraît croire que la révolution n'est jamais acquise une fois pour toute à l'intérieur d'un pays et qu'il faut constamment, au moyen de transformation sociales profondes, empêcher que ne se forme une caste dirigeante qui s'écarte des masses. En ce sens, s'inspirant des succès de la Révolution culturelle chinoise, il préconise le retour continuel aux masses, en qui il semble avoir une grande foi, et il souhaite une réjuvénation perpétuelle de la révolution à l'intérieur du Québec.

Dès 1971, Charles Gagnon rompt avec Vallières. Partant du principe selon lequel il n'y a «pas de mouvement révolutionnaire sans théorie révolutionnaire»[32], il entend donner la primauté immédiate à la lutte sur le front idéologique, dont le but est, la clarification constante des intérêts spécifiques de la classe ouvrière et des travailleurs en général. Car Gagnon conçoit le marxisme comme la connaissance de la lutte des classes: le marxisme ne crée pas la lutte des classes, il en est la constatation. En ce sens, la propagande joue un rôle capital, non seulement pour politiser les travailleurs, mais pour les organiser. Premièrement, la propagande exige une organisation où les travailleurs peuvent militer. Deuxièmement, la lutte idéologique a aussi un pouvoir organisateur[33].

Gagnon réfute la social-démocratie proposée par le PQ en disant que le socialisme et le capitalisme sont radicalement inconciliables et que l'histoire fourmille d'exemples où la classe ouvrière a été trompée magistralement par les nationalistes et les sociaux-démocrates. Pour Gagnon, les assises de la social-démocratie sont les mêmes dans tous les pays du monde: la fraction la moins privilégiée de la petite-bourgeoisie, d'une part, et la «couche supérieure» de la classe ouvrière, d'autre part. Pour le Parti prolétarien, par conséquent, l'ennemi qu'il faut combattre avant tout, c'est l'idéologie social-démocrate, qui imprègne la direction du Parti québécois et la direction des syndicats québécois.

En échange, Charles Gagnon propose que la direction de la lutte pour la libération (i.e. indépendance et socialisme) soit assumée par la classe ouvrière, seule classe capable de remplir la fonction dirigeante dans la lutte pour le socialisme. À l'avant-garde du mouvement ouvrier, se situe le Parti prolétarien. Dans un premier temps, ce parti imprime au mouvement ouvrier une orientation révolutionnaire en dévoilant toujours plus clairement les contradictions sous-jacentes à tout conflit et à toute lutte. À ce stade, il joue un rôle de direction idéologique. Dans un deuxième temps, l'action du Parti prolétarien visera à transformer directement le rapport de forces en faveur du peuple en affaiblissant le pouvoir bourgeois toujours davantage, jusqu'à pouvoir le renverser.

Il nous semble que Charles Gagnon, peut-être après avoir constaté les excès du centralisme bureaucratique des soviétiques, opte pour un certain maoïsme. En effet, il nous livre en ces termes la conception qu'il a d'un parti constamment vivifié par les masses:

---

31     *Ibid.,* p. 158.

32     Charles Gagnon, *Pour le parti prolétarien,* Montréal, Équipe du Journal (i.e. *En Lutte*), 1972, p. 24.

33     Charles Gagnon dirige le journal de gauche, *En Lutte*.

Les avant-gardes ouvrières ne tentent plus d'entraîner les masses contre leur gré ou de commander, mais bien de diriger, c'est-à-dire de tirer de l'expérience même des masses les proportions théoriques et pratiques qui leur seront retournées pour être soumises à la critique de leur pratique, puisque seuls les mots d'ordre justes reçoivent l'appui positif des masses[34].

Présentement, beaucoup d'activistes se recyclent aux sources du marxisme orthodoxe et mélitent en faveur de la politisation des travailleurs. Bien qu'ils divergent sur l'action à suivre, Vallières et Gagnon s'entendent au moins pour rejeter, dans l'immédiat, la violence comme instrument d'action politique ainsi que l'anarchisme qui était devenu un des courants idéologiques importants au sein du F.L.Q. C'est surtout dans le manifeste felquiste d'octobre 1970 que ce dernier courant est apparu en toute lumière puisque, tout en constatant l'existence d'une exploitation massive des Québécois, il ne parle pas d'une révolution politique et sociale s'opérant scientifiquement par étapes, laissant ainsi supposer que c'est la libération «here and now» qui importe.

Notre analyse est forcément limitée à quelques acteurs principaux dont l'idéologie nous est plus facilement perceptible, soit parce qu'ils l'ont exprimée et structurée dans des écrits, soit parce qu'ils nous ont été plus accessibles. Il reste difficile de définir l'idéologie de ceux qui sont en prison et n'ont pas laissé d'écrits importants. D'autres chercheurs devront donc ultérieurement compléter notre étude. Nous croyons cependant avoir fait ressortir certaines divergences idéologiques chez les penseurs du F.L.Q. qui expliquent peut-être l'accalmie que nous connaissons depuis 1971. De plus, dans la mesure où elles pouvaient déjà exister en octobre 1970[35], elles jettent plus d'un doute sur l'image que les gouvernements ont présentée d'un vaste complot visant à renverser le pouvoir en place. En ce sens, certains participants aux enlèvements d'octobre '70 prétendent y avoir vu l'occasion d'un «coup d'éclat» et non d'un «coup d'État». Le but premier des enlèvements était, selon eux, non pas de provoquer un changement du personnel politique mais de «plonger le Québec dans un bain de politisation». Ce qui amène à parler des conditions de réussite ou d'échec de la violence révolutionnaire au Québec.

## L'utilisation de la violence politique

Nous entreprendrons ici de scruter les possibilités de réussite de la violence politique. Notre point de vue ne sera aucunement normatif, mais utilitaire. Nous jugerons donc la violence à titre de technique politique dont la valeur serait mesurée aux résultats obtenus. Nous sommes portés à croire que le genre d'exploration que nous allons faire a du être entrepris, au moins de façon intuitive, par certains anciens terroristes au lendemain des événements d'octobre 1970.

Nous essaierons de voir pourquoi la violence politique n'a pas suffi à renverser le gouvernement de la province de Québec et, par conséquent, à modifier la conjoncture et à provoquer la sortie du Québec de la Confédération. Nous tenterons d'apprendre comment et à quelles conditions les minorités violentes auraient pu y arriver.

---

34   *Ibid.*, p. 39.

35   Elles semblent avoir constamment existée tout au long de l'évolution du F.L.Q., comme en font foi certaines polémiques contenues dans *La Cognée*. De plus, en octobre 1970, les cellules Libération et Chénier n'ont pas semblé en accord quant à la durée des négociations et au degré de violence à déployer.

## 1. L'enjeu de la violenace politique

Certains croient que l'arrivée de la violence signifie la fin de la vie politique et que la force devient à ce moment le seul arbitre. Cette vue militariste de la politique oppose le processus normal non violent de gouvernement des sociétés aux processus particuliers qui impliquent l'usage de la force. Cette vision discerne, à juste titre, l'antinomie au niveau des moyens, entre la non-violence et la violence. Mais elle a le tort de ne pas distinguer que, même quand la violence survient, la vie politique continue. Certes, quand la violence fait irruption, un nouveau type de communications et de négociations apparaît des deux côtés. Mais la tâche et l'enjeu des gouvernements demeurent (en période de violence comme de non-violence) le maintien de l'autorité politique, appuyé, dans les pays de démocratie libérale, par la légitimité. Nous donnons ici au terme légitimité le sens de «consensus» et non de la légalité, pour éviter une confusion assez fréquente.

Selon une vue militariste de la politique, dès que l'arrivée de la violence a supposément fait disparaître la vie politique, le plus important critère de réussite devient la victoire dans des affrontements militaires et paramilitaires. Quand cela devient un objectif majeur, les buts politiques de l'usage de la violence se perdent: le nombre de morts et d'éliminés en vient à compter plus que le nombre de citoyens qui appuient ou non le régime. Dans une perspective politique, le conflit est une donnée de base de la politique, donnée qui est traitée, en des temps plus calmes, par une distribution des ressources en réponse aux demandes multiples, de façon à ce que le gouvernement conserve un appui, une légitimité en quelques sorte et une adhésion à des moyens pacifiques de pression. Cette distribution implique autant des ressources matérielles que symboliques. Alors qu'en période calme, cette distribution résulte d'une communication et d'un marchandage, en temps d'agitation, la violence essaie d'influer sur ce processus politique de répartition. Mais les objectifs majeurs du gouvernement demeurent les mêmes: maintenir ses appuis et sa légitimité.

Avant que la violence des minorités n'éclate, il faut qu'il y ait eu un échec gouvernemental, une impuissance à maintenir l'appui, la légitimité et l'adhésion à des moyens pacifiques. La violence contestataire, comme symptôme, ne doit pas être négligée. Stratégiquement, en pareille posture, un gouvernement doit se comporter de façon à ne pas accroître la perte d'appuis et de légitimité. En ce sens, le gouvernement a mieux à faire que d'éliminer quelques révolutionnaires, car s'il y a eu déclin dans l'appui populaire et la légitimité, les activistes liquidés pourront aisément être remplacés. Un gouvernement menacé par la violenace politique doit poursuivre d'abord ses buts politiques. Cela pourra s'avérer catastrophique plus tard, qu'un gouvernement perde de vue ses objectifs politiques dans son effort pour éliminer les minorités violentes, car les terreurs ou les excès commis par les forces gouvernementales peuvent précipiter la chute d'un régime politique au même titre que les tactiques des révolutionnaires, ainsi que l'a démontré une étude faite pour le compte de la *National Commission on the Causes and Prevention of Violence*[36]. Dans le même sens, le fameux

---

36 Edward W. Gude «Batista and Betancourt: Alternative Responses to Violence», dans le célèbre rapport Eisenhower (1969) *National Commission on the Causes and Prevention of Violence,* Washington, D.C.: U.S. Government Printing Office. Les 14 volumes de cette dernière commission américaine sur la violence (nommée en 1968 à la suite des assassinats de Martin Luther King et de Robert Kennedy), constituent la Bible des connaissances sur le phénomène de la violence dans ses manifestations individuelles et collectives. Le premier volume a été publié dans un format de poche chez Bantam Books, New York, en octobre 1970, 858 pp. Pour notre étude, il fut de loin le chapitre le plus important: «The History of Violence in America», p. 731 à 748.

rapport Dare[37] préconisant au Canada la formation d'un centre de crises, définissait comme principal objectif gouvernemental «le maintien de la légitimité de notre régime démocratique».

Notre réflexion sera centrée sur une variable importante: la répression. En temps de crise politique et, à un moindre degré, en période de terrorisme, le problème du contrôle social et du «law and order» occupe toute la place dans les esprits. Mais il ne faut certes pas négliger l'importance des mesures sociales dans les efforts d'un gouvernement pour isoler des révolutionnaires. À cet égard, certains activistes nous ont déclaré être conscients des pouvoirs de «récupération» des gouvernements, en citant Perspective-Jeunesse et le Programme d'Initiatives Locales. On pourrait tout aussi bien mentionner les réformes dans les affaires sociales, domaine où la légitimité constitue un enjeu certain et où un gouvernement peut recevoir l'appui souvent inconditionnel d'un bon nombre de citoyens.

Deux concepts importants sont impliqués dans l'analyse du problème de la violence: la légalité et la légitimité. Le fait de ne pas avoir une idée claire et précise de la distinction entre ces deux concepts a mené plusieurs analystes politiques à des discussions assez stériles. Les autorités politiques ont une tendance naturelle à situer les incidents violents par rapports aux lois qui gouvernent autant les relations politiques pacifiques que la conduite individuelle des citoyens. Or, tout système de droit, public ou privé, ne peut fonctionner de façon durable que s'il repose aur un consensus populaire qui lui assure sa légitimité. Le simple recours à la violence comme moyen politique constitue donc l'indice d'une brisure partielle de ce support consensuel. Par conséquent, définir les événements de violence politique en se référant exclusivement à la légalité classique revient à ignorer systématiquement la dimension politique du problème posé par cette violence. Dans une situation où le système juridique s'est partiellement écroulé, il est absolument essentiel pour l'analyste de recourir, par delà le niveau de la légalité formelle, à celui sous-jacent de la légitimité, réalité plus politique puisqu'elle réfère à des appuis populaires ou élitistes, mais toujours stratégiques.

Essayons d'illustrer le problème au moyen du tableau 1:

TABLEAU 1

**APPRÉCIATION DE LA LÉGALITÉ ET DE LA LÉGITIMITÉ DES ACTEURS**

|  | Légitimité | Illégitimité |
|---|---|---|
| légalité | I<br>Actions du<br>gouvernement | II<br>Actions du<br>gouvernement |
| Illégalité | III<br>Actions du<br>F.L.Q. | IV<br>Actions du<br>F.L.Q. |

[37] Rapport du général M.R. Dare, dans sa version expurgée soumise aux Communes, le 12 mars 1974.

La perspective légaliste restreint la réalité aux seules zones I et IV du tableau: les actes du gouvernement sont perçus comme légaux et légitimes, alors que ceux du F.L.Q. sont définis comme illégaux et illégitimes. La violence politique prend une importance stratégique quand un nombre important et croissant d'individus reconnaissent l'illégalité des gestes du F.L.Q. tout en les considérant légitimes, ou reconnaissent la légalité des actions du gouvernement tout en les considérant illégitimes.

Cette double dichotomie permet de définir les périodes de stabilité politique comme étant celle où les actes de violences sont perçus par la majorité selon l'axe I-IV. Mais à mesure que s'accroît le nombre de personnes qui considèrent légitimes les gestes du F.L.Q. et illégitimes ceux du gouvernement, la situation politique devient plus menaçante pour ce dernier. La violence (quel que soit son niveau) devient politiquement importante quand les perceptions d'un nombre important de citoyens se répartissent selon l'axe II-III. Un renversement des attitudes populaires de l'axe I-IV vers l'axe II-III constitue une situation révolutionnaire. De façon générale, on dira que la stabilité politique augmente directement en proportion du nombre de citoyens qui jugent selon l'axe gouvernemental (I-IV) et inversement en proportion de ceux qui jugent selon l'axe des révolutionnaires. Plus le taux de transfert de l'axe gouvernemental vers l'axe révolutionnaire est élevé, plus grand est le déclin de l'instabilité politique. La nature des perceptions et la quantité des personnes engagées dans ces perceptions s'avèrent donc cruciales pour la stabilité d'un régime. Le niveau absolu de violence demeure beaucoup moins important que son impact politique auprès des masses.

On comprend dès lors toute l'importance qu'attachaient les gouvernements fédéral et provincial aux nombreux télégrammes de soutien qu'ils recevaient de partout, en octobre 70, alors qu'en temps normal, ils sont peu enclins à les invoquer.

Sur le plan stratégique, il semble assez évident que nos felquistes ne pouvaient pas espérer une révolution à court terme, même en octobre 1970. L'élection québécoise d'avril 1970 avait révélé qu'environ 24% de la population avait voté en faveur d'un parti prônant l'indépendance par les voies légales. Il est normal de supposer que le nombre de personnes favorables à la violence pour obtenir cette indépendance était, en octobre 1970, sensiblement inférieur à ce pourcentage. Comme le F.L.Q. n'avait pas d'appui militaire concret, ni à l'intérieur ni à l'extérieur du Québec, la partie était jouée sur le strict plan du succès révolutionnaire.

En temps de crise politique, d'autres facteurs que la légitimité influent cependant sur la conjoncture. Nous venons de mentionner le rôle de l'armée et le soutien venu de l'extérieur du pays. On peut citer également les conditions économiques objectives, les différences ethniques ou sociales, les traditions morales et religieuses du pays concerné, ainsi que plusieurs autres causes qui sont susceptibles de peser sur l'issue d'un conflit violent. Mais il nous semble que la légitimité joue le tout premier rôle, car elle constitue l'assise fondamentale de l'action d'un gouvernement, tant aux yeux de la population autochtone qu'à ceux des gouvernements étrangers. Les gouvernements illégitimes ont de ce fait une existence précaire, car, de l'intérieur du territoire comme de l'extérieur, on peut à tout moment contester la base même de leur existence.

## 2. Les facteurs stratégiques de réussite

Dans une révolution ou une crise, quels sont les enjeux politiques vitaux? Nous avons relevé la perception de la légitimité par les groupes et la population. Mentionnons comme facteur stratégique la forme de répression exercée par le gouvernement, habile ou maladroite, proportionnée ou exagérée, forme qui, elle même, influence les perceptions de la légitimité. Nous retiendrons aussi un autre facteur important: le degré d'organisation et d'habileté du mouvement révolutionnaire. Ce facteur peut nous permettre d'apprécier si, au Québec, les gouvernements provincial et fédéral ont été habiles ou simplement chanceux en infligeant une défaite aux terroristes. Après tout, les révolutionnaires, tout comme les gouvernements, peuvent commettre des erreurs fatales. Signalons enfin comme facteur secondaire, mais influent, l'appui militaire ou diplomatique donné de l'extérieur du pays aux révolutionnaires.

Grâce à ses ressources policières et militaires, le gouvernement peut sensiblement réduire la force de l'organisation révolutionnaire ainsi que l'efficacité de son travail. Mais si une utilisation accrue de ces ressources entraîne une augmentation de la perception générale de l'illégitimité du gouvernement, la probabilité d'un succès révolutionnaire s'en trouve alors augmentée.

Un déclin dans la stabilité politique, prenant la forme avancée d'une crise de légitimité, peut amener plusieurs secteurs de la population à prendre une attitude plus hésitante et plus critique envers le régime qu'ils ne le feraient en temps normal. Souvent ils peuvent se réfugier dans un scepticisme politique ou dans une attitude attentiste qui ne facilite pas la tâche des gouvernements. Un régime a besoin dans un moment de crise, d'un soutien positif et engagé, s'il veut mobiliser la population en faveur et faire mettre en branle les organes de répression (composés eux aussi de sujets politiques). Par ailleurs, les révolutionnaires recherchent une chose avant tout: que la majorité retire son appui au gouvernement. Cette lutte, de nature purement politique, explique assez bien pourquoi les gouvernements et les éditorialistes qui leur étaient acquis ont, pendant la crise d'octobre, utilisé une logique militante, binaire, manichéiste, divisant la société québécoise en citoyens respectueux des lois et en criminels terroristes. Cette logique sollicitait, exigeait, imposait même l'engagement de la population[38].

Le F.L.Q., quant à lui, n'a pas attendu d'avoir de nombreux soutiens populaires pour déclencher son action. Il a plutôt tenté de démontrer, à travers la violence, que l'État ne pouvait assurer la sécurité publique et que certaines idées valaient qu'on les défende par des méthodes violentes. C'est le système de propagande par le fait. Le meilleur résultat que pouvait amener cette tactique était de forcer le gouvernement à surréagir, à exagérer sa répression et son contrôle social, et, enfin, à poser des gestes que les citoyens auraient considérés comme illégitimes. quoique techniquement légaux. Pour cela, il était nécessaire de susciter la panique des gouvernements. C'est peut-être en ce sens que Bachand et Villeneuve, les deux «durs» du réseau de 1963, prétendaient que «peu de terrorisme nuit, beaucoup aide»[39]. C'était là un piège dangereux tendu aux gouvernants qui devaient déployer une dextérité sans précédent pour éviter d'y tomber.

Certes, l'objectif visé par la stratégie felquiste a évolué. On n'a qu'à consulter à ce sujet le tableau 2. Graduellement, le terrorisme, en 1963, visait à séparer les deux communautés culturelles, anglophone et francophone, et à «rendre à chacune la

---

38    À titre d'exemple, on peut citer un éditorial de Jean-Paul Desbiens, dans *La Presse* du 19 octobre 1970, qui lance un « Appel aux Québécois » libellé en ces termes : « Qui voudrait être gouverné par les membres du F.L.Q. ? Car il n'y a pas d'autres choix que le gouvernement ou le F.L.Q. (…) Le peuple doit être avec le gouvernement, ou bien il tombera sous la coupe du F.L.Q. ».

39    René Beaudin et Claude Marcil, « Il y a 10 ans, le F.L.Q. », *La Presse*, 16 juin 1973,

## TABLEAU 2

## TABLEAU DE L'ÉVOLUTION IDÉOLOGIQUE ET STRATÉGIQUE DU TERRORISME QUÉBÉCOIS

| | | | |
|---|---|---|---|
| PRÉLUDE | 1962 (fondé en octobre) | RÉSEAU DE RÉSISTANCE | Peinturlurage d'affiches |
| | | | Slogans à la peinture |
| 1ÈRE PHASE: RÉVOLTE ANGLOPHOBE | 1963 (de mars à juin) | F.L.Q. | Attentats contre les symboles anglo-saxons du colonialisme (Westmount) |
| | | R.Q.L. (Rassemblement pour un Québec libre) | Alerte à la bombe |
| | Très courte durée; prépare la phase suivante | | Fausse alerte sur le pont Victoria |
| | | A.R.Q. (Armée républicaine du Québec) | Suggère l'attentisme. Une révolution se prépare en un an ou deux. Demande d'attendre au moins 6 mois |
| | | | Suggère de s'organiser et de s'équiper militairement |
| 2IÈME PHASE: ORGANISATION MILITAIRE | Sept. 1963 à mai 1965 | M.R.Q. (Mouvement révolutionnaire du Québec) | Attaque de caserne et d'arsenals |
| | | A.L.Q. (Armée de libération du Québec) | Vol de dynamite et communiqués |
| | | A.R.Q. (Armée républicaine du Québec) | Vols d'armes dont International Firearms et camp d'entraînement militaire pour commandos terroristes |

342

TABLEAU 2 (Suite)

## TABLEAU DE L'ÉVOLUTION IDÉOLOGIQUE ET STRATÉGIQUE DU TERRORISME QUÉBÉCOIS

| | | | |
|---|---|---|---|
| **INTERLUDE FERROVIAIRE** | juin à août 65 | F.L.Q. | Sabotage de trains et voies ferrées |
| **3IÈME PHASE: DÉFENSE DES TRAVAILLEURS** | Oct. 65 à déc. 67 | F.L.Q. | Vallières-Gagnon<br><br>Attentat chez La Grenade<br><br>Mort de Corbo à la Dominion Textile en transportant une bombe. |
| **4IÈME PHASE: PAS DE PAROLES DES ACTES**<br><br>**BEAUCOUP D'ATTENTATS EN SÉRIE** | Août 68 à fév. 69 | F.L.Q. | Geoffroy Superbombe à la Bourse |
| **GESTES À CONNOTATION SOCIALE**<br><br>**SUPERBOMBES** | Mars 69<br><br>sept. 70 | F.L.Q. | Très nombreuses explosions à la bombe<br><br>Une superbombe désamorcée<br><br>Complot d'enlèvement éventé. |
| **5IÈME PHASE: APPUI AUX TRAVAILLEURS ET GUERILLA URBAINE** | Octobre 70 | F.L.Q. | Enlèvements<br><br>Utilisation des media<br><br>Crise de terreur<br><br>Attention mondiale. |

## TABLEAU 2 (Suite)

| 6IÈME PHASE : TENTATIVE DE RÉORGANISA- TION | Septembre 71 | F.L.Q. | Vols à main armée pour financer la cellule |
|---|---|---|---|
| | | | Mort de Pierre-Louis Bourret à Mascouche lors d'un vol à main armée |

présence de l'autre insupportable»[40]. On en est venu, en octobre 1970, à contester directement la légitimité du gouvernement québécois sur la base de son comportement de succursale à l'égard du pouvoir central fédéral. Mais la stratégie elle-même n'a guère varié. Dès le premier réseau, les partisans d'un phase organisationnelle prépa- ratoire à l'action, furent rapidement mis en minorité. Le second et le troisième réseaux se voulaient plus attentistes, mais leur principale activité, la constitution de stock d'armes par voies d'attaques et de vols, les situaient déjà dans l'action et les rendaient ainsi susceptibles de répression. Seul le réseau attribué à Vallières-Gagnon a d'abord tenté, au début de 1965, d'engager les masses dans la révolution en appuyant les actions entreprises par les mouvements ouvriers. Mais il éprouva bientôt à son tour, une certaine impatience et passa, dès la fin de la même année, à l'action clandestine violente. La stratégie felquiste conserva donc toujours un caractère généralement anarchiste. Cela explique peut-être son échec à court terme dans une démocratie bourgeoise libérale, où le pouvoir politique n'est pas abhorré.

### 3. Évaluation des facteurs stratégiques

Comparé à celui d'autres pays, le gouvernement québécois est légitime, du moins en apparence. Certes, on n'a pas consulté la population du Québec pour imposer la Confédération de 1867, mais les gouvernements québécois qui se sont succédés depuis lors, ont tous bénéficié de la caution morale d'une élection, ce qui, dans l'esprit de la majorité, leur procure la légitimité. Cela prendrait un effort de politisation considérable de la part d'organisations légales, pour informer la popula- tion et susciter un engagement susceptible de détruire graduellement cette perception de légitimité. Devant l'ampleur d'un tel travail, on sait que les felquiste ont exprimé une certaine impatience. La légitimité électorale du gouvernement québécois continue donc de peser lourd sur l'issue du combat.

Au plan de la répression, la situation québécoise demeure également avan- tageuse pour le gouvernement. Ainsi, alors qu'il y eut 20,000 civils urbains tués ou torturés dans les deux dernières années du régime Batista, durant la crise d'octobre de 1970, 450 Québécois (sur 6 millions) furent arrêtés, dont plusieurs subirent de mauvais traitements. Les arrestation de la première vague, en 1963, bien qu'accompagnées de toute une série de gestes inadmissibles en droit et en justice (détentions incommunica- do, enquête du coroner en l'absence des avocats de la défense, brutalités policières,

---

40   *Ibid.*, p. 6.

etc.) ne touchèrent directement qu'une trentaine de personnes. De même, les abus judiciaires commis à l'égard de P. Vallières et C. Gagnon (illégalités lors des procès, délais outranciers, etc.) n'affectèrent directement que ces deux individus. Seule la répression policière lors des manifestations a pu exacerber immédiatement et personnellement un assez grand nombre de personnes. De façon générale, la répression, toute odieuse qu'elle fut, s'avéra répugnante beaucoup plus sur le plan qualitatif que sur le plan quantitatif. Elle fut raisonnablement habile en ce sens qu'elle évita de provoquer une mobilisation de masse à son égard, les citoyens non personnellement touchés étaient nécessairement moins motivés dans leurs révolte contre la répression.

Il nous semble, en dernière analyse, que c'est la répression brutale des manifestations qui a touché le plus grand nombre de citoyens, risquant ainsi de provoquer une haine assez généralisée de l'autorité publique. Quand on garde sur le crâne le souvenir des coups de matraque ou qu'on s'est fait écraser le pied par un cheval, on a des raisons bien concrètes de croire que la répression est excessive. À cet égard, il est d'ailleurs significatif que presque tous les felquistes se soient recrutés parmi les anciens manifestants [41].

Non seulement la répression du terrorisme a-t-elle affecté un petit nombre seulement de Québécois, mais elle n'a pas été poussée à sa limite extrême. Aucun terroriste ne fut tué au cours d'une opération policière. De même, aucun ne fut exécuté; seuls Schirm et Guénette furent condamnés à mort, mais leur sentence fut commuée en emprisonnement à vie.

Par ailleurs, les actions du F.L.Q. ont fait quelques victimes dont les gouvernements et leurs alliés ont su profiter. Ainsi, la mort du gardien de nuit O'Neil en 1963 fut suivie d'une orgie de lamentations et de propagande antiséparatiste diffusées par les media. De même, le fait d'avoir «permis» la mort de P. Laporte constitue, pour le F.L.Q., une erreur stratégique grave. La fièvre révolutionnaire qui, présumément, montait dans l'esprit de larges secteurs de la population en fut d'un seul coup anéantie. En ce sens, les felquistes eurent bien tort de ne pas tirer les leçons de l'histoire de leur propre mouvement dont les victimes antérieures avaient déjà soulevé une assez vive réprobation dans le public. Inutile de dire que, dès la mort de P. Laporte, l'axe de perceptions populaires de la légitimité s'établissait plus fermement que jamais en faveur des gouvernements, phénomène que les felquistes ne semblaient pas avoir prévu et que les gouvernements ont tôt fait d'exploiter à fond.

Malgré les nombreuses maladresses, la répression s'est toujours limitée à un nombre très restreint de citoyens. Ce simple fait explique en grande partie qu'elle n'ait pas fait basculer du côté des révolutionnaires la légitimité telle que perçue par de vastes secteurs de la population. De 1963 à 1970, la répression fut généralement exercée dans le cadre d'un équilibre délicat: elle fut juste assez excessive sur le plan qualitatif, pour que certains groupes puissent, à bon droit, s'en indigner, mais juste assez modérée sur le plan quantitatif pour que le gouvernement conserve les appuis populaires qui lui assuraient la légitimité. L'utilisation de l'armée comme mesure d'intimidation en octobre 1970 nous paraît être un cas limite de cet équilibre. Ce déploiement des forces était manifestement exagéré. Alors que le terrorisme avait toujours été un phénomène urbain et surtout montréalais, [42], il était excessif de couvrir tout le territoire québécois

---

41    Au cours de la recherche qui a précédé notre ouvrage, ce fait a pu être vérifié.

42    Daniel Latouche, *Violence in Quebec: Some Preliminary Morphological Findings*, paper delivered at the Peace Research Society (International), Western Region Meeting, University of British Columbia, Vancouver, Canada, February 15, 1972.

et d'opposer des milliers de soldats à une dizaine de terroristes, ce qui ne pouvait manquer d'entraîner des déboursés astronomiques pour les contribuables canadiens et québécois.

## Conclusion

À la lumière de ce que nous venons de voir, que penser de la violence d'inspiration politique au Québec, de 1963 à 1972?

D'abord, fut-elle efficace? À court termes, on peut constater qu'elle a échoué. Ce que la violence politique cubaine ou russe avait réussi dans d'autres contextes (soit le renversement d'un régime), la violence québécoise n'a pas su l'accomplir. Le Québec paraît même encore assez loin de sa révolution socialiste et indépendantiste. Par ailleurs, le ressac répressif a été, sur le coup, extrêmement dur: sentences exemplaires pour les terroristes, traitement brutaux pour les manifestants, présence intimidante de l'armée avec menace latente de mise au silence de la population, arrestations et perquisitions chez les individus réputés les plus politisés et, finalement, incarcération des trois chefs syndicaux. Ce à quoi il faut ajouter l'adoption de lois-cadre de répression [43] qui limitent considérablement l'éventail des moyens légaux (et, pour le moment, légitimes) de contestation.

Doit-on en conclure, dès lors, que le recours à la violence ne paie pas? À moyen terme, on peut penser, comme certains chercheurs [44], que le recours à la violence chez certains Québécois, comme chez certains Noirs américains, a contribué à mettre en lumière la situation socio-économique et politique inférieure de leur groupe ethnique. À long terme, il reste possible que la violence constitue un moyen d'action privilégié au sein même de la démocratie libérale. Une fois les problèmes d'un groupe social ou ethnique mis à l'ordre du jour par le recours à la violence, les gouvernants peuvent être amenés à remédier sensiblement à ces problèmes par la crainte d'une éventuelle recrudescence du terrorisme. Ainsi, dans le cas du Québec, où la crainte est souvent perçue comme étant le commencement de la sagesse, les gouvernements, fédéral, provincial et municipal peuvent être portés, à long terme, à démocratiser le système pour éviter d'avoir à maîtriser une nouvelle crise de violence.

La perspective d'un tel comportement gouvernemental n'est cependant pas évidente, d'autres orientations étant également possibles. Le F.L.Q. n'étant pas un groupe de pression comme les autres, certains dirigeants politiques peuvent préférer renforcir l'appareil de répression, surtout en ce qui a trait au nombre des effectifs policiers et à la qualité de l'équipement mis à leur disposition. Toutefois, un tel calcul ne peut paraître avantageux qu'à des gens pour qui il doit être maintenu à tout prix, car une croissance trop grande et trop rapide de l'appareil de répression peut entraîner, pour les contribuables, y compris les minorités possédantes, des coûts supérieurs aux mesures sociales et politiques susceptibles de contribuer à prévenir l'irruption de la violence.

---

43    Entre autres le règlement Drapeau-Saulnier qui interdit les manifestations: Ville de Montréal. Règlement no 3926, adopté le 12 nov. 1969: *Règlement concernant certaines mesures exceptionnelles pour assurer aux citoyens la paisible jouissance de leur liberté, règlementer l'utilisation du domaine public et prévenir les émeutes et autres troubles de l'ordre de la paix et de la sécurité publique.*

44    Daniel Latouche, *La violence au Québec: l'entreprise de théorisation.*

Il nous semble que de telles mesures devraient avoir trait à la situation économique, au statut de la langue française et au processus électoral. On doit se rappeler que le manifeste du F.L.Q. de 1970 faisait habilement état des inégalités économiques et du chômage chronique et que la situation du français au Québec constitue l'une des plus importantes assises de l'idéologie indépendantiste. Par ailleurs, une incapacité prolongée du système électoral actuel à produire une représentation à l'Assemblée nationale qui soit à peu près proportionnelle au nombre de voix exprimées pour les divers partis (et notamment pour le Parti québécois), pourrait entraîner, à plus ou moins long terme, une baisse importante de la légitimité du système démocratique auprès de vastes secteurs de la population. C'est à l'ampleur et à la teneur des actions gouvernementales en ces trois secteurs que l'on peut déceler la stratégie des pouvoirs face à la violence. À l'heure actuelle (i.e. 1974), il apparaît que cette stratégie soit fondée davantage sur le bâton que sur la carotte, comme en font foi le perfectionnement de la répression, le bill 22 (Loi de la langue officielle) et l'inaction gouvernementale à l'égard de l'inflation et des lacunes de plus en plus évidentes du processus électoral.

*Lectures recommandées*

R. Breton, «The Socio-Political Dynamics of the October Events», *Revue canadienne de sociologie et d'anthropologie,* 9 (1972), p. 33-57.

J. Gellner, *Bayonets in the Streets,* Don Mills, Ont., Collier-Macmillan, 1974.

D. Latouche, «Violence, politique et crise dans la société québécoise», dans L. Lapierre *et al., eds, Essays on the Left,* Toronto, McClelland and Stewart, 1971, p. 175-199.

G. Morf, *Le terrorisme québécois,* Montréal, Homme, 1970.

G. Pelletier, *La crise d'octobre,* Montréal, Jour, 1971.

B. Power, *Killing Ground,* Toronto, Peter Martin, 1972.

P. Vallières, *L'urgence de choisir,* Montréal, Parti pris, 1972.
————, *Nègres blancs d'Amérique,* Montréal, Parti pris, 1968.

C. Savoie, *La véritable histoire du F.L.Q.,* Montréal, Jour, 1963.

«Violence et sociétés» *Choix,* 3, (1973), no spécial. (Périodique publié par le Centre québécois de relations internationales).

# SECONDE PARTIE

# *Problèmes spécifiques au système politique québécois*

# *Problème des Canadiens anglais, Canadiens français...*

# L'État québécois et son environnement non québécois

Chapitre 16

# Le système politique québécois et la dynamique fédérale

Gilles Lalande
Université de Montréal

*Gilles Lalande est professeur titulaire au département de science politique de l'Université de Montréal. Il s'intéresse aux relations internationales, en particulier à la politique extérieure du Canada et au fédéralisme. Il a publié* L'étude des relations internationales et de certaines civilisations étrangères au Canada, *Ottawa, Fondation des universités canadiennes, 1964 ;* Le Ministère des Affaires extérieures et la dualité culturelle, *Ottawa, Imprimeur de la Reine, 1969 et* Pourquoi le fédéralisme, *Contribution d'un Québécois à l'intelligence du fédéralisme canadien, Montréal, H.M.H., 1972.*

*Il entreprend ici d'analyser comment le système fédératif canadien constitue un environnement stimulant et bénéfique pour le système politique québécois. Sa réflexion, qui fait appel à des données antérieurement établies, s'inscrit dans le cadre de l'analyse systémique.*

Le système politique québécois est celui d'un État fédéré ou d'un État-membre d'une fédération. Puisque cet État-membre est partie intégrante de la fédération canadienne, le système politique québécois correspond effectivement à l'un des éléments constituants du système politique canadien.

Cette appartenance du système politique québécois au système politique canadien revêt pourtant une allure paradoxale. D'une part les deux systèmes paraissent être indépendants l'un de l'autre et, à certains égards, mutuellement exclusifs. L'un et l'autre incarnent une souveraineté qui leur permet d'agir unilatéralement dans leurs champs respectifs de compétence constitutionnelle [1]. L'un et l'autre répondent à des stimuli et à des demandes qui leur sont particuliers. L'un et l'autre ont chacun leurs besoins, leurs objectifs, leurs priorités et naturellement leurs propres moyens d'action qui permettent de transformer ces *input* en autant de décisions. D'autre part, le système politique canadien et le système politique québécois sont intimement liés par une coexistence associationnelle et par le jeu de la participation.

On peut certes soutenir, comme l'a fait en 1956 la Commission royale d'enquête du Québec sur les problèmes constitutionnels, qu'il importe dans un régime fédératif que chacun des deux ordres de gouvernement «soit limité à sa sphère et, à l'intérieur de celle-ci, jouisse de l'indépendance vis-à-vis de l'autre»; ou comme feu Me Faribault, considérer que dans une fédération «le pouvoir s'écoule du citoyen vers les deux gouvernements au moyen de deux courants séparés» [2]. D'autant plus que cette vision paraît correspondre à la philosophie des hommes politiques canadiens-français qui ont participé, au milieu de XIXe siècle, aux discussions qui devaient conduire à l'union fédérative de 1867. Dans la même lignée, on peut sans doute aussi comprendre que certains hommes politiques à l'intérieur du système politique québécois aient pu réclamer à un moment donné, pour la nation canadienne-française, «tous les pouvoirs qui lui sont nécessaires pour assurer son propre destin» [3]. Encore faudrait-il pouvoir admettre qu'une telle réclamation n'était pas nécessairement exempte d'ambiguïté et qu'elle paraissait s'inscrire dans une perspective essentiellement juridique et à vrai dire quelque peu statique du fédéralisme, réduit en l'occurrence à une seule répartition de compétences législatives.

Une conception plus moderne et moins juridique du fédéralisme nous suggérerait au contraire qu'une dépendance mutuelle contrebalance l'autonomie de chacun de ces systèmes et que l'équilibre qui en résulte est ce qui assure en définitive l'union fédérale. De même qu'on ne peut nier, comme l'écrivait avec justesse Tocqueville au XIXe siècle, que les sphères respectives d'action ou les souverainetés des deux niveaux de gouvernement se touchent nécessairement en quelque endroit dans un régime fédératif. Et ne pourrait-on pas ajouter, dans la même veine, que les mots-clés de tout système fédéral de gouvernement restent ceux d'interaction et de coordination entre les deux niveaux de gouvernement [4]? Ainsi, plutôt qu'une subordination de l'État fédéré à l'État fédéral, nous croyons que ces deux entités constituantes d'un régime fédératif sont engagées dans une relation de dépendance mutuelle d'où est exclue la notion de prédominance absolue et, a fortiori, de domination d'un système par rapport à l'autre [5].

Au Canada, l'évolution du régime fédératif s'est faite de manière générale dans deux directions à la fois: la première, dans le sens d'une plus grande dépendance

---

1     «Constituent polities in federal systems are able to participate as partners in national governmental activities and to act unilaterally with a high degree of autonomy in areas constitutionally open to them — even on crucial questions and, to a degree, in opposition to national policies, because they possess effectively irrevocable powers». D.J. Elazar, art. V «Federalism», *International Encyclopedia of the Social Sciences*, New York, Macmillan, 1978, p. 360 (l'article complet va des p. 553 à 367).

2     Marcel Faribault, *Dix pour un: le pari confédératif*, Montréal, Presses de l'Université de Montréal, 1965.

3     Daniel Johnson, *Égalité ou Indépendance*, Montréal, Homme, 1965.

4     «L'union fédérative introduit une coordination hiérarchisée et organique entre les membres qui se trouvent ainsi associés à l'oeuvre commune par la voie de la participation», Dusan Sidjanski, *Fédéralisme amphictyonique — Eléments de système et tendance internationale*, Lausanne, F. Rouge, 1956, p. 94.

5     «Federalism is a system of government in which central and regional authorities are linked in a mutually dependent political relationship». J.C. Vile, *The Structure of American Federalism*, London, Oxford University Press, 1961, p. 199.

mutuelle entre les États fédérés et l'État fédéral; la deuxième, dans le sens d'une coopération plus grande entre les divers États fédérés. Dans une certaine mesure, c'est l'existence de cette coopération interprovinciale ou de coordination «horizontale» qui a garanti le caractère de non-subordination des États fédérés à l'État fédéral. Par ailleurs, l'addition à cette coordination horizontale d'une plus grande dépendance mutuelle entre les États fédérés et l'Etat fédéral, ou interdépendance «verticale», a eu un impact positif sur le fonctionnement interne des systèmes politiques provinciaux. Il s'agit là d'une constatation qui est trop souvent oubliée dans le débat actuel sur la valeur du fédéralisme canadien. En effet, pour plusieurs partisans du système fédéral de gouvernement, la valeur de ce dernier semble résider exclusivement dans la protection juridique ou constitutionnelle qu'il fournit à un Québec francophone noyé dans un continent anglophone. Pour les détracteurs du fédéralisme, au contraire, l'entente de 1867 constitue, en raison des problèmes qu'elle ne cesse de soulever, l'obstacle majeur à l'épanouissement de la société québécoise. Dans les deux cas, on choisit de toute évidence de voir dans le fédéralisme une sorte de facteur juridique et statique extérieur au Québec et qui agit, soit comme une muraille qui protège, soit comme un carcan qui mine le Québec. Nous croyons quant à nous que le fédéralisme canadien, loin d'être une réalité étrangère à cette autre réalité qu'est le Québec, a largement contribué et continuera de contribuer non seulement à la survie mais aussi au dynamisme interne du système politique québécois.

## L'interdépendance verticale dans le fédéralisme canadien

Dans un contexte historique marqué par l'absence générale ou l'extrême faiblesse des communications, comme celui du milieu du XIXe siècle, on peut facilement imaginer chacun des gouvernements se cantonnant dans la sphère d'action attribuée aux deux ordres de gouvernement par l'A.A.N.B., et n'ayant d'attention que pour les actes et les décisions relevant de leur propre volonté. À l'exception des domaines de l'immigration et de l'agriculture, tous deux de juridiction conjointe, peu d'autres secteurs obligeaient en effet à cette époque à une interaction verticale. Quant aux questions qui auraient pu nécessiter une coopération interprovinciale (transports, défense, commerce extérieur), c'est au gouvernement fédéral qu'en avait été confiée la juridiction. C'est donc dire qu'en 1867 les signataires de l'entente fédérative ne concevaient ni n'envisageaient l'état d'interdépendance ou de coordination entre les différentes entités constituant le système politique canadien. Chaque gouvernement se sentait par conséquent plus indépendant qu'interdépendant.

Pourtant, dès les premières années, comme l'a souligné Gérard Veilleux, les provinces se sont plaintes que leurs obligations en matière de dépenses étaient disproportionnées par rapport aux pouvoirs fiscaux qu'on leur avait attribués et que cette disproportion s'aggravant avec le temps, une redistribution des pouvoirs entre les gouvernements fédéral et provinciaux s'imposait. Ainsi, c'est le problème des ressources financières qui força les gouvernements provinciaux à envisager une redéfinition de leur relation avec le gouvernement fédéral ainsi qu'éventuellement une plus grande concertation interprovinciale.

Dans un domaine comme celui de l'immigration, les gouvernements des provinces, notamment ceux du Québec et de l'Ontario, ne tardèrent pas cependant à agir rapidement et de leur propre chef à l'étranger. Ces provinces convinrent toutefois, dès 1875, qu'une action concertée de caractère national répondrait mieux à leurs

---

6    Gérard Veilleux. *Les relations intergouvernementales au Canada, 1867-1967*, Montréal, Presses de l'Université du Québec, 1971.

besoins et à leurs objectifs en ce domaine particulier. Avec une certaine lenteur au début, les gouvernements provinciaux et le gouvernement du Canada s'engagèrent donc dans la mise en place d'un dispositif de liaison intergouvernementale dont les principaux agents restèrent jusque vers 1887, pour les provinces, le Secrétaire d'État, et plus tard, celui-ci et les lieutenants-gouverneurs. Les conférences interprovinciales au niveau des premiers ministres et les conférences fédérales-provinciales, tenues successivement au niveau administratif et au niveau ministériel, devinrent par la suite les principaux instruments de la coopération intergouvernementale. En raison de la dépression économique des années 30 et de la suprématie acquise par le gouvernement fédéral à la faveur de la seconde guerre mondiale, il aura toutefois fallu attendre jusque vers les années 1960 pour voir s'institutionnaliser au Canada la collaboration fédérale-provinciale ainsi qu'une plus grande concertation interprovinciale.

En plus de l'énergie démontrée périodiquement par certaines provinces canadiennes en vue de corriger la perspective centralisatrice des gouvernements fédéraux des premières années de la Confédération, et subséquemment l'ascendant acquis par le niveau fédéral de gouvernement sur celui des provinces à diverses périodes de l'histoire politique du Canada, il importe de souligner de façon particulière l'importance qu'ont pu avoir deux autres phénomènes sur l'accroissement de la collaboration fédérale-provinciale. Le premier tient à la nature, à la multiplicité et à la complexité des problèmes qu'entraîne le changement extrêmement rapide des sociétés industrielles contemporaines. Le second, qui en est le corollaire, tient à l'extension phénoménale de l'action des pouvoirs publics dans les sociétés modernes et plus particulièrement des interventions de plus en plus poussées de l'État dans le fonctionnement des économies de marché. Les effets non linéaires des technologies nouvelles ont notamment entraîné dans une société comme la nôtre des difficultés économiques et sociales totalement insoupçonnées au XIXe siècle. Par ailleurs, le caractère multidimensionnel de la plupart des problèmes de la société canadienne d'aujourd'hui rend par définition impossible la préservation de toute structure fédérale de gouvernement à compartiments, c'est-à-dire d'une structure dans laquelle les sous-systèmes politiques provinciaux et le système politique national fonctionnent dans un isolement relatif. À vrai dire, un déplacement marqué et irréversible a été accompli au Canada dans le sens de l'interdépendance de tous les centres de décision[7]. Et, qu'ils le veuillent ou non, les gouvernements des provinces doivent dorénavant agir ou réagir en tenant compte des effets que peuvent avoir leurs propres actes sur les autres centres de décision[8].

La province de l'Ontario, notamment, a très souvent été la première à réclamer une meilleure coordination entre les politiques fédérales et provinciales. Comme l'a rappelé D.V. Smiley dans une étude prospective sur le fédéralisme canadien[9], c'est le premier ministre de l'Ontario, Georges Drew, qui, à la conférence fédérale-provinciale 1945-46 sur la reconstruction, a le premier mis de l'avant l'idée

---

7    «The facts of Canadian life one hundred years ago may have approximated the conditions postulated by this classical model in which provincial political subsystems worked in relative isolation within a national system having rigidly defined jurisdiction. Today, however, it is clear not only that the circumstances with which public policy must come to grips have altered drastically but also that the assumptions implicit in the classical model have been eroded or warped by the many factors that have contributed to the shift from independence to interdependence of all units embraced within the Canadian political system.» J.E. Hodgetts, «Regional Interests and Policy in a Federal Structure», dans J. Peter Meekison, ed., *Canadian Federalism: Myth or Reality*, Toronto, Methuen, 1968, p. 341.

8    «Cette évolution signifie qu'aujourd'hui il n'est plus possible pour un ordre de gouvernement d'agir dans sa sphère de juridiction sans influencer de quelque façon l'autre ordre de gouvernement», Gérard Veilleux, *op. cit.*, p. 11.

9    D.V. Smiley, *Canada in Question: Federalism in the Seventies*, Toronto, McGraw-Hill, 1972.

d'un plan visant à institutionnaliser les relations entre les deux niveaux de gouvernement en matière économique. L'établissement en 1955 d'un Comité permanent fédéral-provincial en matière fiscale et économique (*The Continuing Committee on Fiscal and economic Matters*) est considéré par le professeur Smiley comme une percée importante dans l'institutionnalisation des relations fiscales fédérales-provinciales au Canada. C'est de même William Davis, premier ministre de l'Ontario, qui, à la conférence fédérale-provinciale de novembre 1971, a proposé la création d'un comité économique conjoint fédéral-provincial, au niveau des premiers ministres, pour revoir et déterminer sur une base continue les objectifs économiques qui peuvent être considérés comme étant d'ordre vital ou stratégique pour l'ensemble du pays. La province de Québec, quant à elle, particulièrement sous le premier ministre Jean Lesage, a mis l'accent, de 1960 à 1966 surtout, sur une récupération pure et simple de points d'impôts, de transferts inconditionnels, de retrait de plans conjoints, donc sur une autonomie fiscale et législative accrue dans le but de permettre un rattrapage rendu nécessaire par l'immobilisme des gouvernements québécois antérieurs.

Les conférences fédérales-provinciales constituent au Canada l'une des formes principales d'interaction entre le gouvernement fédéral et les gouvernements régionaux ou provinciaux. Par opposition à l'interaction imposée, c'est-à-dire celle qui correspond à des ajustements rendus nécessaires par les actions unilatérales des autres, cette forme d'interaction traduit une tentative volontaire de relations directes entre gouvernements autonomes dans le but d'arriver, soit à l'acceptation de politiques communes, soit à la coordination de politiques distinctes dans le champ de responsabilités partagées. Comme l'a écrit J.C. Vile, chaque interlocuteur dans ce type de relations peut influencer l'autre[10].

Dans une analyse remarquable de trois rondes de négociations fédérales-provinciales portant successivement sur l'adoption d'un programme national de pensions et du Régime des Rentes du Québec de 1963 à 1965, sur la mise au point entre le gouvernement fédéral et les provinces d'ententes fiscales de 1964 à 1966, et sur les diverses tentatives de réforme constitutionnelle de 1967 à 1971, Richard Simeon a effectivement démontré combien et comment peuvent être agissantes et efficaces les diverses unités participant à de telles négociations[11]. Pour lui, les résultats issus de ce genre d'exercice éminemment politique dépendent invariablement de facteurs tels que le nombre d'acteurs (unités) en présence, l'importance de leurs ressources, l'acuité de leurs perceptions ou celle de leurs stratégies et la clarté ou la précision de leurs objectifs. Certes ces négociations ont souvent été l'occasion d'oppositions et de conflits entre gouvernements, mais la plupart de ces affrontements n'ont pas eu un caractère fondamental. Ils ont, par contre, souvent permis de constater les différences énormes qui pouvaient exister à tout moment entre les parties en présence sur le plan des visées, des tactiques et des contraintes.

Tout en paraissant souscrire à la thèse du professeur D.V. Smiley selon laquelle la pratique courante au Canada correspond à un fédéralisme de caractère «exécutif», ou à celui de relations entre élus et officiels de gouvernements[12], l'étude de Simeon ne met pas moins à jour le jeu de certains groupes de pression qui laisse deviner d'importantes variations dans les conditions et les méthodes d'action des participants

---

10    «Each can influence, bargain with and persuade the other». J.C. Vile, *The Structure of American Federalism*, p. 199.

11    Richard Simeon, *Federal-Provincial Diplomacy: the Making of Recent Policy in Canada*, Toronto, University of Toronto Press. 1972.

12    «Thus in managing the onjoing federal system a very heavy burden is placed on what may be called executive federalism, which may be defined as the relations between elected and appointed officials of the two levels of governement». D.V. Smiley, *op. cit.*, p. 55-56.

à ces négociations fédérales-provinciales. Simeon souligne notamment que la position du Québec au cours des négociations en vue de l'adoption d'un programme national de pensions, contrairement à celle de l'Ontario, ne s'appuyait pas sur des consultations le moindrement étendues en dehors des cercles gouvernementaux. En Ontario, par contre, les compagnies d'assurance («the pension industry»), écrit-il, ont influé considérablement sur la position adoptée par les représentants de cette province à la table des négociations. Par ailleurs, rappelle Simeon, au cours des tentatives d'adoption de la formule Fulton-Favreau d'amendement à la Constitution ou celle de l'acceptation de la Charte de Victoria en 1971, ce sont certains groupes nationalistes d'opposition au Québec qui sont intervenus chaque fois avec succès dans le processus des négociations fédérales-provinciales.

Outre le cadre formel des conférences fédérales-provinciales, le système fédéral de gouvernement au Canada recèle une forme tout aussi importante, bien que plus aléatoires et plus quotidienne, d'interaction entre les gouvernements. Ce sont les actes posés de façon indépendante par l'un ou l'autre des gouvernements. Telle décision unilatérale du gouvernement d'une province ou telle politique autonome du gouvernement d'une autre dans le champ de sa juridiction propre, telle initiative ou telle action du gouvernement fédéral dans le domaine de ses compétences propres ou dans le champ d'une juridiction conjointe, ou encore dans celui d'une juridiction non spécifiquement attribuée selon le texte de la Constitution à l'un ou l'autre des deux ordres de gouvernement, constituent en effet autant de demandes ou d'exigences auxquelles réagissent de diverses façons, notamment par des phénomènes de rétroaction, les autres unités constituantes du système. En partant d'une hypothèse pessimiste, on peut certes alléguer que ces demandes, par leur caractère imprévu, mettent souvent à rude épreuve la cohérence des politiques et, par conséquent, celle des priorités ou des objectifs des divers gouvernements, et qu'il en résulte parfois une certaine inefficacité. Mais on peut tout aussi bien prétendre, selon l'hypothèse contraire, que la seule apparition d'oppositions ou de contradictions sérieuses entre les actes de l'un ou l'autre des gouvernements devrait suffire à faire prendre conscience du besoin de la coordination des efforts et par voie de conséquence, de la nécessité de compromis qui sont l'essence même de toute vie politique en commun. Rien n'empêche en tout cas le Québec, ou toute autre province, sur des questions qui sont jugées par elles importantes au niveau local ou régional, de réclamer ou d'exiger des mécanismes de plus en plus développés de consultation institutionnelle et, une fois ces mécanismes mis en place, de les utiliser dans toute la mesure du possible à son avantage. Que certaines interventions dans ce sens aient lieu publiquement comme dans le cas de la publication de lettres adressées par des ministres responsables à leurs vis-à-vis provinciaux ou fédéraux, voilà qui indique que l'interaction fédérale-provinciale n'est pas seulement l'affaire des gouvernements mais qu'elle est aussi celle de l'ensemble de systèmes politiques, c'est-à-dire de milieux politiques bien vivants et présumément dynamiques, ou, en d'autres termes, celle qui correspond dans la réalité au jeu des forces politiques.

Le pouvoir politique dans un système fédéral de gouvernement comme le nôtre n'est pas la prérogative des seuls gouvernements. Bien sûr, le fait que notre régime politique allie un système parlementaire à une structure fédérale de gouvernement renforce incontestablement le poids spécifique de chaque gouvernement ou de leur exécutif dans le mécanisme d'interaction fédérale-provinciale. Mais il reste que ces gouvernements agissent tous sans exception à partir d'un mandat populaire et avec le souci souvent évident de ne jamais perdre ni le contact, ni encore moins la faveur de leur population respective. Les gouvernements des provinces et le gouvernement du Canada agissent donc à maints égards en accord avec la volonté connue ou présumée de leurs commettants et en réponse à des stimuli qui leur viennent de citoyens ou de groupes d'intérêt les plus divers agissant principalement à l'intérieur de leur base territoriale d'autorité.

Ainsi, il est parfaitement normal que des groupes d'intérêt à l'intérieur du système politique québécois cherchent en certaines questions à influer à la fois sur le gouvernement du Québec et sur le gouvernement d'Ottawa, et que dans un tel processus, ces mêmes groupes agissent tantôt indépendamment, tantôt de concert les uns avec les autres, tantôt simultanément, tantôt en différé, tantôt dans le même sens, tantôt dans des sens quelque peu différents ou contradictoires. Il serait aussi normal que ces groupes, dans la mesure où ils ont un caractère transprovincial ou supraprovincial, fassent également sentir de façon tout aussi complexe et tout aussi confuse leur influence sur le gouvernement d'autres provinces canadiennes, surtout si l'on admet, comme le soutient J.E. Hodgetts que les régionalismes, ramenés en l'occurrence de façon succincte à l'intérêt des régions, doivent être considérés comme autant de nouveaux *inputs* à l'intérieur de notre système fédéral de gouvernement[13]. Mais n'est-il pas moins normal, et peut-être même inévitable si l'on place dans une perspective de long terme, que les communautés urbaines québécoises, de concert avec les autres municipalités du Canada agissent souvent non seulement de la même façon, mais qu'elles puissent aussi réclamer une place qui corresponde au rôle croissant de la région urbaine dans l'ensemble de la vie publique au Canada[14]?

En résumé, il ne fait donc pas de doute que c'est une prise de conscience de la part des gouvernements des provinces et, à leur suite, du gouvernement fédéral, qui a été la cause première de l'interaction croissante à laquelle nous assistons au Canada depuis la fin de la seconde guerre mondiale entre les sous-systèmes politiques régionaux et le système politique national. Ce sont toutefois des problèmes partagés en commun par les deux ordres de gouvernement comme ceux de la réadaptation ou de la reconversion de l'économie à la suite de la seconde guerre mondiale, de la lutte contre l'inflation, de l'abaissement du niveau de chômage et de l'extension de la sécurité sociale, qui ont amené les gouvernements des provinces à déclarer à maintes reprises au gouvernement fédéral leur intérêt réel et particulier à participer à l'élaboration des politiques nationales.

## La coordination horizontale dans le fédéralisme canadien

Découvrant qu'elles avaient non seulement beaucoup en commun mais qu'elles auraient intérêt à se concerter davantage, tant dans les domaines de leur juridiction propre que face au gouvernement fédéral, les provinces ont par ailleurs renforcé considérablement au cours de la dernière décennie la collaboration entre elles. À l'initiative du Québec notamment, les premiers ministres des provinces tiennent depuis 1960 des conférences annuelles qui, comme celle de Halifax du mois d'août 1972, commencent à donner d'intéressants résultats. Certaines provinces ont

---

13    «In the light of this analysis regional interests would be treated as demand inputs, policy as an output, and the federal structure, in its widest sense, as the system that makes its transactions with the environment and in which the mysterious alchemy of the conversion process takes place». J.E. Hodgetts, *op. cit.*, p. 340.

14    «La région urbaine, par exemple, se précise comme étant l'unité spatiale appropriée pour assurer la gestion de certains aspects de plusieurs problèmes de l'environnement. De façon générale, il semblerait que les gouvernements des régions urbaines devraient posséder les pouvoirs et les ressources leur permettant d'appliquer les stratégies nécessaires à la solution des problèmes dont les origines et les conséquences sont restreintes au territoire urbain et pour mettre en place des mécanismes de consultation, de coordination, de planification et de réalisation conjointes efficaces avec les autres ordres de gouvernement et avec le secteur privé». Stefan Dupré. «Intergovernmental Relation and the Metropolitan Area» dans *Politics and Government of Urban Canada: Selected Readings,* L. Feldman et M. Goldwick, eds., Toronto, Methuen, 1969.

par ailleurs entrepris au cours de la même période d'institutionnaliser sur une base régionale les relations de plus en plus nourries qui se sont développées entre elles au cours des années. Depuis quelques temps déjà, d'autres contacts suivis ont lieu entre les provinces maritimes, soit au niveau des premiers ministres, soit, depuis 1971, au niveau même des parlements de ces provinces. Les trois provinces des Prairies, pour leur part, participent depuis quelques années à un Conseil économique régional qui leur a permis à plusieurs reprises d'adopter des positions communes en matière économique. Enfin, l'Ontario et le Québec ont établi entre elles, en 1969, une Commission permanente qui a notamment donné naissance, en juin 1972, à un comité d'échanges en matière de communications. Leurs premiers ministres ont en outre désormais pris l'habitude de se tenir en contact régulier l'un avec l'autre.

Il y a d'autre part toute une kyrielle d'organismes interprovinciaux à à caractère fonctionnel, comme par exemple depuis 1967, le Conseil interprovincial des Ministres de l'Éducation ou la Conférence annuelle des Ministres des Mines, et de rencontres *ad hoc,* telles la conférence de novembre 1972 des Ministres des Affaires sociales à Victoria, ou celles plus régulières des Ministres des Affaires municipales, ou celles plus récentes encore des Ministres des Communications des provinces. Il y a enfin le recours de plus en plus populaire, dans le vaste champ des relations fédérales-provinciales, à la formule du front commun, comme celui des cinq provinces de l'Est du Canada (Québec, Nouvelle-Écosse, Nouveau-Brunswick, Ile du Prince-Édouard et Terre-Neuve) qui a valu en août 1972 la renonciation du gouvernement fédéral à la formule (50-50) en usage depuis 1968 pour le partage des redevances dans l'exploitation des droits miniers sous-marins, ou encore celui moins connu des provinces des Prairies qui, en matière de tarifs de transport par rail et en matière de réforme fiscale notamment, parlent le plus souvent à l'unisson.

Si importante que soit devenue la collaboration interprovinciale, il n'en reste pas moins que les principaux problèmes de l'heure au Canada commandent une interaction de plus en plus poussée des deux niveaux de gouvernement ou d'un mode d'action impliquant conjointement le gouvernement des provinces et le gouvernement fédéral. Cette interaction fédérale-provinciale englobe et prolonge pour ainsi dire la collaboration interprovinciale. Elle se traduit dans d'innombrables contacts quotidiens, des rencontres ou des séances de travail et dans une foule de comités mixtes, c'est-à-dire des contacts institutionnalisés dont le nombre n'a d'égal que la quantité et la complexité des problèmes à résoudre. Peu de problèmes locaux ou provinciaux en effet, même ceux dont la responsabilité première se situe à l'intérieur des systèmes politiques des provinces, peuvent être réglés aujourd'hui dans le seul cadre provincial. En revanche, peu de problèmes nationaux peuvent être attaqués par le seul gouvernement fédéral sans égard pour les vues ou les objectifs des gouvernements provinciaux. Il résulte de ce double empêchement une nécessité inéluctable de négociations fédérales-provinciales plus ou moins formelles, qui révèlent on ne peut mieux ce qu'on doit entendre par la dynamique fédérale.

## Dynamique fédérale et dynamisme québécois

On comprendra mieux encore le dynamisme du système fédéral de gouvernement en soulignant de façon particulière le renouvellement du personnel politique et du personnel de cadre qu'il assure en permanence au niveau gouvernemental. On sait en effet qu'il ne se passe guère d'années au Canada sans qu'une élection provinciale ou fédérale n'entraîne des modifications dans la composition du personnel politique. Ces changements de personnel aux commandes des systèmes ou des sous-systèmes politiques ajoutent certes à la mouvance de l'ensemble du régime et peuvent, à certains égards, paraître n'équivaloir qu'à un éternel recommencement. Mais ce dont on ne saurait douter, c'est que cette condition garantit le renouvellement continu des élites responsables au premier chef de la conduite des gouvernements et en conséquence, de la mise à jour perpétuelle des perceptions, des attitudes et des comportements des unités constituantes ou des agents participant à l'interaction fédérale-provinciale.

La dynamique fédérale donne incontestablement au système politique québécois des assurances de stimulation à nulle autre comparable. Elle le garantit d'abord contre toute forme de sclérose ou d'immobilité et contre toute dose d'aberration politique trop forte ou de trop longue durée. Ainsi si le système politique québécois ne répond pas adéquatement ou se révèle incapable de répondre par lui-même aux besoins réels de la société québécoise, la dynamique fédérale fait que l'autre niveau de gouvernement peut le faire à sa place, à l'intérieur de certaines limites. Cette dynamique fait aussi que le Québec peut souvent profiter de l'avance prise en certains domaines par l'un ou l'autre de ses partenaires et utiliser à ses propres fins les compétences particulières qui lui sont ainsi accessibles au sein des autres systèmes, provinciaux ou fédéral[15]. Elle permet en revanche au Québec soit d'imposer des approches nouvelles, soit de renouveler la problématique de certains problèmes communs attaqués jusque-là en rang dispersé par les États fédérés et l'État fédéral. Ainsi l'initiative du gouvernement du Québec de faire étudier en novembre 1966 par la Commission d'enquête sur la santé et le bien-être social, mieux connue sous le nom de ses présidents successifs Claude Castonguay et Gérard Nepveu, certains problèmes de sécurité sociale au Québec devait-elle entraîner, dans la conjoncture particulièrement favorable du début de l'année 1973, un nouveau ministre fédéral de la Santé nationale, Marc Lalonde, à reprendre à son compte le concept québécois d'un régime de sécurité sociale cohérent et intégré.

En propulsant le Québec dans une sorte de mouvement perpétuel dont plusieurs mécanismes fonctionnent ou peuvent fonctionner de façon indépendante ou autonome, cette dynamique fédérale oblige par ailleurs le système politique québécois à s'adapter constamment à l'évolution de l'ensemble du système politique canadien. Elle crée de ce fait entre lui et les autres systèmes ou sous-systèmes à l'intérieur de la fédération des liens d'interdépendance et de solidarité qui l'incitent fortement à la coopération interprovinciale et, dans son prolongement, à la concertation fédérale-provinciale. En revanche, cette dynamique contribue hors de tout doute à générer une tension permanente entre le gouvernement central et le gouvernement du Québec qui est du même type que celle qui existe en tout temps le gouvernement central et celui des autres collectivités politiques fédérées. Mais on sait qu'il résulte de cette tension «un équilibre, certes variable dans le temps, mais toujours bénéfique et à vrai dire essentiel à la vitalité de l'ensemble»[16].

Parce qu'elle postule le maintien de l'intégrité politique fondamentale des collectivités politiques fédérées ou des provinces, la dynamique fédérale admet aussi d'emblée que le gouvernement du Québec défende sans relâche l'exercice de ses prérogatives constitutionnelles, ou de ce qu'il estime être essentiel pour assurer le particularisme québécois et qu'il cherche à s'assurer des moyens qui lui sont nécessai-

---

15    «It does not tax the imagination to see that we have reached a new era of analytical and bureaucratic competitiveness between the federal and provincial bureaucracies, especially between the big provincial bureaucracies of Ontario, Quebec and British Columbia», G. Bruce Doern. «The Budgetary Process and Policy Role of the Federal Bureaucracy», dans G. Bruce Doern et Peter Aucoin, eds., *The Structure of Policy-Making in Canada,* Toronto, Macmillan, 1971, p. 104-105.

16    Gilles Lalande, *Pourquoi le fédéralisme — Contribution d'un Québécois à l'intelligence du fédéralisme canadien,* Montréal, H M H, 1972, p. 80.

res pour assumer ses responsabilités. Cette dynamique appelle pour ainsi dire toutes les revendications du Québec qui peuvent être fondées. C'est elle qui permet par ailleurs de résoudre, chaque fois que des ajustements s'avèrent nécessaires, le problème fondamental de tout système fédéral de gouvernement qui est, selon A.H. Birch[17], celui du partage des pouvoirs de taxation et des ressources fiscales entre les gouvernements.

D'une manière plus générale, la dynamique fédérale au Canada qui découle de l'interaction fédérale-provinciale, produit tous les ajustements, toutes les décisions et tous les *outputs* que réclament les demandes, les exigences ou les *inputs* sans cesse renouvelés émanant du système et des sous-sytèmes politiques à l'intérieur de la fédération[18]. C'est cette dynamique qui justifie au mieux d'ailleurs l'identification du fédéralisme soit avec l'approche de William H. Riker, ou celle de la dynamisation de la répartition des pouvoirs, soit avec celle de Karl W. Deutsch et de Carl F. Friedrich, ou celle dit du processus de fédéralisation par lequel des communautés politiques distinctes arrivent à des solutions ou à des décisions conjointes sur des problèmes qu'elles partagent en commun. C'est elle aussi qui est sans le moindre doute responsable du mouvement de balancier dans les relations fédérales-provinciales au Canada, dont Paul Gérin-Lajoie a noté l'existence dans les années 50, et qui fait qu'on a pu passer en moins d'une génération de ce qui a dû être temporairement l'équivalent d'un système unitaire durant la seconde guerre mondiale à un système fédéral de gouvernement que maints observateurs se plaisent à reconnaître comme de plus en plus décentralisé[19].

En participant et en contribuant de façon soutenue aux définitions des équilibres successifs du système fédéral de gouvernement au cours des années 60, le système politique québécois a probablement marqué de son empreinte la dynamique fédérale au Canada. Il n'est pas dit que la dynamique fédérale ne marquera pas à son tour le système politique québécois durant la prochaine décennie et que ses attributs ne constitueront pas à la fois l'une des principales sources d'inspiration et de soutien de son élan et de sa vitalité.

---

17    A.H. Birch, *Federalism, Finance and Social Legislation,* Oxford, Clarendon Press, 1955, p. vi.

18    «...the adjustements of a federal system to changing demands made upon it are effected through redistributions of legislative authority, revenue sources, public revenues, and functional responsibilities between the two levels of government», D.V. Smiley, «The Two Themes of Canadian Federalism», *Canadian Journal of Economics and Political Science,* 31 (1965), p. 81.

19    J.E. Hodgetts, Richard Simcon, D.V. Smiley, *op. cit.*

*Lectures recommandées*

A.W. Johnson, «The Dynamics of Federalism in Canada», *Revue Canadienne de science politique,* 1 (1968), p. 18-39.

G. Lalande, *Pourquoi le fédéralisme? Contribution d'un Québécois à l'intelligence du fédéralisme canadien,* Montréal, HMH, 1972.

_____ , «The Federal Option», dans D.C. Thompson, *Quebec Society and Politics,* Toronto, McClelland and Stewart, 1973.

M. Lamontagne, *Le fédéralisme canadien,* Québec, Presses de l'Université Laval, 1954.

J. Meekison, *et al.,* (ed.), *Canadian Federalism: Myth or Reality?,* Toronto: Methuen Publications, 1971.

C. Morin, *Le combat québécois,* Trois-Rivières, Boréal-Express, 1973.

_____ , *Le pouvoir québécois,* Trois-Rivières, Boréal-Express, 1972.

R. Simeon, *Federal-Provincial Diplomacy: The Making of Recent Policy in Canada,* Toronto, University of Toronto Press, 1972.

D.V. Smiley, *Canada in Question: Federalism in the Seventies,* Toronto, McGraw-Hill, 1972.

R.J. Van Loon et M.S. Whittington, *The Canadian Political System; Environment, Structures and Process,* Toronto, McGraw-Hill, 1971.

G. Veilleux, *Les relations intergouvernementales au Canada, 1867-1967,* Montréal, Presses de l'Université du Québec, 1971.

# Chapitre 17

# La planification au Québec : des limites économiques ou politiques ?

Pierre-André Julien
I.N.R.S.-Urbanisation

*Pierre-André Julien est professeur à I.N.R.S.-Urbanisation (Université du Québec) où il oeuvre principalement dans les domaines de la prospective socio-économique (il est membre du Groupe de recherche sur le futur) et de la planification à moyen terme. Il a publié, en collaboration avec P. Lamonde et D. Latouche, La méthode des scénarios. Paris, Documentation française, 1975, ainsi que plusieurs articles portant sur la prospective et la planification.*

*Il s'interroge ici sur la validité des principales raisons invoquées pour expliquer l'échec de la tentative québécoise de planification des années soixante, à savoir le partage des pouvoirs économiques entre deux niveaux de gouvernement et la perméabilité de l'économie québécoise aux influences étrangères lesquelles n'auraient pas laissé suffisamment de degrés de liberté au gouvernement québécois pour qu'il puisse planifier avec succès. Cette interrogation l'amène à évaluer le degré de domination dont l'économie québécoise est victime, les contraintes structurelles et constitutionnelles dont elle est l'objet ainsi que l'efficacité des instruments politico-économiques à la disposition du gouvernement québécois. Il utilise les documents officiels ainsi que des données établies dans d'autres études. Pour analyser et présenter ses données, il a recours à plusieurs techniques quantitatives dont les statistiques descriptives, les indices, les tableaux matriciels et l'économétrie.*

La planification est un processus décisionnel continu, basé sur une stratégie définie à l'avance appelée plan et dont l'objet est d'arriver à une plus grande mesure de contrôle sur le développement sociétal futur de la collectivité. À partir de l'analyse des conséquences possibles de chaque décision, le plan définit un ensemble d'objectifs à long terme, des buts à plus court terme et des moyens à mettre en oeuvre pour les atteindre. Mais pour faire le choix entre tous les objectifs possibles, le plan doit d'abord évaluer les finalités du système (économiques, politiques, socio-culturelles). Ces finalités sont en quelque sorte l'image souhaitée de la société future. Les liaisons entre les objectifs, les buts et les moyens sont précisés sous forme d'une stratégie globale et de politiques spécifiques. La stratégie et les politiques doivent être souples et peuvent être revisées à mesure que le plan est appliqué, selon un processus d'apprentissage continu.

Ainsi, à partir d'une *situation idéale*, la planification permet de passer au *préférable* pour en arriver enfin au réalisable ou au *praticable* compte tenu des contraintes physiques, économiques, politiques ou sociales . Dans ce processus, la connaissance des contraintes du système et des marges de manoeuvre dont disposent les administrations permet de dégager une stratégie plus efficace. Si les contraintes sont absolues, cette connaissance définit les limites du possible. Autrement, ces limites peuvent nécessiter la mise en oeuvre de tactiques particulières pour les transformer. L'existence de limites n'est donc pas un obstacle infranchissable à l'établissement d'une planification véritable. Si tel était le cas, toute planification serait impossible. Loin d'empêcher la planification, ces diverses contraintes peuvent au contraire devenir l'objet principal du processus de planification. Ainsi, dans un premier temps, le plan pourra avoir comme objectif de se donner des instruments d'intervention qui, une fois atteints, permettront ensuite d'élargir le nombre d'objectifs stratégiques[2].

Au début des années soixante, le gouvernement québécois s'engagea dans un projet ambitieux de planification. Il créa à cette fin le Conseil d'orientation économique du Québec (C.O.E.Q.). Ce dernier, s'inspirant du modèle français de planification, forma des groupes de travail composés de fonctionnaires, de spécialistes de l'extérieur et de ses propres membres. Ces groupes avaient pour fonction de définir et d'étudier soit un secteur déterminé de l'économie, soit un facteur de production (une matière première, la main-d'oeuvre, le capital), soit une fonction de la vie économique[3]. L'ensemble devait être regroupé de façon cohérente sous le nom de «plan I-A»[4].

Les recommandations contenues dans les études qui furent terminées menèrent à la création d'entreprises et d'institutions mixtes ou publiques, telles la Société Générale de Financement, la Caisse de Dépôts et de Placements et la Sidérurgie québécoise. Mais dans l'ensemble trop d'études manquaient pour que le plan puisse être mené à terme.

On expliqua ces retards par la pénurie de moyens matériels et humains, le cloisonnement des administrations et l'incertitude quant au rôle du Conseil d'orientation économique[5]. En 1968, le remplacement du C.O.E.Q. par un organisme de recherche et de consultation (l'Office de planification et de développement du Québec ou O.P.D.Q.) et par un organisme conseil (qui fut créé postérieurement) répondit, du

---

1    P. Massé, *Le plan ou l'anti-hasard,* Gallimard, 1965, p. 33-36.

2    Les premiers objectifs sont appelés objectifs instrumentaux. Ceux-ci ont pour objet de chercher à augmenter les moyens pour mieux réaliser la stratégie. Comme nous le verrons plus loin, ils sont très importants dans une économie dont les pouvoirs sont limités. Les objectifs stratégiques représentent par contre les points de référence vers lesquels doit tendre le plan; ils sont donc dans tous les cas, fondamentaux. Voir à ce propos R. Ackoff, *On System Control Systems,* Philadelphie University of Pensylvania, 1971. (miméo).

3    *Les exigences de la planification économique,* Québec, Conseil d'orientation économique du Québec, 1964, p. 1 (miméographie).

4    *Document de base en vue de la planification,* Québec, Conseil d'administration économique du Québec, 1962. (miméographié).

5    *Les exigences de la planification économique,* p. 2-7.

moins en partie, à la troisième objection. Entre temps, le Conseil ministériel de la planification et le Comité permanent d'aménagement des ressources — organisme regroupant les ministères à vocation économique pour fins de discussion de politiques communes — avaient été mis sur pied, divers spécialistes avaient été formés et des instruments de prévision, tels un modèle interindustriel et des modèles d'analyse et de prévision, avaient été élaborés. Mais, le plan n'ayant pas beaucoup progressé, il fut finalement mis de côté. Parmi les plus importantes raisons qui pouvaient expliquer cet échec, on invoqua le fait que le partage des pouvoirs économiques entre deux niveaux de gouvernement de même que la perméabilité de l'économie québécoise aux influences étrangères ne laissaient pas suffisamment de degrés de liberté au gouvernement québécois pour qu'un plan puisse avoir quelques chances de succès[6].

Le but de la présente étude est d'examiner de plus près la validité d'une telle explication. Bien que son économie soit dominée à double titre — en tant que membre d'une fédération et en tant qu'intégré à l'espace économique nord-américain — le Québec nous paraît encore conserver une certaine marge de manoeuvre et des instruments suffisamment efficaces pour songer à planifier son développement futur. L'échec de la première tentative de planification s'explique, selon nous, davantage par les hésitations des hommes politiques québécois durant cette période, hésitations qui se traduisirent par un refus d'accepter certaines des prémisses même du processus de planification. En serait-il de même aujourd'hui si l'on recommençait l'expérience?

Dans les pages qui vont suivre, nous allons tenter de démontrer que la planification était et demeure encore possible au Québec et cela pour trois raisons : premièrement, l'économie québécoise est moins dominée qu'on ne le pense si on la compare à beaucoup d'autres pays, y compris à celle du Canada ; deuxièmement, même si ses degrés de liberté sont limités par des contraintes structurelles et constitutionnelles, il reste encore à l'État québécois la marge de manoeuvre nécessaire pour amorcer le processus du plan[7] ; troisièmement, l'ensemble de ses instruments est suffisamment efficace même pour contrer, au besoin, l'intervention fédérale au Québec.

## Le concept de domination

Le concept de domination est avant tout politique. En 1948 cependant François Perroux a entrepris de lui donner un contenu économique. D'après lui, le monde économique n'est pas constitué d'un marché d'échanges entre égaux comme la théorie classique le postulait, mais d'un «ensemble de rapports patents ou dissimulés entre dominants et dominés»[8]. Cet énoncé est valable aussi bien pour les échanges entre les différentes firmes sur un marché national que pour ceux entre différents pays sur le marché international. De façon plus précise, on peut dire que dans ce dernier cas le concept de domination décrit une situation de relations dissymétriques entre deux ou plusieurs pays dans laquelle le ou les pays dominants exercent une influence très importante et, jusqu'à un certain point, irréversible et à sens unique sur

6    R. Parenteau, «L'expérience de la planification au Québec (1960-1969)», *L'Actualité Économique*, 45 (1970), p. 679-696.

7    L'article de Gilles Lalande dans ce livre semble vouloir confirmer cette hypothèse, ch. 16.

8    F. Perroux, «Une théorie de l'économie dominante», dans F. Perroux *L'économie du XXe siècle*, Paris, Presses Universitaires de France, 1961, p. 27. Voir aussi dans le même ouvrage «Le dynamisme de la domination», p. 96-107.

le ou les pays dominés[9]. Cette domination s'exprime par le degré de pouvoir monopolistique exercé par le dominant sur certaines sphères d'activité du dominé. La dépendance de ce dernier peut être telle que tout son développement est conditionné par celui de l'autre. Au contraire de l'intégration économique, la situation de domination entre deux pays n'étant pas volontaire, elle entraîne un sentiment de frustration chez le dominé. La domination ne saurait donc être confondue avec la tendance actuelle des pays qui dans leur recherche d'un plus haut degré d'interdépendance, acceptent de voir diminuer leur souveraineté en retour de certains avantages économiques.

La domination comporte, pour les pays dominés, certains avantages et beaucoup d'inconvénients, en particulier pour les pays qui entendent planifier leur développement. Il faut voir que ce qui est un avantage pour le pays dominant constitue souvent un désavantage pour le pays dominé[10]. De plus, il est souvent difficile de différencier les avantages ou les désavantages qui relèvent de la domination de ceux qui proviennent du commerce international ou encore de l'intégration économique.

Ainsi une situation de domination peut entraîner l'élargissement du marché du pays dominé et favoriser son accès aux capitaux, aux matières premières, à la main-d'oeuvre spécialisée, aux équipements, à la technologie et aux techniques d'administration avancées. Un pays dominé dont une forte partie de la production provient de firmes étrangères peut bénéficier plus rapidement de ces échanges, les succursales établies sur son territoire constituant un bon canal de transmission. Le pays dominant a moins tendance à poser de restrictions quand son contrôle sur la diffusion possible de sa technologie et de son savoir-faire est plus grand[11]. La domination peut aussi entraîner un effet d'abaissement relatif du prix des produits, ce qui permet d'augmenter ainsi le bien-être des dominés; cela est vrai pour autant que la concurrence fonctionne et selon les mêmes critères d'élargissement des marchés et des économies d'échelle et autres économies externes qui en découlent[12].

Les principaux désavantages que la domination apporte au pays dominé sont une diminution du nombre et de l'efficacité des instruments de politique économique ainsi que diverses distorsions dans la structure économique et politique. Dans le

---

9    Le concept de «domination» que nous employons est plus contraignant que celui de «dépendance» utilisé par R.J. Wonnacott, *Canadian-American Dependence,* Amsterdam, North-Holland, 1961, ou que celui d'«inégalité comme base des échanges» utilisé par I. Balogh. *Unequal Partners,* Oxford, Blackwell, 1963. F. Perroux croit que «l'effet de domination consiste en une influence irréversible ou partiellement réversible exercée par une unité sur une autre»; voir *L'Economie du XXe siècle,* p. 95. La domination peut être le fait d'une «région-clef». Par exemple, S. Hymer et R. Rowthorn pensent que le supposé «défi américain» serait plutôt l'accentuation de la lutte entre l'Europe et les Etats-Unis pour le contrôle des nouveaux marchés du Tiers-monde; voir «Les entreprises plurinationales et l'oligopole international: le défi non américain», *L'Actualité économique,* 45 (1970), p. 639-678. A l'extrême, la domination peut provenir d'une entreprise, comme c'est souvent le cas actuellement dans certains pays des Antilles et de l'Amérique centrale. Voir S. Hymer et S. Resnick, «Les interactions entre le gouvernement et le secteur privé», *L'Actualité économique,* 44 (1968), p. 401-433.

10    Le principal avantage pour l'économie dominante est une sécurité plus grande pour ses diverses politiques. Cf.: R.D. Wolff, «Modern Imperialism: the View from the Metropolis», *American Economic Review, papers & proceedings,* 60 (1970), p. 223-230.

11    Nous ne prétendons cependant pas que d'autres formes de transmission de ces facteurs comme les «joint ventures» (i.e. contrat d'association entre deux corporations) et les contrats de sous-traitance n'apporteraient pas les mêmes avantages, compte tenu des coûts socio-économiques de la domination. Sur ce problème, voir le numéro spécial de janvier-mars 1971 de la revue *Actualité Economique* (46, 1970-71, no 4) sur *la firme plurinationale.*

12    Par exemple Balassa et Camu ont constaté que les prix n'ont pas diminué dans la C.E.E. comme ils auraient dû à cause de la cartellisation de plusieurs industries, les contrôles vis-à-vis ces ententes ayant été un échec. Dans: B. Balassa et A. Camu, «Les effets du marché commun sur les courants d'échanges internationaux», *Revue d'économie politique,* 76 (1966), p. 201-227.

premier cas, la relation de domination diminue la qualité des prévisions[13] et fait en sorte que l'incidence des instruments est dilué. De même, le pays dominé doit tenir compte des effets «pervers» des politiques du pays dominant, effets qui se transmettent plus rapidement en conjoncture de dépendance[14].

Dans le deuxième cas, la domination peut entraîner des effets de «diversion» sur les prix, du fait que les marchés soient captifs à cause des liaisons entre maisons mères et succursales.

De même les industries motrices des pays industrialisés ne semblent pas jouer le même rôle dans certains pays dominés à cause d'une économie dualiste partiellement provoquée par la domination[15]. Il y même danger que le pays dominant impose aux autorités politiques un schème de développement calqué sur le leur mais trop peu adapté à l'histoire et aux situation socio-culturelles et économiques du pays dominé[16]; il peut même confiner le pays dominé à se spécialiser dans la production primaire pour être complémentaire à sa propre production industrielle[17]. Le problème peut être aggravé lorsque les stades de développement sont fort différents et que le pouvoir de marchandage est faible pour le pays dominé.

L'intervention étrangère peut passer soit directement par les liaisons politiques, soit indirectement par le canal des prêts et dons liés ou encore par celui des décisions extraterritoriales touchant les succursales d'entreprises plurinationales installées dans le pays dominé. Or, plus la conjoncture d'un pays est liée à une autre, plus il est dominé et plus ses pouvoirs de négociations sont limités. Ces contraintes sont encore plus importantes lorsqu'il y a alliance entre les groupes dirigeants du dominé et du dominant, soit directement par les services gouvernementaux soit indirectement par les succursales des entreprises étrangères[18].

## Le Québec, un état dominé

Ces quelques notions nous permettent d'analyser comment le Québec est un État dominé, et ce, à ce double titre. Un bref aperçu de ses échanges internationaux suffit pour nous en convaincre. Le tableau 1 démontre en effet qu'en 1967, 29.6% de la production manufacturière était dirigée vers les provinces canadiennes et 17.1% vers les pays extérieurs (dont 64.4% vers les Etats-Unis).

Par ailleurs, selon le tableau 2, 15.4% seulement de la valeur ajoutée de l'industrie manufacturière au Québec est produite par des établissements à propriété canadienne-française qui n'emploient que 21.8% de la main-d'oeuvre et ne contrôlent que 16.4% de la valeur des expéditions dans ce secteur[19]. Mais cette agrégation de données ne représente qu'une partie de la réalité. L'étude d'André Raynauld montre

13    B. Balassa, «Whither French Planning», *Quartely Journal of Economics,* 89 (1965), p. 537-554.

14    M. Michaely, *Concentration in International Trade,* Amsterdam, North-Holland, 1962, p. 79 et 92.

15    I.V. Levin, *The Export Economies,* Cambridge, Mass., Harvard University Press, 1964.

16    G.C. Kottis, «The International Demonstration Effect as a Factor Affecting Economic Development», *Kyklos,* 24 (1971), p. 455-469.

17    Ce partage a joué, du moins dans les premières années du COMECON, entre l'U.R.S.S. d'une part, et les autres pays socialistes de l'Europe Centrale d'autre part.

18    Voir à ce sujet T. Dos Santos, «The Structure of Dependence», *American Economic Review, papers & proceeding,* 60 (1970), p. 231-236.

19    A. Raynauld, *La propriété et la performance des entreprises dans la province de Québec,* Montréal, Université de Montréal, Dep. de science économique, 1969. (miméo).

TABLEAU 1

DESTINATION DES PRODUITS MANUFACTURIERS DANS LE RESTE DU CANADA ET HORS DU CANADA, 1961 ET 1967

(EN MILLIONS DE DOLLARS CANADIENS ET EN POURCENTAGE)

| Année | Total des expéditions manufacturières québécoises | Expéditions exportées hors du Québec | Expéditions exportées vers le reste du Canada | Expéditions exportées hors du Canada | Part des exportations vers le reste du Canada | Part des exportations hors du Canada |
|---|---|---|---|---|---|---|
| 1961 | 7,399.9 (100.0) | 3,392.3 (45.9) | 2,298.8 (31.1) | 1,083 (14.8) | 67.6 | 32.4 |
| 1967 | 11,431.5 (100.0) | 5,337.0 (46.7) | 3,379.7 (29.6) | 1,957.9 (17.1) | 63.3 | 36.7 |

Source: «Destination des expéditions de produits manufacturiers du Québec en 1961 et 1967», *Revue statistique du Québec*, 9 (1970), tableau 1, p. 111.

TABLEAU 2

## CONTRÔLE DE L'INDUSTRIE MANUFACTURIÈRE AU QUÉBEC, 1961

| | Canadien français | Canadien anglais | Etranger* | Total |
|---|---|---|---|---|
| Nombre d'employés | 21.8 | 46.9 | 31.3 | 100 |
| Valeur ajoutée | 15.4 | 42.8 | 41.8 | 100 |
| Valeur des expéditions | 16.4 | 42.8 | 40.8 | 100 |
| Répartition de la population | 80.6 | 19.4 | | 100 |

*C'est-à-dire ne résidant pas au Canada.

Source: A. Raynauld, *La propriété et la performance des entreprises,* (miméo), Université de Montréal, 1969, p. 9.

que la propriété canadienne-française est surtout concentrée dans les industries du cuir, de l'alimentation et du bois, soit dans des industries à faible productivité. Les Canadiens anglais, par contre, contrôlent fortement (plus de 68%) les industries du vêtement et des textiles et, plus faiblement, d'autres industries comme l'édition (65.7%) la boisson (64.9%), les appareils électriques (58%), le meuble (53,6%), les pâtes et papier (53.9%), la bonneterie (53.2%) et les produits minéraux non métalliques (51.2%). Les «étrangers», en majorité des Américains, contrôlent toutes les industries à forte productivité (entre 60% et 100%), à l'exception des pâtes et papier et des produits minéraux non métalliques.

Cette situation contribue à expliquer une partie des différences qui existent dans les fonctions et les revenus entre les différents groupes ethniques au Québec et entre le Québec et les provinces riches du Canada. A Raynault et G. Marion ont montré par exemple qu'il existait une certaine ségrégation dans les emplois due au contrôle des emplois supérieurs par des entrepreneurs canadiens-anglais ou étrangers et que cette ségrégation entraînait une discrimination dans les revenus [20]. Ainsi le tableau 3 montre que les anglophones sont surreprésentés dans les occupations supérieures alors que les francophones se retrouvent plus souvent qu'à leur tour, compte tenu de leur importance au Québec, dans les occupations dont la rémunération est inférieure. Cette ségrégation dans les occupations est confirmée par une étude de J. Porter selon qui elle tendrait à augmenter [21]. Au point de vue revenu, les Québé-

20    A. Raynauld et G. Marion, «Une analyse économique de la disparité inter-ethnique des revenus», *Revue Economique,* 13 (1972), p. 1-19.

21    J. Porter. *The Vertical Mosaïc,* Toronto, University of Toronto Press, 1966, p. 93 et suivantes.

## TABLEAU 3

### RÉPARTITION EN POURCENTAGE DE LA MAIN-D'OEUVRE MASCULINE ANGLOPHONE ET FRANCOPHONE SELON LES GROUPES OCCUPATIONNELS (QUÉBEC 1961)

| Occupations | Anglophones | Francophones |
|---|---|---|
| Administrateurs | 17.2 | 9.1 |
| Professions libérales et techniciens | 14.5 | 6.5 |
| Employés de bureau | 14.3 | 8.2 |
| Vendeurs | 8.4 | 6.2 |
| Travailleurs des transport en commun | 7.5 | 10.6 |
| Travailleurs des services et activités récréatives | 7.0 | 7.4 |
| Ouvriers de métier, etc. | 24.0 | 37.4 |
| Manoeuvres | 3.1 | 7.9 |
| Travailleurs agricoles | 0.2* | 0.3 |
| Autres travailleurs du secteur primaire | 2.2 | 4.9 |
| Non déclarés | 1.9 | 1.6 |
| Toutes occupations[1] | 100.1 | 100.1 |

1. Autres qu'agriculteurs.

Source: A. Raynaud et G. Marion, «Une analyse économique de la disparité inter-ethnique des revenus» *Revue Economique,* 13 (1972), p. 3.

cois gagnent en moyenne 10% de moins que les Canadiens en général et environ 24% de moins que les Ontariens. À l'intérieur même du Québec (voir tableau 4), sur quatorze nationalités recensées, les Québécois d'origine française, qui représentent 80% de la population, étaient au 12e rang au point de vue revenu. Ils gagnaient en moyenne 36% de moins que ceux d'origine britannique. La différence dans le niveau d'instruction n'explique que 45.7% de cette disparité, ce qui veut dire qu'à niveau de scolarité égal, le Québécois francophone est encore défavorisé. Même les francophones «bilingues» ont un revenu moyen inférieur aux unilingues britanniques[22]. D'ailleurs une autre étude montre que, sur 44 occupations principales recensées en Ontario et au Québec, 33 assurent un coefficient de qualification plus élevé au Québec alors que la moyenne des salaires pour ces mêmes occupations y est inférieure[23].

22  L. Gagnon. «Les conclusions du Rapport B.B.: de Durham à Laurendeau-Dunton: variations sur le thème de la dualité canadienne», dans *Economie québécoise,* p. 238.

23  G. Marion, «L'offre de travail et la disparité occupationnelle en longue période», *Actualité Economique,* 39 (1963), p. 199-240.

# TABLEAU 4

## LE REVENU DE TRAVAIL MOYEN DES SALARIÉS MASCULINS
## AU QUEBEC SELON LEUR ORIGINE ETHNIQUE (1961)

| Origine ethnique | Dollars | Indice |
|---|---|---|
| Total | $ 3,469 | 100.0 |
| Britannique | 4,940 | 142.4 |
| Scandinave | 4,939 | 142.4 |
| Hollandaise | 4,891 | 140.9 |
| Juive | 4,851 | 139.8 |
| Russe | 4,828 | 139.1 |
| Allemande | 4,254 | 122.6 |
| Polonaise | 3,984 | 114.8 |
| Asiatique | 3,734 | 107.6 |
| Ukrainienne | 3,733 | 107.6 |
| Autres (européennes) | 3,547 | 102.4 |
| Hongroise | 3,537 | 101.9 |
| Française | 3,185 | 91.8 |
| Italienne | 2,938 | 84.6 |
| Amérindienne | 2,112 | 60.8 |

Source: Lysiane Gagnon «Les conclusions du Rapport B.B.: de Durham à Laurendeau-Dunton: variations sur les thèmes de la dualité canadienne», dans *Economie québécoise,* Montréal, Presses de l'Université du Québec, 1969, tableau 2, p. 238.

La domination engendre aussi des effets négatifs sur le comportement économique de la population dominée, tels l'effet de démonstration ou de surconsommation compte tenu de revenus plus faibles. Ainsi une étude a estimé qu'en 1963, plus de 50% des ménages salariés québécois consacraient plus de 12% de leurs revenus nets au remboursement de dettes de consommation. En moyenne 5.7% du budget disponible des Québécois servait à ce remboursement[24].

## La domination au Québec et dans d'autres pays

Voyons maintenant comment le Québec se compare à d'autres pays sur le plan de la domination. Pour effectuer cette comparaison, nous avons utilisé un modèle économétrique qui mesure les variables explicatives des échanges entre les pays. Ce modèle estime ce que devrait être les échanges si seules certaines raisons économiques et géographiques entraient en jeu. La différence entre échanges estimés et échanges observés devrait nous indiquer l'importance de l'apport d'autres raisons, comme l'effet de domination, dans le processus des échanges économiques. Certains échanges entre deux pays peuvent en effet être expliqués par la part trop grande de

24 G. Tremblay et G. Fortin, *Le comportement économique de la famille salariée du Québec,* Québec, Presses de l'Université Laval, 1964, p. 68, 69 et 73.

la production nationale contrôlée par des entrepreneurs étrangers ou encore par le fait qu'un pays serve de réserve stratégique de matière première, qu'il soit inclus dans une zone monétaire ou qu'il subisse une dépendance militaire et politique.

Les raisons des échanges économiques sont complexes. La première variable à considérer est la dimension du marché économique[25], laquelle est évaluable à l'aide de la taille de la population et de l'ampleur de la production nationale[26]. La deuxième variable est la localisation dans sa double dimension de distance entre client et fournisseur et de proximité du «centre»[27] par rapport au marché international[28]. La troisième variable représente les accords douaniers bilatéraux et multilatéraux. D'autres variables comme le contingentement, le contrôle des changes, les politiques d'achat préférentielles, l'encouragement gouvernemental aux exportations ou à la substitution des importations par la production intérieure, le dumping et les embargos influencent les échanges; mais les calculs ont montré qu'elles n'avaient pas un effet très significatif sur le comportement d'un modèle[29].

Le modèle économétrique sert à expliquer la part des échanges due aux causes précédemment discutées. Il a été appliqué par H. Linnemann aux données de 80 pays pour 1958-1960[30]. Nous avons utilisé le même modèle pour les échanges entre 106 pays selon des données plus récentes, soit la moyenne des années 1964-1966. Les pays exclus sont les pays socialistes moins la Yougoslavie, les pays pétroliers du golfe Persique (parce que leurs exportations n'ont plus de relations avec leur dimension et avec les distances), certains pays qui ne servent que de transit commercial (comme Aden et Hong Kong) et des petits pays dont les statistiques ne sont pas disponibles.

Comme le souligne Linnemann, le modèle demeure limité puisqu'il ne tient compte que des échanges de marchandises supérieures à $50,000, les statistiques pour les échanges de services n'étant pas disponibles. Pour les mêmes raisons, certaines données, comme la taille de la population de certains pays, ne sont qu'approximatives[31].

Le modèle retenu ne porte que sur les exportations, compte tenu du fait qu'il semble plus difficile d'exporter que d'importer et qu'ainsi l'effet de domination serait plus apparent dans ce cas[32]. Parmi les variables explicatives, le niveau de développe-

---

25    S. Kuznets, «La croissance économique des petites nations», *Economie appliquée*, 12 (1959), p. 142-166; K.W. Deutsch *et al.*, «Population, Sovereignty and the Share of Foreign Trade», *Economic Development and Cultural Change*, 10, (1962), p. 353-366.

26    M. Michaely, *op. cit.*, p. 13 et 18; H. Linnemann, *An Econometric Study of International Trade Flows*, Amsterdam, North-Holland, 1966, chapitre 6; *Application du modèle gravitionnel à la structure des échanges internationaux de biens d'équipements*, Louvain, Université catholique de Louvain, Centre de recherches économiques, 1967, partie II. (miméo).

27    W. Warntz, *Macrogeography and Income Fronts*, Philadelphia, Regional Science Research Institute, 1965.

28    H. Linnemann, *An Econometric Study of International Trade Flows*, North-Holland, 1966, p. 71 et suivantes; J. Tinbergen, *International Economic Integration*, Amsterdam, Elsevier, 1965, p. 15.

29    H. Linnemann, *op. cit.*, p. 72.

30    H. Linnemann, *An Econometric Study of International Trade Flows*, Amsterdam, North-Holland, 1966, p. 74 et suivantes.

31    De par sa nature même, le modèle économétrique possède aussi ses propres limites. A ce propos voir J. Johnston, *Econometric Methods*, New York, McGraw-Hill, 1963, deuxième partie. Sur les limites statistiques, voir par exemple M. Gilbert et I.B. Kravis, «Empirical Problems in International Comparison of National Product», dans M. Gilbert et R. Stone, eds., *Income and Wealth*, London, Bowes and Bowes, 1955.

32    D'ailleurs les différences entre l'équation des exportations et celle des importations sont peu significatives. H. Linnemann, *op. cit.*, p. 84. Les données pour les exportations proviennent de *Commodity Trade Statistics* (Organisation des Nations Unies), 1964-1965-1966. Ce dernier périodique publié quelques douzaines de fois par an, forme la série D des *Statistical Papers;* il n'y a pas d'éd. en français.

ment est représenté par le P.N.B. des pays exportateurs et par celui du pays importateur et par la dimension de leur population réciproque[33]. La distance est calculée en milles marins entre les ports des deux pays auxquels on ajoute la distance terrestre jusqu'aux centres de gravité économiques[34]. Enfin, le modèle tient compte des accords commerciaux à l'aide de variables auxiliaires[35]. Les résultats sont résumés dans l'équation suivante :[36]

$$\ln X_{ij} = 1.16 + 0.99 \ln Y_i - 0.22 \ln P_i + 0.86 \ln Y_j$$
$$\quad\quad (0.04) \quad\quad (0.02) \quad\quad\quad (0.06)$$

$$- 0.17 \ln P_j - 0.79 \ln D_{ij} + 1.41 \ln A_{ij}^{ce} + 0.81 \ln A_{ij}^{ae}$$
$$(0.04) \quad\quad (0.05) \quad\quad\quad (0.11) \quad\quad\quad (0.14)$$

$$+ 1.28 \ln A_{ij}^{cf} + 0.90 \ln A_{ij}^{co} + 4.52 \ln A_{ij}^{po}$$
$$(0.34) \quad\quad\quad (0.24) \quad\quad\quad (0.04)$$

$$+ 0.18 \ln A_{ij}^{au} \quad\quad , R^2 = 0.77$$
$$(0.09)$$

où $X_{ij}$ représente les exportations du pays i au pays j; $Y_i$, le P.N.B. du pays i; $Y_j$, celui du pays j; $P_i$ et $P_j$, la population de chacun de ces pays; $D_{ij}$, la distance entre ceux-ci; et $A_{ij}^{ce}$, $A_{ij}^{ae}$, $A_{ij}^{cf}$, $A_{ij}^{co}$, $A_{ij}^{po}$, $A_{ij}^{au}$, les accords préférentiels du Marché commun, de l'Association européenne de libre-échange, de la Communauté française, du Commonwealth britannique, des colonies portugaises et des autres communautés économiques d'Amérique Latine et d'Afrique. $R^2$ est le coefficient de détermination.

Cette équation va nous servir à estimer les exportations des pays retenus. Comme nous l'avons déjà dit, la différence entre exportations estimées ($X_{ij}^o$) et exportations observées ($X_{ij}^e$) peut être expliquée partiellement par les limites propres au modèle économétrique et par la faiblesse de certaines statistiques, mais aussi par des raisons qualitatives, dont l'effet de domination. Nous posons comme thèse qu'une trop grande différence indique la présence d'un effet de domination. Nous devons donc calculer un indice de domination basé sur le rapport entre variables observées et variables estimées. Ce rapport doit être pondéré par un autre rapport, soit celui entre la quantité des exportations (observées) d'un pays sur la taille de son économie

---

33    *Yearbook of National Accounts Statistics*, 1968. (Cet annuel des Nations Unies était publié jusqu'en 1965 en une édition bilingue anglaise-française qui portait comme titre: *Annuaire de statistiques des comptabilités nationales.*)

34    U.S. Naval Oceanographic Office, *Distances between Ports*, Washington, U.S. Govt. Print. Office, 1965; H. Linnemann, *op. cit.*, p. 223.

35    «Dummy variables».

36    Calculée en logarithmes naturels pour diminuer les résidus, ce qui donne plus de poids à notre hypothèse.

(mesurée par le P.N.B. ou $Y_j$). La composition de ces deux rapports donne l'indice de domination suivante:

$$I_d = \frac{X^o_{ij}}{X^e_{ij}} \cdot \frac{X^o_{ij}}{Y_i}$$

Les résultats de nos calculs pour cet indice sont présentés au tableau 5. N'ont été retenus que les pays dont l'indice est supérieur à .5 puisque nous considérons qu'un indice inférieur peut se rapporter à de multiples causes qui ont peu à voir avec l'effet de domination. Parmi les pays dominés retenus, 5 seulement sont généralement considérés comme industrialisés ou développés, soit la Nouvelle-Zélande, l'Irlande, le Canada, l'Australie et le Québec. Tous les autres sont des pays en voie de développement, pour la plupart encore très liés avec leur ancienne métropole ou leur métropole actuelle. Cela est vrai tant des pays qui ont depuis longtemps rompu le lien colonial comme l'Indonésie avec les Pays-bas et les Philippines avec les Etats-Unis que de ceux qui ont récemment proclamé leur indépendance comme le Zaïre avec la Belgique ou l'Algérie avec la France.

En ce qui a trait au Québec, la lecture du tableau 5 permet de dégager trois constatations intéressantes. Premièrement, son indice de domination par rapport aux États-Unis est de .545 et se situe tout au bas de la liste des 58 indices retenus comme étant significatifs. Deuxièmement, cet indice est sensiblement inférieur à celui du Canada vis-à-vis les États-Unis, qui est de .967. Si l'on tient compte du fait que le Québec est inclus dans le calcul de l'indice pour le Canada, et que l'indice québécois est inférieur à ce dernier, il apparaît que l'indice de domination du Québec par rapport aux États-Unis est environ deux fois moins élevé que celui du reste du Canada vis-à-vis le même pays. Cette constatation rejoint celle de plusieurs auteurs selon lesquels la différence culturelle entre le Québec et les États-Unis contribue à protéger un peu mieux le Québec de l'empire américain[37]. Troisièmement, l'indice de domination entre le Québec et le reste du Canada n'était pas assez élevé pour qu'il soit inclus dans le tableau. Cette exclusion tient principalement au fait que le Québec exporte moins vers le reste du Canada que ne le prévoit le modèle[38].

Il apparaît donc que si le Québec est économiquement dominé, cette domination est loin d'être aussi forte que celle qui affecte plusieurs autres pays, et notamment le Canada. On ne saurait donc se baser sur cette seule domination pour affirmer qu'il est impossible de planifier au Québec.

## *Les degrés de liberté du gouvernement québécois*

Analysons maintenant la partie de deux autres ordres de contraintes auxquelles doit faire face un gouvernement québécois dans son entreprise de planification: les contraintes structurelles de son économie intérieure et les contraintes constitutionnelles.

Dans un système d'économie mixte, où il ne contrôle pas toute l'économie, les revenus et les dépenses d'un gouvernement sont relativement limités. De plus, la seule décision de planifier ne lui permet pas de faire table rase des engagements

---

37    Entre autres auteurs, voir P.J. Wonnacott, *Canadian American Dependence, op. cit.,* M. Rioux, *Les Québécois,* Paris, Seuil, 1969, ch. 1; G. Bergeron, *Le Canada français après deux siècles de patience,* Paris, Seuil, 1968.

38    Pour les années étudiées, la moyenne des exportations observées du Québec vers le reste du Canada était de $4,098.7 millions alors que nos estimations sont de $4,776.3 millions.

# TABLEAU 5

## INDICE DOMINATION ($I_d$) ENTRE PAYS «DOMINÉS» ET PAYS «DOMINANT», MOYENNE 1964-1966

| Pays « dominés » | Pays « dominants » | Indice |
|---|---|---|
| République de Somalie | Italie | 33.241 |
| Zaïre | Belgique-Luxembourg | 13.541 |
| Bolivie | Royaume-Uni | 12.098 |
| Surinam | États-Unis | 10.302 |
| Algérie | France | 8.108 |
| Nouvelle-Zélande | Royaume-Uni | 7.847 |
| Sierra Leone | Royaume-Uni | 7.836 |
| Nicaragua | Japon | 6.979 |
| Guyanne | Canada | 6.857 |
| Burundi | États-Unis | 6.438 |
| Angola | États-Unis | 5.209 |
| Tanzanie | Royaume-Uni | 4.794 |
| Gambie | Portugal | 4.459 |
| Gabon | France | 4.217 |
| République de Guinée | Cameroun | 3.514 |
| République Sud-Africaine | Royaume-Uni | 3.495 |
| El Salvador | République Fédérale Allemande | 3.367 |
| Haute-Volta | Côte-d'Ivoire | 3.347 |
| Syrie | Liban | 3.204 |
| Birmanie | Sri Lanka | 2.864 |
| Nigeria | Royaume-Uni | 2.841 |
| Sri Lanka | Royaume-Uni | 2.800 |
| Irlande | Royaume-Uni | 2.779 |
| Congo (Rép. Dém.) | Royaume-Uni | 2.559 |
| Maroc | France | 2.373 |
| Honduras | États-Unis | 2.269 |
| Ouganda | États-Unis | 2.112 |
| Ile Maurice | Canada | 2.090 |
| Équateur | États-Unis | 1.972 |
| Sénégal | France | 1.740 |
| Côte d'Ivoire | France | 1.732 |
| Pérou | États-Unis | 1.705 |
| Jamaïque | Royaume-Uni | 1.648 |
| Thaïlande | Japon | 1.411 |
| Costa Rica | États-Unis | 1.225 |
| République Dominicaine | États-Unis | 1.198 |
| Cameroun | France | 1.197 |
| Indonésie | Pays-Bas | 1.107 |

## Tableau 5 (suite)

| Pays « dominés » | Pays « dominants » | Indice |
|---|---|---|
| Canada* | États-Unis | .967 |
| Niger | Nigeria | .940 |
| Philippines | États-Unis | .915 |
| Madagascar | France | .896 |
| Mali | Côte-d'Ivoire | .848 |
| Paraguay | Argentine | .837 |
| Australie | Japon | .831 |
| Éthiopie | États-Unis | .745 |
| Tunisie | France | .738 |
| Kenya | Royaume-Uni | .733 |
| République Centrafricaine | France | .730 |
| Liban | Arabie Saoudite | .689 |
| Togo | France | .683 |
| Cambodge | France | .592 |
| Mauritanie | France | .570 |
| Ghana | Pays-Bas | .552 |
| Québec | États-Unis | .545 |
| Argentine | Italie | .531 |
| Tchad | France | .518 |
| Panama | États-Unis | .502 |

\* Fédération canadienne, y compris le Québec.

Sources: voir le texte plus haut.

antérieurs, lesquels continuent souvent d'accaparer une forte partie de ses moyens et peuvent ainsi empêcher la poursuite de nouveaux objectifs. Par exemple, ses emprunts antérieurs l'obligent à consacrer une partie de son budget au paiement d'intérêts. En transformant ses politiques antérieures à l'aide d'une politique globale de planification, un gouvernement peut réorienter certains de ses objectifs antérieurs et en introduire d'autres. Pour cela, il devra obtenir de nouveaux moyens ou réallouer les instruments déjà utilisés. De même, une structure d'économie de marché libre oblige le gouvernement à développer une politique complexe pour amener les agents privés à modifier ou à adapter leur action en fonction des objectifs globaux du plan, tâche qui n'est pas toujours facile. Enfin, le gouvernement devra tenir compte de certaines situations constitutionnelles limitant son champ d'action.

Le Québec ne fait pas exception à la règle. Par exemple, l'impact de sa fiscalité est limité par le comportement des agents privés; une augmentation des impôts sur le profit des corporations est «transmis» en bonne partie aux prix, changeant ainsi l'incidence que le gouvernement avait recherchée par cette hausse d'impôt [39]. De même, une hausse de salaires, dépendant du pouvoir de marchandage des syndicats, est souvent transmise aux prix [40]. Quant aux dépenses, elles sont pour la plus grande partie soumises aux contraintes des politiques élaborées antérieurement et aux contraintes structurelles. En conséquence, seule une faible part des dépenses peut être rapidement disponible pour la poursuite de nouveaux objectifs. De plus, comme c'est souvent le cas pour la fiscalité, l'impact de cette partie des dépenses sur l'économie est assez restreint, cette dernière ayant tendance après un certain temps à s'ajuster (avec ou sans distorsions) à l'action gouvernementale. Soulignons cependant que ces contraintes existent dans tous les pays occidentaux, y compris dans ceux qui planifient.

Du côté des limites constitutionnelles, le pacte confédératif de 1867 restreignait le pouvoir d'imposition des provinces aux «contributions directes» alors qu'il ne faisait aucune restriction pour le gouvernement fédéral, puisque l'on supposait à l'époque que ce dernier aurait à supporter la majeure partie des dépenses [41]. Les choses ayant bien changé, cette règle constitutionnelle n'est plus appliquée. Le gouvernement québécois a maintenant recours à toutes les formes de perceptions, sauf aux droits de douane. Mais il demeure que le champ fiscal global est partagé et que le gouvernement fédéral, aidé en cela par son poids et par le peu de résistance des autres provinces, continue à se réserver les meilleures sources, telle la plus grande part de l'impôt sur le revenu des entreprises. De plus, en 1867, les articles 91 et 95 de l'A.A.N.B. délimitèrent les obligations des deux niveaux de gouvernement selon les besoins de l'époque. Ceux des gouvernements provinciaux étaient peu étendus et la loi laissa le pouvoir résiduel au gouvernement fédéral. C'est ainsi que le secteur nouveau des télécommunications a été réclamé par Ottawa alors que le domaine de l'éducation relève depuis toujours de l'administration provinciale : d'où les *multiples conflits* à propos de la télévision scolaire. Ces nombreux domaines ambivalents, parce qu'ils relèvent des deux juridictions, restreignent les possibilités de rationalisation et de planification des gouvernements provinciaux.

Finalement, plusieurs économistes ont fait remarquer qu'une politique conjoncturelle « canadienne » joue presque toujours contre le Québec. C'est ainsi que P. Harvey a pu démontrer qu'une politique de plein emploi pour l'ensemble du Canada (établie théoriquement à 97% du marché de l'emploi) exige pour sa réalisation la « surchauffe » de l'économie ontarienne et un taux de chômage de 4.6% au Québec (6.9% en hiver) [42]. Le Québec doit donc geler une partie de ses ressources afin de pallier les effets les plus désastreux d'une telle situation. Ces ressources ne sont évidemment pas disponibles pour servir à d'autres buts.

Or, malgré ces contraintes, dont personne ne peut nier l'importance, l'État québécois possède une marge de manoeuvre de départ qu'il pourrait augmenter à mesure que le plan se déroule. Ainsi, il peut légiférer pour transformer les règles de jeu

---

[39]    B.G. Spencer, «The Shifting of the Corporation Income Tax in Canada», *Revue canadienne d'économie,* 2 (1969), p. 21-34; J. Cragg. A.C. Harberger et P. Mieszkowski, dans «Empirical Evidence on the Incidence of the Corporation Income Tax», *Journal of Political Economy,* 75 (1967), p. 811-821, ont montré qu'il n'en était pas toujours ainsi; mais au Québec les marchés sont suffisamment protégés pour que le «shifting» soit important.

[40]    S. Gallaway, *Manpower Economics,* Homewood, Ill., Irwin, 1971, p. 70-71.

[41]    Ces dépenses avaient alors trait à l'immigration, au transport, au développement économique et à la défense. On pensait alors que les domaines relevant des provinces, tels l'éducation, la santé et les municipalités n'entraîneraient pas de grandes dépenses. Dans les années vingt, les provinces entrèrent dans le champ d'imposition «indirecte» en utilisant divers stratagèmes légaux pour ne pas être jugées inconstitutionnelles.

[42]    P. Harvey, «Comparaison interrégionale des taux de chômage: le Québec et le reste du Canada», *L'Actualité Économique,* 47 (1971), p. 452-475.

du marché ou poser certaines contraintes aux agents privés. D'autre part, il peut obliger ses entreprises et les gouvernements subalternes à agir selon les objectifs du plan.

Ses achats demeurent importants dans certains secteurs et il peut obliger les organismes dont le financement dépend de lui, tels les hôpitaux et les commissions scolaires, à acheter au Québec de façon préférentielle ou jusqu'à concurrence d'une marge de 10% ou 20%[43]. Son pouvoir législatif peut être très utile pour inciter le secteur privé à appuyer ses politiques quantitatives. De façon impérative, il peut empêcher ou circonscrire certaines localisations et prévenir la détérioration de l'environnement. Il peut au contraire favoriser des concentrations bénéfiques ou encore certaines formes de production et de coproduction entre firmes. Il peut aussi intervenir sur les salaires, sur les relations ouvrières-patronales, sur les normes de sécurité et sur la protection du consommateur. De même, il peut améliorer le système financier comme il l'a fait en instaurant l'assurance-dépôt. À court terme, ces pouvoirs sont relativement passifs et relèvent surtout de sa fonction d'arbitre dans le règlement des conflits d'intérêts entre les divers agents économiques. À long terme, ils peuvent entraîner des changements structurels importants et permettre une forme de planification plus avancée.

Ce qui nous semble le plus important toutefois, c'est qu'à côté de ces instruments qualitatifs et psychosociologiques, le gouvernement québécois a vu augmenter considérablement ses instruments quantitatifs[44] au cours de la dernière décennie et la marche budgétaire qui lui est disponible aux fins de planification. Ainsi, au point de vue fiscal, il disposait en 1971 de $3,654 millions de revenus nets, soit 17.3% du produit national brut au prix du marché, alors que ce rapport était de 6.1% en 1958 et de 9.5% en 1965[45]. La croissance des revenus du gouvernement québécois a été de 13.6% annuellement de 1958 à 1965 et de 19.9% de 1965 à 1971 alors que le PNB n'augmentait que de 6.6% et 8.5% durant ces mêmes périodes.

Ce bond s'explique d'abord par des changements structurels. En effet, les transferts du gouvernement fédéral au gouvernement du Québec, qui représentaient, en 1958, 8.4% des revenus de ce dernier, sont passés en 1971 à 25.1%. De plus, les abattements d'impôts[46], de 10 points d'impôts sur le revenu des particuliers, 9 points sur le profit des corporations et 50 points sur les successions qu'ils étaient en 1958, sont

---

43    Cette politique, même si elle semble peu économique, est très répandue. Au Canada, toutes les provinces la pratiquent, quelquefois avec des marges de prix de 25%. Aux Etats-Unis, l'ensemble de telles mesures augmente la marge préférentielle jusqu'à 50%. M.S. Noorzoy, «Buy American as an Insturment of Policy», *Revue canadienne d'économique,* 1 (1968), p. 96-104.

44    Les instruments sont considérés comme «quantitatifs» s'ils affectent l'action des organismes socio-économiques par des variations quantitatives dans les politiques gouvernementales. Ils sont dits «qualitatifs » s'ils relèvent du pouvoir législatif du gouvernement ou encore de l'action des entreprises publiques ou des gouvernements locaux suivant des directives du gouvernement. Enfin ils sont psychosociologiques s'ils sont redevables au pouvoir de marchandage et de persuasion du gouvernement. Il faut ajouter que ces instruments peuvent être interventionnistes en augmentant le poids du gouvernement dans l'économie ou au contraire plus libéraux en diminuant ou faisant disparaître certaines contraintes légales ou structurelles.

45    Il est rappelé que l'année financière du gouvernement québécois se termine le 31 mars. Cela pose un certain problème lorsque nous comparons des statistiques annuelles avec le budget. Les statistiques qui suivent sont tirées de *Statistiques financières du gouvernement du Québec, 1971-1972,* Québec, Bureau de la Statistique du Québec, juin 1973.

46    Ces abattements ont été consentis par le gouvernement fédéral au Québec en compensation par son retrait de différents programmes conjoints ou programmes à frais partagés. Ils présentent tout simplement un crédit sur les impôts perçus par le fédéral qui est consenti aux citoyens et corporations des provinces qui perçoivent leurs propres impôts. Le Québec est actuellement la seule province au Canada qui prélève ses propres impôts dans les trois champs fiscaux visés.

# TABLEAU 6
## COMPARAISON DES REVENUS GOUVERNEMENTAUX PERÇUS AU QUÉBEC

| Sources | Gouvernement fédéral | | | Gouvernement québécois | | | Ratio Québec/Ottawa | | |
|---|---|---|---|---|---|---|---|---|---|
| | 1961 | 1965 | 1968 | 1961 | 1965 | 1968 | 1961 | 1965 | 1968 |
| 1. *Recettes fiscales :* | (en millions de $) | | | (en millions de $) | | | (en %) | | |
| -Impôt sur le revenu des particuliers, des corporations et sur les successions | 811.5 | 1,101.7 | 1,255.7 | 209.8 | 383.2 | 657.5 | 25.8 | 34.8 | 52.4 |
| -Droits d'importations | 128.3 | 159.3 | 187.4 | | | | | | |
| Taxes de ventes et autres taxes | 412.3 | 624.9 | 793.2 | 205.7 | 502.7 | 683.5 | 49.9 | 80.4 | 86.2 |
| Total des recettes fiscales | 1,352.1 | 1,885.9 | 2,236.3 | 415.5 | 886.0 | 1,341.0 | 30.7 | 47.1 | 60.0 |
| 2. *Recettes non fiscales :* | | | | | | | | | |
| -Revenu net des postes | 41.8 | 56.3 | 71.6 | | | | | | |
| -Richesses naturelles | | | | 39.8 | 53.5 | 55.0 | | | |
| -Société des Alcools du Québec | | | | 32.8 | 40.0 | 88.7 | | | |
| -Caisse d'assurance-chômage | 56.0 | 64.0 | 69.4 | | | | | | |
| -Revenus de placements et autres | 94.8 | 150.3 | 189.6 | 69.8 | 109.2 | 97.1 | 73.6 | 72.7 | 51.2 |
| Total des recettes non fiscales[1] | 192.6 | 270.6 | 330.6 | 142.3 | 202.7 | 240.9 | 73.9 | 74.9 | 72.9 |
| 3. *Grand total des recettes*[1] | 1,544.7 | 2,156.5 | 2,566.9 | 557.8 | 1,088.7 | 1,581.9 | 36.1 | 50.5 | 61.6 |
| 4. *Déficit (-) ou surplus*[2] | | | | | | | | | |
| -budgétaire | 84.9 | 10.1 | 212.9 | 108.8 | 164.6 | 193.9 | | | |
| -caisse de la sécurité de vieillesse | -3.3 | -31.1 | -40.6 | | | | | | |
| 5. *Financement total*[1] | 1,630.8 | 2,135.5 | 2,739.2 | 666.6 | 1,253.4 | 1,775.8 | | | |

1. Pour le Québec, les transferts du fédéral n'ont pas été retenus puisqu'ils sont déjà inclus dans les revenus fédéraux perçus au Québec.
2. La comparaison entre le déficit fédéral au Québec et le déficit du gouvernement québécois ne peut se faire puisque le fédéral, par ses subventions statutaires ou conditionnelles, peut participer à réduire le déficit ou à augmenter le surplus du budget québécois. Ces déficits, quelle que soit la source gouvernementale, ont cependant un effet sur le marché québécois et sur la fiscalité des deux gouvernements, même si ce n'est qu'une partie des obligations qui est financée au Québec.

Source: *La part du Québec dans les dépenses et les revenus du gouvernement fédéral de 1960-1961 à 1967-1968*, Ministère des Affaires intergouvernementales, Service des recherches, mars 1970, *Annuaire du Québec*, 1968-1969.

passés en 1967 à 50, 10 et 75 points respectivement. Mais si l'on ne retient que les revenus proprement québécois, en excluant les trois sources d'impôts qui ont été affectées par les changements structurels, on s'aperçoit que leur rythme de croissance moyen annuel (12.9% de 1958 à 1965 à 1971) n'est pas très éloigné de celui du total des revenus proprement québécois (13.1% et 16.6%) et même que celui de l'ensemble des revenus (13.6% et 19.9%). Leur rythme a été plus rapide que celui du PNB (6.6% et 8.5% respectivement) à cause de changements dans les taux fiscaux et de l'exploitation de nouvelles sources fiscales. Du point de vue de l'impact qu'ils ont eu sur les citoyens, il n'en demeure pas moins que même si ces changements structurels n'ont fait que changer le percepteur, ils ont cependant augmenté la part des pouvoirs du gouvernement québécois sur les contribuables.

Du côté des dépenses, le gouvernement du Québec consacrait en 1972, 76.4% de son budget aux services collectifs, dont 82% en allocations et en transferts aux individus, aux entreprises et aux corporations sans but lucratif. Les dépenses en infrastructures (transports et moyens de communications) venaient en second lieu avec 9.6% du budget. Avec l'administration générale (Assemblée Nationale, service des finances, etc.) et le service de la dette, plus de 95.4% du budget se trouvait alloué. Quel est l'impact de ces dépenses?

Une partie d'entre elles affectent la consommation en améliorant les revenus personnels (régimes de pensions, allocations familiales, aide aux invalides, aux handicapés, aux chômeurs, etc.) ou répondent à des objectifs précis comme le perfectionnement des enseignants ou l'aide aux étudiants. Cela représentait en 1972 une injection de plus de $979 millions dans l'économie québécoise. À cela s'ajoutent $928 millions de dépenses pour les services de santé, en grande partie consacrées à l'assurance-santé, diminuant d'autant les dépenses des citoyens dans ce secteur. Enfin, les subventions pour le fonctionnement des commissions scolaires locales et régionales, les dépenses de fonctionnement des CEGEP et les subventions pour les mêmes fins aux universités, en assurant une certaine gratuité jusqu'à la fin du secondaire ou en diminuant les frais de scolarité à l'université, contribuent à une meilleure répartition de la richesse entre tous les Québécois. Ensemble ces dépenses représentent $2,663 millions, soit environ 14.8% des revenus personnels ou $441 en moyenne par habitant.

En résumé, si nous comparons le poids budgétaire des deux gouvernements dans l'économie du Québec, nous remarquons que le gouvernement du Québec est devenu presque aussi important que le gouvernement fédéral. Ainsi en 1961, Ottawa percevait trois fois plus d'impôts et de taxes au Québec que ne faisait le gouvernement québécois; en 1968, il n'en perçoit plus que 1.7 fois (tableau 6).

Il est vrai qu'une partie des transferts du gouvernement fédéral au gouvernement du Québec ainsi que des dépenses afférentes sont conditionnelles, c'est-à-dire soumises à diverses contraintes. En 1972, par exemple, 25.9% des revenus du gouvernement québécois provenant des impôts sur le revenu des particuliers, et 8.1% provenant des impôts sur le profit des corporations étaient conditionnels, ce qui représentait 7.4% de son budget total. Quant aux transferts, 36.1% sont conditionnels, soit 8.3% de son budget total. Au total 15.7% de ses revenus sont soumis à des conditions du fédéral[47]. De plus, certains instruments d'intervention économique, comme les politiques monétaires, douanières et d'immigration, relèvent exclusivement d'Ottawa.

---

47    *Statistiques financières du gouvernement du Québec, 1971-1972.*

Enfin, la structure industrielle du Québec reflète, jusqu'à un certain point, les politiques et les priorités d'expansion des entreprises non québécoises. Dans la mesure où une partie de celles-ci sont multinationales, la stratégie devient mondiale et ne répond pas nécessairement aux besoins du Québec. Mais encore plus, beaucoup de ces entreprises dites multinationales étant plutôt ethnicentriques et géographiquement limitées à l'Amérique du Nord, leur comportement est surtout lié à la situation économique américaine. Dans ces cas, le pays d'accueil ne profite pas de certaines compensations suite à des situations conjoncturelles différentes dans d'autres pays.

## L'efficacité des instruments du gouvernement québécois

Pour vérifier plus avant si l'ensemble des instruments que possède le gouvernement québécois peut influencer le développement de son système socio-économique, nous devons chercher à en mesurer l'efficacité par rapport à celle des instruments du gouvernement fédéral sur le territoire du Québec.

Pour mesurer cette efficacité, nous avons une fois de plus utilisé un modèle économétrique d'analyse, soit celui développé par l'équipe de Lise Salvas-Bronsard à l'Université de Montréal[48]. Ce modèle québécois, qui comprend 19 équations, 20 variables endogènes et 30 variables prédéterminées, est d'autant plus intéressant qu'il introduit suffisamment de variables pour pouvoir évaluer l'effet croisé des variables instrumentales. Les estimations de ces effets à court terme sont présentées au tableau 7. Ainsi une hausse d'un point de l'impôt québécois sur le revenu des particuliers (colonne 6) diminue le revenu disponible (ligne 3) de $15 millions et la consommation (ligne 5) de $3.7 millions ; une augmentation des dépenses du gouvernement québécois (colonne 2) a un effet positif considérable sur le revenu personnel des Québécois (multiplicateur = .009, ligne 16).

Ce modèle permet de vérifier, par exemple, que, si le gouvernement québécois augmentait son taux de taxation sur le revenu des particuliers de 1 / 17 de point, (colonne 6) cela lui rapporterait environ un million de dollars (ligne 10) mais ferait diminuer le P.N.B. (ligne 1) de $290,000 seulement à cause d'une propension marginale à consommer inférieure à l'unité. Ce million, une fois réinjecté dans l'éducation ou en allocations sociales par exemple, provoquerait par contre une hausse du PNB de 1.51 million, soit un gain ou profit net d'environ $1.22 million. Ce modèle indique donc que l'instrument dépense est plus efficace que l'instrument fiscal, ce qui est conforme à la théorie économique.

Mais surtout, il permet de comparer l'effet des instruments des deux niveaux de gouvernements au Québec. Ainsi il fait ressortir que l'impact d'une variation du taux d'impôt fédéral sur le revenu des particuliers québécois (colonne 7) est dans tous les cas plus élevé que celui du taux québécois (colonne 6). L'impact de cet impôt fédéral est près de deux fois plus grand que celui de l'impôt québécois sur la consommation (ligne 5) (-6.279 pour le fédéral vs -3.711 pour le Québec) et sur l'emploi privé (ligne 14) (-.542 vs -.321). Une action du gouvernement fédéral dans ce secteur peut donc affecter sérieusement les plans d'un gouvernement québécois. Par contre, ce dernier peut riposter en variant le montant de ses dépenses, qui, elles, sont un peu plus efficaces que celles des gouvernements fédéral et municipaux réunis (colonne 3). Ainsi, le tableau 7 montre que l'effet multiplicateur des dépenses du gouvernement du Québec sur le

---

48    L. Salvas-Bronsard *et al.*, «Modèle économétrique québécois et optimum macroéconomique», *L'Actualité Économique*, 49 (1973), p. 349-378.

# TABLEAU 7

## MATRICE DES MULTIPLICATEURS D'IMPACT DES INSTRUMENTS GOUVERNEMENTAUX SUR CERTAINES VARIABLES*

| Variables endogènes | Variables exogènes | CTE 1 | GP 2 | GFM 3 | IG 4 | TR 5 | RP 6 | RF 7 | RI 8 | RC 9 |
|---|---|---|---|---|---|---|---|---|---|---|
| Y | 1 | 1817.50 | 1.51647 | 1.50316 | 1.49206 | .334226 | -4.92215 | -8.32698 | -.941655 | 0.0 |
| YP | 2 | 1854.69 | 1.39919 | 1.38691 | 1.37666 | 1.23104 | -3.40253 | -5.75618 | -3.46836 | 0.0 |
| YD | 3 | 2246.43 | 1.20858 | 1.19797 | 1.18912 | 1.06333 | -15.6597 | -26.4922 | -2.99586 | 0.0 |
| U | 4 | -487.421 | -.051209 | -.041141 | -.032741 | -.007334 | .108009 | .182723 | .020663 | 0.0 |
| C | 5 | 532.403 | .286433 | .283919 | .281821 | .252010 | -3.71136 | -6.27864 | -.710019 | 0.0 |
| ICR | 6 | 385.023 | .053262 | .052794 | .052404 | .046861 | -.690124 | -1.16751 | -.132027 | 0.0 |
| PS | 7 | 1001.08 | .168708 | .158849 | .150625 | .033740 | -.496898 | -.840620 | -.095061 | 0.0 |
| IB | 8 | 612.903 | .091637 | .086282 | .081815 | .018326 | -.269900 | -.456599 | -.051634 | 0.0 |
| IM | 9 | 287.171 | .085140 | .080165 | .076015 | .017027 | -.250764 | -.424228 | -.047974 | 0.0 |
| TPP | 10 | -121.998 | .101623 | .100731 | .099987 | .089410 | 17.4419 | -.418071 | -.251907 | 0.0 |
| TPF | 11 | -269.734 | .088989 | .088208 | .087556 | .078294 | -5.18473 | 21.1540 | -.220589 | 0.0 |
| TI | 12 | -37.1929 | .117280 | .116251 | .115392 | .103186 | -1.51962 | -2.57079 | 2.52670 | 0.0 |
| MO | 13 | 833.720 | .061599 | .061058 | .060607 | .013576 | -.199937 | -.338241 | -.038250 | 0.0 |
| EP | 14 | 1303.57 | .098767 | .097900 | .097177 | .021768 | -.320579 | -.542335 | -.061329 | 0.0 |
| EG | 15 | 17.5609 | .014040 | .004298 | -.003829 | -.000857 | .012632 | .021371 | .002416 | 0.0 |
| DIV | 16 | 41.1542 | .009101 | .008569 | .008126 | .001820 | -.026807 | -.045351 | -.005128 | 0.0 |
| YW | 17 | 425.058 | .883801 | .876042 | .869569 | .194786 | -2.86862 | -4.85296 | -.548796 | 0.0 |
| YR | 18 | -90.4817 | .013241 | .012619 | .370571 | .004732 | -.069693 | -.117902 | -.013332 | 0.0 |
| YNI | 19 | 350.904 | .064258 | .063694 | .063224 | .024766 | -.364732 | -.617030 | -.069776 | 0.0 |
| TC | 20 | 11.2197 | .014832 | .013966 | .013242 | .002966 | -.0436687 | -.073907 | -.008357 | 751.977 |

* CTE: constante, GP: dépenses totales du gouvernement québécois au Québec; GFM: dépenses totales des gouvernements fédéral et municipaux au Québec; IG: investissements des trois paliers de gouvernements au Québec; TR: paiements de transferts des trois paliers de gouvernements; RP: taux d'impôt sur le revenu des particuliers du gouvernement du Québec; RF: *idem* pour le gouvernement fédéral; RI: taux de taxation indirecte; RC: taux d'impôt sur le profit des corporations; Y: le revenu national brut du Québec; YP: le revenu personnel; YD: le revenu disponible; U: le chômage; C: la consommation; ICR: les investissements en construction domiciliaire; IB: ceux en construction non domiciliaire; IM: ceux en machinerie et équipement; PS: le bénéfice des sociétés avant impôts; TPP: les taxes personnelles québécoises; TPF: celles fédérales; TI: celles indirectes; MO: la main-d'oeuvre; EP: l'emploi du secteur privé; EG: celui du secteur gouvernemental; DIV: les dividendes; YW: les salaires; YR: les intérêts et les revenus de placements; YNI: les revenus des entreprises non incorporées et les loyers; TC: les taxes sur les bénéfices des sociétés.

Source: L. Salvas-Bronsard et al., «Modèle économétrique québécois et optimum macroéconomique», *L'Actualité économique*, 49, 2 (1973), p. 375-377.

chômage (ligne 4) est de -.051 alors que celui des dépenses des gouvernements fédéral et municipaux est de -.041[49].

Ces résultats tendraient donc à montrer que, dans l'ensemble, les politiques du gouvernement québécois seraient aussi efficaces que celles du gouvernement fédéral. D'autant plus que le modèle Salvas-Bronsard repose sur des séries chronologiques allant de 1946 à 1970 alors que vers la fin de cette période, le gouvernement du Québec en est venu à percevoir plus de revenus au Québec que ne le faisait celui d'Ottawa (tableau 6). De plus, nous avons vu que le Québec possède d'autres instruments pour appuyer son action budgétaire et fiscale. Bien sûr, il n'est pas assuré que chacun des instruments réussisse à influencer le comportement des agents privés, en particulier celui des entreprises multinationales, mais la panoplie générale des instruments, si elle est utilisée habilement et selon une stratégie cohérente de long terme, peut faire en sorte d'empêcher que ces entreprises ne nuisent sensiblement au plan global.

## Conclusion

Le Québec n'est pas aussi dominé que certains le prétendent. Il possède l'éventail d'instruments d'intervention nécessaire pour faire démarrer un plan indicatif, d'autant plus que ces instruments dans l'ensemble semblent aussi efficaces que ceux du gouvernement fédéral. La planification est un processus continu de choix stratégiques dont l'une des tactiques est précisément d'améliorer les instruments et même d'en élargir le nombre, l'efficacité et les champs d'action.

La planification est donc possible au Québec en autant qu'on le veuille et qu'on en prenne les moyens. Il faut surtout que l'expérience soit menée jusqu'au bout. Mais cela demande du courage.

49    D'ailleurs, une première version du modèle a montré que, parmi les dépenses du gouvernement québécois, celles affectées aux travaux publics sont les plus efficaces, et leur efficacité est beaucoup plus grande que les dépenses de même ordre du gouvernement fédéral.

L., Salvas-Bronsard *et al.*, *Modèle économétrique québécois et optimum macroéconomique*, Montréal, Université de Montréal, 1972. (Université de Montréal, Dép. de science économique, cahier no 7215).

Selon nous, l'arrêt des travaux de planification globale dans la deuxième partie des années 1960 trouve son explication non pas dans la domination extérieure de l'économie québécoise, ni dans les contraintes structurelles et constitutionnelles imposées à son gouvernement, mais dans un manque de courage des gouvernements québécois devant les défis qu'un plan incite à relever, ainsi que dans la peur d'une partie de la classe dominante de l'époque vis-à-vis des conséquences à long terme d'un tel processus[50].

La planification suppose des choix parmi différents objectifs possibles. Ces choix sont fonction d'un système de valeurs plus ou moins explicite. Ces valeurs touchent directement le problème de la place du Québec francophone en Amérique du Nord. Quel est, en termes des finalités dans le processus de planification, l'avenir de cette communauté particulière? Plus concrètement, un plan qui a pour objectif d'augmenter la marge de manoeuvre du gouvernement québécois au détriment du pouvoir fédéral est-il acceptable pour des tenants du fédéralisme, même si cela signifierait un futur meilleur pour la communauté québécoise?

C'est pourquoi nous avons dit que le succès d'un plan est avant tout fonction d'une volonté politique bien arrêtée de mettre en marche et ensuite de poursuivre cette expérience dans toute sa logique. Le plan demeure d'abord un processus politique dont l'économique n'est qu'un des éléments.

---

50    Voir à ce propos P. Lamonde et P.A. Julien «Economie et nouveau nationalisme: de la nostalgie agriculturiste au souverainisme», *Revue canadienne des études sur le nationalisme,* à paraître dans le v. 2 (1974) ou le v. 3 (1975).

*Lectures recommandées*

Association canadienne des économistes, *La planification économique dans un état fédératif*, Québec, Presses de l'Université Laval, 1965.

R. Dauphin, *Les options économiques du Québec*, Montréal, Jour, 1971.

R. Dehem, *Planification économique et fédéralisme*, Québec, Presses de l'Université Laval, 1968.

G. Demers, « Une crise provoquée par l'analyse trop exclusivement économique du problème québécois », dans C. Ryan, éd., *Le Québec qui se fait*, Montréal, H.M.H., 1971, p. 129-136.

P. Lamonde, « L'entente-cadre de développement Québec-Canada », *Actualité économique*, 50 (1974), p. 108-114.

_____ ,« Nouvel aéroport de Montréal : une évaluation du multiplicateur fédéral », *Actualité économique*, 48 (1972), p. 379-395.

P. Lamonde et P.-A. Julien, « Économie et nouveau nationalisme : de la nostalgie agriculturiste au souverainisme », *Revue canadienne des études sur le nationalisme*, à paraître dans le v. 2 (1974) ou v. 3 (1975).

R. Parenteau, « La planification économique à l'intérieur d'un régime fédéral », dans *Le Québec dans le Canada de demain*, Montréal, Jour, 1967, p. 161-167.

_____ , « L'expérience de la planification au Québec, 1960-1969 », *Actualité économique*, 45 (1970), p. 679-696.

J. Parizeau, « La planification économique » dans *Les nouveaux québécois,* Québec, Presses de l'Université Laval, 1964, p. 89-102.

F. Poulin, « Constraints and Objectives of Regional Planning in Quebec », *Journal of Farm Economics*, 49 (1967), p. 1271-1276.

A. Raynauld, « Les politiques économiques fédérales dans le contexte québécois », dans C. Ryan, éd., *Le Québec qui se fait*, Montréal, H.M.H., 1971, p. 79-86.

M. St-Germain, *Une économie à libérer*, Montréal, Presses de l'Université de Montréal, 1974.

J.M. Treddenick, « Quebec and Canada : The Economics of Independance », *Revue des études canadiennes,* 8, no (nov. 1973), p. 16-31.

R. Tremblay, *Indépendance et marché commun Québec-États-Unis*, Montréal, Jour, 1970.

# Chapitre 18

# Le complexe de Mirabel: celui du Québec?

Pierre Lamonde
I.N.R.S.-Urbanisation

*Pierre Lamonde est professeur à I.N.R.S.-Urbanisation (Université du Québec). Intéressé surtout par la prospective (il est membre du Groupe de recherche sur le futur) et les politiques de développement, il est l'auteur de deux rapport de recherche:* Région sud de Montréal; perspectives 1986: Problèmes de croissance et d'aménagement, *Montréal, Presses de l'Université du Québec, 1973, et, en collaboration avec P.-A. Julien et D. Latouche,* La méthode des scénarios, *Paris, Documentation française, 1975, ainsi que de plusieurs articles traitant de planification économique.*

*Dans cette analyse de l'aménagement du complexe aéroportuaire de Mirabel, il vise, à travers l'examen de deux dossiers spécifiques, à dégager quelques éléments d'un diagnostic plus général sur la situation de la planification au Québec. Il puise dans divers documents officiels et officieux traitant de Mirabel ainsi que dans certaines études antérieures sur le sujet, dont il fait une analyse secondaire des données. En plus de statistiques descriptives et de tableaux de contingence, son analyse a recours à des cartes géographiques.*

L'objectif de ce chapitre est d'analyser l'aménagement du complexe aéroportuaire de Mirabel dans la sous-région Nord de Montréal[1]. Par son ampleur (de 1970 à 1985, le total des dépenses d'infractures qu'il pourrait nécessiter se monte à près de $1.5 milliard, en $ de 1973), par l'enchevêtrement compliqué des organismes mêlés à son aménagement, et enfin par son impact sur la région de Montréal, le complexe de Mirabel a constitué une expérience de planification qui doit être évaluée de près par les Québécois.

---

[1] Par complexe de Mirabel, nous désignons les cinq sous-systèmes suivants: 1) le nouvel aéroport lui-même, incluant son équipement et ses services annexes; 2) le réseau routier auquel il a donné lieu; 3) la liaison Mirabel-Montréal par un système de transport en commun; 4) le projet d'un parc industriel et commercial aéroportuaire (P.I.C.A.); 5) le projet d'un système intégré de transbordement, de distribution et de manufacture (T.D.M.).

Nous analyserons d'abord les principaux organismes responsables de la planification du complexe : leurs objectifs, leur espace-plan, leur évolution et leurs interactions. Puis, nous examinerons deux dossiers spécifiques qui, en plus de concrétiser cette première analyse générale, mettent en cause des enjeux considérables non seulement pour les organismes planificateurs mais aussi pour la collectivité québécoise : l'impact économique de Mirabel et l'aménagement du territoire qu'il a suscité. Au terme de cette démarche, nous tenterons de dégager quelques éléments d'un diagnostic plus général sur la situation de la planification au Québec.

## I — Mirabel et ses planificateurs

Les travaux de planification relatifs à l'implantation du nouvel aéroport se divisent en trois catégories : la construction de l'aéroport lui-même, l'aménagement du territoire avoisinant Mirabel, l'orientation du développement régional induit par le complexe. Pour les réaliser, les gouvernements fédéral et provincial ont créé, à partir de 1969, les organismes suivants.

### A. Le B.A.N.A.I.M. et le territoire exproprié

Le 27 mars 1969, le gouvernement fédéral fait savoir qu'il a choisi le site de Ste-Scholastique pour l'emplacement du nouvel aéroport et dévoile un programme d'expropriation d'un territoire de 88,000 acres dans la sous-région Nord de Montréal[2]. Il annonce en même temps la création du Bureau d'aménagement du nouvel aéroport international de Montréal (B.A.N.A.I.M.), rattaché au Ministère des transports du Canada.

Le premier objectif du B.A.N.A.I.M. est évidemment d'assumer la responsabilité de la planification, de la coordination et du financement de la construction de l'aéroport. Son deuxième objectif, au moins dans cette première phase de construction, est la gestion et la mise en valeur du territoire exproprié[3]. D'une superficie très vaste, ayant coûté près de $150 millions, ce territoire dépasse de beaucoup les besoins de l'aéroport, qui ne sont que de 18,000 acres[4]. Pour en justifier la grandeur, le fédéral fit valoir la nécessité d'éviter un développement sauvage autour de Mirabel. De fait, au-delà de ces considérations préventives, le B.A.N.A.I.M. a été vite amené à chercher à mettre en valeur le territoire exproprié par divers projets de développement destinés, en partie, à rendre rentable pour le fédéral son investissement immobilier de $150 millions. Ainsi, dès 1970, il commandita une importante étude dont l'objectif était d'élaborer un plan de mise en valeur pour ce territoire[5].

De par son objectif de gestion et de mise en valeur du territoire exproprié, le B.A.N.A.I.M. est entré dans le champ de la planification du développement et de l'aménagement du territoire, empiétant ainsi sur des compétences provinciales dans une région stratégique. Bien sûr, le fédéral forçait ainsi le Québec à accepter le choix de

---

2    Puisque le nom de la municipalité de Ste-Scholastique a été changé en celui de Mirabel en décembre 1972, c'est celui-ci que nous utilisons dans ce texte.

3    La première phase de construction va de 1970 à 1975, date de l'ouverture de Mirabel. De 1975 à 1985, divers projets d'agrandissement ont été prévus, de sorte que ce n'est qu'en 1985 que l'aéroport doit atteindre sa taille adulte.

4    Voir la carte 1. Pour mieux réaliser l'étendue de la zone expropriée, qu'il suffise de se rappeler que ses 88,000 acres sont presque de même ampleur que la superficie de la Communauté urbaine de Montréal (122,000 acres).

5    *Plan général de mise en valeur de la propriété du gouvernement du Canada aux environs du nouvel aéroport international de Montréal*, Montréal B.A.N.A.I.M., 1972, 9 v.

# CARTE I

## ESPACES-PLANS DES ORGANISMES
## PLANIFICATEURS DE MIRABEL

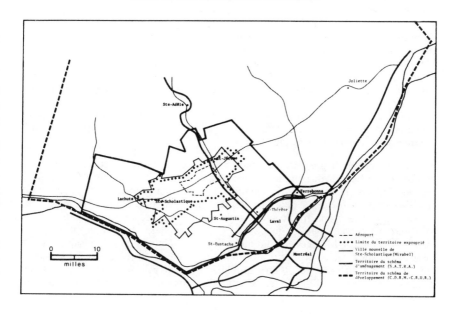

Note: La carte 1 reproduit le réseau autoroutier et routier principal existant antérieurement à l'implantation de Mirabel; la carte 2, à laquelle nous référons le lecteur, représente les améliorations et les additions de l'infrastructure routière nécessités par Mirabel.

Ste-Scholastique comme site de l'aéroport, mais la portée de ce précédent dépassait de beaucoup cette querelle.

Tout d'abord, il donnait un atout considérable au B.A.N.A.I.M., dans l'orientation de l'aménagement et du développement de toute la sous-région Nord. Par son énorme masse, par sa localisation stratégique entre, d'une part, Lachute et Saint-Jérôme et, d'autre part, les têtes de pont suburbaines du nord de la zone métropolitaine, par son développement de l'autoroute des Laurentides, par l'ensemble très riche d'infrastructures, d'équipements et de services qui y seraient installés pour répondre aux besoins de Mirabel, par son plan d'aménagement commandité par le B.A.N.A.I.M., le territoire exproprié était destiné à exercer une pression extraordinaire sur la sous-région Nord. Le fédéral ne pouvait ainsi que devenir un interlocuteur majeur dans le processus complexe de la planification du développement et de l'aménagement de toute cette sous-région. C'est effectivement ce qui est arrivé, comme nous le constaterons plus loin.

La portée du précédent créé par l'achat de ce territoire va cependant bien au-delà de la planification du complexe de Mirabel et de la sous-région Nord. En effet, la responsabilité du B.A.N.A.I.M. en matière d'aménagement et de développement est en train de se transformer en politique permanente et générale. D'une part, le Bureau, prévoyant sans doute la fin de son mandat en 1975, a récemment proposé que le Ministère des travaux publics du Canada prenne en charge la gestion du territoire exproprié, et que le Ministère d'État aux affaires urbaines ait la responsabilité de sa mise en valeur[6]. Cette proposition semble avoir été acceptée en principe par le gouvernement fédéral et devoir être appliquée à compter de 1975. D'autre part, cet arrangement est susceptible de servir de modèle aux autres propriétés foncières du fédéral au Québec.

On peut donc constater toutes les conséquences de cette nouvelle politique qui donne à Ottawa un pouvoir nouveau en matière d'aménagement du territoire et de développement socio-économique au Québec, malgré les compétences provinciales dans ces domaines. Jusqu'ici, le gouvernement québécois s'est peu opposé à cet empiètement. Nous analyserons de près les effets concrets de ce précédent lors de notre examen de deux dossiers du complexe.

## B. Le B.A.E.N.A.I.Q.-S.A.T.R.A. et les «environs» de Mirabel

En juin 1969, le gouvernement du Québec met sur pied le Bureau d'aménagement des environs d'un nouvel aéroport international au Québec (B.A.E.N.A.I.Q.) auquel il confie le mandat de préparer un plan d'aménagement du territoire entourant le futur aéroport[7]. Paradoxalement, la loi créant le B.A.E.N.A.I.Q. ne spécifie pas le site de l'aéroport! Elle se contente d'indiquer que la superficie maximale du territoire à aménager est 100 milles carrés. C'est que la bataille pour le site du nouvel aéroport faisait encore rage entre le fédéral, qui avait pourtant annoncé son choix de Sainte-Scholastique (Mirabel), et le gouvernement québécois, qui favorisait un emplacement dans la sous-région Sud de Montréal[8]. En créant le B.A.E.N.A.I.Q., Québec voulait

---

6    Précisons que la zone opérationnelle, soit le site de l'aéroport, restera, au plan technique et administratif, sous la responsabilité du Ministère des transports du Canada.

7    *Loi du Bureau d'aménagement des environs d'un nouvel aéroport international au Québec*, L.Q. 1969, ch. 57.

8    Au sujet de cette querelle, voir Gilles-Normand Larin, «Critique des études préparatoires au choix d'un emplacement pour le nouvel aéroport international de Montréal», *L'Actualité économique*, 49 (1973), p. 276-288.

éviter de donner l'impression de céder devant Ottawa[9]. Ce n'est d'ailleurs qu'un an plus tard que le gouvernement provincial reconnut officiellement le choix du fédéral et précisa que le territoire d'aménagement du B.A.E.N.A.I.Q. était la zone expropriée par le gouvernement d'Ottawa[10]. Le Bureau put alors commencer à fonctionner réellement.

En juillet 1970, le gouvernement québécois précise le mandat du B.A.E.N.A.I.Q. Outre la responsabilité de préparer un plan d'aménagement du territoire exproprié, le Bureau se voit attribuer les tâches spécifiques suivantes[11] : 1) assurer la réorganisation spatiale et administrative des municipalités affectées par le nouvel aéroport; 2) identifier les problèmes urgents découlant de son implantation, et qui pourraient compromettre l'élaboration du plan, et veiller à ce que les ministères et organismes québécois les résolvent, ou, qu'à leur demande, le Bureau les résolve ; 3) assurer la concertation des ministères et des organismes québécois publics et parapublics concernés ; 4) coordonner la préparation des dossiers requis pour toutes les négociations avec le fédéral au sujet de l'implantation du nouvel aéroport et du développement de la région de Montréal[12].

En décembre 1970, le gouvernement provincial promulgue une nouvelle loi qui affecte le B.A.E.N.A.I.Q. à plusieurs égards[13] : 1) elle crée la nouvelle municipalité de Ste-Scholastique, formée par le regroupement de douze municipalités et de deux portions de municipalités, dont la zone recoupe de près le territoire exproprié, sauf dans sa partie sud où elle le déborde (voir la carte 1); 2) elle abolit la loi du B.A.E.N.A.I.Q. dont les droits et les responsabilités sont transférés au Ministère des affaires municipales, lequel met immédiatement sur pied, avec le personnel technique de l'ex-Bureau, le Service d'aménagement du territoire de la région aéroportuaire (S.A.T.R.A.); 3) la loi agrandit l'espace couvert par le schéma d'aménagement du S.A.T.R.A., qui dépasse de beaucoup la ville nouvelle de Ste-Scholastique et qui englobe 34 municipalités; 4) elle stipule qu'un plan d'affectation des sols doit être soumis avant le 31 décembre 1971 ; 5) enfin, elle exige que chacune des municipalités comprises dans le territoire d'aménagement présente au Ministère un plan directeur d'urbanisme avant la fin de 1973.

En décembre 1971, le S.A.T.R.A. présente un plan préliminaire des affectations du sol pour le territoire d'aménagement, suivi par la publication au début de 1972, de quelques rapports de recherches complémentaires. De 1971 à la fin de 1973, il assiste les municipalités dans la préparation de leur plan directeur. Priorité est donnée à l'élaboration de cinq plans d'urbanisme de secteurs[14]. En mars 1974, le S.A.T.R.A. est aboli et remplacé par des fonctionnaires de la direction générale de l'urbanisme du

---

9   En fait, Québec savait la bataille déjà perdue, depuis l'annonce définitive faite par le fédéral, en mars 1969, du choix de Ste-Scholastique. Le gouvernement provincial, devait donc se donner un instrument d'intervention spécial pour étudier les problèmes d'aménagement urgents posés par l'expropriation fédérale et le début des travaux du B.A.N.A.I.M., prévus pour le printemps de 1980. Il est d'ailleurs très significatif que la superficie maximale du territoire qu'on confiait au B.A.E.N.A.I.Q., à savoir 100 milles carrés ou 64,000 acres, correspondait à peu près exactement à la superficie du territoire exproprié moins les 18,000 acres requises par l'aéroport lui-même...

10   *Arrêté en conseil no 1625, concernant le territoire du Bureau d'aménagement des environs d'un nouvel aéroport international au Québec,* (8 avril 1970), non publié.

11   *Arrêté en conseil no 2590, concernant le développement de la région de Montréal, suite à l'implantation d'un nouvel aéroport international au Québec,* (8 juillet 1970), art. 3, non publié.

12   L'arrêté en conseil 2590 stipulait que cette quatrième responsabilité devait échoir à l'O.P.D.Q., à partir du 1er janvier 1971.

13   *Loi concernant les environs du nouvel aéroport international, L.Q.*1970, ch. 48.

14   Il s'agit des agglomérations suivantes: Ste-Thérèse, St-Eustache, Terrebonne, St-Jérôme et Lachute.

Ministère des affaires municipales, et cela avant même que les plans de secteurs ne soient terminés et que son schéma d'aménagement global ne soit complété et publié.

## C. *La C.D.R.M. et le cadre régional*

En juillet 1970, le gouvernement québécois crée la Commission de développement de la région de Montréal, rattachée à l'O.P.D.Q.[15]. Le mandat de cette commission était double: 1) à moyen terme, la C.D.R.M. avait à préparer un schéma définissant les grandes orientations du développement de la région administrative de Montréal et, à ce sujet, elle devait consulter la Communauté urbaine de Montréal et les municipalités concernées; à partir de ce travail, elle était censée faire une programmation préliminaire, puis soumettre tous ces dossiers à l'O.P.D.Q.; 2) à court terme, la C.D.R.M. était supposée accorder la priorité à la planification du développement de la sous-région Nord de Montréal dans l'optique de l'implantation du nouvel aéroport de Montréal.

En mars 1970, l'O.P.D.Q. avait confié au Centre de recherches urbaines et régionales (C.R.U.R.) de l'I.N.R.S. un projet d'études comportant deux objectifs principaux: a) proposer la forme de développement spatial qui maximise les aspects positifs de l'impact économique de Mirabel; b) suggérer un programme de formation et de promotion de la main-d'oeuvre francophone afin de lui donner accès aux emplois créés par le nouvel aéroport.

Dès sa création, la C.D.R.M. devint le répondant immédiat du C.R.U.R. dont les études devaient, à ses yeux, être présentées comme une esquisse d'un schéma de développement socio-économique et spatial pour la sous-région Nord. Cette esquisse était censée servir à la fois de moyen de consultation auprès de la population, d'instrument de coordination des ministères québécois et de cadre de référence régional pour les travaux du B.A.E.N.A.I.Q. Bien que l'interprétation que faisait la C.D.R.M. du mandat confié par l'O.P.D.Q. au C.R.U.R. fût beaucoup plus large que celle qui prévalait antérieurement, ce dernier l'accepta, compte tenu de l'urgence de la situation[16].

Au terme du mandat du C.R.U.R., en décembre 1970, la C.D.R.M. a amorcé un processus de consultation de la population et de coordination interministérielle. Cependant, contestée à la fois par le B.A.E.N.A.I.Q. et par les ministères provinciaux peu désireux d'abandonner une part de leurs prérogatives, enlisée dans des querelles quant à son statut et à son rôle, affaiblie par la situation difficile de l'O.P.D.Q. alors elle-même remise en question par le gouvernement[17], la C.D.R.M. s'est vite anémiée vers la fin de 1971, puis elle a cessé complètement de fonctionner à partir de l'été de 1972. Depuis ce temps, la présence de l'O.P.D.Q. dans le projet Mirabel est assurée par un groupe de fonctionnaires délégués par l'Office. On a mis en sourdine le projet d'un schéma de développement tant pour la région administrative de Montréal que pour la sous-région Nord et on s'est orienté vers la préparation de certains dossiers spécifiques, tels P.I.C.A. et T.D.M. dont nous discuterons plus loin[18].

---

15    *Arrêté en conseil 2590*, déjà cité, article 2.

16    En effet, initialement il n'avait pas été question que les travaux du C.R.U.R. prennent la forme d'un esquisse de schéma de développement pour toute la sous-région Nord.

17    Sur les problèmes rencontrés par l'O.P.D.Q. depuis sa création voir: A. Germain, *L'évolution des styles de planification publique au Québec*, Montréal, 1974, ch. 3, (Thèse - M.Sc. (Sociol.) - Université de Montréal.

18    Toutefois, mentionnons que certains objectifs de l'esquisse du schéma du C.R.U.R. ont quand même continué à inspirer les travaux de l'Office, tout particulièrement en ce qui a trait au développement industriel.

D'autres organismes fédéraux et québécois ont joué un rôle dans l'implantation du complexe aéroportuaire. Mentionnons en particulier le Ministère de l'expansion économique régionale du Canada et le Ministère de l'industrie et du commerce du Québec. Cependant, leur rôle ayant été de portée sectorielle, nous en parlerons seulement plus loin.

## D. *Premier bilan*

Après avoir passé en revue les organismes planificateurs de Mirabel, il est possible d'analyser certaines caractéristiques de leurs activités.

Ce qui retient d'abord l'attention, c'est l'instabilité des organismes créés par le gouvernement provincial, de même que la versatilité de leur mandat, face à un tout-puissant B.A.N.A.I.M. En effet, du B.A.E.N.A.I.Q.-I au B.A.E.N.A.I.Q.-II et au S.A.T.R.A., l'espace-plan est modifié, et / ou le mandat est sans cesse élargi (pour la distinction entre les «deux» B.A.E.N.A.I.Q., voir le tableau 1).

Cette instabilité atteint son point culminant avec la léthargie croissante, puis avec la disparition de la C.D.R.M. L'échec de la Commission a eu pour conséquence grave de rendre définitivement impossible l'intégration du complexe de Mirabel dans un cadre de développement régional tenant compte de priorités établies par le gouvernement québécois. En d'autres mots, le complexe n'avait plus désormais ni la même portée, ni la même signification, ni la même efficacité socio-économique puisqu'il ne pouvait plus être un des éléments d'un modèle de développement régional authentiquement québécois. Mirabel redevenait un autre de ces projets de développement ponctuels, conçus et exécutés en grande partie par des centres de décisions extérieurs au Québec. Le S.A.T.R.A., laissé seul, n'avait ni la capacité, ni le mandat de changer la problématique fédérale: au contraire, dorénavant limité à un espace-plan restreint, replié sur une rationalité urbaniste, échappant à la sphère d'influence de l'O.P.D.Q., le S.A.T.R.A. s'est placé dans une situation de dépendance de plus en plus grande à l'égard du B.A.N.A.I.M. Nous examinerons les conséquences de cet état de choses, plus loin.

Outre l'instabilité institutionnelle qui a entravé les organismes québécois, il faut aussi constater qu'ils ont été handicapés par l'imprécision de la démarcation entre, d'une part, les mandats du B.A.E.N.A.I.Q. et du S.A.T.R.A. et, d'autre part, celui de la C.D.R.M. Si l'espace-plan des premiers faisait partie de celui de la Commission, rien par contre n'obligeait ces organismes à se plier aux mécanismes de consultation et de coordination établis par la C.D.R.M. Bien plus, deux éléments du mandat du B.A.E. N.A.I.Q.-II entraient directement en conflit avec les prérogatives normales de l'O.P.D.Q. et de la C.D.R.M.: la responsabilité de la concertation entre les ministères et les organismes québécois et celle de la préparation de dossiers pour des négociations fédérales-provinciales[19]. Il n'est donc pas étonnant que ces organismes québécois aient été en conflit chronique, ce qui rendait encore plus précaire la défense des dossiers provinciaux.

De plus, non seulement les organismes québécois étaient-ils instables, divisés et en conflit chronique, mais, durant les mois cruciaux de 1970-71, ils ont fait preuve d'une très grande lenteur dans la phase de leur établissement et dans leur fonctionnement.

---

19    Même si l'arrêté 2590 prévoyait que cette dernière responsabilité reviendrait à la C.D.R.M. le 1er janvier 1971, il ne semble pas que ce transfert se soit vraiment réalisé complètement.

20    Ne parlons même pas de B.A.E.N.A.I.Q.-1, qui, de juin 1969 à avril 1970, n'a à peu près pas fait de travaux, faute surtout d'une reconnaissance officielle de Ste-Scholastique comme site aéroportuaire...

## TABLEAU 1

### MANDAT ET ESPACE-PLAN DES ORGANISMES PLANIFICATEURS DE MIRABEL, DE 1969 À 1975

| Organismes | Espace-plan | Mandat | Début et fin du mandat | Organisme responsable |
|---|---|---|---|---|
| B.A.N.A.I.M. | Territoire exproprié (T.E.) | 1) Construction de Mirabel<br>2) Gestion et mise en valeur du T.E. | 27 mars 1969 ouverture de l'aéroport en 1975 | Ministère des transports du Canada |
| B.A.E.N.A.I.Q.-I (selon le Bill 48 ou L.Q. 1969, ch. 57) | Non spécifié jusqu'au 8 avril 1970, puis le T.E. | Schéma d'aménagement du «territoire avoisinant le futur aéroport» | 13 juin 1969- 8 juillet 1970 (arrêté en conseil 2590) | Lieutenant-gouverneur-en-conseil |
| B.A.E.N.A.I.Q.-II (selon l'arrêté en conseil 2590) | T.E. | 1) Schéma d'aménagement du T.E.<br>2) Réorganisation des municipalités affectées par Mirabel<br>3) Solution des problèmes urgents d'aménagement<br>4) Concertation des ministères et organismes québécois<br>5) Coordination des dossiers de négociation fédérale-provinciale | 8 juillet 1970- 19 décembre 1970 (Bill 60 ou L.Q. 1970, ch. 48) | Lieutenant-gouverneur-en-conseil |

| | | | | |
|---|---|---|---|---|
| S.A.T.R.A. (selon le Bill 60) | Territoire élargi (34 municipalités) | En plus du mandat précédent : 1) Échéance d'un plan d'affectation des sols fixé au 31.12.71 2) Assistance technique pour l'élaboration des plans directeurs d'urbanisme des municipalités | 19 décembre 1970- mars 1974 | Ministère des affaires municipales |
| C.D.R.M. | Région administrative de Montréal (R.A.M.) et sous-région Nord (S.R.N.) | 1) À moyen terme: schéma de développement de la R.A.M. 2) À court terme : schéma de développement de la S.R.N. | 8 juillet 1970- été 1972[1] | O.P.D.Q. |
| O.P.D.Q. | R.A.M. et S.R.N. | Préparation de dossiers ponctuels de développement | Début : été 1972 | Conseil exécutif du Québec |

Note (1): La C.D.R.M. ne fonctionne plus depuis l'été de 1972, mais elle n'a jamais été officiellement abolie.

Pendant cette étape du démarrage des travaux de construction de Mirabel, le B.A.N.A.I.M. a pris une série de décisions qui ont affecté durablement le pattern du développement et de l'aménagement du territoire exproprié et, par le fait même, de la sous-région Nord de Montréal [21]. Il était donc urgent que le gouvernement québécois dispose au plus tôt d'un schéma de développement pour la sous-région Nord et d'un schéma d'aménagement pour le territoire exproprié de façon à ce que les décisions des deux gouvernements puissent être insérées dans un cadre qui tienne compte des priorités et des besoins québécois. C'est dans cette optique que le C.R.U.R. a réalisé ses travaux de préparation d'un schéma de développement pour la sous-région Nord de Montréal à l'intérieur d'une échéance extrêmement brève, soit neuf mois. Ce schéma pouvait fournir un point de référence important dans les négociations fédérales-provinciales portant sur Mirabel.

Cependant, la C.D.R.M. n'a pu suivre le même rythme; il lui a fallu plus de six mois pour se constituer, soit de juillet 1970 à janvier 1971. Puis, ce n'est qu'après une longue période de flottement qu'elle a déclenché un processus de consultation de la population, par l'intermédiaire du Conseil régional de développement des Laurentides et de Lanaudière (C.R.D.L.L.). En effet, c'est plus de 8 mois après la remise des rapports finals du C.R.U.R. que la Commission a fait parvenir au C.R.D.L.L., en août 1971, une version vulgarisée de l'esquisse du schéma de développement de la sous-région Nord de Montréal [22].

On constate la même lourdeur chez le B.A.E.N.A.I.Q., qui a pris une grande partie des mois de l'été et de l'automne de 1970 pour s'organiser. Selon la stratégie initiale de la C.D.R.M., que le B.A.E.N.A.I.Q. avait acceptée en principe, une esquisse du schéma d'aménagement pour le territoire exproprié devait être prête en décembre 1970, en même temps que celle du schéma de développement du C.R.U.R. pour la sous-région Nord de Montréal. Mais, en décembre 1970, le B.A.E.N.A.I.Q. n'a pu que remettre un rapport d'étape. Il faudra attendre décembre 1971 pour que le B.A.E.N.A.I.Q., devenu le S.A.T.R.A., produise un plan préliminaire des affectations du sol. À l'automne de 1974, on attendait que le schéma d'aménagement soit complété et présenté par le Ministère des affaires municipales...

Ce lent fonctionnement du B.A.E.N.A.I.Q.-S.A.T.R.A. nous semble révélateur d'une philosophie de la planification, qui conçoit l'aménagement du territoire selon une optique passive et comme la transcription spatiale de décisions prises par d'autres. Une telle philosophie explique très bien le mode de fonctionnement de cet organisme, puisqu'il ne s'agit plus d'influencer les décisions en amont (entendez surtout celles de B.A.N.A.I.M.), rien ne sert de se hâter, et il ne s'agit plus alors que d'amener les municipalités québécoises à s'adapter le plus possible à leur environnement changeant. Dans ce cas, le schéma d'aménagement n'est plus considéré comme un instrument dynamique d'une planification volontariste qui vient éclairer des décisions à prendre et contribuer à orienter l'impact de Mirabel selon une rationalité québécoise.

---

21    Comme, par exemple, la relocalisation de la voie ferrée du C.N. Mentionnons aussi que c'est en 1970 que le «plan de masse» pour l'aéroport, a été dévoilé par le B.A.N.A.I.M. Il avait été élaboré sans consultation auprès des organismes québécois.

22    *Schéma de développement, Région Nord de Montréal,* Montréal, C.D.R.M., Section Information-Consultation, août 1971. Signalons que, paradoxalement, la C.D.R.M. a imposé des délais très courts au C.R.D.L.L., pour donner son avis, soit moins de trois mois, puisque celui-ci devait être prêt le 1er décembre 1971. Pour cet avis, voir les documents suivants: *Avis régional* et *Rapport final,* Opération-consultation, C.R.D.L.L., décembre 1971.

À ce bilan déjà sombre, il faut ajouter un autre élément : l'absence de marge de manoeuvre financière du B.A.E.N.A.I.Q., du S.A.T.R.A. et de la C.D.R.M., dont le budget ne leur permettait que des dépenses de fonctionnement. Ces organismes étaient en effet dénués de fonds qui leur auraient permis d'entreprendre des investissements et d'accorder des subventions ou des prêts de façon à réaliser eux-mêmes des projets d'aménagement ou de développement, ou à inciter d'autres organismes à le faire. Cela n'a rien d'étonnant si on se rappelle que même l'O.P.D.Q., depuis 1969, ne possède pas un budget autonome très grand et que, par conséquent, ses fonds propres destinés à financer la réalisation de tels projets restent limités[23]. En face de ces organismes planificateurs québécois démunis, on trouve le B.A.N.A.I.M. qui, en tant que mandaté par l'influent Ministère des transports du Canada, peut disposer de fonds très considérables. Par ailleurs, comme nous le verrons plus loin, les organismes planificateurs québécois n'avaient pas le seul B.A.N.A.I.M. comme interlocuteur puissant et riche : le Ministère de l'expansion économique régionale, lui aussi très bien pourvu financièrement, a été amené à jouer un rôle majeur dans l'élaboration de projets spécifiques de développement, ce qui a rendu encore plus inégal le rapport de forces entre les deux gouvernements.

Il faut se demander enfin si les organismes planificateurs québécois pouvaient vraiment influencer l'aménagement et le développement du territoire exproprié. On peut en douter fortement devant la situation objective qui prévaut depuis 1969. La volonté fédérale de contrôler et de planifier la mise en valeur du territoire exproprié a été souvent exprimée d'une façon très nette. À titre d'illustration, relisons ce passage du plan de mise en valeur du B.A.N.A.I.M., qui proclame sans équivoque la primauté du fédéral.

> Le gouvernement du Canada n'est évidemment pas le seul intéressé à l'aménagement de la région aéroportuaire. La Province et les municipalités, de même qu'une foule d'organismes de caractère public, ont divers intérêts et jouissent de prérogatives diverses. Le gouvernement du Canada y possède cependant des intérêts majeurs et des pouvoirs déterminants : propriété du sol, responsabilité et juridiction à titre d'exploitant d'un aéroport, etc.[24].

À côté de cette force et de cette volonté ferme, le projet d'une planification québécoise dans le territoire exproprié paraissait, dès le départ, singulièrement handicapé, car celui qui contrôlait l'orientation de ce territoire-clé partait avec des atouts considérables dans la course à l'aménagement et au développement de toute la sous-région Nord de Montréal.

Avant de terminer cette évaluation préliminaire, il faut souligner les effets néfastes que peut avoir la disparition du S.A.T.R.A., après celle de la C.D.R.M. en 1972. Face au B.A.N.A.I.M., il y a maintenant un vide dangereux du côté québécois. Qui va voir au suivi du schéma d'aménagement du S.A.T.R.A. et des plans directeurs des secteurs et des municipalités ? Les 34 municipalités de la région aéroportuaire seront-elles laissées seules face au fédéral? L'abolition du S.A.T.R.A. risque fort d'avoir les mêmes résultats pour la région aéroportuaire que celle de la C.D.R.M. pour

---

23    Par exemple, en 1974-75, l'O.P.D.Q. doit consacrer $178.6 millions à son programme de «planification économique et régionale et de coordination du développement régional» (entente «ARDA», entente «Zones spéciales», entente «Cadre», etc.). Le Ministère de l'expansion économique régionale du Canada contribue cependant pour 53% de cette somme, soit $94.99 millions. De plus, du reste fourni par l'O.P.D.Q., il faut soustraire un montant important qui est consacré aux dépenses à caractère interne de l'O.P.D.Q., de sorte que la proportion «motrice» de la participation de l'Office à ce programme devient assez marginale. A ce sujet, voir, *Crédits 1974-1975*, Québec, 1974, p. 8-9 à p. 8-11, programme 4 du Conseil exécutif.

24    *Plan général de mise en valeur...* etc., «Structure de gestion. Directives», vol. 7 et 8, p. 18.

la sous-région Nord : l'abandon total et définitif de l'aménagement du territoire après celui de la planification du développement dans une région d'une très grande importance pour la collectivité québécoise. Car, en dépit de ses lacunes et de sa conception passive de l'aménagement, le S.A.T.R.A. assurait au moins une présence minimum et une certaine coordination du côté québécois.

Nous pouvons sembler très sévère pour les organismes planificateurs québécois. Qu'il soit bien clair que nous ne mettons pas en doute la qualité de leur personnel, dont la compétence se compare souvent avantageusement aux organismes fédéraux du même type. Mais ces ressources humaines évoluent dans un contexte politico-administratif qui les empêche de fonctionner normalement. L'absence d'une volonté politique de planifier, la crainte d'exercer tous les pouvoirs provinciaux et d'affirmer toutes les compétences institutionnelles du Québec face au grand-frère fédéral, la nécessité chronique pour les organismes planificateurs québécois d'obtenir du fédéral leurs fonds de développement, le refus d'affirmer une présence québécoise dans le contrôle et l'orientation du développement économique constituent un environnement qui bloque dangereusement l'action des agents de planification du Québec.

## 11- L'impact économique de Mirabel et la valse des emplois...

Au cours de la querelle fédérale-provinciale relative au site du futur aéroport, de 1968 à 1970, le volume d'emploi que susciterait celui-ci a pris une très grande importance. Le Québec passait alors par une phase conjoncturelle difficile, et ne pouvait pas être indifférent aux effets d'entraînement du nouvel aéroport. Quant au gouvernement fédéral, au delà des préoccupations qu'il pouvait avoir à l'égard de l'économie québécoise, il avait une autre raison, plus subtile et moins explicite, de vouloir que les emplois créés par l'aéroport soient nombreux : plus ils le seraient, plus le pouvoir de négociation d'Ottawa face à Québec, relativement au choix de l'emplacement de l'aéroport, serait fort.

### A. Dans un premier temps: le pactole (1969)

Il y eut d'abord les prévisions de B. Higgins, faites dans le cadre d'une étude économique sur les avantages comparés des divers emplacements qui avaient été suggérés pour le nouvel aéroport par Ottawa et Québec [25]. Outre cette analyse comparative, le rapport Higgins présentait une estimation des emplois créés par le fonctionnement de l'aéroport en 1985, date à laquelle il devait atteindre sa taille adulte. Étant donné les répercussions énormes de ces précisions pour les problématiques de l'emplacement et de l'aménagement du nouvel aéroport, nous allons résumer et commenter la méthode suivie par l'auteur [26].

La démarche de l'auteur impliquait d'abord la détermination de trois catégories d'emploi: 1) les emplois sur le site même de l'aéroport, ou emplois *directs*; 2) les emplois *dépendants*, c'est-à-dire ceux qui, sans être localisés sur le site, sont techniquement reliés aux activités de l'aéroport; 3) les emplois *induits*, ou ceux qui sont créés par les dépenses des ménages dont le chef (ou d'autres membres) travaille dans les deux premières catégories. Ensuite, adoptant un modèle tiré de la théorie dite de la «base économique», l'auteur établit une distinction entre emplois «basiques», et

---

25    B. Higgins, *Economic Impact of Alternative Sites for the Proposed New Montreal International Airport;* rapport remis au Comité intergouvernemental de l'aéroport international de Montréal, janvier 1969.
26    Nous n'évaluerons pas ici les recommandations du rapport Higgins en faveur de l'emplacement de Ste-Scholastique.

emplois «non basiques», les premiers faisant partie d'industries exportatrices, et les seconds, d'activités induites par celles-ci. Enfin, ayant mesuré les emplois basiques, il obtint les emplois non basiques en multipliant les premiers par un coefficient de 2.9, qu'il avait obtenu à la suite d'une analyse statistique portant sur la zone métropolitaine de Montréal[27].

B. Higgins obtint des résultats qui firent sensation[28]: selon ses prévisions, l'aéroport devait engendrer plus de 77,000 emplois et exiger la création d'une ville nouvelle de près de 300,000 habitants dans la sous-région Nord (voir tableau 2).

TABLEAU 2

## EMPLOIS CRÉÉS PAR LE NOUVEL AÉROPORT EN 1985, SELON LE RAPPORT HIGGINS

| Emplois | Basiques | Non basiques | Total |
|---|---|---|---|
| Directs | 18,750 | 6,250 | 25,000 |
| Dépendants | 1,000 | 9,000 | 10,000 |
| Induits | ——— | 42,025 | 42,025 |
| Total | 19,750 | 57,275 | 77,025 |

Si le gouvernement québécois contesta vivement les conclusions du rapport Higgins au sujet de l'emplacement de l'aéroport, en aucun moment les contre-études de l'O.P.D.Q. ne remirent-elles en question l'estimation fédérale des emplois[29]. Mais ce faisant, l'Office concédait à Ottawa, dès le départ, le meilleur atout dont il pouvait disposer auprès de l'opinion publique: le cadeau des 100,000 emplois de Mirabel.

27    Au sujet de la théorie de la base économique, voir T. Lane, «The Urban Base Multiplier: an Evaluation of the State of the Art», *Land Economics*, 42 (1966), p. 339-347; aussi P. Lamonde, «Nouvel aéroport de Montréal: une évaluation du multiplicateur d'emploi fédéral», *L'Actualité économique*, 48 (1972), p. 379-397.
28    Une revue de découpures de presse de cette période le démontre, facilement. Voyons quelques exemples. Lors d'une visite du premier ministre P.E. Trudeau à Ste-Scholastique, le 16 juin 1969, un documentaire projeté à cette occasion faisait grand état de la création de 100,000 emplois («La décision est «irréversible», affirme Trudeau», *L'Action-Québec*, 16 juin 1969). Le 19 mars 1970, le ministre libéral Léo Cadieux annonce à des militants libéraux de la sous-région Nord que le nouvel aéroport «apporterait 100,000 nouveaux emplois» («L'aéroport: planche de salut économique pour la région», *Echos du Nord*, 18 mars 1970). Dans *le Soleil* du 23 mars 1970, on va plus loin car, citant une déclaration du ministre fédéral des transports, Don Jamieson, on laisse entendre que les 100,000 emplois sont pour 1974! («1000,000 emplois, en 1974 — Feu vert à l'aéroport de Ste-Scholastique», *Le Soleil*, 23 mars 1970).
29    A ce sujet voir le dossier-synthèse de l'O.P.D.Q.: *Le nouvel aéroport international de Montréal: analyse et conclusion*, Québec, O.P.D.Q., septembre 1969.

Pourquoi, allait-on bientôt se demander, risquer de perdre cette manne pour un problème quelque peu ésotérique de localisation[30]? Il est étonnant que l'O.P.D.Q. ne se soit pas interrogé sur la validité de ces prévisions d'emploi. En effet, le rapport ayant été produit d'une façon extrêmement précipitée (en quelques semaines), il aurait été normal d'en vérifier la démarche méthodologique[31].

Les faiblesses méthodologiques du rapport Higgins étaient effectivement sérieuses, tant en ce qui concerne le multiplicateur d'emploi que le multiplicande. En ce qui a trait au premier, on constate deux lacunes: 1) l'utilisation d'un «quotient de localisation» par Higgins pour mesurer les emplois «basiques» et «non basiques» dans la zone métropolitaine de Montréal tend à surestimer considérablement le coefficient multiplicateur,[32]; 2) dans la prévision des emplois non «basiques», l'auteur n'a pas tenu compte de la hausse de la productivité pour la période 1967-1985, ce qui gonfle artificiellement ces emplois et, donc, le coefficient multiplicateur. Corrigeant ces deux types d'erreur, il faut sans doute ramener le coefficient de 2.9 obtenu par B. Higgins à une valeur se situant entre 1 et 1.3.

Quand au multiplicande, il est faussé par une énorme surévaluation des emplois sur le site: 1) B. Higgins avait utilisé sans examen un estimé fédéral datant de 1967 (25,000 emplois directs), qui comportait une erreur étonnante: on y incluait les emplois d'une seconde base d'entretien d'Air Canada — la première étant à Dorval et devant y rester — alors qu'il était évident que la région de Montréal ne pouvait en avoir besoin de deux! Un simple examen de la composition de l'estimé fédéral permettait de constater cette erreur; corrigeant celle-ci, le volume des emplois d'entretien tombe de 8,000 à seulement 700 en 1985[33]; 2) d'autre part, l'estimé initial des emplois directs reposait sur une nette sous-évaluation de la hausse de productivité par homme-année jusqu'en 1985 et sur des prévisions trop optimistes quant au volume annuel de passagers, de fret aérien et de mouvements d'appareils dans la région de Montréal. La correction de tous ces biais à la hausse explique pourquoi le B.A.N.A.I.M., à partir de l'été de 1970, ne parle plus de 25,000 emplois directs, mais bien de seulement 16,000[34].

---

30    De nouveau, la lectures des articles de presse de cette période est édifiante. Prenons, au hasard, deux points de vue typiques. Dans un éditorial de la revue *Les Affaires,* J.V. Baltayan écrit: «Cependant de quoi aurions-nous l'air, on vous le demande, si nous passions sous silence des événements susceptibles de soustraire à notre économie des investissements voisins de $400 millions, sans oublier 70,000 à 100,000 nouveaux emplois. En effet, est-il impensable que devant l'attitude exaspérante de nos dirigeants en la matière, Ottawa révise ses plans initiaux et implante le nouvel aéroport en Ontario où à défaut d'autres avantages — l'avenir, dans l'optique canadienne du moins, n'offre pas autant d'aléas?» (*Les Affaires,* 7 avril 1969, p. 4); ou encore, relisons ce commentaire de J.G. Bruneau, du *Droit:*«Le premier ministre Trudeau soutient que l'aéroport aura des répercussions considérables. Un investissement de plus de $400 millions, du travail pour près de 100,000 Québécois sont des arguments de taille. C'est pourquoi Ottawa est si confiant en offrant une ferme opposition aux rebuffades de M. Bertrand. Ce dernier, de l'avis de plusieurs observateurs, risque d'y perdre, en s'objectant aussi farouchement à un projet qui est en somme un véritable «gros lot» pour le Québec». («Relations Québec-Ottawa à un bas niveau», *Le Droit,* 7 avril 1969). Ajoutons que l'expression de «manne» nous a été inspirée par le titre d'un éditorial de Renaude Lapointe consacré aux bienfaits de Mirabel («Une manne pour les Québécois», *La Presse,* 31 janvier 1970).

31    C'est ce que fit ressortir le professeur E. McWhinney de McGill University. Commentant un discours de B. Higgins qui avait critiqué Québec pour ne pas avoir encore accepté le choix de Ste-Scholastique, McWhinney écrit(«The essential weakness of Professor Higgins' case for Ste-Scholastique is summed up in his own comment that he had only 17 days in which to try to plan for developments extending to 1985. Why on earth, under those circumstances, as a reputable economist, did he accept the federal government's brief. The sensible thing to do, surely, was to point out to the federal government the essential complexity of the problem and to insist on more time; otherwise, the resulting report would inevitably be highly impressionistic, and, in the end, unempirical and scientifically invalid» (*The Gazette,* January 28, 1970).

32    À ce sujet, voir R. Leigh, «The Use of Location Quotients in Urban Economic Base Studies», *Land Economics,* 46 (1970), p. 202-205; aussi, W. Isard, *Methods of Regional Analysis,* Cambridge, Mass., M.I.T. Press, 1960, p. 125-126, 195-198.

33    *Employment Forecasts,* Ottawa, Dept. of Transport, August 1970. (Processed).

34    *Employment Forecasts.*

## TABLEAU 3

## EMPLOIS CRÉÉS PAR LE NOUVEL AÉROPORT EN 1985, SELON LA MÉTHODE HIGGINS CORRIGÉE

| Emplois | Basiques | Non basiques | Total |
|---|---|---|---|
| Directs | 12,000 | 4,000 | 16,000 |
| Dépendants | 640 | 5,760 | 6,400 |
| Induits | --- | 5,408 | 5,408 |
| Total | 12,640 | 15,168 | 27,808 |

Source: P. Lamonde, *op. cit.*, p. 389.

Si on applique la méthode de B. Higgins, une fois expurgée de ses erreurs, à la prévision des emplois pour 1985, on obtient des résultats beaucoup plus modestes[35] : les prévisions d'emploi tombent de 77,025 à 27,808, ainsi que l'indique le tableau 3.

### B. ...Puis le temps des désillusions (1970)

Comme le multiplicateur utilisé dans le rapport Higgins semblait élevé et que le B.A.N.A.I.M. avait lui-même commencé à réviser à la baisse ses prévisions, le C.R.U.R. eut des doutes sur celles-ci dès le début de ses recherches. Aussi, donna-t-il une grande priorité à la prévision des emplois. Il choisit deux horizons de prévision, l'année 1974, qui était alors celle où le nouvel aéroport devait commencer à fonctionner, et l'année 1985, date où il était censé atteindre une taille normale[36]. Il opta pour le modèle interindustriel comme méthode d'estimation, car il permet de ventiler l'impact d'un investissement dans tous les secteurs de l'économie et, par conséquent, d'en faire une analyse plus approfondie[37]. De plus, le C.R.U.R. désirait tenir compte des emplois créés, non pas seulement par le fonctionnement de l'aéroport, mais aussi par les dépenses gouvernementales d'investissement dans la construction du complexe, même si ce dernier type d'emploi a un caractère provisoire et bien que les données fussent alors fort incomplètes à cet égard.

---

[35]  A partir d'un coefficient multiplicateur de 1.2 et d'un volume d'emplois directs de 16,000.

[36]  Depuis, la date d'ouverture de Mirabel a été reportée à l'automne de 1975.

[37]  Il n'est pas possible, dans les limites de ce chapitre, d'exposer la nature du modèle inter-industriel; rappelons ici simplement que ce modèle représente l'économie d'un pays (ou d'une région), comme un système empirique d'équilibre général. Ce type de modèle a donné lieu, depuis 20 ans, à une énorme littérature; contentons-nous d'indiquer deux références utiles: W.J. Baumol, *Economic Theory and Operations Analysis*, 2d ed., Prentice-Hall, Englewood Cliffs, 1965, ch. 20, p. 479-491; et R. Dehem, *Traité d'analyse économique*, Paris, Dunod, 1958, ch. 3, p. 107-135. La méthode suivie par le C.R.U.R. est expliquée dans *Estimation et localisation de l'emploi dans la région Nord; rapport final*, Montréal, C.R.U.R., I.N.R.S., décembre 1970.

Les résultats obtenus par le C.R.U.R. différaient considérablement des prévisions du rapport Higgins. Comparant celles-ci (tableau 2) à celles du C.R.U.R. pour 1985 (tableau 4), on peut constater l'énorme écart entre les deux séries, même si on s'en tient, pour les secondes, au palier d'agrégation le plus élevé, soit le Québec[38]. Cependant, il est intéressant de constater que, lorsqu'on rajuste les prévisions du rapport Higgins pour tenir compte de leurs erreurs (tableau 3), l'écart entre les deux séries est fortement réduit[39].

En pourcentage de l'emploi total de la sous-région Nord, l'impact de l'aéroport était très faible: à peine 5% en 1974 et 6.3% en 1985. Les conséquences en étaient importantes du point de vue de la problématique. Se rendant enfin compte qu'un aéroport n'est, après tout, qu'un service de transport et qu'il ne requiert que peu d'*input* de la part des autres secteurs économiques, on cessa d'avoir une conception passive et idyllique des effets d'entraînement de Mirabel: ceux-ci n'allaient pas provenir massivement et plus ou moins automatiquement du fonctionnement de l'aéroport.

Corollairement, le C.R.U.R. fit valoir que si le fonctionnement de Mirabel n'avait pas un impact très fort, il devenait essentiel d'adopter une perspective nouvelle, basée sur les «économies externes» créées par son implantation. Celle-ci s'accompagne nécessairement de la mise en place d'infrastructures, d'équipements et de services de toutes sortes, qui sont susceptibles d'attirer plusieurs types de firmes qui veulent en profiter pour réduire leurs coûts de production. Cependant pour mettre en valeur ces économies externes, il fallait désormais, selon le C.R.U.R., dépasser la problématique d'une planification projective et adopter une attitude plus normative et volontariste face à l'orientation du développement.

En termes d'aménagement, la crainte de voir déborder les «nombreux» emplois de Mirabel vers l'Ontario céda la place à la prise de conscience qu'il fallait canaliser l'impact de l'aéroport en le concentrant sur un territoire restreint de façon à le renforcer en tirant profit au maximum des effets d'agglomération.

À partir de cette problématique modifiée et de l'étude des «économies externes» que pouvait produire Mirabel[40], le C.R.U.R. fit un certain nombre de recommandation dans son rapport final: 1) il proposa une politique qualitative de promotion industrielle de façon à tirer profit des économies externes; 2) il suggéra la création d'un parc industriel régional, situé près de l'aéroport afin de faire bénéficier les firmes d'un transbordement direct de l'usine à l'avion; 3) de plus, il attira l'attention du Ministère de l'industrie et du commerce du Québec sur l'intérêt stratégique de la rationalisation du processus de la manutention du fret aérien et de l'établissement d'activités d'entreposage près de l'aéroport, et il lui recommanda d'entreprendre des études à ce sujet[41].

---

38    Comme B. Higgins ne considère pas les emplois engendrés par la construction de Mirabel, ses prévisions doivent être comparées avec celles qui sont données dans le premier sous-total du tableau 4.

39    Ajoutons que les prévisions corrigées du rapport B. Higgins incluent un volume indéterminé d'emplois qui en fait sont localisés dans la zone métropolitaine, tout particulièrement une partie des emplois dits dépendants. Par conséquent, si on tient compte de ce fait, l'écart des prévisions d'emploi pour 1985 dans la sous-région Nord, entre les deux approches, est sans doute effacé. Mais il n'y a rien de surprenant à cela puisqu'on peut démontrer l'identité mathématique des deux types de multiplicateur global; à ce sujet, voir R.B. Billings, «The Mathematical Identity of the Multiplier Derived from the Economic Base Model and the Input-Output Model», *Journal of Regional Science*, 9 (1969), p. 471-473; voir aussi, P. Lamonde, *op. cit.*, p. 391-395.

40    Voir *Les économies externes; rapport final,* Montréal, C.R.U.R., I.N.R.S., décembre 1970.

41    *Rapport-synthèse sur le développement économique et spatial; rapport final,* Montréal, C.R.U.R., I.N.R.S., décembre 1970, ch. 3, p. 32-35. Mentionnons que dès le mois de mars 1970, M.D. De Belleval, alors à l'O.P.D.Q., avait formulé l'idée d'une intégration dans un même système, près de Mirabel, des activités de transport aérien et terrestre d'un parc industriel. A ce sujet, voir «Avril 1975: ouverture du plus grand aéroport mondial», *Développement-Québec* (revue de l'O.P.D.Q.), 1, (1974) p. 4.

# TABLEAU 4

## LES PRÉVISIONS D'EMPLOI DU C.R.U.R.

| Emplois | Ensemble du Québec c | | R.A.M. [2] | | S.R.N. [3] | |
|---|---|---|---|---|---|---|
| | 1974 | 1985 | 1974 | 1985 | 1974 | 1985 |
| Emplois directs sur le site (fonctionnement de l'aéroport) | 4,400 | 16,000 | 4,400 | 16,000 | 4,400 | 16,000 |
| Emplois induits par le fonctionnement et les employés de l'aéroport | 5,047 | 21,819 | 4,088 | 17,711 | 818 | 4,355 |
| Sous-total | 9,447 | 37,819 | 8,488 | 33,711 | 5,218 | 20,355 |
| Emplois directs dans la construction [1] | 632 | 197 | 632 | 197 | 632 | 197 |
| Emplois induits par la construction [1] | 1,450 | 599 | 1,081 | 437 | 112 | 64 |
| Sous-total | 2,082 | 786 | 1,713 | 634 | 744 | 261 |
| Grand total | 11,529 | 38,615 | 10,201 | 34,345 | 5,962 | 20,616 |

Source: *Estimation et localisation de l'emploi dans la région Nord,* 1 et 3.

Notes 1) Les estimés se rapportent aux années de prévision 1974 et 1985 et non pas aux périodes 1970-1974 et 1974-1985. Le tableau est basé sur les données dont disposait le C.R.U.R. en 1970.
2) R.A.M.: Région administrative de Montréal.
3) S.R.N.: Sous-région Nord.

## C.  ...Et la situation actuelle (1974)

Dans cette section, nous ne discuterons donc pas en termes de prévision d'emplois, mais nous analyserons les efforts de deux gouvernements visant à susciter de nouveaux projets de développement dans la région aéroportuaire et ainsi donner une plus grande dimension à l'impact économique de Mirabel[42]. Ces efforts se sont surtout polarisés autour de deux projets: l'implantation d'un parc industriel et commercial aéroportuaire (P.I.C.A.) et la mise en place d'un système intégré de transbordement, de distribution et de fabrication (T.D.M.), relié organiquement à Mirabel[43].

Donnant suite aux recommandations du C.R.U.R., le président de la C.D.R.M. reconnaissait, au début de 1971, l'importance du concept d'un parc industriel et commercial aéroportuaire et persuadait le Ministère de l'industrie et du commerce (M.I.C.) du Québec d'étudier en profondeur les caractéristiques d'un tel parc, de même que les modalités de sa mise en oeuvre éventuelle[44]. En janvier 1974, le M.I.C. remit son rapport final au «Comité directeur du P.I.C.A.»[45].

Le projet du P.I.C.A. était donc précisé: sa vocation serait d'être tournée vers les marchés internationaux, il serait étroitement intégré au système de transport aérien et terrestre constitué par le complexe de Mirabel, il mettrait à la disposition des firmes des services de très grande qualité, son environnement aurait un caractère fort prestigieux et agréable, et, enfin son équipe de promotion et de gestion devrait être moderne et efficace.

Le P.I.C.A. doit être localisé tout près de l'éroport, au sud, dans les environs de St-Augustin, à un carrefour d'autoroutes et de voies ferrées. Au cours de la période 1975-1985, un maximum de 700 acres du parc pourraient être aménagées; la superficie maximum prévue pour le P.I.C.A. est de 3,000 acres. Ce parc pourrait créer quelques 3,000 à 4,000 emplois directs d'ici 1980.

Malgré l'état avancé et opérationnel du rapport du M.I.C. la mise en place du P.I.C.A. se bute à quelques problèmes institutionnels sérieux qui risquent d'en compliquer l'aménagement, le développement et la gestion et, surtout, d'affaiblir le contrôle du gouvernement québécois sur sa mise en oeuvre et son fonctionnement.

On a souligné que le maître d'oeuvre de la conception du projet est le M.I.C. Cette responsabilité s'insère d'ailleurs dans les prérogatives normales de ce ministère vis-à-vis les parcs industriels au Québec. Mais la zone prévue pour le P.I.C.A. fait partie du territoire exproprié par le fédéral. Comment concilier ces conflits de compétences? On peut fortement douter que le M.I.C. puisse être le seul maître d'oeuvre de l'implan-

---

42    En 1973, le Centre de recherche en développement économique a fait le point sur l'induction des emplois temporaires, produite par les dépenses d'investissements exigées pour la construction du complexe, à partir de l'hypothèse que tous ses sous-systèmes seraient mis en place d'ici 1985 selon les plans initiaux des deux gouvernements. L'effort est méritoire, mais les résultats sont non seulement fort aléatoires mais très périphériques par rapport à la problématique nouvelle concernant l'impact économique. Voir: *L'impact économique du complexe aéroportuaire Mirabel à l'horizon de 1985,* Montréal, Université de Montréal, C.R.D.E., 1973.

43    Peu d'informations officielles ont été publiées tant en ce qui concerne le P.I.C.A. que le T.D.M. Nous avons dû nous référer à des sources disparates et à des études préliminaires et incomplètes. Notre analyse restera parfois incertaine sur certains points, et peut-être inexacte sur d'autres. En particulier, les estimés des dépenses et d'emploi pour ces deux projets sont présentés ici simplement pour fournir un ordre de grandeur.

44    *Rapport du président,* Montréal, C.D.R.M., janvier 1971, p. 14.

45    Ce comité était composé des organismes suivants: O.P.D.Q., S.A.I.R.A., B.A.N.A.I.M., M.E.E.R.

tation et des activités du parc. En effet, outre le fait que le B.A.N.A.I.M. est responsable de la gestion et de la mise en valeur du territoire exproprié et que le précédent créé par cette situation semble en train d'être transformé en politique permanente et officielle pour toutes les propriétés foncières du fédéral au Québec, il apparait que le financement de l'implantation du P.I.C.A. proviendra en grande partie du M.E. E.R.[46] Bref, le P.I.C.A. devant dépendre financièrement d'un ministère fédéral et se localiser dans un territoire possédé et planifié par Ottawa, le contrôle de sa gestion, de son aménagement et de son développement échappera, pour une part substantielle, au gouvernement québécois.

Il est facile d'imaginer le genre de compromis institutionnel auquel devra se résoudre le gouvernement du Québec. On formera probablement une société de gestion du P.I.C.A., dont les principaux actionnaires seront les gouvernements canadien et québécois, et à laquelle le B.A.N.A.I.M. (ou son successeur fédéral) louera des blocs de terrain devant servir au parc. Mais cette location se fera sans doute à la condition que les programmes généraux d'aménagement et de développement du P.I.C.A. et peut-être même les plans et devis détaillés qui les concrétiseront, soient approuvés par le B.A.N.A.I.M. (ou par l'organisme fédéral qui lui succédera)[47].

Ce genre de compromis marquera une nouvelle concession du Québec à Ottawa en matière d'aménagement et de développement du territoire exproprié. Il illustre aussi le diagnostic que nous avons fait au terme de la première partie de ce chapitre, à savoir l'incapacité du gouvernement québécois d'influencer la mise en valeur de ce territoire et, par conséquent, d'imposer une orientation à la planification de l'économie de la sous-région Nord.

Voyons maintenant comment se présente le projet T.D.M. Selon une étude commanditée par l'O.P.D.Q. en 1971, Montréal possèderait des atouts lui permettant de devenir le plus important point d'entrée du fret aérien en provenance de l'Europe et de l'Afrique du Nord et destiné aux marchés du nord-est des États-Unis et de l'est du Canada[48].

En 1972, le M.E.E.R. reprit à son compte cette idée et en précisa la problématique; il s'agissait désormais d'étudier la possibilité de mettre en place, sur le site aéroportuaire, un système intégré capable de remplir trois fonctions économiques fondamentales: la fabrication de marchandises, leurs distribution, et leur transfert entre divers modes de transport. On arriva, en juillet 1973, à la conclusion qu'un tel système serait très rentable et qu'il fallait créer un organisme de gestion le plus vite possible[49].

Plus précisément, ce système, connu par son sigle T.D.M., comprendrait trois centres intégrés, fonctionnant selon une gestion unique: 1) un centre de transfert de marchandises (T), permettant un transbordement direct des biens entre les modes de transport aérien, terrestre et ferroviaire; 2) un centre de distribution (D), offrant

46    Par exemple, dans le cadre de l'entente créant une zone spéciale aéroportuaire, ce ministère fédéral aura fourni, de 1971-72 à 1974-75, environ $3.5 millions, dont $1.5 million sous forme de subventions, pour financer les études et les travaux préliminaires de mise en oeuvre du P.I.C.A

47    Notre hypothèse commence à être confirmée, puisque le M.I.C. du Québec a déjà annoncé un projet de loi visant à créer une société de gestion du P.I.C.A.; il semble bien qu'une participation fédérale y soit prévue. M. Guénard, «La S.P.I.C.A. canalisera le développement économique», *Le Devoir,* 13 novembre 1974.

48    Manalytics Inc., *Trafic de fret aérien et besoins en installations au nouvel aéroport international de Montréal;* rapport soumis à l'Office de planification et de développement du Québec, février 1973. Notons que le projet d'étude de ce concept était désigné par le sigle MOPECA (Montréal-Port d'entrée du cargo aérien).

49    Ce système devenait ainsi le moyen de réaliser l'objectif MOPECA.

une gamme variée de services: entreposage, contrôle d'inventaire, montage, emballage et groupement des expéditions, traitement des données pertinentes, etc.: 3) un centre manufacturier et commercial (M), destiné à attirer d'abord les firmes exportatrices qui sont exigeantes du point de vue des services de transbordement et de distribution. Aux yeux du gouvernement québécois, le P.I.C.A. doit être ce centre et devenir la composante (M) du système T.D.M.

La mise en place de ce système pourait exiger des dépenses de plusieurs dizaines de millions de dollars, et de 1975 à 1980, créer, dans la région, 7,000 emplois directs d'ici 1980 et peut-être 14,000 d'ici 1985. Outre ces effets de croissance, le système T.D.M. par son caractère innovateur au plan de la technologie et de la gestion, exercerait une influence modernisatrice sur les structures industrielles de la région[50]. La réalisation du projet se fera sans doute selon le processus suivant: d'abord, on nommera un responsable du projet, mandaté pour poursuivre les études à un niveau détaillé; puis une fois les résultats de celles-ci connus et acceptés, on formera, de nouveau, une société de gestion du T.D.M. avec la participation financière des deux gouvernements[51].

Comme pour le P.I.C.A., la mise en oeuvre et le fonctionnement du système échapperont en bonne partie au contrôle du gouvernement québécois, non seulement à cause du caractère intergouvernemental de la société de gestion de T.D.M., mais aussi parce que celui-ci sera localisé dans le territoire exproprié, et que le M.E.E.R. semble devoir être, encore, une source majeure du financement de sa mise en place.

Par ailleurs, un problème majeur risque de handicaper sérieusement l'efficacité du système: il provient de l'initiative du B.A.N.A.I.M. de construire un centre de fret, doté de services de distribution, au nord-ouest de l'aéroport, sans attendre que le dossier T.D.M. ne soit complété. Comme la composante (M) du système est le P.I.C.A., qui lui, doit être localisé au sud, il y a un risque très grand de dédoubler les services de distribution, puisque le P.I.C.A. devra aussi en disposer.

On n'aurait plus alors *un* centre de distribution (D) intégré dans un système à trois composantes, mais plutôt *des* services de distribution divisés entre un centre de fret au nord (T) et un parc industriel et commercial au sud (M). Une telle situation irait à l'encontre du principe de base justifiant le T.D.M., qui est l'intégration des trois fonctions de façon à produire des économies d'échelle et des économies externes. Par conséquent, l'attrait du système en serait alors diminué aux yeux des firmes utilisatrices.

Puisque, semble-t-il, les plans et les travaux du B.A.N.A.I.M. en vue de créer un centre de fret au nord-ouest de l'aéroport sont trop avancés pour être modifiés, il faudra trouver un compromis entre les deux gouvernements de façon à ce que: 1) le centre de fret soit intégré le plus possible au système T.D.M.; 2) un centre de distribution véritable (D) soit implanté au sud de l'aéroport, près du P.I.C.A., quitte à ce qu'un certain dédoublement d'activités se produise avec les services de distribution du centre de fret; 3) ceux-ci soient réduits au strict minimum nécessaire. Mais il n'est pas évident qu'un tel compromis puisse se réaliser. De toutes façons, même si cela était le cas, la solution qui en résulterait ne serait pas optimum, ni du point de vue économique, ni du point de vue de l'exercice des pouvoirs québécois.

---

50    Pour une description plus détaillée du système T.D.M. et du concept MOPECA, voir les deux articles qui leur sont consacrés dans *Développement-Québec*, p. 6-10.

51    Il est probable que la société de gestion du P.I.C.A. recevra le mandat élargi d'administrer tout le T.D.M.

D. *Conclusion*

Au terme de notre examen du dossier de l'impact économique du complexe de Mirabel, il convient de faire ressortir les points suivants: 1) le choix final de l'emplacement de Mirabel s'est fait avec une précipitation excessive et à l'aide d'un rapport dont la validité ne pouvait que souffrir d'une telle hâte; 2) l'ampleur de l'induction d'emploi prévue dans ce rapport a empêché que l'opinion publique, inquiète d'une conjoncture économique difficile, suive le gouvernement québécois dans sa querelle avec le fédéral concernant l'emplacement du nouvel aéroport; 3) en 1970, la problématique de l'impact économique de Mirabel s'est transformée en faveur d'une conception plus volontariste des politiques de développement reliées au complexe; 4) à partir de cette nouvelle problématique, l'O.P.D.Q. a ouvert deux dossier économiques importants, les projets P.I.C.A. et T.D.M.; 5) mais l'O.P.D.Q. et le M.I.C. ne peuvent garder le contrôle exclusif de la mise en place du fonctionnement de ces projets, faute de ressources financières propres et parce que le gouvernement québécois n'est pas maître du territoire exproprié; 6) ces organismes québécois doivent donc accepter des arrangements institutionnels compliqués, dans lesquels la balance du pouvoir pèsera en faveur du gouvernement fédéral.

## III- *Les grandes options d'aménagement*

Nous allons maintenant analyser les partis d'aménagement des organismes planificateurs de Mirabel, ou, en d'autres mots, leurs opinions fondamentales en matière d'organisation et d'utilisation du territoire. Étant donné la présentation générale de ces organismes que nous avons faite précédemment, et l'examen du dossier de l'impact économique qui nous a amené à nous pencher sur l'aménagement, cette troisième partie sera brève.

### A. *Le parti d'aménagement du B.A.N.A.I.M.*

Le B.A.N.A.I.M. s'est toujours gardé d'exprimer explicitement son parti d'aménagement pour le territoire exproprié en terme de sa signification profonde pour la sous-région Nord, car s'il avait comme objectif de planifier la mise en valeur de son territoire, il ne tenait pas à provoquer une réaction trop vive de la part des organismes québécois de planification par la proclamation d'une option de base.

Néanmoins, au-delà de toute phraséologie, les faits s'avèrent révélateurs. L'ampleur de la superficie du territoire exproprié, son orientation générale vers le sud-ouest de la sous-région Nord, la localisation symétrique du site de l'aéroport lui-même par rapport à celui de Dorval et au centre-ville de Montréal, la nécessité de liaisons directes entre Mirabel, Dorval et le centre-ville, tracent sans aucun doute possible le profil du parti d'aménagement du B.A.N.A.I.M., et celui-ci est parfaitement déchiffrable depuis 1969.

Ce parti peut se lire ainsi: la mise en valeur prioritaire du sud du territoire exproprié à l'ouest de l'autoroute des Laurentides et, corollairement, la formation d'un large corridor de développement privilégié se prolongeant linéairement jusqu'à Dorval, et dont les frontières seraient, à l'est, l'autoroute des Laurentides, et à l'ouest, une ligne partant de la pointe occidentale du site aéroportuaire et descendant perpendiculairement jusqu'à l'aéroport de Dorval en passant par la municipalité des Deux-Montagnes, l'île Bizard et la ville de Dollard-des-Ormeaux.

## B. Le parti d'aménagement de la C.D.R.M.

Tout en reconnaissant la nécessité de liaisons rapides entre Mirabel, l'aéroport de Dorval et le centre-ville de Montréal, le C.R.U.R., compte tenu de son mandat qui l'amenait à avoir une perspective plus globale que le B.A.N.A.I.M., a vite jugé peu désirable l'option d'aménagement de celui-ci. En effet, pour le C.R.U.R., il ne pouvait que conduire à une dispersion excessive des effets d'entraînement de Mirabel, de même qu'à une accentuation d'un développement de type suburbain très étalé et peu propice à une organisation efficace de l'espace.

Le C.R.U.R. proposa donc à la C.D.R.M., en décembre 1970, le parti d'aménagement suivant:

(...) Une forme de développement concentré autour d'un petit nombre de noyaux urbains très bien reliés les uns aux autres. En effet, la maximisation de la création d'emplois dans la région Nord requiert le renforcement des économies externes et des effets d'agglomération, facteurs d'attraction industrielle. Le dynamisme du développement de la région n'est pas tel qu'on puisse se permettre une diffusion spatiale de la création d'emplois à travers une partie considérable du territoire [52].

On précisait ce parti en ajoutant:

Nous proposons que l'axe St-Jérôme-Laval soit renforcé et soit considéré comme une aire prioritaire d'urbanisation et d'industrialisation, basée sur les trois noyaux urbains qui la composent, eux-mêmes fortement accessibles les uns aux autres par l'établissement d'un système de transport linéaire [53].

Pour justifier cette option, le C.R.U.R. donnait, entre autres, les raisons suivantes: 1) étant donné que le vecteur de pénétration Laval-Ste-Thérèse-St-Jérôme est une réalité inscrite dans les faits, le choix d'une autre forme de développement dans un schéma d'aménagement régional ne pourra que provoquer une dispersion nuisible du dynamisme économique; 2) la faiblesse de l'impact économique de Mirabel rend encore plus impératif un pattern de développement concentré, afin de maximiser les économies externes et les effets d'agglomération; 3) un tel choix minimise les coûts d'intervention du gouvernement québécois, puisqu'il va dans le même sens que certaines tendances naturelles fortes; 4) du point de vue des services collectifs, cette option permet aussi d'atteindre une qualité supérieure à un coût moyen moins élevé; 5) la forme linéaire du pattern proposé facilitera la rentabilité d'une liaison ferroviaire de Mirabel au centre-ville de Montréal; 6) elle favorise aussi la protection des zones à haut potentiel agricole et des espaces de loisirs situés à l'est et à l'ouest du vecteur Laval-St-Jérôme; 7) elle offre l'avantage de concilier la croissance de la sous-région Nord avec la nécessité d'intégrer celle-ci de plus en plus au pôle montréalais.

Une autre raison, qui n'était pas formellement exprimée par le C.R.U.R. mais qui apparaissait en filigrane dans toute son esquisse, était sa préoccupation d'éviter d'accentuer les disparités socio-économiques entre les collectivités situées à l'ouest et à l'est de la sous-région Nord et de l'île de Montréal. Or, l'option fondamentale du B.A.N.A.I.M. avait comme conséquence une telle accentuation, parce qu'elle

---

52    *Rapport synthèse sur le développement économique et spatial,* ch. 3, p. 20.

53    *Ibidem,* p. 21; les trois noyaux urbains mentionnés dans la citation sont Laval, Ste-Thérèse et St-Jérôme. Il faut indiquer que le C.R.U.R. reprenait ainsi une recommandation du Service d'urbanisme de Montréal à l'égard de la sous-région Nord. Voir *Horizon 2,000,* Montréal, S.U.M., août 1967. Par ailleurs, ces trois noyaux d'urbanisation étaient assez éloignés du site aéroportuaire pour que celui-ci ne puisse pas entrer en conflit avec eux.

devait se traduire par la formation d'un corridor d'urbanisation et d'industrialisation fortement privilégié en termes d'équipements, d'infrastructures et de services collectifs, à l'ouest de l'autoroute des Laurentides, rendant ainsi encore plus difficile le nécessaire rattrapage de l'est de la sous-région Nord et de la zone métropolitaine.

Ainsi, le parti d'aménagement du C.R.U.R. tout en devant se plier aux énormes contraintes imposées par l'ampleur, la forme et la localisation du territoire exproprié, et en particulier par la nécessité de liaisons rapides entre Mirabel, Dorval et le centre-ville de Montréal, présentait l'avantage de minimiser les déséquilibres spatiaux en préconisant un vecteur de développement concentré nord-sud: celui-ci évitait le plus possible de faire peser la balance du développement en faveur de l'ouest et au détriment de l'est.

Par ailleurs, l'option fondamentale du C.R.U.R. en était une de minimisation des disparités spatiales provoquées par Mirabel et non pas une d'optimisation de l'aménagement de toute la sous-région Nord. En effet, par son mandat et son calendrier d'opérations, le C.R.U.R. avait dû donner la priorité aux interventions d'aménagement et de développement dans les zones les plus affectées par l'implantation de Mirabel. Son schéma n'était qu'une esquisse destinée a être complétée par la C.D. R.M. après une consultation des ministères et de la population concernés: mais, une fois cela fait, la tactique de minimisation des déséquilibres proposée par le C.R.U.R. pouvait se transformer en stratégie d'optimisation.

Pour réaliser son parti d'aménagement, le C.R.U.R. proposait plusieurs moyens. Présentons-en brièvement quelques-uns.

*Le réseau routier:* en 1970, le Ministère des transport du Québec avait proposé une alternative de deux réseaux routiers pour la sous-région Nord en 1985; la différence fondamentale entre les deux résidait dans le tracé de l'autoroute est-ouest A-50 devant relier Joliette à Mirabel et à Lachute et se prolonger éventuellement jusqu'à Hull. L'option 1 la faisait passer au nord de l'aéroport, près de St-Jérôme, et l'option 2, au sud. Le C.R.U.R. se prononçait fortement en faveur de l'option 1 de façon à renforcer le rôle polarisateur de St-Jérôme, à mettre en valeur les espaces à haut potentiel industriel de cette ville, et à éviter une augmentation des pressions de développement de type suburbain et très étalé au sud-ouest de Mirabel.

*Transport en commun ferroviaire:* l'établissement d'un express régional, liant Mirabel et le centre-ville de Montréal et devant aussi servir la clientèle régionale non aéroportuaire, avait été proposé pour 1985 dans une étude commanditée par le B.A.N.A.I.M. en 1970[54].

Vu le caractère très structurant d'un tel système de transport en commun pour l'organisation spatiale, le C.R.U.R. fit les propositions suivantes, dans l'optique de son parti d'aménagement: d'un terminus situé à la Gare centrale dans le centre-ville de Montréal, l'express régional emprunterait la voie ferrée du C.P., parallèlement à l'autoroute des Laurentides; il comporterait des stations à Laval et à Ste-Thérèse et il se rendait jusqu'à Mirabel et St-Jérôme. De plus, le C.R.U.R. prévoyait une liaison ferroviaire de la Gare centrale à l'aéroport de Dorval en utilisant soit la voie du C.N. soit celle du C.P. Quant au transport entre Mirabel et Dorval, outre évidemment le lien formé par l'autoroute de Liesse devant être complétée en 1980, il suggérait l'établissement d'un réseau d'autobus express et d'un service d'hélicoptères.

---

54    *Transportation Research Study,* Tome 1.

Selon le C.R.U.R., le transport en commun ferroviaire devait être l'instrument majeur pour renforcer le vecteur d'urbanisation et d'industrialisation prioritaire Laval-St-Jérôme, et, réciproquement, seul un tel modèle de développement concentré rendrait éventuellement rentable ce type de transport qui exige de hautes densités urbaines le long de son tracé.

*Zonage:* à l'est et à l'ouest de la ligne de pénétration Laval-St-Jérôme, le C.R.U.R. déterminait des zones agricoles et des espaces de loisirs à protéger, d'une part pour leur valeur intrinsèque, d'autre part comme moyen de canaliser l'urbanisation et l'industrialisation le long du vecteur prioritaire nord-sud. Quant au parc industriel régional et à caractère aéroportuaire qu'il préconisait, le C.R.U.R. proposait comme alternative trois localisations conformes à son parti d'aménagement fondamental: les deux premiers sites étaient à l'est de Mirabel et de l'autoroute des Laurentides, au sud immédiat de St-Jérôme, et à l'intérieur d'un carrefour autoroutier (autoroute des Laurentides, A-50 (tracé nord), et voie de pénétration à Mirabel); le troisième était localisé au sud de Mirabel et à l'ouest immédiat de l'autoroute des Laurentides.

La C.D.R.M. accepta le parti d'aménagement du C.R.U.R. en janvier 1971[55]. Puis, elle amorça un processus de consultation auprès du Conseil régional de développement Laurentides-Lanaudière (C.D.R.L.L.). Ne réussissant pas, d'une part à faire comprendre que l'option fondamentale du C.R.U.R. visait à ménager l'avenir de la sous-région Nord et qu'elle était la seule à pouvoir minimiser les déséquilibres intra-régionaux à court terme, ni d'autre part, à faire valoir l'esquisse du schéma pour ce qu'il était — à savoir un document pour fin de consultation, incomplet et préliminaire — la C.D.R.M. fut prise à partie à la fois par le C.D.R.L.L. et par les municipalités qui n'était pas situées près du vecteur de développement. On lui reprocha de ne se préoccuper que de ce vecteur au détriment du reste de la sous-région Nord[56].

Ces critiques coïncidèrent avec le début du reflux de la C.D.R.M. Graduellement, le parti d'aménagement du C.R.U.R. fut mis de côté par les organismes québécois et, en particulier par le S.A.T.R.A. Mais ce faisant, ce n'était pas seulement un parti d'aménagement qu'on mettait aux oubliettes, mais surtout le projet même d'un schéma de développement pour la sous-région Nord. La problématique qui prévalut à partir de 1972, suite à la mise au rancart d'un tel projet, défavorisa de façon absolue la plus grande partie de la sous-région Nord puisqu'elle se limita désormais à l'aménagement du seul territoire du S.A.T.R.A. (voir la carte 1): mentionnons aussi que le C.R.D.L.L. fut à son tour mis de côté par le S.A.T.R.A. qui, dans ses opérations de consultation, s'en tint exclusivement aux conseils municipaux. Nous reviendrons sur ce point plus loin.

## C. *Le projet d'aménagement du S.A.T.R.A.*

Le S.A.T.R.A. s'opposa, dès le début, au parti d'aménagement du C.R.U.R. et de la C.D.R.M., tout d'abord d'une façon indirecte, puis, avec la faiblesse grandissante de la Commission, d'une manière de plus en plus explicite. Une des raisons de

---

55   *Rapport du président,* op. cit., 2e partie. Voir aussi le dossier que la C.D.R.M. prépara pour l'opération de consultation du Conseil régional de développement Laurentides-Lanaudière, à l'automne de 1971: *Schéma de développement Région Nord de Montréal; version vulgarisée,* Montréal, C.D.R.M., Section information-consultation, août 1971.

56   Il est évident qu'on n'a pas compris la stratégie d'aménagement proposée par l'esquisse. Il faut se rappeler que l'opération de consultation de la C.D.R.M. s'est déroulée selon une échéance très contraignante et qu'il n'était pas facile de faire comprendre la signification véritable du parti d'aménagement du C.R.U.R. à une population inquiète.

cette opposition était la préférence du S.A.T.R.A. pour un développement étalé et de type suburbain à la périphérie nord de la zone métropolitaine de Montréal.

Dans un premier temps, le S.A.T.R.A., tout en déclarant accepter le parti d'aménagement de la C.D.R.M., l'interpréta d'une façon si restrictive qu'il le vidait d'une grande partie de sa substance et de sa signification. En effet, dans cette première phase, il ne voulut voir dans le concept du vecteur de développement prioritaire Laval-St-Jérôme que sa dimension économique et il entreprit de faire une distinction entre cet axe «industriel et commercial» et la forme d'urbanisation souhaitable pour le territoire[57]:

> À partir du choix de cet axe de développement économique privilégié, le S.A.T.R.A. a poursuivi des études d'aménagement détaillé, afin de déterminer la forme d'urbanisation la plus appropriée qui puisse en même temps réaliser l'axe économique, bonifier chacune des parties du territoire et promouvoir des objectifs de bien-être de la population urbaine actuelle et future[58].

Dans le même rapport, le S.A.T.R.A. proposa aussi une alternative de cinq zones d'urbanisation, qu'il soumit à la consultation municipale: Ste-Thérèse-St-Jérôme, Ste-Thérèse-St-Eustache, Ste-Thérèse-Terrebonne, St-Jérôme-Lachute, St-Eustache-Lachute[59].

Mais ces cinq zones, si elles semblaient offrir une gamme variée d'options, n'étaient pas toutes vraiment plausibles: 1) le vecteur Ste-Thérèse-Terrebonne était trop excentrique par rapport au territoire exproprié pour être pris au sérieux; 2) celui de St-Jérôme-Lachute équivalait à nier le pouvoir d'attraction énorme de la zone métropolitaine; 3) celui de St-Eustache-Lachute reposait sur deux agglomérations assez faibles et constituait un axe trop périphérique; 4) les deux seuls vecteurs plausibles étaient donc Ste-Thérèse-St-Eustache et Ste-Thérèse-St-Jérôme. Mais en ne rattachant pas explicitement ce dernier à Laval, et donc à Montréal, — ce qui en faisait un de ses atouts majeurs — le S.A.T.R.A. commençait déjà à favoriser implicitement l'axe Ste-Thérèse-St-Eustache.

En 1973, le S.A.T.R.A. explicita enfin son parti d'aménagement:

> ...Une urbanisation bien desservie en croissance constante basée sur
> - une concentration importante, en bordure de la rivière des Mille-Isles, se développant à partir des deux pôles de Ste-Thérèse et St-Eustache;
> - deux capitales régionales autonomes: Lachute et St-Jérôme;
> - un centre local d'importance, Terrebonne, appelé à polariser de plus en plus le territoire qui l'entoure;
>
> dans un vaste territoire agricole ponctué
>
> - de villages connaissant un développement limité;
> - d'un aéroport international bordé au sud par un complexe industriel de transformation et de distribution d'importance supra-régionale;

---

57    Est-il nécessaire de rappeler que le concept d'un vecteur de pénétration Laval-St-Jérôme était, selon le C.R.U.R. urbain, industriel et commercial.

58    *Préliminaires au schéma d'aménagement,* Montréal, S.A.T.R.A., août 1971, prologue (non paginé).

59    *Ibid.,* ch. 3, p. 89-113.

- et de quatre zones récréatives majeures: la Forêt de Terrebonne, Oka St-André / Carillon et St-Colomban, reliées par un parcours touristique [60].

Outre, bien sûr, l'aire d'urbanisation de type suburbain proposé dans ce parti d'aménagement, il faut souligner la mention qui y est faite d'un complexe industriel supra-régional au sud de l'aéroport. Nous reviendrons sur ce dernier élément plus loin. Pour le moment, examinons les moyens suggérés par le S.A.T.R.A. pour réaliser son parti d'aménagement.

*Croissance des agglomérations:* dans son plan d'affectation des sols, le S.A.T.R.A. attribue évidemment la croissance démographique la plus importante aux agglomérations de Ste-Thérèse et de St-Eustache, ce qui implique un renversement de l'importance relative de ses deux dernières par rapport à celle de l'ensemble formé par St-Jérôme et Ste-Thérèse, comme l'indiquent les données du Tableau 5.

TABLEAU 5

**POPULATION DE CERTAINES AGGLOMÉRATIONS, 1971-2001, SELON LE S.A.T.R.A.**

| Agglomérations | 1971 | 2001 |
|---|---|---|
| Ste-Thérèse | 48,000 | 180,000 |
| St-Eustache | 28,657 | 120,000 |
| Sous-total | 76,657 | 300,000 |
| Ste-Thérèse | 48,000 | 180,000 |
| St-Jérôme | 37,611 | 90,000 |
| Sous-Total | 85,611 | 270,000 |

Source: *L'affectation des sols,* carte 3.

---

60    *Grandes affectations du sol,* 2e version, Montréal, S.A.T.R.A., 1973, p. 5-6.

*Une zone d'aménagement différé au sud du site aéroportuaire*[61]: le S.A.T. R.A. identifie une zone d'environ 30,000 acres, partant du sud du site aéropor-portuaire à l'intérieur du territoire exproprié, et s'étirant en un large corridor jusqu'à Ste-Thérèse et St-Eustache. Les vocations de cette zone sont nombreuses et d'une très grande importance[62].

1) Sa partie sud doit servir à l'expansion du périmètre d'urbanisation de l'axe St-Eustache-Ste-Thérèse. 2) Au nord de ce corridor, une zone est réservée au système T.D.M., et, plus particulièrement, au P.I.C.A. Le S.A.T.R.A. ne spécifiait pas alors la localisation exacte de celui-ci. Nous savons maintenant que son emplacement sera dans les environs de St-Augustin. 3) On a prévu la création éventuelle d'un centre urbain pour la ville de Mirabel près de St-Augustin. 4) Un couloir doit être réservé pour l'emprise d'un système de transport en commun ferroviaire reliant le centre-ville de Montréal à l'aéroport de Mirabel, avec une desserte régionale. Le tracé définitif n'ayant pas encore été choisi par le Ministère des transport du Québec, le S.A.T.R.A. n'en indiquait pas la localisation exacte. Nous reviendrons sur cette question plus bas.

*Réseau routier:* nous avons vu que pour la réalisation du parti d'aménage-ment du C.R.U.R., le choix d'un tracé nord pour l'autoroute A-50 reliant Joliette, Mirabel et Hull constituait une condition essentielle. Inversement, la réalisation de l'option fondamentale du S.A.T.R.A. exigeait le choix d'un tracé passant au sud de l'aéroport dans la zone d'aménagement différé. Le Ministère des transport du Québec et le S.A.T.R.A. optèrent donc conjointement pour ce tracé. (Voir la carte 2).

*Le transport en commun ferroviaire:* suite aux recommandations du C.R. U.R. en 1970, l'O.P.D.Q. avait opté pour un système ferroviaire reliant Mirabel et le centre-ville de Montréal tout en desservant la population régionale. Plus tard, le Ministère des transports du Québec entreprit d'étudier cette option et, en 1974, il se prononça en faveur de l'établissement d'un système de «Transport, rapide, régional, et aéroportuaire Montréal-Mirabel» (T.R.R.A.M.M.) pour 1980[63]. Comme le T.R. R.A.M.M. jouera un rôle extrêmement structurant dans l'organisation du territoire, sa localisation constitue évidemment un atout majeur pour la réalisation d'un parti d'aménagement. La C.D.R.M. avait proposé un tracé qui suivait le vecteur de développement Laval-St-Jérôme. Quant au S.A.T.R.A., la logique de son option d'aménagement ne pouvait que lui faire préférer un tracé situé plus à l'ouest.

Cependant, le S.A.T.R.A. n'était pas le seul organisme impliqué dans un tel choix: outre le maître d'oeuvre des études qui était le Ministère des transports du Québec, l'O.P.D.Q., la Commission des transports de la Communauté urbaine de Montréal, le M.E.E.R. et plusieurs autres institutions ont été consultées. Devant la difficulté de choisir entre les tracés est et ouest, le Ministère des transports du Québec a coupé la poire en deux. En effet, le T.R.R.A.M.M., comme l'a proposé le Ministère dans son rapport de 1974, suivrait le tracé suivant: de la Gare Centrale, la ligne passe par le tunnel du C.N. sous le Mont-Royal, puis, à la hauteur de la station Côte Vertu au nord de l'île de Montréal, elle bifurque: vers l'est, une branche va rejoindre la voie du C.P. parallèle à l'autoroute des Laurentides, et entre à Mirabel par le nord-est; vers

---

61     Si le S.A.T.R.A. qualifie ce corridor de 30,000 acres de «zone d'aménagement différé», c'est que les dossiers concernant ses principales vocations n'étaient pas complets au moment de la présentation de son plan d'affectation des sols.

62     *Grandes affectations du sol,* p. 65.

63     *T.R.R.A.M.M. — Rapport sur l'implantation d'un système de T.R.R.A.M.M.,* Québec, Ministère des transports du Québec, 1974. Ce ministère a, lui aussi, jugé bon de faire appel au M.E.E.R. pour défrayer une bonne partie des coûts de cette étude, pourtant assez modestes; dans le cadre de l'entente sur la zone spéciale aéroportuaire, le M.E.E.R. a versé $300,000 à cette fin.

CARTE 2
RÉSEAU AUTOROUTIER ET ROUTIER
AÉROPORTUAIRE - MIRABEL

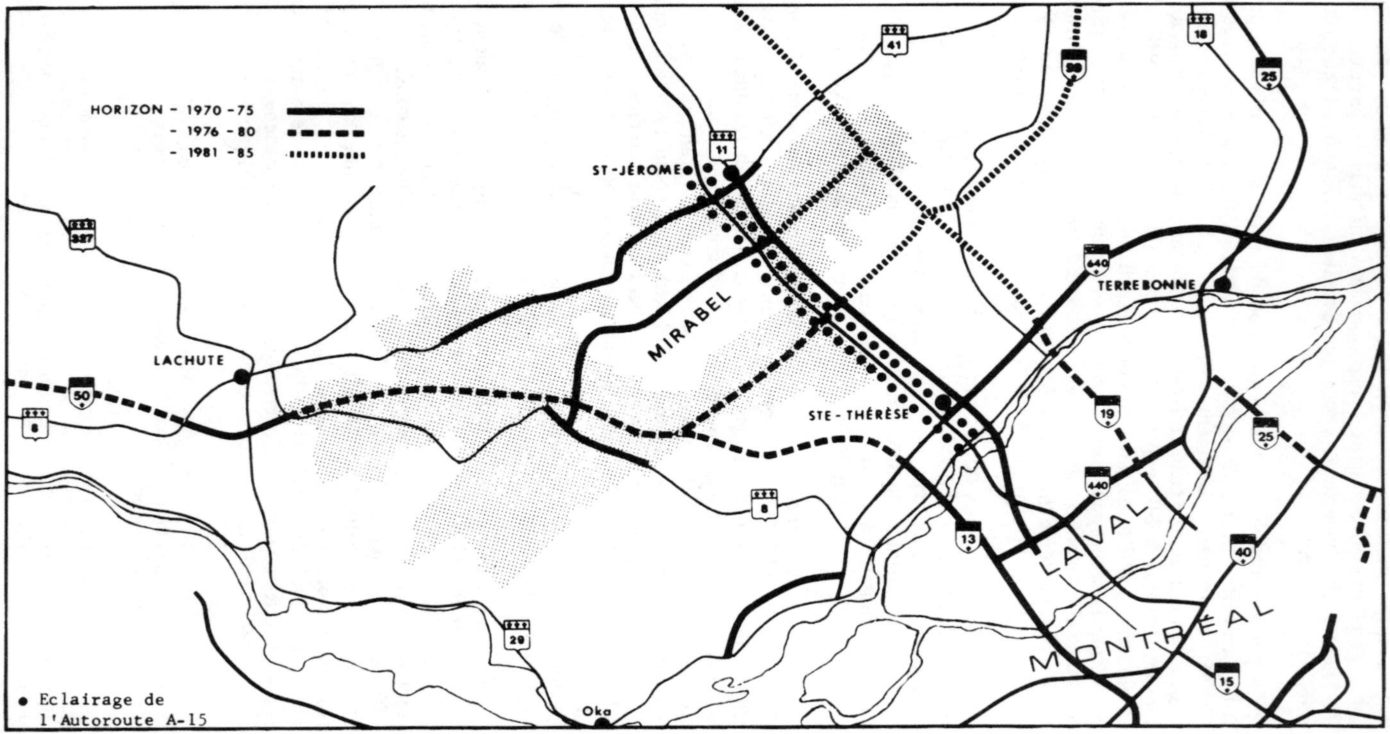

MONTRÉAL

LAVAL

TERREBONNE

STE-THÉRÈSE

MIRABEL

ST-JÉROME

LACHUTE

Oka

25
18
25
40
15
640
19
640
13
41
11
640
640

50
367
8

HORIZON - 1970-75
         - 1976-80
         - 1981-85

• Eclairage de
  l'Autoroute A-15

l'ouest, une autre branche emprunte la voie du C.N. redressée à Laval-Ouest, passe par la municipalité des Deux-Montagnes et entre à Mirabel par le sud. Le long de tout le tracé, un certain nombre de stations sont prévues, mais il faut noter que St-Jérôme n'est pas desservie (voie la carte 3).

Cependant, la proposition du Ministère ne spécifiait pas laquelle des deux branches devait être construite en premier lieu. Cette décision est d'une importance cruciale. D'une part, il est loin d'être certain qu'une fois la première branche construite, l'autre le sera effectivement: en effet, non seulement les dépenses d'investissements requises pour la construction du système complet sont-elles considérables — plus de $438 millions (en $ de 1973) jusqu'en 1980 — mais, disons-le clairement, les densités démographiques le long du réseau sont si faibles qu'elles justifient à peine la construction d'un seul tronçon et mettent nettement en doute la rentabilité de deux tronçons. D'autre part, même si les deux branches étaient construites, le délai qu'il y aurait nécessairement dans la mise en place de l'une par rapport à l'autre donnerait un énorme avantage au territoire desservi le premier, du point de vue de l'organisation de l'espace et de sa mise en valeur. Enfin, ajoutons que le Ministère des transports du Québec a annoncé une phase de consultation à ce sujet et annoncera bientôt laquelle des deux branches sera construite la première...

## D. Les partis d'aménagement: une conclusion

Le parti d'aménagement de la C.D.R.M. (ou du C.R.U.R.) comportait deux avantages majeurs: 1) il permettait de maximiser l'impact économique de Mirabel en le canalisant le long d'un vecteur de développement concentré; 2) compte tenu des contraintes qu'imposaient l'étendue, la localisation et la forme du territoire exproprié de même que le poids énorme de l'influence du B.A.N.A.I.M. en faveur de son option propre, le parti de la C.D.R.M. était la seule stratégie réaliste qui pouvait minimiser les disparités spatiales et socio-économiques provoquées par l'implantation de Mirabel, et, à plus long terme, trouver un équilibre optimum dans la mise en valeur du territoire de la région.

Il exigeait des interventions intenses et actives de la part de l'État québécois d'une part pour expliquer à la population régionale la signification de cette option complexe, et, d'autre part pour contrer l'énorme pouvoir du fédéral; ni la C.D.R.M. ni l'O.P.D.Q. n'étaient assez forts pour relever le défi.

Aussi, dès la fin de 1971, le S.A.T.R.A. demeurait le seul organisme québécois à pouvoir réaliser un parti d'aménagement, non pas pour la sous-région Nord, mais pour le seul territoire aéroportuaire. Nous avons présenté ce parti comme l'a défini cet organisme. Il convient maintenant d'indiquer que la définition du S.A.T.R.A. est incomplète car elle passe sous silence sa dimension sans doute la plus importante à savoir la signification d'ensemble qu'il faut donner au rôle-clef joué par la «zone d'aménagement différé» du sud de l'aéroport. D'abord, le thème même de «zone d'aménagement différé» est trompeur car il peut laisser croire que le développement de cette aire est reporté à plus tard. Au contraire, elle subirait une métamorphose extraordinaire si le parti d'aménagement du S.A.T.R.A. était réalisé au complet: 1) le T.D.M. et le P.I.C.A. doivent être situés au sud-ouest de l'aéroport, près de St-Augustin; 2) on créerait aussi à St-Augustin le centre urbain de la ville nouvelle de Mirabel; 3) la branche ouest du T.R.R.A.M.M. la traverserait; 4) l'autoroute est-

CARTE 3
LE TRACE DU T.R.R.A.M.M.

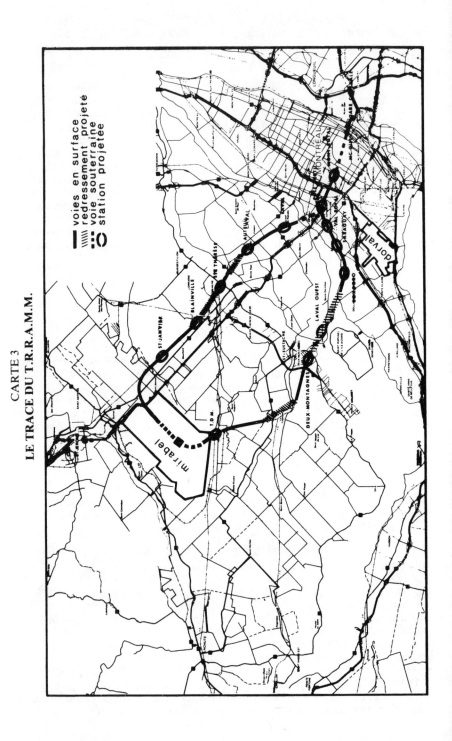

ouest A-50, reliant Joliette à Hull, y rejoint l'autoroute Chomedey A-13 (nord-sud); 5) le sud de la zone deviendrait une aire d'urbanisation prioritaire[64].

En fait, cette «zone d'aménagement différé» doit être prise pour ce qu'elle est; un nouveau corridor de développement urbain, industriel et commercial prioritaire, dont les infrastructures, les équipements et les services collectifs seront nombreux, de haute qualité et fort prestigieux, et qui fera une dure concurrence au vecteur de développement déjà existant entre Laval et St-Jérôme. Mais ce corridor ne s'arrête pas à la rivière des Mille-Isles. Avec la branche ouest du T.R.R.A.M.M. et l'autoroute de Chomedey, il se prolonge jusqu'à l'aéroport de Dorval. Nous retrouvons donc ici le parti d'ménagement initial du B.A.N.A.I.M. Bref, et pour parler limpidement, l'option fondamentale du S.A.T.R.A., lorsqu'on l'explicite dans toutes ses dimensions, n'est rien d'autre que celle que le B.A.N.A.I.M. a toujours visé à réaliser et qui est inscrite dans l'existence même du territoire exproprié.

Nous découvrons ici un autre indice qui démontre la validité du diagnostic que nous portions, dans la première partie de ce chapitre, à l'égard de la philosophie de la planification du S.A.T.R.A., dont nous disions qu'elle était passive et qu'elle consistait à voir dans un schéma d'aménagement la transcription spatiale de décisions prises en amont et par d'autres. En d'autres mots, le S.A.T.R.A. s'est mis sous la tutelle du B.A.N.A.I.M.

Si le parti d'aménagement du S.A.T.R.A.-B.A.N.A.I.M. se réalise, ce sera au prix de l'accentuation des déséquilibres dans le développement des diverses parties du territoire de la sous-région Nord et de l'augmentation des disparités relatives dans le bien-être des communautés situées à l'est et à l'ouest de celle-ci. On souhaiterait que le Conseil régional de développement Laurentides-Lanaudière se penche sur ce parti d'aménagement, qu'il identifie bien les enjeux en cause, et qu'il émette un avis à cet égard. Le C.R.D.L.L. peut-il le faire? On peut en douter, car il a été exclu à peu près totalement de l'emprise d'aménagement du S.A.T.R.A. Dans les opérations de consultation menées par celui-ci, seules les municipalités ont été invitées à émettre leur avis sur les différents rapports de recherches préparés par cet organisme. Il est probable que ce conseil régional de développement, dont l'influence a décliné corollairement au reflux de la C.D.R.M. et de l'O.P.D.Q. dans la sous-région Nord, ne dispose ni des ressources pour préparer un dossier ni des moyens de communication pour l'acheminer auprès des autorités compétentes.

Il faut aussi faire quelques commentaires additionnels sur le réseau du T.R.R.A.M.M. Tout d'abord, l'option en faveur de la branche ouest comporterait une conséquence importante que nous n'avons pas explicitée jusqu'ici. Par la répartition de ses stations probables (voir carte 2), elle favoriserait la mise en valeur de la pointe occidentale de l'île Jésus et de son environnement immédiat, au détriment du centre de celle-ci; par contre, la branche est contribuerait à faire enfin émerger un véritable centre-ville dans Laval. D'autre part, étant donné le caractère très structurant qu'aurait le T.R.R.A.M.M., le choix de la branche est ferait paradoxalement revenir à la surface le parti d'aménagement de la C.D.R.M., au détriment de celui du S.A.T.R.A. En réalité, on peut concevoir que l'essentiel de l'option fondamentale de la C.D.R.M. reste encore réalisable, si les conditions suivantes sont remplies: 1) le

---

64 Est-il besoin de rappeler que la réalisation du parti d'aménagement de la C.D.R.M. aurait amené une situation toute différente: 1) le T.D.M. et le P.I.C.A. auraient été situés probablement au sud-est du site aéroportuaire; 2) il n'y aurait pas eu de nouveau centre urbain à St-Augustin; 3) la branche ouest du T.R.R.A.M.M. n'aurait pas existé; 4) l'autoroute A-50 serait passée au nord de Mirabel; 5) le sud de cette zone n'aurait pas été une affaire d'urbanisation prioritaire; 6) la zone agricole, à l'ouest et au sud de l'aéroport, aurait été préservée d'un façon non équivoque.

rejet de la branche ouest; 2) le prolongement de la branche est jusqu'à St-Jérôme; 3) la desserte du T.D.M. par une station du T.R.R.A.M.M. à St-Janvier; 4) l'établissement d'une stratégie de zonage pour empêcher l'étalement désordonné du développement suburbain entre la municipalité des Deux-Montagnes et celle de Ste-Thérèse; 5) le rejet du projet de créer un noyau urbain à St-Augustin; 6) le choix d'une localisation pour le T.D.M. qui serait plus à l'est que celle prévue par le S.A.T.R.A.; 7) et, bien sûr, l'affirmation ferme et constante de ce parti d'aménagement face au B.A.N.A.I.M. (ou à son successeur).

Il faudrait éviter l'aberrante option qui consisterait à choisir la branche est sans aussi remplir la majorité des conditions ci-haut mentionnées car alors, on consacrerait une situation remplie de contradictions, dans laquelle toute planification serait entravée et tout développement se ferait d'une façon sauvage. Si, au contraire, l'O.P.D.Q. parvenait, à l'occasion de l'option de la branche est, à imposer réellement son parti d'aménagement, on assisterait à un étonnant renversement des choses.

## Conclusion générale

Si nous avons fait souvent allusion à la force du B.A.N.A.I.M., nous l'avons peu expliquée. Il convient donc de terminer ce chapitre en commentant certains aspects de la stratégie fédérale.

La force du B.A.N.A.I.M. vient d'abord du Ministère des transports du Canada, dont le pouvoir et le budget sont considérables. Elle est explicable aussi par la clarté et la stabilité du mandat confié au B.A.N.A.I.M. Signalons par contre que la supériorité de cet organisme ne provient pas d'une plus grande compétence scientifique: comme en font foi les divers documents qu'il a commandités, et que nous avons cités dans ce chapitre, les organismes planificateurs québécois n'avaient rien à envier au B.A.N.A.I.M. de ce point de vue. Mais, favorisé par la volonté ferme du gouvernement fédéral d'orienter activement l'aménagement et le développement du territoire exproprié et la sous-région Nord, soutenu par un ministère puissant et guidé par un mandat très explicite, le B.A.N.A.I.M. disposait de grands atouts face à des joueurs québécois faibles et divisés.

Ce qu'il convient de faire ressortir, c'est la très grande intransigeance du gouvernement fédéral dans toute la problématique du nouvel aéroport. Cette inflexibilité c'est d'abord concrétisée dans le choix de l'emplacement de celui-ci. Au cours de la dispute fédérale-provinciale à ce sujet, il n'a pas eu de véritable négociations entre Québec et Ottawa. En particulier, les contre-études techniques de l'O.P.D.Q., visant à justifier un emplacement situé dans la sous-région Sud, n'ont eu aucune sorte d'effet sur la décision fédérale[65].

Certains analystes politiques ont tenté, au cours de cette dispute, d'expliquer la rigidité fédérale par des facteurs purement conjoncturels tels l'existence d'un gou-

---

65    Rappelons, à ce sujet, l'opinion du professeur McWhinney de McGill University qui, après avoir souligné que la querelle relative au choix de l'emplacement aéroportuaire a donné lieu à de nombreuses analyses, ajoute ce commentaire: «As a texbook case, the comparisons tend inevitably to be drawn between the hasty essentially unilateral Ottawa decision-making in the matter of the choice of the Ste-Scholastique site, and the measured deliberation and painstaking consultation and affirmative co-operation with all levels of government implicit in the British and American approaches to choice of the new international airport sites for London and for New York respectively», *The Gazette,* January 28, 1970.

vernement de l'Union nationale à Québec[66]. Cette explication n'est cependant ni suffisante, ni vraiment convaincante, si on examine, au delà de la question de la localisation de l'aéroport, l'attitude d'Ottawa face à l'aménagement et au développement du territoire exproprié. En premier lieu il faut rappeler qu'en janvier 1970, le gouvernement québécois, se rendant compte que la bataille de la localisation était perdue, fit une série de propositions au gouvernement fédéral visant à faire confirmer les prérogatives provinciales en matière de mise en valeur du territoire.

On peut résumer la position prise alors par le gouvernement québécois de la façon suivante: 1) Québec reconnaissait la primauté du fédéral dans la planification de la construction de l'aéroport et dans l'aménagement de son site immédiat d'une superficie d'environ 18,000 acres (voir la carte 1); 2) il affirmait, par contre, la prééminence provinciale dans l'aménagement et le développement du reste du territoire exproprié; 3) il demandait à Ottawa d'annuler ses expropriations à l'extérieur du site aéroportuaire ou de lui céder ces terrains; 4) il faisait valoir la nécessité d'une assistance financière du gouvernement fédéral pour lui permettre de mettre en place les coûteuses infrastructures, équipements et services que le nouvel aéroport exigerait de la part du Québec dans la sous-région Nord[67].

Déjà en mars 1970, il était devenu clair que le gouvernement fédéral ne céderait pas à ces demandes québécoises[68]. Cette intransigeance, loin de s'affaiblir après la défaite électorale de l'Union nationale en avril 1970, s'est prolongée jusqu'à maintenant. Ainsi dès l'été de 1970, le B.A.N.A.I.M. confia à la firme La Haye le mandat de préparer un plan général de mise en valeur du territoire exproprié. De plus, nous avons vu avec quel éclat ce plan proclame, en 1972, la prédominance fédérale dans l'aménagement du territoire exproprié[69] et jusqu'à quel point l'affirmation de cette primauté affecte actuellement les projets P.I.C.A. et T.D.M. Enfin, nous avons constaté que le précédent créé par l'expropriation, loin de se limiter au projet de Mirabel, est en train de se transformer en politique générale et permanente d'Ottawa à l'égard de ses propriétés foncières au Québec, présentes et futures.

Il est donc évident que l'inflexibilité dont a fait preuve Ottawa face au gouvernement Bertrand, tant à ce qui a trait à la localisation de l'aéroport qu'à l'aménagement du territoire, ne peut s'expliquer par la conjoncture politique des années 1969-1970. Avant tout, elle traduisait la volonté ferme du gouvernement fédéral d'entrer dans une autre sphère d'activités de compétence provinciale, l'aménagement du territoire et le développement régional. L'implantation de Mirabel offrait une occasion exceptionnelle de créer à cet égard une première de grande portée.

Nous avons vu au début de ce chapitre comment s'est affirmée la primauté du fédéral dans le territoire exproprié: «(...) Le gouvernement du Canada y possède

---

66    A titre d'illustration, mentionnons ces commentaires d'un journaliste ontarien, écrits en avril 1969: «For months, the federal government has been itching for an issue on which to confront the Union Nationale government of Quebec in a test of strenght before the court of Quebec public opinion». Le terrain de bataille choisi étant la localisation du nouvel aéroport, ce journaliste ajoute: «Here again, the federal Liberals obviously feel they have Bertrand over a barrel since the airport project to which he is objecting will be an enormous economic bonanza to Quebec, with federal money and know-how providing the stimulus», Charles Lynch, «Confrontation at last», *The Ottawa Citizen,* April 2, 1969.

67    La position du Québec est bien résumée dans un article de Gilles Lesage, «L'aéroport de Ste-Scholistique-Québec ouvre un 2e front; l'aménagement», *Le Devoir,* 10 février 1970.

68    Voir, par exemple, l'analyse de Gilles Daoust, «Sainte-Scholistique: Québec menace de ne pas fournir les services essentiels à l'aéroport», *La Presse,* 12 mars 1970.

69    Voir le bilan présenté dans la partie 1 de notre chapitre.

cependant des intérêts majeurs et des pouvoirs déterminants: *propriété du sol, responsabilité et juridiction à titre d'exploitant d'un aéroport»*[70]. On justifie donc la primauté du fédéral dans le territoire exproprié en faisant valoir, d'une part, son statut de propriétaire et, d'autre part, ses responsabilités et sa juridiction à titre d'exploitant d'un aéroport.

La première raison apparaît irrécevable puisqu'elle fait reposer cette primauté sur le fait accompli. Selon une telle logique circulaire chaque fois que le gouvernement fédéral voudra contrôler l'aménagement d'un territoire québécois, urbain ou rural, il n'aura qu'à l'exproprier.

La deuxième raison n'est pas moins inadmissible puisqu'elle laisse entendre, d'une façon inexacte que la responsabilité et la juridiction fédérale en matière d'exploitation d'un aéroport exigeaient l'achat de 88,000 acres du territoire exproprié; or, le fonctionnement de l'aéroport lui-même ne nécessitait qu'une zone maximale de 18,000 acres. Il fallait bien sûr protéger un territoire plus vaste des méfaits éventuels d'un développement sauvage, mais, pour ce faire il aurait été facile de persuader le gouvernement provincial d'adopter des mesures appropriées. D'ailleurs, même avant l'annonce du choix fédéral en faveur de Ste-Scholastique, Québec avait fait une loi prohibant fermement la construction de bâtiments et la subdivision de terrains sur le territoire aéroportuaire[71].

Si Ottawa n'a pas jugé bon de laisser au Québec le soin d'aménager ce territoire, c'est qu'il visait à créer un précédent à cet égard, comme nous l'avons déjà souligné. Il faut donc rejeter la deuxième raison avancée par la firme La Haye et le B.A.N.A.I.M. pour justifier la primauté fédérale dans l'aménagement du territoire exproprié: en tant que responsable de l'exploitation de l'aéroport, il n'était pas obligé d'exproprier 88,000 acres.

En résumé, la justification qu'on donne de la primauté fédérale est inacceptable puisque d'une part, elle a un caractère circulaire et que d'autre part elle invoque erronément la nécessité fonctionnelle, pour Ottawa, de devenir propriétaire de 88,000 acres pour protéger les environs de l'aéroport. Une telle augmentation aurait dû être rejetée par le gouvernement québécois, car sa logique profonde aboutit à nier pratiquement toute compétence provinciale en matière d'aménagement et de développement. En effet, selon cette optique, dès qu'un territoire québécois présentera un intérêt «fonctionnel» pour le fédéral (par exemple, les «environs» d'un port, ou Hull-en-tant-que banlieue-de-la-capitale), Ottawa n'a qu'à l'exproprier et, de ce fait, il devient maître de la planification du développement et de l'aménagement de son espace.

Face aux ressources du fédéral, à ses pouvoirs et à sa volonté intransigeante d'entrer dans le champ de la mise en valeur du territoire exproprié, et par conséquent, de créer un précédent lourd de conséquences pour l'avenir, on a l'impression d'un immense désarroi chez les organismes planificateurs québécois; le gouvernement provincial multiplie les structures responsables, il leur attribue des mandats instables et se chevauchant les uns les autres et il ne leur donne pas de ressources suffisantes. En particulier, le manque de moyens financiers a considérablement nui à l'action des organismes planificateurs québecois. Leur dépendance, de ce point de vue, à l'égard du fédéral, et surtout du M.E.E.R., a été telle que, même pour le financement

---

70    *Plan général de mise en valeur*, «Structures de gestion: Directives», vol. 7 et 8, Montréal, B.A.N.A.I.M., 1972, p. 18. Nous soulignons.

71    *Loi favorisant l'aménagement du site et des environs d'un nouvel aéroport international au Québec, S.Q.* 1968, ch. 57.

d'études peu coûteuses mais cruciales, comme celles qui visaient à développer les concepts du P.I.C.A. et du T.R.R.A.M.M., ils durent faire appel aux fonds fédéraux. Or, en planification comme dans bien d'autres domaines, c'est le pourvoyeur de fonds qui, en définitive, acquiert le contrôle des prises de décision. À ce sujet, l'expérience de Mirabel est très révélatrice.

La leçon à tirer de cette expérience dépasse le projet du nouvel aéroport. Si le Québec veut garder le contrôle de l'orientation de son développement et de l'aménagement de son territoire, il doit réagir vigoureusement et d'une façon urgente: 1) l'O.P.D.Q. doit disposer d'une marge de manoeuvre financière telle qu'il ne soit plus obligé d'être à la remorque chronique du M.E.E.R.; 2) le gouvernement québécois doit aussi lui donner les pouvoirs nécessaires pour amener les ministères québécois à participer enfin activement à ses efforts de concertation horizontale; 3) il faut aussi que l'Office se donne une doctrine stable de planification et, de plus, qu'il élabore un schéma de développement pour l'ensemble du Québec qui lui serve de cadre de référence; 4) il est essentiel que le mandat de l'O.P.D.Q. découle d'une volonté ferme du gouvernement québécois d'affirmer ses compétences en matière d'aménagement et de développement de son territoire; 5) ce renforcement de l'O.P.D.Q. doit aller de pair avec celui des structures de consultation afin de démocratiser davantage les prises de décisions en matière d'aménagement et de développement régional; la faiblesse actuelle des conseils régionaux de développement, qui tournent à vide et semblent à peine tolérés par le gouvernement, est inquiétante.

Enfin, devant la nouvelle politique fédérale à l'égard de l'aménagement il est d'autant plus urgent pour le Québec de récupérer ses compétences dans la planification de son territoire qu'Ottawa agrandit de plus en plus son domaine foncier [72]. Il faut donc vite rétablir une présence québécoise en matière d'aménagement et de développement, car en politique aussi la nature a horreur du vide...

*Lectures recommandées*

Les mêmes que pour le texte de P.-A. Julien.

---

72    D'après une estimation officieuse faite par le gouvernement canadien, il apparaît que celui-ci, à l'exclusion des propriétés du Ministère de la défense, posséderait, en 1974, plus de 363,000 acres de terrain au Québec. Le chiffre correspondant pour les propriétés foncières du fédéral en Ontario serait de 292,000 acres.

# Le système politique québécois et la culture politique québécoise

# Chapitre 19

# Le nationalisme québécois, le développement économique et la théorie économique de l'information*

Jean-Luc Migué
Ecole nationale d'administration
publique.

*Jean-Luc Migué est professeur à l'École nationale d'administration publique (Université du Québec). Intéressé surtout par l'étude économique des processus politiques et bureaucratiques, il a publié* Le prix de la santé, *Montréal. H.M.H., 1972, et dirigé la publication de* Le Québec d'aujourd'hui, *Montréal, H.M.H., 1971.*

*À l'aide de la théorie économique de l'information, il démontre ici que le problème du sous-développement du système économique canadien-français ne peut être correctement envisagé que dans l'optique du sous-développement de la société québécoise toute entière et que, toute approche politique de ce problème qui est fondée sur l'individualisme plutôt que le collectivisme, ne saurait le résoudre. Il analyse ses données, tirées de documents officiels ou d'études antérieures, à l'aide de diverses techniques statistiques.*

La liste des facteurs et des hypothèses explicatives du sous-développement de la société canadienne-française, ainsi que des idéologies qu'il alimente, ne cesse de s'allonger depuis un certain nombre d'années. L'article qui suit vise à proposer une interprétation socio-économique de ce problème qui, sans infirmer les théories existantes, explicite la dimension économique implicitement contenue dans chacune

---

* Cet article constitue une refonte de deux articles déjà publiés par l'auteur: «Le nationalisme, l'unité nationale et la théorie économique de l'information», *Revue canadienne d'économique*, 3 (1970), p. 183-198; «L'industrialisation et la participation des Québécois en progrès économique», dans J.-L. Migué, éd., *Le Québec d'aujourd'hui: regards d'universitaires*, Montréal, HMH, 1971, p. 227-251.

d'elles en appliquant la théorie de l'information au marché du travail canadien et québécois. Parallèlement, nous verrons comment les principaux partis politiques québécois ont envisagé le problème et pourquoi ils divergent quant aux solutions à y apporter.

## Position du problème:
## les Canadiens français et l'industrialisation

Trois données essentielles de la situation historique et actuelle du Canada français serviront à formuler le problème que nous cherchons à cerner. Nous considérerons ici ces trois faits pour acquis, sans en reprendre la démonstration. Le premier a trait à ce que nous avons appelé ci-haut le sous-développement de la société canadienne-française. Dire que la collectivité canadienne-française n'a pas absorbé l'industrialisation constitue en soi une proposition paradoxale. Les chiffres démontrent, au contraire, que l'ensemble de la population du Québec exerce une activité de nature strictement industrielle. Il en va de même de la plupart des indices d'industrialisation qu'on pourrait construire.

Il nous faut donc donner un sens plus restreint à l'expression sous-développement. Nous désignons plutôt le phénomène par lequel la collectivité canadienne-française est demeurée et demeure encore aujourd'hui ce qu'en caricaturant on a pu appeler une société de «porteurs d'eau». La démonstration n'est pas à faire. La grande majorité des postes de commande et des tâches hautement spécialisées du secteur industriel, privé et public, est occupée par des individus étrangers au groupe canadien-français. Nous donnons, cela va sans dire, une acceptation très large à l'expression «postes de commande». Nous désignons en fait «l'élite» industrielle, qui occupe les différents échelons de la hiérarchie de l'entreprise et qui donc, de près ou de loin, participe aux fonctions de commandement, de contrôle et de direction. Par opposition bien entendu aux occupations strictement «exécutives», manuelles ou routinières, qui ne comportent aucune participation à la formulation et à la prise de décision. C'est donc toute la structure de direction et les cadres qui échappent à la société canadienne-française. Au contraire, aucun obstacle particulier n'a semblé gêner l'intégration particulièrement rapide de cette dernière à l'entreprise et aux tâches modernes, dans la mesure où les fonctions concernées ne comportaient pas l'exercice d'autorité ou de participation à la direction. Les emplois de bureau et les tâches manuelles sont en général occupés par les membres de la collectivité canadienne-française ou du moins lui sont accessibles.

Acceptons aussi au départ une autre donnée du problème, soit le fait fondamental de l'importation de la technologie, du capital et du savoir-faire. L'industrialisation du Québec est venue et continue de venir de l'extérieur. Elle y a pénétré principalement par le truchement des entreprises étrangères. Le phénomène n'est pas particulier au Québec. Celui-ci partage cette propriété avec nombre d'autres économies industrialisées, dont le Canada dans son ensemble. L'aspect de ce processus particulier au Québec est que l'importation du capital de la technologie et du savoir-faire s'accompagne d'importation du capital humain, qui fait que l'implantation n'est ni conçue, ni dirigée par la communauté culturelle canadienne-française. Et il s'agit là d'un processus permanent, puisqu'il dure depuis les tout débuts de l'industrialisation du Québec et du Canada.

Enfin, troisième fait acquis, la hausse du revenu et surtout les exigences de la technologie ont entraîné depuis la guerre, la montée rapide de ce que les sociologues ont appelé la nouvelle classe moyenne[1]. Les caractéristiques pertinentes de cette nouvelle classe urbaine sont d'avoir acquis une formation relativement plus avancée que l'ancienne et d'appartenir à la structure bureaucratique de l'organisation; donc de pouvoir aspirer aux niveaux moyens et supérieurs de la hiérarchie des entreprises. Nous verrons en quoi cet élément confère un air moderne à un processus plus ancien.

C'est donc le paradoxe de la facilité d'adaptation à la société industrielle observée aux bas échelons et de l'incapacité apparente de se tailler une place au sein de l'élite industrielle qui appelle une explication. C'est ici évidemment que s'inscrivent les différentes interprétations de l'histoire économique et sociale du Canada français et de ses idéologies. On a proposé l'hypothèse que l'origine du problème date de la conquête, qui a coupé la tête à la collectivité canadienne-française et instauré l'économie de domination[2]. Cette notion n'a pas de signification précise en économique et, de toute façon, elle suscite une question: pourquoi l'élite ne s'est-elle pas reconstituée au cours de deux cents ans d'histoire?

De son côté, Breton[3] introduit la notion d'investissement collectif en nationalité dont le rendement serait constitué par un transfert de revenu au profit des promoteurs du nationalisme, que sont les membres de la nouvelle classe moyenne. Hartle et Bird[4] proposent aussi «l'honneur collectif» comme objet d'entreprise collective et donc comme bien collectif. Quelle qu'en soit sa valeur, cette interprétation du néo-nationalisme canadien-français n'explique pas le sous-développement initial. Il nous semble aussi que cette perception de la nationalité comme bien collectif correspond plutôt à un sous-produit idéologique d'une dynamique, que précisément nous entendons analyser dans ce travail.

Enfin, il convient de faire mention d'une troisième approche au problème, celle que Keyfitz[5] définit comme la cooptation des élites industrielles. Que la cooptation soit un phénomène social universel et principalement marqué chez les élites et les détenteurs du pouvoir, personne n'en peut douter. Le mythe de l'*equality of opportunity* a été dénoncé une fois de plus par Keyfitz. Ce qu'on peut à bon droit se demander cependant, c'est comment et pourquoi la cooptation a pu réussir à ce point? Il nous semble en effet que le fondement économique sous-jacent à l'exercice de ce processus n'a pas été analysé de façon exhaustive par Keyfitz.

Si on ne s'entend pas sur les causes du sous-développement de la société canadienne-française, on ne s'entend guère non plus sur les moyens à prendre pour associer de plus près des Québécois aux bénéfices engendrés par le progrès économique.

On a observé historiquement au Canada français deux principales écoles de pensée relatives au moyen de lancer la société québécoise dans l'ère industrielle. La première école rassemble ceux qu'on pourrait appeler les partisans du capitalisme

---

1    Voir en particulier à ce sujet: Hubert Guindon, «The Social Evolution of Québec», *The Canadian Journal of Economics and Political Science,* 26 (1960), p. 533-551, et «Social Unrest, Social Class and Québec's Bureaucratic Revolution», *Queen's Quarterly,* 71 (1964), p. 150-162.

2    Michel Brunet, *Canadians et Canadiens* Montréal, Fides, 1954, p. 175 et *La présence anlaise et les Canadiens,* Montréal, Beauchemin, 1958, p. 323.

3    Albert Breton, «The Economics of Nationalism», *The Journal of Political Economy,* 72 (1964), p. 376-386.

4    D.G. Hartle et R.M. Bird, *Criteria for the Design of Government Decision-Making Units,* Toronto, University of Toronto, Institute for the Quantitative Analysis of Social and Economic Policy, 1969. (Working Paper, no 6905).

5    Nathan Keyfitz, «Canadians and Canadiens», *Queen's Quarterly,* 70 (1963), p. 163-183.

autochtone. Ses disciples adhèrent essentiellement à une idéologie en vertu de laquelle les Québécois accèderont au progrès industriel en reproduisant dans des entreprises nationales, issues des vertus d'épargne et d'initiative individuelle de quelques capitalistes de chez nous, le modèle des entreprises bâties ailleurs ou par d'autres. C'est la théorie du parallélisme: à côté des entreprises étrangères établies chez nous, on installe nos propres entreprises, qu'auront conçues et réalisées nos propres capitalistes, grâce aux épargnes du milieu. Dans cette perspective, c'est par la propriété que s'instaure et se propage l'industrialisation d'un milieu.

C'est à cette école que se rattache à peu près la totalité de ceux qui jusqu'à tout récemment ont formulé un semblant de pensée «nationale» en matière de participation des Canadiens français à l'industrialisation. J'exclus bien sûr de mon appréciation l'abondante moisson de «penseurs» qui adoptaient une attitude rigoureusement négative de refus pur et simple de l'industrialisation. Depuis le rejet explicite de monseigneur Louis-Adolphe Paquet[6], la pensée négativiste en matière d'industrialisation a revêtu tour à tour les formes de l'agriculturisme[7](H. Bourassa[8], A. Dugré[9], O. Asselin[10], V. Barbeau[11], L.A. David[12], pour en citer quelques-uns), du corporatisme (J. Bruchési, M. Caron et G. Filion dans les *Semaines sociales* de 1936 à 1942 et le Cardinal Villeneuve) et du corporatisme (faculté des sciences sociales de l'Université Laval, *Cours par correspondance sur la coopération*). Sans donc prétendre connaître à fond l'évolution de la pensée au Canada français, si tant est qu'on puisse parler de pensée économique chez nous, j'estime pouvoir correctement associer la théorie du parallélisme «privé» à une longue tradition d'observateurs, sinon de théoriciens, qui remonte au XIXième siècle et qui se perpétue jusqu'à nos jours. Si je devais à titre d'illustration, suggérer quelques noms qui se sont employés à expliciter cette pensée, je mentionnerais Etienne Parent[13], au XIXième siècle, Errol Bouchette[14] au début du XXième siècle et, plus près de nous, des noms comme ceux d'Edouard Montpetit, d'Olivar Asselin, du Chanoine Lionel Groulx et de Victor Barbeau. Un certain nombre d'entre eux, témoignant d'un peu plus de réalisme et conscients de l'importance accrue des concentrations industrielles, mais réalisant en même temps que nos capitalistes autochtones n'étaient pas de taille, aboutirent à l'option pessimiste «de la petite et moyenne entreprise» (E. Montpetit[15], M. Caron[16]). On peut aussi correctement attribuer cette pensée implicite ou explicite à des institutions comme les Chambres de Commerce, les Sociétés St-Jean-Baptiste, le Conseil d'expansion économique, l'Union nationale, qui toutes s'inspirent d'un modèle conçu au cours d'une longue histoire. L'élément commun à l'ensemble de ces «penseurs» réside dans le refus de concevoir l'industrialisation du Canada et du Québec comme le prolongement local du capitalisme international.

---

6     Sermon de 1902: «Notre mission est moins de manier des capitaux que de remuer des idées...», dans *ses Discours et allocutions,* Québec, Impr. franciscaine missionnaire, 1915.

7     Voir M. Brunet, «Trois illusions de la pensée canadienne-française», *Le Devoir,* 2 juin 1954.

8     Voir R. Parenteau, «Les idées économiques et sociales de Bourassa», *l'Action nationale,* 43 (1954), p. 166-179.

9     *L'Action nationale,* 1 (1933) no de mai.

10     *L'Action française,* 5 (1921) no de mars et 19 (1928).

11     *Mesure de notre taille,* Montréal, L'auteur, 1936.

12     *En marge de la politique; recueil de discours,* Montréal, Lévesque, 1934.

13     *Discours prononcés devant l'Institut Canadien de Montréal,* Montréal, Lovell et Gibson, 1850.

14     «L'évolution économique du Québec», *Revue Canadienne,* 42 (1902), p. 94-118, 166-184, ainsi que d'autres séries d'articles dans la même revue.

15     Voir J.-H. Marcotte, *Osons; notre émancipation économique et nationale l'exige,* Montréal, Impr. Thérien Frères, 1936, p. 28.

16     *La corporation professionnelle,* Montréal, Ecole sociale populaire, 1939. (E.S.P., no 306).

Un deuxième courant, beaucoup plus récent celui-là, mais s'inspirant aussi du schéma du capitalisme authochtone, associé à la propriété, a perdu foi dans la vertu de l'initiative individuelle. D'autant plus que les bienfaits collectifs émanant de la demi-douzaine de «grands» capitalistes qu'on est susceptible de produire par génération, ne les enthousiasment pas outre mesure. Faute de capitalistes individuels, il faut donc à leurs yeux se tourner vers le capitalisme d'État. La mise en place au Québec d'entreprises concurrentes, parallèles aux entreprises étrangères, se ferait alors par l'État, qui, en plus des vastes moyens dont il dispose, offre, du moins en principe, l'attrait d'une participation collective plus authentique.

Toujours en schématisant, on conviendra que ce sont à peu près les principes qui inspiraient les éléments réformateurs du Parti libéral de 1960 à 1965. C'est là le côté économique de la pensée associée à la révolution tranquille. Cette option était contraire à la tradition historique du Parti libéral, qui n'a d'ailleurs pas tardé à la rejeter après sa défaite de 1966. Le Parti québécois a pris, en matière économique, la succession de la révolution tranquille. Même si ses postulats socio-démocrates l'orientent vers une conception plus large et plus féconde de la participation à la vie industrielle, il faut convenir que le Parti québécois n'a pas réussi jusqu'à maintenant à dégager de politique clairement structurée en matière d'entreprise et qui aille sensiblement plus loin que le capitalisme d'État. En ce sens donc, le Parti québécois adhère à la théorie du parallélisme.

Il faut dire enfin que depuis une génération qu'est apparu ce qu'on pourrait appeler un milieu scientifique en matière économique, la profession des économistes n'a pas comme telle contribué à l'élaboration d'une pensée politique originale en matière de participation des Québécois à l'industrialisation. La tradition américaine antérieure aux quinze dernières années, à laquelle était associée cette première génération d'économistes, ne favorisait guère l'introduction d'une dimension «nationale» aux modèles «neutres» de la théorie classique. D'autant plus que cette première génération a fait son apprentissage au cours de l'après-guerre, c'est-à-dire à l'apogée de la pensée macro-économique issue du keynesianisme, peu propice par son omniprésence à la formulation et à la solution des questions sociales et nationales auxquelles je m'adresse ici.

## Théorie du bien collectif et des associations

Pour démontrer l'insuffisance de la théorie du parallélisme, je crois utile de m'inspirer d'une approche qui, bien qu'en apparence éloignée du sujet qui nous occupe, comportera des corollaires utiles à la compréhension de notre sujet. Je veux donc utiliser la notion du bien collectif comme cadre pour formuler une hypothèse différente quant à la participation des Québécois à l'industralisation.

### 1. La notion de bien collectif

Le bien collectif auquel je me réfère ici a le sens que lui donne la théorie économique. Il désigne essentiellement un bien ou un service dont la jouissance est communautaire, c'est-à-dire uniforme pour tous les membres de la collectivité concernée et dont aucun des membres ne peut être privé, pour des raisons généralement d'ordre technologique, mais également institutionnel. On dit en effet que le bien collectif comporte des économies externes totales.

Jusqu'à tout récemment, la théorie économique réservait cette notion aux biens et services produits par l'État, comme la défense nationale. Tout un chapitre de la science économique s'est donc développé à partir de cette notion; c'est la finance publique. Avec Buchanan et Olson [17], la notion de bien collectif a trouvé des applications fécondes dans l'étude des groupes à l'intérieur des États, qu'il s'agisse des actionnaires d'entreprises, des syndicats, des coopératives et, d'une façon générale, de toutes les associations. Je me propose ici de m'inspirer de cette notion pour préciser le sens de ce qu'on pourrait appeler une communauté nationale ou culturelle et d'en arriver ainsi à circonscrire les caractéristiques qui identifient le Québecois. Ces propriétés distinctes, je ne les discerne pas principalement dans les préférences qu'expriment les membres d'une société à l'endroit des biens privés ou publics qu'ils consomment, même si, comme l'a montré Olson, une certaine communauté de goûts à l'égard des biens produits par l'État est nécessaire à la cohésion du groupe. Dans les sociétés industrielles modernes, la technologie et la consommation de masse qu'elle engendre ont plus ou moins standardisé les goûts et les préférences, à telle enseigne qu'à partir de ce critère, il faudrait presque convenir qu'il n'existe plus qu'une société en Occident.

## 2. La notion d'institution

La proposition que je développerai est donc qu'une société se distingue par ce bien collectif que constitue l'ensemble des liaisons intra et interinstitutionnelles, qui relient les membres d'une collectivité entre eux et qui déterminent, dans une grande mesure, leur comportement et leur choix. Définissons l'institution sociale comme le regroupement organisé d'individus poursuivant des intérêts communs, c'est-à-dire recherchant un bien collectif. L'association des individus peut être formalisée par un cadre juridique et administratif bien défini, comme c'est le cas des syndicats et des associations professionnelles, des partis politiques, de certains autres groupes de pression, des coopératives, etc. Mais la multitude de liaisons systématiques qu'on retrouve partout à l'intérieur de groupes non formalisés, dans toutes les organisations sociales, à l'intérieur des entreprises, constituent des associations institutionnalisées tout aussi réelles que les organismes officiels.

Il convient d'ajouter que les groupes qui encadrent l'individu gravitent la plupart du temps à l'intérieur ou autour de l'entreprise. Le nombre, la nature et l'interdépendance des institutions sociales d'un milieu sont principalement déterminés par la technologie de la production. Qu'il s'agisse des syndicats ou des autres groupes occupationnels à l'intérieur des bureaucraties, qu'il s'agisse des associations professionnelles, des journaux et revues, des institutions de formation, des relations sociales organisées et des clubs sociaux, des institutions religieuses et de leurs organisations, elles-mêmes conditionnées par la technologie de l'habitation et du transport, qu'il s'agisse des classes sociales en général, c'est presque toujours par rapport à l'entreprise et aux exigences techniques de la production que ces institutions se conditionnent et que leurs liaisons mutuelles s'établissent.

## 3. La dynamique des institutions

Le produit de l'institution sociale, si variable qu'il soit, est donc d'abord de nature collective. Cela veut dire que l'individu qui adhère au groupe en retire un bénéfice dont il jouit en même temps que les autres membres. La théorie du bien collectif nous enseigne cependant que l'institution, pour subsister, doit produire, en même temps que le bien collectif qu'elle assigne, un ou des biens privés. Cette

---

17    James Buchanan, «An Economic Theory of Clubs», *Econimica,* 32 (1965), p. 1-14 et Manur Olson, *The Logic of Collective Action,* Cambridge, Mass., Harvard, University Press, 1965 et «The Relationship Between Economics and the Other Social Sciences: The Province of a Social Report», in S.M. Lipset, ed., *Politics and the Social Sciences,* London, Oxford University Press, 1969.

condition est liée à la rationalité des individus, par laquelle ceux-ci n'adhèrent à l'institution que si le bénéfice escompté en justifie l'effort ou le coût. Or, nous savons que la participation aux institutions sociales comporte un coût qui résulte en gros de deux éléments. Il y a d'abord le coût de l'information qu'on doit acquérir sur les objectifs du groupe, ce qui signifie principalement l'affectation de son temps à l'étude du problème. Il y a en deuxième lieu la présence physique aux réunions ou aux assemblées et, d'une façon générale, l'insertion dans le processus de relations où se prennent les décisions. Encore là, il faut prévoir du temps et de l'énergie de la part des intéressés.

L'individu rationnel devra donc décider s'il vaut la peine pour lui d'encourir les coûts de participation aux groupes. Or, la tragédie des institutions dont le produit est par nature collectif, réside dans le fait que personne n'a le sentiment de pouvoir apporter une contribution sensible à la réalisation des objectifs collectifs. Il devient donc irrationnel pour les individus, même les plus généreux, de fournir des efforts un tant soit peu considérables pour promouvoir l'intérêt de la communauté concernée.

Cette dynamique est inhérente à la nature du bien collectif. Dans la mesure où le groupe produit un service destiné à promouvoir les intérêts des membres de façon indivise, dans la même mesure la contribution qu'une personne individuelle peut apporter au bien-être général devient imperceptible. Et plus le groupe est nombreux, moins le rôle de chaque individu est important du point de vue de l'ensemble. Conséquemment, plus la taille nécessaire au bon fonctionnement d'une association est grande, plus la probabilité est faible que le groupe ne se forme et moins la participation de chacun sera grande. En conséquence, là où — contrairement aux corporations professionnelles fermées, aux syndicats jouissant de la formule Rand et à l'organisation qui s'appelle l'État — la coercition n'est pas possible, l'institution à but collectif doit, pour progresser, offrir des biens privés à ses membres pour obtenir leur adhésion et leur participation.

Or, il s'avère que les initiatives de groupes ou si l'on veut, les relations institutionnalisées sont omniprésentes. L'individu est encadré par une multitude d'associations et de regroupements. On ne peut donc pas douter que les incitations à participer au groupe soient extrêmement fortes. Et si la théorie des associations possède quelque valeur explicative, il faut donc conclure que la production de biens privés ou individualisés est inhérente en quelque sorte au processus de promotion du bien-être collectif. Pour expliquer le paradoxe entre la réalité de l'abondance des associations d'une part et la résistance qu'elles engendrent comme naturellement d'autre part. Olson fait appel à deux phénomènes précis: il y a en premier lieu la coercition, par laquelle la participation au groupe est imposée aux individus, même contre leur gré. La taxation, la corporation fermée et la formule Rand en sont les illustrations les plus frappantes. La deuxième incitation à participer prend la forme chez Olson des biens et services divisibles que sont les multiples techniques un peu artificielles auxquelles les institutions recourent pour attirer les membres. Telle association obtiendra pour ses membres l'accès à une police d'assurance-groupe à meilleur compte, le parti politique aura recours au patronage, telle autre association offrira en sous-produits un certain nombre d'occasions de détente et de récréation que procurent les rencontres et les réunions.

Sans nier le rôle certain de ces attractions artificielles auxquelles recourt l'institution, je veux proposer l'hypothèse que l'un des déterminants importants de la participation des individus aux associations réside dans ce produit divisible, mais inhérent à toutes les formes d'institutions et que j'appellerai *l'information*.

## 4. Le rôle des institutions sociales

Le produit des institutions sociales, quel est-il en effet? En quoi le regroupement permet-il aux individus de mieux atteindre les objectifs qu'ils recherchent que s'ils procédaient individuellement? Il est bien sûr collectif en ce que l'institution recherche la promotion et la défense des intérêts collectifs de ses membres. À titre d'illustration, constatons que le syndicat recherche l'amélioration des conditions de travail des syndiqués, le parti politique recherche le pouvoir et, par la même occasion, la réalisation de son programme, l'assemblée des actionnaires recherche l'augmentation des profits, la direction d'un service quelconque de l'entreprise de même que d'un ministère cherche, à promouvoir le prestige de son service et conséquemment, à en grossir le budget, etc. Dans chacun de ces cas, le succès ou l'insuccès de l'institution affecte collectivement tous les membres du groupe intéressé.

Mais le produit de l'institution peut aussi prendre la forme d'avantages divisibles ou individuels que représente l'information. Il faut reconnaître au départ que toute activité économique, toute activité sociale, exige de l'information de la part des parties en présence. Essentiellement, l'information que recherchent les agents économiques porte sur les deux aspects inséparables de toute activité sociale: soit d'abord l'identification des biens ou services que l'individu ou l'institution qu'il représente ont à offrir (*output*), qu'ils s'agisse de leur travail, de leurs connaissances, de leur capital ou de leurs produits; et, en deuxième lieu, l'identification des sources de facteurs de prudence (*input*), depuis le capital, la main-d'oeuvre et la technologie jusqu'à l'identification des centres de décision et de pouvoir qui autorisent l'allocation des ressources en question[18].

Dans un monde où l'information serait accessible sans frais, tous les renseignements pertinents aux choix et aux décisions des agents seraient considérés. Ce monde n'existe pas. L'information n'est pas un bien gratuit. À chaque démarche, l'individu doit implicitement définir pour son compte les bénéfices et les coûts des initiatives qu'il prend pour arriver à un choix éclairé. Cette opération permettra aux individus ou aux agents de fixer la quantité et le type d'information à obtenir, ainsi que le mode d'acquisition de ces renseignements. La nécessité de choisir entre un nombre infini d'éléments d'information qui se présentent à lui, conduit l'agent à l'adoption de ce que Downs[19] a appelé dans le cadre d'une analyse politique «un principe de sélection» qui permet de «filtrer» les renseignements.

Or le processus qui permet à l'agent économique d'obtenir à meilleur compte l'information qu'il recherche provient, aux yeux de l'économiste, des économies d'échelle que comportent l'acquisition et la transmission de l'information. C'est de l'existence de ces économies d'échelle que découle ce qu'on pourrait appeler une industrie ou un marché de l'information, qui met en présence demandeurs et offreurs d'information. Or, précisément, un des produits privés les plus importants qu'engendre l'institution sociale au profit de ses membres et dans la production duquel elle jouit d'économies d'échelle sensibles, réside dans l'information qu'elle procure à ses membres. En effet, le processus par lequel l'institution donne naissance à un produit collectif consiste essentiellement dans l'établissement de liaisons d'une part entre les membres de l'institution et d'autre part entre chacune des institutions. La promotion des intérêts du groupe se fait fondamentalement par l'entrée en contact des membres

---

18    Pour une description plus complète des objets d'information auxquels s'adresse l'institution, voir F. Machlup, *The Production and Distribution of Knowledge in the United States,* Princeton, Princeton University Press, 1962.

19    A Downs, *An Economic Theory of Democracy,* New York, Harper, 1957.

entre eux d'une association avec une autre. Ce faisant, l'institution diffuse dans les rangs de ses membres et à leur profit un certain nombre de renseignements qui varient bien sûr, selon la nature des institutions, mais qui, toujours, leur apprennent mieux ou à un moindre coût comment acquérir les inputs et écouler les outputs.

## 5. *La notion de société: un réseau d'institutions*

L'imbrication ou la structuration des institutions forme au total un ensemble cohérent, un réseau d'institutions ou l'ensemble des liaisons interinstitutionnelles qui relie entre elles les sous-sociétés ou leurs membres constitue, selon cette hypothèse, la définition de ce qu'on appelle une collectivité nationale distincte. Le réseau constitue le bien collectif de la société, tout comme le marché constitue le bien collectif de tous les acheteurs et de tous les vendeurs. Le produit de ce réseau, qui est la mise en relation des institutions composantes, est consommé conjointement par les associations et leurs membres, c'est-à-dire par l'ensemble de la société. En d'autres termes, l'adhésion à l'une quelconque des composantes du réseau, c'est-à-dire l'une des institutions de la société, implique, sauf exception, l'adhésion au réseau. Le réseau est le bien collectif national. Il définit pour chaque individu le mode d'acquisition de ses inputs et le mode d'écoulement de ses outputs. Son étendue donne la mesure de l'étendue de la société ou de la nation. La société se termine là où ses institutions cessent d'étendre leurs relations organisées.

L'individu ne participe pas directement comme individu à la société globale, à la nation; il le fait plutôt à travers sa participation aux institutions composantes qui l'encadrent, l'intègrent à l'ensemble et définissent le processus de sa progression à travers la société. C'est par l'intermédiaire et l'interrelation des institutions que les individus accèdent au bien collectif de la société. Que l'appartenance ou l'intégration de l'individu à un réseau d'institutions donne lieu en sous-produit à l'acquisition de valeurs communes et à l'apprentissage de comportements «normaux», il ne s'agit là en somme que d'une dimension particulière du processus global d'économies d'échelle d'information.

Depuis longtemps déjà, les processus définis ci-dessus ont fait l'objet de l'attention des sociologues et des politicologues. Ce n'est qu'avec l'exploration des corollaires de la notion de bien collectif et du processus de l'information que l'économique en est venue à élargir sa perception de l'entreprise et des groupes et à en évaluer la dynamique à la lumière de la rationalité économique.

La fonction que les sociologues définissent comme la «socialisation» des individus est donc essentiellement exercée par les institutions sociales au sens où on les a définies ici. La combinaison de biens collectifs et de biens privés d'information qu'engendrent ces institutions grâce aux économies d'échelle qu'elles réalisent, explique leur prolifération, leur nature et leur structuration. J'insiste particulièrement sur leur rôle de diffuseur d'information, parce qu'il m'apparaît que, de tous les biens divisibles qu'elles se doivent de produire pour assurer leur existence, la fonction d'information n'a pas été systématiquement étudiée. Celle-ci étant inhérente à leur fonction de définisseur des intérêts collectifs du groupe, il m'apparaît que l'aspect information des membres joue un rôle déterminant dans l'incitation des individus à participer.

## 6. *La société québécoise*

Le réseau d'institutions sociales qui encadre l'individu constitue donc un bien collectif qui définit en même temps l'identité de la collectivité en question. Selon que ce réseau existe ou pas, selon qu'il se différencie ou pas de celui d'une autre collectivité, on peut dire qu'une société nationale ou culturelle existe ou n'existe pas. La société québécoise existe ou n'existe pas selon que ses membres sont soumis à un ensemble de conditionnements institutionnels, communs à tous les membres du groupe et distincts de ceux des non-membres. Ce n'est donc pas d'abord ni principalement par les goûts et préférences d'un groupe d'individus concernant le type de consommation qu'ils font en biens et services que se définit l'appartenance à une collectivité. C'est plutôt par le réseau d'institutions qui leur donne accès aux biens et services et donc au revenu et au pouvoir qui conditionnent cet accès.

Le débat qui a cours depuis longtemps chez nous sur la complémentarité ou l'opposition entre le social et le national revient essentiellement à cette question. Les tenants de l'école selon laquelle n'existent que des questions sociales, soutiennent implicitement qu'il n'existe que des biens collectifs de groupe ou de classe sociale. Par opposition, les partisans du national maintiennent de leur côté qu'au-delà des biens collectifs des sous-groupes et des classes sociales, existe un bien collectif national, c'est-à-dire un ensemble d'institutions qui encadrent chacun des individus d'un milieu, quelle que soit la classe sociale à laquelle il appartienne et qui l'informe des valeurs et des comportements à adopter.

## Le problème général de l'information et le marché du travail [20]

Dans la présente section, je tâcherai d'appliquer au marché du travail cette théorie de l'acquisition et de la transmission de l'information. Tout travailleur fait face à la nécessité d'acquérir l'information sur les conditions de travail, présentes et futures, offertes par les entreprises: nature du travail, stabilité, climat, perspectives d'avancement, etc. L'acquisition d'information comportera pour l'employé des coûts représentés par les multiples démarches entreprises pour obtenir les renseignements, depuis la sollicitation directe, les contacts personnels, jusqu'au recours au bureau de placement, en passant par les annonces de journaux, les clubs sociaux et toutes les autres formes de mise en commun de l'information. Ces coûts s'expriment dans l'achat direct de services d'information, tels les déplacements, les journaux, mais le coût prend davantage la forme du manque à gagner associé à la recherche du meilleur emploi.

Le rendement se définira comme le gain d'utilité attribuable à l'amélioration des conditions pécuniaires et psychologiques que comportera le fait d'avoir poursuivi la recherche. L'individu poussera la recherche jusqu'au point où le rendement marginal prévu est égal au coût marginal.

L'entreprise de son côté a aussi besoin d'information sur le marché du travail. Elle doit voir à l'identification des candidats disponibles et des traitements à payer. On doit noter que, pour l'employeur, l'information sur la qualité et les aptitudes des candidats représente sans doute un aspect tout aussi important que l'information sur le traitement, surtout lorsqu'il s'agit de combler des vacances aux niveaux supérieurs de la hiérarchie. Le coût d'acquisition de l'information pour l'entreprise sera représenté par l'ensemble des ressources qu'elle devra consacrer à faire recueillir les renseignements sur la main-d'oeuvre, à en assurer la transmission à travers l'organisation, à les analyser et à en dégager une décision.

---

20    Cette formulation s'inspire dans ses aspects généraux des travaux de G.J. Stigler, «The Economies of Information», *The Journal of Political Economy,* 69 (1961), p. 213-225; et «Information in the Labor Market», *The Journal of Political Economy,* v. 70, no 5, part 2, suppl. (1962), p. 94-105.

Le rendement s'exprime dans le gain de productivité ou l'économie de traitements qu'une meilleure connaissance de la main-d'oeuvre permettront à l'entreprise de réaliser. L'équilibre, semblable à celui de l'employé, s'établira au point où l'entreprise maximisera la valeur actuelle de la différence entre les rendements et les coûts de la recherche.

Le partage des coûts de l'information entre l'employeur et l'employé dépend d'un bon nombre de facteurs. Dans tous les cas, l'employeur doit assumer une part, si minime soit-elle, de la tâche d'établir le contact avec l'employé. Ce qu'il importe de reconnaître cependant, c'est que le coût d'acquisition de l'information et aussi la part relative de ce coût, qui est assumée par l'employeur, augmente avec le degré de spécialisation des travailleurs recherchés et aussi à mesure que le nombre d'employés du type désiré par l'employeur diminue. Plus on s'élève dans la hiérarchie administrative et technique de la firme, plus l'information requise par l'employeur sera poussée. Par exemple, les tâches demandant la participation aux décisions et transmission des décisions à travers l'organisation seront remplies par des personnes jouissant de la confiance de la direction. Les normes d'appréciation des candidats seront d'autant plus sévères et plus personnelles. Or, la thèse développée dans ce texte exige seulement, pour être valide, que l'employeur doive assumer une part importante du processus d'acquisition d'information.

Parce que l'information n'est pas accessible sans frais, l'administrateur rationnel devra donc définir un certain nombre de principes et de règles de sélection des canaux d'information qui lui permettront de déterminer la quantité et le type d'information à obtenir ainsi que le mode d'acquisition de ces renseignements. Donc, en présence du grand nombre de sources de renseignements, l'entreprise doit «discriminer» d'une façon ou de l'autre. Le système d'acquisition d'information que l'employeur adoptera pour le choix de son personnel sera celui qui lui procure des renseignements obtenus conformément à ses propres principes de sélection, c'est-à-dire à sa conception des vraies qualifications. Par exemple, la loyauté et une certaine communauté de valeurs sont deux vertus que le système devra faire ressortir lorsqu'il s'agit de choisir un cadre[21]. On devine, dès lors, que l'information obtenue par les canaux choisis sera biaisée, parce qu'incomplète et produit d'une sélection ou d'un tri souvent fait par d'autres que l'employeur lui-même. Mais précisément, l'important aux yeux de l'employeur sera de se constituer un système qui comporte les biais qui lui conviennent, qui concentre l'attention sur les aspects pertinents et qui s'avèrent suffisamment «instructif» sans le surcharger.

Nous en arrivons ainsi à l'hypothèse fondamentale de ce travail, soit l'existence d'économies d'échelle dans le prélèvement, le «filtrage» et l'interprétation des renseignements, phénomène qui entraîne l'apparition d'une «industrie» de l'information. L'existence d'économies d'échelle amène le processus à se détacher de l'entreprise pour se constituer en «industrie» plus ou moins autonome et donner naissance à ce que nous appelons des circuits ou réseaux d'information. Leur spécialisation plus ou moins poussée dans la production et la diffusion d'information leur permet de réaliser les économies réelles de l'industrie. Quel que soit le principe de sélection retenu par l'employeur, la fonction des réseaux d'information est de diminuer le coût d'acquisition de l'information ou d'en augmenter le rendement.

---

21   Lire à ce sujet l'étude préparée pour le compte de la Commission sur le binlinguisme et le biculturalisme par G.A. Auclair et W.H. Read, *Attitudes of French and English Canadians Toward Industrial Leadership: Comparison of Management in Large Industrial Organizations...*, Montréal, 1966. 2v. and appendix. (Div. 5-A., Report no 2).

On rejoint ainsi la proposition selon laquelle un grand nombre d'institutions dont l'objet premier est souvent diversifié ou en tout cas non directement orienté vers l'information, constituent en réalité des lieux de communications entre personnes et organisations, donc des institutions distinctes de l'entreprise et qui produisent de l'information utile à l'entreprise. Qu'il s'agisse de journaux ou de revues spécialisées, d'agences de placement privées ou publiques, de clubs sociaux, de congrès, d'associations professionnelles, de rencontres ou d'échanges d'amitié, des multiples occasions institutionnalisées de contacts personnels et surtout de l'infinie variété de formes de liaisons institutionnalisées entre entreprises ou organismes de toute espèce, le but premier ou le sous-produit incontestable réside très souvent dans la transmission et le «filtrage» de renseignements. Grâce à ces réseaux, les firmes acquièrent un *input* de qualité donnée à meilleur compte, c'est-à-dire sans avoir à faire appel à des techniques d'évaluation coûteuses et souvent douteuses.

Les liaisons systématiques qui s'établissent entre les institutions d'enseignement et de recherche et les entreprises serviront à illustrer le processus. Les institutions que sont les universités, les écoles professionnelles et les organismes de recherche ont pour but premier d'assurer la formation des étudiants et l'avancement des connaissances. On oublie trop souvent qu'elles servent aussi de canaux importants d'identification des candidats et aussi d'instrument de transmission d'autres informations. Les économies d'échelle que la technologie leur permet de réaliser dans leur première fonction et qui les a fait se détacher, comme processus, de l'entreprise elle-même, laisse croire qu'elles jouissent d'une autonomie totale vis-à-vis de l'entreprise. Ces aspects camouflent cependant les liaisons très étroites qui les relient à l'entreprise. Historiquement et technologiquement, ces institutions demeurent des émanations de l'entreprise. Nous n'en voulons pour preuve que l'association étroite qu'on retrouve souvent et à tous les niveaux entre employeurs et maisons d'enseignement, telle la participation étroite des entreprises et des administrations publiques au financement, à l'organisation et à la direction des universités, à l'élaboration des programmes d'enseignement et de recherche. De là aussi sans doute, la collaboration institutionnalisée offerte par les employeurs aux maisons d'enseignement pour l'application des connaissances académiques, comme les visites industrielles, les stages pratiques d'étudiants dans l'entreprise, les systèmes de recyclage des cadres. On comprend facilement que le diplôme décerné par une institution ne fait pas qu'identifier un niveau de formation, qui serait identique dans toutes les maisons d'enseignement; le diplôme revêt en effet une signification particulière selon qu'il est décerné par telle ou telle maison. Il «filtre» l'information. Cette signification, qui est perçue et par l'employeur et par le diplômé, est le fruit des circuits d'information institutionnels établis partiellement par l'entreprise. Elle renseigne de façon décisive sur l'origine du candidat, sur la nature et la qualité de la formation technique acquise, de même que sur ses valeurs et sa culture probables. En d'autres mots, elle supprime la nécessité de procéder à un certain nombre d'enquêtes, de démarches et d'analyses des candidats. On peut présumer également que l'enseignement lui-même est mieux adapté aux exigences de l'employeur.

## Vérification empirique

L'existence d'économies d'échelle dans la production et l'acquisition d'information par les employeurs conduit à l'instauration de réseaux institutionnalisés, destinés à réaliser ces économies. Ce processus en retour donne naissance, au Québec et au Canada, à deux principaux sous-groupes de travailleurs, anglophones et francophones, principalement aux niveaux supérieurs de la spécialisation et de la hiérarchie, là où les exigences de l'information sont les plus grandes. Ces deux sous-groupes diffèrent par la facilité d'accès qu'ils ont à l'information diffusée par les réseaux et aussi par la facilité qu'a l'entreprise à obtenir de l'information à leur sujet. Un certain nombre de corollaires empiriques se dégagent de cette analyse.

L'abaissement des coûts d'acquisition de l'information attribuable à l'existence des réseaux signifie pour l'entreprise qu'elle peut obtenir par le recours à son système d'information, soit un employé de qualité donné à un coût moindre, soit un employé de productivité supérieure au même coût. Pour l'entreprise, cela veut dire que les qualités et qualifications professionnelles du Canadien français sont plus difficiles à apprécier, de même que l'est, par conséquent, sa rémunération. D'où dispersion plus grande de la qualité obtenue et des traitements offerts par l'entreprise aux employés canadiens-français. Il en résultera également une demande réduite du facteur défavorisé, c'est-à-dire de francophones[22]. Parallèlement, du côté de l'employé, les francophones ne réalisent pas les économies diffusées par les réseaux, auxquels ils n'appartiennent pas ou du moins pas au même degré. Il s'ensuit chez eux une information réduite sur l'identité des employeurs, sur les exigences des emplois industriels, techniques et hiérarchiques, sur les moyens d'y accéder et sur les traitements. On devrait donc observer chez eux une offre relativement faible de qualifications techniques et administratives en même temps qu'une adaptation très variable et très inégale des qualifications aux besoins de la société industrielle, engendrant une plus grande dispersion de la qualité professionnelle offerte. Enfin, la dispersion des traitements demandés devrait aussi s'en trouver accrue.

### 1. *Demande et offre réduites de spécialistes et d'administrateurs canadiens-français*

L'étude des revenus et des occupations effectuée par A. Raynauld, G. Marion, et R. Béland pour le compte de la Commission sur le bilinguisme et le biculturalisme ne pouvait que systémiser une connaissance que tout le monde possédait sur la rareté de Canadiens français dans les occupations techniques et administratives. Contentons-nous donc de quelques données. Au Québec, en dehors de Montréal, les Canadiens français, qui représentent 93 pour cent de la main-d'oeuvre, n'occupent que 70 pour cent des postes administratifs. À Montréal, les proportions sont de 60% et 17%. Toujours selon le même ouvrage, 33 pour cent des ingénieurs et 38 pour cent des scientifiques pratiquant au Québec étaient d'origine française en 1961.

### 2. *Inadaptation des qualifications ou dispersion de la qualité de la main-d'oeuvre*

Cet aspect de la question n'est manifestement pas mesurable directement. Le modèle développé ci-dessus est cependant conciliable avec le phénomène historique du manque de préparation des Canadiens français aux fonctions industrielles. On expliquerait ainsi le surdéveloppement traditionnel des facultés et institutions d'enseignement «libéral», au détriment des formations techniques et scientifiques. Sans pouvoir déterminer si le phénomène est plus aigu qu'ailleurs, on ne peut manquer de trouver révélateurs les cris d'alarmes lancés ces derniers temps devant la faveur imméritée dont jouiraient auprès des nouvelles générations les options scolaires à caractère général et social, par opposition aux orientations mathématiques, techniques et administratives. Dans leur réponse à des interviews, 36 pour cent des francophones craignent de ne pouvoir trouver un emploi qui corresponde à leur

---

22  Je retiens ici comme dans l'ensemble de cette étude, le postulat qu'en vertu de l'importation de la technologie, du savoir-faire et du capital, la plus grande partie de la production industrielle et donc de la demande de travail au Québec et au Canada, vient des entreprises «étrangères» par rapport à la société canadienne-française. L'analyse empirique des pages qui suivent porte d'ailleurs presque exclusivement sur les traitements payés par des entreprises «nationales» ou «multinationales».

formation. N'ayant que peu de liaisons d'information avec l'employeur, la société canadienne-française en général et son système d'enseignement en particulier, éprouvent d'énormes difficultés à s'adapter aux «besoins de l'industrie». Que cette situation se traduise par la suite en préjugés sur le «matérialisme de la science des affaires» n'étonnera personne.

### 3. Dispersion des traitements

La contrepartie du problème de l'appréciation des qualités pour l'employeur et du problème de l'appréciation des tâches et des occupations pour l'employé se retrouvera dans la plus grande dispersion des traitements. On devrait donc observer une dispersion relativement plus grande des traitements dans le groupe francophone qu'anglophone. On ne dispose pas de données chiffrées permettant de vérifier directement ce corollaire. On sait que la plupart des travaux qui se sont donné pour but d'étudier les «deux sociétés», se sont principalement arrêtés à l'étude des différences absolues de revenus, plutôt qu'aux différences de leur dispersion.

TABLEAU 1

**DISPERSION DES TRAITEMENTS, QUÉBEC ET ONTARIO**

| 1 | 2 | 3 | 4 | 5 |
|---|---|---|---|---|
| | Coefficient de dispersion* (pour cent) | | Écart Québec-Ontario | |
| Occupations | Québec | Ontario | (2-3) | (2-3)/3 |
| **A.** *(octobre 1966) Travailleurs manuels :* manoeuvres, semi-spécialisés, et spécialisés. | | | | |
| Manoeuvre (pas à production) | 2.3 | 4.5 | -2.2 | -48.9 |
| Aide (sans distinction) | 0.0 | 9.1 | -9.1 | -100.0 |
| Aide-électricien (entretien) | 8.0 | 5.8 | 2.2 | 37.9 |
| Peintre (entretien) | 11.9 | 11.6 | 0.3 | 2.9 |
| Outilleur-monteur (millwright) | 7.7 | 5.8 | 1.8 | 31.0 |
| Mécanicien d'automobiles | 10.4 | 7.9 | 2.5 | 31.6 |
| **B.** *(octobre 1967) Employés de bureau et cadres* | | | | |
| Commis 1 | 14.8 | **16.1** | -1.3 | -8.1 |
| Commis 2 | 24.0 | 35.3 | -11.3 | -32.0 |
| Commis 3 | 21.0 | 29.3 | -8.3 | -28.3 |
| Commis 4 (approvisionnement) | 10.0 | 20.8 | -10.8 | 51.9 |
| Préposé aux achats 1 | 12.1 | 25.0 | -12.9 | -51.6 |
| Préposé aux achats 2 | 11.9 | 19.2 | -8.7 | -45.3 |
| Surveillant 1 (secrétariat) | 11.7 | 23.9 | -12.2 | -51.0 |
| Directeur 6 (secrétariat) | 16.5 | 8.0 | 8.5 | 106.3 |

C. *(juillet 1967) Techniciens et dessinateurs*

| | | | | |
|---|---|---|---|---|
| Dessinateur 1 | 33.4 | 14.5 | 18.9 | 130.3 |
| Dessinateur 2 | 23.0 | 22.6 | 0.4 | 1.8 |
| Dessinateur 3 | 15.6 | 19.0 | -3.4 | **-17.9** |
| Dessinateur 4 | 18.0 | 22.3 | -4.3 | -19.3 |
| Dessinateur 5 | 13.2 | 9.0 | 4.3 | 47.8 |
| Dessinateur 6 | 24.3(22emp) | 25.1(10emp) | -0.8 | 3.2 |
| Technicien 1 | 34.9 | 48.1 | -13.2 | -27.4 |
| Technicien 2 | 35.8 | 19.2 | 16.6 | 86.5 |
| Technicien 3 | 18.2 | 18.0 | 0.2 | 1.1 |
| Technicien 4 | 11.5 | 9.9 | 1.6 | 16.2 |
| Technicien 5 | 15.8 | 15.3 | 0.5 | 3.3 |

D. *(juillet 1967) Technologistes, professionnels et scientifiques*

| | | | | |
|---|---|---|---|---|
| Technologiste 1 | 13.5 | 10.3 | 3.2 | 31.1 |
| Technologiste 2 | 12.2 | 8.6 | 3.6 | 41.9 |
| Technologiste 3 | 11.7 | 12.9 | -1.2 | -9.6 |
| Technologiste 4 | 11.5 | 7.7 | 3.8 | 49.4 |
| Ingénieur 1 | 10.6 | 9.8 | 0.8 | 8.6 |
| Ingénieur 2 | 15.0 | 12.9 | 2.1 | 16.3 |
| Ingénieur 3 | 20.3 | 14.3 | 6.0 | 44.0 |
| Ingénieur 4 | 21.2 | 11.8 | 9.4 | 79.7 |
| Ingénieur 5 | 20.9 | 13.0 | 7.9 | 60.8 |
| Ingénieur 6 | 20.3 | 17.3 | 3.0 | 17.3 |
| Ingénieur 7 | 15.8 | 18.7 | -2.9 | -15.5 |
| Econ.-statisticien 1 | (distribution inconnue) | | | |
| Econ.-statisticien 2 | 15.5 | 14.7 | 0.8 | 5.4 |
| Econ.-statisticien 3 | 20.7 | 16.6 | 4.1 | 24.7 |
| Econ.-statisticien 4 | 19.3 | 11.0 | 8.3 | 75.5 |
| Econ.-statisticien 5 | 20.3 | 14.2 | 6.1 | 43.0 |
| Econ.-statisticien 6 et 7 | (distribution inconnue) | | | |

*(juillet 1965)*

| | | | | |
|---|---|---|---|---|
| Chimiste 1 | 18.8 | 12.7 | 6.1 | 48.0 |
| Chimiste 2 | 22.2 | 17.6 | 4.6 | 26.1 |
| Chimiste 3 | 15.7 | 12.1 | 3.6 | 29.8 |
| Chimiste 4 | 28.0(21emp) | 14.4 | 13.6 | 94.4 |
| Chercheur scient. 1 | 34.7 | 27.4 | 7.3 | 26.6 |
| Chercheur scient. 2 | 22.7 | 16.5 | 6.2 | 37.6 |
| Chercheur scient. 3 | 20.6 | 18.8 | 1.8 | 9.0 |
| Gestion en recherche | 13.8(18emp) | 23.9(21emp) | -10.1 | -42.2 |

Source: Publications du Bureau de recherches sur les traitements, Commission des relations de travail dans la Fonction publique, Ottawa.

\* *Méthode de calcul:* Pour chacune des occupations retenues, nous avons calculé pour le Québec et l'Ontario respectivement, un coefficient de dispersion des salaires, soit le coefficient de dispersion interquatile, $(Q_3 - Q_1)/Q_2$.

La plupart des publications du PRB ne fournissent de la distribution, que les premier et neuvième décile, les premier, deuxième et troisième quartile, ainsi que la moyenne. Compte tenu de cette contrainte, la mesure de dispersion adoptée ici nous paraît répondre le mieux à l'objectif. Le calcul du *coefficient interdécile, $(D_9 - D_1)/D_5$* ne modifiait d'ailleurs pas les conclusions obtenues par le coefficient interquatile. Le choix des occupations a été dicté par les considérations suivantes: (*a*) disponibilité des données et importance de l'occupation en regard de la thèse; ainsi que tous les emplois «professionnels» (ingénieurs, économistes-statisticiens, chimistes et scientifiques) et tous les emplois de bureaux et cadres pour lesquels la distribution était donnée ont été retenus. Il en fut de même pour le niveau dit technique, comprenant les techniciens, technologistes et dessinateurs, (*b*) souci de fournir une image suffisamment complète de la réalité, tout en maintenant l'étendue du travail à des dimensions convenables.

Il est cependant possible de surmonter cette difficulté en comparant la dispersion des salaires sur deux marchés assez semblables sous la plupart des aspects, sauf celui du degré d'information qui y circule. Ainsi on peut choisir de comparer la distribution des salaires en Ontario et au Québec, pour des occupations identiques. L'Ontario peut être perçu comme un marché jouissant de l'homogénéité à peu près totale du point de vue qui nous concerne, c'est-à-dire qu'il n'y existe qu'un seul réseau ou circuit d'information. Au Québec par contre, on rencontre les deux sous-groupes, anglophones et francophones, et donc les deux sous-réseaux. On devrait donc observer une dispersion plus prononcée des traitements au Québec qu'en Ontario, du moins dans les occupations requérant le plus d'information.

Les enquêtes minutieuses sur les traitements effectuées régulièrement auprès des grandes entreprises canadiennes par le Bureau de recherches sur les traitements de la Commission des relations de travail dans la Fonction publique du gouvernement fédéral permettent d'établir des comparaisons très significatives, consignées au tableau 1 et dont se dégagent les principales observations suivantes.

(1) Si l'on s'arrête principalement à la colonne indiquant l'écart absolu entre les coefficients de dispersion du Québec et ceux de l'Ontario (colonne 4), on constate qu'en deçà du niveau de «technologie», la dispersion des salaires n'est pas systématiquement plus prononcée dans une province que dans l'autre. Sur 25 occupations retenues, la dispersion est supérieure au Québec dans 12 cas et en Ontario dans les 13 autres et dans plusieurs cas, l'écart entre les coefficients des deux provinces est faible. Dans la catégorie des travailleurs manuels, la différence entre les deux provinces est parfois peu prononcée, parfois supérieure en Ontario, parfois au Québec. On se rappelera que dans cette catégorie, il s'agit d'un échantillon d'occupations. Chez les employés de bureau et cadres, la dispersion semble nettement plus prononcée en Ontario sauf pour l'emploi de «Directeur, secrétariat». Dans le cas des dessinateurs et techniciens, l'écart entre les deux régions est ou bien négligeable, ou un nombre à peu près égal de fois favorable à chacune des provinces. On peut donc présumer avec assez d'assurance que le degré d'unification du marché du travail serait à peu près semblable dans les deux régions.

(2) La situation change radicalement lorsqu'on passe aux niveaux supérieurs de la hiérarchie des emplois industriels. Parmi les 23 classes d'occupations «professionnelles et scientifiques» connues (y compris les technologistes), il n'y a que trois cas où la dispersion est plus grande en Ontario qu'au Québec. Dans l'un de ces trois cas (celui où l'écart est le plus prononcé, gestion en recherche), le nombre d'employés recensés est d'environ 20, ce qui peut très bien fausser la signification des résultats. Il est peut-être significatif aussi que, de tous les emplois de bureau et cadres connus, celui de «Directeur, secrétariat, niveau 6» soit le seul où la dispersion soit plus grande au Québec qu'en Ontario. Contrairement aux autres occupations de la catégorie, il s'agit d'une occupation que l'on peut ranger parmi les «postes de commande» (Tableau 2).

(3) Un autre aspect de la distribution des traitements des professionnels scientifiques mérite un instant d'attention, en regard de la théorie formulée ci-dessus. Si l'on étudie chacune des professions individuellement, il devient en effet manifeste que la différence de dispersion entre le Québec et l'Ontario n'est pas uniforme dans toute la hiérarchie. Ainsi dans l'occupation la plus importante par le nombre, soit les ingénieurs, l'écart de dispersion est moins prononcé chez les ingénieurs de niveau 1 et 2, fort dans les classes 3, 4 et 5; et il diminue de nouveau dans les classes 6 et 7. Le tableau des économistes-statisticiens, bien qu'incomplet, présente les mêmes caractéristiques. Or, il s'avère qu'en vertu même de la construction de ces classes, c'est surtout à partir du niveau 3, chez les ingénieurs et économistes-statisticiens que le professionnel-type accède aux «postes de commande», c'est-à-dire qu'il participe à la surveillance, à la

direction, au décision-making. Il s'agirait donc des niveaux où la connaissance nécessaire des candidats est la plus grande, c'est-à-dire la plus coûteuses et donc où le rôle des réseaux d'information est le plus important. Le francophones y serait donc défavorisé. L'aplatissement de l'écart aux niveaux supérieurs s'expliquerait alors de l'une ou l'autre de deux façons: ou bien par l'intégration complète aux circuits d'information de tous les titulaires possibles, francophones et anglophones[23], ou encore par l'absence à peu près totale de francophones. Dans les deux cas le fractionnement du marché en deux sous-groupes disparaît et, avec lui, la source de différences.

TABLEAU 2

### RÉSUMÉ DES ÉCARTS ENTRE LES COEFFICIENTS DE DISPERSION, QUÉBEC ET ONTARIO
(technologistes, professionnels et scientifiques)

| Pourcentage par lequel le coefficient du Québec est supérieur à celui de l'Ontario | | | | | Nombre de fois |
|---|---|---|---|---|---|
| Ontario | Québec | | | | 3 |
| Québec | Ontario | 0 | écart | 5 | 0 |
| " | " | 5 | écart | 15 | 3 |
| " | " | 15 | écart | 25 | 3 |
| " | " | 25 | écart | 50 | 10 |
| " | " | 50 | écart | 75 | 1 |
| " | " | 75 | écart | 100 | 3 |
| Nombre total de cas | | | | | 23 |

Faute de réseaux institutionnalisés d'information intégrant tout le marché du travail, l'acquisition sur les traitements et la qualité des employés professionnels et des cadres par les employeurs coûterait donc plus cher en milieu canadien-français et pour cette raison l'entreprise engagerait moins de Canadiens français, engagerait un éventail plus large en qualité et leur offrirait une gamme de traitements plus largement distribuée. Pour n'avoir pas accès à toutes les économies du réseau d'information, le Canadien français posséderait une connaissance limitée des débouchés qu'offre la grande entreprise et des exigences, des tâches et des traitements que ceux-ci commandent. Pour toutes ces raisons, il offrirait peu ses services à l'entreprise, il offrirait une variété de qualifications très hétérogène et souvent mal adaptée aux besoins de l'entreprise; ces qualifications, il les offrirait à des entreprises moins bien choisies et pour l'exercice de tâches qui lui conviennent moins bien; enfin il obtiendrait en retour de son travail une rénumération très variable.

---

23    Le phénomène proviendrait de ce que l'information acquise à l'intérieur de la firme joue un rôle de plus en plus grand dans le déplacement et l'ascension des employés, à mesure qu'augmente la durée de l'emploi. Si tel était le cas, on devrait observer, même à l'intérieur du Québec, une mobilité interfirme plus faible des francophones que des anglophones, à mesure qu'on s'élève dans la hiérarchie de l'entreprise. Le corollaire est confirmé par l'étude de R.N. Morrison, *Corporate Policies and Practises with respect to Bilingualism and Biculturalism,* vol. IV (24 mars 1966), p. 110, faite pour la Commission d'enquête sur le bilinguisme et le biculturalisme. La paternité de cette hypothèse revient à André Raynaud.

Le cercle est donc complet. Nous avons reconnu au départ le phénomène fondamental de l'importation du capital, du savoir-faire et de la technologie. Il s'en est suivi que l'établissement des institutions sociales et donc des circuits et de l'industrie de l'information s'est fait historiquement et se perpétue en dehors de la collectivité canadienne-française. Le réseau d'institutions québécoises est donc tronqué. On en arrive à distinguer deux sous-groupes à l'intérieur du marché québécois du travail, conséquence de la constitution de deux industries parallèles d'information. Le premier, anglophone et intégré aux circuits d'information de l'entreprise, recoit à son sujet un maximum d'information. L'autre, francophone et dépourvu de toutes ou d'une partie de liaisons avec la firme, ne jouit que d'une information réduite sur l'entreprise qui, de son côté, ne connaît qu'imparfaitement les membres de ce marché.

## Nouvelle perspective sur le nationalisme québécois

L'analyse qui précéde apporte, me semble-t-il, un éclairage particulier à la question du nationalisme québécois. A. Breton soutient que le nationalisme observé au Québec est essentiellement un phénomène de classe moyenne. À ses yeux, la nationalité constitue un bien collectif au sens où on l'a entendu ci-dessus, en ce que les ressources qu'on y affecte (en nationalisation d'entreprises, en création d'entreprises canadiennes-françaises comme la S.G.F., etc.) profite collectivement à un groupe. Ce groupe est composé des membres de la classe moyenne instruite qui aspirent à l'occupation des postes les plus rémunérateurs de l'entreprise, dont ils sont exclus à l'heure actuelle par la concurrence. Ils se servent donc de l'État, créateur d'emplois et dépositaire du pouvoir, comme d'un instrument pour supplanter les détenteurs actuels des meilleurs emplois entraînant ainsi une baisse de productivité (coût du nationalisme), accompagné d'une redistribution du revenu des classes ouvrières en leur faveur (bénéfice).

La théorie avancée dans les pages qui précèdent élargit la signification du phénomène nationaliste en lui conférant une rationalité différente. L'investissement en nationalité, pour reprendre l'expression de Breton, devient dans cette nouvelle perspective la recherche de liaisons institutionnelles, génératrices de biens collectifs de groupes et de bénéfices individuels d'information. Le coût en est représenté pendant la période de transition par la valeur des ressources affectées à la constitution d'institutions, c'est-à-dire à la formation d'un réseau structuré. Le produit de l'investissement réside dans l'ensemble des biens collectifs (promotion des intérêts de groupe) engendré par les groupements et leurs liaisons, de même qu'il se retrouve dans les bénéfices d'information individuelle, dont les membres des groupes et du réseau héritent par leur participation aux institutions. On dira qu'une société a investi plus ou moins en nationalité selon que son réseau d'institutions d'information est plus ou moins développé. Les membres de cette société réalisent, dans la même mesure, les économies d'échelle et les économies externes d'information inhérentes aux circuits ainsi établis.

L'application au marché du travail que je fais de ce modèle général vise à montrer qu'au seul plan du marché du travail, il y a sous-investissement «national» des Québécois de langue française. Pour s'être développé en dehors de la grande entreprise industrielle, en parallèle pour ainsi dire, le réseau d'institutions canadien-français n'oriente pas les Québécois vers ces entreprises et leur interdit de bénéficier des biens collectifs et individuels que diffusent les réseaux intégrés à la grande firme. Plus concrètement encore, l'information et la formation que dispense la firme par son rayonnement à travers les institutions qui gravitent en elle et autour d'elle n'atteignent pas les Canadiens français. Ainsi, faute de chaînons importants de liaisons avec l'entreprise internationale, phénomène attribuable à l'absence d'institutions-clés, le Canadien français ne reçoit pas l'information ni la formation propices au développement industriel dans des domaines aussi vitaux que le savoir-faire, les innovations technologiques, les sources de capital et surtout, au départ, sur les débouchés qui s'offrent aux niveaux techniques et hiérarchiques de l'entreprise.

Je propose donc de définir le nationalisme comme la recherche du renforcement des institutions d'une collectivité. Le seul investissement «rentable» qu'on puisse faire en nationalité consiste à imposer de quelque façon à l'entreprise plurinationale son intégration au réseau d'institutions de la collectivité nationale, c'est-à-dire l'implantation par elle de liaisons organisées avec les institutions nationales. S'il devait y avoir un coût permanent au nationalisme, c'est dans ce processus qu'on devrait pouvoir l'évaluer. Il faudrait démontrer que le fonctionnement efficace des bras nationaux de l'entreprise plurinationale est incompatible avec l'établissement de relations institutionnalisées autonomes entre la filiale nationale et la collectivité où elle s'installe. Il faudrait démontrer, plutôt qu'affirmer comme le fait Breton, qu'il y a baisse de productivité. Le parallélisme institutionnel ne serait alors conciliable qu'avec le parallélisme des entreprises, dont nous avons formulé la conception au début de ce travail. Société nationale signifierait entreprise nationale. Et si ce coût d'intégration devait s'avérer élevé, du même coup on aurait démontré que l'entreprise industrielle moderne a sonné le glas des «nations».

L'application au marché du travail ne constitue donc qu'une illustration d'un processus beaucoup plus global au fond. S'il est vrai qu'une société se définit par l'ensemble de ses institutions et, d'autre part, que ce réseau d'institutions est déterminé en grande partie par l'entreprise, c'est-à-dire par les exigences de la production, et enfin, qu'en plus des intérêts de groupe qu'elles défendent, les institutions diffusent une information peu coûteuse ou meilleure à leurs membres, il faut conclure que les retards de la société canadienne-française lui viennent de ce qu'elle n'est pas intégrée à la grande entreprise moderne. Je veux maintenant m'employer à dégager un certain nombre de corollaires sociaux et politiques de l'ensemble de l'argumentation développée jusqu'ici.

## 1. *Canadianisme et nationalisme québécois*

La première leçon qui découle de la démarche entreprise ci-dessus est de mieux faire comprendre les deux options idéologiques qui se sont historiquement partagé l'adhésion des Canadiens français. Il y a d'abord les partisans du canadianisme. Les disciples de ce système se partagent cependant entre deux écoles. Il y a ceux qui perçoivent implicitement les sociétés à partir de l'idéologie individualiste intégrale, c'est-à-dire comme la juxtaposition d'individus autonomes et isolés. Dans la mesure où, selon cette conception, il n'existe pas de dynamique sociale, mais uniquement des individus qui s'intègrent comme individus à la société, le seul précepte à adresser aux Canadiens français, pour les faire participer aux bienfaits de la société industrielle, est d'imiter les hautes vertus morales d'initiative, d'épargne, d'esprit de risque dont font preuve leurs voisins. Un Gérard Filion a montré la voie, dans ses paroles plutôt que dans ses gestes, en invitant les Canadiens français à faire preuve de «coeurs vaillants». L'idéologie outaouaise officielle, en vertu de laquelle le Canada n'est qu'une étendue de terre composée de quelque vingt millions d'individus encadrés par un système étatique donné et dont les uns sont anglophones et les autres francophones, repose essentiellement sur le même postulat individualiste. Seuls existent des individus et donc des droits individuels, des vertus et des initiatives individuelles, mais pas de société québécoise, dotée d'un réseau d'institutions propres. Toute manifestation «d'affirmation collective» est suspecte. Au plan constitutionnel, l'idéologie mène au fonctionnalisme étroit et souvent réactionnaire par lequel le partage des fonctions politiques entre juridictions ne s'établit qu'à partir de critères d'efficacité technique[24].

L'autre école canadianiste, elle, perçoit la société comme un réseau d'institutions liées entre elles par des circuits complexes. Tout en reconnaissant la réalité d'une société canadienne-française distincte, elle a perdu foi en quelque sorte en son dynamisme et en ses capacités de survie. Le salut réside donc pour cette école pessimiste dans l'alliance ou l'association la plus étroite possible au réseau de l'autre groupe. Le réseau anglais étant déjà bien établi et complet, il suffira au Canadien français de le pénétrer pour en retirer tous les bénéfices[25]. Il s'agit en un mot de minimiser les différences et les distances entre les circuits canadiens-français et les circuits canadiens-anglais jusqu'à les fondre en un seul. Pour employer une image connue, il faut remplacer les «deux solitudes» par la communauté organique. Il faut promouvoir les initiatives communes. C'est la promotion par osmose; à la limite, c'est l'assimiliation.

Ces deux postulats, soit le postulat individualiste et le postulat de la supériorité des institutions anglo-canadiennes, fondent en quelque sorte l'antinationalisme d'un certain segment de l'intelligentsia canadienne-française et anglaise, ainsi que d'une partie du milieu d'affaires.

Mais il y a un deuxième courant idéologique au Québec, partisan de la «coexistence», dont l'objectif plus ou moins explicite est de promouvoir les entreprises et les institutions distinctement canadiennes-françaises. Conscient de l'importance de l'entreprise dans les sociétés industrielles, il juge leur assimilation à la société canadienne-française comme indispensable à la survie du groupe. Au plan de l'information sur le marché du travail, dont nous avons fait l'analyse, cette école vise à instaurer au profit de la collectivité canadienne-française des circuits et des liaisons qui la serviront.

Or, il est évident que cette pensée devrait s'appuyer sur deux éléments essentiels et interdépendants: soit d'abord l'emploi systématique et à tous les niveaux, comme la chose se pratique ailleurs, d'un personnel à peu près entièrement québécois; en deuxième lieu, la participation active de ces firmes à la vie québécoise et à ses institutions, comme par exemple dans les programmes de recherche que ces entreprises partagent avec des universités ou des organismes publics, dans la formulation des programmes de formation professionnelle des écoles, dans leurs subventions aux institutions de bienfaisance et aux individus, dans la délégation d'employés aux congrès et aux stages de formation à l'étranger, etc. À mes yeux, le premier précepte est de loin le plus important, en ce qu'il conditionne le second. Une fois francisée dans ses cadres et son personnel, l'entreprise du Québec établira comme naturellement ses liaisons avec l'ensemble des institutions sociales.

L'intégration de l'entreprise à la collectivité par la francisation de son personnel constitue donc la condition absolument nécessaire de ce qu'on pourrait appeler l'engagement de la collectivité canadienne-française dans le processus de développement industriel. Ce précepte soulève cependant un dilemme qu'aucune société n'a jusqu'à maintenant résolu de façon satisfaisante. Je désigne ici le danger

---

24    On pourrait démontrer que le fonctionnalisme est essentiellement contraire à la notion même de fédéralisme, en ce qu'il nie l'existence de besoins et de goûts régionaux distincts, ce que j'interprète comme étant la pensée officielle du jour. Pour en distinguer les racines plus lointaines, voir A.R. Breton *et al.*, «Pour une politique fonctionnelle», *Cité Libre*, v. 15, no 67 (mai 1964), p. 11-17.

25    La prime au Canadien français qu'offre ces derniers temps la fonction publique fédérale s'inscrit dans cette perspective.

dont Breton révèle la menace et par lequel une politique nationale réaliste en matière d'entreprise traduirait d'abord un opportunisme de classe moyenne. En termes plus concrets, cette proposition signifie qu'on doive éviter de reproduire au Québec le modèle canadien, par lequel le nationalisme *Canadian* n'a été que l'instrument d'une bourgeoisie d'administrateurs ou de gestionnaires, soucieux de maintenir et de perpétuer leurs pouvoirs et leur position avantageuse dans la collectivité canadienne. Si le nationalisme québécois ne devait être que la transposition, en faveur de gestionnaires canadien-français, des rôles assumés jusqu'à maintenant par des gestionnaires *Canadian,* entreprise à laquelle nous convient les représentants de l'orthodoxie officielle d'Ottawa et maintenant de Québec, il risque fort d'échouer, probablement au plan même de son implantation dans le milieu, mais aussi et surtout au plan de la promotion de l'ensemble de la collectivité québécoise.

## 2. *Philosophie économique et partis politiques*

Le Parti libéral du Québec a historiquement senti, plus qu'il n'a explicité, l'importance de la grande entreprise industrielle. Je dis «sentis» parce que c'est moins en vertu d'une formulation explicite de sa pensée politique, que par l'origine sociale et ethnique des individus et des groupes qui le nourrissent, ainsi que par son association étroite avec les milieux financiers et commerciaux que ce parti a pu atteindre cette réalité. Imbu par ailleurs, de par son histoire et sa clientèle, de cette philosophie individualiste et «pessimiste» dont j'ai décrit sommairement les éléments, il ne peut naturellement concevoir la participation des Québécois à la vie industrielle que par des initiatives individuelles, que par l'utopique pénétration d'individus aussi nombreux que possible dans les grands circuits «étrangers» à la collectivité canadienne-française. Outre que l'objectif ainsi défini est inatteignable par une politique de laisser-aller, il est assuré que cette formule, si elle réussissait, ne ferait que reproduire le modèle *Canadian* au Québec.

L'avènement du Parti québécois, par ailleurs, constitue essentiellement la cristalisation du terrible dilemme exposé ci-dessus. Plus conscient que tout autre parti de la dynamique sociale et du rôle prépondérant des institutions qui gravitent autour de l'entreprise dans la promotion des membres d'une collectivité et, par conséquent, convaincu de l'urgence de renforcer les institutions québécoises, il a cherché à définir une politique de coexistence. Cette perception des processus sociaux s'exprime très clairement pour lui au plan politique dans l'option Souveraineté-Association, par laquelle au fond une collectivité cherche à communiquer avec le monde extérieur non pas uniquement par l'initiative de ses individus-membres, mais plutôt par le truchement d'institutions autonomes, dont, au premier chef, l'institution qu'est l'État.

Ce n'est pas le moment de porter un jugement global sur cette option. Ce qu'on doit cependant reconnaître, c'est que le processus d'association au Canada et au reste du monde proposé par le Parti québécois se distingue dans son essence même du processus fédéral actuel. Les deux modèles procèdent de théories sociales essentiellement contraires. Les deux ne peuvent avoir raison en même temps. La théorie individualiste se fonde sur le principe que les sociétés ne sont que la juxtaposition d'individus, tandis que l'autre soutient plutôt que l'individu n'atteint à son épanouissement, à sa réalisation que par le truchement d'organismes, d'institutions et de liaisons sociales. Les adversaires du Parti québécois ont donc tort de lui reprocher de vouloir provoquer le «divorce» pour «convoler» de nouveau immédiatement après. La coexistence de deux réseaux autonomes d'institutions, mais qui communiquent entre eux, est un phénomène tout à fait distinct de la coexistence d'individus communiquant entre eux à l'intérieur d'un même réseau d'institutions. La communauté politique que forment les États-Unis d'Amérique n'a, en dehors de l'imagination des idéalistes, que très peu en commun avec celles qui constituent les Etats unis dans le Marché Commun.

Si donc le Parti québécois n'était que nationaliste, dans le sens du nationalisme *Canadian* historique, il n'aurait qu'à reproduire au Québec le modèle implanté au Canada par le Parti libéral fédéral. Il lui suffirait d'incarner les aspirations d'une classe moyenne canadienne-française, qui ne demande pas mieux que de supplanter ses homologues *Canadian,* comme gestionnaires locaux de l'entreprise et de l'économie continentales. Par le Parti québécois, la pensée nationale officielle des Québécois en matière d'industrialisation aurait donc franchi une étape ultérieure. Après la thèse du parallélisme de l'entreprise capitaliste autochtone incarnée surtout par l'Union nationale, après la thèse du laisser-faire intégral à peine atténué par l'appel vertueux à l'assimilation prêchée par le Parti libéral du Québec, on aurait maintenant le parti de la bourgeoisie nationale, représentante au Québec du grand capitalisme continental. Le Québec dans cette perspective ne serait au mieux qu'un Canada de langue française.

En raison de ses origines, de sa clientèle et partant de son idéologie, le Parti québécois cherche à se dissocier de ce modèle. Si d'une part il a réussi à se construire un nationalisme qu'on pourrait dire «populaire», si l'on ne peut douter qu'il ait compris que l'épanouissement de la collectivité québécoise ne peut se faire que par le renforcement des institutions qui la définissent, il faut en même temps reconnaître qu'il n'est pas encore parvenu à situer ces institutions dans le contexte de la grande entreprise industrielle. En d'autres termes, il n'a pas réussi à assurer le prolongement de sa pensée social-démocrate au niveau de l'entreprise. À ce sujet, il n'est guère allé plus loin que de proposer une participation plutôt formelle de la collectivité à la grande entreprise par le truchement d'intérêts minoritaires de l'État.

Cette lacune revêt à mon point de vue une profonde signification. Non pas principalement parce que la difficulté est grande et qu'aucune société n'a encore réussi à définir un modus vivendi satisfaisant; mais plutôt parce que la pauvreté de sa pensée en matière d'entreprise est, à mon point de vue, le sous-produit de cette dynamique que j'ai tenté de décrire ci-dessus, par laquelle la société canadienne-française et ses institutions ont été tenues à l'écart de l'entreprise. Il devenait donc difficile, voir inconcevable, qu'une collectivité constituée de membres qui n'ont jamais pénétré dans l'entreprise puissent définir une orientation originale et réaliste en cette matière. Techniquement, l'inspirateur de cette pensée aurait pu être le Parti libéral, mais pour des raisons évidentes, il ne pouvait opter que pour l'abstention et la non-intervention; et de toute façon, les intérêts de sa clientèle étaient mieux servis par le gérant d'Ottawa.

## 3. *Langue et société*

À cause de l'éclairage particulier que l'analyse qui précède peut apporter à la question, je crois pertinent d'ajouter un mot sur la question de la langue. La langue, comme instrument de communication et d'identification d'un groupe, est manifestement un bien collectif. Elle constitue l'intérêt collectif du groupe qui la parle en tant qu'instrument d'échange et de communication des individus et des institutions qui composent le réseau. Comme bien collectif instrumental cependant, elle est, dans l'étendue de son usage comme dans sa qualité, le sous-produit du processus de production et donc des agents qui l'animent et le dirigent. Elle n'a donc de valeur de rentabilité pour employer une expression à la mode, que celle qui lui confère d'abord l'entreprise et indirectement l'ensemble des autres institutions qui gravitent autour d'elle. Deux corollaires se dégagent de cette formulation. Il faut se demander d'abord s'il n'est pas illusoire de vouloir bâtir en soi une politique de la langue. L'enseignement qui se dégage de notre analyse, si celle-ci est valide, est qu'il faut concevoir une politique d'intégration de l'entreprise industrielle à la collectivité québécoise, donc une politique de pénétration des membres de cette collectivité et une politique de structuration des institutions de la collectivité. Une fois «socialisé», une fois «nationalisé» par l'intérieur, le bras québécois de l'entreprise industrielle résoudra presqu'automatiquement la question de la langue. Cette idée n'a rien d'original, mais il m'a semblé qu'elle s'insérait avec bonheur dans l'ensemble de la démarche poursuivie dans ces lignes. Le deuxième corollaire que je dégage, est que, fut-elle possible, la bilinguisation systématique des gestionnaires *Canadian* de la grande entreprise ne résoudrait en rien la question de la langue française au Québec. Tant que l'insertion de l'entreprise dans le milieu québécois se fera principalement par des *Canadians,* donc tant que l'entreprise ne sera que géographiquement québécoise, la langue de travail et d'une façon générale la langue rentable ne sera pas le français.

## Conclusion

L'originalité de la démarche entreprise dans ces pages a consisté à combiner les principaux éléments de deux modèles, devenus classiques, de la théorie économique: celui du bien collectif et celui de l'information. Les corollaires que j'en ai dégagés et appliqués à la «question du Québec», m'amènent à conclure que la plus grave conséquence du processus analysé, c'est-à-dire l'absence ou du moins la pauvreté de liaisons organiques reliant les institutions canadiennes-françaises à l'entreprise, ne pouvait être qu'une sorte de sous-alimentation des institutions elles-mêmes. La qualité humaine des ces institutions et le pouvoir réel qu'elles commandent ne peuvent pas ne pas en souffrir. Ce n'est donc pas par hasard que l'on peut observer une symétrie rigoureuse entre l'entreprise à direction anglophone et l'entreprise canadienne-française d'une part, et d'autre part les institutions respectives des deux sociétés. La comparaison risque toujours d'être défavorable à l'institution canadienne-française et aboutit à des parallèles aussi peu reluisants que celui qu'on établirait, disons entre la *Presse* et le *Montreal Star,* entre le journal *La Prospérité* et le *Financial Post,* entre l'*Actualité économique* et le *Canadian Journal of Economics*, entre l'Université de Montréal ou l'Université Laval et McGill University, entre le ministère québécois des Institutions financières et l'Inspecteur des Assurances ou la Banque du Canada, entre le Centre des dirigeants d'entreprises et la Canadian Manufacturers Association, entre la Place Desjardins et la Place Ville-Marie, entre le Rapport Carter sur la fiscalité et le Rapport Bourassa-Bélanger sur le même sujet, entre un soi-disant milieu d'affaires canadien-français, composé essentiellement «d'épiciers», et une véritable techno-structure anglaise, et surtout au sommet entre l'État *Canadian ,* qui a son siège social à Ottawa et la «municipalité» dont le «maire» est à Québec.

Notre analyse justifie une bonne dose d'assurance dans la formulation d'au moins trois prévisions. Premièrement, les objectifs sous-jacents à l'école du parallélisme des entreprises ne peuvent que perpétuer cette déprimante comparaisons. Deuxièmement, la politique libérale, de son côté, mène tout droit à l'effritement progressif des institutions québécoises et à l'intégration certaine, sinon lucide, des Québécois au réseau d'institutions le plus reluisant. Enfin, la survie d'une société québécoise n'est compatible qu'avec le renforcement de ses propres institutions, c'est-à-dire avec l'institutionnalisation de ses relations avec la firme plurinationale. À son tour, le processus ne peut s'implanter qu'avec la francisation de tous les échelons de la hiérarchie technique et administrative de la firme.

*Lectures recommandées*

J. Dofny, *Les ingénieurs canadiens-français et canadiens-anglais à Montréal,* Ottawa, Information Canada, 1970. (Commission Royale d'enquête sur le bilinguisme et le biculturalisme, 1966, Documents, no 6).

P. Harvey, «La perception du capitalisme chez les Canadiens français: une hypothèse pour la recherche», dans J.-L. Migué, éd., *Le Québec d'aujourd'hui: regards d'universitaires,* Montréal, HMH, 1971, p. 129-137.

_____ , «Pourquoi le Québec et les Canadiens français occupent-ils une place inférieure sur le plan économique?», dans R. Durocher et P.-A. Linteau, éd. *Le «retard» du Québec et l'infériorité économique des Canadiens français,* Trois-Rivières, Boréal-Express, 1971, p. 113-127.

J.-L. Migué, «Economics and the Problems of Minorities», dans L.H. Oficer and L.B. Smith, eds., *Issues in Canadian Economics,* Toronto, McGraw-Hill, 1974.

_____ , «Towards a General Theory of Managerial Discretion», *Public Choice,* 17 (1974), p. 24-47.

N.W. Taylor, «L'industriel canadien-français et son milieu», dans R. Durocher et P.-A. Linteau, éd., *Le «retard» du Québec et l'infériorité économique des Canadiens français,* Trois-Rivières, Boréal-Express, 1971, p. 43-74.

# Chapitre 20

# Les conceptions américaine, canadienne-anglaise et canadienne-française de l'idée d'égalité

Edouard Cloutier
Université de Montréal

*Edouard Cloutier est professeur-chercheur au Centre de sondage de l'Université de Montréal. Il s'intéresse au nationalisme québécois de même qu'à la sociologie électorale québécoise.*

*Sa contribution a pour objet de vérifier l'existence de normes égalitaires divergentes entre les Canadiens français d'une part et les Canadiens anglais et les Américains d'autre part. Pour ce faire, il a recours à une expérience basée sur la théorie des jeux tripartites. Ses données sont analysées à l'aide de tests statistiques et présentées sous forme de tableaux de contingences et de polygones de fréquence.*

Dans la mesure où la Révolution tranquille a favorisé une remise en question tant de la société québécoise que ses rapports avec le reste du Canada, elle a incité un très grand nombre de chercheurs à porter leurs lunettes, questionnaires, microphones et règles à calcul sur le «cas» du Québec. Même si ces analyses sont loin d'avoir établi une vision unique des causes, de l'ampleur et des prolongements possibles de la Révolution tranquille, une conclusion générale est acquise: le Québec français a, durant cette période, placé le Canada anglais et le gouvernement fédéral devant une série importante d'exigences, engendrant par le fait même des confrontations qui ont quelquefois dégénéré en états de crise.

L'une des explications les plus répandues concernant l'état conflictuel des relations entre Canadiens anglais et Canadiens français a trait au caractère mutuellement exclusif de leurs cultures économiques et politiques. Plus spécifiquement, la confrontation entre les deux plus importants groupes ethniques au Canada serait engendrée en partie par la façon divergente qu'ils ont de concevoir l'idée d'égalité et de la mettre en application dans les domaines de l'économie et de la politique.

Une telle explication qui s'est vue accorder le statut de quasi-paradigme par maints analystes, n'a jamais fait l'objet d'enquête ou de recherches expérimentales. Nous tenterons dans la présente étude de combler quelque peu cette importante lacune, espérant ainsi contribuer au développement général d'une sociographie proprement québécoise.

Après avoir établi que le quasi-paradigme a de fait été utilisé par nombre d'auteurs contemporains pour caractériser la spécificité des sociétés non seulement québécoise et canadienne-anglaise, mais aussi américaine, nous verrons comment la théorie des jeux peut fournir l'encadrement théorique a une expérience dont le but est d'expliciter et de mesurer les différents types de comportements égalitaires que l'on retrouve chez les francophones et les anglophones en Amérique du Nord.

## Égalité numérique et égalité proportionnelle

Il importe de commencer cette étude en établissant la distinction entre l'égalité numérique et l'égalité proportionnelle puisque cette distinction s'avérera capitale tout au long des pages qui vont suivre.

Le terme «égalité» peut s'appliquer tant à des choses qu'à une distribution de choses entre des récipiendaires. Quand il s'agit de l'égalité entre choses, une comparaison est faite entre certaines qualités des choses, comme leur taille, leur nombre ou leur couleur. Si ces qualité sont équivalentes, les choses sont dites «égales». Quand le terme d'égalité s'applique à une distribution, la comparaison est faite entre les portions de choses dévolues à chaque récipiendaire. Si ces portions sont égales, la distribution est dite «égalitaire». Seule l'égalité de distribution retiendra ici notre attention.

Une distribution sera dite «numériquement égalitaire» quand les portions attribuées à chaque récipiendaire sont égales. Par exemple, si chacun des dix membres d'un groupe donné reçoit $50 d'une somme disponible totale de $500. la distribution est numériquement égalitaire.

Quand, par contre, il existe une égalité des rapports entre les portions des récipiendaires et une certaines caractéristique des récipiendaires la distribution est dite «*proportionnellement égalitaire*»[1]. Par exemple, supposons que les $500 sont distribués aux dix membres selon le nombre d'heures de travail qu'ils ont accomplies, soit 8, 15, 3, 21, 10, 17, 20, 1, 16 et 14 heures chacun. La distribution est proportionnellement égalitaire aux heures de travail si les membres reçoivent dans l'ordre, $32, $60, $12, $84, $40, $68, $80, $4, $64 et $56 puisque, $\frac{32}{8} = \frac{60}{15} = \frac{12}{3} = \frac{84}{21} = \frac{40}{10} = \frac{68}{17} = \frac{80}{20} = \frac{4}{1} = \frac{64}{16} = \frac{56}{14}$.

Dans le cas d'une distribution proportionnellement égalitaire, il importe que les caractéristiques autres que celle qui sert de base à la proportionalité n'interfèrent pas dans la distribution. Sinon la proportionalité s'en trouverait faussée. Ainsi en serait-il, si dans l'exemple précédent, on tenait compte, en plus des heures de travail, de

---

1 Cette distinction entre l'égalité numérique et l'égalité proportionnelle remonte à Platon (*Les lois*) et à Aristote (*Politique*). Bien qu'ils n'en donnent pas toujours une définition précise, elle est encore utilisée aujourd'hui par la plupart des auteurs contemporains dans une vaste gamme nomenclaturale: S.I. Benn appelle la première «égalité universelle» et la seconde «égalité relative aux critères pertinents»; B. de Jouvenel, «égalitarisme» et «proportionnalité»; Kristol, «égalité» et «inégalité»; et Oppenheim, «égalité» et «égalité proportionnelle». Voir Stanley I. Benn, «Equality, Moral and Social», in Paul Edwards, ed., *The Encyclopedia of Philosophy*, New York, Mac Millan, 1967, vol. IV, p. 38-40; Bertrand de Jouvenet, *Ethics of Redistribution,* Cambridge, Cambridge University Press, 1951, p. 2-4; Irving Kristol, «Equality as an Ideal», in Edward L. Shils, ed., *International Encyclopedia of the Social Sciences,* New York, MacMillan 1968, vol. V, p. 108-111; Félix E. Oppenheim «The Concept of Equality», in Edward L. Shils, *ibid.,* p. 103.

l'effort fourni par les récipiendaires. C'est pourquoi une distribution proportionnel-lement égalitaire doit toujours s'accompagner d'une distribution numériquement égalitaire des caractéristiques non pertinentes à la proportionalité. En matière de politique sociale et économique, cette condition est connue sous le nom d'«égalité des chances», laquelle garantit par exemple, une rémunération proportionnelle au travail accompli sans qu'il ne soit tenu compte des facteurs extérieurs tels l'âge, le sexe et la religion du travailleur [2]. Voyons maintenant comment ces deux formes d'égalité se retrouvent dans les cultures politiques du Canada français, des États-Unis et du Canada anglais.

## Les types généraux d'allocation du pouvoir au Canada anglais, aux États-Unis et au Canada français

«What does Quebec want?» Voilà la principale question que se posaient les analystes canadiens-anglais de la Révolution tranquille. Les réponses, aussi frag-mentaires que multiples, se résumaient généralement en termes d'égalité, de traite-ment égal, d'association égale ou de statut égal. Puisqu'en principe, la poursuite de l'égalité représente l'un des principaux objectifs des sociétés démocratiques, l'on devait s'attendre à ce que les auteurs tentent de vérifier le bien-fondé des accusations d'inégalité, d'identifier les domaines de l'activité sociale où ces inégalités ont cours et de proposer des mécanismes par lesquels la situation pourrait être améliorée. Ici n'est cependant pas le cas puisque plusieurs d'entre eux font remarquer qu'il est inutile de se préoccuper des moyens à prendre pour corriger la situation avant d'avoir pris conscience du fait que les Canadiens français et les Canadiens anglais n'attribuent pas la même signification au concept d'égalité. «Les Canadiens anglais, selon Cook, mésinterprètent les demandes égalitaires du Canada français parce qu'ils négligent de prendre en considération le fait que les Canadiens français et les Canadiens anglais pratiquent des philosophies sociales différentes» [3]. Les Canadiens anglais seraient des partisans de Locke, en ce qu'ils considèrent l'individu comme l'unité fondamentale de l'analyse sociale, d'où il découle que la démocratie consiste à traiter les individus comme étant égaux et la majorité comme la base du processus de prise de décision collective. Les Canadiens français, par ailleurs, sont perçus par Cook comme adhérant au principe de Rousseau selon lequel l'ensemble de la société à préséance sur ses composantes, de sorte qu'ils considèrent que les groupes, puisque plus importants que les individus, peuvent se voir attribuer des privilèges spéciaux qui vont à l'encontre de la règle de la majorité [4].

Aussi les Canadiens anglais éprouvent-ils beaucoup de difficulté à compren-dre que les Canadiens français demandent l'égalité pour l'ensemble de leur collectivité alors qu'ils ne représentent manifestement qu'une minorité de la population canadi-enne [5]. Rotstein suggère qu'il s'agit là d'un conflit portant sur les valeurs politiques, les Canadiens anglais étant incapables de concevoir des collectivités qui soient autre chose que l'agrégation des individus qui les composent, tel que l'a établi l'éthique libérale classique [6]. Il appert aux Canadiens anglais que, dans la mesure ou l'égalité

2    I. Kristol appelle cette condition «fairness, impartiality, equity and due proportion» et Oppenheim «equality of opportunity». Voir I. Kristol, *op. cit.*, p. 103-6.

3    Ramsay Cook, *Canada and the French-Canadian Question,* Toronto, MacMillan, 1966, p. 159 (notre traduction).

4    *Ibid.*, p. 43, 69, 148, 162.

5    Thomas Sloan, *Quebec: The Not-So-Quiet Revolution,* Toronto, Ryerson Press, 1965, p. 110; Gérald M. Craig, *The United States and Canada,* Cambridge, Mass., Harvard University Press, 1968, p. 302, 205; Gérald Clark, *Canada; The uneasy Neighbor,* New York, McKay, 1965, p. 31; Maynard Gertler, «Editor's Introduction» dans Hugh Bingham Myers, ed., *The Quebec Revolution,* Montréal, Harvest House, 1964, p. XII-XIV, 416-7; E.M. Corbett, *Quebec Confronts Canada,* Baltimore, Johns Hopkins University Press, 1967, p. 9, 13, 137.

6    Abraham Rotstein, «The 20th Century Prospect: Nationalism in a Technological Society», in Peter Russel, ed., *Nationalism in Canada,* Toronto, McGraw-Hill, 1966, p. 357.

serait accordée à des groupes de tailles différentes, les individus composant ces groupes perdraient leur égalité fondamentale»[7].

Il semble que les Canadiens anglais adhèrent à deux principes généraux: (1) les individus représentent l'unité de base de l'analyse sociale et (2) les individus sont égaux. En conséquence, seule une majorité de membres individuels peut déterminer les choix d'une société donnée.

Ces principes sont précisément ceux qui fondent la procédure distributive générale connue sous le nom d'égalité politique[8]. Au niveau électoral, cette procédure équivaut à une distribution proportionnellement égalitaire du pouvoir sur la base du mérite que les électeurs attribuent aux candidats, distribution dont la proportionalité est garantie par l'égalité numérique des chances qu'ont les citoyens de se porter candidat et d'exercer leur droit de vote. Au niveau parlementaire, un mécanisme permet de préserver cette égalité des chances des électeurs: les représentants sont élus par un nombre à peu près numériquement égal d'électeurs et se voient accorder un nombre égal de voix (habituellement, une) à l'assemblée décisionnelle[9].

Les Canadiens français, par contre, sont perçus comme adhérant aux principes suivants: (1) les collectivités sont plus importantes que les individus qui les composent et (2) les collectivités doivent être considérées comme égales.

Ces principes sont incompatibles avec l'égalité politique des individus puisqu'ils accordent à des collectivités qui ne sont pas nécessairement numériquement égales une part numériquement égale des voix à l'assemblée décisionnelle, dans lequel cas les citoyens des deux collectivités perdent leur égalité des chances et en tant que candidats potentiels et en tant qu'électeur. L'égalité des chances étant, comme nous l'avons vu, une condition nécessaire à la mise en oeuvre du principe de l'égalité proportionnelle, il appert que les Canadiens français n'appliquent pas ce principe aux individus. On en déduit donc qu'ils seraient enclins à pratiquer entre les individus le même principe de distribution qu'ils pratiquent entre les collectivités, à savoir celui de l'égalité numérique.

Quant aux Américains, l'idée d'égalité a été associée à leur culture depuis les tout débuts de leur histoire. Elle est inscrite dans la *Déclaration d'Indépendance* («tous les hommes sont créés égaux») et Tocqueville, dans *La démocratie en Amérique,* constate que «... plus j'approfondis mon analyse de la société américaine, plus je perçois l'égalité comme étant... le point central vers lequel toutes mes observations convergent»[10]. Les auteurs contemporains partagent généralement ce jugement. Ainsi, Laski identifie l'égalitarisme comme étant «.... la trame (central thread) de la tradition américaine... (contre laquelle)... personne n'a encore pu s'insurger avec succès»[11]. Le perpétuel débat engagé sur les tendances inégalitaires dans la société américaine, comme en font foi les écrits de J. Bryce, de R.J. Lampman et de F.

---

7  Donald V. Smiley, *The Canadian Political Nationality,* Toronto, Methuen, 1967, p. 110-115.

8  F.E. Oppenheim, *op. cit.,* p. 106.

9  Yves Simon, *Philosophy of Democratic Government,* Chicago, University of Chicago Press, 1951, p. 72-143, 195-230; Harold D. Lasswell and Abraham Kaplan, *Power and Society,* New Haven, Conn., Yale University Press, 1963, p. 225-8; Henry B. Mayo, *An Introduction to Democratic Theory,* New York, Oxford University Press, 1960, p. 63.

10  Alexis de Locqueville, *Democracy in America,* New York, Knopf, 1945, vol. 1, p. 3 (notre traduction).

11  Harold J. Laski, *The American Democracy,* New York, Viking Press, 1947, p. 178.

Lundberg, témoigne du fait que l'égalité entre les individus demeure une des préoccupations majeures des analystes sociaux américains [12].

Essayons maintenant d'établir de quel type d'égalité il s'agit. Si l'on se réfère aux écrits de Tocqueville, il apparaît que celui-ci se référait à une égalité des biens matériels qu'il considérait comme presque numérique. Par contre, le principe égalitaire inscrit dans la *Déclaration d'Indépendance* en est un d'égalité des chances puisqu'il dit que les hommes «… ont été dotés par le Créateur de certains droits inaliénables… (tels)… la Vie, la Liberté et la poursuite du Bonheur», et non pas que tous les hommes ont droit à une somme égale de biens matériels et spirituels. L'interprétation qu'a fait Lincoln des droits conférés aux Noirs par la *Déclaration* est claire sur ce point: «… le noir est l'égal de tout autre homme en ce qui concerne le droit qu'il possède de mettre dans sa bouche le pain qu'il a gagné de ses propres mains [13]. En d'autres termes, il existe aux États-Unis une égalité numérique des chances de gagner sa vie de telle sorte que chacun reçoive proportionnellement à son labeur, et cela nonobstant toutes autres considérations, y compris celle de la race.

F. Oppenheim rattache lui aussi toutes les pratiques égalitaires américaines (i.e. égalité devant la loi, satisfaction égale des besoins fondamentaux, égalité économique) à l'égalité des chances qui permet à chacun de recevoir proportionnellement à son «mérite» [14]. De plus, l'historique décision de la Cour Suprême des États-Unis sur la redistribution des circonscriptions électorales corrobore une telle interprétation quand elle déclare que «le principe fondamental de la représentativité du gouvernement dans ce pays en est un de représentation égale pour un nombre égal de personnes, sans égard à la race, au sexe, au statut économique et au lieu de résidence» [15]. Enfin, le fait que la législation canadienne des dernières années en matière de distribution des circonscriptions électorales s'appuie sur le même principe confirme encore davantage la similarité des conceptions américaine et canadienne-anglaise de l'égalité politique [16].

Si notre interprétation de ces conceptions est la bonne, il devient possible de formuler certaines propositions théoriques informelles concernant les règles générales de répartition entre les individus:
(1) Les Canadiens anglais et les Américains adhèrent à la règle de l'égalité proportionnelle accompagnée de l'égalité des chances.
(2) Les Canadiens français rejettent la règle de l'égalité proportionnelle accompagnée de l'égalité des chances et pratiquent plutôt l'égalité numérique.

## Une interprétation de l'égalité en termes de théorie des jeux

Nous verrons maintenant comment la théorie des jeux peut fournir le cadre analytique nécessaire à la transformation de nos propositions théoriques informelles

---

12    James Bryce, *The American Commonwealth,* New York, MacMillan, 1910; R.J. Kampman, *The Share of the Top Wealth-Holders in National Wealth,* 1922-1956, Princeton, National Bureau of Economic Research, 1962; Ferdinand Lundberg, *The Rich and the Super-Rich,* New York, Bantam, 1968.

13    Cité par Sanford A. Lackoff, *Equality in Political Philosophy,* Cambridge, Mass., Harvard University Press, 1964, p. 2-3, (note traduction).

14    E. Oppenheim, *op. cit.,* p. 105-6, (notre traduction). Notons ici la concordance entre d'une part l'interprétation que fait Oppenheim de l'idée d'égalité «politique» aux Etats-Unis et d'autre part, le sens d'égalité des chances que nous avons donné à la conception canadienne-anglaise de la démocratie.

15    *Reynolds vs Sims,* 1964, tel que cité par Hayward R. Alker Jr., *Mathematics and Politics,* New York, Macmillan, 1965, p. 202. Se reférer également aux autres décisions de la Cour Suprême des E.-U. qui portent sur le même principe: *Baker vs Carr,* 1962; *Westberry vs Sounders,* 1964; *Lucas vs 44th General Assembly of Colorado,* 1964; *W.M.C.A. vs Lomenzo,* 1964; *Avery vs Midland,* 1968.

16    Voir William E. Lyons, *One Man, One Vote,* Toronto, McGraw-Hill, 1970.

en hypothèse théorique formelles susceptibles d'être vérifiées de façon expérimentale [17].

Selon J. von Neumann et O. Morgenstern, un jeu se définit par l'ensemble des règles qui régissent les interactions entre un certain nombre d'acteurs. Tout événement social régi par des règles formelles (i.e. échecs, match de hockey, élections, échange économique) ou informelles (i.e. rapports amoureux, dispute entre automobilistes pour une place de stationnement) peut donc être réduit à l'état de jeu au sens théorique du terme. Cette réduction théorique a pour objectif de dégager l'ensemble des principes qui définissent le comportement rationnel des acteurs et la solution qui découle de ces principes [18]. Nous analyserons quels sont les principes qui fondent la principale solution suggérée par J. von Neumann et O. Morgenstern pour les jeux multipartites non strictement compétitifs [19].

La recherche d'une solution aux jeux multipartites passe par trois étapes qui réduisent successivement les possibilités stratégiques offertes à des joueurs rationnels, c'est-à-dire qui cherchent à maximiser les gains qu'ils réaliseront au jeu. Nous verrons, à l'aide du jeu tripartite utilisé dans nos expériences, les principes qui appuient chacune de ces trois étapes.

La première étape consiste à définir la fonction caractéristique du jeu, c'est-à-dire les possibilités de gains de chacun des ensembles de joueurs. Pour notre jeu tripartite, dans lequel les joueurs sont A, B et C, la fonction caractéristique est la suivante:

- l'ensemble (A,B) gagne $4.00

- l'ensemble (A,C) gagne $5.00

- l'ensemble (B,C) gagne $6.00

- les ensembles (A), (B), (C) et (A,B,C) ne gagnent rien.

En d'autres termes, les coalitions à deux personnes ont des possibilités respectives de gains de $4.00, $5.00 et $6.00 alors que toutes les autres coalitions ne peuvent rien gagner [20].

La fonction caratéristique indique la situation stratégique générale dans laquelle le jeu place chacun des joueurs. On y constate que: (1) les joueurs devront former des coalitions à deux personnes s'ils veulent gagner quelque chose, puisque ni un joueur seul, ni la coalition tripartite ne peuvent enregistrer de gain; (2) les joueurs A, B et C ont un potentiel de gains différent, le premier ne pouvant participer qu'aux deux coalitions les moins payantes ($4 et $5), le second à la coalition la moins payante

---

17    Nous nous limiterons ici à une présentation relativement sommaire de la théorie des jeux et de ses rapports avec les concepts d'égalité. Le lecteur intéressé à une élaboration plus complète pourra se référer aux principaux auteurs qui ont traité de cette théorie: John von Neumann et Oskar Morgenstern, *The Theory of Games and Economic Behavior,* New York, Wiley, 1964; R. Duncan Luce et Harward Raiffa, *Games and Decisions,* New York, Wiley, 1957; Anatol Rapoport, *N-Person Game Theory,* Ann Arbor, University of Michigan Press, 1970; et Morton D. Davis, *La théorie des jeux,* Paris, Colin, 1973.

18    J. von Neumann et O. Morgenstern, *op. cit.,* p. 31-32 et 41-3.

19    Les jeux peuvent comprendre deux (jeux bipartites) ou plusieurs (jeux multipartites) acteurs. De même, les jeux peuvent être strictement compétitifs ou non strictement compétitifs en ce sens que les pertes et les gains de tous les acteurs sont exactement égaux (la somme en est nulle) ou ne le sont pas (la somme n'en est pas nulle). Nous ne nous intéressons qu'aux jeux multipartites non strictement compétitifs parce qu'ils rendent mieux compte de la très grande majorité des situations sociales où, la plupart du temps, plus de deux acteurs sont compris et les gagnants ne gagnent pas exactement ce qui est perdu par les perdants.

20    A noter que ce jeu n'est pas strictement compétitif puisque les gains des uns (par exemple, $4.00 pour A, B) ne sont pas égaux à la perte de l'autre (ici, C qui perd 0).

et à la coalition la plus payante ($4 et $6) et le troisième aux deux coalitions les plus payantes ($5 et $6).

La seconde étape a trait aux imputations, c'est-à-dire aux énoncés portant sur la distribution des gains entre les participants. Est considérée par la théorie comme une imputation acceptable toute distribution des gains qui respecte les deux principes suivants: (1) la somme des gains des participants à une coalition doit être égale à la possibilité de gains impartie par la fonction caractéristique à cette coalition, ce qui signifie que les membres d'une coalition doivent se partager exactement la somme qui leur est disponible (ils seraient idiots de prendre moins et ils ne peuvent prendre plus); (2) aucun joueur n'acceptera de recevoir, dans quelque coalition que ce soit, moins que la somme qu'il reçoit quand il reste seul, somme qui constitue son seuil minimal de gains tel que défini par la fonction caractéristique (il serait idiot d'accepter moins). Ces deux principes limitent, pour des raisons tout à fait évidentes, les partages auxquels des joueurs rationnels devraient parvenir. Ainsi, dans notre jeu, ne saurait être légitime une imputation (2.00, 2.50, 0) aux joueurs A, B et C puisqu'elle dépasse la somme disponible pour la coalition AB (i.e. $4) et qu'elle n'épuise pas cette somme pour les coalitions AC (i.e. $5) et BC (i.e. 6.00). De même, une imputation (1.00, 3.00, -1.00) ne serait pas acceptable, le joueur C recevant moins que ce qui lui est alloué par la fonction caractéristique quand il reste seul (i.e. 0).

Dans la troisième étape, la théorie circonscrit les imputations qui font partie de la solution, c'est-à-dire des règlements du jeu auxquels devraient parvenir des joueurs rationnels. Elle définit tout d'abord la notion de domination: une imputation x domine une imputation y si les membres de l'une ou l'autre coalition préfèrent les gains qu'ils font dans l'imputation x à ceux qu'ils font dans l'imputation y. Ainsi l'imputation (1.25, 0, 3.75) domine l'imputation (1.00, 3.00, 0) du point de vue de la coalition BC puisque ses membres obtiennent plus dans la première que dans la seconde imputation. Est alors considéré comme faisant partie de la solution théorique d'un jeu, l'ensemble S des imputations qui possède les deux propriétés suivantes: (1) aucune imputation dans S n'est dominée par une autre imputation dans S; et (2) toutes les imputations hors de S sont dominées par au moins une imputation dans S. Les deux propriétés de la solution lui assurent une certaine stabilité du fait qu'une fois atteinte une imputation dans la solution, aucune coalition de joueurs n'a d'intérêt à quitter celle-ci en faveur d'une autre imputation dans la solution (puisqu'elle ne dominerait pas la première) ni en faveur d'une imputation hors solution (puisqu'elle serait dominée en retour par une imputation de la solution).

De plus, J. von Neumann et O. Morgenstern établissent une distinction entre deux types de solutions: les solutions discriminatoires dans lesquelles le gain maximum d'un quelconque joueur est arbitrairement fixé et les solutions non discriminatoires où ce gain n'est restreint que par la définition d'une imputation.

Pour notre jeu tripartite non strictement compétitif, la solution non discriminatoire comprend trois imputations bipartites:

|     | Joueur A | Joueur B | Joueur C |
| --- | --- | --- | --- |
| (a) | $1.50 | $2.50 | 0 |
| (b) | $1.50 | 0 | $3.50 |
| (c) | 0 | $2.50 | $3.50 |

ainsi qu'un nombre infini d'imputations tripartites telles que:
(d) $1.50 \leq x_A < $3.50, $2.50 \leq x_B < $4.50, 0 < x_C < $2.00 où $\mathrm{E}x_i$ = $6.00
(e) $1.50 \leq x_A < $2.50, 0 < x_B < $1.00, $3.50 \leq x_C < $4.50 où $\mathrm{E}x_i$ = $5.00
où $x_A$ symbolise le gain du joueur A.

Aucune de ces imputations n'en domine une autre et les imputations hors-solution sont dominées par au moins une imputation de la solution. Par exemple, l'imputation hors-solution (2.00, 2.00, 0), bien qu'elle domine, du point de vue de la coalition AB, l'imputation de la solution (1.50, 0, 3.50), est dominée à son tour, du point de vue de la coalition BC, par une autre imputation de la solution (0, 2.50, 3.50).

Voyons maintenant comment notre typologie de l'égalité s'applique à la solution non discriminatoire de J. von Neumann et O. Morgenstern. Etablissons tout d'abord qu'une telle application n'est pas étrangère aux intentions propres de ces derniers qui considèrent leur solution comme une «règle de comportement social» destinée à jeter le discrédit sur les comportements qui ne lui sont pas conformes, et qui reconnaissent que leur recherche des caractéristiques générales du comportement rationnel s'appuie sur «des notions préconçues des objectifs sociaux... y compris des énoncés quantitatifs relatifs aux fins tant globales qu'individuelles des répartitions»[21].

Constatons tout d'abord que la solution de J. von Neumann et O. Morgenstern est exprimée en termes d'imputations, lesquelles sont des énoncés sur la distribution des enjeux entre les joueurs, enjeux définis pour chaque coalition possible, par la fonction caractéristique du jeu. Nous croyons donc approprié de considérer la solution comme un ensemble d'énoncés de distributions égalitaires. Dans ce cas, les enjeux, les joueurs et les gains des joueurs deviennent l'équivalent des choses, des récipiendaires et des portions définis dans notre typologie de l'égalité. En d'autres termes, chaque imputation de la solution indique combien (i.e. portion) de choses (i.e. argent reviennent à chacun des récipiendaires (i.e. joueurs).

Constatons ensuite que l'aspect non discriminatoire de la solution équivaut à une distribution numériquement égalitaire des chances des joueurs afin qu'une distribution des enjeux proportionnellement égalitaire puisse s'appliquer au potentiel de gains de chacun des joueurs tel qu'inscrit dans la fonction caractéristique. En effet, la non discrimination, parce qu'elle ne fixe pas le maximum potentiel des gains de chacun, élimine, en les neutralisant, tous les facteurs autres que l'habilité des joueurs à négocier, compte tenu de la fonction caractéristique. Cette propriété correspond à l'égalité des chances dans un marché parfaitement compétitif et dans un système politique parfaitement démocratique[22]. Aussi, les imputations de la solution reflètent-elles fidèlement les gains potentiels assignés à chacun des joueurs par la fonction caractéristique. Ce rapport entre la proportionnalité inscrite dans la fonction caractéristique et l'égalité proportionnelle des imputations comprises dans la solution devient évident lorsque l'on transpose ces imputations en un système algébrique de trois équations à trois inconnus.

$A + B = \$4.00,$

$A + C = \$5.00,$

$B + C = \$6.00,$

dont la solution indique qu'il revient à chaque joueur dans une coalition gagnante, nonobstant la coalition:

$A = \$1.50,$

$B = \$2.50,$

$C = \$3.50.$

---

21   J. von Neumann et O. Morgenstern, *op. cit.*, p. 41-3.

22   William H. Riker et Peter C. Ordeshook, *An Introduction to Positive Theory*, Englewood Cliffs, N.J., Prentice-Hall, 1973, p. 147-8.

Ces résultats, transcrits en imputations, donnent ($1.50, $2.50, 0), ($1.50, 0, $3.50), (0, $2.50, $3.50) soit exactement les trois imputations bipartites comprises dans la solution non discriminatoire[23].

Nous sommes maintenant en mesure de transposer nos propositions théoriques informelles sur les règles générales de répartition en hypothèses théoriques formelles. Dans les jeux multipartites non strictement compétitifs:

(1) les Canadiens anglais et les Américains arriveront aux règlements prescrits par la solution non discriminatoire de von Neumann et Morgenstern;

(2) les Canadiens français n'arriveront pas à cette solution mais bien plutôt à des règlements numériquement égaux.

## L'expérimentation

Nous allons maintenant décrire l'expérience, établir les liens entre celles-ci et notre interprétation égalitariste de la théorie des jeux et formuler des hypothèses expérimentales précises pour les participants canadiens-anglais, américains et canadiens-français.

### 1. Les règles du jeu

Le jeu dont nous nous servirons a été créé par W.H. Riker afin de vérifier la validité des solutions de Neumann et Morgenstern pour les jeux multipartites. En voici les principales règles[24]:

(1) Trois joueurs, A, B et C, tentent de former des coalitions.

(2) La fonction caractéristique pour les différentes coalitions est la suivante:

la coalition (A,B) paie $4.00;
la coaltion (A,C) paie $5.00;
la colation (B,C) paie $6.00.

Si aucune coalition n'est formée ou si la coalition (A,B,C) est formée, les joueurs n'obtiennent rien.

(3) Une coalition est formée quand ses membres s'entendent sur la répartition des enjeux entre eux.

(4) Les joueurs négocient par couple pour trois rondes de négociations dans l'ordre suivant:

les joueurs A et B, en l'absence de C;
les joueurs A et C, en l'absence de B;
les joueurs B et C, en l'absence de A.

Le temps maximum alloué à chaque négociation est de trois minutes dans la première ronde et de cinq minutes dans les seconde et troisième rondes. À la dernière ronde cependant, un mécanisme aléatoire signale la fin des négociations.

(5) Les participants à une série de matches savent qu'ils assumeront chacun des rôles (A,B et C) un nombre égal de fois.

---

23    Quant aux imputations triparties de la solution, elles ne sont qu'une extension des premières, comme l'indique le fait qu'en (d), les joueurs A et B se voient accorder respectivement un minimum de $1.50 et $2.50, et qu'en (e) A et C gagnent un minimum de $1.50 et $3.50.

24    On retrouvera ces règles dans William H. Riker, «Bargaining in a Three-Person Game», *American Political Science Review*, 61 (1967), p. 642-645, et dans W.H. Riker et W. Zavoina, «Rational Behavior in Politics: Evidence from a Three-Person Game», *American Political Science Review*, 64 (1970), p. 48-60.

(6) Une même triade de participants ne joue jamais plus d'un match ensemble.
(7) À la fin de la troisième ronde de négociations, chaque joueur informe privément l'expérimentateur de la coalition qu'il croit avoir formé. Si l'expérimentateur juge qu'une coalition a été formée selon la règle 3, il effectue sur le champ les paiements en espèces qui correspondent à l'imputation qui a fait l'objet d'une entente.

Ces règles définissent donc un jeu tripartite non strictement compétitif dont nous avons vu plus haut les diverses composantes de la solution discriminatoire. Cette solution correspondant à la norme de l'égalité proportionnelle, nous pouvons maintenant traduire nos hypothèses théoriques en hypothèses expérimentales. Dans le jeu créé par W.H. Riker.

1. Les joueurs canadiens-anglais et américains formeront des coalitions bipartites telles qu'en (a), (b) et (c);
2. Les joueurs canadiens-anglais et américains formeront des coalitions tripartites telles qu'en (d) et (e)[25];
3. Les joueurs canadiens-français formeront des coalitions bipartites telles qu'en:

|      | Joueur A | Joueur B | Joueur C |
|------|----------|----------|----------|
| (f)  | $2.00    | $2.00    | 0        |
| (g)  | $2.50    | 0        | $2.50    |
| (h)  | 0        | $3.00    | $3.00    |

où les imputations sont distribuées de façon numériquement égalitaire entre les deux joueurs gagnants.

4. Les joueurs canadiens-français formeront des coalitions tripartites telles qu'en:

|      | Joueur A | Joueur B | Joueur C |
|------|----------|----------|----------|
| (i)  | $2.00    | $2.00    | $2.00    |
| (j)  | $1.66    | $1.66    | $1.66    |

où des coalitions tripartites se partagent de façon numériquement égalitaire des gains totaux de $6.00 ou de $5.00.

Nous devons cependant préciser ce que nous entendons par «telles qu'en» dans nos hypothèses. Dans les hypothèses 1, 3 et 4, on doit admettre une certaine variation autour des imputations spécifiées puisqu'il est évident qu'une légère déviation par rapport à ces imputations ne saurait les invalider. Pour les hypothèses 1 et 3, «telles qu'en» incluera une marge de ± 0.25 autour des imputations spécifiées. Notons toutefois qu'une telle marge permet deux chevauchements: un, entre les imputations (a) et (f), soit l'imputation:

|      | Joueur A | Joueur B | Joueur C |
|------|----------|----------|----------|
| (k)  | $1.75    | $2.25    | 0        |

---

25 Il est à noter que les limites inférieures pour les joueurs A et B dans (d) et celles pour les joueurs A et C dans (e) correspondent aux paiements positifs de ces joueurs dans les imputations (a), (b) et (c). Ainsi que nous l'avons vu, certaines solutions non discriminatoires ne sont que partiellement déterminées par la proportionnalité inscrite dans la fonction caractéristique. A proprement parler donc, les sommes obtenues par les joueurs A, B et C en sus de leur minimum proportionnel de base de $1.50, $2.50 et 0 dans (d) et de $1.50, 0, $3.50 dans (e) devait être considérées comme des bonis alléatoires pour chacun de ces joueurs. Cependant, la taille de ces bonis étant restreinte par la proportionnalité minimale de base, nous pouvons considérer que toutes les imputations inscrites en (d) et (e) sont proportionnellement égales.

et un, entre les imputations (c) et (h), soit l'imputation:

|  | Joueur A | Joueur B | Joueur C |
|---|---|---|---|
| (l) | 0 | $2.75 | $3.25 |

Dans ces deux cas précis, nous considérerons les résultats de l'expérience comme é-tant «indécisifs». Pour l'hypothèse 4, la marge de ± 0.25 ne pose aucun problème de chevauchement. Quant à l'hypothèse 2, son énoncé permet déjà des variations qui ne sauraient être dépassées.

Enfin, les résultats qui ne seront ni numériquement ou proportionnellement égaux, ni indécisifs, seront considérés comme «indéterminés».

## 2. *Les séries de matches*

L'expérience porte sur huit séries de matches, chacune ayant été jouée par le même groupe de participants. Les quatre premières ont été conduites par W.H. Riker, les trois dernières par l'auteur et la cinquième conjointement par W.H. Riker et l'auteur. Tous les participants ont été choisis au hasard parmi les étudiants masculins de divers cours de sciences sociales donnés dans des universités américaines et cana-diennes. Le tableau 1 spécifie pour chaque série, le nombre et la nationalité des participants, le nombre de matches joués et l'université où l'expérience a été tenu[26].

## 3. *Considérations méthodologiques*

Nous tentons d'établir une relation entre la nationalité des joueurs et le type égalitaire des règlements auxquels ils arrivent en comparant le résultat de huit séries de matches considérés comme faisant partie d'une seule expérience. Le caractère expéri-mental du processus appelle cependant certaines considérations méthodologiques.

On distingue deux types principaux de validité des études expérimentales dans des contextes sociaux: la validité externe réfère à la généralisabilité des résultats et la validité interne à la correcte détermination des variables expérimentales[27]. Il est évident que nous ne pouvons prétendre à la complète validité externe de notre expérience puisque les sujets expérimentaux ne sauraient être jugés représentatifs de leur entité nationale respective. En effet, ceux-ci sont à peu près tous des étudiants masculins dont certaines caractéristiques ont permis qu'ils atteignent le niveau univer-sitaire d'éducation. Par contre, le grand nombre des séries, des sujets et des matches joués permet, dans le cas des Américains et des Canadiens français, de considérer l'expérience comme une vérification préliminaire valable des hypothèses que nous avons posées. Pour ce qui est de l'unique série impliquant sept joueurs canadiens-anglais dans neuf matches, on ne peut nier son caractère extrêmement exploratoire.

Dans quelle mesure le jeu auquel les sujets ont été soumis reproduit-il les situations de répartitions distributive de la vie courante? Ici encore, on ne saurait oublier l'artifice qui caractérise toute expérience. Nous croyons cependant que la

---

26    On trouve les caractéristiques de la série 1 dans W.H. Riker, «Experimental Verification of Two Theories about n Person Games», dans Joseph L. Bernd, ed., *Mathematical Applications in Political Science III*, Charlottesville, The University Press of Virginia, 1967, p. 58. Les caractéristiques des séries 2 et 3, se trouvent dans W.H. Riker, «Bargaining...», *op. cit.*, p. 646. Les autres caractéristiques sont publiées ici pour la première fois. Notons toutefois que trois des participants de la série 5 étaient des employés d'un service aux étudiants.

27    Donald T. Campbell, «Factors Relevant to the Validity of Experiments in Social Settings», *Psychological Bulletin*, 54 (1957), p. 297-312.

TABLEAU 1

## PRINCIPALES CARACTÉRISTIQUES DES SÉRIES

| Caractéristiques | numéro de la série | | | | | | | | Total |
|---|---|---|---|---|---|---|---|---|---|
| | 1 | 2 | 3 | 4 | 5 | 6 | 7 | 8 | |
| Nombre de participants | 28 | 25 | 47 | 12 | 16 | 12 | 6 | 7 | 153 |
| Nationalité des participants | EU | EU | EU | EU | CF | CF | CF | CA | |
| Nombre de matches joués | 33 | 20 | 40 | 30 | 24 | 26 | 7 | 9 | 189 |
| Universités | Rochester | Rochester | Rochester | Rochester | Sherbrooke | UQAM | McGill | McGill | |

présente expérience permet une vérification indirecte valable des comportements réels des Canadiens anglais, des Canadiens français et des Américains dans la mesure où les jeux multipartites constituent des analogies substractives des situations sociales naturelles dont ils reproduisent les principales composantes. W.H. Riker et W. Zavoina soutiennent qu'il y a de bonnes raisons de croire que ces jeux constituent de telles analogies, du moins en ce qui a trait au processus de formation des coalitions[28]. Puisque, dans la théorie des jeux, ce processus dépend en bonne partie de la distribution des enjeux entre les joueurs, nous croyons qu'il s'apparente également au caractère distributif des rapports sociaux.

Il n'en demeure pas moins que ni la vérification préliminaire ni la vérification indirecte ne saurait être valable que si les sujets appartiennent réellement à l'entité nationale qu'on leur attribue. Ainsi se trouve posé le problème de la définition d'une entité nationale. Nous avons adopté pour ce faire deux critères très simples en considérant comme Canadiens ou Américains les participants qui avaient grandi au Canada ou aux Etats-Unis et qui y demeuraient encore au moment de l'expérience et comme Canadiens français ou Canadiens anglais, ceux qui utilisent habituellement la langue française ou anglaise dans la vie courante. Ces critères ont permis l'identification de l'entité nationale de tous les participants à l'exception d'un étudiant de 20 ans, natif des États-Unis et habitant au Canada depuis sept ans que nous avons considéré comme Canadien anglais.

Pour que nos hypothèses soient correctement vérifiées, il importe cependant de nous assurer qu'aucun facteur autre que l'entité nationale ne vienne perturber les résultats de l'expérience. Ce « ceteris paribus » implique que toutes les séries de matches aient été jouées dans des circonstances identiques. Le fait que l'expérience repose sur des comparaisons interculturelles commande également une extrême prudence dans la neutralisation des facteurs extérieurs[29]. Voyons donc comment ont été contrôlés les facteurs non pertinents à notre expérience.

(1) Le choix des sujets. À part les restrictions, identiques pour toutes les séries, relatives au sexe et à la provenance académique des sujets, rien n'indique que les autres caractéristiques ne soient pas alléatoirement distribuées.

(2) L'anonymat des opposants. Afin d'empêcher que les relations personnelles antérieures à l'expérience ne perturbent les résultats du jeu W. Riker avait pris soin, dans les séries 1, 2 et 3, de choisir des sujets qui ne se connaissaient pas. Dans des expériences subséquentes cependant, (et notamment dans la série 4) il a graduellement relaxé cet interdit sans que les résultats en soient significativement affectés. Nous considérons donc que le fait de n'en avoir pas tenu compte dans les séries 5, 6, 7 et 8 ne saurait vraisemblablement influencer l'expérience.

(3) La rotation des opposants. Dans les séries 1, 2 et 3, les mêmes sujets n'ont été opposés qu'une seule fois, de peur que le déroulement des négociations ne soit infléchi par l'attente de rencontres futures. Ici encore, W. Riker a subséquemment trouvé que tel n'était pas le cas. En conséquence, dans les autres séries, les sujets ont joué chaque

---

28    W.H. Riker and W. Zavoina, *op. cit.*, p. 49.

29    Notons que les problèmes suscités par l'expérimentation interculturelle ne diffèrent pas fondamentalement de ceux relatifs à l'expérimentation intraculturelle, bien qu'ils soient plus accentués par l'existence de multiples corrélations entre la culture et les diverses variables sociales. Voir Frederick W. Frey, « Cross Cultural Survey, Research in Political Science », dans Robert T. Holt and John E. Turner, eds., *The Methodology of Comparative Research,* New York, Free Press, 1970, p. 183-185; voir aussi Joachim Israel and Ragnar Rommetveit, « Notes on the Standardization of Experimental Manipulations and Measurements in Cross-National Research », *Journal of Social Issues,* 10 (1954), p. 61.

position à tour de rôle en évitant toutefois qu'aucun trio ne se rencontre plus d'une fois et aucun duo plus de deux fois, les sujets jouant différentes positions à chaque fois. Les sujets étaient également assurés d'assumer chaque position un nombre égal de fois. Cette procédure rend compte du fait que les cinq dernières séries ont impliqué un nombre beaucoup plus réduit de sujets que ce ne fut le cas pour les trois premiers (cf. tableau 1).

(4) L'ordre des rencontres. Dans toutes les séries, à l'exception de la quatrième , les rencontres se sont faites dans l'ordre suivant: AB, AC, BC. Dans la série 4, l'ordre fut inversé, (BC, AC, AB) sans que cela n'ait le moindre effet sur les résultats.

(5) La langue. Dans toute expérience interculturelle, on doit porter une attention particulière au facteur linguistique[30]. Tous les matches ont donc été joués dans la langue française pour les sujets canadiens-français et dans la langue anglaise pour les sujets américains et canadiens-anglais[31].

(6) La monnaie. La fonction caractéristique a été établie en monnaie américaine pour les quatre premières séries et en monnaie canadienne pour les quatre dernières. Bien que le taux de change de ces deux monnaies ait fluctué légèrement au cours des séries, leur valeur à peu près identique assure la validité de l'aspect comparatif de l'expérience.

## Les résultats de l'expérience

Les résultats de l'expérience sont présentés dans le tableau 2. On y remarque tout d'abord la pertinence générale de l'expérimentation en ce qui a trait aux types d'égalité puisque seulement 36 des 189 règlements (19.0%) sont indéterminés. Notons également que les règlements de type indécisif sont rares (9 sur 189, ou 4.8%).

Dans l'ensemble des séries opposant des sujets américains, une majorité absolue des matches, 60.1%, s'est soldée par une égalité proportionnelle et un pourcentage assez faible, 10.6% par une égalité numérique. Dans aucune série, l'égalité proportionnelle n'atteint un score inférieur à 40% et l'égalité numérique un score supérieur à 21.2%.

Dans l'ensemble des séries opposant des sujets canadiens-français, les résultats sont numériquement égaux dans 70.2% des cas et proportionnellement égaux dans 15.8% des cas. En aucun cas, l'égalité numérique n'atteint un score inférieur à 54.2% et l'égalité proportionnelle un score supérieur à 29.2%.

Dans la seule série opposant des sujets canadiens-anglais, les résultats proportionnellement égalitaires sont trois fois plus nombreux que les résultats numériquement égalitaires.

À première vue, l'ensemble des résultats confirme donc la véracité des hypothèses expérimentales puisque les sujets canadiens-anglais et américains sont généralement plus enclins à former des partages proportionnellement égaux et les

---

30    Voir: Dell Hymes, «Linguistic Aspects of Comparative Political Research», dans Robert T. Holt and John E. Turner, eds., *op. cit.,* p. 295-341.
31    De plus, toutes les communications entre les sujets d'une part et l'expérimentateur de l'autre, y compris les conversations tenues en dehors du plan expérimental, ont été faites dans la langue habituelle des sujets. Enfin, la traduction française des expressions relatives à la théorie des jeux a été soigneusement établie de façon à correspondre le plus fidèlement possible au vocabulaire habituellement employé par les Canadiens français.

TABLEAU 2

## TYPES ÉGALITAIRES DE RÈGLEMENTS PAR SÉRIE
### (EN POURCENTAGE)

| Numéro de la série | Égalité numérique | Égalité proportionnelle | Indécisifs | Indéterminés | Total |
|---|---|---|---|---|---|
| 1 | 21.2 (7) | 45.5 (15) | 9.1 (3) | 24.2 (8) | 100 (33) |
| 2 | 20.0 (4) | 40.0 (8) | 5.0 (1) | 25.0 (7) | 100 (20) |
| 3 | - (0) | 80.0 (32) | 10.0 (4) | 10.0 (4) | 100 (40) |
| 4 | 6.7 (2) | 63.3 (19) | - (0) | 30.0 (9) | 100 (30) |
| Total pour les sujets américains | 10.6 (13) | 60.1 (74) | 6.5 (8) | 22.8 (28) | 100 (123) |
| 5 | 54.2 (13) | 29.2 (7) | - (0) | 16.6 (4) | 100 (24) |
| 6 | 76.9 (20) | 7.7 (2) | - (0) | 15.4 (4) | 100 (26) |
| 7 | 100 (7) | - (0) | - (0) | - (0) | 100 (7) |
| Total pour les sujets canadiens-français | 70.2 (40) | 15.8 (9) | - (0) | 14.0 (8) | 100 (57) |
| 8 Total pour les sujets canadiens-anglais | 22.2 (2) | 66.7 (6) | 11.1 (1) | - (0) | 100 (9) |
| Total pour tous les sujets | 29.1 (55) | 47.1 (89) | 4.8 (9) | 19.0 (36) | 100 (189) |

sujets canadiens-français des partages numériquement égaux. Une conclusion plus certaine ne saurait être acquise avant d'avoir soumis ces résultats à certains tests statistiques.

Le plan général de vérification implique trois groupes distincts de sujets et, partant, trois comparaisons bilatérales entre ces groupes: une entre les Canadiens français et les Américains, une autre entre les Canadiens français et les Canadiens anglais et une dernière entre Canadiens anglais et Américains. Cette dernière comparaison ne peut toutefois faire l'objet d'un test statistique puisque l'hypothèse qui la sous-tend suppose la similitude des règlements auxquels parviennent ces deux groupes et que la structuré logique des tests statistiques ne permet pas la validation des similitudes.

Des tests de $X^2$ ou de Fisher[32] ont donc été effectués entre d'une part chacune des séries canadiennes-françaises et d'autre part chacune des séries canadiennes-anglaises et américaines. Ces tests permettent de conclure, avec un degré de certitude variant entre .95 et .9995, que les sujets canadiens-français ont une nette tendance à parvenir, dans toutes les séries, à des règlements numériquement égalitaires alors que les sujets américains et canadiens-anglais ont été, également dans tous les cas, enclins à produire des règlements proportionnellement égalitaires.

Les tests statistiques n'ont cependant que la signification des catégories et des quantifications auxquelles ils sont appliqués. Aussi, dans le cas présent, serait-il possible de soutenir que la différence significative de distribution entre l'égalité numérique et l'égalité proportionnelle ne repose que sur un artifice de classification. Notre définition expérimentale des règlements numériquement et proportionnellement égaux permettait une déviation de ± 0.25 autour des gains de chaque joueur de la coalition gagnante, déviation qui, dans le cas des coalitions (AB) et (BC), entraînait la constitution d'une zone de résultats dits «indécisifs». Il est évident que si la déviation permise avait été portée à ± 0.50, la zone indécisive comprendrait, dans ces cas aussi bien les règlements numériquement égaux que les règlements proportionnellement égaux, lesquels deviendraient alors indiscernables les uns des autres, et donc impossibles à quantifier séparément. W.H. Riker applique ce raisonnement lorsque, après avoir reconnu qu'un certain nombre de règlements des séries 1, 2 et 3 sont numériquement égalitaires et qu'ils représentent l'alternative principale aux règlements proportionnellement égalitaires, il qualifie les résultats numériquement égalitaires de simples «distorsions du système» qui constituent une partie intégrante de la zone des négociations habituelles autour du règlement propotionnellement égalitaire plutôt que les indices de l'existence d'une norme numériquement égalitaire[33].

Pour décider de la valeur de son interprétation, W.H. Riker propose deux tests. S'il existe une norme numériquement égalitaire distincte, alors selon lui: (i) les règlements numériquement égalitaires dans les coalitions (AB), (AC) et (BC) doivent se produire avec la même fréquence que les coalitions (AB), (AC) et (BC) se produisent en général; (ii) la distribution de fréquence de la différence entre d'une part les gains du plus fort gagnant et d'autre part les gains prescrits par la norme

32    Le test du $X^2$ n'a pas pu être utilisé dans tous les cas à cause de la faiblesse des fréquences théoriques dans certaines cases. Dans ces cas, on a tout d'abord laissé tomber les résultats indécisifs puis, quand cette manipulation corrective ne permettait toujours pas l'application du $X^2$, on a redistribué les résultats indécisifs et laissé tomber les résultats indéterminés. Enfin, le test de Fisher a été appliqué à toutes les fois que les conditions ne permettaient pas l'utilisation de la distribution $X^2$.

33    W.H. Riker, «Experimental Verification...», op. cit., p. 60 et 63, et «Bargaining...», op. cit., p. 650.

proportionnelle, devrait faire état d'un mode au point correspondant à la répartition numériquement égalitaire[34].

Les résultats du premier de ces tests, tels qu'inscrits au tableau 3, démontrent que dans le cas des joueurs américains, les règlements numériquement égalitaires en coalition (AC) accusent une nette sousreprésentation par rapport à la fréquence totale des règlements de cette coalition. Dans le cas des joueurs canadiens-français par contre, la fréquence des règlements numériquement égalitaires correspond à peu près à celle de tous les règlements. Il semble donc que les règlements numériquement égalitaires auxquels sont parvenus les joueurs américains ne sont en fait que des déviations autour de la norme de l'égalité proportionnelle. Il apparaît d'autre part que les règlements numériquement égalitaires produits par les sujets canadiens-français indiquent l'existence d'une norme qualitativement différente chez ces derniers. Il est à noter que cette distinction entre les deux groupes de sujets est d'autant plus significative qu'elle se retrouve dans la coalition (AC), coalition où les règlements correspondant aux deux normes sont les moins sujets à confusion parce que les plus éloignés les uns des autres.

Le second test proposé par Riker doit être appliqué séparément pour les coalitions (AB) et (BC) d'une part et pour les coalitions (AC) d'autre part puisque la déviation numériquement égalitaire se situe à -0.50 par rapport au règlement proportionnellement égalitaire dans (AB) et (BC) et à -1.00 dans (AC). Dans le cas des coalitions (AB) et (BC), comme l'indique le graphique I la distribution pour les joueurs américains est approximativement symétrique autour de la déviation nulle, indiquant par là que ces sujets adhèrent à la norme de l'égalité proportionnelle, les autres règlements n'étant pour eux que des déviations autour de cette norme. Pour les sujets canadiens-français par contre, la distribution, présente deux modes bien distincts, l'un correspondant à la norme de l'égalité proportionnelle et l'autre à celle de l'égalité numérique.

TABLEAU 3

DISTRIBUTION DE FRÉQUENCE, SELON LES COALITIONS, DES RÈGLEMENTS NUMÉRIQUEMENT ÉGALITAIRES (ET DE TOUS LES RÈGLEMENTS) POUR LES SUJETS AMÉRICAINS ET CANADIENS-FRANÇAIS

| Nationalité des sujets | | Coalitions | | |
|---|---|---|---|---|
| | | (AB) | (AC) | (BC) |
| Américains | Règlements numériquement égalitaires | 4 | 1 | 8 |
| | (tous les règlements) | (23) | (32) | (52) |
| Canadiens-français | Règlements numériquement égalitaires | 6 | 8 | 8 |
| | (tous les règlements) | (8) | (9) | (13) |

---

34  *Ibid.*

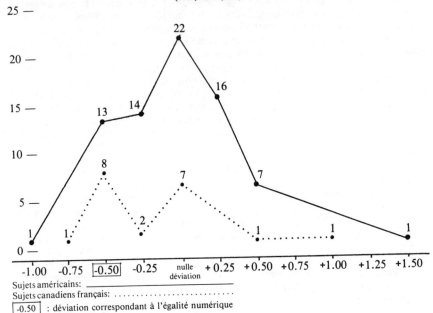

## GRAPHIQUE 1

**DISTRIBUTION DE FRÉQUENCE DES DIFFÉRENCES ENTRE LES GAINS
DU PLUS FORT GAGNANT ET LA NORME PROPORTIONNELLE POUR
LES SUJETS AMÉRICAINS ET CANADIENS-FRANÇAIS EN COALITION
(AB) ET (BC)**

Sujets américains: _____

Sujets canadiens français: ........................

-0.50 : déviation correspondant à l'égalité numérique

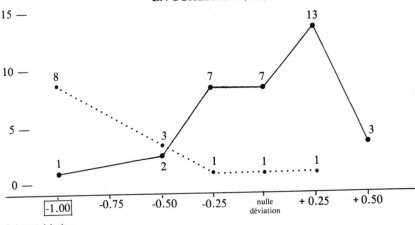

## GRAPHIQUE 2

**DISTRIBUTION DE FRÉQUENCE DES DIFFÉRENCES ENTRE LES GAINS
DU PLUS FORT GAGNANT ET LA NORME PROPORTIONNELLE POUR
LES SUJETS AMÉRICAINS ET CANADIENS-FRANÇAIS
EN COALITION (AC)**

Sujets américains: _____

Sujets canadiens français: ........................

-1.00 : déviation correspondant à l'égalité numérique.

468

Dans le cas de la coalition (AC), le graphique 2 démontre que la distribution pour les joueurs américains est encore unimodale bien que légèrement biaisée du côté des déviations positives, indiquant par là que l'unique résultat au point -1.00 doit être interprété comme faisant partie des déviations autour de la norme de l'égalité proportionnelle. La distribution pour les sujets canadiens-français est également unimodale, mais elle s'établit à -1.00, c'est-à-dire au point correspondant à la norme de l'égalité numérique.

Les deux tests de Riker nous permettent donc de conclure que les règlements numériquement égalitaires ne constituent, pour les sujets américains que de simples déviations autour de l'égalité proportionnelle alors qu'ils indiquent, chez les sujets canadiens-français, l'adhésion à une norme différente de celle-ci.

Les règlements en coalitions tripartites permettent également de bien différencier les normes égalitaires. Ces règlements, classifiés selon notre typologie égalitaire, sont présentés au tableau 4. Les données de ce tableau indiquent, encore plus clairement que ce n'est le cas pour les coalitions bipartites, qu'Américains et Canadiens-français s'en sont chacun tenus à des normes qui leur soient propres.

TABLEAU 4

**RÈGLEMENTS DANS LES COALITIONS TRIPARTITES SELON LA NATIONALITÉ DES SUJETS ET LE TYPE D'ÉGALITARISME**

| Nationalité des sujets | Types d'égalitarisme | | |
| | Égalité numérique | Égalité proportionnelle | Indéterminé |
|---|---|---|---|
| Américains | 0 | 5 | 6 |
| Canadiens français | 18 | 0 | 1 |

Notons enfin qu'à strictement parler, pour qu'une répartition soit considérée comme étant numériquement égalitaire, il faudrait que tous les participants au jeu reçoivent un montant égal. Il appert donc que, dans notre expérience, la seule répartition «vraiment» numériquement égalitaire soit celle où chacun des joueurs A, B et C reçoivent $2.00 et que, dans la mesure où un groupe de joueurs adhèrent à la norme de l'égalité numérique, ils ne sauraient se satisfaire de coalitions bipartites mais tenteraient plutôt de surmonter les nombreux obstacles qui rendent difficile la formation des coalitions tripartites. Or, le compte-rendu des négociations indique que certains sujets canadiens-français de la série 5 ont cherché, sans toutefois la trouver, la procédure technique par laquelle les coalitions tripartites numériquement égalitaires pouvaient être formées. Dans les séries 6 et 7, des joueurs canadiens-français ont découvert cette procédure et l'usage s'en est graduellement répandu chez tous les autres, si bien qu'à la fin de ces séries, le règlement $2.00, $2.00 et $2.00 était devenu le seul partage acceptable pour la très grande majorité des participants. D'ailleurs, le fait que, sur les quarante règlements numériquement égalitaires auxquels sont parvenus les sujets canadiens-français, dix-huit l'aient été dans des coalitions tripartites constitue une preuve quasiment irréfutable que ces sujets, dans l'ensemble, adhéraient vraiment à la norme de l'égalité numérique.

## Conclusion

L'hypothèse générale de l'existence d'une différence fondamentale entre les critères de justice distributive tels qu'ils sont pratiqués par les Canadiens français d'une part, et par les Américains et les Canadiens anglais d'autre part, se trouve expérimentalement confirmée. La nature de cette différence laisse cependant place à bien des interprétations. Dans le cas des sujets américains, W.H. Riker et W. Zavoina ont conclu que leur comportement était parfaitement explicable par les composantes de la théorie des jeux: ils (i.e. les sujets expérimentaux) tentaient, comme toute personne rationnelle doit le faire, de maximiser l'espérance mathématique des dollars et, dans la mesure où l'on suppose que leur préférence variait positivement avec le nombre de dollars, de maxim ser l'espérance mathématique de leurs gains[35]. Puisque les sujets canadiens-français sont parvenus à des règlements qualitativement différents, doit-on conclure qu'ils sont irrationnels? Le faire signifierait que l'ensemble des théories politiques et économiques qui reposent sur le paradigme de la décision rationnelle ne sauraient être appliquées aux Canadiens français, conclusion dont les conséquences sont d'une telle ampleur qu'on ne peut y souscrire qu'après avoir bien examiné les autres interprétations possibles de leur comportement.

Il faut noter en tout premier lieu que la rationalité telle que définie par J. von Neumann et O. Morgenstern en est une de pure procédure puisque toutes les utilités d'un joueur sont censées être incluses dans la fonction caractéristique. On doit donc supposer que, dans notre expérience, toutes les utilités des joueurs sont traduites en sommes monétaires. C'est ce que font W.H. Riker et W. Zavoina, tout en reconnaissant que, dans le cas de quelques sujets marginaux, certaines valeurs, telles le maintien d'une promesse et le plaisir au jeu lui-même, l'emportaient sur la maximisation des dollars[36]. On pourrait donc poser comme hypothèse explicative du comportement des sujets canadiens-français qu'ils recherchent d'autres fins que celle de la maximisation de l'argent, la plus plausible, à la lumière des indications antérieures à l'effet qu'ils considèrent la collectivité comme plus important que ses composantes individuelles, étant la préservation de l'intégrité du groupe au détriment des ambitions individuelles.

L'utilisation de l'argent comme unique convoyeur des utilités des joueurs pose également le problème de la fonction d'utilité de l'argent. Il est possible que les sujets canadiens-français accordent à l'argent une valeur d'utilité qui diffère sensiblement de celle que lui attribuent les sujets canadiens-anglais et américains. On pourrait supposer par exemple — et je pousse l'argument à son extrême — que les premiers, étant généralement moins riches que les seconds, percevraient une somme moyenne d'argent ayant une si grande valeur qu'ils seraient prêts à la partager en deux parts égales plutôt que de prendre le moindre risque de n'en avoir pas du tout.

Nous croyons cependant que les explications les plus intéressantes du comportement numériquement égalitaire proviennent des auteurs qui ont tenté de replacer la théorie des jeux dans un contexte sociologique plus large. Ainsi T.C. Shelling suggère que, dans la mesure où les joueurs sont incapables de communiquer adéquatement entre eux, ils auront tendance à partager également les enjeux selon le principe de la

---

35    W.H. Riker et W. Zavoina, «Rational Behavior...», *op. cit.,* p. 15.
36    *Ibid.*

coordination tacite de l'intérêt commun[37]. W.H. Riker reconnaît que les sujets américains, lorsqu'ils en sont à leurs premiers matches, ont souvent recours à la norme numériquement égalitaire comme point de départ des négociations[38]. Il apparaît en effet normal que de nouveaux joueurs, dont le manque d'expérience n'a pas encore permis qu'ils établissent une compréhension commune du jeu, s'en tiennent par simple mesure de prudence à des normes à propos desquelles la communication s'établit facilement. Une telle explication ne pourrait cependant s'appliquer aux sujets canadiens-français, dont les règlements sont demeurés numériquement égalitaires tout au long des séries.

W.E. Vinacke et A. Arkoff ont proposé comme solution à la théorie des jeux que les règlements soient numériquement égalitaires dans tous les cas où chacun des joueurs possède la même chance que les autres de participer à la coalition gagnante. Selon eux, puisque dans de tels cas la participation de tous les joueurs est également nécessaire à la formation d'une coalition gagnante, et cela, nonobstant les divers enjeux attribués aux coalitions par la fonction caractéristique, il conviendrait de considérer le pouvoir de chaque joueur comme égal à celui de tous les autres et, en conséquence, de répartir les enjeux de façon numériquement égalitaire[39]. En fait, cette approche consiste à ne fonder les calcul des utlités que sur le pouvoir de participer aux coalitions en ignorant l'apport monétaire de chacun à ces coalitions. Dans le contexte de la théorie de J. von Neumann et O. Morgenstern, cela revient à transformer un jeu non strictement compétitif en un jeu strictement compétitif, d'où le règlement numériquement égalitaire. La proposition de W.E. Vinacke et A. Arkoff permettrait donc de réintégrer les résultats auxquels sont parvenus les sujets canadiens-français dans la solution non discriminatoire de J. von Neumann et O. Morgenstern en supposant que ces sujets n'ont aucunement tenu compte, dans leur évaluation du jeu, des inégalités inscrites dans la fonction caractéristique.

La théorie anti-compétitive de W. Gamson peut aussi fournir une explication aux comportements des sujets canadiens-français. Elle suppose que les joueurs cherchent avant tout à maintenir la cohérence du groupe[40]. A. Rapoport croit qu'il est possible de traduire certains aspects de cette théorie en termes de la théorie des jeux. Il émet deux hypothèses à ce sujet. La première veut que dans certaines circonstances, la plus grande coalition, compte tenu des divers intérêts individuels, puisse se former. La seconde prévoit que la répartition finale des enjeux soit plus égalitaire que ne le suggère le pouvoir relatif des joueurs tel qu'inscrit dans la fonction caractéristique[41]. Ces deux hypothèses correspondent parfaitement au comportement des sujets canadiens-français. Elles sont d'autant plus intéressantes pour notre analyse qu'elles reposent sur le postulat du maintien de la cohérence du groupe, critère généralement associé, nous l'avons vu, aux normes distributives des Canadiens français. Soulignons qu'une telle explication serait encore une fois compatible avec la solution de J. von Neumann et O. Morgenstern puisqu'elle introduirait dans les utlités de la fonction caractéristique la valeur que chacun des joueurs accorde à la cohérence du groupe.

---

37      Thomas C. Shelling, *The Strategy of Conflict,* New York, Oxford University Press, 1963, p. 54-58. Voir tout spécialement le problème 8.

38      W.H. Riker, «Bargaining», *op. cit.,* p. 649.

39      W. Edgar Vinacke et Ake Arkoff, «Experimental Study of Coalitions in the Triad», *American Sociological Review,* 22 (1957), p. 406-15.

40      W. Gamson, «Experimental Studies of Coalition Formation» dans *Advances in Experimental Social Psychology,* 1 (1964), p. 81-110.

41      Anatol Rapoport, *op. cit.,* p. 293.

Notre recherche d'une explication du comportement distributif des sujets canadiens-français qui correspond au modèle général de la rationalité tel qu'on le retrouve dans la théorie des jeux aboutit chaque fois à mettre en cause le bien fondé de l'utilisation de la monnaie comme la seule ou même la plus importante mesure de l'utilité. S'il devait se confirmer, dans la poursuite théorique, expérimentale et empirique des présentes recherches que le comportement des sujets canadiens-français demeure, dans la grande majorité des cas, celui que nous avons trouvé dans notre expérience, et que ce comportement s'avère applicable à toutes les catégories socio-économiques du Canada français, cela signifierait que ces derniers adhèrent à des normes distributives très différentes de celles que les politiciens, les économistes et autre planificateurs postulent généralement dans leurs modèles de prise de décision et partant, que les systèmes économiques et politiques en vertu desquels les Canadiens français sont présentement gouvernés ne peuvent que fort inadéquatement répondre à leurs aspirations profondes.

*Lectures recommandées*

G.A. Auclair et W.H. Read, *Attitudes of French and English Canadians Toward Industrial Leadership: comparison of management personnel in large industrial organizations...;* report submitted to the Royal Commission on Bilingualism and Biculturalism, Montréal, 1966, 2 v. and appendix. (Div 5-A, Report no 2).

R. Cook, *Canada and the French-Canadian Question,* Toronto, Macmillan, 1966.

R.N. Kanungo et H.J. Dauderis, «Motivation Orientation of Canadian Anglophone and Francophone Managers», ronéotypé, étude présentée au 18ième Congrès international de psychologie appliquée, Montréal, 1974. (Disponible à la Faculty of Management, McGill University) (Non encore publié).

J.-Y. Morin, *Le fédéralisme canadien et le principe de l'égalité des deux nations;* rapport de recherche soumis à la Commission royale d'enquête sur le bilinguisme et le biculturalisme, 1966, 2 v. Rapport no 12).

W. Morton, *The Equal Partnership between the Two Foundation Races;* report submitted to the Royal Commission on Bilingualism and Biculturalism, 1966.

P.C. Pineo et J. Porter, *English-French Differences in the Evaluation of Occupations, Industries, Ethnicities and Religions in the Montreal Metropolitan Area;* report submitted to the Royal Commission on Bilingualism and Biculturalism, 1966. (Div. 5-A Report no. 9).

P. Sheriff, «Préférences, valeurs et différentiation intraprofessionnelle selon l'origine ethnique», *Revue canadienne de sociologie et d'anthropologie,* 11 (1974), p. 125-137.

# Chapitre 21

# La socialisation politique des jeunes québécois*

Jean-Pierre Richert
Richard Stockton State College
Pomona, N.J.

*Jean-Pierre Richert est professeur de droit et de science politique au Richard Stockton State College, Pomona, N.J. Il s'intéresse à la socialisation politique des enfants.*

*Il fait ici état de certains résultats d'une recherche entreprise auprès de jeunes Québécois en ce qui a trait à leur perception du gouvernement et à leurs héros nationaux. Il s'attache surtout à mesurer la différence entre enfants canadiens-français et canadiens-anglais. Ses données, cueillies au moyen d'un questionnaire, d'essais écrits par les enfants ainsi que d'entrevues, sont analysées à l'aide de techniques statistiques.*

Depuis quelques années, les spécialistes des sciences sociales s'intéressent à la socialisation des enfants. En Europe de l'Ouest, au Japon et aux États-Unis, de nombreuses études ont déjà paru à ce sujet[1]. Au Canada par contre, il existe peu d'études de ce genre[2]. Nous ne savons pas par exemple si les enfants canadiens-français et canadians-anglais ont des perceptions différentes de l'activité gouvernementale. Pour pallier cette lacune, nous avons entrepris en octobre 1970 et mars 1971, une recherche explorative auprès de 960 écoliers du Québec. Notre méthode d'enquête comprenait un questionnaire écrit, un certain nombre d'essais écrits par des enfants ainsi que des interviews personnels.

---

\*    Traduit et adapté de la *Revue canadienne de science politique,* 6 (1973), p. 303-312 et de la *Revue canadienne de sociologie et d'anthropologie,* 11 (1974), p. 156-163.

1    Voir par exemple, *Comparative Political Studies,* 3 (1970), Special Issue on Political Socialization. Voir aussi Fred I. Greenstein and Sydney Tarrow, «Political Orientations of Children: The Use of a Semi-Projective Technique in Three Nations», *Sage Professional Papers in Comparative Politics,* 1 (1970), 477-558 (no de catalogue 01-009); Fred I. Greenstein, *Children and Politics,* New Haven, Conn., Yale University Press, 1965; David Easton *et al., Children in the Political System* New York, McGraw-Hill, 1969; Robert Hess et Judith Torney, *The Development of Political Attitudes in Children,* Chicago, Aldine, 1967.

2    John C. Johnstone, *Le Canada vu par les jeunes de 13 à 20 ans.* Ottawa, Information Canada, 1969; Jon H. Pammett, «The Development of Political Orientations in Canadian School Children», *Revue canadienne de science politique,* 4 (1971), p. 132-141.

## L'échantillon

Pour permettre la comparaison entre divers sous-groupes, nous avons utilisé un échantillon non probabiliste qui visait à égaliser les distributions quant à la résidence, au sexe et au statut socio-économique des deux groupes ethniques.

Trois régions du Québec furent choisies pour l'enquête: Montréal métropolitain, Sherbrooke et Stanstead. En plus de permettre un contrôle quant à la variable urbain-rural, ces trois régions possèdent un double système scolaire, anglophone et francophone. Suite à l'accord donné par les commissions scolaires locales dans chacune de ces régions, onze écoles élémentaires furent choisies pour les fins de l'enquête, dont cinq étaient anglophones et six francophones.

L'appartenance culturelle des enfants fut déterminée à partir de critères subjectifs selon que les enfants se considéraient eux-mêmes comme francophones ou anglophones. Notre échantillon comprenait 50% de garçons et 50% de filles dans les classes de 4ème, 5ème, 6ème et 7ème année. Nous avons éliminé les enfants des classes inférieures parce qu'ils étaient probablement incapables de compléter un questionnaire écrit. Quant à la détermination du statut socio-économique des parents, nous avons également procédé à partir de critères subjectifs. C'est ainsi que l'on demanda aux enfants de nous indiquer l'occupation de leur père. Cette méthode s'est avérée adéquate dans environ 95% des cas. Pour les autres cas, nous avons utilisé les informations fournies par les enseignants ainsi que les dossiers scolaires des écoliers. Les occupations du père furent regroupées en trois catégories, à partir d'une échelle en six points, développée par Robert D. Hess et Judith V. Torney[3]. On trouvera au tableau 1 la distribution de notre échantillon selon l'origine ethnique, la région, le niveau scolaire et le statut économique du père.

## La perception de l'autorité politique

La plupart des enfants canadiens perçoivent le gouvernement exclusivement en termes d'autorité. C'est ainsi que l'on rencontre souvent des références au gouvernement comme étant «celui qui décide», qui «dit aux gens quoi faire». Ainsi, cet extrait d'un essai typique: «Lorsqu'on parle de gouvernement, je pense à des règles. Le gouvernement dit aux gens quoi faire. Ma mère dit que lorsqu'ils reçoivent leur paye au travail, le gouvernement leur prend de l'argent sur leur paye. Le gouvernement dirige aussi le pays et a beaucoup de responsabilités» (Canadien français, 6ème année, garçon).

De plus, l'autorité politique est perçue par les enfants surtout en termes personnels plutôt qu'institutionnels. En d'autres mots, les enfants québécois, comme les enfants américains[4], perçoivent l'autorité comme appartenant à des individus plutôt qu'à des structures ou à des institutions. À la question: À quoi le mot 'gouvernement' vous fait-il penser?», les enfants ont répondu selon les cinq catégories énumérées au tableau 2. La première catégorie, celle des «personnes», comprend toutes les références à des individus ou des groupes qu'ils soient ou non spécifiquement identifiés. Par exemple, cette catégorie comprend les références telles: «le gouvernement, c'est un homme», «le gouvernement, c'est un groupe de gens», «le gouvernement, c'est Trudeau». La seconde catégorie, celle des «institutions», inclut les références au Parlement, aux cours, aux partis politiques et au système judiciaire.

---

3   *The Development of Basic Attitudes and Values Toward Government and Citizenship During the Elementary School Years,* Chicago, University of Chicago, 1965, p. 32-33.

4   Voir F.I. Greenstein, *op. cit.,* chap. 3; D. Easton et J. Dennis, *op. cit.,* chapitres 6-14.

TABLEAU I

## DISTRIBUTION DES RÉPONDANTS SELON L'ORIGINE ETHNIQUE, LA RÉGION, LE NIVEAU SCOLAIRE ET LE STATUT SOCIO-ÉCONOMIQUE DU PÈRE. (EN POURCENTAGES)

| Caractéristiques | Canadiens français n = 575 | Canadiens anglais n = 385 |
|---|---|---|
| *région* | | |
| Montréal | 43.2 | 49.3 |
| Sherbrooke | 42.0 | 35.1 |
| Stanstead | 14.8 | 15.6 |
| *Niveau scolaire* | | |
| 4ème année | 25.3 | 36.1 |
| 5ème année | 23.0 | 26.0 |
| 6ème année | 27.5 | 27.8 |
| 7ème année | 24.2 | 10.1 |
| *Statut socio-économique* | | |
| faible | 43.0 | 23.4 |
| moyen | 49.8 | 59.5 |
| élevé | 7.2 | 17.1 |

Source: sondage décrit dans le texte.

Un certain nombre d'enfants se réfèrent aussi à ce que Gabriel A. Almond[5] appelle le processus de conversion, c'est-à-dire les mécanismes par lesquels les *input* sont transformés en *output* dans un système politique. Ces références furent placées dans la catégorie des «processus». On y trouve les énoncés tels: «le gouvernement aide les gens» et «le gouvernement écoute les gens». La quatrième catégorie, celle des «normes», comprend des mentions telles «la liberté», «la démocratie» et «le pouvoir». Finalement, quelques enfants voient le gouvernement en termes de symboles comme le drapeau ou l'hymne national.

Les données présentées au tableau 2 confirment tout d'abord qu'une majorité des enfants ont une conception personnelle plutôt qu'institutionnelle du gouvernement. De plus, il s'y révèle une différence importante entre les deux groupes ethniques quant aux catégories «personne» et «normes». Un plus grand nombre d'enfants canadiens-français (59%) se réfèrent au gouvernement en termes de personnes que ne le font les enfants canadiens-anglais (51.6%). Les enfants anglophones cependant sont plus susceptibles que les enfants canadiens-français de voir le gouvernement en termes de normes (8.9% contre 4.2%). Enfin, 3.2% des Canadiens anglais se sont référés à des symboles politiques alors que 0.7% des Canadiens français l'ont fait.

---

5    Gabriel A. Almond et G. Bingham Powell, Jr., *Comparative Politics,* Boston, Little, Brown, 1966, p. 11-12.

TABLEAU 2

## LES RÉFÉRENCES DANS LA DÉFINITION GÉNÉRALE
## DU GOUVERNEMENT
### (en pourcentages)

| Termes de référence | Canadiens français<br>n = 458 | Canadiens anglais<br>n = 316 |
|---|---|---|
| Des personnes | 59.0 | 51.6 |
| Des institutions | 10.4 | 11.7 |
| Des processus | 5.3 | 5.1 |
| Des normes | 4.2 | 8.9 |
| Des symboles | 0.7 | 3.2 |
| Autres références | 9.9 | 8.2 |
| Ne sait pas | 10.5 | 11.3 |
| TOTAL | 100.0 | 100.0 |

Source: sondage décrit dans le texte.

Lorsqu'on tient compte de l'âge des enfants, il apparaît que la perception des deux groupes ethniques évolue de façon différente. Les enfants canadien-anglais plus âgés perçoivent l'autorité politique comme appartenant davantage aux institutions politiques qu'aux individus, alors que l'on note peu de changement dans les attitudes des enfants canadien-français à mesure qu'ils vieillissent. Cette différence est particulièrement marquée en classe de 7ème année où seulement 41% des Canadiens anglais, contre 57.8% des Canadiens français, perçoivent le gouvernement en termes d'individus.

TABLEAU 3

## LA PERCEPTION INDIVIDUALISTE OU COLLECTIVISTE
## DU GOUVERNEMENT
### (en pourcentages)

| Les gouvernement est... | Canadiens français<br>n = 276 | Canadiens anglais<br>n = 168 |
|---|---|---|
| ... une personne | 73.9 | 56 |
| ... un groupe de personnes | 26.1 | 44 |
| TOTAL | 100.0 | 100 |

Source: sondage décrit dans le texte.

Poursuivant l'analyse plus loin, nous avons distingué entre les enfants qui perçoivent l'autorité politique comme investie dans une seule personne et ceux qui la voient investie dans un groupe de personnes. Ces données sont présentées au tableau 3. On remarque, dans le cas des enfants qui font preuve d'une conception personnalisée de l'autorité, une proportion beaucoup plus grande de francophones (73.9%) que d'anglophones (56%) qui croient que l'autorité politique est l'attribut d'*une* seule personne. À l'inverse, un plus grand nombre d'enfants canadiens-anglais (44%) perçoivent l'autorité politique en termes d'un *groupe* de personnes que ce n'est le cas chez les Canadiens français (26.1%). Ces données nous indiquent de plus que, parmi les deux groupes, les enfants plus âgés sont plus susceptibles que les plus jeunes de percevoir l'autorité comme quelque chose qui est partagé plutôt que comme l'attribut d'une seule personne. Ici encore, la différence entre les deux groupes ethniques persiste. Par exemple en 7ème année, 49.8% des anglophones et 37.8% des francophones croient que l'autorité gouvernementale est partagée par un groupe de personnes. En quatrième année, les pourcentages sont de 27.2% pour les anglophones et 17.3% pour les francophones.

## La fonction du gouvernement

Selon D. Easton et J. Dennis[6], le développement des images de l'autorité politique influence la perception qu'ont les enfants des fonctions du gouvernement. Ainsi, les enfants étendent au gouvernement des rôles qu'ils attribuent à leur père, notamment celui de soutien de famille. Les enfants perçoivent «les autorités politiques comme des sources possibles de support vers lesquels une personne peut se tourner à peu près de la même façon qu'un enfant espère pouvoir se tourner vers ses parents pour recevoir leur appui». Selon cette vision, le gouvernement devient une sorte de remplacement parental pour l'enfant. Il est donc permis de supposer que plus un enfant aura une conception personnelle de l'autorité, plus il aura tendance à percevoir le gouvernement en termes de support. C'est ce que nous avons voulu vérifier de façon empirique.

Nous avons classé en trois catégories les réponses à la question: «Qu'est-ce que le gouvernement fait?» Dans la première catégorie, nous avons inclus toutes les références au gouvernement en tant qu'agent de décision. La deuxième catégorie comprend toutes les mentions du gouvernement en tant qu'intitution dispensatrice de biens et services qui «aide les gens», «aide les veuves et les orphelins», «donne des emplois», etc. Une troisième catégorie comprenait toutes les autres références.

Le tableau 4 confirme qu'une plus grande proportion des enfants canadiens-anglais perçoivent le gouvernement comme un centre de prise de décisions. Les enfants francophones par contre, le perçoivent davantage comme une agence de distribution. Bien que la différence entre les deux groupes soit statistiquement significative, elle demeure assez faible. De plus, notre échantillon n'étant pas probabiliste, il faudrait pour confirmer cette hypothèse, poursuivre des recherches supplémentaires. Tout de même, il est possible d'affirmer que les enfants anglophones semblent, à première vue, percevoir le gouvernement surtout en termes d'*input* tandis que les enfants francophones semblent insister davantage sur la fonction *output* du gouvernement.

Cette constatation est encore plus marquée au tableau 5 où sont présentées les mentions de trois activités gouvernementales spécifiques. On y verra par exemple que deux fois plus d'enfants canadiens-français (5.6% contre 2.3%) ont répondu que la principale fonction du gouvernement était de faire parvenir les chèques de bien-être

---

6    D. Easton et J. Dennis, *op. cit.*, p. 96.

TABLEAU 4

ÉVALUATION DES FONCTIONS GOUVERNEMENTALES
(en pourcentages)

| Le gouvernement... | Canadiens français<br>n = 422 | Canadiens anglais<br>n = 293 |
|---|---|---|
| ... dirige | 41.8 | 49.1 |
| ... dispense des biens<br>et des services | 45.1 | 37.9 |
| autre fonction | 13.1 | 13.0 |
| TOTAL | 100.0 | 100.0 |

Source: sondage décrit dans le texte.

TABLEAU 5

LES MENTIONS DE TROIS ACTIVITÉS GOUVERNEMENTALES
SPÉCIFIQUES
(en pourcentages)

| Le gouvernement... | Canadiens français<br>n = 453 | Canadiens anglais<br>n = 322 |
|---|---|---|
| ... résout des problèmes | 1.4* | 8.7* |
| ... expédie les chèques<br>de bien-être social | 5.6 | 2.3 |
| ... procure des emplois | 9.5 | 5.6 |

\* Les catégories ici présentées n'étant pas exhaustives, les pourcentages cumulatifs sont inférieurs à 100%.

Source: sondage décrit dans le texte.

social. De plus, si l'on tient compte de l'âge des enfants, il appert que la maturation renforce ces perceptions différenciées. Ainsi, plus ils sont âgés, plus les enfants canadiens-anglais ont tendance à se référer au gouvernement comme centre de décision tandis que les enfants canadiens-français plus âgés ont, sur cette question, la même perception que les plus jeunes. C'est ainsi qu'en 7ème année, 61.1% des Canadiens-anglais perçoivent le gouvernement comme un centre de prise de décisions alors qu'il ne s'en trouve que 40% chez les enfants canadiens-français qui font de même.

Les interviews et les essais confirment ces résultats. Un enfant canadien-anglais écrit: «Le gouvernement du Canada est, la plupart du temps, en session à

Ottawa. Il s'assure que les choses vont bien, que l'industrie fonctionne» (6ème année). La description d'un enfant canadien-français est très différente: «Le gouvernement répare les routes pour les gens qui doivent voyager pour aller au travail. Il s'assure que les routes sont déneigées afin que les gens puissent aller travailler. Le gouvernement donne des chèques de vieillesse et des chèques de bien-être social aux gens qui en ont besoin. Le gouvernement aide les gens à se trouver des emplois et d'autres choses aussi» (5ème année).

## La performance du gouvernement

Plusieurs recherches américaines[7] ont montré que les enfants conçoivent souvent l'autorité politique en termes idéalistes. Nos données nous révèlent cependant, qu'il n'en est pas ainsi chez les enfants canadiens. Premièrement, il appert que la très grande majorité des deux groupes croient que les gouvernements font des erreurs (tableau 6). Deuxièmement, les enfants québécois ont une vision assez critique du gouvernement. Greenstein rapporte qu'aux États-Unis, seulement un ou deux enfants sur un total de 659 ont fait des remarques désobligeantes à l'égard des hommes politiques américains[8]. Au Québec, 71 enfants sur 960 ont spontanément fait des remarques telles: «le gouvernement nous vole», «le gouvernement vit dans le luxe», «ils ne font rien pour les gens», «ils sont paresseux». Quelques extraits des essais illustrent la perception non idéaliste qu'ont les enfants québécois du gouvernement: «Je ne connais pas grand chose sur nos gouvernement, mais je sais qu'ils font plusieurs erreurs tout comme nous» (Canadien anglais, 7ème année); «Quant à moi, la seule chose que font les gouvernements c'est de voler les gens et de construire des routes. Mon père hait le gouvernement. Si je disais ce que mon père pense du gouvernement, on me renverrait de l'école. Aujourd'hui les taxes sont tellement hautes que vous devez être millionnaire pour pouvoir vous payer une maison» (Canadien anglais, 5ème année). Il semble que les impôts et les taxes soient une source majeure de mécontentement parmi les enfants. Voici un autre exemple, cette fois d'un

TABLEAU 6

### ÉVALUATION DE L'INCOMPÉTENCE GOUVERNEMENTALE
**(en pourcentages)**

|  | Canadian français n = 497 | Canadiens anglais n = 356 |
|---|---|---|
| Le gouvernement canadien fait des erreurs | 88.2 | 93.9 |
| Le gouvernement québécois fait des erreurs | 87.2 | 94.7 |

Source: sondage décrit dans le texte.

7    Par exemple, F.I. Greenstein, *op. cit.*, p. 31-37; D. Easton et J. Dennis, *op. cit.*, p. 356-358. Pour une critique de ces interprétations, on consultera Dean Jaros, Herbert Hirsch, Frederic Fleron, Jr, «The Malevolent Leader: Political Socialization in an American Sub-Culture», *American Political Science Review*, 62 (1968), p. 564-75.

8    F.I. Greenstein, *op. cit.*, p. 31-37. C'était avant les événements de Watergate.

élève canadien-français: «Trudeau a mis les taxes très hautes sur tout, de sorte que les gens ne possèdent plus rien lorsqu'ils ont payé leurs taxes» (6ème année). Dans l'ensemble, 9.5% des Canadiens français et 5.6% des Canadiens anglais ont fait référence aux taxes et aux impôts quant on leur demandait ce que le gouvernement fait.

Les différences entre les deux groupes ethniques continuent d'exister lorsque l'on tient compte du sexe et du lieu de résidence des répondants. Cependant, comme il faillait s'y attendre, le statut socio-économique du père a un impact certain sur les perceptions des enfants. Pour chaque groupe culturel, les enfants dont le père est de statut socio-économique inférieur sont plus suceptibles (45.9% pour les Canadiens français et 41.3% pour les Canadiens anglais) que les enfants de statut socio-économique élevé (40% et 36.4%) de considérer le gouvernement comme une agence de distribution, c'est-à-dire comme une structure qui «aide les gens». Mais ici encore, l'appartenance culturelle a un impact plus prononcé sur les perceptions que n'en a le statut socio-économique.

## La socialisation politique au Québec

Les deux principaux résultats de cette recherche sont sans contredit les suivants: premièrement, les enfants québécois font preuve d'une conception non idéaliste des gouvernements qui contraste considérablement avec les données américaines sur le même sujet; deuxièmement, nos résultats indiquent que les enfants anglophones et francophones du Québec diffèrent dans leur attitude face au gouvernement, les premiers ayant, en général, une vue moins personnalisée du gouvernement que les seconds, différence culturelle que la maturation semble accentuer. De plus, les jeunes Canadiens français sont plus susceptibles de percevoir le gouvernement en termes autoritaires tandis que les jeunes Canadiens anglais le voient davantage comme un administrateur. Les deux groupes diffèrent aussi dans leur conception des fonctions gouvernementales, les enfants canadiens-français étant plus enclins à concevoir le gouvernement comme une agence de distribution, tandis que les enfants canadiens-anglais y voient un centre de prise de décisions.

Ces résultats nous amènent à nous interroger sur la validité des énoncés qui attribuent aux enfants une vision idéaliste du gouvernement de même que sur les raisons pour lesquelles les enfants canadiens-anglais et canadiens-français diffèrent dans leur perception du gouvernement.

## L'idéalisation de l'autorité politique

On suggère ordinairement deux explications au prétendu idéalisme des enfants. La première, qui est propre aux États-Unis, veut que la famille agisse comme une enveloppe protectrice qui empêche toute information négative d'atteindre les enfants. Puisque nos données révèlent clairement que les enfants québécois sont capables d'être très critiques à l'égard des gouvernements, on peut supposer que la famille québécoise est moins «protectrice» que la famille américaine.

La deuxième hypothèse concernant cette idéalisation des gouvernements par les enfants veut que ces derniers projettent les qualités de leurs parents, en particulier celles associées à leur père, sur les hommes politiques. Puisque les enfants québécois ne semblent pas idéaliser les gouvernements, le maintien de la validité de cette explication impliquerait qu'ils accordent à leurs parents des qualités moins idéalistes que ne le font les enfants américains, hypothèse qui n'est guère satisfaisante. Il est bien plus probable que la vision idéaliste du gouvernement que Greenstein a découverte soit surtout attribuable au fait que ses données ont été cueillies durant la fin des années '50 et au début des années '60, période d'un calme politique relatif aux États-Unis. Si des sondages similaires étaient entrepris aujourd'hui aux États-Unis, on pourrait s'attendre à des résultats fort différents.

## La personnalisation de l'autorité politique

Le fait que de nombreux enfants, spécialement les plus jeunes, voient l'autorité d'une manière personnalisée semble confirmer une hypothèse suggérée par Harold D. Lasswell[9] il y a plusieurs années. L'environnement doit se concevoir, selon lui, comme composé de deux cercles: le premier comprendrait son environnement familial immédiat, et le second, tout ce qui n'était pas compris dans le premier, en particulier le système social en général. Pour Lasswell, les perceptions de l'autorité dans le deuxième cercle développées par l'enfant sont modelées par ses conceptions de l'autorité dans le premier cercle. Greenstein partage ce point de vue puisque, pour lui, le président des États-Unis est perçu inconsciemment par les enfants comme «une analogie des parents et des autres autorités de l'environnement immédiat»[10]. Comme Hess et Torney l'ont fait remarquer, la famille constitue le principal intermédiaire entre le système politique et l'enfant. C'est donc à travers celle-ci que l'enfant est socialisé et devient conscient de l'autorité politique[11]. Cette analyse semble confirmée par ce passage écrit par un élève de 5ème année: «Il y a plusieurs sortes de gouvernements, comme le gouvernement local, le gouvernement provincial. Le gouvernement local est un groupe de gens. Dans votre maison, vos parents sont le gouvernement» (Canadien anglais). Greenstein ajoute de plus que l'autorité est tout d'abord perçue en termes «d'images du père», et cite plusieurs études d'adultes qui perçoivent le Président dans ces termes. Roberta Siegel a montré que les enfants perçoivent le Président en des termes très semblables à ceux suggérés par Greenstein. Ainsi, une majorité d'entre eux ont ressenti la mort du Président Kennedy un peu comme «la perte de quelqu'un de très près et de très aimé»[12].

Nos données confirment qu'au Québec l'autorité politique est perçue par les deux groupes comme un attribut masculin plutôt que féminin, tous les enfants ayant opiné que le gouvernement est «un homme», «un groupe de vieillard», un «groupe d'hommes» ou quelque chose de similaire. Les seules exceptions à cette règle sont les quelques francophones (1.5%) et anglophones (2.4%) qui ont référé à la Reine d'Angleterre comme chef du gouvernement. Le fait que l'autorité politique soit perçue par les enfants comme un attribut masculin ne doit pas nous surprendre puisque l'autorité politique officielle au Canada, comme dans la plupart des pays occidentaux, est entre les mains des hommes. Le sexisme politique commence lui aussi à l'école...

### L'impact de l'appartenance culturelle

Nous avons déjà mentionné le fait que les enfants canadiens-français sont plus susceptibles que les enfants canadiens-anglais de percevoir l'autorité comme personnalisée, et indivisible, l'âge ne changeant rien à cette tendance. À preuve, cet essai: «Le gouvernement est un homme qui commande tous les autres gens. Il décide ce qui est bon et ce qui est méchant» (Canadien français). Les enfants anglophones par contre ont plus tendance à voir l'autorité politique comme étant investie dans un groupe d'hommes et, à mesure qu'ils vieillissent, dans une structure formelle comme le Parlement ou le Cabinet. Conséquemment, ils perçoivent l'autorité politique

9    H. Lasswell, *Power and Personality,* New York, Norton, 1948, p. 156 et suivantes.
10   F.I. Greenstein, *op. cit.,* p. 46.
11   D. Hess et J. Torney, *op. cit.,* p. 48.
12   R. Sigel, *Learning about Politics,* New York, Randam House, 1970, p. 188.

comme quelque chose qui est partagée. Comme l'écrit l'un d'entre eux: «Si les hommes dans le gouvernement ne s'entendent pas sur quelque chose, ils ont une rencontre et ils en discutent».

Les enfants canadiens-français réfèrent fréquemment aux caractéristiques autoritaires du gouvernement. Des propos tels: «c'est lui qui décide tout», «il vous dit quoi faire», «il commande», ne sont pas rares. Dans l'ensemble, 12% des enfants canadiens-français se sont référés au gouvernement en termes autoritaires contre seulement 5.9% des enfants canadiens-anglais. Ces derniers perçoivent le gouvernement surtout en termes d'administrateur qui doit résoudre des problèmes. Il est intéressant de noter que les perceptions des enfants canadiens-français ressemblent étroitement à celles des enfants français. F. Greenstein, dans une étude sur la socialisation politique des enfants en France, en Grande-Bretagne et aux États-Unis, a conclu que les enfants français perçoivent l'autorité politique en termes de commandement[13]. C'est ainsi que le Président de la République «commande» à tout le monde et «ordonne» aux gens. Les enfants américains d'autre part, décrivent le Président des États-Unis comme «chief executive» ou «leader of the people», conception de l'autorité qui ressemble davantage à celle des enfants canadiens-anglais.

La personnalisation des perceptions enfantines de l'autorité politique peut être expliquée par la théorie qui veut que la conception de l'autorité soit transférée de la famille aux autres structures sociales. Le fait que l'on rencontre une conception personnalisée davantage parmi les écoliers francophones s'explique peut-être à son tour par l'impact d'une tradition politique différente en milieu francophone, tradition que l'on a souvent qualifiée d'autoritaire[14]. Dans cette optique, les conceptions différentes des enfants ne feraient que refléter des styles différents d'autorité qui caractérisent les cultures politiques francophones et anglophones.

Bien qu'on ne saurait nier l'ampleur des transformations politiques sociales et économiques survenues au Québec depuis cinquante ans, les modèles d'autorité au Canada français sont demeurés, selon plusieurs auteurs, autoritaires ou tout au moins paternalistes. Ainsi, alors que Dumont et Rocher[15] décrivent la montée de nouvelles élites, Falardeau[16] et Guindon[17] suggèrent que les anciennes élites, en particulier le clergé, ont en fait maintenu leur position de commandement au Québec. Ainsi, bien que la famille quasi patriarcale ait presque complètement disparu dans le Québec contemporain, le père n'en continuerait pas moins d'occuper une position très importante dans certaines familles canadiennes-françaises en ce qui a trait à la prise de décision[18]. Le rôle du clergé aurait lui aussi changé, mais ce changement concernerait plutôt les apparences extérieures des relations entre le clergé et la population plutôt que l'autorité. En d'autres termes, les prêtres occupent toujours des positions de

13    Fred I. Greenstein, «French, British and American Children's Images of Government and Politics», communication présentée à la réunion de la Northeastern Political Science Association, 13-14 novembre 1970, Philadelphie.

14    A. Maheux, «French-Canadians and Democracy» dans D. Grant, ed., *Quebec Today,* Toronto, University of Toronto Press, 1960, p. 341-351.

15    F. Dumont et G. Rocher, «Introduction à une sociologie du Canada français», Montréal, Hurtubise-HMH, 1971, p. 189 et suivantes.

16    Jean-C. Falardeau, «The Changing Social Structures of Contemporary French-Canadian Society», dans *Essais sur le Québec contemporain,* Québec, Presses de l'Université Laval, 1953, p. 137 et suivantes.

17    Hubert Guindon, «The Social Evolution of Québec Reconsidered», dans Marcel Rioux et Yves Martin, *French-Canadian Society,* p. 137-161.

18    A ce sujet voir M.A. Tremblay «Modèle d'autorité dans la famille canadienne-française», dans F. Dumont et J.-P. Montminy, *Le pouvoir dans la société canadienne-française,* Québec, Presses de l'Université Laval, 1960, p. 215-231.

direction, mais ils le font maintenant sous le couvert de nouveaux rôles: dans des groupes de jeunes ou dans des structures gouvernementales (Notamment celles du ministère de l'Éducation)[19].

Selon cette explication, le style canadien-français d'exercice de l'autorité présuppose un processus de prise de décision qui n'est pas partagé mais plutôt concentré dans les mains de quelques individus, lesquels entretiennent des relations structurales hiérarchiques avec les autres membres de la société. Ce modèle, qui s'applique tout d'abord à la famille, et est par la suite renforcé dans les autres situations sociales telles l'école, l'église et le monde du travail, se retrouverait finalement aussi dans la sphère politique. Ainsi serait expliquée la perception autoritaire que se font les enfants canadiens-français de la politique.

Inversement, on peut dire, en accord avec A. Maheux, que le style anglophone d'exercice d'autorité est plus démocratique en partie parce que le développement de cette communauté n'a pas été affecté par des structures autoritaires telles l'Ancien Régime, l'Église catholique et le Code Civil qui, toutes, eurent un impact important sur la société canadienne-française.

## Les héros et symboles historiques

Poussant plus loin l'analyse, nous avons cherché à vérifier empiriquement une hypothèse mise de l'avant par la Commission royale d'enquête sur le bilinguisme et le biculturalisme, selon laquelle il existerait deux traditions historiques mutuellement exclusives au Canada: l'une anglophone et l'autre francophone. Cette hypothèse est fondée sur une étude des livres d'histoire canadienne faite par M. Trudel et G. Jain qui arrivent à deux conclusions importantes. La première est que ces livres insistent sur des périodes différentes de l'histoire canadienne, selon qu'ils sont écrits en anglais ou en français. Les livres francophones insistent davantage sur le passé, tandis que les livres anglophones se concentrent surtout sur les événements les plus récents. La deuxième conclusion veut que de mêmes événements historiques aient souvent des significations différentes pour les deux groupes linguistiques. Afin de vérifier ces énoncés, nous avons demandé aux enfants de nous dire quel personnage de l'histoire du Canada ils admiraient le plus.

On trouvera au tableau 7 les caractéristiques des héros historiques des enfants canadiens-français et canadiens-anglais. Comme on peut le constater, une majorité à peu près identique des enfants des deux groupes ethniques ont choisi des héros de nationalité canadienne, comme on pouvait s'y attendre. Plus surprenant cependant est le fait que les élèves francophones aient choisi presque exclusivement des héros canadiens-français, tandis que les élèves anglophones départagent les leurs à peu près également entre les deux origines ethniques. Il faut cependant ajouter que plusieurs des héros canadiens-français choisis par les élèves canadiens-anglais étaient des personnalités telles Pierre Trudeau (3.9%) et Pierre Laporte (4.8%) qui peuvent être considérées comme ac, le premier parce qu'il est le premier ministre du Canada, le second parce qu'il pouvait être considéré à l'époque du sondage comme un «marthyr» du fédéralisme canadien.

---

19    Sur le rôle de l'Eglise, on pourra consulter R.P. Harvey, *et al.*, *L'Eglise et le Québec*, Montréal, Jour, 1961; Commission d'étude sur les laïcs et l'Eglise, *L'Eglise du Québec: un héritage, un projet*, Montréal, 1971; R. Arès, *L'Eglise et les projets d'avenir du peuple canadien-français*, Montréal, Bellarmin, 1974; C. Moreux, *La fin d'une religion?*, Montréal, Presses de l'Université de Montréal, 1969.

TABLEAU 7

## CARACTÉRISTIQUES DES HÉROS HISTORIQUES SELON
## LES DEUX GROUPES ETHNIQUES
(en pourcentages)

| Caractéristiques | Canadiens français | Canadiens anglais |
|---|---|---|
| *Nationalité* | | |
| Canadiens | 60.6 | 63.3 |
| étrangers | 11.9 | 11.0 |
| Christophe Colomb | 14.9 | 11.6 |
| autre | 8.9 | 9.6 |
| ne sait pas | 3.7 | 4.5 |
| TOTAL | (n = 473) 100.0 | (n = 335) 100.0 |
| *Héros canadiens* | | |
| Canadiens français | 98.1 | 49.5 |
| Canadiens anglais | 1.9 | 50.5 |
| TOTAL | (n = 267) 100.0 | (n = 190) 100.0 |
| *Période historique* | | |
| Avant 1760 | 80.5 | 49.5 |
| Après 1760 | 19.5 | 50.5 |
| TOTAL | (n = 267) 100.0 | (n = 190) 100.0 |

Source: sondage décrit dans le texte.

Encore une fois, il appert que l'âge renforce les perceptions ethnocentriques des symboles historiques. Tandis que les enfants francophones modifient peu leur perception avec l'âge, les enfants anglophones se réfèrent davantage à des héros de leur propre groupe culturel à mesure qu'ils vieillissent, puisqu'il s'en trouve 41.2% en 4ème année et 68.3% en 7ème année à faire de même. Ce résultat à lui seul est quelque peu surprenant car l'on aurait pu, en effet, s'attendre à ce que l'ethnocentrisme diminue avec l'âge, selon le processus de décentralisation décrit par Piaget et Weill[20].

L'identification spécifique des héros choisis par les enfants permet de mesurer le degré de la divergence historique qui sépare les deux groupes ethniques. Le tableau 8 révèle en effet que seulement 4 personnages, soit Cartier, Champlain, Colomb et Trudeau, furent conjointemant choisis par les enfants des deux groupes parmi leurs dix personnages historiques favoris. L'importance donnée à Cartier et à Champlain par les enfants canadiens-anglais indique peut-être une ouverture plus grande de la culture politique canadienne-anglaise sur ce point mais, dans l'ensemble, il se trouve confirmé que les deux versions de l'histoire, l'une anglophone et l'autre francophone, sont souvent mutuellement exclusives. Deux hommes en particulier ont joué un rôle important dans la découverte du Québec: Jacques Cartier et Jean Cabot. Cartier, un Français au service du Roi de France, découvrit le Saint-Laurent en 1534.

---

20    Jean Piaget et Anne-Marie Weill, «The Development in Children of the Idea of Homeland and Relations with Other Countries», *International Social Science Bulletin*, 3, (1951), p. 562.

TABLEAU 8

## LES DIX PERSONNAGES HISTORIQUES FAVORIS DE CHAQUE GROUPE ETHNIQUE
(en pourcentages)

| | Canadiens français<br>n = 334 | Canadiens anglais<br>n = 201 |
|---|---|---|
| Bourassa R. | 2.3 | ----- |
| Cabot | ----- | 5.7 |
| Cartier | 31.9 | 6.0 |
| Champlain | 7.6 | 10.4 |
| Colomb | 14.8 | 11.6 |
| De Gaulle | 1.3 | ----- |
| Hudson | ----- | 3.3 |
| Iberville | 1.5 | ----- |
| Laporte | 3.2 | ----- |
| Maisonneuve | 1.7 | ----- |
| MacDonald | ----- | 6.0 |
| Mackenzie W. | ----- | 3.3 |
| Napoléon | 4.2 | ----- |
| Radisson | ----- | 4.8 |
| Trudeau | 2.1 | 3.9 |
| Wolfe | ----- | 5.1 |
| TOTAL | 70.6* | 60.1* |

Source: sondage décrit dans le texte.

Jean Cabot, un Gênois au service de Henry VII d'Angleterre, prit possession de Terre-Neuve, du Labrador et du Cap-Breton en 1497. Il existe donc une contreverse historique quant aux véritables découvreurs du Canada. Comme il fallait s'y attendre, 31.9% des élèves canadiens-français se réfèrent à Cartier, alors que seulement 6.0% des canadiens-anglais le font. Pour ce qui est de Cabot, les proportions sont inversées, 0% contre 5.7%.

Le cas de Radisson peut aussi servir d'exemple, Pierre Radisson aida John Kirke à établir la «Company of Adventurers of England Trading into Hudson's Bay». Cette compagnie fut combattue par Talon, administrateur français de la Nouvelle-France. Ici encore, les réponses des enfants sont très différentes, 16 élèves canadiens-anglais se référant à Radisson tandis qu'un seul enfant canadien-français fait de même.

Enfin, les données confirment aussi que les enfants québécois s'identifient avec des périodes historiques différentes selon qu'ils sont anglophones ou francophones. Ainsi, 80.5% des francophones choisissent leurs héro héros avant 1760, tandis que la proportion n'est que de 49.5% pour les enfants anglophones. Ces quelques chiffres nous permettent de conclure que la divergence entre la culture politique des Canadiens français et celle des Canadiens anglais se manifeste dès le plus tendre âge et que la perception historique en est une composante importante.

*Lectures recommandées*

P. Garigue, *La vie familiale des Canadiens français,* Montréal, Presses de l'Université de Montréal, 1962.

P.J. Lamy, «Political Socialization of French and English Canadian Youths», dans R.M. Pike et E. Zureik, eds., *Socialization and Values in Canadian Society,* Toronto, McClelland and Stewart, 1975, vol. 1, p. 263-281.

J.-P. Richert, «English and French-Canadian Children's Perception of the October Crisis», *Journal of Social Psychology,* 89 (1973), p. 3-13.

M. Rioux et R. Sévigny, *Les nouveaux citoyens,* Montréal, Société Radio-Canada, 1965.

W.P. Reilly, «Political Attitudes among Law Students in Quebec», *Revue canadienne de science politique,* 4, (1971), p. 122-131.

# Chapitre 22

# Les fondements culturels et socio-économiques du nationalisme québécois*

William P. Irvine
Queen's University

*William P. Irvine est professeur à Queen's University. Il s'intéresse aux diverses manifestations nationalistes des groupes ethniques en Amérique du Nord et en Europe de l'Ouest.*

*Il tente ici de déterminer si le nationalisme québécois des dernières années constitue une réalité qualitativement différente du nationalisme canadien-français traditionnel. Cette différenciation qualitative, il l'opérationnalise à l'aide de modèles mathématiques dont la forme est additive pour le nationalisme traditionnel et multiplicative pour le nouveau nationalisme. Il applique ces modèles à des données d'un sondage antérieurement recueillies par d'autres chercheurs. Son analyse a recours à des techniques statistiques telles les indices et les coefficients de corrélation.*

L'objectif de cette étude est de tenter de déterminer si le nationalisme québécois peut être considéré comme un phénomène politique traditionnel ou si, au contraire, il fait partie de ce qu'il est convenu d'appeler la «nouvelle politique». Les deux conceptions apparaissent à première vue aussi plausibles l'une que l'autre. De nombreux analystes ont en effet suggéré que le nationalisme était en fait une norme permanente de la culture canadienne-française, un but poursuivi par tous et chacun depuis la conquête[1]. Une autre conception voit cependant dans le nationalisme un mouvement social qui réapparaît de façon épisodique lorsque les circonstances sociales particulières en favorisent l'éclosion parmi certains groupes sociaux déterminés[2].

---

\*    Traduit et adapté de *la Revue canadienne de science politique*, 5, (1972), p. 503-520.

1    C'est le cas de M. Wade, *Les Canadiens français,* Montréal, Cercle du Livre de France, 1964, et de P. Garigue, *L'option politique du Canada français,* Montréal, Lévrier, 1963.

2    Voir A. Normandeau, «Une théorie économique de la révolution au Québec», *Cité Libre,* v. 15, no 66 (avril 1964), p. 9-13; F. Ouellet, «Les Fondements historiques de l'option séparatiste dans le Québec», *Canadian Historical Review,* 43 (1962), p. 185-203; et Albert Breton, «The Economics of Nationalism», *Journal of Political Economy,* 72 (1964), p. 35-52.

Comment choisir entre ces deux explications? Une façon d'y arriver serait d'effectuer un sondage parmi la population afin de déterminer si oui ou non le nationalisme est aussi répandu qu'on le dit et constitue de fait un exemple de politique «traditionnelle». Mais ce test est loin d'être satisfaisant puisqu'un mouvement social peut devenir si populaire qu'il finit par regrouper la majorité des opinions dans une société donnée. Comment peut-on alors le distinguer d'un comportement politique traditionnel?

W. Burnham et J. Sprague[3] ont proposé une façon originale de résoudre ce problème. Ces deux auteurs se sont intéressés aux assises populaires du Parti démocrate et du parti de G. Wallace lors des élections présidentielles américaines de 1968. Leur agument repose sur les notions élémentaires de la théorie des ensembles. Ils suggèrent en effet que le Parti démocrate s'appuie avant tout sur des coalitions d'individus provenant de niveaux socio-économiques différents, tandis que les supporteurs de Wallace se recrutent surtout à partir de combinaisons spécifiques de statuts sociaux. Considérons par exemple trois caractéristiques sociales: résider dans une agglomération urbaine, appartenir à la classe ouvrière et avoir des parents nés à l'étranger. Les positions politiques des démocrates, selon Burnham et Sprague, sont telles qu'elles s'accordent bien avec chacune de ces trois caractéristiques. En conséquence, un électeur sera prédisposé à appuyer ce parti s'il est *soit* urbain, *soit* membre de la classe ouvrière, *soit* fils d'immigrant. La force d'attraction du parti pour chaque individu correspond donc à la *somme* des caractéristiques possédées par cet individu.

Supposons cependant que les démocrates s'identifient très étroitement avec une politique d'intégration raciale accélérée. Quels effets ce nouvel élément programmation aurait-il sur la coalition de leurs électeurs? Cela ne devrait changer en rien leur appui parmis les voteurs urbains qui appartiennent, pour la plupart, à la classe moyenne supérieure puisque les Noirs ne constituent aucune menace pour eux. Cela ne devrait pas non plus affecter les enfants d'immigrants ou les membres de la classe ouvrière qui vivent en dehors des centres urbains importants où la population noire est concentrée. Par contre, une telle politique affecterait surtout ceux qui se situent à l'*intersection* des trois caractéristiques, soit les enfants d'immigrants appartenant à la classe moyenne et vivant dans les grands centres urbains. C'est donc parmi ce groupe qu'un leader contestataire comme George Wallce devrait pouvoir recruter ses appuis. Sur la base de ce raisonnement, Burnham et Sprague ont construit deux modèles, l'un additif et l'autre multiplicatif, et ont pu démontrer de façon empirique que le modèle multiplicatif prédit mieux le vote des partis radicaux, tandis que le modèle additif est plus approprié à la clientèle des partis dominants[4].

Cette approche multiplicative a été utilisée par N. Smelser[5] dans son étude sur les mouvements sociaux et par J.D. Barber[6] dans ses analyses du recrutement politique. Smelser a identifié six conditions nécessaires à la montée de certains phénomènes collectifs. On peut représenter son modèle théorique sous la forme symbolique suivante:

(1)  $Y = k . X_1 . X_2 . X_3 . X_4 . X_5 . X_6.$

---

3    Walter Dean Burnham and John Sprague, «Additive and Multiplicative Models of the Voting Universe: The Case of Pennsylvania, 1960-1968, *American Political Science Review*, 64 (1970), p. 484-490.

4    Cette proposition a aussi été vérifiée dans le cas du Chili par G.A.D. Soares et R. Hamblin, «Socio-economic Variables and Voting for the Radical Left: Chile, 1952», *American Political Science Review*, 61 (1967), p. 1053-65.

5    Neil J. Smelser, *Theory of Collective Behavior*, New York, Free Press, 1963, p. 13.

6    James David Barber, *The Lawmakers*, New Haven, Conn., Yale University Press, 1965, p. 10-15.

Maurice Pinard[7] a aussi utilisé un tel modèle, avec toutefois des variables différentes, dans son analyse de la montée des Créditistes.

Pour expliquer la décision de certains individus de se présenter aux élections, Barber utilise quant à lui le modèle suivant:
(2)   $Y = k. M. O. R.$
où R représente les ressources dont dispose l'individu, M, les motivations et O, les occasions opportunes qui s'offrent à lui.

Comment peut-on appliquer ces deux types de modèles au problème qui nous préoccupe? Faisons d'abord l'hypothèse suivante: il faut moins d'engagement politique pour pratiquer une activité perçue comme étant «normale» que pour s'engager dans un mouvement social qui véhicule des prises de positions perçues comme étant radicales. Nous pouvons supposer que, si une activité politique conventionnelle est très répandue, par exemple celle d'aller voter, aucune condition n'est nécessaire pour s'y engager bien que plusieurs conditions peuvent être considérées comme autant de prédispositions. Si un individu possède un grand nombre de ces prédispositions, la probabilité qu'il s'engage dans cette activité politique de type normal sera d'autant plus grande. Un modèle de type additif pourrait donc expliquer un tel comportement. À l'inverse, les activités politiques de type radical requièrent une constellation de conditions nécessaires. Chacune d'entre elles doit être présente pour que l'individu ait une probabilité suffisamment élevée de s'y engager. Dans un tel cas, le modèle multiplicatif serait plus approprié. Nous tenterons de vérifier ces deux modèles dans le cas du nationalisme québécois. Symboliquement, les équations pour chacun de ces modèles peuvent être écrites de la façon suivante;
(3)   Nationalisme radical (Nr) $= k. M.O.R.$
(4)   Nationalisme conventionnel (Nc) $= a. M.O.R.$ où k et a sont des constantes et M, O et R symbolisent respectivement la motivation personnelle, les occasions sociales d'apprentissage («social opportunities») et les ressources psychologiques.

L'inclusion du concept de motivation dans ces modèles est relativement facile à justifier puisque l'engagement dans une activité radicale suppose l'existence de raisons valables pour dévier du comportement et des attitudes jugées normales dans une société. Ainsi, dans la mesure où le nationalisme est considéré comme conventionnel chez les Québécois, seules les personnes ayant des liens de famille ou d'amitié avec les Canadiens anglais ou celles qui sont heureuses d'occuper un emploi dans les échelons supérieurs (et par conséquent, anglophones) de la hiérarchie industrielle sont susceptibles de le rejeter. Nous avons donc utilisé plusieurs indicateurs de motivation nationaliste sans cependant tenter d'évaluer leur importance respective.

Nous avons inclus dans nos modèles les occasions sociales d'apprentissage en nous référant à l'argumentation très convaincante de M. Pinard[8], selon laquelle la probabilité qu'un individu adopte un comportement donné, qu'il soit ou non conventionnel, s'accroît avec la fréquence des occasions qui sont données à cet individu d'apprendre ce comportement, surtout quand ce comportement implique l'adoption d'une idéologie.

Enfin, les ressources psychologiques sont incluses dans nos équations afin de tenir compte de la capacité des individus d'agir selon leurs intérêts.

---

7   Maurice Pinard, *The Rise of a Third Party,* Englewood Cliffs, N.J., Prentice-Hall, 1971, p. 245-247.

8   M. Pinard, *op. cit.,* p. 186-189.

## Les variables

Pour opérationnaliser nos modèles, nous avons eu recours à plusieurs indices construits à partir d'un sondage effectué en 1965 auprès d'un échantillon représentatif de la population québécoise et par le Groupe de recherches sociales pour le compte de la Commission royale d'enquête sur le bilinguisme et le biculturalisme. Nous indiquons ici les principes généraux qui nous ont guidés dans la construction de ces indices, le lecteur étant invité à se référer à l'appendice pour plus de détails.

La variable dépendante, soit l'indice de l'intensité du nationalisme (NATI), a été établie à partir des réponses à onze questions portant sur l'opinion des répondants face à l'indépendance du Québec, sur leurs perceptions de l'étendue des pouvoirs du gouvernement fédéral et des avantages politiques et économiques dont bénéficient les Canadiens anglais au Canada.

Pour mesurer les occasions sociales d'apprentissage des symboles de la protestation nationaliste, nous avons utilisé un certain nombre de variables habituellement fortement reliées à l'activisme social et politique: le niveau d'éducation, le lieu de résidence et l'occupation. Nous avons aussi construit un indice d'intégration sociale (SOCINT) qui permet de mesurer le degré d'insertion de l'individu dans des organisations sociales, son degré d'information politique et son degré d'activisme politique.

En ce qui concerne la motivation, deux groupes de variables furent utilisées. Le premier, qui avait trait aux relations interculturelles des répondants, comprenait la fréquence de leurs relations avec les Canadiens anglais ainsi qu'un indice d'affection pour ces derniers (RELINT). Le second, relatif à l'insatisfaction des répondants, est constitué d'un indice d'insatisfaction économique (INECO) et un indice d'insatisfaction sociale (INSOC).

Enfin, trois indices composent la mesure des ressources psychologiques: l'aliénation politique (ALIEN), l'amour-propre (AMPRO) et la légitimité collective (LEGICOL).

## L'analyse

Lorsqu'un modèle multiplicatif comme l'équation (3) est exprimé sous forme de logarithmes tel qu'en:

(5)  $\log(n) = \log K + b_1 \log M + b_2 \log O + b_3 \log R$,

il devient alors possible d'en estimer les paramètres à l'aide de la régression des moindres carrés. Dans ce cas, les «b» indiquent la contribution relative de chacune des variables indépendantes à l'explication de la variable dépendante.

La première étape de notre analyse a consisté à inclure dans une équation générale le logarithme des douze variables, soit la variable dépendante (NATI), les variables d'occasion d'apprentissage (EDUC, URB1, URB2, OCCU et SOCINT), les variables de motivation (RELAT, RELINT, INECO et INSOC) et les variables de ressources psychologiques (ALIEN, AMPRO et LEGICOL), en utilisant la régression multiple étagée («step-wise regression»). Cette équation générale, dont la forme est de

(6)  $\log Y = \log K + b_1 \log X_1 + b_2 \log X_2 + \ldots + b_n \log X_n$, a donc pu contenir jusqu'à onze variables, selon les combinaisons utilisées. Nous n'avons retenu que les «b» dont la signification statistique était égale ou inférieure à .05. Ainsi, il était possible que les «b» retenus ne soient pas nécessairement également partagés entre chacun des groupes de variables. En fait, il était plausible de supposer que plusieurs des variables d'un même groupe seraient en situation d'interaction les unes avec les autres, ce qui les éliminerait probablement de l'équation finale. Par exemple, on pouvait s'attendre à

une forte relation entre les variables «relations interculturelles» et «insatisfaction économique» et à la disparition de l'une ou l'autre dans notre équation finale. Un des buts de notre entreprise de vérification était donc d'identifier les facteurs qui seraient éliminés de la sorte. Quand au modèle additif, il se vérifie de façon identique au modèle multiplicatif sans toutefois avoir recours aux logarithmes.

L'analyse fut effectuée sur un échantillon comprenant tous les répondants québécois qui déclarèrent que la langue la plus souvent utilisée à la maison était soit le français, soit le français accompagné d'une langue autre que l'anglais. Cette façon de procéder élimina tous les Canadiens français déjà assimilés à la culture anglophone, ainsi que ceux vivant hors du Québec. Une telle démarche eut certainement pour effet de réduire le nombre de répondants dont le nationalisme aurait été très faible, mais elle permit le contrôle de variables susceptibles de rendre l'analyse confuse.

De plus, cet échantillon fut divisé en quatre sous-échantillons selon l'âge (20-39 ans, 40 ans et plus) et l'occupation (cols blancs et cols bleus). La division en deux groupes d'âge avait pour but de distinguer entre les personnes nées avant et après 1925, date qui marque le début d'une socialisation politique possible, que Léon Dion appelle un climat de nationalisation de croissance[9]. Quant à la division selon l'occupation, sa pertinence à été démontrée par Hubert Guindon[10].

On trouvera au tableau 1 la moyenne des scores de chacun de ces sous-groupes pour les onze variables indépendantes. Les jeunes cols blancs sont en général les moins aliénés, les moins insatisfaits sur le plan économique, les plus urbains, les mieux éduqués et les plus imbus de légitimité collective. Paradoxalement, c'est aussi ce groupe qui possède le plus faible taux d'amour-propre. Par ailleurs, les jeunes cols bleus présentent, sous plusieurs aspects, une image inversée des jeunes cols blancs en ce qu'ils sont les plus aliénés, les moins intégrés au plan social, les plus démunis de statut social et du sens de la légitimité collective. Ils ont aussi un très faible taux d'amour-propre. Ces caractéristiques permettent d'ores et déjà de faire l'hypothèse que le nationalisme aura beaucoup de difficulté à s'implanter chez les membres de ce deuxième groupe dont les caractéristiques en font un groupe difficile à mobiliser. Par contre, la quantité des ressources psychologiques et des occasions d'apprentissage social que l'on observe chez les membres du premier groupe nous porte à croire que le nationalisme devrait s'y répandre facilement pour peu que la culture des Canadiens français le contienne déjà en germe. Ainsi, le nationalisme devrait se répandre selon le modèle additif chez les jeunes cols blancs et selon le modèle multiplicatif chez les jeunes cols bleus.

Pour ce qui est de la génération plus âgée, le sous-groupe des cols blancs possède le score le plus bas sur l'indice d'insatisfaction économique. Par contre, c'est le groupe qui entretient les relations les plus fréquentes avec les Canadiens anglais et qui fait preuve du plus haut taux d'affection pour ces derniers, ainsi que du plus haut taux d'intégration sociale. Rien de surprenant donc à ce que ce sous-groupe de notre échantillon soit souvent caractérisé par les Québécois radicaux comme le groupe des «vendus». On doit par conséquent s'attendre à ce que le nationalisme ne soit pas monnaie courante pour ce groupe et donc qu'il s'y exprime selon le modèle multiplicatif.

---

9    L. Dion, *La prochaine révolution,* Montréal, Leméac, 1974, p. 60-74.

10    H. Guindon, «Social Unrest, Social Class and Québec's Bureaucratic Revolution», *Queen's Quarterly,* 71 (1964), p. 150-62; et «Two Cultures: an Essay in Nationalism, Class and Ethnic Tension», dans R.H. Leach, ed., *Contemporary Canada,* Durham, N.C., Duke University Press, 1967, p. 33-59.

TABLEAU I

## LES SCORES MOYENS DES VARIABLES INDÉPENDANTES
### SELON LES SOUS-GROUPES

| Variables | Échantillon total | 20-39 | | 40+ | |
|---|---|---|---|---|---|
| | | cols blancs | cols bleus | cols blancs | cols bleus |
| ALIEN | 2.07 | 1.81 | 2.09 | 1.88 | 2.01 |
| LEGICOL | 7.76 | 8.13 | 7.56 | 8.07 | 7.60 |
| AMPRO | 4.40 | 4.22 | 4.24 | 4.48 | 4.43 |
| INECO | 5.77 | 4.91 | 5.59 | 5.57 | 6.30 |
| INSOC | 2.52 | 2.44 | 2.57 | 2.39 | 2.53 |
| RELAT | 1.69 | 1.94 | 1.63 | 1.97 | 1.60 |
| RELINT | 4.09 | 4.23 | 4.13 | 4.24 | 4.05 |
| URBI* | 3.07 | 3.41 | 3.13 | 3.11 | 2.91 |
| URB2 | 3.03 | 3.59 | 3.05 | 3.29 | 2.71 |
| EDUC | 4.13 | 6.26 | 4.00 | 5.08 | 2.99 |
| SOCINT | 3.62 | 4.08 | 3.36 | 4.39 | 3.50 |
| n** | 1057 | 144 | 281 | 150 | 332 |

* Plus le score est élevé, plus le degré d'urbanisation est élevé.
* Certains n'ayant pas indiqué leur âge ou leur profession, la somme des quatre sous-groupes n'atteint pas 1 057.

Source: sondage décrit dans le texte.

Quant au groupe des cols bleus âgés, il est assez difficile de prédire quel modèle de nationalisme devrait le mieux s'y appliquer. Il semblerait qu'ils pourraient peut-être suivre la même orientation que le groupe des jeunes cols bleus avec lequel ils ont beaucoup d'affinités, en ce qui a trait à la dimension urbaine-rurale. Cette dimension peut, par ailleurs, s'avérer très importante puisqu'elle indique que le groupe des cols bleus âgés possède encore des liens très étroits avec la culture politique traditionnelle du Québec rural, laquelle est caractérisée par un haut degré d'antipathie, fondée sur une différenciation religieuse, envers les Canadiens anglais. Si tel était le cas, on pourrait s'attendre à un modèle additif. Si par contre, ce raisonnement est inexact, c'est le modèle multiplicatif qui conviendrait le mieux.

En résumé, nous nous attendons à ce que des équations correspondant à des modèles additifs expliquent le nationalisme dans les groupes des jeunes cols blancs et des cols bleus âgés bien que leur nationalisme puisse être différent par ailleurs, dû à la différence d'âge. Nous faisons aussi la prédiction que les jeunes cols bleus et les cols blancs âgés seront peu enclins au nationalisme. Dans leurs cas, les équations prédictives de nationalisme devraient donc emprunter la forme multiplicative.

Comme on le constate au tableau 2, nos hypothèses concernant la forme des équations sont confirmées. Pour l'ensemble de l'échantillon, le modèle additif est légèrement préférable au modèle multiplicatif, tant à ce qui a trait au pouvoir d'explication qu'à la quantité des variables retenues. Cependant, la différence, à ce niveau, entre les modèles additif et multiplicatif est si faible qu'il est impossible de généraliser sur la nature globale du nationalisme au Québec. Il apparaît aussi clairement, à la lecture du tableau 2, que ce résultat global relativement ambigu cache des processus très différents lorsqu'il est tenu compte de chacun des sous-groupes. Tel que prévu, les combinaisons additives de variables sont celles qui expliquent le mieux le nationalisme des jeunes cols blancs et des cols bleus âgés, bien que la différence en termes de pouvoir d'explication entre les deux modèles ne soit que de l'ordre de 3 % à 3.5 %. Par contre, les résultats confirment très nettement la supériorité du modèle multiplicatif dans le cas des cols blancs âgés et des jeunes cols bleus.

TABLEAU 2

**PROPORTION DE LA VARIANCE DU NATIONALISME EXPLIQUÉE PAR LES MODELES ADDITIF ET MULTIPLICATIF SELON LES SOUS-GROUPES**

|  | Additif | | Multiplicatif | |
|  | N* | r$^1$ | N* | r$^2$ |
| --- | --- | --- | --- | --- |
| Échantillon total | 9 | 28.4 | 10 | 26.6 |
| Jeunes cols blancs | 6 | 29.2 | 6 | 26.0 |
| Jeunes cols bleus | 4 | 20.9 | 4 | 27.2 |
| Cols blancs âgés | 2 | 8.3 | 7 | 20.6 |
| Cols bleus âgés | 7 | 34.1 | 5 | 30.6 |

\* Nombre de variables retenues.
Source: sondage décrit dans le texte.

Examinons maintenant, à la lumière du tableau 3, l'apport explicatif des diverses variables dans la formation du nationalisme des quatres sous-groupes de notre échantillon. Le modèle additif, avons-nous dit, explique mieux que le modèle multiplicatif le comportement des jeunes cols blancs et des cols bleus âgés. Comment faut-il interpréter cet énoncé? La forme additive implique que l'effet de chacune des variables indépendantes est cumulatif sans constituer pour autant une condition de l'effet des autres variables. Par contre, la forme multiplicative signifie que l'impact de chacune des variables impliquées est non seulement cumulatif, mais aussi nécessaire à l'impact des autres variables. Ainsi, chez les jeunes cols blancs, le degré d'aliénation politique (ALIEN) *ou* le degré d'affection pour les Canadiens anglais (RELINT) auront un effet négatif *indépendant* (de -.25 et -.17 respectivement) sur leur nationalisme, tandis que leur caractère urbain (URBI) *ou* leur intégration sociale (INECO) *ou* leur sentiment de ligitimité collective (LEGICOL) auront un effet positif *indépendant* (de .14, .16, .12 et .28 respectivement) sur ce nationalisme. Par ailleurs, chez les jeunes cols blancs, pour lesquels nous avons préféré un modèle multiplicatif, le sentiment de légitimité collective (LEGICOL) ne contribuera positivement (par .18) au développement du nationalisme que dans la mesure où il est *accompagné* de faibles degrés d'aliénation (ALIEN=-.46), d'amour-propre (AMPRO =-.12) et d'appréciation des Canadiens anglais (RELINT = -.10). En l'absence d'une de ces conditions, et particulièrement de la première, le sentiment de légitimité collective est peu susceptible d'engendrer la nationalisme. De la même façon, on peut interpréter le nationalisme des cols bleus ou des cols blancs âgés en ayant recours, dans l'ordre, à l'addition ou à la multiplication de certaines variables.

TABLEAU 3

## COEFFICIENTS BETA DES VARIABLES PRÉDICTIVES DU NATIONALISME SELON LES SOUS-GROUPES ET LES TYPES DE MODÈLE

| | population totale | | 20-39 cols blancs | | 20-39 cols bleus | | 40 + cols blancs | | 40 + cols bleus | |
| Variable | A* | M* | A | M | A | M | A | M | A | M |
|---|---|---|---|---|---|---|---|---|---|---|
| ALIEN | -.34 | -.38 | -.25 | -.28 | -.37 | -.46 | -.17 | -.15 | -.40 | -.43 |
| LEGICOL | .25 | .17 | .28 | .21 | .19 | .18 | .23 | | .27 | .16 |
| AMPRO | -.06 | -.06 | | | | .12 | | -.10 | | |
| INECO | .11 | .08 | .12 | .13 | | | | .17 | .08 | |
| INSOC | -.06 | -.05 | | | | | | -.13 | | |
| RELAT | .07 | .09 | | | | .09 | | | .13 | .15 |
| RELINT | -.14 | -.11 | -.17 | -.10 | -.12 | -.10 | | -.16 | -.18 | -.13 |
| URB2 | | -.07 | | | | | | -.18 | | |
| URB1 | | | .14 | .13 | | | | | | |
| EDUC | | | | | | | | .16 | | |
| SOCINT | .13 | .11 | .16 | .20 | | | | .27 | .17 | .11 |
| OCCU | .04 | .05 | | | | | | | | |

\* A = additifs; M = multiplicatif.
Source: sondage décrit dans le texte.

Trois des résultats présentés au tableau 3 sont assez inattendus: l'effet négatif de l'amour-propre chez les cols bleus (-.12 et -.10), l'effet négatif de l'insatisfaction sociale (-.13) et de la résidence urbaine (-.18) chez les cols blancs âgés. Le premier de ces résultats ne surprend que dans la mesure où l'on accepte la théorie de Franz Fanon [11] selon laquelle le sentiment d'amour-propre est une condition nécessaire à l'activisme nationaliste. Harold D. Lasswell [12] offre cependant une explication différente de la relation entre l'amour-propre et le nationalisme. Il suggère en effet que l'activité s'inscrit souvent dans une réaction de compensation pour un amour-propre blessé, ce qui semblerait être le cas ici.

La relation négative entre la résidence urbaine et le nationalisme semble indiquer un haut degré de sensibilité des citoyens habitant les régions rurales, au pouvoir économique des Canadiens anglais. Nous verrons plus loin comment ce facteur peut constituer un indice important de la différence entre le nationalisme traditionnel et le nouveau nationalisme. Quant à la relation négative entre l'insatisfaction sociale et le nationalisme, nous la croyons attribuable à un épiphénomène purement statistique, soit au fait que la moyenne de cette variable (dont la variance est aussi très faible) se situe, dans tous les sous-groupes, du côté de la satisfaction de telle sorte que l'insatisfaction ne puisse, de fait, entrer en ligne de compte dans l'explication du nationalisme.

---

11    F. Fanon, *Les damnés de la terre,* Paris, Maspero, 1964.
12    H. Lasswell, *Power and Personality,* New York, Viking, 1962, p. 20-94.

Un autre résultat peut sembler surprenant: il s'agit de la faiblesse prédictive de l'insatisfaction économique. Il appert que cet état de chose soit redevable au fait que les répondants les plus éduqués, les plus socialement intégrés et les plus urbains soient aussi les plus nationalistes et les plus satisfaits de leur situation économique. Cet apport de la satisfaction économique au nationalisme constitue aussi un indicateur de la présence d'un nouveau type de nationalisme au Québec.

Sauf pour les cols blancs âgés, les déterminants les plus importants du nationalisme sont d'ordre psychologique. On note en particulier le fort impact négatif de l'aliénation politique chez les cols bleus. Ce groupe étant d'une façon générale le plus aliéné, il n'est pas surprenant de constater que le nationalisme n'y soit pas très développé.

Enfin, le tableau 3 révèle la faible importance des occasions d'apprentissage parmi les cols bleus. On se souviendra que, selon le tableau 1, ceux-ci provenaient en général d'un milieu rural, faiblement scolarisé et peu enclin à la participation sociale. De telles caractéristiques peuvent s'avérer si contraignantes que les occasions d'apprentissage, quelles qu'elles soient, ne puissent pas suffire à motiver les individus à s'engager dans une activité nationaliste. Pour ce groupe, les variables psychologiques apparaissent beaucoup plus importantes. Les cols blancs, par contre, vivent dans un environnement psychologique et matériel beaucoup moins contraignant. Le nationalisme serait donc le produit de composantes bien spécifiques de ce milieu: le caractère urbain dans le cas des jeunes; le niveau d'éducation élevé chez ceux qui habitent hors de Montréal dans le cas des plus âgés.

À partir de ces descriptions, on peut suggérer un certain nombre d'hypothèses:

(1) Les ressources psychologiques et les occasions sociales d'apprentissage jouent un rôle différent dans le cas des cols blancs et des cols bleus:

(2) Dans le cas des cols bleus, les conditions de vie sont généralement si difficiles que les ressources sociales varient relativement peu en comparaison des ressources psychologiques; en conséquence, les cols bleus doivent surtout faire appel à ces dernières pour s'engager dans une action politique de protestation nationaliste;

(3) Dans le cas des cols blancs, ce sont surtout les ressources sociales qui comptent dans l'engagement nationaliste, lequel est en conséquence attribuable à l'appartenance à divers sous-groupes sociaux.

L'examen des écarts-types des variables psychologiques et sociales pour chacun de nos quatre sous-groupes permet de mettre ces hypothèses à l'épreuve. On remarquera, à la lecture du tableau 4, qu'en général les hypothèses sont confirmées, mais de façon relativement ambiguë. C'est ainsi que tous les écarts-types des variables psychologiques s'accroissent lorsque l'on passe des cols blancs aux cols bleus, tandis que ceux des deux variables d'apprentissage, soit l'éducation et l'intégration sociale, subissent une baisse. D'autre part, l'écart-type de la variable «résidence» s'accroît légèrement lorsque l'on passe des cols blancs aux cols bleus, ce qui est contraire à nos attentes. Dans l'ensemble, cependant, les variations d'écarts-types sont compatibles avec nos hypothèses. Les comparaisons effectuées à l'intérieur des catégories sont cependant moins encourageantes. Ainsi, il n'est pas vrai que, parmi les cols blancs, les variables d'apprentissage sont plus stables que celles des ressources psychologiques, non plus que l'inverse soit vrai parmi les cols bleus. Par contre, si l'on s'en tient aux moyennes d'écarts-types pour les deux ensembles de variables, les résultats confirment les hypothèses (2) et (3).

## TABLEAU 4

### ÉCARTS-TYPES DES VARIABLES « RESSOURCES PSYCHOLOGIQUES » ET « OCCASIONS D'APPRENTISSAGE » SELON LES SOUS-GROUPES

| Variable | 20-39 | | 40+ | |
|---|---|---|---|---|
| | cols blancs | cols bleus | cols blancs | cols bleus |
| ALIEN | 1.53 | 1.71 | 1.59 | 1.71 |
| LEGICOL | 2.31 | 2.36 | 2.25 | 2.30 |
| AMPRO | 1.47 | 1.62 | 1.49 | 1.62 |
| MOYENNE | 1.77 | 1.90 | 1.78 | 1.88 |
| URB2 | 1.02 | 1.17 | 1.18 | 1.22 |
| EDUC | 3.32 | 2.31 | 3.26 | 2.04 |
| SOCINT | 1.80 | 1.52 | 1.75 | 1.64 |
| MOYENNE | 1.93 | 1.67 | 1.97 | 1.67 |

Source: sondage décrit dans le texte.

Enfin, nous croyons que nos données permettent la formulation d'un énoncé selon lequel il existe deux sortes de nationalisme québécois. Notre indice de nationalisme comprenait, comme nous l'avons déjà vu, certaines questions qui avaient trait au pouvoir économique et politique relatif des Canadiens français et des Canadiens anglais de même que des questions portant sur les diverses options constitutionnelles. À partir de ces mêmes questions, nous avons créé deux sous-indices : l'un d'appui au séparatisme, l'autre d'appui à tout changement constitutionnel qui favorise le Québec, y compris le séparatisme. Les coefficients de corrélation entre les sous-indices et l'indice du nationalisme, tels que présentés au tableau 5, indiquent jusqu'à quel point les premiers sont représentatifs du second. Ainsi, il appert que l'appui aux changements constitutionnels est important chez tous les sous-groupes de répondants, en

## TABLEAU 5

### CORRÉLATIONS ENTRE LE DEGRÉ DE NATIONALISME ET LES POSITIONS CONSTITUTIONNELLES

| | 20-39 | | 40+ | |
|---|---|---|---|---|
| | cols blancs | cols bleus | cols blancs | cols bleus |
| Appui à toute réforme constitutionnelle | .48 | .44 | .38 | .38 |
| Appui au séparatisme | .45 | .34 | .22 | .25 |

Source: sondage décrit dans le texte.

particulier chez les jeunes. Ce qui est plus frappant encore, c'est que le nationalisme en général est beaucoup plus étroitement relié au séparatisme chez les jeunes cols blancs que chez les autres sous-groupes. Le nouveau nationalisme des jeunes cols blancs est donc plus radical sur le plan politique que le nationalisme traditionnel des autres sous-groupes.

## Conclusion

Cet article avait pour objectif de démontrer l'existence parallèle de deux types de nationalisme au Québec. Sur ce point, nous croyons avoir atteint notre but. Deux sous-groupes émergent dont les objectifs nationalistes sont carrément différents: les jeunes cols blancs ont plutôt tendance à appuyer l'indépendance du Québec, alors que les cols blancs âgés sont plutôt enclins à souhaiter des changements constitutionnels plus modestes.

Par ailleurs, il convient de faire deux remarques générales sur la méthode utilisée. Premièrement, les modèles additif et multiplicatif amènent des conséquences intéressantes en ce qui a trait aux interventions susceptibles d'affecter le développement du nationalisme. Ainsi, tant sur le plan conceptuel que sur le plan mathématique, toute norme culturelle ne saurait dépendre d'un facteur unique. Par conséquent, une diminution de l'insatisfaction économique ou des conflits culturels sont peu susceptibles, en tant que tels, de faire cesser le nationalisme des jeunes puisque c'est leur plus grande intégration sociale et leur plus grand sentiment d'efficacité politique qui les rend aptes à attribuer à des causes systématiques la situation présente des Canadiens français au Canada.

Par ailleurs, au plan conceptuel et au plan mathématique, les mouvements radicaux sont beaucoup plus fragiles. Dans la mesure où ils dépendent de la rencontre conjointe de plusieurs facteurs, ils peuvent en effet être facilement affaiblis par l'élimination d'un seul de ces facteurs. Par exemple, le nationalisme des cols blancs âgés dépend conjointement de l'insatisfaction économique et des conflits interculturels. Une baisse dans l'intensité de l'un *ou* l'autre de ces facteurs entraînerait probablement une baisse dans l'intensité du nationalisme de ce sous-groupe. Bien qu'il soit aussi de forme multiplicative, le nationalisme des jeunes cols bleus serait sans doute moins affecté par une intervention politique puisqu'il repose essentiellement sur des facteurs psychologiques.

Deuxièmement, nous voudrions souligner que notre méthodologie devrait permettre d'identifier le cheminement des mouvements radicaux. Le modèle multiplicatif, puisqu'il suppose la jonction simultanée d'un grand nombre de facteurs, implique que ces mouvements apparaissent et disparaissent très rapidement. Il arrive parfois cependant que certains d'entre eux parviennent à durer en se transformant pour répondre à un ensemble beaucoup moins homogène d'intérêts sociaux. En principe, quand cela se produit, le modèle multiplicatif devrait progressivement être remplacé par le modèle additif.

*Appendice: La construction des variables*

I   Variables pures

| | |
|---|---|
| AGE | : âge du répondant |
| URB1 | : caractère urbain ou rural du premier lieu de résidence |
| URB2 | : caractère urbain ou rural du lieu actuel de résidence |
| OCCU | : occupation du répondant |
| EDUC | : niveau d'éducation du répondant |
| RELAT | : fréquence des relations avec des Canadiens anglais |

II   Variables composées (indices)

*Indice du nationalisme   $0 \leqslant NATI \leqslant 22$*

| Question | Réponse | Score |
|---|---|---|
| -Les Canadiens anglais ont trop d'influence au Canada | accord | + 2 |
| | accord (atténué) | + 1 |
| | autres réponses | 0 |
| -Le groupe qui a les meilleures chances d'emploi | anglophones | + 2 |
| | anglophones (atténué) | + 1 |
| | autres réponses | 0 |
| -Le groupe qui a le plus d'influence au gouvernement fédéral | " | " |
| -Le groupe le mieux traité par les fonctionnaires fédéraux | " | " |
| -Le groupe qui occupe les meilleurs emplois dans la fonction publique fédérale | " | " |
| -La considération par le gouvernement fédéral des demandes du gouvernement québécois | suffisante | + 2 |
| | suffisante (atténué) | + 1 |
| | autres réponses | 0 |
| -La considération pour le Québec dans les dépenses du gouvernement fédéral | " | " |
| -La considération de la promotion des Canadiens français par les compagnies privées | " | " |
| -La considération de la promotion des Canadiens français par le gouvernement fédéral | " | " |
| -Quelle solution préférez-vous pour l'avenir politique du Québec? | séparation | + 2 |
| | moins de contrôle | |
| | fédéral | + 2 |
| | statut quo | + 1 |
| | indécis | + 1 |
| | autres réponses | 0 |

498

| Question | Réponse | Score |
|---|---|---|
| -Êtes-vous en faveur de la séparation du Québec du reste du Canada ? | oui | + 2 |
| | tendance à oui | + 2 |
| | autres réponses | 0 |

*Indice d'intégration sociale* $0 \leqslant SOCINT \leqslant 11$

| | | |
|---|---|---|
| -Êtes-vous membre d'un syndicat ou d'une association professionnelle ? | oui | + 1 |
| -... d'un club sportif ? | " | " |
| -... d'un club social ? | " | " |
| -... d'une association d'hommes d'affaires ? | " | " |
| -... d'une association religieuse ? | " | " |
| -... d'une association politique ? | " | " |
| -... d'autres associations ? | " | " |
| -Avez-vous entendu parler du mouvement séparatiste ? | " | " |
| -... de la Commission d'enquête sur le bilinguisme et le biculturalisme ? | " | " |
| -Avez-vous voté lors des dernières élections fédérales ? | " | " |
| -Parlez-vous de politique avec vos amis ? | " | " |

*Indice de relations interculturelles*    $-4 \leqslant RELINT \leqslant 3$

| | | |
|---|---|---|
| -Aimeriez-vous avoir des amis canadiens-anglais ? | oui | + 1 |
| | en ai | + 1 |
| | non | - 1 |
| -... des parents canadiens-anglais ? | " | " |
| -Comment les Canadiens anglais traitent-ils ceux qui ne le sont pas ? | de façon hautaine | - 1 |
| -Vous sentez-vous plus près des Canadiens français ou des Canadiens anglais ? | Ca | + 1 |
| | Cf | - 1 |

| Question | Réponse | Score |
|---|---|---|
| *Indice d'insatisfaction économique*   *- 3 ≤ INECO ≤ + 4* | | |
| -Avez-vous (ou votre père ou votre mari a-t-il) été en chômage ces 12 derniers mois? | oui | + 1 |
| -Votre situation financière actuelle est-elle meilleure ou pire qu'il y a 3 ou 4 années? | pire<br>meilleure | + 1<br>- 1 |
| -Est-ce difficile dans votre cas de faire des plans pour l'avenir? | difficile<br>facile | + 1<br>- 1 |
| -Dans 3 ou 4 ans, vos revenus seront-ils inférieurs ou supérieurs à ce qu'ils sont présentement? | inférieurs<br>supérieurs | + 1<br>- 1 |
| *Indice d'insatisfaction sociale*   *-2 ≤ INSOC ≤ + 2* | | |
| -Vos revenus sont-ils supérieurs ou inférieurs à ceux qui ont la même éducation que vous? | inférieurs<br>supérieurs | + 1<br>- 1 |
| -Votre standing social est-il supérieur ou inférieur à celui de votre père? | inférieur<br>supérieur | + 1<br>- 1 |
| *Indice d'aliénation politique*   *0 ≤ ALIEN ≤ 6* | | |
| -Les gouvernements ne se préoccupent pas de ce que les gens pensent | accord<br>accord (atténué)<br>désaccord | + 2<br>+ 1<br>0 |
| -La politique (fédérale ou provinciale) vous intéresse-t-elle? | oui<br>oui (atténué)<br>non | 0<br>+ 1<br>+ 2 |
| -Le gouvernement (fédéral ou provincial) vous traite-t-il bien? | oui<br>oui (atténué)<br>non | 0<br>+ 1<br>+ 2 |
| *Indice de l'amour-propre*   *-5 ≤ AMPRO ≤ + 5* | | |
| -Comparaison du français du Québec avec le français de France | meilleur<br>moins bien | + 1<br>- 1 |
| -Les meilleurs en littérature, théâtre et musique? | Can. français<br>autres Canadiens | + 1<br>- 1 |
| -... en affaires? | " | " |
| -... en sciences? | " | |
| -Quelle université prépare les meilleurs diplômés? | can.-française<br>can.-anglaise | + 1<br>- 1 |

500

| Question | Réponse | Score |
|---|---|---|

*Indice de légitimité collective* $\leqslant$ *LEGICOL* $\leqslant$

| Question | Réponse | Score |
|---|---|---|
| -Les Canadiens français devraient être traités comme toutes les autres minorités | accord<br>désaccord | - 1<br>+ 1 |
| -... exigent plus que leur part | " | " |
| -... cherchent à obtenir trop d'influence en politique canadienne | " | " |
| -Quel groupe cherche le plus à imposer ses vues? | can. -français<br>can. -anglais | - 1<br>+ 1 |
| -Les Canadiens français blâment les autres pour leurs propres erreurs | accord<br>désaccord | - 1<br>-- 1 |
| -... doivent-ils conserver un style de vie différent ou adopter celui du reste du Canada? | différent<br>pareil | -- 1<br>- 1 |

*Lectures recommandées*

C. Barker, A. Lévesque et C.A. Vachon, *Les idées politiques des Canadiens français;* Commission royale d'enquête sur le bilinguisme et le biculturalisme, 1965, 3 v. (Div. 3, Rapport no 9).

S. Carlos, E. Cloutier et D. Latouche, «L'élection de 1973», *La Presse,* 19 au 25 novembre 1973.

L. Dion, «Genèse et caractères du nationalisme de croissance», dans *La prochaine révolution,* Montréal, Leméac, 1974, p. 60-74.

P. Drouilly, «Une analyse du vote du 29 octobre à Montréal», *Le Jour,* 28 février-6 mars 1974.

Groupe de recherche sociale, *A study on Interethnic Relations in Canada;* report submitted to the Royal Commission on Bilingualism and Biculturalism, 1965, 5 v.. in 6, (Div. 9, Report no. 2).

H. Guindon, «The Social Evolution of Quebec Reconsidered», *Canadian Journal of Economics and Political Science,* 26 (1960), p. 533-551.

J. Jenson et P. Regenstreif, «Some Dimensions of Partisan Choice in Quebec, 1969», *Revue canadienne de science politique,* 3 (1970), p. 308-318.

V. Lemieux, M. Gilbert et A. Blais, *Une élection de réalignement,* Montréal, Homme, 1970.

P.E. Trudeau, «Les séparatistes: des contre-révolutionnaires», *Cité Libre,* v. 15, no 67 (1964), p. 2-6.

A. Zolberg, «Les nationalismes et le nationalisme québécois», *Choix,* 7 (1975), p. 33-51.

# Chapitre 23

# Les conditions
# d'une francophonie
# nord-américaine originale*

Guy Rocher
Université de Montréal

*Guy Rocher est professeur titulaire au département de sociologie de l'Université de Montréal. Ses principaux intérêts de recherche sont la théorie sociologique, l'histoire de la pensée sociologique et la sociologie de l'éducation. Il a publié* Introduction à la sociologie générale, (*Montréal, HMH, 1968-1969 3 v.;* Talcott Parsons et la sociologie américaine, *Paris, Presses universitaires de France, 1972,* Le Québec en mutation, *Montréal, HMH, 1973 et, en collaboration avec P.-W. Bélanger,* École et société au Québec, *Montréal, HMH, 1971.*

*Sa présente contribution a pour objectif de délimiter les conditions de l'indépendance culturelle du Canada français dans le contexte nord-américain. Il s'agit essentiellement d'une réflexion sur des données déjà connues, mais agencées dans l'optique d'un scénario normatif, c'est-à-dire qui tente d'identifier les moyens à prendre pour atteindre un objectif déterminé.*

Une vieille habitude entretient le Canada français dans un état d'interrogation sur son identité collective, sa destinée, son avenir. Il bénéficie d'un long entraînement à ce genre d'exercice, par suite de l'ambiguïté et de la singularité de son être national en Amérique, de la fragilité de son entreprise et des risques de son aventure. Peut-être faut-il voir là un facteur de la survivance de la communauté canadienne-française: la constante remise en cause des raisons et des conditions de son existence l'ont obligée à continuer à vivre. L'incertitude du lendemain collectif a agit à la fois comme aiguillon et garde-fou. Elle a été un aiguillon, par le défi qu'elle a toujours posé et par les rationalisations qu'elle a suscitées. Elle a été un garde-fou, par l'insécurité inscrite dès l'enfance au coeur de chacun de nous, qui prémunit contre de trop

---

\*    Réimprimé avec des corrections mineures et amputé de quelques passages. De *Le Québec en mutation,* Montréal, Hurtubise-HMH, 1973, p. 89-107; ce texte avait été publié pour la première fois dans la *Revue de l'Association canadienne d'éducation de langue française,* v. 1, no 1 (déc. 1971), p. 12-20.

brusques changements, certains peuples appelés à vivre au bord de la catastrophe toujours possible.

Cette perpétuelle attitude d'interrogation sur son propre destin peut être interprétée comme un signe de santé. Elle témoigne en tout cas d'un désir de vivre, ce qui est évidemment une condition élémentaire de la permanence de toute collectivité. À la longue, cependant, l'incertitude de l'avenir peut être néfaste. Elle risque d'engendrer la passivité, de stériliser les énergies, d'étouffer la motivation de vivre et d'agir. Lorsqu'elle se prolonge et devient perplexité, l'incertitude provoque une angoisse qui va se chercher des assurances et des garanties n'importe où et de n'importe quelle façon[1]. Ou encore, l'incertitude fait place à l'indifférence: les décisions paraissent si difficiles à prendre qu'il semble aussi rationnel de s'abandonner au jeu du hasard que de vouloir dominer les événements.

C'est ce qui risque de se produire au Canada français, si nous n'arrivons pas à réduire l'aire d'indétermination où nous continuons à nous mouvoir depuis trop longtemps. Une collectivité ne peut pas s'interroger indéfiniment sur son identité et son destin. Il lui faut tenir en main un noyau de certitudes, s'accrocher à certaines réponses et à certaines visées.

On en a le vif sentiment en ce moment: la Canada français doit prendre d'importantes options, il est appelé à relever de difficiles défis, ce qui réclame de lui beaucoup de lucidité et de courage. Des questions vitales se posent ces années-ci dont on sent que les réponses vont engager la vie de nos enfants et celle de leurs enfants. Jamais peut-être n'avons-nous eu à affronter aussi crûment la question de l'avenir immédiat et à long terme du Canada français. Rarement des thèses aussi diamétralement opposées se sont-elles affrontées, divisant notre conscience nationale et intensifiant la perplexité et l'inquiétude...

## Le Canada français dans le contexte nord-américain

On peut poser de plusieurs façons le problème de l'avenir du Canada français. Quand j'essaie, pour ma part, de préciser ma pensée à ce sujet, je ne peux m'empêcher de projeter d'abord notre avenir collectif dans la totalité du contexte nord-américain. On est trop facilement enclin à ne discuter l'avenir du Canada français que par rapport au Canada et à la position qu'il y occupe. Il me semble que c'est là une perspective bien restreinte, qui demande d'être élargie à de plus vastes horizons. Il m'est arrivé souvent de constater que le Canada français tente de se définir par référence au Canada, alors que le Canada anglais cherche son identité par rapport au monde américain...

Je crois cependant que notre réflexion sur la place et le destin du Canada français dans le Canada doit s'éclairer d'une démarche qui part de plus loin que le seul contexte canadien. Notre insertion dans l'ensemble canadien n'est pas le tout de notre être collectif. Celui-ci appartient tout autant et peut-être plus encore au tissu de l'Amérique du Nord; il est lié à la civilisation américaine; son avenir sera conditionné par l'évolution de cette dernière et par notre réaction à cette évolution.

Dans notre perspective, le premier problème qui se pose — qui est en réalité le problème de fond — est celui de l'identité culturelle d'un Canada français nord-

---

    1    G. Fortin, «Le Québec: une société globale à la recherche d'elle-même», *Recherches sociographiques,* 8, 1 (1967), p. 7-13.

américain[2]. Avant de se porter aux plans économique et politique, la réflexion doit donc s'engager au plan de la culture, ce terme étant entendu dans le sens qu'on lui donne dans le langage de l'anthropologie et de la sociologie. Ce sera là notre point de départ.

## 1. Hier: l'«antique shop» de style français

C'est presque toujours du Sud que le Canada français a connu les envahissements. Ce fut le cas du temps où les colonies anglaises se croyaient menacées par la Nouvelle-France, en qui elles voyaient un concurrent à détruire et un pays à conquérir. Ce fut encore le cas lorsque les jeunes États-Unis envahirent le Canada à deux reprises pour se l'annexer, se croyant cette fois menacés par cet avant-poste trop gênant de l'Angleterre. Depuis la fin du 19e siècle, alors que la révolution industrielle a commencé à changer la face de l'Amérique du Nord, c'est d'une manière pacifique, sans tambour ni trompette, que le Canada français a subi l'invasion américaine. Il s'est agi cette fois d'un envahissement à la fois économique et culturel, qui n'en a été que plus efficace par sa subtilité, sa fluidité et la manière feutrée dont il s'est opéré[3]. Il était difficile de refuser les avantages qui s'offraient: l'invasion prenait figure d'une manne qui apportait avec elle un niveau de vie élevé, le confort le plus moderne, la société d'abondance et de consommation.

Devant cette nouvelle poussée du Sud vers ses terres, le Canada français a adopté deux attitudes opposées. Il a d'abord joué le jeu d'une sorte de réserve française. Il s'est volontiers laissé accoler une étiquette folklorique, qui faisait de lui un petit peuple tenant du musée et de la collection d'objets rares. Il parlait français, ce qui le singularisait dans cette Amérique très majoritairement anglophone. Et il parlait un français vieillot que le Nord-américain aimait entendre mais qu'il n'avait nul besoin d'apprendre puisqu'on disait que c'était un patois que ne comprenaient pas les Français de France, eux qui parlaient le vrai français, celui qu'on respectait et qu'on apprenait parfois. Au surplus, ce petit peuple demeurait comme le vestige d'un glorieux empire dont le rappel ne rendait que plus glorieuse la victoire de ceux qui l'avaient conquis et soumis. Tout anglophone, américain ou canadien, pouvait donc se pencher avec un certain attendrissement sur ce passé encore vivant, étant bien entendu que le Canada français n'aurait pas connu les joies et les douceurs qui lui étaient accordées, s'il n'avait pas eu le bonheur d'être rattaché au vaste monde anglophone qui lui avait apporté la paix, la liberté et la prospérité. Enfin, le Canada français était généralement à la hauteur de sa réputation d'hospitalité, de bonhomie, de cordiale simplicité; les visiteurs étaient assurés d'être accueillis avec le sourire et les investisseurs pouvaient compter y trouver une main-d'oeuvre dévouée et peu exigeante.

Telle était l'image qu'on avait d'un Canada français qui respirait encore son 17e siècle. À l'oeil superficiel, il paraissait donc parfaitement imperméable à l'influence américaine. Protégé par la langue, ses valeurs, ses traditions, son clergé et sa religion, il semblait à l'abri des retombées américaines auxquelles la proximité géographique le soumettait. N'y voyant aucune menace, les Américains y prenaient le même intérêt qu'à visiter les «antique shops». De leur côté, beaucoup de Canadiens anglophones aimaient voir dans cette imperméabilité culturelle le rempart du Canada

---

2     A ce sujet Jean Lemoyne écrit que les Etats-Unis ne sont pas seulement un voisin «mais une partie de notre existence parce qu'ils constituent en face de nous et en nous la seule forme achevée du particularisme nord-américain», «L'identité culturelle» dans *Le Canada au seuil du siècle de l'abondance,* Montréal, Hurtubise-HMH, 1969, p. 29.

3     Voir à ce sujet Albert Faucher, *Histoire économique et unité canadienne,* Montréal, Fides, 1970.

contre la menace américaine et ils l'invoquent encore maintenant comme un argument qui leur paraît péremptoire pour chasser la tentation séparatiste de l'esprit des Canadiens français. Mais il s'agit bien plus d'un mythe que d'une réalité. L'image d'Epinal d'un Canada français angéliquement pur de toute contamination américaine ne tient pas à l'analyse[4].

## 2. Aujourd'hui: Américain francophone et non Français d'Amérique

En effet, tout en jouant assez bien le rôle de la réserve francophone, vestige folklorique et historique, le Canada français se laissait investir de toutes parts par l'influence américaine. L'ambiguïté présente du Canada français ne réside pas seulement dans la Confédération; elle a sa source avant tout dans l'intégration non avouée et mal réalisée à la civilisation américaine. Le Canadien français, qu'il soit de Montréal, de Sherbrooke, de Joliette, de Moncton ou de Saint-Boniface, est un Américain beaucoup plus qu'il ne veut le reconnaître. Il l'est à plusieurs égards et de diverses sources. Sa nourriture intellectuelle quotidienne est très largement américaine. Qu'il s'agisse de la radio, de la télévision, du cinéma, des revues, de la chansonnette, des lectures populaires, bref de tous les véhicules d'information et de culture, le Canadien français s'abreuve abondamment à la production américaine. Le type de journalisme qu'on pratique ici s'apparente plus à celui des États-Unis qu'à celui de l'Europe. La nouvelle américaine bien plus qu'européenne remplit les journaux, gros et petits, que lit le Canadien français. Il n'est pas étonnant que celui-ci partage avec son voisin du sud une partie de sa vision du monde, comme, par exemple, son admiration pour la science et les techniques, ses aspirations en matière de niveau de vie, sa définition du confort ainsi que du beau et du bon.

Regardez voyager le Canadien français, car il est grand voyageur, comme l'Américain. Il aime bien sillonner l'Europe ou y séjourner quelques temps, comme il rêve — et parfois réalise son rêve — de voir l'Afrique ou de faire son tour du monde. Écoutez-le parler de la France et des Français: il découvre là qu'il n'est pas un Français d'Amérique, mais un Américain francophone. Car ce n'est pas en France mais à travers les États-Unis que le Canadien voyage le plus à l'aise et se sent le plus chez lui. Il retrouve alors ses habitudes, son style de vie, sa manière d'être et d'agir. C'est d'ailleurs le seul pays où les Canadiens français ont émigré et continuent à le faire en nombre considérable...

Si l'on se tourne vers l'avenir et que l'on se demande quelle attitude, du retrait ou de l'accueil, va prévaloir demain, la réponse n'est pas difficile. Il est trop évident que l'ère du Canada français retranché derrière sa muraille culturelle et folklorique est déjà chose du passé et ne se répétera plus. Depuis quelques années particulièrement, le Canada français a ouvert portes et fenêtres sur le monde et a été traversé de puissants courants d'air. Des transformations profondes, structurelles et peut-être plus encore idéologiques, se sont produites, qui ont modifié l'esprit et la culture du Canada français, l'ont fait sortir de son isolement d'autrefois, l'ont poussé vers des voies nouvelles. On peut dire que jusque vers les années 1955 ou 1960, le Canada français a subi les grands bouleversements structurels de la révolution industrielle tout en gardant sa mentalité pré-industrielle. Il a connu l'industrialisation, la migration des campagnes vers les villes, l'adaptation de la famille au nouveau milieu urbain et à la société industrielle, le passage de la ferme au travail salarié sans que sa mentalité en paraisse profondément affectée. Ce n'est que depuis quelques années que s'est

---

4    Sur l'attitude du Canada anglais et du Canada français à l'égard des Etats-Unis on pourra consulter *La dualité canadienne à l'heure des Etats-Unis,* 4e Congrès des affaires canadiennes, Québec, Presses de l'Université Laval, 1965.

produit un rattrapage culturel, qui s'est fait si rapidement et si brutalement qu'il a pris l'allure d'une course folle, sinon d'une panique collective. On a souvent souligné le rythme essouflant avec lequel le Canada français s'est transformé mentalement et spirituellement ces dernières années: le retard accumulé était considérable et exigeait un tempo accéléré...

Aujourd'hui, l'isolement n'est plus possible. L'américanisation du Canada français est un fait dont on ne mesure pas encore assez l'étendue et la profondeur. On en parle peu et on la craint moins dans le Canada français que dans le Canada anglais, dans le Québec qu'hors du Québec. Pourtant, l'infiltration de la culture américaine est le phénomène le plus massif et le plus considérable de nos vies, celui qui est appelé à conditionner notre avenir collectif. Le Canada français devient rapidement, dans les faits sinon dans les constitutions juridiques, un État des États-Unis, une Louisiane du Nord, une étoile francophone attachée au drapeau américain. L'extension prise par les techniques de communication de masse depuis la dernière guerre mondiale a accéléré ce processus. On peut aussi dire que la généralisation de l'instruction et l'évaluation du taux de scolarisation l'ont également intensifié: plus apte aujourd'hui à aller chercher et à accueillir l'information le Canadien français absorbe une grande quantité de nourriture intellectuelle en provenance des États Unis. Enfin, et c'est là un point important, le Canadien français n'a jamais élevé de barrage critique à l'endroit de ce qui lui venait des États-Unis. Il avait plutôt l'état d'esprit inverse, admiratif de ce qui se faisait outre quarante-cinquième et prêt à recevoir sans prendre garde tout ce qui en provenait. Sans être taxé de gobe-tout, il a fait preuve depuis longtemps d'une certaine dose de naïveté à l'endroit de ce qui est «made in USA».

3. *Demain: nation originale ou métèques hors-frontières?*

L'américanisation du Canada français est un donné. On ne peut le nier ni le rejeter. Il faut maintenant l'apprécier d'une manière réaliste et en voir les conséquences pour l'avenir. La principale me paraît être de poser clairement le défi que devra relever le Canada français d'ici la fin du siècle, à savoir qu'il sera capable de constituer, à côté du géant américain et en se nourrissant de lui, *une nation originale, singulière et personnalisée, nord-américaine par sa situation mais distincte non seulement par la langue mais aussi par une culture qui lui sera propre.* En d'autres termes, la question fondamentale qui se pose pour l'avenir du Canada français, c'est celle de son indépendance culturelle dans le contexte nord-américain. On pourrait peut-être dire d'une manière plus précise encore que ce qui est posé, c'est le problème de ce qu'on peut appeler *l'autodétermination culturelle* du Canada français[5].

S'il n'y a pas d'espoir de réaliser au nord du quarante-cinquième parallèle une nation originale, d'édifier une société qui ne soit pas une pure réplique des États-unis, je dis sans ambages que l'aventure francophone que nous sommes obligés de vivre à la force du poignet aura été vaine et futile. Rien ne me répugnerait plus que de voir mes concitoyens canadiens-français et mes propres enfants n'être rien d'autre que des Américains de langue française, fût-ce dans un pays politiquement (c'est-à-dire théoriquement) indépendant des États-Unis. Si tel est notre sort, je préfère cent fois que mes enfants profitent pleinement de la civilisation américaine, c'est-à-dire qu'ils deviennent anglophones et citoyens des États-Unis à part entière, plutôt que des sortes de métèques hors-frontières soumis à une politique et à des décisions prises en un pays où ils n'auront rien à dire. Tant d'efforts et de luttes pour sauver la langue française auront été sans objet s'ils n'aboutissent qu'à créer une classe de demi citoyens américains exilés du pays auxquels ils appartiennent effectivement...

---

5    Léon Dion a lui aussi utilisé ce concept d'autodétermination dans «Vers une conscience autodéterminée», *Revue canadienne d'éducation de langue française*, 1, 1 (1971), p. 4-11 et dans son livre *La prochaine révolution*, Montréal, Leméac, 1973, p. 260-274.

## L'autodétermination culturelle du Canada français: ses conditions

Les jeunes nations qui se sont créées depuis quelques années ont souvent eu plus de facilité à obtenir leur indépendance politique qu'elles n'en ont aujourd'hui à trouver et affirmer leur être. Deux ou trois grands modèles de développement ont polarisé le monde et les nouvelles nations n'ont pratiquement pas pu échapper l'envoûtement de l'un ou de l'autre, fût-ce pour des raisons purement économiques. Ce fut la singularité de la Chine de Mao-Tsé-Tung de proposer à chaque peuple de trouver sa voie par lui-même et de faire tout en son possible pour y avancer d'une manière aussi autonome que possible. Mais ce n'est que depuis quelques années à peine, c'est-à-dire depuis qu'elle a pris ses distances à l'endroit de l'URSS, que la Chine a adopté ce langage. Et il n'est pas certain qu'elle l'ait toujours respecté scrupuleusement dans ses rapports avec les petits peuples.

Ceci pour dire combien il est difficile et aléatoire de vouloir innover et de chercher à sauvegarder à tout prix son autonomie nationale. Si les grands empires d'autrefois ont pu exercer une influence profonde et durable sur les peuples qu'ils soumettaient, les empires d'aujourd'hui ont à leur disposition des moyens de persuasion d'une puissance bien supérieure à tout ce qui a pu exister dans le passé. Non seulement peuvent-ils exercer des pressions économiques non équivoques, mais surtout, ils contrôlent la diffusion de l'information et sont maîtres des moyens de communication de masse.

Séparé du territoire étatsunien par une frontière plutôt légère et presque théorique, envahi par les ondes en provenance du sud, vivant dans l'ombre des divers pouvoirs américains, industriel, politique, financier et même syndical, le Canada français peut-il échapper à cette emprise et à quelles conditions? Personnellement, je ne crois pas qu'il puisse jamais échapper à l'influence américaine. Elle l'a si profondément marqué et elle est si omniprésente qu'il faudrait une bonne dose d'utopie pour rêver d'une coupure totale et définitive. Le tout est plutôt de savoir si l'on saura s'inspirer de la civilisation américaine pour en faire quelque chose d'autre, qui exprimerait un génie différent, riche de ses particularités et assuré d'une historicité singulière. Je vois cela comme une aventure dont les chances de succès ne sont pas assurées. Il faudra plusieurs conditions pour qu'elle réussisse.

### 1. Américanisation de l'intelligentsia...

La première apparaîtra bien paradoxale si je dis qu'elle suppose l'américanisation de l'intelligentsia du Canada français. Expliquons-nous. On a fait grand état du problème linguistique du Canada français, dont un aspect est l'écart entre une classe «intellectuelle» qui s'exprime en un français à peu près correct et la masse de la population qui parle le «joual». J'en viens à croire, pour ma part, que l'écart linguistique n'est que le symbole d'un écart beaucoup plus profond, dont la source réside principalement dans l'attitude à l'endroit de la civilisation américaine. La masse du peuple canadien-français est profondément américanisée dans ses goûts, ses attitudes, ses intérêts, sa manière de vivre. De son côté, la classe intellectuelle n'a presque rien assimilé de la civilisation américaine, de son contenu culturel et spirituel. La très grande majorité des intellectuels canadiens-français ignorent tout ou à peu près de la littérature, de la poésie, du théâtre, des arts américains. Les grands courants de pensée qui secouent présentement les États-Unis dans les domaines pédagogiques, religieux, philosophiques ne trouvent que bien peu d'écho chez nous et toujours à retardement...

La première condition — et peut-être la plus difficile — de la réussite de notre aventure canadienne-française réside donc dans une reconciliation entre les intellectuels et le peuple, au sujet de la civilisation américaine. Autrement, la masse de la population va aller en s'américanisant toujours davantage, pendant qu'une intelligentsia de plus en plus isolée va se sentir plus étrangère dans son propre pays. À cela l'indépendance politique du Québec n'apportera pas de solution; elle peut rendre même plus dramatique encore cette rupture culturelle.

Mais dira-t-on, l'effet net ne sera-t-il pas plutôt d'accélérer l'américanisation du Canada français? Les intellectuels qui gardaient le lien avec la France ne formaient-ils pas une digue à l'envahissement de la culture et de la civilisation américaine?

À cela, je réponds: primo, que l'américanisation du Canada français n'est pas une menace, c'est un fait. Ce n'est pas pour demain, nous la vivons aujourd'hui. Si la présence américaine ne nous apparaît pas clairement, c'est qu'elle colle de trop près à notre peau et qu'elle est devenue le regard de nos yeux. Secundo, ceci est plus vrai encore pour la jeune génération dont l'alimentation culturelle est principalement d'origine américaine, même si elle doit parfois passer par Amsterdam ou Copenhague. Ainsi, il n'est plus possible aujourd'hui de tenir pendant quelque temps sur les ondes une émission de radio à l'intention des jeunes sans qu'une bonne partie de la chanson soit en anglais. Il y a trois ou quatre ans, lorsque Radio-Canada a commencé à s'aligner sur les stations rivales à gros succès et à faire comme elles, les appels de protestation étaient nombreux au Québec pour réclamer de la chansonnette en français seulement. Aujourd'hui, qui prendra la peine de téléphoner pour cela? Pas les jeunes en tout cas.

Tertio, il n'est pas question d'inviter qui que ce soit à se détourner de la France: nos liens culturels avec celle-ci sont essentiels, c'est notre tente d'oxygène. À la condition toutefois que nous apprenions à développer avec la France et les Français des rapports d'une plus grande maturité que ceux que nous avons entretenus jusqu'ici. On trouve encore chez un grand nombre de Canadiens français une forme d'infantilisme à ce sujet, qui se manifeste aussi bien dans l'accueil naïvement enthousiaste ou trop empressé que l'on fait à tout ce qui vient de France que dans la répulsion presque épidermique que d'autres ressentent à la seule vue de ce qui est français. Or, c'est dans la mesure où nous assumerons notre identité nord-américaine qu'il y a quelque chance que nous perdions notre complexe d'infériorité devant les Français et que nous apprenions à tirer profit de ce que la France peut nous offrir, en l'assimilant plutôt qu'en le plagiant.

## 2. ... Mais attirance critique

La seconde condition à l'autodétermination culturelle du Canada français apparaîtra maintenant plus clairement. S'il est vrai qu'une plus grande imersion des intellectuels dans la civilisation étatsunienne est nécessaire, elle doit cependant s'accompagner de ce que j'appellerais une attirance critique. Je veux insister ici sur le caractère critique du regard à porter sur la civilisation américaine.

D'une manière générale, un certain catholicisme a formé le Canadien français à un esprit de docilité, de résignation, à une certaine manière de fatalisme qui frise l'apathie ou peut prendre la forme d'une douce naïveté. Ces attitudes ont été renforcées par la situation de minoritaire du Canadien français, son repli sur lui-même, l'insécurité individuelle et collective dans laquelle il a toujours vécu et le sentiment qu'il entretient de former une communauté ethnique faible et fragile...

Cela explique qu'on ne trouve pas chez les Canadiens français un esprit critique très développé. Il fait plutôt bon public, prêt à s'émerveiller de ce qu'on lui fait voir ou de ce qu'on lui raconte. Il est plus facilement imitateur qu'innovateur, plus prêt à importer les modes et les engouements qu'à les adapter et à les transformer. C'est là d'ailleurs une des sources d'un certain conservatisme du Canadien français:

n'étant pas capable d'assimiler ce qui lui vient de l'étranger et sentant en même temps qu'il ne peut importer sans retouche ce qui a été conçu pour un autre contexte, il se voit obliger de rejeter en bloc l'innovation qui lui apparaît menaçante...

Ces attitudes à tendance passive et soumise risquent d'être le talon d'Achille du Canada français devant l'envahissement de la culture américaine. Dépourvu de l'esprit critique qui opposerait une barrière à la marée et qui assurerait la sélectivité nécessaire, il ne fait pas preuve de la réserve et des restrictions qui s'imposeraient dans son accueil à tout ce qui est américain. Il a pour les Etats-Unis, pour ce qui en provient ou ce qu'il y trouve, un attrait qui n'est pas suffisamment compensé par la lucidité qu'apporte une certaine distanciation.

C'est là précisément que fait défaut une classe intellectuelle qui connaîtrait de l'intérieur la culture américaine, qui en aurait mesuré la richesse et les limites, et qui serait en mesure d'exercer une fonction critique à l'endroit de ce que les États-Unis déversent chez nous. Qu'on dise et qu'on pense ce qu'on voudra des intellectuels, à qui il est souvent de bon ton de s'attaquer dans plusieurs milieux ou en diverses circonstances: il n'en reste pas moins que ce sont eux qui partout dans le monde remplissent la fonction critique, essentielle à la défense et à la promotion de valeurs telles que la liberté, le respect de l'homme, la justice sociale, c'est-à-dire de valeurs qui font progresser et s'élever l'homme. C'est pourquoi les régimes totalitaires ou répressifs s'en prennent à eux de préférence à tout autre: ils ne peuvent laisser les intellectuels exercer une influence qui mine et détruit les assises de leur pouvoir.

Si les intellectuels ne remplissent pas cette fonction de sélection et de critique, l'américanisation du peuple canadien-français, entendue au sens de copie pure et simple de la civilisation étatsunienne, se poursuivra très rapidement d'une manière irrécupérable. Elle est déjà très poussée, au point qu'on peut se demander s'il n'est pas trop tard. Il est sûrement trop tard, si on ne peut compter sur une sorte de défense culturelle, assurée par une classe intellectuelle dont c'est précisément une des fonctions essentielles dans toute société.

Mais cette tâche, pour être réussie, doit être remplie d'une manière intelligente et éclairée. Ce qui est le plus à craindre et peut-être le plus néfaste, c'est l'intellectuel qui ignore tout des États-Unis et condamne sans nuance la civilisation américaine dans sa totalité, ou qui sent le besoin de dénoncer sans distinction tout ce qui lui semble être un emprunt américain du seul fait que cela vient des États-Unis. Celui-là fait dangereusement reculer les choses plutôt que de les faire avancer. Par ses condamnations inconsidérées, il discrédite l'attitude critique aux yeux de la masse de la population qui ressent une sympathie évidente à l'endroit des États-Unis et il émousse les instincts de défense qu'il a cru éveiller. L'ignorance ne doit pas tenir lieu d'esprit critique.

L'attrait du Canadien français pour la culture américaine est un fait qui crève les yeux. Elle peut avoir une valeur dynamique et positive, être source d'enrichissement et d'épanouissement, à la condition de prendre la forme de ce que j'ai appelé une attirance critique. Il ne sert à rien de vouloir attiser un antiaméricanisme qui n'existe guère au Canada français et qui n'est pas non plus souhaitable, s'il n'est qu'un refus bête, à courte vue et global. Évitons de faire de l'américanisation un mal en soi, et de la civilisation américaine l'épouvantail qu'on agite à tout vent. Un certain nationalisme *Canadien* croit pouvoir se constituer sur ces bases; le Canadien français peut s'en passer.

D'ailleurs, c'est un des traits les plus marquants de la civilisation américaine d'avoir toujours engendré son autocritique, sa contestation permanente. Il y a des époques où celle-ci a été plus active et plus efficace que d'autres. Nous vivons précisément une phase de l'histoire américaine où la contestation se manifeste au grand jour et d'une manière militante. Ces années-ci, on ne peut pénétrer à fond dans la culture américaine sans être bientôt en contact avec les contestants de cette même culture: écrivains, philosophes, essayistes, sociologues, éducateurs, dramaturges, cinéastes, syndicalistes, étudiants, hobos de quarante ans ou hippies de vingt, adeptes de l'action politique et sociale ou tenants d'un nouveau mouvement religieux. On trouvera chez les intellectuels américains — et chez bien d'autres Américains — une attitude critique à l'endroit de la société américaine plus lucide et plus exigeante que ce qu'on peut rencontrer au Canada français.

Mon intention n'est pas de faire l'apologie de la civilisation étatsunienne. Elle est même tout autre: je considère que la seule raison valable de défendre et de promouvoir la francophonie en Amérique, c'est l'espoir qu'elle réalise une communauté humaine et sociale née d'une certaine originalité et présentant quelque chose de différent des États-Unis. Pour cela, il ne s'agit pas de se détourner des États-Unis: ce serait de toute façon impossible et utopique. La voie à suivre passe plutôt par une connaissance intime de la culture américaine, de ce qui en fait la valeur positive et en même temps la richesse critique. Je dirai même que le Canada français trouvera aux États-Unis des complicités, des alliés précieux et fidèles qui voudront et qui espéreront qu'on réussisse ici une aventure culturelle originale...

### 3. *Autodétermination culturelle et autonomie politique*

Mais ce n'est pas suffisant. Une troisième condition s'impose: il faut encore que le Canada français jouisse de la possibilité politique de s'autodéterminer sur le plan culturel. En effet, à l'endroit de la civilisation américaine qui menace de les écraser tous deux, le Canada français et le Canada anglais ne peuvent pas avoir les mêmes réflexes et ne font pas appel aux mêmes lignes de défense. L'un et l'autre ont un pressant besoin de se distinguer, de définir leur identité, de se tracer une destinée originale. Mais il doivent le faire chacun à sa manière, dans une relative autonomie l'un par rapport à l'autre. Non seulement ont-ils vis-à-vis des États-Unis un problème linguistique différent, mais il leur faut relever le défi américain avec des traditions, un univers culturel, un passé, des attitudes propres à chacun. Pour se situer et se définir dans le continent nord-américain, le Canada français et le Canada anglais ont à trancher des questions différentes et doivent trouver des solutions à des problèmes qui ne sont pas les mêmes pour l'un et l'autre.

Donnons-en deux exemples. Depuis quelques années les universitaires du Canada anglais discutent souvent avec véhémence et passion, du poids de la présence étatsunienne dans l'université canadienne. Le nombre de professeurs américains — dont la plupart ne semblent pas intéressés à demander la citoyenneté canadienne, parce qu'ils tiennent à conserver les avantages ou la sécurité que leur apporte la nationalité américaine — sur les campus canadiens a rapidement augmenté ces dernières années. Et même si leur nombre n'est pas proportionnellement aussi élevé qu'on a pu le croire, par rapport aux autres professeurs non canadiens, les professeurs américains jouissent d'une influence et d'un pouvoir qui rend leur présence massivement visible et la fait sentir très fortement dans la vie quotidienne des institutions d'enseignement supérieur. Des collègues anglo-canadiens s'en sont alarmés: ils ont vu là, — non sans raison, sans doute — une menace sérieuse à l'autonomie de l'un des centres nerveux les plus vitaux de la culture canadienne, et le danger de voir réduire ou anéantir la contribution que l'on devrait attendre des universités dans la lutte contre l'envahissement américain. Un certain nombre de ces collègues ont récemment entrepris une vive campagne pour «décoloniser» l'université et la «recanadianiser», non seulement dans son personnel enseignant mais aussi et plus encore dans son esprit et sa mentalité. Ils ont voulu chercher des appuis dans les universités francophones du Québec: ce fut peine perdue. La présence américaine n'y a ni la même visibilité, ni le même poids que dans les autres universités canadiennes. Quant à la question des professeurs non canadiens, elle ne fait que commencer à se poser d'une manière un peu explicite au Québec, mais dans des termes bien différents des universités anglophones, c'est à dire sans lien avec le problème de l'américanisation. Voilà donc une question qui concerne la communauté anglophone canadienne, et qui est vitale pour son identité en terre nord-américaine, mais qui n'intéresse pratiquement pas la communauté francophone.

Le second exemple pose le problème en sens inverse. Au Canada français, une des menaces les plus graves — sinon la plus grave — pour l'avenir de la francophonie en Amérique du Nord réside dans l'anglicisation des Néo-canadiens de la région montréalaise. Contrairement à l'impression qu'on peut en avoir, ce n'est pas un problème local, qui ne concernerait que les Montréalais. Ce n'est même pas un problème exclusivement canadien: c'en est un dont le vrai contexte est l'Amérique du Nord anglophone, auquel l'immigrant qui vient au Québec est plus intéressé à s'identifier, à cause de tous les avantages qu'il en peut espérer, qu'à la petite minorité francophone, marginale et retranchée, qu'il perçoit le Canada français. Dans une proportion de quelque 90%, les Néo-canadiens de la région montréalaise adoptent l'anglais comme leur nouvelle langue canadienne, et l'école anglaise pour leurs enfants, bien qu'ils vivent dans une province et une ville à majorité francophone. Lorsque la population canadienne-française sera réduite au rang de minorité dans ce qui est la seule métropole francophone de l'Amérique — ce qui risque de se produire au tournant du siècle au rythme où vont les choses — les chances de la francophonie nord-américaine seront compromises d'une manière irréversible. On ne peut donc envisager l'avenir du Canada français sans trouver une solution à ce problème. La situation actuelle est intenable à long terme, car elle tient du génocide pour le peuple canadien-français. Or il est devenu évident que le Canada français ne peut compter sur la population anglophone ni du Québec ni du Canada pour l'appuyer. Cette dernière est totalement insensible au problème, n'en voit pas les dimensions ou refuse de le faire, et n'arrive pas à comprendre ou feint de ne pas comprendre ce que l'affaire a de vital pour toute la communauté francophone canadienne. Peut-on le lui reprocher, quand on sait que bien des francophones de Montréal ne perçoivent pas non plus le problème ou refusent de le regarder en face?

Ces deux questions ne me servent qu'à illustrer le fait que, bien qu'elles aient toutes deux la préoccupation de se définir d'une manière autonome et singulière sur le continent nord-américain les communautés canadiennes francophone et anglophone doivent le faire chacune pour soi, d'une manière indépendante l'une de l'autre. Elles ne peuvent compter l'une sur l'autre. Il se trouve même souvent — surtout pour la francophonie — que l'autre communauté canadienne soit un obstacle à la solution de ses problèmes, ou du moins un élément additionnel du problème à résoudre.

C'est là une des raisons qui font qu'à mes yeux la notion d'un Canada uni, bilingue et multiculturel, soit une mauvaise solution politique à des problèmes culturels qui se posent dans d'autres termes. L'analyse de la destinée du Canada français et du Canada anglais en Amérique du Nord et de leur quête d'identité se ramène finalement toujours à retrouver la démarche de deux communautés nationales, historiquement soudées l'une à l'autre, mais engagées dans la poursuite de leur avenir d'une manière indépendante. Il relève du mythe ou de la pensée magique que de croire que le Canada français peut servir de mur protecteur du Canada, et du Canada anglais en particulier contre la marée américaine. Par ailleurs, le Canadien français n'arrive jamais à se retrouver dans le nationalisme *Canadian,* tandis que le Canadien anglais — surtout s'il est un Canadien de deuxième génération issue d'une famille d'origine non britannique — demeure irrémédiablement imperméable au nationalisme canadien-français.

Je continue à croire — je m'étais déjà expliqué à ce sujet il y a quelques années — que la seule formule susceptible d'assurer l'autonomie relative nécessaire à chacune des deux communautés nationales et apte à leur garantir les conditions de l'autodétermination culturelle est celle qui concrétiserait dans une nouvelle constitution *l'idée des deux nations* et de leur association dans une confédération renouvelée[6]. C'est probablement une preuve suppémentaire de la thèse que j'expose que cette conception d'un nouveau Canada binational n'ait trouvé jusqu'ici aucun écho dans la population anglophone, et qu'on n'ait pas réussi encore à traduire cette idée en langue anglaise d'une manière compréhensive. Pourtant, il faut bien reconnaître que depuis cent ans le contexte nord-américain a changé si profondément que la Confédération canadienne élaborée dans les années 1860 ne répond plus aux besoins des années 1970. En particulier, les États-Unis ont acquis une puissance économique et culturelle sans commune mesure avec celle dont ils disposaient il y a un siècle. De son côté, la société canadienne s'est étendue géographiquement, s'est développée économiquement, surtout par suite d'un apport toujours plus considérable de capitaux américains, et est devenue plus complexe et multiple avec l'arrivée de vagues successive de Néo-canadiens. La réalité canadienne contemporaine, dans un contexte nord-américain totalement différent de celui d'il y a un siècle, requiert une reformulation du cadre constitutionnel qui la gère encore. C'est pour le Canada français qu'il est plus normal de poser ce problème et celui de son mode d'appartenance à ce pays qui connaît de plus en plus de difficulté à en être un: c'est pour lui que le Canada bilingue et multiculturel est une solution discutable, car les promesses ne paraissent pas en compenser les inconvénients et les dangers. Mais je suis persuadé que le Canada anglais n'a pas encore découvert combien il lui serait avantageux, à lui aussi, de poursuivre sa destinée culturelle indépendamment du Canada français.

La fin de non-recevoir que rencontre l'idée des deux nations est évidemment une des raisons pour lesquelle la thèse souverainiste a connu de rapides progrès au Québec, notamment chez les jeunes, depuis quelques années. C'est à mes yeux une moins bonne solution que la première, mais si celle-ci s'avère impraticable et irréalisable, l'indépendance du Québec sera le seul choix qui restera à ceux qui refusent le statut actuel du Canada français et du Québec à cause des trop nombreuses incertitudes, ambiguïtés et contradictions qu'il comporte. La séparation du Québec aurait en particulier comme inconvénient de trancher dans le tissu même de la communauté canadienne-française et d'isoler plus encore les minorités francophones qui vivent hors du Québec. Ce serait un lourd prix à payer pour sauver l'avenir de la francophonie nord-américaine, mais c'est peut-être ce qu'il faudra accepter pour que celle-ci puisse survivre et s'épanouir[7].

## 4. *Libération économique*

L'autonomie politique sera cependant un leurre si elle ne s'accompagne d'une quatrième condition: une marge suffisante d'indépendance économique. Cette forme d'indépendance pose tout le problème de la langue de travail, de la maîtrise des

---

6    Guy Rocher, «Le Canada: Un pays à rebâtir?», *Revue canadienne de sociologie et d'anthropologie,* 6 (1969), p. 119-125.

7    Voir à ce sujet l'argumentation d'un dirigeant du Parti québécois, Claude Morin, «Le Québec et les minorités: attentes et intérêts réciproques», *Le Devoir,* 4 octobre 1972.

moyens de communication de masse, de la mobilité du personnel hautement qualifié, des rapports entre le travail et la culture et finalement de tout le symbolisme sur lequel ont besoin de s'appuyer le patriotisme et la fierté nationale.

Or, je crains que ce ne soit là la pierre d'achoppement de la vitalité francophone nord-américaine. Le Canadien français profite d'un niveau de vie élevé à la manière d'un champignon. Ce n'est pas lui qui a mis sur pied les structures économiques dont il bénéficie; il n'a pas non plus la maitrise de ces institutions économiques. Mais jouissant des avantages du niveau de vie nord-américain, il craint sans cesse de le voir se dégrader et s'y accroche avec d'autant plus de fébrilité qu'il en sent la fragilité.

Une double question se pose alors: sera-t-on prêt, dans la bourgeoisie canadienne-française, grande et petite, et dans les classes laborieuses, urbaine et rurale, à sacrifier une tranche de niveau de vie pour desserrer l'étau de la domination économique américaine? En second lieu, aura-t-on, dans l'État et dans l'ensemble de la population, l'énergie et le courage qu'il faut pour mobiliser les ressources humaines, techniques et naturelles au service de la libération économique de la communauté francophone?

Il faut en effet ne pas craindre de le dire clairement: l'indépendance économique, même relative, ne se réalisera pas en laissant jouer les lois et les mécanismes du système capitaliste. Parce qu'ils sont aux mains de ceux qui exercent déjà leur domination, les ressorts du capitalisme ne peuvent servir qu'à maintenir et même renforcer l'emprise extérieure sur notre économie nationale. On ne devra surtout pas compter sur les grands financiers et insdustriels canadiens-français, qui sont obligés de s'associer à des intérêts étrangers dont ils deviennent finalement les meilleurs serviteurs. Il faudra donc développer un régime basé, d'une part, sur une large intervention de l'État dans l'exploitation des ressources nationales et dans la production et, d'autre part, sur des formes multiples d'organisations coopératives de production, de distribution et de consommation.

S'il est une leçon que des pays comme la Chine, la Roumanie, l'Albanie et la Yougoslavie nous enseignent — je parle ici au-delà de toute question idéologique — c'est précisément l'effort qu'ils ont fait pour dégager leur économie de l'empire soviétique. Chacun a cherché une voie qui lui soit propre, qui corresponde à ses traditions, à sa culture, à ses ressources et à ses structures économiques et sociales. La Yougoslavie l'avait compris bien avant d'autres et a réussi à pratiquer cette autonomie au milieu de bien des périls. C'est aussi le grand tournant qu'à pris la Chine en 1960 quand elle renvoya en URSS les conseillers et techniciens soviétiques qui étaient en train de lui imposer le mode de développement qu'avait emprunté leur pays.

Compte tenu des différences de contexte, c'est la même opération-libération que doit chercher à accomplir la communauté francophone nord-américaine, que ce soit dans le cadre d'un Canada redéfini ou dans celui d'un Québec politiquement souverain. La Yougoslavie, la Roumanie, la Chine et l'Albanie l'ont réussie dans des conditions qui étaient extrêmement difficiles. Des pays d'Amérique latine (Cuba, le Chili, le Pérou) tentent chacun à sa façon de se libérer de l'empire économique américain, à partir d'un état de dépendance bien plus poussé que le nôtre. La chose est donc possible, si l'on sait mobiliser les énergies d'une manière positive et proposer des buts précis, qui méritent les sacrifices qu'ils exigent. Toute la question est de savoir si nous pourrons faire cela dans les prochaines années ou si nous ne sommes pas déjà trop intégrés à la civilisation américaine, culturellement et économiquement, pour vouloir nous en dégager et affirmer en marge d'elle une francophonie nord-américaine autonome.

*Lectures recommandées*

G. Bergeron, *Le Canada français après deux siècles de patience,* Paris, Seuil, 1967.

A. Hero, «Le nationalisme québécois face aux États-Unis: Un point de vue américain», *Choix,* 7 (1975), p. 339-375.

D. Latouche, «Le Québec et l'Amérique du Nord: une comparaison à partir d'un scénario», *Choix,* 7 (1975), p. 92-127.

M. Rioux, *Les Québécois,* Paris, Seuil, 1974.

————, *La question du Québec,* Paris, Seghers, 1971.

*Transnational Relations: the U.-S. and Canada,* no spécial de *International Organization,* 28, no 4 (1974).

M. van Schendel, «Le Québec à l'heure américaine», *Socialisme 66,* no 8 (mai 1966), p. 7-28.

# Évaluations globales du système politique québécois contemporain

# Chapitre 24

# La conjoncture politique québécoise, 1960-1970*

Luc Racine
Université de Montréal

Roch Denis
Université du Québec à Montréal

*Luc Racine est professeur au département de sociologie de l'Université de Montréal et Roch Denis, au département de science politique de l'Université du Québec à Montréal. Ils s'intéressent tous deux aux aspects politico-économiques des mouvements ouvriers et des mouvements nationalistes, au Canada et au Québec, et ont déjà publié plusieurs articles à ce sujet aux éditions* Parti Pris *et dans* Socialisme québécois.

*Leur objectif est ici d'expliquer les changements politiques des années soixante au Québec par l'évolution de l'économie québécoise dans le contexte du capitalisme américain et international. De plus, ils retracent les diverses étapes du développement idéologique et organisationnel du mouvement socialiste québécois. Leur essai fait appel à la documentation officielle en matière économique et politique, ainsi qu'à diverses études antérieures.*

La coupure marquée par les années soixante dans l'évolution de la situation québécoise ne doit pas être surestimée quant à son importance explicative. Si l'accession du Parti libéral au pouvoir dans la province a mis fin à un régime politique durant depuis vingt ans, ce changement, lui, est à expliquer par l'évolution de l'économie québécoise depuis la fin de la guerre. Le régime libéral de Jean Lesage a correspondu à une modification dans la fonction de l'État provincial. Le renforcement qui eut alors lieu quant aux pouvoirs d'intervention de l'État est relié au développement du capitalisme américain et international dans ce sens.

---

*   Tiré de *Socialisme Québécois*, 21-22, 1971, p. 17-78; bien que conscients que leur texte est à plusieurs endroits dépassé par les événements récents, les auteurs ont préféré le laisser inchangé plutôt que de tenter une mise-à-jour rapide, ce qui demeure souvent une opération artificielle.

## Modification de la structure des classes

Avant la dernière guerre, la situation était à peu près la suivante : la majorité de la classe ouvrière se trouvait dans le secteur manufacturier et surtout dans celui de l'extraction des matières premières. Bien que le premier de ces secteurs ait été moins concentré que le second, la qualification du travail était généralement faible dans chacun. Le second secteur était plus développé que le second et plus clairement sous le contrôle quasi exclusif américain. Le secteur manufacturier, de son côté, était en partie monopolisé par les anglo-canadiens, les moyennes et petites entreprises étant en partie sous contrôle d'une bourgeoisie canadienne-française.

L'agriculture était déjà en régression, très peu concentrée, étouffée par la concurrence des produits anglo-canadiens et américains. On y trouvait surtout des petits producteurs canadiens-français.

Le peu de concentration du secteur de production des biens de consommation impliquait, dans les villes mais surtout en province, un réseau considérable de petites entreprises familiales dans le commerce et les services privés. Parallèlement à cela existait également tout un réseau de petite bourgeoisie professionnelle (avocats, notaires, médecins, curés).

Les activités financières étaient majoritairement sous contrôle anglo-canadien, avec une certaine part de moyenne bourgeoisie canadienne-française. Les activités commerciales connaissaient à peu près la même situation.

Le faible développement de l'État provincial avait comme conséquence qu'une part restreinte de travailleurs avait un statut de fonctionnaires (techniciens, employés manuels ou non manuels des services gouvernementaux). L'enseignement, public ou privé, connaissait la même situation, avec une prédominance du privé. Même chose concernant la part de travailleurs relevant des services québécois du gouvernement fédéral.

Enfin, dans les grandes et moyennes entreprises anglo-américaines, détenant la part prédominante du marché, les Canadiens français étaient exclus systématiquement, sauf exceptions rares, des postes de gérance, d'administration ou de direction.

Ce qui donne la structure de classe suivante :

A) *Grande bourgeoisie* :  a) Industrielle
 1. secteur primaire d'extraction (mines et papier) : concentré majoritairement dans les mains des monopoles américains.
 2. secteur manufacturier (transformation des matières premières) : dans les mains des compagnies anglo-canadiennes.

 b) financière et commerciale : contrôle prédominant des anglo-canadiens.

B) *Moyenne bourgeoisie:*  développée surtout dans le secteur manufacturier, dans la finance et le commerce. Majoritairement anglo-canadienne, avec concurrence canadienne-française plus ou moins forte.

C) *Petite-bourgeoisie:* dans l'ensemble canadienne-française
   a) professionnelle : avocats, médecins, notaires, etc.
   b) commerciale : petites entreprises familiales dans la distribution.
   c) industrielle : petites entreprises principalement dans la construction.
   d) services : petites entreprises de restauration, d'hôtellerie, de divertissement, etc.
   e) agricole : constituant la majorité de la main-d'oeuvre en voie de prolétarisation rapide.

D) *Classe ouvrière :* à majorité canadienne-française
   a) Travailleurs peu qualifiés de l'industrie primaire. Part majoritaire des effectifs.
   b) Travailleurs moyennement qualifiés de l'industrie de transformation. Part importante des effectifs.
   c) Employés manuels et non manuels des transports, du commerce et de la finance. Peu qualifiés.
   d) Employés manuels et non manuels des services publics.
   e) Employés des services privés.

La différence entre grande et moyenne bourgeoisie tient au fait que la première utilise une plus grande part de main-d'oeuvre que la seconde, s'accapare une plus grande part de la plus-value et détermine le rythme de l'accumulation. La différence entre moyenne et petite-bourgeoisie tient dans le fait que la petite-bourgeoisie n'emploie que peu de main d'oeuvre salariée et s'accapare ainsi une part insignifiante de la plus-value, tout en étant propriétaire de ses moyens de production. Sous contrôle privé ou non, les services excluent le commerce et la finance, mais incluent surtout les communications (poste, journaux, téléphone, radio, entretien des routes).

La moyenne bourgeoisie canadienne-française n'est évidemment pas nationale, puisqu'elle ne contrôle aucun secteur ou branche de l'économie. Elle est canadienne-française dans un sens à la fois culturel et économique : ses activités se restreignent à un territoire peuplé majoritairement par une population dont la langue, la culture et l'histoire sont spécifiques.

Bien que cette structure de classes corresponde surtout à la situation d'avant-guerre, elle explique une bonne partie de la conjoncture politique jusqu'en 1960. Cela à cause du retard dans l'adaptation entre l'économique et le politique. De la même façon, nous verrons plus loin que c'est la structure de classes correspondant à la période d'après-guerre, et à ses modifications économiques, qui peut rendre compte de la conjoncture politique de la dernière décennie.

La période d'après-guerre en est une d'éviction progressive de la moyenne bourgeoisie québécoise dans les secteurs manufacturier, commercial et financier. La concurrence acharnée entre ces entreprises et les monopoles anglo-canadiens ou américains, de plus en plus protégés par l'État fédéral, met la moyenne bourgeoisie devant une option: accepter de se voir réduite à un rôle de sous-traitant des Américains ou des Anglo-canadiens, ou s'appuyer sur l'État provincial pour mener une lutte nationaliste. La fraction de la moyenne bourgeoisie politiquement portée vers le nationalisme (à la limite indépendantiste) est composée, économiquement, des dirigeants et cadres supérieurs de la moyenne entreprise financière et industrielle (industrie légère de transformation) québécoise, ainsi que des cadres supérieurs des entreprises d'état provinciales.

La classe ouvrière de son côté, n'a de choix que celui de résister : d'une part, dans les secteurs monopolisés (ensemble de l'industrie), à la hausse du taux de plus-value par une lutte gréviste et syndicale sur les salaires et les conditions de travail ; d'autre part, dans les secteurs non monopolisés et en voie d'éviction (industrie de transformation, commerce), à la baisse des salaires réels et à l'insécurité d'emploi par une lutte d'arrière-garde, sans appui syndical, et souvent détournée de ses buts par la propagande rendant les syndicats responsables du sort précaire des moyennes entreprises.

L'essentiel de la politique du gouvernement de l'U.N., sous la direction de Duplessis, et au pouvoir pendant toute cette période, s'explique d'abord par la situation de la petite et de la moyenne bourgeoisie québécoise en face du mouvement de monopolisation appuyé par le gouvernement fédéral dans les secteurs manufacturiers, commerciaux, financiers. L'U.N. est un parti dont les effectifs étaient issus principalement de la petite-bourgeoisie professionnelle de province, appuyée par la petite-bourgeoisie industrielle et commerciale, soutenue par une fraction importante de la moyenne bourgeoisie industrielle. Sa politique s'explique par un compromis entre l'acceptation pure et simple du rôle de sous-traitance, par les compagnies anglo-canadiennes ou américaines, et des velléités de résistance aux conséquences sociales du mouvement de monopolisation.

Il s'agit pour l'U.N. d'utiliser au maximum les rivalités entre intérêts anglo-canadiens et américains dans le mouvement de monopolisation. Un appui inconditionnel fut d'abord donné aux monopoles américains dans le secteur primaire, par des exemptions de taxe sur les matières premières et toute autre facilité d'établissement et d'exploitation des richesses naturelles. Le mouvement ouvrier fut mâté lorsque nécessaire pour assurer la paix industrielle et la hausse maximum du taux plus-value. Cette politique avait pour but de freiner le mouvement qui s'amorçait dans ce secteur, où la modernisation des équipements, l'arrêt des nouveaux investissements et une stabilisation générale devaient graduellement entraîner des réductions de main-d'oeuvre et la nécessité de reclassement de cette dernière. De plus, la domination des grandes compagnies américaines sur plusieurs villes de province, où existait en nombre considérable la petite et moyenne bourgeoisie québécoise, favorisait indirectement les intérêts représentés par l'U.N.

En second lieu, la lutte contre Ottawa afin de récupérer les pouvoirs de taxation avait comme premier but de dégager le plus de fonds possibles pour continuer à mener à bien une entreprise systématique de patronage, où les contrats gouvernementaux et pots-de-vins divers permettaient de renflouer une petite et moyenne bourgeoisie en concurrence inégale avec les compagnies monopolisant de plus en plus le secteur manufacturier, le commerce et la finance. Il s'agissait donc essentiellement d'une politique d'arrière-garde, qui ne pouvait en aucune façon freiner sérieusement le bouleversement de la structure de classes causé par les modifications économiques d'après-guerre.

## Développement des forces fédéralistes : des réformes à la répression

### 1. La « révolution tranquille »

Pendant la période d'après-guerre se réalisent des modifications économiques importantes et une transformation correspondante de la structure des classes.

La stabilisation du secteur primaire est accompagnée d'une concentration dans le secteur manufacturier, mouvement qui n'entraîne pas un développement de secteurs de pointe pouvant prendre dans le développement économique le rôle moteur perdu par le secteur primaire. Toutefois, la modernisation relative dans les secteurs primaire et manufacturier entraîne la nécessité d'un déplacement d'une partie de la main d'oeuvre qui y était, et une requalification de la part qui peut s'y maintenir.

Du côté de la moyenne bourgeoisie, cette dernière se voit de plus en plus éliminée (faillites) ou intégrée avec un rôle de soustraitance (fusion, achat d'entreprises, prise de contrôle, etc.). La moyenne bourgeoisie sous-traitante se compose des cadres supérieurs québécois, et minoritaires, des entreprises anglo-américaines. Quant à la petite-bourgeoisie établie dans le secteur de la distribution des biens de consommation, elle se voit prolétarisée du même coup. Il en va de même, et pour les mêmes raisons, pour la petite-bourgeoisie industrielle, des services et agricole. La petite-bourgeoisie professionnelle, de son côté, se voit de plus en plus prolétarisée par la prise en charge des services qu'elle rendait de la part de l'État provincial (syndicalisation des ingénieurs, établissement de l'assurance-santé, etc.).

Quant à la grande bourgeoisie anglo-canadienne, elle se voit de plus en plus concurrencée, dans les secteurs où elle était traditionnellement le mieux établie (finance, transformation, commerce), par les entreprises américaines, et cela non seulement au Québec, mais dans tout le Canada où la politique des monopoles américains est en gros la même qu'en Europe (contrôle de l'industrie de pointe et des approvisionnements en matières premières d'une importance stratégique). Ce fait expliquera en bonne partie les contradictions et les échecs du régime libéral de Jean Lesage, l'intermède U.N. de D. Johnson et la reprise en main par R. Bourassa.

Il est évident que la requalification d'une partie de la classe ouvrière, l'absorption d'une autre partie ailleurs que dans les secteurs primaire et manufacturier, le maintien de l'exploitation nécessaire, mais devenue non rentable, de certaines ressources de base, ainsi que le développement d'un secteur de pointe pour relancer le développement ne pouvaient se faire automatiquement selon les lois du marché, ni par des régulations de type keynésien, ni par une intervention de l'État fédéral hors de sa juridiction.

Cette tentative, c'est l'État québécois qui va l'amorcer. Et ce en devenant l'instrument d'une nouvelle coalition de classes. Au lieu de jouer la carte exclusivement pro-américaine, comme sous Duplessis, la fraction maintenant majoritaire de la moyenne bourgeoisie va faire alliance avec la grande bourgeoisie anglo-canadienne, échangeant ses services de sous-traitance en faveur d'un renforcement de cette grande bourgeoisie face aux intérêts américains. La petite bourgeoisie professionnelle urbaine fournira une partie du personnel politique, voyant dans la vente de ses services à l'État une façon d'échapper à la prolétarisation complète. Elle sera appuyée momentanément dans ce rôle par les travailleurs du secteur de l'information et les travailleurs très qualifiés des secteurs public ou privé, couche dont l'importance a cru en fonction de la modernisation relative de l'économie et de l'amorce d'une réforme de l'éducation. Couche où, également, se recruteront en partie les technocrates et haut fonctionnaires de la coalition.

Sous cette direction, l'État provincial va prendre une série de mesures, entre 1960 et 1966, ayant comme but de résoudre les problèmes que nous avons mentionnés plus haut. En premier lieu, l'augmentation des effectifs de la fonction publique sera un déversoir pour la main-d'oeuvre excédentaire du primaire et du secteur manufacturier.

En second lieu, la nationalisation de l'hydro-électricité permettra de maintenir en fonctionnement une industrie devenue peu rentable mais indispensable à la vie économique. Elle sera aussi un moyen pour développer la recherche dans un domaine voisin de l'industrie de pointe (télécommunications).

En troisième lieu, la création de la Société Générale de Financement favorisera le maintien et le regroupement d'industries périclitantes dans le secteur manufacturier (léger, principalement).

La réforme de l'éducation aura comme but à la fois de former une main-d'oeuvre techniquement qualifiée, nécessaire au fonctionnement d'une économie en voie de modernisation ; et aussi de former, à un plus haut niveau, les technocrates et hauts administrateurs de l'État interventionniste.

Une série de mesures administratives sera prise dans le but de concentrer le pouvoir aux mains de l'exécutif et de rationaliser la machine gouvernementale. La création de la Sûreté du Québec interviendra comme un renforcement des pouvoirs répressifs de cet État.

Sur le plan constitutionnel, une panoplie de solutions pour le remaniement de la Constitution sera avancée, sans que toutefois l'accord se fasse, au sein du Parti libéral, sur aucune d'entre elles.

## 2. L'échec et le déclin de la révolution tranquille

Restent à analyser maintenant les causes de l'échec de cette entreprise et ses conséquences socio-économiques et politiques.

La cause principale de cet échec est probablement l'effet sur l'économie québécoise et canadienne de la récession américaine. D'une part, le succès de la réforme de l'éducation dépendait des débouchés que pourraient trouver sur le marché du travail les nouveaux travailleurs qualifiés. Dans la mesure où la récession a nui à l'implantation de nouvelles industries à haute composition technique du capital au Québec, ce à quoi le gouvernement libéral voulait inciter les entreprises américaines en leur offrant, en plus de primes et exonérations, une main-d'oeuvre qualifiée à coût relativement bas, le projet échouait.

D'autre part, l'entreprise de renflouement des moyennes entreprises par la SGF, comme les autres mesures d'intervention économique, demandaient des crédits que le gouvernement québécois ne pouvait obtenir qu'en une proportion décroissante à mesure que la récession faisait sentir ses effets sur les marchés financiers de New-York et de Toronto.

Enfin, la politique anti-inflationniste du gouvernement fédéral, normale pour l'industrie ontarienne, ne pouvait que renforcer au Québec la fermeture des moyennes entreprises, les réductions d'effectifs et l'augmentation continue du chômage et de l'assistance sociale.

Devant une telle situation, la seule issue ouverte devenait la régulation par l'État des hausses de salaires, le secteur public servant d'initiateur et de barème. Le gouvernement libéral de Jean Lesage débuta dans ce sens mais ce furent les deux gouvernements suivants qui y donnèrent toute leur mesure : on fixa d'autorité les salaires des enseignants, des travailleurs de la Régie des Alcools du Québec, des chauffeurs d'autobus de la ville de Montréal, et finalement des travailleurs de la construction.

Le deuxième volet de cette nouvelle politique fut la répression des mouvements populaires et nationalistes.

Entre les années 1960 et 1964, l'utilisation de l'État provincial par la coalition fédéraliste avait pour but la relance de la croissance économique. La récession commencée vers 1963 rendant cela impossible, l'utilisation de l'État se fait alors essentiellement dans le but de limiter la baisse des profits et d'empêcher l'organisation des forces nationalistes ou socialistes, organisation favorisée par les conséquences mêmes de l'échec de la révolution tranquille : la prolétarisation continue de la petite-bourgeoisie et l'éviction de la moyenne, l'augmentation du chômage et la détérioration des conditions de travail dans le milieu étudiant et dans les secteurs de plus en plus larges de la classe ouvrière.

## Développement du mouvement nationaliste

Lorsque nous parlons de nationalisme, dans ce contexte, nous entendons une idéologie politique optant pour l'indépendance politique et culturelle du Québec face au reste du Canada.

Il ne faut pas croire que l'apparition du nationalisme en 1960 était sans précédent dans l'histoire du Québec. Le nationalisme y est apparu, comme idéologie d'une fraction de la moyenne et petite-bourgeoisie, à chaque fois que la détérioration de la situation économique accentuait les phénomènes d'éviction de la moyenne bourgeoisie et de prolétarisation de la petite-bourgeoisie ; que ce soit lors de l'insurrection de 1837 ou lors du Bloc populaire, cette coalition se retournait toujours vers les États-Unis desquels elle espérait obtenir plus d'autonomie.

Un examen plus détaillé de l'évolution idéologique du mouvement nationaliste va nous permettre de préciser l'analyse précédente.

1. *L'Alliance laurentienne : de Duplessis à Salazar*

L'activité de cette organisation se centre autour de la publication et de la diffusion de la revue *Laurentie*. C'est le point de départ du mouvement nationaliste de la décennie 1960-1970, point de départ qui fait le lien avec l'ancien nationalisme d'avant-guerre. Pour l'Alliance laurentienne, il faut viser à la récupération de tous les pouvoirs fiscaux, douaniers, etc., ce qui revient à la sécession du Québec. L'État québécois indépendant est alors conçu selon le modèle du corporatisme.

Ce nationalisme de droite est très proche de celui du chanoine Groulx et du Bloc populaire. Il annonce toutefois bien des choses en plaçant le problème sur le plan du colonialisme économique exercé par Ottawa sur le Québec. Cette thèse du colonialisme économique sera en effet reprise dans une perspective socialiste par R. Roy, directeur de la *Revue socialiste* et instigateur de l'ASIQ. Elle sera également reprise et développée par le RIN et par *Parti Pris* jusqu'à la publication, en 1966, du manifeste du MLP.

D'autre part, l'idée d'un rapatriement de tous les pouvoirs de taxation afin de s'en servir comme leviers économiques, avec l'épargne gérée par les Caisses populaires et le mouvement coopératif, et ce afin de relancer par l'intervention de l'État le secteur secondaire, sera reprise et développée par le Parti libéral de Jean Lesage, et aujourd'hui par le Parti québécois.

Toutefois, l'Alliance laurentienne n'était rien de plus qu'un cercle de discussion et la revue *Laurentie* était peu diffusée. Cette étape de la pensée nationaliste correspond à la fin du duplessisme. Les membres de l'Alliance sont des intellectuels se rattachant à la fraction ultra-nationaliste de la moyenne bourgeoisie. Ils tirent les conclusions de l'échec du compromis duplessiste quant à la remise sur pied de la moyenne entreprise québécoise affaiblie par les grandes entreprises anglo-américaines et par le mouvement de monopolisation d'après-guerre. Une solution devant cet échec était l'option séparatiste, menant à la reprise en main par l'État québécois de tous les pouvoirs fiscaux dans le but de renflouer la moyenne entreprise.

## 2. Les débuts du RIN : élargissement de la propagande séparatiste

Dès sa fondation, le Rassemblement pour l'indépendance nationale va reprendre la théorie du colonialisme. Avec toutefois une insistance nouvelle sur la discrimination économique dont les Canadiens français sont victimes dans leur travail et dans leur vie quotidienne.

Le RIN a été fondé principalement dans le but de propager cette analyse le plus largement possible et de démontrer la possibilité de l'indépendance sur le plan économique. Toutefois la première partie de l'existence du RIN est marquée par le souci de diffuser plus largement ses idées que n'avait réussi à le faire l'Alliance laurentienne. On veut susciter un mouvement d'idées et des discussions autour de l'idée d'indépendance. À cette fin, le mouvement procède par assemblées publiques, par réunions de cuisine, par collage de papillons, vente de livres sur le mouvement de décolonisation, distribution de tracts, etc... Le mouvement est alors essentiellement politique, mais l'essentiel de son travail se place sur le plan de la lutte idéologique visant à convaincre la petite-bourgeoisie traditionnelle des professions libérales, les intellectuels et les couches plus ou moins nationalistes de la moyenne bourgeoisie d'affaires.

Mais c'est politiquement que le problème se posera au RIN. Dans la mesure où l'identification entre la domination coloniale de l'Algérie par la France et la domination du Québec par Ottawa se faisait de plus en plus chez les militants, la question des moyens à prendre pour se débarrasser de la tutelle coloniale devait nécessairement se poser.

Trois options se dessinèrent alors. La plus conservatrice voulait que l'on se borne à tenter d'influencer les partis traditionnels (et surtout l'UN) dans le but de les pousser à choisir l'indépendance politique. A l'autre extrême, on postulait l'impossibilité d'arriver à l'indépendance par la voie démocratique et on proposait le recours immédiat à une organisation inspirée du FLN.

La solution intermédiaire était de transformer le RIN en parti politique afin de faire émerger le Québec de l'état de colonisation politique, économique et culturelle qui lui est imposé par le fédéralisme canadien.

## 3. La transformation du RIN en parti politique

De l'analyse en terme de colonialisme va découler la stratégie politique du RIN comme parti politique: 1) il faut faire l'unité de toutes les classes (sous la direction de la moyenne bourgeoisie nationaliste) autour du projet d'indépendance politique (sous-entendu: économiquement, c'est autre chose); 2) Ottawa est l'ennemi principal dont il faut se débarrasser par des moyens démocratiques (sans dire si cela est possible); 3) l'indépendance politique et culturelle est un préalable indispensable à la réalisation du «socialisme» (étapisme).

Le programme politique du RIN va préciser ces trois points centraux de la stratégie. Ce programme montre que le RIN veut réaliser l'indépendance politique et culturelle du Québec par des mesures impliquant que l'État du Québec prend en mains toutes les prérogatives d'un État national : création d'une Banque centrale et d'une monnaie ; contrôle des douanes, des taxes et de la fiscalité ; diversification des échanges et du commerce extérieur ; établissement de l'unilinguisme à tous les niveaux (travail, administration, éducation, loisirs, etc.) ; planification indicative et intervention dans les secteurs faibles de l'économie par nationalisations et investissements publics. Il n'est pas question de négociations ni de marché commun avec le Canada ou les USA ; ni de subventions aux anglophones dans l'éducation.

C'est sur cette base que le RIN va modifier son style d'action et son organisation. Cette dernière se basera sur les comtés, en fonction des élections. L'action de propagande s'intensifiera et on ira jusqu'aux manifestations de rue contre la politique fédérale. Les assemblées publiques prendront de l'ampleur, les exposés seront remplacés par des discours politiques. Ce qui mènera, en 1966, à l'obtention de 10% du vote à Montréal.

### 4. *Des élections de 1966 à la scission : le centrisme impossible*

Pour le RIN devenu parti politique, le résultat des élections de 1966 était à la fois une victoire et une défaite. Une victoire en ce sens qu'en peu de temps et avec peu de moyens, on réussissait à décrocher 7% du vote dans l'ensemble de la province et 10% à Montréal. Un échec en ce sens que l'on n'avait pas rejoint plus que la frange la plus nationaliste de la petite-bourgeoisie professionnelle, des intellectuels et des étudiants.

Les efforts de propagande et d'implantation devaient donc s'orienter dans deux sens. Tout d'abord vers la moyenne bourgeoisie nationaliste, dont le slogan «Égalité ou Indépendance», du parti UN rénové de Daniel Johnson, semblait se rapprocher de l'option indépendantiste.

Il fallait en second lieu convaincre la classe ouvrière, dont l'appui électoral est indispensable à tout parti politique pour arriver au pouvoir.

Comme nous allons maintenant le voir, il était impossible de rallier à la fois la moyenne bourgeoisie nationaliste et la classe ouvrière. Pour convaincre la moyenne bourgeoisie, aussi bien que la classe ouvrière, il fallait recourir à des arguments d'ordre économique. Dans le cas de la moyenne bourgeoisie, il s'agissait essentiellement de montrer que l'indépendance n'entraînerait pas de fuite de capitaux ou de crise monétaire trop sérieuse ; et que, bien au contraire, elle permettrait de venir financièrement en aide aux moyennes entreprises en difficulté. Cela supposait en tout cas que l'on donne au parti une respectabilité que la personnalité et les écarts de langage de Pierre Bourgault, en autant que ce dernier incarnait le nationalisme radical du programme du parti, compromettaient souvent. Cela supposait également d'assurer, dans la mesure du possible, un climat social calme pour ne pas troubler les investisseurs.

Avec la classe ouvrière, d'autre part, on pouvait insister sur le fait que l'État fournirait de nouveaux emplois et diminuerait le chômage, etc… Mais il était difficile de prouver l'impossibilité d'une baisse du niveau de vie, argument sur lequel se fondaient les fédéralistes qui, en prédisant cette baisse et une augmentation du chômage postérieures à l'indépendance, espéraient ainsi éloigner la classe ouvrière du RIN. Mais ce qui est plus important c'est ceci : le RIN ne possédait pas les moyens de propagande des autres partis et ses militants durent rejoindre les travailleurs là où c'était le plus facile, c'est-à-dire lors des conflits de travail. Mais l'appui aux grèves avait le double effet d'attirer une certaine sympathie des travailleurs et d'effaroucher la moyenne bourgeoisie nationaliste.

C'est à partir de là que l'on peut comprendre le conflit qui opposa la gauche et la droite du parti. Sensibles dans les ambiguïtés et hésitations de la politique de Johnson, l'indécision et la faiblesse de la moyenne bourgeoisie nationaliste avaient poussé les militants de la gauche du parti à renoncer à la thèse de l'appui tactique (indépendance faite par la bourgeoisie nationale comme préalable à la lutte des travailleurs pour le socialisme), et à revenir progressivement à l'organisation de la lutte de libération nationale sous la direction des travailleurs organisés. Ce qui impliquait ou bien la prise sous contrôle du RIN et sa transformation en mouvement politique de libération nationale tentant d'unifier la lutte de la petite-bourgeoisie et de la classe ouvrière sous la direction de cette dernière, et donc un renoncement au réformisme néo-capitaliste et électoraliste du parti; ou bien la scission et la fondation d'une nouvelle organisation.

La droite du parti, pour sa part, considérant la stratégie de Johnson, se demandait si le mieux n'était pas de s'y rallier temporairement, ce qui impliquait l'arrêt des activités du parti auprès de la classe ouvrière.

Le heurt était inévitable. Il fut précipité par un événement extérieur: la démission de René Lévesque et la fondation du MSA. Ce dernier, qui devait devenir le PQ, proposait une solution au dilemme du RIN. Il s'agissait de s'appuyer sur les étudiants, les fonctionnaires, techniciens, technocrates et professionnels salariés, ainsi que la petite-bourgeoisie, et de tenter de réaliser l'unité de la moyenne bourgeoisie, subalterne et sous-traitante, sur un objectif de négociations et de repartage des pouvoirs entre Ottawa et Québec.

Pour ce qui concernait la classe ouvrière, on lui présentait les réformes libérales habituelles (création d'emplois, hausse de salaire et sécurité d'emploi, assurance-santé, éducation gratuite, etc.), en interprétant l'échec antérieur de ces réformes comme étant dû à la structure fédérale.

À la moyenne bourgeoisie subalterne, on proposait d'autre part un moyen concret de renflouement: la prise de contrôle de l'épargne, par l'intermédiaire des Caisses populaires, des coopératives, de la Caisse de dépôts, etc., et son utilisation par l'État dans le but de financer les entreprises périclitantes du secteur secondaire.

## 5. *Du MSA au PQ: le recul*

Mais en plus de proposer un compromis avec la bourgeoisie anglo-canadienne sur les questions des privilèges linguistiques et économiques, ce qui impliquait une restriction au départ du sens de l'indépendance politique, le programme du PQ sera plus clairement proimpérialiste que celui du RIN. Ce dernier, en proposant une éventuelle adhésion au marché commun européen et une diversification des échanges, tout en maintenant son accord avec le GATT, laissait une porte ouverte à une lutte pour le socialisme postérieure à l'indépendance. L'interdépendance continentale, qu'accepte le PQ, exclut même cette possibilité de principe.

On peut prévoir en effet que même dans le cas d'une prise de pouvoir par le PQ, il sera impossible à ce dernier de ne pas négocier des ententes douanières, monétaires et fiscales qui restreindront sérieusement la souveraineté politique du Québec. Dans le domaine de la langue et de l'immigration, le risque d'assimilation sera freiné. Mais il importe de considérer que, dans le cas d'un maintien de la structure fédérale actuelle, le climat de répression qui s'installe à cause des répercussions de la détérioration de la situation économique sur les étudiants, les ouvriers et les petits-bourgeois rendra de plus en plus problématique la venue de nouveaux immigrants au

Québec et accentuera plutôt le mouvement de départ (ce qui freinera aussi le principal risque d'assimilation). On aura alors également maintien du statu quo.

La démission et la série de reculs de la moyenne bourgeoisie québécoise, même la plus nationaliste, sur la question de l'indépendance et de l'unilinguisme, sensibles dans le passage du RIN au PQ, montrent que seule la classe ouvrière peut mener à son terme, et selon ses intérêts propres, la lutte de libération nationale qui s'intègrera et sera soumise stratégiquement à la lutte pour le socialisme. C'est là tout le sens du débat au sein du mouvement socialiste québécois depuis 1960.

## Histoire du mouvement socialiste québécois

Depuis le début des années soixante, le mouvement « socialiste » québécois a fait l'objet de peu d'analyses précises. Le plus souvent, il a été caractérisé par une double tentative : celle d'insérer la question nationale dans une stratégie de lutte de classe ; celle aussi de définir les moyens de l'implantation d'une avant-garde révolutionnaire au sein de la classe ouvrière.

Ces caractéristiques ne sont pas fausses, mais elles ne permettent pas de comprendre la genèse du mouvement, sa nature, ses formes, ses ambiguïtés; elles ne permettent pas non plus de tirer le bilan de son évolution.

Comme nous allons tenter de le montrer, l'histoire récente du mouvement socialiste au Québec, c'est un peu l'histoire de son dégagement progressif du nationalisme bourgeois, mouvement parallèle mais non encore intégré, au mouvement de la classe ouvrière vers son organisation politique indépendante.

1. *La* Revue Socialiste *et l'ASIQ*

En avril 1959, Raoul Roy crée la *Revue socialiste* « pour l'indépendance absolue du Québec et la libération prolétarienne ».

L'objectif de la revue est de créer un courant organisé de lutte contre le « colonialisme anglo-saxon » et pour la libération socialiste du peuple québécois. Son objectif est aussi polémique. Roy vise à contrer l'influence de la « gauche pancanadienne » à qui il reproche sa « soumission... à l'idéal bourgeois d'un Canada centralisé, monolithique et uniformisé »[1].

Dans son premier numéro, la *Revue* publie un « manifeste politique » qui contient cent « propositions programmatiques ». Dans ces propositions se trouve résumé l'essentiel des positions défendues par le groupe jusqu'à sa suspension en 1962.

Comment caractériser brièvement ces positions ?

L'analyse politique de la *Revue* repose sur une première constatation centrale : les Canadiens français forment un peuple presqu'entièrement prolétarisé, occupé économiquement par une grande bourgeoisie colonialiste de langue et de culture étrangère.

Le capitalisme de ce point de vue ne peut permettre l'émancipation de la nation canadienne-française.

---

[1] «Manifeste politique, Propositions programmatiques», *La Revue socialiste*, no 1 (avril 1959), p. 23.

En revanche, le socialisme n'est pas présenté comme objectif de lutte, mais comme « outil » qui doit permettre l'indépendance absolue de la nation. Ce socialisme n'est pas l'organisation du pouvoir ouvrier. Il est plutôt caractérisé par une forte dose de nationalisations.

D'ailleurs ce socialisme est conçu dans le cadre national et bien que l'on trouve dans le manifeste politique quelques références de principe à la « solidarité prolétarienne internationale », le sauvetage de la nationalité canadienne-française paraît prioritaire.

La *Revue socialiste* rejette donc absolument toute forme de socialisme qui triompherait au niveau pancanadien avant la libération nationale des Canadiens français.

Cette conception de la libération prolétarienne-nationale a fort peu de liens avec la lutte pour l'émancipation des travailleurs québécois comme partie composante du combat international contre l'impérialisme.

La *Revue socialiste* reprend en fait, en le coiffant d'un vocabulaire socialiste, les thèses du nationalisme bourgeois pour un développement économique autonome en Amérique du Nord. Tout se passe comme si le groupe de Raoul Roy reprochait à « l'infime minorité capitaliste » francophone de capituler sans combat, de se prostituer aux « intérêts égoïstes » anglo-canadiens et américains, de ne pas avoir les reins assez solides pour partir à la conquête du marché intérieur québécois.

Ce reproche est en même temps une façon d'indiquer à la bourgeoisie les voies qu'on voudrait lui voir suivre : un socialisme québécois. Démarche intellectuelle petite-bourgeoise qui n'est en rien l'expression des intérêts de la classe ouvrière et qui ne rend même pas compte du mouvement de la bourgeoisie québécoise.

L'ASIQ sera davantage un pôle de discussions théoriques qu'un noyau militant organisé. Elle tiendra des réunions publiques et privées.

## 2. Parti Pris *et le Mouvement de Libération Populaire*

Depuis qu'elle a « suspendu » sa parution en 1968, la revue *Parti Pris* est restée identifiée à sa tactique d'appui à la bourgeoisie, ou, ce qui revient au même, à la thèse selon laquelle ce n'est qu'après l'indépendance nationale qu'il sera possible de mener au Québec le combat classe contre classe.

Cette identification est extrêmement partielle. Elle ne rend pas compte de l'évolution de la revue, ni du débat théorique qui s'est poursuivi en son sein au moins pendant les trois dernières années.

La raison de l'éclatement de *Parti Pris* après cinq années d'existence réside ailleurs que dans des difficultés financières qui étaient néanmoins réelles. Cette raison est politique et elle consiste dans l'affrontement de deux thèses irréconciliables : la thèse d'appui tactique et celle qu'on peut qualifier de « lutte révolutionnaire unique menée sous l'impulsion de la classe ouvrière et qui ne comporte pas d'étape indépendantiste, mais une dimension nationale ».

Lorsque *Parti Pris* paraît pour la première fois en octobre 1963, ses fondateurs - Pierre Maheu, Jean-Marc Piotte, André Major, André Brochu, Paul Chamberland - résument le double objectif qu'ils se fixent : démystifier les structures de l'ordre régnant en vue de favoriser leur destruction, exprimer la révolution dans ses diverses phases depuis la prise de conscience jusqu'à l'accomplissement. La réalisation de cet objectif se fera dans la perspective d'une triple conquête : l'indépendance, le socialisme et le laïcisme au Québec.

Les fondateurs de *Parti Pris* sont des intellectuels. Leur objectif aussi. Ils sont encore dans l'Université ou ils en sortent à peine. L'indépendantisme dont ils se réclament est davantage le produit d'une théorisation des luttes de libération nationale qui ont culminé dans le monde en 1960 (Fanon, Berque, etc.) que l'aboutissement d'une analyse serrée des classes et des intérêts de classes au Québec.

Leur référence au socialisme est exclusivement théorique, comme une référence à l'égalitarisme nécessaire au sein d'un peuple qui a été jeté collectivement dans la dépendance politique, économique, sociale et culturelle.

Ils veulent en faire une revue qui soit à la fois « politique et culturelle », condition que ne remplissent ni la *Revue socialiste*, exclusivement politique, ni la revue *Liberté*, trop exclusivement culturelle.

Leur projet est donc limité à la création d'un courant d'idées. Ils n'ont aucun passé militant et ils n'entendent d'ailleurs pas militer mais produire des analyses théoriques.

Les fondateurs de la revue pressentent vite la double difficulté 1) d'appeler à l'indépendance et au socialisme sans définir aussi la stratégie, les tactiques et les étapes de cette lutte, 2) d'exprimer théoriquement (selon leur projet initial) une révolution qui ne se fait pas et dans laquelle ils ne prennent aucune part « active ».

Deux facteurs externes vont secouer leur consensus d'origine : les critiques du Front de libération du Québec entré en scène au printemps 1963 et qui reproche aux rédacteurs de *Parti Pris* non pas le contenu de leurs analyses, mais justement le fait de ne s'en tenir qu'à des analyses et de ne pas lier la théorie à la pratique. Les critiques de *Révolution québécoise*, créée par Pierre Vallières et Charles Gagnon en septembre 1964, et qui cette fois concernent l'orientation politique même de *Parti Pris* : sa thèse d'appui tactique.

Cette thèse de l'appui tactique repose sur l'analyse suivante : la victoire libérale de 1960 a marqué l'arrivée au pouvoir d'une « nouvelle bourgeoisie » constituée des industriels, des entrepreneurs, etc. Cette bourgeoisie a détrôné l'ancienne bourgeoisie dominante, faite des notables et des professionnels, cléricale et réactionnaire, dont le règne s'est perpétué jusque sous le régime Duplessis. Dans son mouvement, la nouvelle bourgeoisie est amenée à réaliser diverses réformes de structures, afin d'affirmer sa « souveraineté » de classe. En cela même, elle est toutefois freinée par la structure fédérale canadienne qui place les principaux leviers de pouvoir à Ottawa. Contradiction certes, mais qui n'entraîne pas moins la nouvelle bourgeoisie à revendiquer la conquête de l'État du Québec, à marcher vers « l'indépendance comme vers son destin ». Le mouvement nationaliste qui à cette époque réapparaît sous sa forme radicale, le séparatisme, fournit aux nouveaux bourgeois libéraux l'idée par excellence dont ils ont besoin.

En revanche, les travailleurs, « les classes populaires » n'ont pas vraiment amorcé leur mouvement propre. Ils sont « obnubilés par un confort relatif », mais surtout, toute possibilité de conscience de classe est bloquée chez eux du fait de l'aliénation coloniale dont ils sont victimes. Cette aliénation détermine en effet une « conscience nationale » (conscience d'être exploités en tant que Canadiens français et non d'abord en tant que travailleurs face au capital) et cette conscience voile, réduit la véritable conscience de classe.

Ce n'est qu'une fois levée l'hypothèque de l'aliénation coloniale que les travailleurs pourront s'engager vraiment dans une lutte de classe contre la bourgeoisie nationale. En attendant, déclare le manifeste 64-65, «nous sommes malgré nous les alliés objectifs de la bourgeoisie nationale quant à cette première phase de la lutte; et nous nous devons de la soutenir et de la pousser de l'avant dans son entreprise réformiste... La lutte contre la bourgeoisie nationale ne pourra commencer vraiment que lorsque cette bourgeoisie aura elle-même acquis la souveraineté de l'État dans lequel elle s'incarne, nous battre contre elle à l'heure actuelle ce serait attaquer le pantin sans voir la main qui l'agite; l'indépendance, victoire contre l'impérialisme colonial, est un préalable à la révolution socialiste chez nous»[2].

Pierre Vallières, Charles Gagnon et leurs collaborateurs reprochent aux rédacteurs de *Parti Pris* de croire qu'il sera plus facile de supplanter la bourgeoisie nationale canadienne-française après sécession, ce qui est un aveuglement dangereux qui risque de mener à l'isolement et à l'asphyxie des groupes progressistes au Québec.

La question est posée mais la réponse n'est pas donnée. Les intérêts de la classe ouvrière font-ils de la sécession une étape essentielle ? La sécession doit-elle être expliquée comme une étape dans le renforcement des positions ouvrières face à la bourgeoisie ?

La critique de *Révolution québécoise* est néanmoins importante puisqu'elle ouvre le débat sur la position défendue par *Parti Pris*. Deux thèses commencent à s'affronter qui ne cesseront de se clarifier mais en même temps de se distancer, jusqu'en 1968.

*Parti Pris* publie en septembre 1965 un deuxième manifeste. Ce manifeste est l'oeuvre de militants qui durant les mois précédents se sont regroupés autour de la revue pour créer le Mouvement de libération populaire (MLP). Une analyse plus poussée des rapports de classes amène les membres du MLP et de la revue (qui devient l'organe du Mouvement) à proposer des perspectives stratégiques et tactiques entièrement différentes.

Quelles sont-elles ?

Bien qu'elle a marqué la prise en mains de l'État par une nouvelle fraction de la bourgeoisie québécoise, la révolution tranquille amorcée en 1960 ne constitue en rien la première étape d'un mouvement vers la création d'une bourgeoisie nationale face au capital américain.

Le manifeste 1965-1966 note que la bourgeoisie québécoise n'est pas de taille à s'imposer face au géant qu'est le capital américain et canadien. Une fois installée au pouvoir et après avoir réalisé des réformes qui vont dans le sens d'un timide capitalisme d'État («néo-capitalisme»), cette bourgeoisie a stoppé le mouvement. Ce fut le deuxième moment de la révolution tranquille.

Ce deuxième moment a été caractérisé par deux phénomènes complémentaires. D'un côté la bourgeoisie qui cherche à consolider son pouvoir et bloque les réformes, de l'autre le mécontentement et les revendications populaires qui vont sans cesse croissant. Ces deux phénomènes sont riches d'enseignements : ils montrent d'une

---

2    «Manifeste 1964-1965», *Parti Pris*, v. 2, no 1 (sept. 1964), p. 10 et 14.

part que la bourgeoisie n'est pas le moteur de la libération nationale; ils montrent d'autre part que seules « les classes travailleuses » sont engagées vraiment dans cette libération parce qu'elles seules ont un intérêt fondamental à rompre toute forme d'oppression.

Au fur et à mesure que les revendications des travailleurs monteront, le régime, lui, se durcira. La seule issue à un tel affrontement réside dans le remplacement du pouvoir bourgeois impérialiste et colonialiste par le pouvoir des travailleurs. Le chemin qui doit mener à l'instauration de ce pouvoir nouveau, déclare le manifeste, c'est celui d'une « révolution nationale démocratique accomplie sous l'impulsion des classes travailleuses ». Révolution nationale : d'abord parce que la lutte des travailleurs québécois pour leur émancipation est par un de ses aspects essentiels, une lutte de libération nationale. Nationale aussi parce que la révolution québécoise indissolublement liée à la lutte internationale contre l'impérialisme, devra, pour réussir assumer toutes les particularités de la situation québécoise.

Révolution démocratique, en ce sens que, contrairement à la démocratie bourgeoise formelle, le nouveau pouvoir devra être celui des travailleurs contrôlant directement leurs activités à tous les niveaux. Révolution accomplie sous l'impulsion des classes travailleuses et non pas uniquement par elles: le manifeste entend signifier par là que les travailleurs ne sont pas seuls engagés dans tous les aspects de la lutte dont ils ont l'initiative. En tant que moteurs d'une lutte révolutionnaire unique, c'est eux qui se verront appuyés temporairement par d'autres classes. Dès lors, l'indépendance ne peut plus être une étape préalable.

Par quel moyen, quel instrument les travailleurs peuvent-ils développer leur lutte contre la bourgeoisie et prétendre remplacer son pouvoir par le leur? Par « le Parti révolutionnaire». Le manifeste fonde la nécessité du Parti sur le fait que devant la bourgeoisie organisée et centralisée dans l'Etat, les forces des travailleurs doivent elles aussi être « organisées, structurées, unifiées ».

Le Parti, dont il est ici question, c'est le Parti ouvrier révolutionnaire dont *Parti Pris* reporte la construction proprement dite après le regroupement de l'avant-garde révolutionnaire elle-même. Entre-temps le MLP se voir donc confier comme tâche fondamentale de regrouper et de former les militants d'avant-garde en vue de la création du Parti.

L'analyse et la critique rigoureuses de ces éléments du manifeste nous paraissent extrêmement importantes, mais nous ne pouvons les entreprendre ici. Nous nous en tenons à ce qui nous paraît être l'apport essentiel du manifeste par rapport à l'évolution du mouvement socialiste : cet apport est double, comme nous venons de le voir : 1) le rejet de la thèse de l'appui tactique à la bourgeoisie et la définition d'une lutte révolutionnaire menée sous l'impulsion des travailleurs ; 2) la reconnaissance de la nécessité du Parti comme instrument de lutte et de prise du pouvoir par les travailleurs et la direction entre ce parti et l'avant-garde révolutionnaire qu'il faut d'abord regrouper.

### 3. *La fusion MLP-PSQ* (*mars 1966*)

L'adhésion du MLP au PSQ s'explique donc par le fait que ce parti, en face des partis bourgeois, est le seul qui apparaît pouvoir jouer ce rôle de parti des travailleurs québécois. L'avant-garde va se constituer à l'intérieur d'un tel parti et contribuer à son développement.

On constate ici l'évolution qui s'est faite au MLP et à *Parti Pris* par rapport au manifeste 1965-1966. Entre le Parti révolutionnaire à construire et l'avant-garde à regrouper, le Parti des travailleurs devient le mot d'ordre transitoire pour la rupture politique entre les travailleurs et la bourgeoisie.

Au niveau de son appareil dirigeant et de la quasi totalité de ses membres, le PSQ est constitué de vieux militants sociaux-démocrates francophones et de syndicalistes. À travers ces derniers, il a des liens avec les centrales ouvrières. Le PSQ n'est pas indépendantiste : sociaux-démocrates et syndicalistes rejettent cette option. Pourtant, après négociations, le MLP obtient le droit de constituer une tendance au sein du parti, tendance qui pourra s'exprimer librement pour le socialisme et l'indépendance.

Toutefois l'action de la tendance MLP au sein du PSQ s'avère vite difficile. La construction du parti des travailleurs, reconnue comme nécessaire quelques mois plus tôt ne paraît plus être l'élément de référence déterminant : certains militants reprochent aux « vieux » socialistes leur opposition farouche au socialisme-indépendantiste. D'autres sont surtout gênés par le « réformisme » du parti qui ne mène pas vraiment ses tâches d'agitation-propagande, d'éducation politique d'encadrement et de noyautage.

Après six mois d'action et surtout de débats politiques au sein du PSQ, les militants du MLP tirent un bilan d'échec.

4. *L'échec au PSQ et le retour à la thèse de l'indépendance « au plus vite »*

Depuis janvier 1967, les militants de la Ligue socialiste ouvrière ont eux aussi repris leur autonomie. Enfin ceux qui à la revue avaient élaboré et soutenu la thèse de l'appui tactique et de l'indépendance d'abord voient dans l'échec MLP-PSQ la confirmation de la « justesse » de leur position. Ils s'étaient ralliés du bout des lèvres au manifeste 65-66. Ils reviennent en force cette fois défendre une position dont ils ne bougeront plus.

C'est dans un éditorial de *Parti Pris*, intitulé « l'indépendance au plus vite », en janvier-février 67, qu'ils s'expriment à nouveau.

« L'expérience des dernières années et particulièrement celle du passage du MLP au PSQ nous a convaincus du bien fondé de cette position. Il n'y a pas de stratégie commune possible entre des socialistes indépendantistes et des socialistes anti-indépendantistes à l'intérieur d'un même parti... Il ne fait plus de doute pour nous que l'indépendance est une nécessité prioritaire au Québec... Il est en effet impossible que les travailleurs aient une conscience nette de l'opposition des classes tant que la situation coloniale entretient la confusion entre l'exploitation du travail par le capital et la domination des Canadiens anglais sur les Québécois »[3].

Le sens de l'évolution politique des partisans de l'indépendance d'abord apparaît ici clairement. Cette évolution va dans le sens d'une adaptation progressive aux intérêts bourgeois voilés sous l'intérêt national de l'indépendance. Mieux s'organise le nationalisme bourgeois, plus les socialistes vont contribuer à son développement. Ainsi lorsque le RIN cédera la place au Parti québécois, en 1968, les mêmes partisans de l'appui tactique préconiseront l'appui à ce parti.

---

3    Pierre Maheu et Gaétan Tremblay, « L'indépendance au plus vite », *Parti Pris*, v. 4, no 5-6 (janv.-fév. 1967), p. 3.

Il est intéressant de noter toutefois que la majorité d'entre eux seront incapables de soutenir dans la pratique leur position théorique. Après avoir appelé à l'entrée au RIN, ils n'iront pas. Après avoir appelé en faveur du PQ, il ne s'organiseront pas pour y militer. Seul Pierre Maheu prendra des responsabilités au PQ, en 1968-69. Mais il quittera le parti au bout d'un an, refusant de travailler plus longtemps avec des «nationalistes».

Indéfendable en théorie, cette thèse apparaîtra de plus en plus impraticable. Ses partisans vont continuer à défendre leur position dans *Parti Pris* jusqu'à la fin, mais sans plus pouvoir mener quelqu'action. Dans l'impasse complète, ils se réfugieront plus tard soit dans l'inaction soit dans ce qui est tout aussi significatif : «l'action individuelle», «le hippisme», «la révolution culturelle». C'est ce qu'illustrent le mieux aujourd'hui les préoccupations «nouvelles» de Pierre Maheu et Paul Chamberland.

Dans le dernier numéro de *Parti Pris* paru au début de l'été 68, Gilles Dostaler, Luc Racine et Gilles Bourque marquent leur refus irrévocable d'une adhésion au MSA, annoncent leur démission de la revue et justifient leur position en ces termes :

« Les auteurs de cet article refusent de préconiser l'adhésion au MSA, faisant ressortir les intérêts de classe qui le soustendent et la nécessité primordiale de créer un mouvement socialiste qui regrouperait à plus ou moins long terme tous les militants de gauche et qui se livrerait à un travail d'encadrement de la population dans le but de créer un parti des travailleurs.»

« Seuls quelques militants de gauche non organisés pourront demeurer dans le MSA donnant au parti l'allure d'être l'élément le plus progressiste des masses populaires et permettant à la technocratie de se présenter comme le véritable défenseur des intérêts des travailleurs. Ils ne pourront s'y livrer qu'à une lutte de cadres dans laquelle ils seront toujours perdants...»

« ...réalisée dans le contexte du MSA-RIN-RN et donc dans un contexte proimpérialiste, et néo-capitaliste, l'indépendance consiste en une mesure de droite qui provoquera la création d'un état répressif par rapport aux revendications des travailleurs, à cause des concessions qu'il faudra consentir aux Américains »[4].

Se trouvent ici condensés les fondements politiques de la rupture définitive entre deux tendances qui depuis 1960 coexistaient dans la confusion plus ou moins grande à l'intérieur de mêmes structures organiques.

En 1968, le mouvement socialiste a accumulé suffisamment d'expérience pour décrocher de la thèse selon laquelle l'indépendance est au Québec un préalable nécessaire à la lutte classe contre classe. Cela ne veut pas dire que par la suite, la résolution de la question nationale dans une stratégie de lutte de classe ne posera plus de problème. Cela ne veut pas dire non plus que par la suite, comme au moment des élections d'avril 70, et d'octobre 73, les militants socialistes n'iront par travailler au PQ. Ils iront d'ailleurs d'autant mieux qu'ils seront sans organisation et sans programme. Cela veut dire qu'à compter de 1968, le débat fondamental ne portera plus sur la question de savoir si oui ou non la conquête de l'indépendance est un prérequis. Cela veut dire aussi qu'à compter de ce moment, toutes les tentatives de regroupement de militants et tous les débats essentiels seront menés sur la base unique de la constitution d'une avant-garde révolutionnaire pour l'émancipation de la classe ouvrière.

---

4    Gilles Dostaler, Luc Racine, Gilles Bourque, «Pour un mouvement socialiste et indépendantiste, *Parti Pris,* v. 5, no 8-9 (été 1968), p. 30 et 33-34.

Dispersés et laissant, dans la logique de leur thèse, l'initiative à la fraction nationaliste de la bourgeoisie québécoise, les partisans de l'appui tactique ne tenteront plus de se regrouper sur une base autonome. Ils seront objectivement rangés dans le camp du mouvement nationaliste. Le mouvement socialiste, lui, va continuer de se développer dans des groupes autonomes, de façon plus ou moins gauchiste, plus ou moins groupusculaire, mais non sans que le débat progresse en son sein.

*Lectures recommandées*

G. Bourque, *Classes sociales et question nationale au Québec, 1760-1840*, Montréal, Parti Pris, 1970.

G. Bourque et N. Frenette, « La structure nationale québécoise », *Socialisme québécois*, no 21-22 (avril 1971), p. 109-156.

M. Dumais, « Les classes sociales au Québec », *Parti Pris*, v. 3, no 1-2 (août-sept.1965), p. 42-63.

F. Dumont, « La représentation idéologique des classes au Canada français », *Recherches sociographiques*, 6, (1965), p. 9-22.

D.Ethier, J.-M. Piotte, J. Reynolds, *Les travailleurs contre l'État bourgeois*, Montréal, L'Aurore, 1972.

C. Gagnon, *Pour un parti prolétarien*, Montréal, Équipe du Journal en lutte, 1972.

L. Racine, «Histoire et idéologie du mouvement socialiste québécois», *Socialisme québécois*, no 21-22 (avril 1971), p. 50-78.

M. Rioux, «Conscience nationale de classe au Québec», *Cahiers internationaux de sociologie*, 38 (1965), p. 99-108.

M. van Schendel, « Impérialisme et classe ouvrière au Québec », *Socialisme québécois*, no 21-22, (avril 1971), p. 156-209.

*Québec occupé*, Montréal, Parti-Pris, 1971.

# Chapitre 25

# Québec ou l'émergence d'une formule politique alternative

Léon Dion, Université Laval,
Micheline De Sève,
Université Laval

*Léon Dion est professeur au département de science politique de l'Université Laval. Ses principaux intérêts de recherche comprennent les idées et la théorie politique, les forces politiques et l'évolution socio-politique des pays occidentaux. Il a publié* Les groupes et le pouvoir politique aux États-Unis, *Québec, Presses de l'Université Laval, 1965;* Le Bill 60 et la société québécoise, *Montréal, HMH, 1967; et* Société et politique, Tome I: La vie des groupes; Tome II: Fondements de la société libérale; Tome III: Dynamiques de la société libérale, *Québec, Presses de l'Université Laval, 1971-1972.*

*Micheline De Sève est chargée d'enseignement au département de sociologie de l'Université Laval. Elle a dirigé plusieurs recherches au département de science politique de la même université. Elle s'intéresse aux mouvements sociaux, aux groupes populaires et à la théorie du changement social.*

*Leur contribution traite des répercussions du processus de rationalisation des mécanismes directionnels de l'État sur la politisation des activités des collectivités québécoises. Cette politisation s'est manifestée dans le déplacement du foyer d'identité culturelle des Québécois et dans la transmutation de la question nationale québécoise en question sociale. Leur essai fait appel à divers documents gouvernementaux, à des textes politiques ainsi qu'à des études antérieures. Ils utilisent une grille pour classifier les communautés selon leur type de rapport avec le système politique.*

Le Québec est entré dans une phase active de bouleversement social et politique depuis bientôt quinze ans. Une population dont les conditions objectives d'existence avaient évolué sans entraîner de changement correspondant dans sa mentalité s'est vue soudain forcée par ses dirigeants politiques de réaliser l'ampleur de son inadaptation à un milieu de vie résolument urbain et fortement industrialisé et de combler rapidement ce décalage. Même si l'équipe libérale, pendant la campagne électorale de 1960, s'était appuyée sur un programme d'inspiration foncièrement ruraliste et agriculturiste, ce programme manifestait toutefois une volonté nouvelle de moderniser les rouages de fonctionnement de l'État et de saisir l'initiative en matière de politiques de développement économique et social, ce qui devait déclencher un mouvement de réforme dont il est permis de penser qu'il déborda largement ses initiateurs. En effet, le processus de rationalisation des mécanismes directionnels d'un État bureaucratique moderne asséna un véritable choc culturel à la communauté dans son entier. Ces mutations n'allèrent pas sans susciter de fortes tensions ni sans entraîner des conséquences inattendues dont les plus notables furent la résurgence du mouvement nationaliste au Québec et la formation de mouvements populaires de toutes sortes.

Nous nous proposons de retracer brièvement l'historique de ce processus et surtout d'en examiner les répercussions au niveau de la politisation de l'activité des collectivités aussi bien organiques que non organiques dans la société québécoise des années 70. Par collectivités *organiques*, nous entendons désigner ces formations sociales ou politiques reconnues officiellement par le système politique établi et qui entretiennent des rapports avec lui par l'entremise de mécanismes d'interaction institutionnalisés. Par collectivités *non organiques*, nous qualifions plutôt ces formations sociales ou politiques qui opèrent en dehors de toute reconnaissance officielle et qui peuvent être simplement ignorées ou encore réprouvées par les autorités politiques en place selon le nombre de leurs partisans ou la vigueur de leurs méthodes. À l'intérieur de chacun des types, nous introduisons un second critère de classement, celui du degré d'acceptation ou de rejet du système politique établi, ce qui nous amène à partager les collectivités selon quatre types distincts. Le premier comprend les collectivités organiques inconditionnelles ou ces collectivités qui non seulement sont intégrées aux rouages de fonctionnement du système politique établi mais partagent ses valeurs et poursuivent des objectifs compatibles avec les siens. Le second caractérise les collectivités organiques conditionnelles ou ces collectivités également intégrées au système en place et qui acceptent de jouer selon les règles établies mais qui souhaitent transformer radicalement, de l'intérieur, le système actuel et visent par leur action à l'instauration d'un système politique de remplacement. Le troisième rassemble ces collectivités non organiques conditionnelles qui ne bénéficient pas d'une reconnaissance politique officielle mais ne rejettent pas, en principe, l'idée même de leur intégration possible dans des conditions plus favorables aux rouages du système en place ; leur marginalité est en quelque sorte accidentelle et souvent provisoire. Enfin, le quatrième type regroupe les collectivités non organiques inconditionnelles ou ces collectivités qui adhèrent à un système politique de remplacement et, persuadées de l'impossibilité de parvenir à un accord avec le système actuel, refusent d'entretenir des rapports institutionnels avec lui et oeuvrent de l'extérieur à son renversement, qu'elles aient ou non pour cela recours à des procédés illégaux ou à l'usage de la violence. Le tableau 1 exprime graphiquement ces diverses positions adoptées par les collectivités en rapport avec le système politique en place.

Il est à noter que l'établissement de rouages socio-politiques parallèles peut aussi bien provenir de l'incapacité des organisations institutionnalisées de canaliser vers le système politique des aspirations (*demands*) particulières que de la marginalité même des exigences formulées et de l'impossibilité de les satisfaire dans le cadre du système établi[1]. Il est toutefois essentiel de ne pas enfermer l'analyse à l'intérieur du système politique actuel et de la mener plutôt dans le sens du système politique de référence, ce qui laisse place à la perception des formules politiques de remplacement

---

1 Sur ce point, voir Léon Dion et Micheline De Sève, *Cultures politiques au Québec: Document de travail théorique*, Québec, 1972. (miméographié).

## TABLEAU I

### DEGRÉ D'INSTITUTIONNALISATION DES COLLECTIVITÉS

| Type de communautés | Position par rapport au système politique actuel | |
|---|---|---|
| | Inconditionnelle | Conditionnelle |
| organique | 1) intégration consenti | 2) intégration tactique |
| non organique | 4) mise en retrait volontaire | 3) mise en retrait subie |

et rompt l'assimilation fréquente entre déviance et irrationalité ou entre marginalité et incohérence des besoins exprimés.

Dans le but de mieux comprendre le climat d'agitation sociale qui règne au Québec depuis quelques années — et dont la dernière manifestation importante remonte à l'emprisonnement pour un an des chefs de trois grandes centrales ouvrières, la Confédération des syndicats nationaux, la Fédération des travailleurs du Québec et la Centrale de l'enseignement du Québec, dans la première semaine de février 1973 — nous tenterons de démêler les rapports complexes qu'entretiennent les collectivités organiques ou non organiques entre elles et avec l'État, et plus spécifiquement de comprendre comment même des collectivités organiques peuvent être amenées à renoncer à leur statut d'interlocuteur privilégié des agents politiques en place pour affirmer leur volonté de « casser le système » et s'instituer les porteurs d'un mouvement politique radical destiné à substituer au système actuel un système de remplacement[2].

La montée de la contestation et l'émergence de mouvements spontanés de protestation ne sont pas un phénomène propre au Québec. Au cours des années 50, la formule polyarchique, qui consacre l'adhésion des individus et des groupes à la règle de la majorité et suppose que, pour l'ensemble des enjeux politiques, il n'existe ni majorité ni minorité permanentes, semblait en voie de s'implanter dans bon nombre de sociétés libérales[3]. Mais la négation de conflits irréductibles et l'affirmation de la capacité d'harmoniser les intérêts de toutes les composantes sociales d'une communauté traduisaient l'insensibilité aux aspirations des couches sociales les plus défavorisées et illustraient l'absence de mécanismes permettant d'acheminer vers les instances compétentes des demandes non orthodoxes ou simplement « dysfonctionnelles ». L'expression de « fin des idéologies », forgée durant cette décade, masquait la croissance des formidables tensions qui menèrent à l'éclatement de la révolte contre des inégalités sociales tenaces dans des sociétés aussi avancées et apparemment protégées contre ces débordements « propres » aux sociétés « sous-développées » que les États-Unis, la France, la Grande-Bretagne ou le Canada.

Au Québec, le phénomène est d'autant plus intéressant à étudier qu'il présente des dimensions plus complexes, combinant la difficulté d'assurer le fonctionnement adéquat des mécanismes d'interaction entre le système social et le système politique (partis politiques, groupes d'intérêt, média de communication et conseils consultatifs) en régime libéral, à celles résultant d'une transformation soudaine des mentalités et

---

2    Témoin le retrait de la CEQ de tous les comités consultatifs auprès de divers organismes gouvernementaux sur lesquels elle siégeait jusqu'en 1972.

3    Au Québec toutefois, le respect des formes de la démocratie polyarchique s'associait au maintien d'une mentalité traditionnelle (qui s'exprimait par un paternalisme bienveillant à l'endroit des citoyens soumis aux autorités en place) et autoritaire (alliant sanctions juridiques et condamnations morales à l'endroit des insoumis).

d'une réévaluation par une population de son identification aussi bien sociale que politique.

En effet, aux tensions créées par la prise de conscience de l'incapacité d'un régime libéral de type *Welfare State* de résoudre des clivages sociaux récurrents, comme la paupérisation relative de larges couches de la société, s'ajoutait la révision d'une idéologie nationaliste séculaire et la redéfinition de sa communauté politique de référence par une population amenée à se saisir en tant que société globale et non plus comme partie intégrante d'une communauté plus large. C'est ainsi qu'à côté d'une « nation » canadienne-française sans identité autre que culturelle émergea un second support d'identification nationale — politique cette fois — celui de « l'État » québécois. Deux grandes questions guideront notre investigation : en premier lieu, nous nous interrogerons sur l'origine et la signification de ce déplacement du foyer d'identité culturelle des Québécois ; en second lieu, nous chercherons à expliquer comment la question nationale tend maintenant à déboucher sur la question sociale ; ou comment les préoccupations majeures d'une fraction imposante des partisans du mouvement en faveur de la souveraineté politique du Québec ont pu glisser d'une valorisation de l'indépendance comme finalité ultime à une évaluation stratégique de celle-ci comme une étape à franchir, d'une simple modalité d'action autorisant le passage d'un régime à un autre et non plus seulement d'un système politique à un autre.

Nous découperons la période étudiée en trois phases : une première phase (1960-1965) où l'État devient le promoteur du développement économique et social et incarne la volonté de modernisation des institutions politiques et sociales ; une seconde phase (1965-1970) où commencent à se manifester les tensions entre des groupes sociaux formulant des exigences contradictoires et où le système politique tente de revenir à un rôle plus passif d'arbitre plutôt que d'initiateur du changement ; enfin une dernière phase (1970-1973) où se dessine l'émergence de mouvements sociaux nettement polarisés et de plus en plus hostiles au système et même au régime politique sous sa forme actuelle. Ce découpage ne peut que cloisonner arbitrairement l'évolution historique réelle ; aussi serions-nous malvenus de nier l'existence d'inévitables chevauchements entre ces périodes.

## 1. *1960-1965 : la « révolution tranquille »*

Le bouleversement rapide de ses institutions que connut le Québec au début des années 60 ne provint pas d'une mutation brusque de son environnement social et économique. L'explication en est plutôt à rechercher du côté de la sensibilisation des dirigeants politiques et d'une part croissante de l'électorat aux besoins nouveaux créés par la nécessité de s'adapter aux conditions de gestion d'une économie moderne. Il s'agissait de l'enregistrement d'un état de fait : le déplacement de la population vers les villes ayant accentué les répercussions d'une industrialisation du système économique, commencée pendant les années 30 et dont la prédominance devait s'affirmer après la seconde guerre mondiale. Le gonflement des effectifs urbains, en particulier dans la région montréalaise, facilita l'éclatement des cadres culturels de la société traditionnelle devenus trop étroits pour contenir les aspirations à la modernité des classes montantes. En effet, bien avant 1960, de nouvelles élites, ayant reçu une formation universitaire en sciences humaines et diffusant leur pensée par l'intermédiaire de nouveaux média électroniques avaient commencé de battre en brèche l'ordre établi. L'accession au pouvoir du Parti libéral sous la direction de Jean Lesage et de son « équipe du tonnerre » en juin 1960 leur permettrait de mettre en pratique leurs idées concernant l'accroissement des responsabilités de l'État, son intervention directe dans des secteurs clés de l'économie et de la culture, et la rationalisation de la gestion administrative.

La constitution d'un État fort, appuyé sur une professionnalisation de la fonction publique et l'adhésion à l'idéologie du *Welfare State* répondait aux besoins de concertation et de contrôle des rouages d'une société libérale avancée. C'est ainsi que le système politique assuma un rôle moteur par rapport à l'évolution du système social. Qu'il suffise ici de mentionner quelques événements marquants comme la nationalisation de l'électricité en 1962 ; la création en 1963 — dans le cadre d'une entente fédérale provinciale — du Bureau d'aménagement de l'Est du Québec, première tentative de planification au niveau de développement régional ; la création d'un ministère de l'Éducation en 1964 pour remplacer l'ancien Département de l'Instruction publique placé sous tutelle ecclésiastique et unifier l'administration d'un secteur qui en 1961 relevait de treize services administratifs différents ; l'institution d'une série de corporations économiques publiques : Caisse de dépôts, Société générale de financement, et plus tard, SOQUEM, SOQUIP, REXFOR, SOGEFOR, etc. ; et enfin la mise en application de programmes d'allocations sociales fondés sur des critères impersonnels d'attribution, ce qui eut pour effet de les soustraire à l'attribution par favoritisme partisan, jusque là une voie royale de redistribution des biens et services gouvernementaux.

Il est remarquable que, pendant cette phase euphorique de la révolution tranquille, le gouvernement, loin d'être à la remorque des demandes habituellement transmises par les collectivités organiques qui assument le rôle de mécanismes d'acheminement des *input* du système social vers le système politique, les prévint habilement. Il prit l'initiative d'élaborer des politiques destinées à satisfaire les besoins de la population tels qu'il les évaluait dans sa propre analyse de la situation ; ses politiques ne s'inspiraient plus du contenu des seules aspirations médiatisées par les agents sociaux officiellement investis de cette fonction de représentation et d'expression des volontés populaires. Ce dynamisme sans précédent du système politique québécois allait en fin de compte ébranler les fondements mêmes de l'ordre social. Et ceci de multiples façons. Ainsi, il romprait les anciennes digues protectrices comme en font foi l'insondable crise religieuse que traverse aujourd'hui le Québec, associée à la diminution progressive de l'influence politique des notables et à l'effondrement des assises électorales d'un conservatisme appuyé par une majorité de comtés ruraux. De plus, il faudrait recenser les difficultés créées par les effets non intentionnels de l'utilisation sur une large échelle de techniques d'animation sociale et la mobilisation de nouvelles catégories d'agents sociaux. Enfin, il faudrait tenir compte de l'effet de résonnance de l'affrontement pour le partage des pouvoirs entre le gouvernement fédéral et le gouvernement provincial.

En effet, très tôt « l'État québécois » devait se heurter aux sérieuses difficultés créées par le partage des juridictions et le dédoublement des fonctions entre les deux paliers de gouvernement fédéral et provincial. Et ce, d'autant plus que le gouvernement canadien avait envahi des champs de compétence provinciale au moment de la guerre 1939-45 et assumé une fonction de suppléance en l'absence de politiques économiques et sociales concertées sous le régime Duplessis. Plusieurs ne tardèrent pas à dresser un bilan négatif des conflits de juridiction opposant l'une et l'autre administration gouvernementale, ce qui facilita la résurgence du mouvement nationaliste. Ce dernier fut ranimé par l'Alliance laurentienne d'abord, à la fin des années cinquante, et par la fondation ensuite, en septembre 1960, du Rassemblement pour l'indépendance nationale (RIN) par une poignée d'ex-fonctionnaires fédéraux, quelques professionnels et des intellectuels déçus de leur expérience personnelle de contact avec des milieux anglophones[4].

---

4    Sur ce point, voir l'article de Gilles Dostaler, «Le RIN, un parti de gauche?», *Parti Pris*, v. 4, no 5-6 (1967), p. 17-32.

Les premières manifestations de terrorisme du *Front de libération du Québec* (F.L.Q.) en juin 1963 furent une tentative désespérée de quelques dissidents des mouvements séparatistes officiels pour éveiller une population fort indifférente dans l'ensemble à son état d'assujettissement politique et économique que les leaders nationalistes assimilaient avec un statut de «colonie»[5]. Des bombes furent déposées dans des boîtes aux lettres de la ville de Westmount et certaines explosèrent. Cette manifestation de romantisme révolutionnaire qui coûta la vie d'un homme et causa la mutilation d'un autre indigna plus qu'elle ne convainquit mais, si elle échoua totalement à mobiliser la masse du peuple, elle réussit à forcer l'émergence du séparatisme comme enjeu politique. Dès ce moment, la question du statut du Québec dans la confédération canadienne ne cesserait d'être au centre des préoccupations des leaders politiques et sociaux et des citoyens les plus politisés.

## 2. *1965-1970 : la réapparition du nationalisme et l'émergence de nouvelles forces sociales*

Apparemment, la transition d'un système politique libéral de type laissez-faire, fortement marqué par l'attachement à des schèmes culturels traditionnels, à un système de type *Welfare State* s'était réalisée aisément. Et ce, d'autant plus qu'elle permettait de résoudre les tensions provoquées par le maintien artificiel de mécanismes politiques convenant à la régulation d'une société préindustrialisée à une société depuis longtemps entrée dans l'ère industrielle, et même à certains égards post industrielle. Cependant, l'investissement soudain du personnel politique dans son rôle de définisseur des valeurs collectives de la communauté eut pour effet de plonger dans le désarroi les élites cléricales et les notables jusque là étroitement associés pour assumer cette fonction de légitimation symbolique de toute activité aussi bien politique qu'économique ou culturelle. Ceci provoqua un état d'anomie dans les milieux conservateurs qui ne tardèrent pas à réagir contre un «gigantisme politique» qu'ils ressentaient comme une menace directe à leur intégrité culturelle[6]. La flambée de popularité du mouvement créditiste au Québec aux élections fédérales de 1962 et le retour au pouvoir de l'Union nationale sous Daniel Johnson en 1966 peuvent s'interpréter en fonction de ce contexte de résistance au changement[7].

La bataille menée autour du bill 60 et de l'institution d'un ministère de l'Éducation en 1964 fut le dernier grand moment de l'effort d'affirmation politique du gouvernement libéral. Dès 1965, «l'équipe du tonnerre» se voyait débordée par les exigences croissantes de gestion d'une administration de plus en plus lourde; déjà «l'opération 55», entreprise par le ministère de l'Éducation Paul-Gérin Lajoie, visant à démocratiser l'enseignement public au secondaire relevait moins du législatif que d'une opération essentiellement administrative. Il s'agissait dorénavant d'assurer la réalisation concrète du programme de rénovation plus que d'inventer de nouveaux projets. Les technocrates prenaient la suite des législateurs. Ils tenteraient de rétablir les circuits normaux — au sens sociologique du terme — d'interaction entre le système social et politique en multipliant commissions consultatives et conseils spécialisés auprès des principaux services ministériels.

---

5    Une étude récente du nationalisme québécois fonde cette évaluation normative sur une argumentation scientifique: Henry Milner and Sheilagh Hodgins Milner, *The Decolonization of Quebec,* Toronto, McClelland et Stewart, 1973.

6    L'histoire d'un des épisodes les plus significatifs de ce combat d'arrière-garde est retracée dans Léon Dion, *Le Bill 60 et la société québécoise,* Montréal, HMH, 1967.

7    Sur ce thème, voir Vincent Lemieux, «Les dimensions sociologiques du vote créditiste au Québec», *Recherches sociographiques,* 6 (1965), p. 181-195; Maurice Pinard, *The Rise of a Third Party: A Study in Crisis Politics,* Toronto, Prentice-Hall, 1971; et Michael B. Stein, *The Dynamics of Right-Wing Protest: Political Analysis of Social Credit in Québec,* Toronto, University of Toronto Press, 1973.

Puisqu'il s'agit moins pour nous de comprendre l'évolution des rapports entre le gouvernement et les collectivités organiques comme telles, que de discerner l'émergence d'une voie politique alternative, nous nous efforcerons plutôt ci-après d'expliquer la montée des groupes populaires au Québec et le foisonnement des collectivités non organiques après 1965. Car, au moment même où, par suite de son attitude résolument progressiste, le gouvernement libéral achevait de s'aliéner des collectivités organiques soucieuses de maintenir leurs privilèges, commençait à se faire entendre la voix des déshérités et surgissaient dans les quartiers populaires des grandes villes des comités de citoyens décidés à revendiquer leur droit au travail, leur droit à l'éducation, leur droit au logement, etc. À titre d'indication, qu'il suffise de mentionner qu'entre 1960 et 1968-69, le nombre de cas d'assistance sociale était passé de 27,000 à 121,000[8]. Il ne faudrait pas inférer de cette augmentation un appauvrissement brusque d'un nombre croissant de citoyens; l'accroissement provient plutôt de la volonté de l'État d'assumer la charge des laissés pour compte de la société.

Deux facteurs peuvent être tenus pour responsables de cet éveil à un mode de participation politique active des citoyens jusque là enclins à déléguer à d'autres le soin de défendre leurs intérêts ou qui, surtout, honteux de leur identité sociale spécifique, s'étaient murés dans leur isolement ou dans leur impuissance. Il faut rechercher la première raison de l'irruption sur la scène politique de cette nouvelle catégorie d'agents sociaux dans la mutation culturelle corollaire à l'effondrement des cadres de la société traditionnelle. La misère n'était plus associée à la fatalité mais dénoncée comme une injustice et la preuve de la faillite du régime à réduire les inégalités sociales. Le fameux appel à la «résignation chrétienne», cette arme ultra-puissante qu'utilisèrent le clergé et les élites laïques pour maintenir la docilité de tant de générations de Québécois, avait perdu sa force.

Ce changement de mentalité dépassa le stade des attitudes pour atteindre celui des comportements par suite de l'introduction d'un second facteur: celui de l'intervention d'animateurs spécialement entraînés et formés pour éveiller à la participation des classes de citoyens jusque là passives ou indifférentes. Ces spécialistes des sciences sociales, en plein essor depuis le début de la décennie, étaient chargés de faciliter l'acceptation par la population des mesures politiques progressistes. Leur rôle consistant à amener des gens d'un même milieu à définir eux-mêmes leur situation et à élaborer collectivement des solutions à leurs problèmes, transmises ensuite pour examen aux experts et aux fonctionnaires du gouvernement ou à des échelons supérieurs du processus de consultation.

Cette méthode fut d'abord utilisée par les experts du Bureau d'Aménagement de l'Est du Québec (BAEQ) qui s'en servirent dès 1963 comme technique de consultation pour connaître les besoins réels de la population avant d'élaborer leur Plan de développement régional. Prenant la suite, d'autres organismes comme le Plan de réaménagement social et urbain (P.R.S.U.), organisme de recherche et d'animation sociale, et le Conseil des oeuvres agissant l'un et l'autre dans le cadre du Montréal métropolitain; la Compagnie des jeunes Canadiens et l'Action Sociale Jeunesse, dont les «volontaires» étaient dispersés dans plusieurs villes, ne tardèrent pas à emprunter cette technique et, à compter de 1965, engagèrent leurs propres animateurs pour diffuser ce mode d'intervention sociale.

Mais dès lors, leur action de conscientisation des aspirations des classes populaires prenait un sens différent:

---

8    Selon les chiffres mentionnés par Jean-Claude Leclerc, «Les milieux populaires de Montréal ont-ils un avenir politique», dans *Le Québec qui se fait,* Montréal, HMH, 1971, p. 239-244.

«It was no longer a question of a context of planning or of regional development, but of an attempt to find an answer to the disorganization that prevails among the working-class in the large urban centers.»[9]

Les citoyens eux-mêmes reprenaient cette technique à leur compte et, échappant au contrôle d'animateurs payés par l'État, engageaient leurs propres coordonnateurs et apprenaient à s'exprimer par leurs propres moyens. Négligeant d'emprunter des canaux institutionnalisés, ils créaient leurs propres structures organisationnelles, parallèlement au réseau des groupes d'intérêt et des structures établies.

Ce mouvement naissant trouva un support additionnel ou même provoqua un réalignement correspondant chez les principales centrales syndicales ouvrières. L'ouverture d'un deuxième front de lutte sur la consommation par la Confédération des syndicats nationaux (CSN) en 1968 vint témoigner de cet éveil à des préoccupations sociales plus larges d'unions ouvrières jusque-là attachées à une conception plus proche du syndicalisme d'affaires que du syndicalisme de contrôle. Mais il serait faux de parler dès ce moment de radicalisation du mouvement ouvrier. Il s'agissait bien plutôt de ce que des spécialistes de la sociologie du travail ont qualifié très justement de « politisation apolitique », « c'est-à-dire un sentiment croissant des composantes politiques et économiques des problèmes sociaux, associé à la volonté de rester indépendant du jeu des forces politiques, des partis et des doctrines idéologiques »[10].

La création d'Associations coopératives d'économie familiale (ACEF) vouées à l'éducation et à la défense des intérêts des consommateurs provenait de cette même sensibilisation aux problèmes posés par l'endettement des familles et la difficulté de gérer son budget dans une société moderne. En effet, l'attrait des biens de consommation d'utilité secondaire et l'augmentation du coût de la vie en général livraient aux compagnies de finance des chefs de famille endettés de façon chronique, et ce, aussi bien dans les nouvelles classes moyennes que dans les milieux défavorisés.

Entre 1963 et 1968, les comités de citoyens, associations de locataires, associations de parents des quartiers défavorisés, se multiplièrent à Montréal, Québec, Hull, Joliette, St-Jérome, etc. Le 19 mai 1968, des militants d'une vingtaine de ces comités se réunissaient dans une école du quartier St-Henri, à Montréal, pour discuter de leurs problèmes communs et compter leurs rangs. Ils restaient opposés à la constitution d'une organisation structurée qui puisse les chapeauter mais se proposaient d'entretenir dorénavant des relations plus suivies. Leur but était de développer un réseau de solidarité entre « citoyens de seconde zone » ; ils parlaient de politiser leur action mais demeuraient jaloux de leur autonomie, conquise de trop fraîche date pour être si tôt abandonnée.

Mais ces collectivités, pour être non organiques, n'en étaient pas pour autant hostiles au système politique établi. Elles se classaient nettement comme non organiques conditionnelles, leur projet relevant d'une intention plus réformiste que radicale. Ce qu'elles réclamaient, c'était d'être introduites de plein pied au nombre des mécanismes d'interaction du système social et du système politique et d'être reconnues au même titre que les autres interlocuteurs du gouvernement. Il s'agissait d'un mouvement de revendication en faveur des citoyens les plus démunis et non pas d'un mouvement visant à renverser le régime. Cependant, ces luttes locales, essentiellement

---

9   Michel Blondin, «Animation sociale» dans James A. Draper, (ed.), *Citizen Participation: Canada,* Toronto, New Press, 1971, p. 165.

10   Alain Touraine, Bernard Mottez, «Classe ouvrière et société globale», dans G. Friedmann et P. Naville, *Traité de sociologie du travail,* Paris, Colin, 1964, 2, p. 263.

défensives débouchèrent sur un projet politique collectif, celui de s'emparer du pouvoir municipal à Montréal ou, à tout le moins, d'élire des échevins en provenance des milieux défavorisés. Ce fut l'origine du FRAP (Front d'action politique des salariés de Montréal), parti politique soutenu par les centrales syndicales ouvrières, de plus en plus préoccupées d'assumer la défense des non syndiqués comme celle de leur propres membres.

Fondée en 1970 après un an de délibérations et de préparation, cette collectivité organique conditionnelle s'appuyait sur quelques comités d'action politique (CAP) déjà existant et se donnait pour tâche de multiplier ces éléments d'un réseau de formations politiques oeuvrant au niveau de chaque quartier populaire en collaboration étroite avec les divers comités de citoyens et autres groupes populaires. L'objectif était de transformer le système de l'intérieur en changeant la qualité des représentants municipaux plutôt qu'en bouleversant les règles du jeu elles-mêmes. Pour ce, ses partisans se proposaient d'utiliser des modes d'action intégratifs comme la présentation de candidats aux élections et ne pensaient recourir qu'exceptionnellement à des modes plus divisifs, comme des occupations de locaux, mais en évitant d'user de moyens violents[11]. De fait, si certaines manifestations tournèrent mal, ce fut plus souvent dû à la propension des policiers à utiliser leurs matraques en réponse à des provocations « verbales »... ou à la promptitude des autorités en place à associer toute manifestation de violence à l'intervention du FRAP lors même que celui-ci était parfaitement étranger à leur éclatement.

Pendant cette période, une poignée de terroristes du Front de libération du Québec (F.L.Q.) réussirent à faire peser une menace endémique sur le système politique. Malgré leur petit nombre, ces apprentis révolutionnaires créèrent un état de méfiance généralisé et désignèrent à la vindicte des citoyens alarmés les «gauchistes» de toute condition. Indépendamment du F.L.Q. divers mouvement contribuaient à entretenir ce climat générateur de violence. Sans poser des bombes, mais en utilisant largement « l'appel à la bombe » pour affoler la direction et supprimer les cours pendant la fouille des édifices, des étudiants des CEGEP et des universités, révoltés par la bureaucratisation de l'enseignement et leur ravalement au rang de numéros matricules, firent grève, occupèrent les locaux de l'administration, brûlèrent des dossiers académiques, saccagèrent du matériel, allant à Sir George Williams University jusqu'à détruire un ordinateur. Ce mouvement de protestation anarchique, qui connut son apogée en octobre 68, s'inspira largement des flambées de spontanéisme étudiant qui déclenchèrent la crise de mai 68 en France et secouèrent Berkeley comme maints autres campus américains ou européens la même année.

D'autres citoyens en colère des villages de l'arrière-pays gaspésien, que des experts de l'ODEQ (Office d'aménagement de l'Est du Québec) avaient décidé de rayer de la carte pour les relocaliser ailleurs, protestèrent et menacèrent d'avoir également recours à la violence. Ceci donna naissance aux Opérations-Dignité et au mouvement en faveur de la construction d'une usine populaire, une cartonnerie, à Cabano. Les regroupements spontanés, souvent confondus avec les comités de citoyens des quartiers populaires des grandes villes, en diffèrent en ce qu'ils défendent la cohésion de leur milieu social traditionnel et le droit de préserver leur identité culturelle en restant dans leurs villages plus qu'une volonté de participer de façon permanente au processus de prise de décision. Les citoyens des Opérations-Dignité et de Cabano cherchent moins à se substituer aux collectivités organiques existantes

---

11    Sont dits intégratifs les modes d'action conformes aux normes régissant le système politique établi et qui ont pour effet immédiat de renforcer sa stabilité; sont dits divisifs les modes d'action qui contreviennent à ces normes et ont pour effet immédiat de bouleverser l'ordre établi; voir Léon Dion et Micheline De Sève, *op. cit.,* p. 304.

qu'à forcer l'attention des autorités politiques et à obtenir satisfaction à leurs demandes. Le recours à des modes d'action divisifs est alors le dernier moyen utilisé après une série de démarches infructueuses auprès d'agences administratives ou de collectivités organiques sourdes à leurs réclamations. Et il faut dire que jusqu'ici, le blocage des routes, les marches sur la capitale provinciale, ou les ultimatums de citoyens en colère se sont avérés des moyens fort efficaces pour débloquer les rouages de la machine administrative ou forcer l'attribution de subventions gouvernementales. Le cas de la cartonnerie de Cabano est un exemple de ce type de «négociations» entre le gouvernement et une population sans force électorale ou sans moyens financiers mais qui n'hésite pas à contester la légitimité du système établi par le recours à la violence ou plus fréquemment à la menace d'utiliser la violence pour obtenir le redressement d'une situation d'injustice sociale.

Pourtant le mouvement dont nous venons de dessiner l'émergence, l'activité de ces groupes sociaux porteurs de nouvelles exigences politiques, s'il forçait épisodiquement l'attention des autorités en place ne constituait nullement leur sujet majeur d'inquiétude. C'est la question nationale et non pas la question sociale qui émerge comme un enjeu dominant pendant cette période et cette fois, non pas à la frange du système politique mais en son centre même. Assailli de demandes contradictoires, confronté à un problème chronique de chômage et pressé d'accélérer la croissance du développement de l'économie québécoise, le gouvernement de l'Union nationale de Daniel Johnson qui, contre toute attente, supplanta le gouvernement libéral aux élections de juin 1966, fut amené à son tour à privilégier le modèle de gestion bureaucratique comme instrument de direction politique. Les technocrates attaqués avec virulence par les unionistes pendant leur campagne électorale furent maintenus en poste et purent continuer de promouvoir une politique de rationalisation de l'administration à tous les niveaux et la pleine occupation par le gouvernement provincial de son champ de juridiction. La volonté du Québec de nouer des liens avec la France et les autres pays francophones et d'élaborer en quelque sorte sa propre politique internationale poserait cependant un problème particulièrement aigu, la culture comme les relations extérieures relevant du fédéral mais l'éducation relevant du provincial et le gouvernement québécois s'affirmant comme champion de la francophonie et refusant de céder l'initiative à Ottawa dans ce domaine.

La jonction de l'autonomisme provincial d'un parti conservateur jusque là opposé à toute politique d'intervention directe de l'État dans le secteur de l'entreprise privée et d'une affirmation des responsabilités de l'État en matière de contrôle et d'orientation du développement économique et social de la communauté devaient former un mélange explosif de ce point de vue, durcissant la position du Québec dans ses relations avec Ottawa. Le nationalisme et le progressisme social trouveraient à se nourrir l'un de l'autre. Le premier devait apporter au second le support symbolique qui lui manquait pour gagner l'adhésion des masses; ce dernier lui fournirait les outils de réalisation de ses projets.

Déjà aux élections de 1966, le RIN avait obtenu 7.3% des voix. Le nouveau premier ministre, Daniel Johnson, reconnut là un potentiel de support récupérable pour son gouvernement. La visite du président de Gaulle en juillet 1967 fut organisée avec un soin extrême. Et le célèbre «Vive le Québec libre» prononcé par le général du haut du balcon de l'Hôtel de ville de Montréal à la fin de sa promenade triomphale sur le «chemin du Roy» consacra le succès de Johnson pour reprendre l'intiative en matière de politique culturelle et passer de la défensive à l'offensive. Déplaçant le débat des difficultés économiques et sociales occasionnées par le passage brusque à la modernité, vers la promotion de la francophonie, il lui devenait loisible de se retrancher derrière l'incompréhension du gouvernement fédéral pour expliquer certains échecs de sa politique de développement. Inversant l'ordre des priorités entre le culturel et l'économique, il créa ainsi un effet de diversion. De plus, il sut utiliser avec les aspirations natiolistes comme une arme dans ses négociations avec le fédéral en faveur d'une révision de la Constitution et l'obtention d'un statut particulier pour le Québec. À prime abord, ce n'est donc pas surtout aux collectivités non organiques qu'il faut attribuer la montée du nationalisme au Québec entre 1965 et 1970 mais bien aux dirigeants politiques eux-mêmes. C'est Daniel Johnson qui lança la formule «Égalité ou Indépendance»; il légitima de la sorte l'expression de l'aspiration à la souveraineté politique du Québec, en la cautionnant de son autorité.

Le parti libéral provincial rejeté dans l'opposition n'était pas non plus exempt des tensions amenées par des positions divergentes face à l'option à prendre au sujet de la répartition des pouvoirs entre les deux instances de gouvernement. La querelle entre l'aile nationaliste et l'aile fédéraliste du parti finit par provoquer une scission interne et la fondation par René Lévesque du MSA (Mouvement Souveraineté-Association) en 1967, devenu le Parti québécois (PQ) l'année suivante [12]. Dès 1968 donc, il existait une collectivité organique conditionnelle, un parti politique représenté au Parlement par un député, ex-ministre des Richesses naturelles dans le cabinet libéral de Jean Lesage. Cette formation politique se proposait de substituer à la Confédération canadienne actuelle un autre système, basé sur un nouveau mode d'interrelations entre le gouvernement canadien et le gouvernement d'un Québec souverain.

La mort subite de Daniel Johnson en 1968 entraîna une nouvelle transformation brusque de la situation politique. Son successeur, Jean-Jacques Bertrand, poursuivit une politique relativement agressive quant à l'affirmation de la compétence du gouvernement provincial face à Ottawa mais ne put conserver la confiance des «nationalistes» dans la capacité de son gouvernement de protéger leurs intérêts. Il échoua en particulier à régler le problème particulièrement explosif du statut de la langue française au Québec et contribua ainsi, directement, à accélérer la progression du Parti québécois.

À l'automne 1969, il déposait un projet de loi (le bill 63) «pour promouvoir l'usage du français au Québec» [13]. Ce bill ne prévoyait que de vagues mesures incitatives pour amener les immigrants à envoyer leurs enfants aux écoles françaises plutôt qu'aux écoles de la minorité anglophone, comme ils avaient pris l'habitude de le faire dans des proportions toujours croissantes, allant jusqu'à plus de 90 pour cent pour certains groupes ethniques. De plus, il prétendait transformer en droits ce qui, jusque là, ne constituait que des privilèges accordés à la minorité anglophone. Ce projet suscita une énorme vague de protestation parmi les étudiants, les professeurs et les intellectuels en général qui rejetaient la «protection dérisoire» d'un bill qui favorisait les transferts linguistiques vers l'anglais et non le contraire. Cependant, malgré l'ampleur de la campagne de presse menée contre ce projet et de nombreuses manifestations, dont l'une rassembla plus de 35,000 personnes en face du Parlement de Québec, l'Assemblée nationale sauf cinq députés, constituant ce qui fut appelé «l'opposition circonstantielle» refusa de céder aux pressions populaires. C'est alors que les manifestants et les protestataires indignés commencèrent à soutenir qu'en pareilles circonstances la «véritable» légitimité politique se trouvait sur la place publique et non au parlement et que les députés «trahissaient la nation» en refusant de protéger

---

12    Un député libéral, François Aquin, devint le premier député «indépendantiste» à siéger en chambre dès après la visite du général de Gaulle dont son parti avait condamné la déclaration «intempestive», François Aquin se retira de la politique l'année suivante.

13    Un bill de même nature avait été déposé l'année précédente mais avait dû être retiré par suite des débats qu'il avait provoqués en commission parlementaire et de l'hostilité de l'opinion publique.

son patrimoine. Bien qu'élus démocratiquement, ils ne «représentaient» plus la volonté du peuple «réel». Le projet de loi fut finalement adopté sous une forme légèrement amendée[14], ce qui acheva de convaincre une fraction considérable des opposants extra-parlementaires de l'inutilité de s'adresser aux agences de contrôle politique institutionnalisées pour défendre «les intérêts de la majorité francophone». C'est ainsi que le *Front du Québec français,* qui avait débuté comme un rassemblement non organique conditionnel temporaire, fut amené par la force des choses (c'est-à-dire par la volonté du gouvernement et des députés) à s'organiser sur des bases permanentes et donna naissance au *Mouvement Québec Français,* dont certaines sections montréalaises ne sont pas sans abriter des tendances plus radicales et peuvent même être classées comme non organiques inconditionnelles.

Bref, à la fin des années soixante, se dessinaient deux tendances à l'intérieur du mouvement progressiste en voie de formation. D'une part, émergeait une tendance «socialisante»[15], nettement réformiste, appuyée en majeure partie sur des collectivités non organiques conditionnelles, partisanes de l'utilisation de modes d'action surtout intégratifs. D'autre part, se développait une tendance «nationaliste» partagée entre des éléments organiques conditionnels (rassemblés autour du Parti québécois ou constituant une aile minoritaire à l'intérieur des autres partis politiques et de maintes collectivités organiques inconditionnelles) et une fraction plus radicale composée d'éléments non organiques inconditionnels, partisane de l'utilisation de modes d'action divisifs et prévoyant, au besoin, le recours au terrorisme pour renverser le rapport de forces entre francophones et anglophones québécois au profit de la «majorité» francophone.

### 3. *1970-1973: la crise d'octobre et le réalignement des éléments progressistes*

Octobre 70 ne saurait s'apprécier pleinement sans un retour sur les élections générales provinciales d'avril 70 où le Parti québécois, qui aurait dû, selon des critères de représentativité, composer l'opposition officielle avec 23.7% des voix, n'obtint que sept sièges sur cent huit. Une carte électorale désavantageuse, un mode de scrutin uninominal à un tour et une distribution non-uniforme des voix indépendantistes à travers la Province plutôt que la concentration de ses gains dans quelques comtés expliquaient cet écart démesuré. Ce décalage n'en fut pas moins ressenti comme une injustice criante spécialement par les jeunes militants bénévoles qui, forts de leur enthousiasme et peu rompus aux manoeuvres des organisateurs des vieux partis, avaient cru la victoire proche[16]. La désillusion fut amère et accrut le nombre des sympathisants du Front de libération du Québec (F.L.Q.) lesquels fondèrent leur démonstration à l'appui de l'utilisation de la violence la «leçon» de cet échec de la tendance électoraliste du mouvement nationaliste. Témoin ce passage du manifeste F.L.Q. publié pendant la crise d'octobre:

> Nous avons cru un moment qu'il valait la peine de canaliser nos énergies, nos impatiences, comme le dit si bien René Lévesque, dans le Parti québécois, mais la victoire libérale montre bien que ce qu'on appelle démocratie au Québec n'est en fait et depuis toujours que la «democracy» des riches[17].

---

14    *Loi pour promouvoir la langue française au Québec,* L.Q., 1969, ch. 9.

15    Ce néologisme fut forgé pour éviter aux promoteurs de mesures favorisant l'amélioration du statut des classes les plus défavorisées dans la société d'être forcés de s'étiqueter comme sociaux-démocrates, socialistes ou marxistes-léninistes.

16    Le «coup de la Brinks» reste l'exemple classique des tactiques démagogiques employées pour effrayer l'électorat et discréditer le P.Q. par le chantage à la fuite des capitaux étrangers. Quelques jours avant l'élection, une caravane de voitures blindées quittèrent ostensiblement Montréal pour transférer en Ontario les «valeurs menacées par la montée du séparatisme». La «piastre de l'indépendance» fut une autre trouvaille de cette campagne...

17    Selon le texte du manifeste reproduit dans *le Devoir* du 13 octobre 1970.

L'enlèvement du diplomate britannique James Cross le 5 octobre par la cellule «Libération» suivi de l'enlèvement et de l'assassinat dans des circonstances demeurées obscures du ministre Pierre Laporte, avaient pour but, selon leurs responsables, de dévoiler la faiblesse du régime et de dresser le «peuple québécois» contre ses «oppresseurs». De fait, le texte du manifeste, dont la lecture sur les ondes de Radio-Canada fut l'une des seules exigences auxquelles obtempéra le gouvernement canadien pour des «motifs humanitaires évidents», reçut un accueil sympathique du public. Certes, tous ou presque désapprouvaient les méthodes employées par les terroristes mais, ne prenant pas vraiment leurs menaces au sérieux, plusieurs ne pouvaient s'empêcher de reconnaître la justesse de leurs critiques sociales. Leurs dénonciations d'injustices sociales concrètes et le ton direct du manifeste contrastaient singulièrement avec les analyses globalistes et hautement intellectuelles auxquelles la «gauche extrémiste» avait habitué les lecteurs de *Parti pris* et autres revues québécoises de gauche:

> Oui, écrivaient les auteurs du manifeste, il y en a des raisons pour que vous, M. Tremblay de la rue Panet, et vous, M. Cloutier qui travaillez dans la construction à St-Jérôme, vous ne puissiez vous payer des «vaisseaux d'or» avec de la belle zizique et tout le fling flang comme l'a fait Drapeau l'aristocrate, celui qui se préoccupe tellement des taudis qu'il a fait placer des panneaux de couleurs devant ceux-ci pour ne pas que les riches touristes voient notre misère.

Le texte s'achevait sur un appel à la grève et à la mobilisation générale des travailleurs à la lutte armée:

> Faites vous-mêmes votre révolution dans vos quartiers, dans vos milieux de travail. (...) Il nous faut lutter, non plus un à un mais en s'unissant, jusqu'à la victoire avec tous les moyens que l'on possède comme l'ont fait les Patriotes de 1837-1838...

Mais si les objectifs d'égalité individuelle et collective et de justice sociale prônés par le F.L.Q. rencontraient les préoccupations des éléments les plus progressistes de la société et si la violence de leur langage concordait avec l'analyse de la situation proposée par les comités d'action politique et la majorité des groupes populaires, cela ne signifiait pas pour autant qu'il existât des liens organisationnels et des relations immédiates entre les uns et les autres. Les autorités politiques réagirent pourtant comme s'il en était ainsi et n'hésitèrent pas à confondre dans un même amalgame le Parti québécois, le FRAP, les comités d'action politique, les comités de citoyens et même les animateurs sociaux à l'emploi de l'ODEQ (Office de développement de l'Est du Québec) ou d'autres agences gouvernementales ou paragouvernementales[18]. Constatant un «état d'insurrection appréhendée» le gouvernement canadien ressuscita la «Loi des mesures de guerre»[19] pour l'appliquer à la seule province de Québec; l'armée fut appelée à protéger les édifices publics et la police fit irruption aux petites heures du matin pour arrêter, chez eux, sans mandat, des gens hébétés et dont la seule expérience de semblable situation se limitait à la lecture de récits datant de la seconde guerre mondiale. Alors qu'une vingtaine de terroristes au plus étaient impliqués, à Montréal, dans l'enlèvement et la séquestration de MM. Cross et Laporte, une vague

---

18    La campagne municipale du maire Drapeau battait alors son plein et secondé en ceci par des dénonciations non équivoques de ministres fédéraux francophones, il dénonça ses adversaires du FRAP comme des membres déguisés du F.L.Q. Plusieurs des candidats du nouveau parti municipal furent d'ailleurs arrêtés et détenus sous la «Loi des mesures de guerre».

19    *Loi ayant pour objet de conférer certains pouvoirs au gouverneur en conseil dans le cas de guerre, d'invasion ou d'insurrection*, S.R.C. 1970, ch. W-2.

de perquisitions sans précédent et près de cinq cent arrestations frappèrent les milieux de gauche dans toute la province.

Le choc fut brutal et, d'une certaine façon, salutaire pour la gauche québécoise naissante, lui indiquant la voie du «réalisme politique». Le langage et l'action se rejoignaient soudain, la répression s'incarnait dans la vision de ces soldats et de ces policiers qui quadrillaient les rues de Montréal et de Québec, fouillaient les voitures à l'entrée et à la sortie du pont d'une petite ville comme Rimouski, ou faisaient irruption dans les résidences privées, lisaient à voix haute les «lettres d'amour» ou pillaient les bibliothèques des «communistes»... La peur et la réaction de culpabilité collective provoquées par l'assassinat de celui que le premier ministre qualifiait d'homme politique typiquement québécois et combien dévoué au progrès de sa communauté amenèrent d'abord la désorganisation des forces progressistes et un «backlash» des forces conservatrices[20]. Le FRAP, en particulier, connut un échec retentissant, le maire Jean Drapeau recueillant plus de 90% des voix exprimées lors des élections municipales de Montréal et son Parti civique remportant la quasi-totalité des sièges[21].

Du point de vue des forces de l'ordre, les événements d'octobre éclaircirent les rangs de la «gauche», démobilisant ses effectifs et lui faisant perdre, dans l'immédiat, nombre de ses sympathisants éventuels. La répression fut efficace, illustrant clairement l'inutilité, dans le contexte politique du Québec, du recours à la violence et étranglant, provisoirement du moins, le F.L.Q. Cependant, l'absence de discernement d'une action répressive qui frappa aussi bien les partisans de mesures politiques réformistes que la fraction proprement extrémiste du mouvement indépendantiste eut d'autres conséquences plus menaçantes à long terme pour le système comme pour le régime établi. D'une part, elle souda en une même opposition au gouvernement Bourassa la majorité des militants de tendance «socialisante» et de tendance «nationaliste»; attaquant l'ensemble des progressistes, automatiquement soupçonnés de sympathies «felquistes», et délaissant d'inquiéter les milieux nationalistes de droite, les autorités politiques elles-mêmes forcèrent les promoteurs de la question sociale à se reconnaître solidaires du Parti québécois[22]. D'autre part, elle amena maintes collectivités non organiques ou organiques conditionnelles ainsi renseignées sur les chances de succès de l'option sociale réformiste à repenser leur stratégie en fonction de l'élaboration d'une véritable formule politique de remplacement.

Depuis la crise d'octobre, la polarisation des forces sociales n'a cessé de s'affirmer. Dans la phase précédente, le néo-nationalisme en particulier caractérisait une attitude plus diffuse, répandue dans l'ensemble des collectivités aussi bien organiques que non organiques. Mais depuis 1971, une seule collectivité organique conditionnelle, le Parti québécois, assume l'option indépendantiste. L'Union nationale qui, sous Daniel Johnson, l'envisageait comme mesure de dernier recours, la rejette

---

20   Extrait du texte de la déclaration du premier ministre Robert Bourassa, *Le Devoir,* 13 octobre 1970. Trois ans plus tard, le ministre de la Justice, Jérôme Choquette, devait révéler en réponse à une question du député péquiste Robert Burns, qu'au moment de faire cette déclaration, le premier ministre était informé par des rapports de police des forts soupçons de collusion avec la pègre qui pesaient sur Pierre Laporte, en rapport avec l'alimentation de la caisse électorale du Parti libéral et l'organisation de la campagne d'avril 70.

21   Deux sièges sur cinquante-deux allèrent à des échevins indépendants. Aucun candidat du FRAP ne fut élu.

22   L'un des principaux défenseurs du F.L.Q., Pierre Vallières, écrivait fin décembre 71: «Une division au plan politique entre un parti prétendant «coiffer» ce «front» dit social et le Parti québécois qu'on a trop tendance à réduire à un «front» purement «national» ou nationaliste, constituerait en réalité une division à l'intérieur d'une même lutte de masse, compromettrait les chances de succès de cette lutte et renforcerait en définitive le régime en place.» *Le Devoir,* 13 décembre 1971.

maintenant. Le Parti québécois ne canalise pas pour autant tous les votes des indépendantistes puisqu'il joint à cette option le choix d'un programme de tendance social-démocrate. Ce second axe de polarisation suffit à lui aliéner le support des nationalistes les plus conservateurs mais l'identifie comme la formation la plus à gauche sur l'échiquier politique actuel. C'est ainsi que ce parti incarne maintenant non seulement l'option indépendantiste mais également l'option progressiste et qu'en absence d'un «parti des travailleurs», cela lui a permis de se rallier l'appui, au moins tactique, des groupes populaires les plus radicaux.

Pour une minorité de socialistes, comme Robert Burns, député péquiste, il ne s'agit là d'ailleurs que «de faire un« boutte »de chemin avec le P.Q. »[23] dans l'espoir d'amener ensuite le parti à radicaliser son option et à privilégier les intérêts de classe des salariés québécois. Cependant, pour le moment du moins, la polarisation ne joue pas entre marxistes-léninistes et sociaux-démocrates mais bien entre des éléments plus nationalistes et des éléments plus « socialisants » et les porte-parole de l'une et de l'autre aile du parti proviennent dans leur quasi-totalité de la classe moyenne supérieure : fontionnaires, écrivains et artistes, enseignants ou membres des professions libérales.

Toutefois la politisation croissante des principales centrales syndicales ouvrières risque d'introduire un élément nouveau dans le décor politique d'ici quelques années. En effet, des conflits violents ont opposé le mouvement ouvrier et les autorités politiques depuis deux ans. Le 29 octobre 1971, une manifestation populaire organisée pour protester contre le lock-out de *La Presse* («Le principal quotidien français d'Amérique») se terminait par une répression sauvage, la police de Montréal chargeant une foule de 10,000 personnes coïncée dans un entonnoir. En mai 72, la grève légale des 210,000 employés des services publics et parapublics dite du Front commun, puisqu'elle impliquait des syndiqués des trois centrales ouvrières, s'acheva sur une loi de l'Assemblée nationale après l'émission de plusieurs injonctions que ne respectèrent pas les grévistes[24]. Ce bris de la légalité valut aux trois leaders des centrales d'être emprisonnés en même temps que plusieurs permanents syndicaux et de fortes amendes furent prononcées contre les militants qui avaient refusé de se soumettre aux injonctions des tribunaux. Par suite de la dureté et du caractère contestataire de ce conflit, le mouvement ouvrier s'est aliéné maints citoyens respectueux des lois ou choqués de la suppression des services essentiels en particulier dans les hôpitaux pendant la grève. La division sur le choix des méthodes et l'orientation politique de ces conflits du travail a même entraîné une scission à l'intérieur de la Confédération des syndicats nationaux (C.S.N.) et la création d'une nouvelle centrale, la Centrale des syndicats démocratiques (C.S.D.), fidèle à la conception traditionnelle du syndicalisme d'affaires.

Les principales centrales ouvrières n'en ont pas moins poursuivi leur démarche vers un «syndicalisme de combat» et il est déjà loisible de distinguer l'amorce d'une prise de conscience de classe à l'intérieur des rangs de la Centrale de l'enseignement du Québec (C.E.Q.) et de la Fédération des travailleurs du Québec (F.T.Q.) comme de la Confédération des syndicats nationaux (C.S.N.), la centrale la plus combative. Jusqu'à présent, ces collectivités sont demeurées organiques. Elles n'ont pas encore développé de modalités d'action susceptibles de traduire leur nouvelle analyse idéologique de la situation en interventions politiques efficaces. Mais l'hostilité du pouvoir établi à leur endroit les a poussées d'une acceptation inconditionnelle du régime actuel à une attitude plus mitigée, indubitablement conditionnelle. Traditionnellement, ces unions de travailleurs bornaient leurs revendications politiques aux

---

23    *Québec-Presse,* 14 octobre 1973.
24    *Loi assurant la reprise des services dans le secteur public,* L.Q. 1972, ch. 7 et *Loi modifiant la Loi assurant la reprise des services dans le secteur public,* L.Q. 1972, ch. 8.

seuls aspects touchant leur secteur d'activités immédiat; leur intérêt pour la politique est maintenant devenu global et elles se déclarent en attente d'une formule alternative de gouvernement.

Mais c'est au niveau des groupes populaires, particulièrement dans la région montréalaise, que la crise d'octobre a soulevé les remous les plus significatifs du point de vue de la formation d'un mouvement proprement révolutionnaire. Car elle a discrédité du même coup les terroristes et les réformistes. D'un côté, l'hostilité de l'opinion publique a clairement démontré que les felquistes atteignaient une fin contraire à celle qu'ils se proposaient d'atteindre et que, dans les circontances actuelles, toute manifestation de terrorisme ne pouvait plus être le fait que d'illuminés ou, plus probablement, résulter d'une provocation policière. De l'autre, l'échec du FRAP a marqué pour plusieurs la fermeture de la voie réformiste comme modalité de changement des institutions sociales et politiques.

Par suite de cette réévaluation, les collectivités non organiques conditionnelles sont devenues inconditionnelles et ont développé une nouvelle stratégie d'action visant à long terme la création d'un parti de gauche prolétarien. Renonçant à constituer immédiatement ce parti de masse, les militants des comités d'action politique et des groupes les plus progressistes ont décidé de s'implanter dans les usines, en milieux de travail ou dans les organisations de quartier, pour créer les bases de « l'organisation politique des travailleurs ». Ils ont assumé systématiquement la mise sur pied de services collectifs comme la formation d'avocats populaires, l'ouverture de garderies ou de comptoirs alimentaires et se sont donné pour but de transformer les luttes défensives des assistés sociaux ou des citoyens les plus démunis en luttes politiques visant à dénoncer le régime et à préparer la constitution d'une « organisation politique autonome des travailleurs ». Si numériquement insignifiantes et fragmentaires qu'elles soient, ces collectivités non organiques inconditionnelles forment maintenant l'embryon d'un mouvement socialiste marxiste. Premièrement, elles utilisent un même cadre d'analyse idéologique de la situation, celui fourni par l'application de la théorie marxiste-léniniste à l'étude des problèmes sociaux-politiques. Deuxièmement, elles réalisent la jonction des « petits-bourgeois progressistes », animateurs sociaux, intellectuels ou permanents ouvriers autrefois isolés et de représentants des milieux défavorisés au sein des mêmes organisations. Troisièmement, même si elles respectent les formes de la légalité, ce qui les place relativement à l'abri des poursuites policières, leur interprétation débouche sur une praxis : elles se sont engagés dans un projet concret d'élaboration d'une société obéissant à d'autres valeurs, d'inspiration socialiste. Enfin, elles comptent des appuis non négligeables au sein d'un bon nombre de syndicats locaux de travailleurs et réçoivent un accueil sympathique auprès des centrales elles-mêmes. Cependant, jusqu'à présent, elles n'ont pas réussi à surmonter la méfiance des ouvriers envers les « communistes », recrutent dans le lumpen-prolétariat et les classes moyennes intermédiaires plus que dans le prolétariat au sens propre et ne sont pas exemptes des difficultés posées par une direction trop exclusivement petite-bourgeoise et la tentation omniprésente du gauchisme, cette « maladie infantile du communisme » pour reprendre l'expression fameuse de Lénine.

Cette tendance proprement révolutionnaire, ce début de polarisation au sein même de la gauche naissante, ne constitue donc pas pour le moment une force politique considérable. Par contre, la tendance social-démocrate qui a recueilli 30% des suffrages aux élections du 29 octobre 1973 est en progression constante[25]. Le Parti québécois, par sa prudence et même ses réticences à épouser la cause du mouvement ouvrier pour l'instant jugé trop radical, est parvenu à se dissocier des tendances

---

25    Ceci représente un gain de 7% des voix par rapport aux élections d'octobre 1970.

qualifiées d'extrémistes et s'affiche nettement comme le parti de la classe moyenne et des «petits-bourgeois progressistes». Prenant la relève de la révolution tranquille, il propose «l'indépendance tranquille» comme instrument de rationalisation du développement économique et social de la communauté québécoise et apparaît ainsi comme une formation de centre-gauche dont la crédibilité s'appuie sur la qualité de l'équipe politique qu'il aligne, composée d'anciens hauts fonctionnaires du gouvernement ou d'ex-députés transfuges de l'Union nationale ou du Parti libéral. De plus en plus d'intellectuels se rallient à sa cause; les prises de position officielles en sa faveur lors de la dernière campagne électorale de revues aussi prestigieuses que *Relations* et *Maintenant* l'ont manifesté clairement[26].

Ainsi, trois ans à peine après la crise d'octobre, l'option souverainiste s'affirme comme une alternative viable, mais sa proximité même a effrayé la majorité de l'électorat aux dernières élections. La clarté des options en présence a provoqué l'abandon des tiers partis et, satisfaits d'une administration gouvernementale efficace, les électeurs ont voté massivement en faveur du parti gouvernemental. Avec un mode de scrutin majoritaire uninominal à un tour, cette réaction s'est traduite par un véritable raz-de-marée libéral. Le parti de M. Bourassa, avec 54% des voix, a remporté la quasi-totalité des sièges, soit cent deux sur cent dix[27]. L'ampleur même de cette victoire la rend gênante puisqu'elle fausse les mécanismes de représentation dans un régime qui se veut démocratique. L'opposition se réduit à six députés péquistes et deux députés créditistes, ces derniers ne bénéficiant même plus du statut de représentants d'un parti d'opposition reconnu. Les conséquences de ce déséquilibre risquent fort d'encourager l'expression de formes d'opposition extra-parlementaires et de durcir les affrontements entre un gouvernement conscient de s'appuyer sur la majorité absolue des électeurs et des protestataires frustrés de canaux réguliers d'expression de leurs réclamations.. Ce climat ne peut que favoriser l'émergence de mouvements populaires regroupant des citoyens actifs et politisés mais incapables de défendre victorieusement leurs positions à l'Assemblée nationale.

Certes la dernière victoire du Parti libéral du Québec a été écrasante, mais elle repose sur des bases fragiles puisque nous nous retrouvons, du moins jusqu'à la prochaine élection, en système bi-partiste et, qu'en pareil cas, le retour du balancier est toujours à craindre pour le parti au pouvoir. Il est permis de penser que toute baisse de popularité du gouvernement actuel se traduira par des gains correspondants pour l'opposition officielle[28]. Le renversement du parti au pouvoir n'en impliquerait pas moins l'adhésion à un système politique de remplacement. Dans ces conditions, la victoire du Parti québécois ne serait pas le résultat d'une flambée de nationalisme appuyée sur une analyse émotive du statut de minoritaires des francophones au sein de la confédération canadienne mais proviendrait plus d'une évaluation positive de son programme, dictée par des préoccupations aussi bien culturelles qu'économiques ou sociales. C'est pour améliorer leurs conditions de vie et accroître la maîtrise de leur

---

26    Voir le no 129 d'octobre 1973 de *Maintenant* et le no 386 d'octobre 1973 de *Relations*.

27    L'Union nationale a été effacée de la carte, n'obtenant que 5% des voix et perdant les dix-sept sièges qu'elle détenait avant l'élection. Le Parti créditiste de même, contrairement à la percée attendue, n'a pu faire élire que deux députés avec 11% des voix.

28    Après le «fédéralisme rentable», le gouvernement Bourassa poursuit maintenant «l'indépendance culturelle», une formule bizarre qui a de quoi laisser les observateurs perplexes sur ses chances d'avenir.

système politique sur leur évolution économique que les Québécois choisiront éventuellement de se rallier en majorité au Parti québécois[29].

Paradoxalement, l'indépendance aura des chances accrues de se réaliser si la question sociale déplace la question nationale dans l'ordre des priorités de l'électorat[30]. Elle se produirait alors comme une condition préalable au changement du régime ou comme le corollaire de la prise du pouvoir par le parti politique qui véhicule présentement les tendances progressistes à l'intérieur de la communauté et s'avère également être celui qui prône un nouveau mode d'association avec le Canada. Advenant l'élection du P.Q. et l'achoppement de ses négociations avec le gouvernement canadien au sujet du réaménagement des rapports entre les deux paliers de gouvernement, l'indépendance politique s'imposerait comme l'unique voie encore offerte pour transformer le système actuel et la condition première d'un changement plus radical du régime lui-même.

29    Dans son *Premier budget d'un Québec indépendant,* Montréal, Parti Québécois 1973, p. 50, le P.Q. présente l'indépendance comme une mesure destinée à favoriser le développement économique du Québec: «Si nous voulons vraiment nous développer plus rapidement, nous devons prendre les moyens pour rapatrier les pouvoirs qui nous échappent. Ce n'est que lorsque ces pouvoirs seront concentrés à Québec que nous pourrons penser à poursuivre le genre de politique de croissance économique qui est esquissée dans le présent budget». C'est sur ce terrain que se discute l'indépendance beaucoup plus que sur le plan symbolique de la dignité ou de la fierté nationales.

30    Dans *La prochaine révolution,* Montréal, Leméac, 1973, Léon Dion a soulevé une autre hypothèse quant aux possibilités pour le Québec d'accéder à son indépendance et qu'on ne peut écarter du revers de la main. Nous croyons plausible qu'advenant une crise grave dans les relations fédérales-provinciales sur des questions jugées essentielles, un parti au pouvoir, devenu las de se heurter à un mur d'incompréhension face au gouvernement fédéral et aux autres provinces, annonce son intention de séparer le Québec du reste du pays, déclenche des élections sur cette question et soit reporté au pouvoir par l'électorat. En 1967-68, à la suite de la visite du Président de Gaulle au Québec, le premier ministre Daniel Johnson avait pour un temps songé à prendre pareille décision.

*Lectures recommandées*

L. Dion, « La prochaine révolution », dans *La prochaine révolution*, Montréal, Leméac, 1974, p.320-56.

J. Grand'maison, *Le privé et le public*, Montréal, H.M.H., 1975.

————, *Stratégies sociales et nouvelles idéologies*, Montréal, H.M.H., 1970.

————, *Vers un nouveau pouvoir*, Montréal, H.M.H., 1969.

M. Rioux, *et al.*, *Aliénation dans la vie quotidienne des Montréalais*, Montréal, Presses de l'Université de Montréal, 1973, 2 v.

G. Rocher, « Un nouveau réservoir de contestation », dans C. Ryan éd., *Le Québec qui se fait*, Montréal, H.M.H., 1971, p. 41-49.

Achevé d'imprimer le 31 août 1979
par les travailleurs des ateliers Marquis Limitée
de Montmagny